KB166162

한국주역대전 11

귀매괘 · 풍괘 · 려괘 · 손괘 · 태괘 · 환괘

이 저서는 2012년 대한민국 교육부와 한국학중앙연구원(한국학진흥사업단)의 한국학분야 토대연구지원사업의 지원을 받아 수행된 연구임(AKS-2012-EAZ-2101)

11

한국주역대전

한국주역대전 편찬실

귀매괘 · 풍괘 · 려괘 · 손괘 · 태괘 · 환괘

學古房

한국주역대전을 펴내며

2012년 9월 첫 작업을 시작한 '『한국주역대전』편찬 · 표점 · 번역 · 주해 · 해제'라는 방대한 사업이 이제 출판의 결실을 보게 되었다. 지난 수 십 년간 유교경학과 한국학의 급속한 성장에도 불구하고 한국역학은 여전히 불모의 상태를 벗어나기 어려웠다. 개별 연구들이 적지 않게 축적되어 왔고, 이에 고무되어 한국역학사를 공동으로라도 엮어보자는 호기로운 시도가 없었던 것은 아니지만, 그것이 아직 시기상조라는 자각과 함께 무산되곤 하였다. 한국역학 원전자료는 한국경학자료 가운데 단연 방대한 양을 자랑한다. 반면 전문연구자는 턱없이 부족하다. 사정이 이러하니 한국역학이 우뚝 서기까지는 아직 갈 길이 멀기만 하다. 이러한 정황 속에서 『한국주역대전』의 출간은 매우 기쁜 일이 아닐 수 없다.

이번에 출간되는 『한국주역대전』은 한국학자의 역학관련 자료 가운데 주요한 것을 가려 뽑아 『주역전의대전』 체제에 맞추어 집해(集解)형식으로 편찬한 것이다. 『주역전의대전』은 중국은 물론 조선시대 역학사상 형성에 무엇보다 영향력이 큰 문헌이라 할 수 있다. 이번 『한국주역대전』은 먼저 『주역전의대전』을 소주까지 모두 번역하여, 주역에 대한 중국학자들의 이해와 한국학자들의 해석을 비교해 볼 수 있도록 하였다. 편찬 체재는 경문－정전－본의－중국대전－한국대전으로 구성하였다. 편찬과 표점, 그리고 번역을 동반한 『한국주역대전』을 통해 한국학자들의 『주역전의대전』에 대한 깊은 이해 및 새로운 해석의 지평을 볼 수 있을 것이다. 또한 한국학자들의 저작을 시대별로 배열하였으므로 그 흐름을 일목요연하게 파악할 수 있을 것이다.

이번 『한국주역대전』을 편찬하면서 연구기간은 짧고 작업은 방대하여 아쉬운 점이 한 둘이 아니었다. 제한된 연구기간으로 인해 연구 범위를 제한할 수밖에 없었으며, 따라서 작자 미상의 자료, 연대 미상의 자료, 『주역전의대전』과 유사하여 별다른 특징을 볼 수 없는 자료는 편찬 범위에 포함시키지 않았다. 또한 다산의 『주역사전』처럼 중요한 자료일지라도 별도로 번역되어 시중에 유통되고 있는 책은 자료에 포함시키지 않았다. 특히 상수학 관련 자료들에 대한 번역은 앞으로 더 정치한 번역이 필요할 것이라고 생각되며, 그에 대한 별도의 연구도 필요할 것이다. 그럼에도 불구하고 이번 『한국주역대전』의 출간은 한국역학연구의 획기적인 토대를 제공하여, 많은 후속연구를 가능하게 하리라는 기대로 그 아쉬움을 상쇄하고자 한다.

이와 같이 방대한 토대사업은 실상 국가적 지원이 아니고서는 실행되기 어렵다. 이 사업의 지원을 결정해 주신 한국학중앙연구원과 한국학진흥사업단에 감사드린다. 그리고 제한된 연구기간의 압박 속에 과도한 업무를 사명감으로 감당해 준 연구진들의 노고에 고마운 마음을 전한다.

오늘날과 같은 출판시장의 현실에서 『한국주역대전』과 같은 방대한 분량의 책을 간행해 줄 출판사를 찾는다는 것은 결코 쉽지 않은 일이다. 모든 어려움에도 불구하고 조금의 망설임도 없이 흔쾌하게 이 책의 출판을 결정해 주신 도서출판 학고방의 하운근 사장님께 깊은 감사를 드린다.

2017년 1월

한국주역대전편찬 연구책임자
성균관대학교 유학대학 교수/한국주자학회 · 율곡학회 회장
최 영 진

목차

54

귀매괘

歸妹卦䷵

中國大全

傳

歸妹, 序卦漸者進也, 進必有所歸, 故受之以歸妹. 進則必有所至, 故漸有歸義, 歸妹所以繼漸也. 歸妹者, 女之歸也, 妹, 少女之稱. 爲卦, 震上兌下, 以少女從長男也. 男動而女說, 又以說而動, 皆男說女女從男之義. 卦有男女配合之義者四, 咸恒漸歸妹也. 咸, 男女之相感也, 男下女, 二氣感應, 止而說, 男女之情相感之象. 恒, 常也, 男上女下, 巽順而動, 陰陽皆相應, 是男女居室夫婦唱隨之常道. 漸, 女歸之得其正也, 男下女而各得正位, 止靜而巽順, 其進有漸, 男女配合, 得其道也. 歸妹, 女之嫁歸也, 男上女下, 女從男也而有說少之義. 以說而動, 動以說, 則不得其正矣, 故位皆不當. 初與上, 雖當陰陽之位, 而陽在下, 陰在上, 亦不當位也, 與漸正相對. 咸恒, 夫婦之道, 漸歸妹, 女歸之義. 咸與歸妹, 男女之情也, 咸, 止而說, 歸妹, 動於說, 皆以說也. 恒與漸, 夫婦之義也. 恒, 巽而動, 漸, 止而巽, 皆以巽順也, 男女之道夫婦之義, 備於是矣. 歸妹, 爲卦澤上有雷, 雷震而澤動, 從之象也, 物之隨動, 莫如水. 男動於上而女從之, 嫁歸從男之象, 震, 長男, 兌, 少女, 少女從長男, 以說而動, 動而相說也. 人之所說者少女, 故云妹, 爲女歸之象, 又有長男說少女之義, 故爲歸妹也.

귀매괘는 「서괘전」에서 "점괘(漸卦)는 나아감이니, 나아가면 반드시 돌아옴이 있기 때문에 귀매괘로 받았다"고 했다. 나아가면 반드시 이르는 곳이 있기 때문에 점괘에는 돌아가는 뜻이 있으니, 귀매괘가 점괘 뒤에 있는 이유이다. '귀매(歸妹)'는 여자가 시집을 간다는 뜻이며 '매(妹)'는 막내딸의 칭호이다. 괘는 진괘(震卦☳)가 위에 있고 태괘(兌卦☱)가 밑에 있으니, 막내딸이 큰아들을 따르기 때문이다. 남자가 움직이고 여자가 기뻐하며 또 기뻐함으로 움직이니, 이 모두는 남자가 여자를 기뻐하며 여자가 남자를 따르는 뜻이 된다. 괘 중에 남녀가 짝하는 뜻이 포함된 괘는 넷이니 함괘(咸卦䷞)·항괘(恒卦)·점괘·귀매괘이다. 함괘는 남녀가 서로 감응함이니 남자가 여자에게 낮춰서 두 기운이 감응하며 그치고 기뻐하니 남녀의 정이 서로 감응하는 상이다. 항괘는 떳떳함을 뜻하니 남자가 위에 있고 여자가 아래에 있으며 공손하게 따르고 움직여서 음양이 모두 서로 감응하니 남녀가 모두 집에 머물며 남편이 선창하고 부인이 따르는 일상적인 도리에 해당한다. 점괘는 여자가 시집을 감에 올바름을 얻은 것을 뜻하니 남자가 여자에게 낮추고 각각 올바른 자리를 얻어서 그쳐서 고요하며 공손하게 따르고 나아감에 점진적인 뜻이 있으며 남녀가 짝함에 도를 얻은 것이다. 귀매괘는 여자가 시집을 간다는 뜻이니 남자가 위에 있고 여자가 아래에 있으며 여자가 남자를 따르고 기뻐하는 막내딸의 뜻이 있다. 기뻐함으로써 움직이는데 기뻐함으로써 움직인다면, 올바름을 얻지 못하기 때문에 그 자리가 모두 합당하지 않다. 초효와 상효는 비록 음양의 자리에 해당하지만 양이 밑에 있고 음이 위에 있으니 이 또한 자리에 합당하지 않은 것이며 점괘와 정반대가 된다. 함괘와 항괘는 부부의 도에 해당하고 점괘와 귀매괘는 여자가 시집가는 뜻에 해당한다. 함괘와 귀매괘는 남녀의 정에 해당하고, 함괘는 그쳐서 기뻐하며 귀매괘는 기뻐함에 움직이니 둘 모두 기뻐함으로써 시행한다. 항괘와 점괘는 부부의 뜻에 해당한다. 항괘는 공손하게 움직이고 점괘는 그쳐서 공손하니 둘 모두 공손하게 따름으로써 시행하므로 남녀의 도와 부부의 뜻이 여기에 모두 갖춰져 있다. 귀매의 괘는 못 위에 우레가 있어서 우레가 진동함에 못이 움직이니 따르는 상이며, 사물 중 움직임에 따르는 것으로는 물만한 것이 없다. 남자가 위에서 움직이고 여자가 따르니 여자가 시집을 가서 남자를 따르는 상이며, 진괘는 큰아들에 해당하고 태괘는 막내딸에 해당하니 막내딸이 큰아들을 따름에 기뻐함으로써 움직이고, 움직여서 서로 기뻐하게 된다. 사람이 기뻐하는 대상은 막내딸이기 때문에 '매(妹)'라고 말했으며 여자가 시집가는 상이 되고, 또 큰아들이 막내딸을 기뻐하는 뜻이 포함되었기 때문에 '귀매(歸妹)'가 된다.

小註

雙湖胡氏曰, 漸以長女歸少男歸嫁也, 長女嫁少男而歸之也. 主六四一爻言, 故曰女歸. 女之歸男, 則女自內而外也. 歸妹以長男歸少女, 歸, 取也, 長男取少女而來歸也. 主九四一爻言, 故曰歸妹. 男之歸女, 則女自外而內也.

쌍호호씨가 말하였다: 점괘(漸卦)는 큰딸이 찾아가서 막내아들이 아내로 들이는 뜻으로, 큰딸이 막내아들에게 시집을 가서 아내로 들어간다는 의미이다. 육사 한 효를 위주로 말했기 때문에 "여자가 시집간다"고 하였다. 여자가 남자에게 시집을 간다면 여자는 안으로부터 밖으로 나온다. 귀매괘는 큰아들이 막내딸을 아내로 맞이함이니 '귀(歸)'는 아내로 들인다는 뜻으로, 큰아들이 막내딸을 아내로 들여서 막내딸이 찾아와 시집을 옴이다. 구사 한 효를 위주로 말했기 때문에 '귀매(歸妹)'라고 하였다. 남자가 여자를 아내로 들인다면 여자는 밖으로부터 안으로 들어간다.

韓國大全

이만부(李萬敷) 「역통(易統) · 역대상편람(易大象便覽) · 잡서변(雜書辨)」

說而動, 少女從長男之象.

기뻐하며 움직이니, 막내딸이 맏아들을 따르는 상이다.

澤上有雷, 雷震而澤動從之象也. 震長男, 兌少女, 少女從長男, 以說而動, 動而相說也, 故爲歸妹, 非正也.
못 위에 우레가 있으니, 우레가 움직여서 못도 그에 따라 움직이는 상이다. 진괘는 맏아들이 되고 태괘는 막내딸이 되는데, 막내딸이 맏아들을 따르며 기뻐하며 움직이고, 움직여서 서로 기뻐하기 때문에 귀매괘가 되지만 올바름은 아니다.

권만(權萬) 「역설(易說)」

卦自泰來.
귀매괘는 태괘(泰卦)로부터 왔다.

김상악(金相岳) 『산천역설(山天易說)』

序卦, 漸者, 進也, 進必有歸, 故受之以歸妹.
「서괘전」에서 말하였다: 점괘(漸卦)는 나아감이니, 나아가면 반드시 돌아옴이 있기 때문에 귀매괘로 받았다.

○ 婦人謂嫁曰歸妹, 少女也. 雷動於上, 澤隨於下, 歸妹之象. 兌之少女從震之長男, 以說而動, 歸妹之義也. 漸曰女歸, 自彼歸我也, 此曰歸妹, 自我歸彼也. 不曰女而曰妹者, 震之兄歸兌之妹也. 雜卦以歸妹女終, 對未濟男窮, 蓋濟者, 男子事也, 故以陽失位爲窮, 歸者, 女子事也, 故以陰失位爲終, 終亦窮也. 隨歸妹震兌之交而取象不同, 隨則動而說, 物之所隨也, 歸則說以動, 妹之自歸也, 故隨具四德, 歸妹征凶无利.
부인이 시집가는 것을 가(嫁)라고 하는데 귀매(歸妹)라고 한 것은 막내딸이기 때문이다. 우레가 위에서 움직이고 못은 아래에서 따르니 귀매의 상이 된다. 태괘의 막내딸이 진괘의 맏아들을 따르는데 기뻐하면서 움직이니 귀매의 뜻이 된다. 점괘(漸卦)에서는 여자가 시집간다고 했으니, 저곳에서 이곳으로 오는 것이고, 이곳에서는 막내딸을 시집보낸다고 했으니, 이곳에서 저곳으로 가는 것이다. 여자[女]라고 하지 않고 누이[妹]라고 한 것은 진괘의 형이 태괘의 누이를 시집보내기 때문이다. 「잡괘전」에서는 귀매괘를 여자의 종착점으로 삼았고[1] 짝이 되는 미제괘(未濟卦)를 남자의 궁한 곳이라고 여겼는데[2] 구제하는 것은 남자의 일이기 때문에 양이 자리를 잃는 것을 궁함으로 여겼고, 시집을 가는 것은 여자의 일이기 때문에 음이 자리를 잃는 것을 끝으로 여겼으니, 끝은 또한 궁한 것이다. 수괘(隨卦)와 귀매괘는

1) 『周易 · 雜卦傳』: 歸妹, 女之終也.
2) 『周易 · 雜卦傳』: 未濟, 男之窮也.

진괘와 태괘가 사귄 것인데 상을 취함이 다른 이유는 수괘의 경우 움직여서 기뻐하니 사물이 따르는 것이지만, 귀매괘는 기뻐하며 움직여서 누이가 스스로 시집을 가기 때문에, 수괘에는 사덕이 갖춰져 있지만 귀매괘는 가면 흉하고 이로울 것이 없다.

서유신(徐有臣)『역의의언(易義擬言)』

歸妹初九曰, 以娣,
귀매괘 초구에서 말하였다: 잉첩으로 시집보내니,
兌爲妾也
태괘는 첩이 된다.

跛能履,
절름발이가 걸을 수 있어,
在下爲足, 兌毁折爲跛也.
아래에 있어서 발이 되고, 태괘는 무너지고 끊어지니 절름발이가 된다.

九二曰, 眇能視,
구이에서 말하였다: 애꾸눈으로 볼 수 있으니,
互離爲目, 兌毁折爲眇也.
호괘인 리괘는 눈이 되고, 태괘는 무너지고 끊어지니 애꾸눈이 된다.

幽人.
조용한 자.
兌象, 詳履.
태괘의 상으로, 리괘(履卦)에 자세히 나온다.

六三曰, 以須,
육삼에서 말하였다: 기다림으로써,
內卦之終, 有須而歸之象.
내괘의 끝에는 기다려서 시집을 가는 상이 있다.

九四曰, 愆期,
구사에서 말하였다: 혼기를 지나치니,
內卦已過, 愆期之象.

내괘를 이미 지나쳤으니 혼기를 지나치는 상이 된다.

遲歸.
지체하여 돌아감.
外卦方歸, 遲歸之象.
외괘로 막 돌아가니 지체하여 돌아가는 상이다.

六五曰, 袂良.
육오에서 말하였다: 소매가 아름답다.
初與三兌, 有濡澤象.
초효와 삼효는 태괘가 되어 못을 적시는 상이 있다.

幾望,
거의 보름에 가까우면,
九二兌, 有月上弦之象也.
구이의 태괘에는 상현달이 되는 상이 있다.

上六曰, 女承筐,
상육에서 말하였다: 여자가 광주리를 받들지만,
女, 六三, 兌, 少女也. 承, 互艮手也. 筐, 震爲竹, 震卦如筐也.
여자는 육삼이니, 태괘는 막내딸이기 때문이다. 받드는 것은 호괘인 간괘의 손이다. 광주리는 진괘가 대나무가 되니, 진괘는 광주리와 같기 때문이다.

无實.
담겨진 물건이 없다.
陰虛也.
음은 비어 있기 때문이다.

士刲羊,
남자가 양을 베었으나,
士, 震長男也. 刲, 震爲殺也. 羊, 六三, 兌爲羊也.
남자는 진괘인 맏아들이다. 베는 것은 진괘가 죽임이 되기 때문이다. 양은 육삼이니, 태괘는 양이 되기 때문이다.

无血,
피가 없으니,
血, 坎象. 兌塞坎爲无血也.
피는 감괘의 상이다. 태괘가 감괘를 막으면 피가 없다.

하우현(河友賢) 『역의의(易疑義)』

歸妹與漸相對, 其卦皆有女歸之象, 而其占吉凶不同者何也. 漸之女歸, 特止而巽, 而歸妹之女歸, 特說而動也.
귀매괘와 점괘(漸卦)는 서로 반대가 되고, 괘에는 모두 여자가 시집을 가는 상이 있지만 점사에서 길흉이 동일하지 않은 것은 어째서인가? 점괘에서 여자가 시집을 갈 때에는 단지 그치고 공손하며, 귀매괘에서 여자가 시집을 갈 때에는 단지 기뻐하며 움직이기 때문이다.

朱子曰, 歸妹未有不好, 只是說而動帶累.
주자가 말하였다: 귀매괘는 좋지 않음이 없지만 기뻐함으로써 움직여서 상대방에게 얽매이게 된다.

按, 彖傳始曰歸妹天地之大義也, 又曰天地不交而萬物不興, 歸妹人之終始. 此特夫子發文王卦辭言外之意, 特言夫陰陽交感男女配合, 乃天地之大義, 生民之終始也. 初豈不好者哉. 但其所以不好者, 以其說而動故也. 然夫子非以說而動, 釋此卦不好之意, 只是以卦之兩體言, 而其不好之意, 自包於說而動之中矣. 是以其下乃以位不當柔乘剛之語, 明卦辭征吉无攸利之意.
내가 살펴보았다: 「단전」에서는 처음으로 "귀매는 천지의 큰 뜻이다"라고 했고, 또 "하늘과 땅이 교감하지 않으면, 만물이 흥성하지 못하니, 귀매는 사람에게 끝과 시작이 된다"고 했다. 이것은 단지 공자가 문왕의 괘사에서 언급하지 않은 뜻을 나타낸 것으로, 음양이 교감하고 남녀가 짝을 이루는 것은 천지의 큰 뜻이며 백성을 낳는 시작과 끝이라는 의미이다. 따라서 애초부터 어찌 좋지 않겠는가? 다만 좋지 않은 것은 기뻐하며 움직이기 때문이다. 그러므로 공자는 기뻐하며 움직인다는 뜻으로 이 괘의 좋지 않은 뜻을 풀이한 것이 아니며, 단지 괘의 두 몸체로 말을 한 것으로, 좋지 않은 뜻은 기뻐하며 움직인다는 것 안에 포함된다. 이러한 까닭으로 아래에 있으므로, "자리가 마땅하지 않기 때문이다"와 "부드러운 음이 굳센 양을 탔기 때문이다"라는 말로 괘사에서 "가면 흉하니, 이로울 것이 없다"는 뜻을 나타낸 것이다.

심대윤(沈大允) 『주역상의점법(周易象義占法)』

歸妹, 有所歸也. 雷光動于上, 而雨澤滋以隨之, 長男先動乎上, 而少女悅而從之, 有從人之義, 歸妹之象也. 內外之卦, 皆柔上乎剛, 以二體言之, 震剛上乎兌柔. 剛上乎柔, 爲柔所承也, 柔上乎剛, 爲剛所使也. 上則遷動之, 下則說應之者, 樂爲用也. 說以動, 以其說, 故動往而從之, 歸妹之道也. 互卦爲旣濟, 旣濟異物而合用也, 歸妹異人合用也. 歸妹以兌口能遷動, 有媒妁之象焉, 對漸, 巽艮爲交合.

귀매괘에는 시집을 보내는 것이 있다. 우레가 위에서 빛을 내며 움직이고 비가 내려 못이 불어나 그에 따르니, 맏아들이 위에서 먼저 움직이고 막내딸이 기뻐하며 따르는 것으로, 남을 따르는 뜻이 있고 누이를 시집보내는 상이 있다. 내외의 괘는 모두 부드러운 음이 굳센 양보다 위에 있는데, 두 괘의 몸체로 말한다면 진괘의 굳셈이 태괘의 부드러움보다 위에 있다. 굳셈이 부드러움보다 위에 있으면 부드러움을 통해 타게 되고, 부드러움이 굳셈보다 위에 있으면 굳셈에게 부림을 당한다. 위는 옮기며 이동하고 아래는 기뻐하며 호응하는 것은 쓰임이 되는 것을 즐거워한다. 기뻐하며 움직이는 것은 기뻐하기 때문에 움직여 가서 따르는 것으로 귀매괘의 도이다. 호괘는 기제괘(旣濟卦)가 되는데, 기제괘는 사물을 달리하면서도 쓰임을 함께 하는 것이고, 귀매괘는 사람을 달리하면서도 쓰임을 함께 하는 것이다. 귀매괘는 태괘의 입이 옮기고 움직일 수 있으니 중매의 상이 있고, 음양이 바뀐 점괘(漸卦)는 손괘와 간괘가 사귀어 합한 것이다.

이진상(李震相) 『역학관규(易學管窺)』

漸則陽上陰下, 而四來交陰, 三往從陽, 禮之正也, 故以女歸言. 歸妹則陰上陽下, 而四來交陽, 三往從陰, 不正之甚也, 故以歸妹言也. 歸者, 自內而外也, 歸妹者, 自上而下也.

점괘(漸卦)는 양이 위에 있고 음이 아래에 있으며 사효가 와서 음과 사귀고 삼효가 가서 양을 따르니 예의 올바름이기 때문에 여자가 시집을 간다고 말했다. 귀매괘는 음이 위에 있고 양이 아래에 있으며 사효가 와서 양과 사귀고 삼효가 가서 음을 따르니 바르지 않음이 심하기 때문에 누이를 시집보낸다고 말했다. 시집을 간다는 것은 안으로부터 밖으로 가는 것이며, 누이를 시집보내는 것은 위로부터 아래로 가는 것이다.

이정규(李正奎) 「독역기(讀易記)」

歸妹之長男少女, 與隨无異, 而歸妹凶, 何也. 隨男先動而女說而隨, 歸妹女先說而男隨而動, 所以異也. 女歸之義, 與漸无異, 而漸吉而歸妹凶, 何也. 漸則進有次序, 歸之以禮, 女之正也. 歸妹女說於男而動, 女之不正者也, 故異也. 然易中凶卦无過於歸妹, 故卦辭曰征凶无攸利, 而爻則與卦相反. 初九歸妹以娣, 跛能履, 征吉, 娣之賢正者也. 九二眇能視, 利幽人之貞, 賢正之女以配不良也. 九四歸妹愆期, 遲有時, 賢女不輕從人也. 六[3]五帝乙歸妹, 袂不如娣袂, 女德之盛也. 惟六三以陰柔不中正, 而爲說之主, 居動之位, 則此爲不正之女也. 人不取而反爲娣, 卦之征凶者, 非指此耶. 然自二觀五, 則二爲女, 五爲男, 而女賢男不良. 自五觀二, 則二爲男, 五爲女, 而女貴而德盛, 男剛而得中, 隨時位而取義有如此也.

귀매괘의 맏아들과 막내딸은 수괘(隨卦)와 차이가 없는데 귀매괘가 흉한 것은 어째서인가? 수괘는 남자가 먼저 움직여서 여자가 기뻐하며 따른 것이고, 귀매괘는 여자가 먼저 기뻐하고 남자가 그에 따르고 움직인 것이니, 이것이 차이를 보이는 이유이다. 여자가 시집을 간다는 뜻은 점괘(漸卦)와 차이가 없는데 점괘는 길하고 귀매괘는 흉한 것은 어째서인가? 점괘는 나아감에 질서가 있고 시집을 갈 때 예에 따르니 여자의 바름이 된다. 귀매괘는 여자가 남자에 대해 기뻐하며 움직이니, 여자의 바르지 않음이 되기 때문에 차이가 생긴다. 그런데 『주역』의 흉한 괘 중에서 귀매괘보다 지나친 것이 없기 때문에, 괘사에서는 "가면 흉하니, 이로울 것이 없다"고 했으면서도 효사의 경우 괘사와 상반된 경우가 있다. 초구에서는 "여동생을 잉첩으로 시집보내니, 절름발이가 걸을 수 있어 가면 길하다"라고 했으니, 잉첩이 현명하고 바르기 때문이다. 구이에서는 "애꾸눈으로 볼 수 있으니, 그윽하고 조용한 자의 곧음이 이롭다"라고 했는데, 현명하고 바른 여자가 선량하지 않은 자와 짝을 이루기 때문이다. 구사에서는 "여동생을 시집보냄에 혼기를 지나치니, 지체하여 돌아감에 때가 있기 때문이다"라고 했는데, 현명한 여자는 경솔하게 남을 따르지 않기 때문이다. 육오에서는 "제을이 여동생을 시집보내니, 정처의 소매가 잉첩의 소매보다 아름답지 못하다"고 했는데, 여자의 덕이 융성하기 때문이다. 다만 육삼은 유약한 음이 중정하지 못하며 기뻐함이 주인이 되고 움직이는 자리에 있으니, 이것은 바르지 않은 여자가 된다. 남이 취하지 않는데도 반대로 누이가 되니, 괘사에서 가면 흉하다고 한 것은 바로 이것을 가리킨 것이 아니겠는가? 그러므로 이효로부터 오효를 보게 되면 이효는 여자이고 오효는 남자이며 여자는 현명하고 남자는 선량하지 못하다. 반면 오효로부터 이효를 보게 되면 이효는 남자이고 오효는 여자이며 여자는 귀하고 덕이 융성하며, 남자는 굳세고 알맞음을 얻었으니, 시기와 자리에 따라서 뜻을 취한 것에 이와 같은 점이 있다.

3) 六: 경학자료집성DB와 영인본에는 '九'로 되어 있으나, 문맥을 살펴 '六'으로 바로잡았다.

歸妹, 征凶, 无攸利.

귀매(歸妹)는 가면 흉하니, 이로울 것이 없다.

中國大全

傳

以說而動, 動而不當, 故凶, 不當, 位不當也. 征凶, 動則凶也. 如卦之義, 不獨女歸, 无所往而利也.

기뻐함으로써 움직이면 움직임이 합당하지 않기 때문에 흉이 되니, 합당하지 않음은 자리가 합당하지 않다는 뜻이다. "가면 흉하다"는 말은 움직이면 흉하다는 뜻이다. 괘의 뜻과 같다면 여자가 시집감뿐만 아니라 가는 곳마다 이로울 바가 없다.

本義

婦人謂嫁曰歸. 妹, 少女也. 兌以少女而從震之長男, 而其情又爲以說而動, 皆非正也, 故卦爲歸妹, 而卦之諸爻, 自二至五, 皆不得正, 三五又皆以柔乘剛, 故其占征凶而无所利也.

여자가 시집감을 '귀(歸)'라고 부른다. '매(妹)'는 막내딸을 뜻한다. 태괘는 막내딸로서 진괘의 큰아들을 따르고 그 정 또한 기뻐함으로써 움직임이 되니, 이 모두는 올바르지 않기 때문에 괘는 '귀매(歸妹)'가 되었고 괘의 여러 효 중에서 이효로부터 오효에 이르기까지 모두 올바름을 얻지 못하고 삼효와 오효 또한 둘 모두 부드러운 음이 굳센 양을 타고 있기 때문에, 그 점은 가면 흉하여 이로울 바가 없다.

小註

丹陽都氏曰, 男女之相從正則吉, 而中爻之才剛柔雜居, 非所謂正. 如是而有行, 非禮法之所容也, 故征凶. 夫婦之相與順則利, 而六爻之才柔上剛下, 非所謂順. 如是而有爲, 非室家之宜也, 故无攸利.
단양도씨가 말하였다: 남녀가 서로 따름이 올바르면 길하지만 중간 효들의 재질은 굳셈과 부드러움이 뒤섞여 있으니 올바름이 아니다. 이와 같은데도 행동함이 있다면 예법에 따른 행동거지가 아니기 때문에 가면 흉하게 된다. 부부가 서로 따르고 순종하면 이롭지만 여섯 효의 재질은 부드러운 음이 위에 있고 굳센 양이 밑에 있으니 순종함이 아니다. 이와 같은데도 시행함이 있다면 가정에서의 합당함이 아니기 때문에 이로울 바가 없다.

○ 雲峯胡氏曰, 彖辭唯臨與井言凶, 否與剝言不利, 言凶者, 未嘗言不利, 言不利者, 未嘗言凶. 歸妹旣曰征凶, 又无攸利, 何也. 以說而動, 非情之正, 恣情肆欲, 何所不至, 故六十四卦中, 其不吉未有若是之甚者, 聖人著之以爲世戒也. 然隨亦動而說者, 而曰元亨利貞, 何也. 易以內卦爲貞, 隨貞震, 此動而彼說, 歸妹貞兌, 女說而男動, 故不同也.
운봉호씨가 말하였다: 「단전」에서는 오직 림괘(臨卦)와 정괘(井卦)에서만 흉하다고 했고 비괘(否卦)와 박괘(剝卦)에서만 이롭지 않다고 했는데, 흉하다고 말한 경우에는 이롭지 않다고 말한 적이 없고 이롭지 않다고 말한 경우에는 흉하다고 말한 적이 없다. 그런데 귀매괘에서는 이미 "가면 흉하다"고 했는데도 재차 "이로울 것이 없다"고 한 이유는 어째서인가? 기뻐함으로써 움직임은 올바른 감정이 아니니 감정에 내맡기고 욕심대로 한다면 어떤 지경인들 이르지 않겠는가? 그렇기 때문에 육십사괘 중에 이처럼 길하지 않은 괘가 없으니, 성인은 그 사실을 드러내어 세상에 대한 경계로 삼았다. 그런데 수괘(隨卦)도 움직여서 기쁜 경우에 해당하는데 '원형리정(元亨利貞)'이라고 말한 이유는 어째서인가? 역에서는 내괘를 곧음으로 삼는데 수괘의 곧음은 진괘이니 이것이 움직여서 저것이 기뻐함이 되며, 귀매괘의 곧음은 태괘이니 여자가 기뻐하여 남자가 움직인 것이기 때문에 같지 않다.

韓國大全

조호익(曺好益) 『역상설(易象說)』

歸妹, 征凶, 以卦象言, 少女從長男, 以卦德言, 女說而男動, 皆不正, 故征凶. 晁氏曰, 二四以陽居陰, 有男以不正從女之象, 五以陰居陽, 有女以不正從男之象, 皆失正, 故爲征凶. 愚又嘗推之, 征凶, 主三四二爻言, 以卦之成, 由三四之交也. 三不正而居說體, 四不正而居動體, 以不正之女說不正之男, 是情欲之感而凶之道也, 故征凶. 无攸利, 晁氏云云, 愚謂, 指三而言, 如蒙三不有躬无攸利之義.
“귀매는 가면 흉하다”는 괘상으로 말하면 막내딸이 맏아들을 따르는 것이며, 괘덕으로 말하면 여자가 기뻐하고 남자가 움직인 것인데, 모두 바르지 않기 때문에 가면 흉하다. 조씨는 “이효와 사효는 양으로 음의 자리에 있으니 남자가 바르지 못함으로 여자를 따르는 상이 있고, 오효는 음으로 양의 자리에 있으니 여자가 바르지 못함으로 남자를 따르는 상이 있으므로 모두 바름을 잃었기 때문에 가면 흉함이 된다”고 했다. 내가 미루어 생각해보니, 가면 흉하다는 것은 삼효와 사효를 중심으로 말한 것이니, 괘가 이루어진 것은 삼효와 사효의 사귐에서 비롯되기 때문이다. 삼효는 바르지 못한데 기뻐하는 몸체에 있고 사효는 바르지 못한데 움직이는 몸체에 있으니, 바르지 못한 여자가 바르지 못한 남자를 기뻐하는 것으로, 정욕으로 느껴서 흉하게 되는 도이기 때문에 가면 흉하다. 이로울 것이 없다는 것에 대해 조씨가 말했는데, 내가 생각하기에 삼효를 가리켜서 말한 것이니, 몽괘(蒙卦) 삼효에서 “몸을 지키지 못하니, 이로울 것이 없다”[4]고 했던 뜻과 같다.

송시열(宋時烈) 『역설(易說)』

妹者, 女之謂也. 五之陰爻, 下嫁於二爻, 故曰歸. 二若往而求五之爲應則凶, 故曰征凶, 無所利也.
매(妹)는 딸을 뜻한다. 오효의 음이 아래로 이효에게 시집을 갔기 때문에 돌아간다고 했다. 이효가 만약 가서 오효의 호응을 구하게 된다면 흉하기 때문에 “가면 흉하니, 이로울 것이 없다”고 했다.

이현익(李顯益) 「주역설(周易說)」

以二體言, 則三四爲主, 而爲男女相交之象. 以六爻言, 則三四只是兩女之相反者, 於男女相交之義, 無所當焉. 而隆山李氏謂, 三四雖無應, 而震兌終相合, 故曰遲歸有待, 是以二體言六爻也.
두 몸체로 말을 하면 삼효와 사효는 주인이 되고 남녀가 서로 사귀는 상이 된다. 여섯 효로 말을 하면 삼효와 사효는 단지 두 여자가 상반된 것이니, 남녀가 서로 사귀는 뜻에 있어서 해당하는 바가 없다. 그런데 융산이씨는 “삼효와 사효는 비록 호응함이 없지만 진괘와 태괘는 끝내 서로 부합하기 때문에 더디게 시집을 가며 기다림이 있으니, 이러한 까닭으로 두

4) 『周易 · 蒙卦』: 六三, 勿用取女, 見金夫, 不有躬, 无攸利.

몸체로 여섯 효에 대해서 말했다"고 했다.

이익(李瀷) 『역경질서(易經疾書)』

雷聲下達, 澤氣上潤. 聲常下而氣常上, 有陰陽相交之象. 以乾文言例之, 下二爻屬地, 上二爻屬天, 中二爻屬人, 六爻而三才具. 此卦下二陽與上二陰, 有天地交參[5]之象. 中二爻一陽一陰屬人, 而陽參於陰, 陰參於陽, 有男女相交之象. 泰之互爲歸妹, 歸妹之互爲旣濟, 旣濟水火相感之卦也. 其流爲泰爲歸妹, 故彖皆云天地之交, 而兩卦之六五同辭也, 當與泰互考. 子曰兄弟, 女曰姊妹. 兌爲少女, 則非姊伊妹也, 如師五弟子, 卽長子之弟, 非時君之弟也, 當互考.
우레의 소리는 아래로 퍼지고 못의 기운은 위를 적신다. 소리는 항상 아래로 내려가고 기운은 항상 위로 올라가니 음양이 서로 사귀는 상이 있다. 건괘(乾卦)의 「문언전」으로 분류해 보면, 아래의 두 효는 땅에 속하고 위의 두 효는 하늘에 속하며 가운데 두 효는 사람에 속하니, 여섯 효는 삼재를 갖추고 있다. 따라서 귀매괘에 있는 아래의 두 양과 위의 두 음은 천지가 사귀고 참여하는 상이 있다. 가운데 두 효는 하나는 양이고 하나는 음으로 사람에게 속하고, 양이 음에 참여하고 음이 양에 참여하여 남녀가 서로 사귀는 상이 있다. 태괘(泰卦)의 호괘는 귀매괘이고, 귀매괘의 호괘는 기제괘(旣濟卦)인데, 기제괘는 물과 불이 서로 느끼는 괘이다. 그것이 흘러 태괘가 되고 귀매괘가 되기 때문에 「단전」에서는 모두 "천지가 사귄다"고 말하고, 두 괘의 육오는 효사가 같으니, 마땅히 태괘와 함께 참고해야 한다. 아들에 대해서는 형제라고 말하고, 딸에 대해서는 자매라고 말한다. 태괘는 막내딸이 되어 자(姊)가 아니면 매(妹)이니, 사괘(師卦) 오효의 제자(弟子)가 장자의 동생이지, 당시 임금의 자제가 아님과 같으니, 마땅히 함께 참고해야 한다.

유정원(柳正源) 『역해참고(易解參攷)』

正義, 易論歸妹得名不同, 泰卦六五云, 帝乙歸妹, 彼據兄嫁妹謂之歸妹, 此以妹從姊而嫁, 謂之歸妹.
『주역정의』에서 말하였다: 『주역』에서 귀매(歸妹)라는 명칭을 얻은 것에 대해 논의한 것이 다른데, 태괘(泰卦) 육오에서 "제을이 여동생을 시집보낸다"[6]고 한 것은 오빠가 누이를 시집보내는 것에 기준을 두고 귀매(歸妹)라고 한 것이며, 귀매괘에서는 손아래 누이를 손위

---

5) 參: 경학자료집성DB에는 '泰'로 되어 있으나, 경학자료집성 영인본을 참조하여 '參'으로 바로잡았다.
6) 『周易 · 泰卦』: 六五, 帝乙歸妹, 以祉元吉.

누이에 딸려 보내서 시집을 보내는 것을 귀매(歸妹)라고 했다.

○ 雙湖胡氏曰, 征凶, 无攸利, 以卦變占也. 歸妹變自泰來, 泰九三上征爲九四, 泰六四下來爲六三, 以成歸妹也. 三爲兌主, 四爲震主, 旣非應位而閥閱之不當, 長少又非其偶, 且德皆不正, 才皆不良, 但以相比而私情相與, 故凶无攸利. 正義謂以妹從娣, 恐未當.
쌍호호씨가 말하였다: "가면 흉하니, 이로울 것이 없다"는 괘변으로 점친 것이다. 귀매괘의 변화는 태괘(泰卦)로부터 온 것이니, 태괘의 구삼이 위로 가서 구사가 되고 태괘의 육사가 아래로 와서 육삼이 되어 귀매괘를 이룬다. 삼효는 태괘의 주인이고 사효는 진괘의 주인이니 이미 호응하는 자리가 아니고 공로가 많은 집에도 해당하지 않으며, 맏이와 막내는 또한 짝이 아니며 덕도 모두 바르지 않고 재주도 모두 좋지 않은데, 단지 서로 가까워서 사적인 정에 따라 함께 하기 때문에 흉하며 이로운 것이 없다. 『주역정의』에서 손아래 누이를 손위 누이에 딸려 보낸다고 한 것은 아마도 합당하지 않은 것 같다.

○ 梁山來氏曰, 漸曰女歸, 自彼歸我也, 娶婦之家也. 此曰歸妹, 自我歸彼, 嫁女之家也.
양산래씨가 말하였다: 점괘(漸卦)에서 여자가 시집을 감은 저쪽 집안에서 자신의 집으로 시집을 오는 것이니, 부인을 맞이하는 집에 해당한다. 귀매괘에서 귀매(歸妹)라고 한 것은 자신의 집에서 저쪽 집안으로 시집을 가는 것이니, 딸을 시집보내는 집에 해당한다.

김상악(金相岳) 『산천역설(山天易說)』

震兌之合, 所歸者妹也. 卦變九往居四, 不得其位, 故征凶. 六來居三, 乘二之剛, 故无攸利. 歸妹所戒, 專在三四, 故不言二五之應.
진괘와 태괘가 합하니 시집을 가는 자는 누이이다. 괘가 변화하여 구(九)가 가서 사효에 머물면 자리를 얻지 못하기 때문에 가면 흉하다. 육(六)이 와서 삼효에 머물면 이효의 굳센 양을 타고 있기 때문에 이로울 것이 없다. 귀매괘에서 경계하는 것은 전적으로 삼효와 사효에 있기 때문에 이효와 오효의 호응을 언급하지 않았다.

김규오(金奎五) 「독역기의(讀易記疑)」

自泰而變, 雙湖說是也. 故彖言天地之大義, 又言天地之交, 六五又與泰之六五同.
태괘(泰卦)로부터 변화되었으니, 쌍호호씨의 말이 옳다. 그러므로 「단전」에서 천지의 큰 뜻이라고 말하고 또 천지의 사귐을 말했는데, 육오는 또한 태괘의 육오와 동일하다.[7]

서유신(徐有臣) 『역의의언(易義擬言)』

征凶, 柔者也. 无攸利, 剛者也. 剛之不利, 柔之故也.
가서 흉한 것은 유약하기 때문이다. 이로울 것이 없는 것은 굳세기 때문이다. 굳셈이 이롭지 않은 것은 유약하게 되기 때문이다.

윤행임(尹行恁) 『신호수필(薪湖隨筆)·역(易)』

歸妹之征, 以少女而從長男, 往而求之, 非義之正. 文王后妃之化, 遠及於南國, 而後閨門正, 琴瑟好, 詩云之子于歸, 宜其家室.
귀매괘의 감은 막내딸이 맏아들을 따르는 것이니 가서 구하면 도의의 올바름이 아니다. 문왕과 후비의 교화가 멀리 남쪽 나라에까지 미치고 그 이후 가정이 바르게 되고 금슬의 연주가 좋아졌으니, 『시경』에서는 "아가씨가 시집을 감이여, 그 집안을 마땅하게 하도다"[8]라고 했다.

김기례(金箕澧) 「역요선의강목(易要選義綱目)」

歸妹,
귀매는,
漸進則有所至, 故歸妹代漸. 少女從長男, 悅而動, 爲歸妹.
점진적으로 나아가면 도달하는 곳이 있기 때문에 귀매괘가 점괘(漸卦)를 대신한다. 막내딸이 맏아들을 따르며 기뻐하며 움직이는 것이 귀매괘이다.

征凶, 无攸利.
가면 흉하니, 이로울 것이 없다.
二四陽居陰位, 三五陰居陽位, 男女以不正相從, 故曰征凶.
이효와 사효는 양이 음의 자리에 있고 삼효와 오효는 음이 양의 자리에 있으니, 남녀가 바르지 못함으로 서로 따르기 때문에 "가면 흉하다"고 했다.
○ 六五乘四剛, 六三乘二剛, 則夫屈於婦, 婦制其夫, 故无攸利.
육오는 사효의 양을 타고 있고 육삼은 이효의 양을 타고 있으니, 남편이 부인에게 굽히고 부인이 남편을 제어하기 때문에 이로울 것이 없다.

---

7) 『周易·泰卦』: 六五, 帝乙歸妹, 以祉元吉.
8) 『詩經·桃夭』: 桃之夭夭, 灼灼其華. 之子于歸, 宜其室家.

심대윤(沈大允) 『주역상의점법(周易象義占法)』

以身從人者, 妻也臣也隷也. 委質事人, 其身非其有也, 豈可更以私意自主而懷貳心以往乎, 故曰征凶. 爲上所操制驅策而盡力効勞, 无所自有, 故曰无攸利. 得君有家, 男女之大願也, 而歸妹只就效身而言之也. 不言貞者, 以義合者, 不合則去也. 又從人則人亦從于我, 不止于從人而已, 與蠱之義同也.
몸으로 남을 따르는 경우는 처이며 신하이고 종이다. 예물을 가지고 찾아뵙고 남을 섬기게 되면 몸이 자기의 소유가 아닌데, 어찌 삿된 뜻에 따라 제 마음대로 하고 다른 마음을 품어 찾아갈 수 있겠는가? 그러므로 "가면 흉하다"고 했다. 윗사람에게 제어되고 편달을 받으며 수고로운 일에 힘을 다함에 있어 자기 마음대로 할 수 있는 것이 없기 때문에 "이로울 것이 없다"고 했다. 임금을 얻고 가정을 이루는 것은 남자와 여자의 큰 소망이지만, 귀매괘에서는 단지 자신을 남에게 바치는 것으로 말하였다. 곧음을 말하지 않은 것은 도의에 따라 합하는 경우 합하지 않는다면 떠나가기 때문이다. 또 남을 따른다면 남 또한 자신을 따르게 되어, 남을 따르는 데에만 그치지 않으니, 고괘(蠱卦)의 뜻과 동일하다.

오치기(吳致箕) 「주역경전증해(周易經傳增解)」

婦人謂嫁曰歸, 而妹者, 少女也. 震以長男在上, 兌以少女在下, 說而動, 女下男, 故曰歸妹也. 震剛兌柔, 不當其位, 故言征凶. 柔皆乘剛, 故言无攸利.
부인의 경우 시집가는 것을 귀(歸)라고 부르며 매(妹)는 막내딸이다. 진괘는 맏아들로 위에 있고 태괘는 막내딸로 아래에 있는데 기뻐하며 움직이고 여자가 남자에게 낮추기 때문에 '귀매(歸妹)'라고 했다. 진괘의 굳셈과 태괘의 부드러움은 자리에 마땅하지 않기 때문에 "가면 흉하다"고 했다. 부드러운 음은 모두 굳센 양을 타고 있기 때문에 "이로울 것이 없다"고 했다.

이진상(李震相) 『역학관규(易學管窺)』

征匈,
가면 흉하니,

初九征吉, 爻之動者也. 象之征匈, 卦之靜者也. 擧一爻言, 則以貞處順, 故吉, 擧一卦言, 則位皆不當, 故匈.
초구는 가면 길하니 움직이는 효이기 때문이다. 「단전」에서 가면 흉하다고 한 것은 고요한 괘이기 때문이다. 하나의 효를 기준으로 말하면 곧음으로 유순함에 처해 있기 때문에 길하지만, 하나의 괘를 기준으로 말하면 자리가 모두 마땅하지 않기 때문에 흉하다.

박문호(朴文鎬) 「경설(經說) · 주역(周易)」

少女長男之爲歸妹, 如古者三十之男二十之女, 是嫁娶之常道, 故云天地之大義.
막내딸과 큰아들이 귀매괘를 이룸은 옛날 삼십 세의 남자와 이십 세의 여자가 혼인하는 일상적인 도리와 같기 때문에 천지의 큰 뜻이라고 했다.

彖曰, 歸妹, 天地之大義也.

「단전」에서 말하였다: 귀매는 천지의 큰 뜻이다.

| 中國大全 |

傳

一陰一陽之謂道, 陰陽交感, 男女配合, 天地之常理也. 歸妹, 女歸於男也, 故云天地之大義也. 男在女上, 陰從陽動, 故爲女歸之象.

한 번 음이 되고 한 번 양이 됨을 도라고 부르니, 음양이 서로 감응하고 남녀가 짝함은 천지의 항상된 도리이다. 귀매는 여자가 남자에게 시집가는 것이기 때문에 "천지의 큰 뜻이다"라고 하였다. 남자가 여자의 위에 있고 음이 따르고 양이 움직이기 때문에 여자가 시집가는 상이 된다.

| 韓國大全 |

조호익(曺好益) 『역상설(易象說)』

天指下體乾, 地指上體坤. 三四交而成卦, 故曰天地之大義.

하늘은 하체인 건괘를 가리키고 땅은 상체인 곤괘를 가리킨다. 삼효와 사효가 사귀어 괘를 이루기 때문에 "천지의 큰 뜻이다"라고 했다.

김기례(金箕澧) 「역요선의강목(易要選義綱目)」

以卦體言, 陰陽相交.

괘의 몸체로 말을 하면 음양이 서로 사귄다.

○ 征凶, 指爻不正. 大義, 指卦義也.

"가면 흉하다"는 효가 바르지 못함을 가리킨다. '큰 뜻'은 괘의 뜻을 가리킨다.

天地不交而萬物不興, 歸妹, 人之終始也.

하늘과 땅이 교감하지 않으면 만물이 흥성하지 못하니, 귀매는 사람에게 끝과 시작이 된다.

中國大全

傳

天地不交, 則萬物何從而生. 女之歸男, 乃生生相續之道. 男女交而後, 有生息, 有生息而後, 其終不窮. 前者有終而後者有始, 相續不窮, 是人之終始也.

천지가 교감하지 않으면 만물이 어디를 통해 생겨나겠는가? 여자가 남자에게 시집감은 낳고 낳아서 서로 연속하게 해주는 도이다. 남녀가 사귄 이후에 생겨나고 그치는 작용이 있고, 생겨나고 그치는 작용이 생긴 이후에야 그 끝이 무궁하게 된다. 앞에 있는 자에게 끝남이 생기면 뒤에 있는 자에게는 시작함이 생기니, 서로 연속하여 무궁하게 되므로 사람에게 있어서 끝과 시작이 된다.

本義

釋卦名義也. 歸者, 女之終, 生育者, 人之始.

괘의 이름을 풀이한 말이다. 시집감은 처녀로서는 끝이 되고 생육함은 인류로서는 시작이 된다.

小註

朱子曰, 兩終字, 伊川說未安.
주자가 말하였다: 두 개의 '종(終)'자에 대한 이천의 설명은 타당하지 않다.

○ 雙湖胡氏曰, 天地不交, 萬物不興, 反其辭也. 卦自泰來, 乾九三交坤而爲九四, 坤六四交乾而爲六三, 是天地交也. 出震見離說兌勞坎, 是萬物興也. 兌爲少女, 豈非女之終乎. 震爲長男, 豈非男之始乎. 是歸妹人之終始也.

쌍호호씨가 말하였다: "천지가 교감하지 않으면, 만물이 흥성하지 못한다"는 말은 반대로 한 말이다. 괘는 태괘로부터 왔고, 건괘의 구삼은 곤괘와 사귀어 구사가 되고, 곤괘의 육사는 건괘와 사귀어 육삼이 되니, 이것은 천지의 교감에 해당한다. 나오는 것은 진괘이고, 보는 것은 리괘이며, 기뻐하는 것은 태괘이고, 수고로운 것은 감괘이니 만물이 흥성함에 해당한다. 태괘는 막내딸이 되는데 어찌 여자로서의 끝이 아니겠는가? 진괘는 큰아들이 되는데 어찌 남자로서의 시작이 아니겠는가? 이것은 귀매괘가 사람에게 있어서 끝과 시작이 되는 뜻이다.

○ 中溪張氏曰, 女子之嫁, 子道終於此, 母道始於此.
중계장씨가 말하였다: 여자가 시집을 감에, 자식으로서의 도리는 여기에서 끝나고, 모친으로서의 도리는 여기에서 시작된다.

韓國大全

권근(權近) 『주역천견록(周易淺見錄)』

乾稱父, 坤稱母, 天地萬物之父母, 而人者萬物之最靈, 全得天地之正理者也. 天地之道, 陰陽相交而生萬物, 萬物亦得天地之理, 各有陰陽之合, 而生生不窮, 故歸妹者, 天地之大義也. 天地不交而萬物不興, 男女不交而人道滅矣. 異端之道, 絶滅夫婦之倫, 生於天地而自悖於天地之義, 生於父母而自絶其父母之祀, 以滅生生之理, 是果何道邪.
건은 부친이라 칭하고 곤은 모친이라 칭하는데, 천지는 만물의 부모이고 사람은 만물 중에서도 가장 영명하여 천지의 바른 이치를 온전히 얻은 자이다. 천지의 도는 음양이 서로 사귀어 만물을 낳고, 만물 또한 천지의 이치를 얻어 각각 음양이 합하여 낳고 낳아 끊임이 없기 때문에 귀매라는 것은 천지의 큰 뜻이다. 천지가 사귀지 않으면 만물은 흥성하지 못하고 남녀가 사귀지 않으면 인도가 없어진다. 이단의 도는 부부의 인륜을 끊으니, 천지를 통해 태어났으나 스스로 천지의 뜻을 어그러트리고 부모에게서 태어났으나 스스로 부모에 대한 제사를 끊어, 낳고 낳는 이치를 없애니 이것은 과연 무슨 도란 말인가?

又況萬物皆出乎天地, 故正理一本而分殊. 天地本一而有萬物貴賤之殊, 父母本一而有男女子孫之多. 至於草木, 亦皆一本而有枝葉花果之分. 異端二本而無分, 指有知覺者爲一類, 無知覺者爲一類, 是天地造化之用, 有二本也. 亦其親無異於路人, 仁禽獸無間於同類, 是父母親愛之心, 有二本也. 欲其無差等之分, 而不免有二本之異. 見理不明, 故其說如此也.
또한 하물며 만물은 모두 천지에게서 나왔기 때문에 바로 이치는 하나의 근본이고 그것이 나뉘어 달라진 것이다. 천지도 하나의 근본인데 만물에는 귀천의 차이가 생기고, 부모도 하나의 근본인데 남녀 및 자손의 무수함이 생긴다. 초목에 있어서도 모두 하나의 근본인데 가지와 낙엽, 꽃과 과실이라는 구분이 있다. 그러나 이단은 근본이 둘이라 하고 나뉨이 없다고 하니, 지각이 있는 것을 가리켜 하나의 부류라 하고 지각이 없는 것을 가리켜 하나의 부류라 하므로, 이것은 천지의 조화로운 작용에 두 개의 근본이 있는 것이다. 또 자신의 부모에 대해서도 길가는 사람과 차이가 없다고 하고 금수를 친애하는 마음이 같은 사람을 친애하는 것과 차이가 없다고 하는데, 이것은 부모에 대해 친애하는 마음에 두 가지 근본이 있다는 뜻이다. 그리고 분수에 차등이 없다고 하고 싶어 하지만 두 가지 근본이 차이가 있다는 것에 대해서는 벗어나지 않는다. 따라서 이치를 보는 것이 명확하지 않기 때문에 그 주장이 이와 같이 되었다.

設以吾身比之, 軀幹支節有血氣者, 是有知覺者也, 髮鬚毛爪無血氣者, 是無知覺者也. 是皆得乎父母, 而軀幹者, 血氣之全體, 毛爪者, 軀幹之餘氣耳, 謂父母之生我有二本乎. 人愛毛爪不如愛軀幹, 雖生一本而得之, 有偏全之異, 故雖在一身而愛之, 有輕重之差. 彼於毛髮必剔而去之, 支節或燒而折之, 至於軀幹, 必欲有衣以蔽之得食以養之, 是於其身愛之, 不能無差等, 况欲人物品類之多而能無差等哉.
예를 들어 내 몸을 기준으로 비유를 해보자면, 몸과 사지 및 관절들은 혈기가 있는 것이니 이것은 지각이 있는 것에 해당하고, 털과 수염 및 손톱들은 혈기가 없는 것이니 이것은 지각이 없는 것에 해당한다. 그러나 이것들은 모두 부모에게서 얻은 것이고, 단지 몸과 사지는 혈기의 전체를 얻은 것이고, 털과 손톱은 몸과 사지의 남은 기운에 해당할 따름인데, 부모가 나를 낳아주실 때 두 가지 근본이 있다고 하겠는가? 사람이 털과 손톱을 아끼는 것이 몸과 사지를 아끼는 것만 못한 것은 비록 하나의 근본에서 생겨나서 그것을 얻었지만, 치우치고 온전한 차이가 있기 때문에 비록 한 몸에 있어 사랑하지만 경중의 차이가 있는 것이다. 이단의 무리들은 털을 깎아서 제거하고 관절에 대해서도 불살라 끊어버리기도 하지만 몸과 사지에 대해서는 반드시 옷을 입어 가리고 음식을 먹어 기르고자 하니, 이것은 자신의 몸을 아낌에 차등이 없을 수 없는 것을 나타내는데, 하물며 사람과 사물의 무수한 종류 중 차등이 없을 수 있겠는가?

立愛自親而始, 親親而仁民, 仁民而愛物, 自一本而推之, 所以有親踈遠近輕重之差,乃理之自然, 非人之所爲也. 不循理之自然, 而欲無差等之分, 已於一身之上而不能如其所說, 况可施之事物乎. 宜見闢於聖人之道也.
친애함을 확립하는 것은 친애하는 이로부터 시작하여, 친애하는 이를 친애하여 백성들을 친애하고, 백성들을 친애하여 만물을 친애하니, 하나의 근본으로부터 미루어 나아가게 되어 친소 · 원근 · 경중의 차이가 생기는 것은 이치의 자연스러운 것이지 사람이 인위적으로 한 것이 아니다. 이치의 자연스러움에 따르지 않고 차등에 따른 구분을 없애고자 한다면, 이미 자기 한 몸에서도 자기의 주장처럼 할 수 없는데, 하물며 사물에 적용할 수 있겠는가? 그러므로 이러한 이단의 학설은 성인의 도리에 있어서 배척되는 것이 마땅하다.

聖人之心, 以天地萬物爲一體, 無不在所愛之中, 而處之各得其宜, 是果有所偏乎. 自吾一身而言之, 則曰身體髮膚受之父母, 不敢毁傷, 就萬物上言之, 則茂對時育萬物. 語其推行之序, 則親親而仁民, 仁民而愛物, 語其處之之道, 則能盡其性, 能盡人之性, 能盡物之性, 以贊天地之化育也. 嗚呼大哉, 敢因歸妹天地之大義而贅及之.
성인의 마음은 천지와 만물을 하나의 몸으로 여겨서 사랑하는 것에 포함되지 않는 것이 없고, 처리함에 각각 마땅함을 얻는데 과연 치우친 점이 있겠는가? 내 한 몸을 기준으로 말한다면 "몸과 터럭은 부모에게서 받은 것이니 감히 훼손할 수 없다"고 하고, 만물을 기준으로 말한다면 무성히 때에 맞게 만물을 기른다고 한다. 또 미루어 실천하는 순서로 말한다면 친애하는 이를 친애하고 백성을 친애하며, 백성을 친애하고 만물을 친애하며, 처리하는 도로 말한다면 자신의 본성을 다할 수 있고 사람의 본성을 다할 수 있으며 사물의 본성을 다할 수 있어서, 이를 통해 천지의 화육하는 작용을 돕는다. 오호라! 위대하구나! 감히 귀매괘에서 천지의 큰 뜻이라고 한 것에 따라 덧붙여 언급했다.

歸妹初九九二, 皆女賢而配不得其良之象, 故其功皆不能及遠. 然初言跛能履, 二言眇能視者, 初在下, 故取足象, 二在其上, 故取目象.
귀매괘의 초구와 구이는 모두 여자는 현명하지만 배필을 얻음에 선량한 자를 얻지 못하는 상이기 때문에 그 공은 모두 먼 곳에 이르지 못한다. 그러나 초효에서 "절름발이가 걸을 수 있다"고 말하고 이효에서 "애꾸눈으로 볼 수 있다"고 말한 것은 초효는 아래에 있기 때문에 발의 상을 취한 것이고 이효는 위에 있기 때문에 눈의 상을 취한 것이다.

유정원(柳正源) 『역해참고(易解參攷)』

正義, 天地以陰陽相合而得生物不已, 人倫以長少相交而得繼嗣不絶, 豈非天地之大義人倫之終始也.

『주역정의』에서 말하였다: 천지는 음양이 서로 합하여 만물을 낳는데 끊임이 없고, 인륜의 질서는 장성하고 젊은 것이 서로 사귀어 후사를 이어 끊이지 않으니, 어찌 천지의 큰 뜻이며 인륜의 끝과 시작이 아니겠는가?

○ 案, 歸妹女子之終, 而婦道之始也. 人倫之始, 萬福之原, 一與之合, 終身不改, 所謂從一而終者也.
내가 살펴보았다: 귀매괘는 딸의 끝이고, 부인의 도가 시작됨이다. 인륜의 시작과 모든 복의 근원은 한번 그와 합하면 종신토록 고치지 않는 것이니, 하나를 따라 마치는 것이다.[9]

김기례(金箕澧) 「역요선의강목(易要選義綱目)」

卦變自泰[10]來. 九三交坤而陞爲九四, 六四交乾而降爲六三, 故曰天地交.
괘의 변화는 태괘(泰卦)로부터 왔다. 구삼이 곤괘와 사귀어 위로 올라가서 구사가 되었고, 육사는 건괘와 사귀어 내려가서 육삼이 되었기 때문에 "천지가 사귄다"고 했다.

○ 上震下兌, 二至四[11]爲互離[12], 三至五爲互坎. 東西南北, 備於一卦, 說卦所謂帝出乎震, 相見乎離[13], 說言乎兌, 勞[14]乎坎, 卽萬物興之理, 以男女之交, 指天地之體.
위는 진괘이고 아래는 태괘이며, 이효로부터 사효까지 호괘는 리괘가 되고 삼효로부터 오효까지 호괘는 감괘가 된다. 동서남북이 한 괘에 모두 갖춰져 있으니, 「설괘전」에서 "제(帝)가 진괘에서 나오고 리괘에서 서로 만나보며 태괘에서 기뻐하고 감괘에서 수고롭다"[15]라는 말은 만물이 흥성하는 이치이니, 남녀가 사귄다는 것은 천지의 몸체를 가리킨다.

서유신(徐有臣) 『역의의언(易義擬言)』

歸妹, 猶云婚姻也. 天地交泰, 萬物化育, 男女配合, 人道生息, 其義一也. 又以天地不交, 萬物不興, 反復取喩, 益明其義之爲大也. 地氣盛而天氣不應, 是爲不交, 故春夏萬物興, 秋冬則不興也. 女先而男後, 則陰盛也, 故配合之際得其義, 則人道由是而始矣,

---

9) 『周易·恒卦』: 象曰, 婦人貞吉, 從一而終也, 夫子制義, 從婦凶也.
10) 泰: 경학자료집성DB와 영인본에는 '叅'으로 되어 있으나, 문맥을 살펴서 '泰'로 바로잡았다.
11) 四: 경학자료집성DB와 영인본에는 '三'으로 되어 있으나, 문맥을 살펴서 '四'로 바로잡았다.
12) 離: 경학자료집성DB와 영인본에는 '雙'으로 되어 있으나, 문맥을 살펴서 '離'로 바로잡았다.
13) 離: 경학자료집성DB와 영인본에는 '雙'으로 되어 있으나, 문맥을 살펴서 '離'로 바로잡았다.
14) 勞: 경학자료집성DB에는 '榮'으로 되어 있으나, 경학자료집성 영인본을 참조하여 '勞'로 바로잡았다.
15) 『周易·說卦傳』: 帝出乎震, 齊乎巽, 相見乎離, 致役乎坤, 說言乎兌, 戰乎乾, 勞乎坎, 成言乎艮.

失其義, 則人道由是而終矣, 故曰人之終始也. 婚姻, 人倫之始, 先王所以重其禮. 鄭公子忽, 先配而後祖, 鍼子知其不能育也.
귀매(歸妹)는 혼인(婚姻)이라고 말하는 것과 같다. 천지가 사귀어 통하며 만물이 화육되고 남녀가 짝을 이루고 인도가 자라나고 그침에 있어서 그 뜻은 동일하다. 또 천지가 사귀지 않고 만물이 흥성하지 않는 것으로 반복해서 비유를 든 것은 그 뜻이 큼을 분명하게 나타내기 위해서이다. 지기가 융성하지만 천기가 호응하지 않는 것은 사귀지 않음이 되기 때문에 봄과 여름에 만물이 흥성하더라도 가을과 겨울이 되면 흥성하지 않는 것이다. 여자가 먼저 움직이고 남자가 뒤에 따른다면 음이 융성한 것이기 때문에 서로 짝을 이룰 때 그 뜻을 얻는다면 인도는 이를 통해 시작되고 그 뜻을 잃는다면 인도는 이를 통해 끝나기 때문에, "사람에게 끝과 시작이 된다"고 했다. 혼인은 인륜의 시작이므로, 선왕이 그 예를 중시했던 것이다. 정나라 공자 홀이 먼저 결혼을 하고 그 이후에 조상에게 알현시켜서, 침자는 제대로 양육하지 못할 것을 알았다.[16)]

김기례(金箕澧) 「역요선의강목(易要選義綱目)」

歸妹, 人之終始也.
귀매는 사람에게 끝과 시작이 된다.

女子遠父母, 則子道終矣. 適人而生育, 則母道始矣.
여자가 부모를 떠나게 되면 자식의 도리가 끝나게 된다. 남에게 시집을 가서 자식을 낳고 기르게 된다면 모친의 도리가 시작된다.

○ 兌終女, 震始男, 故亦曰終始.
태괘는 여자의 도를 마치게 하고 진괘는 남자의 도를 시작하게 만들기 때문에 또한 "끝과 시작이다"고 했다.

이항로(李恒老) 「주역전의동이석의(周易傳義同異釋義)」

傳, 相續不窮, 是人之終始也.
『정전』에서 말하였다: 서로 연속하여 무궁하게 되므로 사람에게 있어서 끝과 시작이 된다.

16) 『춘추좌씨전 · 은공』 8년.

本義, 歸者, 女之終, 生育者, 人之始.
『본의』에서 말하였다: 시집감은 딸로서는 끝이 되고 생육함은 인류로서는 시작이 된다.

按, 雙湖胡氏以少女長男言終始. 中溪張氏以子道母道言終始. 竝程朱訓爲四說, 將何適從. 曰, 歸妹, 人之終始也, 剖析歸妹之義, 無如本[17]義, 本義精密蓋如此.
내가 살펴보았다: 쌍호호씨는 막내딸과 맏아들을 통해서 끝과 시작을 말했다. 중계장씨는 자식의 도리와 모친의 도리로 끝과 시작을 말했다. 정자와 주자의 해석까지 합하면 모두 네 가지 주장이 되는데, 무엇을 따라야 하는가? "귀매는 사람에게 끝과 시작이 된다"는 말은 귀매의 뜻을 풀이한 것인데, 『본의』만한 것이 없으니, 『본의』의 정밀함이 이와 같다.

박문호(朴文鎬) 「경설(經說) · 주역(周易)」

嫁者, 女之終婦之始, 而爲人婦者, 貴乎生育, 故云生育者人之始.
시집을 가는 것은 딸로서는 끝이지만 부인으로서는 시작이며, 부인이 된 자는 낳고 기름을 귀하게 여기기 때문에 "생육함은 인류로서는 시작이 된다"라고 했다.

---

17) 本: 경학자료집성DB에는 '木'으로 기록되어 있으나, 경학자료집성 영인본을 참조하여 '本'으로 바로잡았다.

說以動, 所歸, 妹也.

기뻐함으로써 움직여 시집가는 자는 여동생이다.

中國大全

本義

又以卦德言之.

또 괘의 덕으로써 말하였다.

小註

朱子曰, 歸妹未有不好, 只是說以動帶累他.
주자가 말하였다: 귀매괘에는 좋지 않음이 없지만 단지 기뻐함으로써 움직여서 상대방에게 얽매이게 된다.

韓國大全

김상악(金相岳) 『산천역설(山天易說)』

釋卦名義. 復以卦德言之, 女歸於男, 乃天地之大義也. 天地不交, 則萬物不生, 男女不交, 則生道滅息, 所以歸妹者, 雖女道之終, 生育之事始之于此也. 說以動, 女先而男後, 所歸者, 自妹也.
괘의 이름을 풀이하였다. 재차 괘의 덕으로 말하면, 여자가 남자에게 시집가는 것은 천지의 큰 뜻이다. 천지가 사귀지 않으면 만물이 생겨나지 않고, 남녀가 사귀지 않으면 낳는 도가 사라지니, 귀매가 비록 여자의 도가 끝나는 것이지만, 낳고 기르는 일은 여기에서 시작된다. "기뻐함으로써 움직인다"는 여자가 먼저 움직이고 남자가 뒤에 따르는 것이며, '시집가는 자'는 여동생이다.

○ 九四象天, 六三象地. 卦變自泰而來, 乾之九三上交於坤, 坤之六四下交於乾, 是天地交也. 震互離體, 兌互坎體, 萬物出乎震, 相見乎離, 說言乎兌, 勞乎坎, 是萬物興也. 兌爲陰之終, 震爲陽之始, 終始之象, 京傳, 漸爲艮之歸魂乾終也, 歸妹兌之歸魂坤終也, 故曰天地之大義, 人之終始.
구사는 하늘을 상징하고 육삼은 땅을 상징한다. 괘의 변화는 태괘(泰卦䷊)로부터 왔으니, 건괘의 구삼은 위로 곤괘와 사귀고 곤괘의 육사는 아래로 건괘와 사귀니 이것이 천지가 사귀는 것이다. 진괘의 호괘는 리괘이고 태괘의 호괘는 감괘인데, 만물은 진괘에서 나오고 리괘에서 서로 만나보며 태괘에서 기뻐하고 감괘에서 수고로우니[18] 이것은 만물이 흥성한 것이다. 태괘는 음의 끝이 되고 진괘는 양의 시작이 되는데, 끝과 시작의 상에 대해서 경방의 『역전』에서는 "점괘(漸卦䷴)는 간괘의 귀혼괘이니 건괘가 끝이 되고, 귀매괘는 태괘의 귀혼괘이니 곤괘가 끝이 된다"고 했기 때문에, 천지의 큰 뜻이며 사람에게 끝과 시작이 된다고 했다고 했다.

서유신(徐有臣) 『역의의언(易義擬言)』

說以動者, 男女俱說而俱動也. 隨變爲歸妹, 而歸於內者, 小女也, 所以名是卦曰歸妹也.
"기뻐함으로써 움직인다"는 남녀가 모두 기뻐하고 모두 움직인다는 뜻이다. 수괘(隨卦䷐)가 변하여 귀매괘가 되었는데, 안으로 돌아가는 자는 막내딸이니, 이 괘를 '귀매(歸妹)'라고 한 이유이다.

심대윤(沈大允) 『주역상의점법(周易象義占法)』

女不肯事男, 下不肯事上, 則无天下矣, 无萬物矣. 君臣夫婦, 天地之大義, 人之大倫也. 子路曰, 不仕无義, 亂大倫, 是也. 男女合而家道成, 上下合而天下治, 人道之終也. 以我從人而得人之從于我, 人道之始也. 歸妹一事而兼終始之道也. 說以動, 言從人之以說動也, 非强脅也, 取舍之權在妹, 故以妹主之也.
여자가 남자 섬기기를 기꺼이 하지 않고 아랫사람이 윗사람 섬기기를 기꺼이 하지 않는다

18) 『周易 · 說卦傳』: 帝出乎震, 齊乎巽, 相見乎離, 致役乎坤, 說言乎兌, 戰乎乾, 勞乎坎, 成言乎艮.

면, 천하가 없어지고 만물도 없어진다. 군신관계와 부부관계는 천지의 큰 뜻이며, 인간의 큰 윤리이다. 자로가 "벼슬을 하지 않는 것은 의가 없어서이니, 큰 윤리를 어지럽힌다"[19]고 한 말이 이 뜻에 해당한다. 남녀가 합하여 가정의 도가 완성되고 상하가 합하여 천하가 다스려지는 것은 인도의 끝이다. 내가 남을 따라서 남도 나를 따르게 하는 것은 인도의 시작이다. 귀매는 한 가지 사안인데 끝과 시작의 도를 겸하고 있다. "기뻐함으로써 움직인다"는 남을 따름에 기뻐하며 움직인다는 말이니, 강제로 위협한 것이 아니다. 취사선택의 권세가 여동생에게 있기 때문에 여동생을 위주로 말했다.

19) 『論語 · 微子』: 子路曰, "不仕無義. 長幼之節, 不可廢也, 君臣之義, 如之何其廢之? 欲絜其身, 而亂大倫. 君子之仕也, 行其義也. 道之不行, 已知之矣."

征凶, 位不當也.

"가면 흉함"은 자리가 마땅하지 않기 때문이다.

中國大全

傳

以二體釋歸妹之義. 男女相感, 說而動者, 少女之事, 故以說而動, 所歸者, 妹也. 所以征則凶者, 以諸爻皆不當位也, 所處皆不正, 何動而不凶. 大率以說而動, 安有不失正者.

두 몸체로 귀매괘의 뜻을 풀이하였다. 남녀가 서로 감응하여 기뻐해서 움직인 것은 막내딸에게 해당하는 일이기 때문에, 기뻐함으로써 움직여서 시집을 가는 자는 여동생이다. 가면 흉하게 되는 이유는 여러 효의 자리가 모두 합당하지 않기 때문이니, 머문 곳이 모두 바르지 않은데 어떻게 움직여서 흉하지 않겠는가? 대체로 기뻐함으로써 움직인다면 어찌 올바름을 잃지 않는 자가 있겠는가?

韓國大全

유정원(柳正源) 『역해참고(易解參攷)』

正義, 二三四五皆不當位, 明非正嫡, 因說動而更求進, 妖邪之道也, 所戒其征凶也.

『주역정의』에서 말하였다: 이효 · 삼효 · 사효 · 오효는 모두 자리가 마땅하지 않으니, 정실이 아님을 나타내는 것이며, 기뻐하며 움직이는 것에 따라 재차 나아가기를 구하니 요사한 도이므로, 가면 흉하다고 경계했다.

傳.
『정전』에 대하여.
案, 傳末本有說音悅三字.
내가 살펴보았다: 『정전』의 끝에는 본래 '열음열(說音悅)'이라는 세 글자가 있다.

서유신(徐有臣) 『역의의언(易義擬言)』

卦變而二三四五皆不當位, 爲征凶之象也. 在柔者, 其義尤爲凶也.
괘가 변해서 이효 · 삼효 · 사효 · 오효가 모두 자리에 마땅하지 않으니 가면 흉한 상이 된다. 부드러운 음에 있어서는 그 뜻이 더욱 흉하게 된다.

김기례(金箕澧) 「역요선의강목(易要選義綱目)」
位不當.
마땅하지 않기 때문이다.

指陰陽失正之爻, 卽卦辭征凶之意.
음양 중 바름을 잃어버린 효를 가리키니, 괘사에서 "가면 흉하다"고 한 뜻에 해당한다.

无攸利, 柔乘剛也.

"이로울 것이 없음"은 부드러운 음이 굳센 양을 탔기 때문이다.

中國大全

傳

不唯位不當也, 又有乘剛之過, 三五皆乘剛. 男女有尊卑之序, 夫婦有唱隨之禮, 此常理也, 如恒, 是也. 苟不由常正之道, 徇情肆欲, 唯說是動, 則夫婦瀆亂, 男牽欲而失其剛, 婦狃說而忘其順, 如歸妹之乘剛, 是也. 所以凶, 无所往而利也. 夫陰陽之配合, 男女之交媾, 理之常也, 然從欲而流放, 不由義理, 則淫邪无所不至, 傷身敗德, 豈人理哉. 歸妹之所以凶也.

단지 자리가 합당하지 않기 때문만이 아니며 또한 굳센 양을 올라탄 잘못이 있기 때문이니, 삼효와 오효는 모두 굳센 양을 올라탔다. 남녀에게는 존비의 질서가 있고 부부에게는 인도하고 따르는 예법이 있으니, 이것이 일상적인 도리이며 항괘(恒卦)가 이러한 경우에 해당한다. 만약 항상 되고 올바른 도에 따르지 않고 정감과 욕심에 따르기만 하여 단지 기뻐함에 움직인다면, 부부가 문란해져서 남편은 욕심에 끌려 굳셈을 잃고 부인은 기쁨에 빠져 순종함을 잊으니, 귀매 괘에서 굳센 양을 탄 것이 이러한 경우이다. 그래서 흉하여 가는 곳마다 이로움이 없다. 음양이 짝하고 남녀가 교합함은 항상된 이치이지만, 욕심에 따라 제멋대로 하고 의리에 따르지 않는다면, 음란하고 사벽함이 이르지 않는 곳이 없게 되어 몸과 덕을 해치니 어찌 사람의 도리가 되겠는가? 이것이 귀매 괘가 흉함이 되는 이유이다.

本義

又以卦體釋卦辭. 男女之交, 本皆正理, 唯若此卦, 則不得其正也.

이 또한 괘의 몸체로써 괘사를 풀이하였다. 남녀가 사귐은 본래 모든 것이 올바른 이치이지만, 다만 이 괘와 같다면 올바름을 얻지 못한다.

小註

嵩山晁氏曰, 以爻位推之, 二四以陽居陰, 有男以不正從女之象. 三五以陰居陽, 有女以不正從男之象. 行皆失正, 故爲征凶. 上卦以六五乘九四, 下卦以六三乘九二, 有夫屈于婦, 婦制其夫之象, 故爲无攸利也.
숭산조씨가 말하였다: 효의 자리로 추론해보면, 이효와 사효는 양이 음의 자리에 있어서 남자가 부정한 방법으로 여자를 따르는 상이 있다. 삼효와 오효는 음이 양의 자리에 있어서 여자가 부정한 방법으로 남자를 따르는 상이 있다. 행실에 모두 바름을 잃었기 때문에 가면 흉하게 된다. 상괘는 육오가 구사를 올라탔고 하괘는 육삼이 구이를 올라탔으니, 남편이 부인에게 굽히고 부인이 남편을 제어하는 상이 있기 때문에 이로울 바가 없게 된다.

○ 進齋徐氏曰, 位不當, 則紊男女內外之正, 柔乘剛, 則悖夫婦唱隨之理, 所以征凶而无攸利也.
진재서씨가 말하였다: 자리가 합당하지 않다면 남녀의 내외에 따른 올바름을 문란하게 만들고, 부드러운 음이 굳센 양을 올라탄다면 부부가 이끌고 따르는 도리를 어그러트리니, 가면 흉하고 이로울 바가 없게 되게 된다.

○ 雙湖胡氏曰, 嘗合隨卦觀之, 隨與歸妹, 兌震易位者也. 動而說爲隨, 此陽倡而陰和, 男行而女隨, 得男女之正, 故元亨利貞. 說以動爲歸妹, 則是陰反先倡而陽和, 女反先行而男從, 失男女之正, 故征凶无攸利. 柔乘剛, 柔謂三五, 剛謂二四, 皆陰陽失位也.
쌍호호씨가 말하였다: 수괘(隨卦䷐)와 함께 살펴보니, 수괘와 귀매괘는 태괘와 진괘가 자리를 바꾼 괘이다. 움직여서 기뻐함은 수괘의 뜻이 되니 양이 선창하여 음이 화답함이며 남자가 시행하여 여자가 따름이니, 남녀의 올바름을 얻었기 때문에 크게 형통하고 곧게 함이 이로운 것이 된다. 기뻐함으로써 움직임은 귀매괘의 뜻이 되니 음이 반대로 선창을 하고 양이 화답함이며 여자가 반대로 먼저 시행하여 남자가 따름이니, 남녀의 올바름을 잃었기 때문에 가면 흉하고 이로울 바가 없게 된다. 부드러운 음이 굳센 양을 탄다고 했는데, 부드러운 음은 삼효와 오효를 뜻하며 굳센 양은 이효와 사효를 뜻하니, 이 모두는 음양이 자신의 자리를 잃은 것이다.

○ 雲峯胡氏曰, 漸歸妹相反在三四兩爻. 漸之六自三之四, 爲進得位, 歸妹之六自四之三, 爲位不當. 漸自三至五, 皆得位之正, 歸妹自二至五, 皆不得位. 漸止而巽, 其動也不窮, 歸妹說以動, 其征也必凶. 漸以九五爲剛得中, 歸妹六五亦柔得中也, 不書, 抑陰也. 漸剛乘柔不書, 歸妹柔乘剛則書, 亦抑陰也. 漸之女歸, 亦天地之大義, 而人之終始, 亦不書, 止而巽者, 其常也, 說以動者, 非常也. 彖傳之意, 若曰歸妹天地之大義, 人之終始也. 本非凶也, 本无所謂不利也. 惟陰之說而陽動焉, 所以征凶, 所以无攸利也, 故抑之又抑之.
쌍호호씨가 말하였다: 점괘(漸卦)와 귀매괘가 상반됨은 삼효와 사효 두 효에 달려 있다. 점괘의 육(六)은 삼효로부터 사효에 이르니 나아감에 자리를 얻은 것이고, 귀매괘의 육(六)은 사효로부터 삼효로 이르니 자리가 합당하지 않은 것이다. 점괘는 삼효로부터 오효까지 모두 올바른 자리를 얻었는데, 귀매괘는 이효로부터 오효까지 모두 자리를 얻지 못했다. 점괘는 그쳐서 공손하여 그 움직임이 무궁한데, 귀매괘는 기뻐함으로써 움직여서 감에 반드시 흉하게 된다. 점괘는 구오가 굳센 양이 되어 알맞음을 얻었고, 귀매괘의 육오 또한 부드러운 음이 알맞음을 얻었는데, 기록하지 않은 이유는 음을 억누르기 때문이다. 점괘의 굳센 양은 부드러운 음을 탔는데 기록하지 않았고, 귀매괘의 부드러운 음은 굳센 양을 탔는데 기록을 했으니, 이 또한 음을 억누르기 위해서이다. 점괘에서 여자가 시집감은 또한 천지의 대의가 되며 사람에게 있어서는 끝과 시작이 되는데 이 또한 기록하지 않았으니, 그쳐서 공손함은 일상적인 도리가 되며, 기뻐함으로써 움직임은 일상적인 도리가 아니기 때문이다. 「단전」의 뜻 중 "귀매는 천지의 대의이며, 사람의 끝과 시작이다"라고 한 말의 경우, 본래 흉함이 아니며 본래 이롭지 않다고 한 말이 없다. 단지 음이 기뻐하고 양이 움직여서 가면 흉하게 되고 이로울 바가 없게 되기 때문에 억누르고 또 억눌렀다.

韓國大全

송시열(宋時烈) 『역설(易說)』

兌悅, 震動. 所歸者, 妹也. 五以震動之道, 下從兌悅之二爻也. 位不當者, 二居往而求之, 二非君位故也. 漸之得位, 此之不當位, 卦本相綜, 義亦交攘無攸利, 戒占者之辭. 然以柔乘剛, 何利之有.
태괘는 기뻐함이고 진괘는 움직임이다. 시집을 가는 자는 막내딸이다. 오효는 진괘의 움직이는 도로써 아래로 태괘의 기뻐하는 이효를 따른다. "자리가 마땅하지 않기 때문이다"는 이효는 머물러야 하는데 가서 구하니, 이효는 임금의 자리가 아니기 때문이다. 점괘는 제자리를 얻는데, 귀매괘는 자리가 마땅하지 않다고 한 것은 괘는 본래 서로 착종된 것이고 뜻에 있어서도 사귀고 길들여짐에 이롭게 여길 것이 없으니, 점치는 자를 경계한 말이다. 그러나 부드러운 음이 굳센 양을 타고 있는데 어떤 이로움이 있겠는가?

이익(李瀷) 『역경질서(易經疾書)』

中四爻互體爲旣濟者, 四卦睽解歸妹未濟. 然睽解是兩陽兩陰之卦, 而初上亦然, 失陰陽之義, 未濟則初陰上陽, 失交泰之義, 其初陽上陰, 惟此卦, 所以爲歸妹也. 不曰女歸者, 從歸之者, 言二五相應皆中而不正, 陰上而陽下, 上在動體之中, 下在說體之中, 是陰先動而陽說從, 爲王女下嫁諸侯之象. 然中四爻失位, 故征凶. 傳文備矣.
가운데 네 효가 호괘로 기제괘(旣濟卦)가 되는 것은 모두 네 괘로 규괘(睽卦)·해괘(解卦)·귀매괘·미제괘(未濟卦)이다. 그러나 규괘와 해괘는 한 쌍의 양과 한 쌍의 음으로 된 괘이며, 초효와 상효도 그러하므로 음양의 뜻을 잃었고, 미제괘는 초효는 음이고 상효는 양이니 사귀어 통하게 되는 뜻을 잃었고, 초효가 양이고 상효가 음인 것은 오직 이 괘밖에 없으므로 귀매가 된다. "여자가 시집을 간다"고 말하지 않은 것은 뒤따라 돌아가는 것이니, 이효와 오효는 상응하여 모두 알맞지만 바르지 못하고, 음이 위에 있고 양이 아래에 있는데, 위는 움직이는 몸체에 있고 아래는 기뻐하는 몸체에 있음을 말하니, 이것은 음이 먼저 움직이고 양이 기뻐하며 따르는 것이어서, 천자의 딸이 제후에게 시집가는 상이 된다는 뜻이다. 그런데 가운데 네 효는 제자리를 잃었기 때문에 가면 흉하다. 『정전』에 자세히 설명되어 있다.

권만(權萬) 「역설(易說)」

歸妹本地天泰, 乾交於坤而爲震, 坤交於乾而爲兌, 天地交矣, 萬物興矣. 震爲男之始, 兌爲女之終, 故曰人之終始.
귀매괘는 본래 지천 태괘(泰卦)인데, 건괘가 곤괘와 사귀어 진괘가 되고 곤괘가 건괘와 사귀어 태괘가 되니, 천지가 사귀고 만물이 흥성하게 된다. 진괘는 남자의 시작이고 태괘는 여자의 마침이기 때문에 "사람에게 끝과 시작이다"고 했다.

○ 說以動, 所歸, 妹也, 言兌說震動, 不過妹說而歸於人, 所歸, 蓋短之之辭也.
"기뻐함으로써 움직여, 시집가는 자는 여동생이다"는 태괘는 기뻐하고 진괘는 움직이니 여동생이 기뻐하며 남에게 시집가는데 불과하다는 말이며, '소귀(所歸)'는 말을 줄인 것이다.

○ 漸與歸妹, 皆以中二爻而得名, 而不過陰陽以近相比, 非吉道也, 非當位也, 故曰征凶. 須少女勿說長男勿動. 成卦中二爻, 與二五以正相交, 然後無征凶之悔也.
점괘(漸卦)와 귀매괘는 모두 가운데 두 효를 통해 괘명을 얻었고, 음양으로 가까이하여 서로 친함에 불과할 뿐이지만 길한 도도 아니고 마땅한 자리도 아니기 때문에 "가면 흉하다"고 했다. 막내딸은 기뻐하지 말아야 하고 맏아들은 움직이지 말아야 한다. 괘를 이루는 것은 가운데 두 효이고, 이효와 오효가 바름으로 서로 사귄 뒤에라야 가면 흉한 후회가 없다.

○ 五乘四陽, 三乘二陽, 爲柔乘剛也. 在上爲乘也, 以柔乘剛, 焉有利乎.
오효는 사효의 양을 타고 있고, 삼효는 이효의 양을 타고 있으니, 부드러운 음이 굳센 양을 탄 것이다. 위에 있는 것은 타는 것인데, 부드러운 음으로 굳센 양을 타고 있으니, 어찌 이로움이 있겠는가?

유정원(柳正源)『역해참고(易解參攷)』

厚齋馮氏曰, 以九六互居三四, 明卦占. 九自三征四, 則位不當而凶, 六自四來三, 則乘剛而无攸利. 位不當則不安, 其居乘剛則反夫婦之道也.
후재풍씨가 말하였다: 구(九)와 육(六)이 상호 삼효와 사효에 바뀌어 있는 것으로 괘의 점을 나타내었다. 구(九)가 삼효로부터 사효로 가면 자리가 마땅하지 않아서 흉하고, 육(六)이 사효로부터 삼효로 오면 굳센 양을 타서 이로울 것이 없다. 자리가 마땅하지 않다면 편안하지 않고, 머문 곳이 굳센 양을 타고 있으면 부부의 도에 반하게 된다.

김상악(金相岳)『산천역설(山天易說)』

以卦變釋卦辭. 位不當, 謂九四也. 柔乘剛, 謂六三也.
괘의 변화로 괘사를 풀이하였다. "자리가 마땅하지 않기 때문이다"는 구사를 가리킨다. "부드러운 음이 굳센 양을 탔기 때문이다"는 육삼을 가리킨다.

○ 二與四, 皆以陽居陰, 而四變爲震, 三與五, 皆以柔乘剛, 而三變爲兌. 卦成於三四, 說以動, 故陽征凶, 而陰无攸利, 猶漸九三之夫征不復, 婦孕不育.
이효와 사효는 모두 양으로 음의 자리에 있고 사효가 변하면 큰 진괘가 되며, 삼효와 오효는 모두 음으로 양을 타고 있고 삼효가 변하면 큰 태괘가 된다. 괘는 삼효와 사효에서 완성되는데, 기뻐하며 움직이기 때문에 양이 가면 흉하고 음은 이로울 것이 없으니, 이것은 점괘(漸卦) 구삼에서 "남편이 가면 돌아오지 않고, 부인은 잉태를 하더라도 양육을 못한다"[20]고 한 말과 같다.

서유신(徐有臣) 『역의의언(易義擬言)』

柔者乘陵, 非所利也, 在剛者, 其義尤爲不利也.
부드러운 음이 타고 업신여기니 이로울 것이 아니며, 굳센 양에 있어서는 그 뜻이 더욱 이롭지 않게 된다.

강엄(康儼) 『주역(周易)』

本義, 又以卦體 [止] 不得其正也.
『본의』에서 말하였다: 이 또한 괘의 몸체로써 … 올바름을 얻지 못한다.

按, 男女之交, 本皆正理, 指歸妹天地之大義, 以至人之終始而言. 唯若此卦不得其正, 指說以動至柔乘剛而言.
내가 살펴보았다: 『본의』에서 "남녀가 사귐은 본래 모든 것이 올바른 이치이다"고 한 말은 "귀매는 천지의 큰 뜻이다"라는 말로부터 "사람에게 끝과 시작이 된다"는 말까지를 가리켜서 풀이한 것이다. "다만 이 괘와 같다면 올바름을 얻지 못 한다"고 한 말은 "기뻐함으로써 움직인다"는 말로부터 "부드러운 음이 굳센 양을 탔기 때문이다"는 말까지를 가리켜서 풀이한 것이다.

김기례(金箕澧) 「역요선의강목(易要選義綱目)」

柔乘剛.
부드러운 음이 굳센 양을 탔기 때문이다.

指婦制夫之爻, 卽辭无攸利之意.
부인이 남편을 제어하는 효를 가리키니, 괘사에서 "이로울 것이 없다"고 한 뜻에 해당한다.

심대윤(沈大允) 『주역상의점법(周易象義占法)』

位不當者, 中四爻皆剛柔失位也. 柔乘剛者, 言乘剛而不自主也. 凡言乘剛, 皆不得自用之意也.
"자리가 마땅하지 않기 때문이다"는 가운데 네 효는 모두 양과 음이 제자리를 잃은 것이다.

---

20) 『周易 · 漸卦』: 九三, 鴻漸于陸, 夫征不復, 婦孕不育, 凶, 利禦寇.

"부드러운 음이 굳센 양을 탔기 때문이다"는 양을 탔지만 자기 마음대로 하지 못한다는 뜻이다. 양을 탔다고 한 것은 모두 자기 마음대로 못한다는 뜻이다.

오치기(吳致箕) 「주역경전증해(周易經傳增解)」

此釋卦名義, 而以卦德卦體釋卦辭也. 震以長男在上, 兌以少女在下, 少女從長男, 爲妹之歸, 而男女配合, 卽天地之大義也. 若天地不交, 則萬物无以生, 而男女交感, 則乃生息相續之道, 其生不窮. 前者有終, 後者有始, 故爲人之終始也. 以卦德言, 則男女相感. 說以動者, 卽少女之歸于長男, 而以卦體言, 則震剛兌柔, 俱不當位, 所處不正, 故有所往而必凶矣. 柔皆乘剛, 失男女尊卑之常理, 故无所利也.
이것은 괘의 이름을 풀이하고, 괘덕 · 괘체로 괘사를 풀이하였다. 진괘는 맏아들로 위에 있고 태괘는 막내딸로 아래에 있어서, 막내딸이 맏아들을 따르는 것은 여동생이 시집가는 일이 되고, 남녀가 짝을 이루는 것은 천지의 큰 뜻이다. 만약 천지가 사귀지 않는다면 만물은 생겨날 수 없고, 남녀가 교감하면 자식을 낳으니 서로 연속되는 도가 되어, 낳음이 다하지 않는다. 앞에는 끝이 있고 뒤에는 시작이 있기 때문에 사람에게 있어서 끝과 시작이 된다. 괘덕으로 말을 한다면 남녀가 서로 감응하는 것이다. "기뻐함으로써 움직인다"는 막내딸이 맏아들에게 시집가는 것이지만, 괘체로 말을 한다면 진괘의 굳셈과 태괘의 부드러움이 모두 자리에 마땅하지 않고 처한 곳도 바르지 않기 때문에 가면 반드시 흉함이 있다. 부드러운 음이 모두 굳센 양을 타고 있으니, 남녀와 존비의 마땅한 이치를 잃었기 때문에 이로울 것이 없다.

이진상(李震相) 『역학관규(易學管窺)』

妹, 少女也. 爻之處中者, 皆失其位, 而以說相從, 其凶可知. 先儒言歸妹泰之變也. 九三上征爲四, 則六四反爲六三, 失交泰之義, 故曰征凶.
매(妹)는 막내딸이다. 효 중 가운데 처한 것들이 모두 제자리를 잃었고, 기뻐하며 서로 따르니 흉함을 알 수 있다. 앞선 학자들은 귀매괘는 태괘(泰卦)가 변한 것이라고 했다. 구삼이 위로 가서 사효가 된다면 육사는 반대로 육삼이 되니 사귀어 통하는 뜻을 잃기 때문에 "가면 흉하다"고 했다.

최세학(崔世鶴) 「주역단전괘변설(周易彖傳卦變說)」

歸妹, 泰之二體變也. 三與四二爻爲主, 故象以天地之大義言之. 否三居下體之上, 否四居上體之下, 男上女下, 天經地義. 然所以征凶, 三四皆位不當也. 无攸利, 三乘二而四亦見乘於五也.
귀매괘는 태괘(泰卦)의 두 몸체가 변한 것이다. 삼효와 사효는 주인이 되기 때문에 「단전」에서는 천지의 큰 뜻이라고 말했다. 비괘(否卦)의 삼효는 하괘의 위에 있고 비괘의 사효는 상괘의 아래에 있는데, 남자가 위에 있고 여자가 아래에 있어서 하늘과 땅의 기준과 뜻이 된다. 그러나 가면 흉하게 되는 이유는 삼효와 사효가 모두 자리가 마땅하지 않기 때문이다. 또 이로울 것이 없는 것은 삼효는 이효를 타고 있고 사효 또한 오효가 타고 있기 때문이다.

이병헌(李炳憲)『역경금문고통론(易經今文考通論)』

虞曰, 歸, 嫁也. 兌, 妹也. 乾天坤地, 泰三之四, 天地交, 故曰天地之大義. 說兌, 動震. 所歸, 必妹也.
우번이 말하였다: 귀(歸)자는 시집을 간다는 뜻이다. 태괘는 여동생이다. 건괘는 천이고 곤괘는 땅인데, 태괘(泰卦)의 삼효가 사효로 가니 천지가 사귀기 때문에 "천지의 큰 뜻이다"고 했다. 기뻐함은 태괘이고 움직임은 진괘이다. 시집가는 자는 분명 여동생이다.

按, 歸爲女終, 交爲人倫之始. 卦辭本屬不備, 夫子於義於象, 益闡正理, 策準中數.
내가 살펴보았다: 시집을 가는 것은 여자의 끝이며, 사귀는 것은 인륜의 시작이다. 괘사는 본래 제대로 갖춰져 있지 않아서, 공자는 그 뜻과 상에 대해서 올바른 이치를 더욱 천명했으며, 책수는 중수인 삼백 육십이다.

象曰, 澤上有雷, 歸妹, 君子以, 永終, 知敝.

「상전」에서 말하였다: 연못 위에 우레가 있는 것이 귀매(歸妹)이니, 군자가 그것을 본받아 끝을 영구하게 하여 사물에 무너짐이 있음을 안다.

中國大全

傳

雷震於上, 澤隨而動, 陽動於上, 陰說而從, 女從男之象也, 故爲歸妹. 君子觀男女配合, 生息相續之象, 而以永其終, 知有敝也. 永終, 謂生息嗣續, 永久其傳也. 知敝, 謂知物有敝壞而爲相繼之道也. 女歸則有生息, 故有永終之義, 又夫婦之道, 當常永有終, 必知其有敝壞之理而戒愼之, 敝壞, 謂離隙. 歸妹, 說以動者也, 異乎恒之巽而動, 漸之止而巽也. 少女之說, 情之感動, 動則失正. 非夫婦正而可常之道, 久必敝壞, 知其必敝, 則當思永其終也. 天下之反目者, 皆不能永終者也, 不獨夫婦之道. 天下之事, 莫不有終有敝, 莫不有可繼可久之道, 觀歸妹, 則當思永終之戒也.

우레가 위에서 진동하고 못이 따라서 움직이며, 양이 위에서 움직이고 음이 기뻐서 따르니, 여자가 남자를 따르는 상이기 때문에 '귀매(歸妹)'가 된다. 군자는 남녀가 짝하여 자식을 낳아 서로 잇게 되는 상을 보고, 끝을 영구하게 하여 무너짐이 있음을 안다. '영종(永終)'은 생식하여 이어가서 전함을 영구하게 한다는 뜻이다. '지폐(知敝)'는 사물에 무너짐이 있음을 알아서 서로 잇는 도를 만든다는 뜻이다. 여자가 시집을 가면 자식을 낳음이 생기기 때문에 영종의 뜻이 있고, 또 부부의 도는 마땅히 항상되며 영구하며 끝이 있으므로, 반드시 무너지는 이치가 있음을 알아서 주의해야 하니, 무너짐은 서로 떨어지고 틈이 생김을 뜻한다. 귀매는 기뻐함으로써 움직이는 자이니, 항괘(恒卦)의 공손하게 움직이고 점괘(漸卦)의 그쳐서 공손함과는 다르다. 여동생이 기뻐함은 정이 감동함이니 움직이면 올바름을 잃는다. 부부가 올바르고 항상할 수 있는 도가 아니므로 오래되면 반드시 무너지게 되니, 반드시 무너지게 됨을 안다면 마땅히 끝을 영구하게 만들 것을 생각해야 한다. 천하의 반목하는 자들은 모두 끝을 영구하게 만들 수 없는 자이니 부부의 도에만 해당하지 않는다. 천하의 일 중에 끝이 있고 무너짐이 있지 않은 것이 없고 이을 수 있고 오래할 수 있는 도가 있지 않은 일이 없으니, 귀매괘를 살펴본다면 마땅히 끝을 영구하게 할 수 있는 경계를 생각해야만 한다.

本義

雷動澤隨, 歸妹之象, 君子觀其合之不正, 知其終之有敝也, 推之事物, 莫不皆然.

우레가 움직임에 못이 따름은 귀매의 상이니, 군자는 바르지 못하게 합함을 보고 끝에 무너짐이 있으리라는 사실을 아니, 사물에 미루어보아도 그렇지 않음이 없다.

小註

建安丘氏曰, 雷震澤上, 水氣隨之而升, 女子從人之象也. 永終知敝, 謂婚姻之道, 欲其永遠而有終也, 必預有以知其不終之敝. 女子從人以說而動, 至於失身敗德, 不能永其所終者多矣, 所謂華落色衰, 復相棄背者, 是也. 而原其所以, 則由奔誘而爲夫婦, 徇情肆欲之所致而不知其敝之過也. 向使於說動之時而爲永終知敝之戒, 則无此失矣.

건안구씨가 말하였다: 우레가 못 위에서 진동하여 물의 기운이 뒤따라 오르니, 여자가 남편을 따르는 상이다. "끝을 영구하게 하여 사물에 무너짐이 있음을 안다"는 말은 혼인의 도에서는 영원하길 바라지만 끝이 생기니, 미리 끝맺지 못하는 무너짐에 대해 알고 있어야만 한다는 뜻이다. 여자가 남편을 따름에 기뻐함으로써 움직여서 자신과 덕을 잃어 끝맺음을 영구히 할 수 없는 지경에 이르는 자가 많으니, "아름다운 안색이 실추되면, 재차 서로 등지고 버린다"[21]는 말에 해당한다. 그 원인을 살펴보면 분(奔)[22]의 꾐에 넘어가 부부가 되어 정감과 욕심이 하고자 하는 대로 내맡겨서 무너지는 잘못을 알지 못한다. 기뻐서 움직이는 시기에 끝을 영구히 하여 무너짐을 안다는 주의를 주었다면 이러한 실수는 없게 된다.

○ 中溪張氏曰, 物生必有終, 有以永之則不終, 事久必有敝, 有以知之則不敝. 然永之非艱而知之唯難, 苟能知其敝, 斯可以永其終而君子偕老矣.

중계장씨가 말하였다: 사물이 생겨나면 반드시 끝이 있는데 영구히 할 수 있다면 끝나지 않고, 사물이 오래되면 반드시 무너짐이 있는데 그 사실을 알 수 있다면 무너지지 않는다. 그러나 어려움은 영구히 함이 아니며 그 사실을 아는 것이니, 무너지게 됨을 알 수 있다면 끝을 영구히 하여 군자가 해로할 수 있다.

○ 雲峯胡氏曰, 澤中有雷, 雷隨澤止, 君子嚮晦宴息, 取其止也. 澤上有雷, 澤隨雷動,

---

21) 『詩經 · 氓』: [毛序] 氓, 刺時也. 宣公之時, 禮義消亡, 淫風大行, 男女無別, 遂相奔誘, 華落色衰, 復相棄背, 或乃困而自悔喪其妃耦. 故序其事以風焉, 美反正, 刺淫泆也.

22) 분(奔): 친영(親迎) 등의 정식 혼례 절차를 거치지 않고 시집가는 것을 뜻한다. 주로 첩 등을 얻을 때 쓰는 말이다.

君子永終知敝, 戒其動也.
운봉호씨가 말하였다: 못 안에 우레가 있어서 우레가 못의 그침에 따르니, 군자가 날이 어두워지면 휴식을 취함[23]은 그침의 뜻에 따른 것이다. 못 위에 우레가 있어서 못이 우레의 움직임에 따르니, 군자가 끝을 영구히 하여 무너짐을 아는 것은 움직임을 경계한 것이다.

‖ 韓國大全 ‖

송시열(宋時烈) 『역설(易說)』

永終者, 上卦本以艮之成終, 而綜爲震, 震亦健. 知敝者, 兌爲毁拆, 故曰敝. 君子知其敝而圖厥終焉.
"끝을 영구하게 하다"는 것은 상괘는 본래 간괘로 끝을 완성하는데, 거꾸로 된 괘가 진괘이니 진괘는 또한 굳건함이 되기 때문이다. "사물에 무너짐이 있음을 안다"는 것은 태괘는 무너지고 끊어짐이 되기 때문에 폐(敝)라고 했다. 군자가 무너짐을 알아서 그 끝을 잘 도모한다.

유정원(柳正源) 『역해참고(易解參攷)』

永終, 知敝.
「대상전」에서 말하였다: 끝을 영구하게 하여 사물에 무너짐이 있음을 안다.

梁山來氏曰, 天下之事, 凡以仁義道德相交洽者, 則久久愈善, 如劉孝標所謂風雨急而不綴其音, 霜露零而不渝其色. 此永終无敝也, 故以勢合者勢盡, 則情疏, 以色合者色衰, 則愛弛. 垝垣復關之事, 雖言笑于其初, 而桑落黃隕之嗟, 終痛悼于其後, 至于立身一敗, 萬事瓦裂, 其敝至此.
양산래씨가 말하였다: 천하의 일들은 인의와 도덕으로 서로 합한다면 오래될수록 더욱 선하게 되니, 유효표가 "비바람이 급하면 소리가 이어지지 않고, 서리와 이슬이 떨어지면 그 색이 변하지 않는다"고 한 말과 같다. 이것이 끝을 영구하게 하여 무너짐이 없도록 하는 것이므로, 세력을 합한 경우 세력이 다하면 정감이 소원해지고, 색으로 합한 자는 색이 쇠미해지

---

23) 『周易 · 隨卦』: 象曰, 澤中有雷, 隨, 君子以嚮晦入宴息.

면 애정이 느슨해진다. 무너진 담장과 복관 등의 사안은 처음에는 말하며 웃지만[24] 뽕잎이 떨어지며 누렇게 되는 탄식은 끝내 그 뒤에서 슬프고 아파하는 것인데[25] 자신을 세우는 것을 망치고 모든 일이 망가지는 지경에 이르니, 무너짐이 이러한 지경에 이른 것이다.

조호익(曺好益) 『역상설(易象說)』

雷之動不常, 而澤之隨无終, 君子觀雷澤之象, 以永其終而知有敝也.
우레가 움직임에 일정하지 않고 못이 따름에 끝이 없으니, 군자가 우레와 못의 상을 살펴 끝을 영구하게 하고 무너짐이 있음을 안다.

김장생(金長生) 『경서변의(經書辨疑)-주역(周易)』

歸妹大象, 永終知弊.
귀매괘 「대상전」에서 말하였다: 끝을 영구하게 하여 사물에 무너짐이 있음을 안다.

義釋當云, 永於終, 知弊也.
뜻에 따라 풀이하면, 끝에서 영구히 하여 무너짐을 안다고 해야 한다.

이만부(李萬敷) 「역통(易統)・역대상편람(易大象便覽)・잡서변(雜書辨)」

傳曰, 雷震於上, 澤隨而動, 陽動於上, 陰說而從, 女從男之象也, 故爲歸妹. 天下之事, 莫不有從有敝, 莫不有可繼可久之道, 觀歸妹, 則當思永終之戒也.
『정전』에서 말하였다: 우레가 위에서 진동하고 못이 따라서 움직이며, 양이 위에서 움직이고 음이 기뻐서 따르니, 여자가 남자를 따르는 상이기 때문에 '귀매(歸妹)'가 된다. 천하의 일 중에 끝이 있고 무너짐이 있지 않은 것이 없고 이을 수 있고 오래할 수 있는 도가 있지 않은 일이 없으니, 귀매괘를 살펴본다면 마땅히 끝을 영구하게 할 수 있는 경계를 생각해야만 한다.

臣謹按, 凡物有本末, 事有終始, 不可不善始, 故曰作事謀始, 不可不愼終, 故曰永終知敝. 作事, 始終之要, 著此二象, 有始有終者, 其惟君子之道乎.

---

24) 『詩經・氓』: 乘彼垝垣, 以望復關. 不見復關, 泣涕漣漣. 旣見復關, 載笑載言. 爾卜爾筮, 體無咎言. 以爾車來, 以我賄遷.
25) 『詩經・氓』: 桑之落矣, 其黃而隕. 自我徂爾, 三歲食貧. 淇水湯湯, 漸車帷裳. 女也不爽, 士貳其行. 士也罔極, 二三其德.

신이 삼가 살펴보았습니다: 만물에 본말이 있고 사안에 끝과 시작이 있으니, 시작을 잘하지 않을 수 없기 때문에 "일을 할 때에 시작을 잘 계획 한다"[26]라고 했고, 끝을 신중히 하지 않을 수 없기 때문에 "끝을 영구하게 하여 사물에 무너짐이 있음을 안다"라고 했습니다. 일을 함에 시작과 끝의 요체가 두 상에 있으니, 시작이 있고 끝이 있는 것은 군자의 도일 것입니다.

이익(李瀷) 『역경질서(易經疾書)』

凡大象多不取卦名義, 只以上下兩象爲言. 雷者, 震也, 震者, 龍也. 澤中有雷曰隨, 如所謂龍蛇之蟄以存身也. 君子以之, 則嚮晦入宴息. 澤上有雷者, 謂龍之起蟄, 游動水上, 未及在天也. 龍之興也, 必須量力乘勢, 慮終於其始, 審防其困弊, 然後方可以飛騰. 不然則空濶之中, 無寸木之緣尺波之依, 其窘敗可待也, 故曰永終知弊. 永者, 遠慮也.
「대상전」에서는 대체적으로 괘의 이름을 취하지 않고, 단지 상하의 두 상으로 말을 한다. 우레는 진괘이고, 진괘는 용이 된다. 못에 우레가 있는 것을 수괘(隨卦)라고 하니, "용과 뱀이 칩거함은 이것으로 몸을 보존하는 것이다"[27]는 뜻과 같다. 군자가 이것을 본받는다면 날이 어둠을 향하면 안에 들어가 편안하게 쉰다.[28] "연못 위에 우레가 있다"는 용이 칩거에서 깨어나 물 위에서 유유히 움직이지만 아직 하늘에 이른 것은 아니라는 뜻이다. 용이 일어나려면 반드시 역량을 살피고 기세를 타야 하는데, 시작할 때 잘 마칠까를 염려해서 곤궁함과 피폐함을 살피고 방비한 뒤에야 승천할 수 있다. 그렇지 않다면 공활한 하늘 위에 조금도 의지하고 의탁할 곳이 없어서 궁색하고 피폐해질 것이므로 "끝을 영구하게 하여 사물에 무너짐이 있음을 안다"고 했다. 영구히 한다는 것은 멀리까지 생각함이다.

김상악(金相岳) 『산천역설(山天易說)』

永終, 主言取兌. 知敝, 主行取震. 故記云, 言必慮其所終, 行必稽其所敝, 則民謹於言而愼於行, 所以家人曰言有物而行有恒.
"끝을 영구하게 한다"는 말을 위주로 한 것이니 태괘에서 취했다. "사물에 무너짐이 있음을 안다"는 행동을 위주로 한 것이니 진괘에서 취했다. 그러므로 『예기』에서는 "말을 할 때에는 반드시 끝맺을 것을 생각해야 하고 행동을 할 때에는 반드시 무너질 것을 고려해야 하니, 이처럼 하면 백성들은 말과 행동에 신중하게 된다"[29]고 했으니, 가인괘(家人卦)에서 "말에

---

26) 『周易 · 訟卦』: 象曰, 天與水違行, 訟. 君子以, 作事謀始.
27) 『周易 · 繫辭下』: 尺蠖之屈, 以求信也, 龍蛇之蟄, 以存身也, 精義入神, 以致用也, 利用安身, 以崇德也.
28) 『周易 · 隨卦』: 象曰, 澤中有雷隨, 君子以, 嚮晦入宴息.

사실이 있고 행동에 항상 됨이 있다"[30]고 한 이유이다.

서유신(徐有臣) 『역의의언(易義擬言)』

震爲春, 兌爲秋. 隨自春徂秋也, 歸妹自秋徂春也. 龍出於澤, 而雷始鳴, 春分之候, 婚姻之時, 故曰, 澤上有雷, 歸妹也. 大澤無窮時, 永終之象. 迅雷不竟日, 知敝之象. 君子凡於所歸, 永其終, 知其敝. 永終在終, 知敝在始. 兌陰窮於上, 有念終之戒, 震陽動於下, 有圖始之戒也.

진괘는 봄이 되고 태괘는 가을이 된다. 수괘(隨卦)는 봄으로부터 가을로 가고, 귀매괘는 가을로부터 봄으로 간다. 용이 못에서 나오고 우레가 처음으로 치게 되면 춘분의 절기이고 혼인을 할 때이기 때문에, "연못 위에 우레가 있는 것이 귀매(歸妹)이다"고 했다. 큰 못은 마를 때가 없으니 끝을 영구히 하는 상이다. 맹렬한 우레는 하루를 넘기지 않으니 무너짐이 있음을 아는 상이다. 군자는 돌아가는 것에 대해서 끝을 영구히 하고 무너짐이 있음을 안다. 끝을 영구히 하는 것은 끝에 달려 있고 무너짐이 있음을 아는 것은 시작에 달려 있다. 태괘는 음이 위에서 다하니 끝을 유념하라는 경계가 있고, 진괘는 양이 아래에서 움직이니 시작을 도모하라는 경계가 있다.

이지연(李止淵) 『주역차의(周易箚疑)』

男女居室, 人之大倫也, 而必取其門戶相敵, 年齒相等者, 而內外有別, 上下有分, 然後可謂之子于歸, 宜其家人者也, 故長男居外居上, 長女居內居下之卦, 謂之恒. 恒者, 常久而萬世无弊之道也. 咸雖以感在下經之首, 而其感者, 乃長男長女之方其少也, 以相感之理感之, 而爲生育之本, 故感在於咸之先者以此也, 非與其少男少女之可先於雷風也. 老夫之得女妻, 少婦之遇老夫, 俱非陰陽之正理, 而況女說男之罪甚於男說女. 此卦以少女歸長男失其正理, 且女之說先於男之動, 其不正可知也. 本不當以于歸之歸字與之, 而又不當以書其妹字, 以歸妹爲卦名也. 此如春秋之筆法, 因其實而書之, 以著其是非得失之自不可掩也, 故大象曰以永終知敝.

남녀가 가정을 이루는 것은 인간의 큰 윤리이지만, 반드시 가문이 서로 대등하고 나이가 서로 대등한 대상에서 선택하는 것은 내외의 유별함이 있고 상하의 분별이 있어서이니, 그런 뒤에야 "아가씨의 시집감이여, 그 집안에 마땅하구나"[31]라고 할 수 있으므로, 맏아들은

---

29) 『禮記·緇衣』: 子曰, "君子道人以言而禁人以行, 故言必慮其所終而行必稽其所敝, 則民謹於言而愼於行. 詩云, "愼爾出話. 敬爾威儀." 大雅曰, "穆穆文王. 於緝熙敬止."

30) 『周易·家人卦』: 象曰, 風自火出, 家人, 君子以, 言有物而行有恒.

밖에 있으며 위에 있고 큰딸은 안에 있으며 아래에 있는 괘를 항괘(恒卦)라고 한다. 항(恒)은 항상되고 오래되며 영원토록 없어지지 않는 도이다. 함괘(咸卦)는 비록 느끼는 것으로 하경의 처음에 있지만, 느끼는 것은 곧 맏아들과 큰딸이 어렸을 때 서로 감응하는 이치에 따라 느껴서, 생육의 근본이 되기 때문에 느낌이 함괘의 뜻에 있어 우선되는 것도 바로 이러한 이유 때문이니, 막내아들과 막내딸이 맏딸과 맏아들보다 앞설 수 있다는 것이 아니다. 늙은 남편이 젊은 아내를 얻고 젊은 아내가 늙은 남편을 얻는 것은 모두 음양의 바른 이치가 아닌데, 하물며 여자가 남자를 기뻐하는 죄는 남자가 여자를 기뻐하는 것보다 심함에 있어서랴. 이 괘는 막내딸이 맏아들에게 시집을 가서 바른 이치를 잃었고, 또 여자의 기뻐함이 남자의 움직임보다 앞서니 바르지 않음을 알 수 있다. 본래부터 시집을 간다고 했을 때의 귀(歸)자를 붙여서는 안 되고, 또 매(妹)자를 붙여서도 안 되는데, 귀매(歸妹)로 괘의 이름을 정했다. 이것은 춘추필법에서 실질에 따라 기록을 하여, 시비와 득실을 가릴 수 없음을 드러내는 것과 같기 때문에 「대상전」에서는 "이로써 끝을 영구하게 하여 사물에 무너짐이 있음을 안다"고 했다.

김기례(金箕澧) 「역요선의강목(易要選義綱目)」

君子以, 永終, 知敝.
군자가 그것을 본받아 끝을 영구하게 하여 사물에 무너짐이 있음을 안다.

婚姻之道得正, 永終, 士之出處, 亦然耳. 悅而動, 失正而凶, 故戒以知敝.
혼인의 도가 올바름을 얻는 것은 끝을 영구하게 하는 것인데, 선비가 나아가고 머무는 것 또한 이와 같을 따름이다. 기뻐하고 움직이는 것은 바름을 잃어 흉하기 때문에 "무너짐이 있음을 안다"로 경계하였다.

이항로(李恒老) 「주역전의동이석의(周易傳義同異釋義)」

傳, 天下之事, 莫不有終有敝, 莫不有可繼可久之道, 觀歸妹, 則當思永終之道也.
『정전』에서 말하였다: 천하의 일 중에 끝이 있고 무너짐이 있지 않은 것이 없고 이을 수 있고 오래할 수 있는 도가 있지 않은 일이 없으니, 귀매괘를 살펴본다면 마땅히 끝을 영구하게 할 수 있는 경계를 생각해야만 한다.

---

31) 『詩經 · 桃夭』: 桃之夭夭, 灼灼其華. 之子于歸, 宜其室家.

本義, 君子觀其合之不正, 知其終之有敝也.
『본의』에서 말하였다: 군자는 바르지 못하게 합함을 보고 끝에 무너짐이 있으리라는 사실을 안다.

按, 傳釋重在愼終, 本義重在審始, 歸妹之義, 戒在動說乘剛故也. 蓋終之爲字, 從絲從冬, 絲之始抽者, 必居終, 冬爲歲末, 而又爲歲始, 草木結末必托始, 弓矢發機必立的, 此皆始終互藏其宅之妙也. 是以卦之初上, 言方生之序, 則初爲始而上爲終. 言旣成之位, 則上爲首而初爲尾. 觀此則本末同宮, 終始一致可知也. 是以聽關雎之亂而知麟趾之盛, 見復關之望而知氓詩之怨, 事皆如此.
내가 살펴보았다: 『정전』에서는 중요한 점은 끝을 신중히 하는데 달려 있다고 풀이했고, 『본의』에서는 중요한 점은 시작을 살피는데 달려 있다고 풀이했으니, 귀매괘의 뜻에 있어서 경계는 움직이고 기뻐하며 굳셈을 타는데 있기 때문이다. 종(終)자는 사(絲)자의 부수에 동(冬)자로 이루어져 있는데, 실을 뽑기 시작할 때 반드시 끝이 나오고, 겨울은 한 해의 끝이 되지만 또 한 해의 시작이 되며, 초목의 결말도 반드시 처음에 의탁하고, 활을 쏠 때에는 반드시 과녁을 세우니, 이것은 모두 상호 보관한다는 묘리이다. 이러한 까닭으로 괘의 초효와 상효에 대해서 이제 막 생겨나려는 순서로 말을 한다면, 초효는 시작이 되고 상효는 끝이 된다. 또 이미 이루어진 자리로 말을 한다면 상효는 머리가 되고 초효는 꼬리가 된다. 이것을 살펴본다면 본말은 함께 있고 끝과 시작은 일치함을 알 수 있다. 이러한 까닭으로 「관저」의 끝장을 듣고서 「인지」의 훌륭함을 알았고[32] 복관의 바라봄을 보고서 「맹」의 원망을 알았으니[33] 사안들이 모두 이와 같다.

심대윤(沈大允) 『주역상의점법(周易象義占法)』

澤上有雷, 言澤從雷而動也. 永終知敝, 愼終于始也. 歸妹, 人道之終始也, 故在始而圖其終, 所以能有始有終也. 詩云靡不有初, 鮮克有終, 以不能愼于其始也, 凡事莫不然矣. 兌爲乾之初, 變震爲乾之終, 變震之後, 繼之以坤. 故以本卦之坎互坤曰永終, 坎知兌敝, 曰知敝. 主妹而言從人, 故不取震象也.
"연못 위에 우레가 있다"는 못이 우레를 따라 움직인다는 뜻이다. "끝을 영구하게 하여 사물에 무너짐이 있음을 안다"는 시작하는 데에서 끝을 신중히 한다[34]는 뜻이다. 귀매는 인

32) 『詩經·麟之趾』: 麟之趾, 關雎之應也. 關雎之化行則天下無犯非禮, 雖衰世之公子皆信厚如麟趾之時也.
33) 『詩經·氓』: 乘彼垝垣, 以望復關. 不見復關, 泣涕漣漣. 旣見復關, 載笑載言. 爾卜爾筮, 體無咎言. 以爾車來, 以我賄遷.
34) 『書經·太甲下』: 無輕民事惟難, 無安厥位惟危, 愼終于始.

도의 끝과 시작이기 때문에 시작에 있어서 끝을 도모하는 것은 시작도 있게 하고 끝도 있게 하는 것이다. 『시경』에서 "처음에는 선하지 않은 이가 없지만 선으로 마치는 자가 드물기 때문이다"[35]라고 했는데, 시작하는 데에서 신중을 기할 수 없기 때문이니, 모든 일이 이렇지 않음이 없다. 태괘는 건괘의 처음이 되고 변화한 진괘는 건괘의 끝이 되는데, 변화한 진괘의 뒤에는 곤괘로 이었기 때문이다. 그러므로 본괘의 감괘와 호괘는 곤괘이기 때문에 "끝을 영구하게 한다"고 했고, 감괘는 태괘가 무너지리라는 것을 알았기 때문에 "무너짐이 있음을 안다"고 했다. 여동생을 위주로 하여 남을 따른다고 했기 때문에 진괘의 상에서 취하지 않았다.

오치기(吳致箕) 「주역경전증해(周易經傳增解)」

雷動澤說, 卽少女歸于長男之象, 而君子觀歸妹始合之不正, 雖永久其終, 而知其必有敝壞之理也. 推之事物, 无不皆然矣.

우레는 움직이고 못은 기뻐하니 막내딸이 맏아들에게 시집가는 상이 되는데, 군자는 귀매가 처음에 바르지 못하게 합함을 보고, 비록 그 끝을 영구하기 하더라도 반드시 무너지는 이치가 있음을 안다. 이를 사물에 미루어보면 이렇지 않음이 없다.

이진상(李震相) 『역학관규(易學管窺)』

雷震不終朝, 故有永終之戒. 兌爲毁敗之象, 故有知敝之戒.

우레는 아침나절도 못가기 때문에 끝을 영구히 한다는 경계가 있다. 태괘는 무너지는 상이 되기 때문에 무너짐이 있음을 알게 된다는 경계가 있다.

박문호(朴文鎬) 「경설(經說)·주역(周易)」

永終知敝, 本義釋知字於永終上而合作一事, 程傳之分以兩義者似長. 然若如程釋, 則當曰知敝永終, 豈經文倒歟.

'영종지폐(永終知敝)'에 대해서 『본의』에서는 지(知)자를 영종(永終)에 관련지어 하나의 사안으로 보았는데, 『정전』에서는 두 가지 뜻으로 구분하였으니 더 나은 것 같다. 그러나 만약 『정전』의 해석대로라면 마땅히 '지폐영종(知敝永終)'이라고 말해야 하는데, 어찌 경문이 거꾸로 된 것이겠는가?

---

35) 『詩經·蕩』: 蕩蕩上帝, 下民之辟. 疾威上帝, 其命多辟. 天生烝民, 其命匪諶. 靡不有初, 鮮克有終.

이병헌(李炳憲) 『역경금문고통론(易經今文考通論)』

劉向曰, 雷以八月入[36], 其卦曰歸妹. 〈又言以二月出, 其卦曰豫.〉 言孕毓根荄, 保藏蟄虫, 避盛陰之害.

유향이 말하였다: 우레가 팔월로 들어가게 되면 그 괘는 귀매괘가 된다. 〈또 이월로 나오게 되면 그 괘는 예괘(豫卦)가 된다고 했다〉 즉 뿌리를 품고 숨어 칩거하는 곤충들은 융성한 음의 해악을 피하기 위해서라는 뜻이다.

---

36) 入: 경학자료집성DB에는 '八'로 되어 있으나, 경학자료집성 영인본을 참조하여 '入'으로 바로잡았다.

初九, 歸妹以娣, 跛能履, 征吉.

초구는 여동생을 잉첩으로 시집보내니, 절름발이가 걸을 수 있어 가면 길하다.

中國大全

傳

女之歸, 居下而无正應, 娣之象也. 剛陽, 在婦人, 爲賢貞之德, 而處卑順, 娣之賢正者也. 處說居下, 爲順義. 娣之卑下, 雖賢, 何所能爲. 不過自善其身, 以承助其君而已. 如跛之能履, 言不能及遠也. 然在其分, 爲善, 故以是而行則吉也.

여자가 시집감에 아래에 있어서 정응이 없으니 잉첩의 상이 된다. 굳센 양은 부인에게 있어 현명하고 곧은 덕이 되지만, 낮고 순종하는 자리에 있어서 잉첩 중에 현명하고 바른 자가 된다. 기쁨에 처하며 아래에 머무니 순종의 뜻이 된다. 낮은 신분의 잉첩이 비록 현명하더라도 무엇을 할 수 있겠는가? 스스로 자신을 선하게 해서 정처를 받들고 돕는 것에 불과할 따름이다. 이것은 절름발이가 걸어갈 수 있음과 같으니 멀리까지는 갈 수 없다는 뜻이다. 그러나 본분에 있어서는 선함이 되기 때문에 이처럼 행동하면 길하게 된다.

本義

初九居下而无正應, 故爲娣象. 然陽剛在女子爲賢正之德, 但爲娣之賤, 僅能承助其君而已, 故又爲跛能履之象, 而其占則征吉也.

초구는 아래에 있고 정응이 없기 때문에 잉첩의 상이 된다. 그러나 굳센 양은 여자에게 있어서 현명하고 바른 덕이 되지만, 잉첩처럼 천한 신분이 되어 겨우 정처를 받들고 도울 따름이기 때문에 또한 절름발이가 걷는 상이 되고, 그 점은 가면 길하게 된다.

小註

蘭氏廷瑞曰, 跛者不能以專行, 依人乃可. 娣妾之道, 承正室以行則吉.
난정서가 말하였다: 절름발이는 자기 홀로 걸어갈 수 없고 남에게 의지해야만 가능하다. 잉첩의 도는 정처를 받들어서 가야만 길하다.

○ 節齋蔡氏曰, 无應不行, 故跛. 居位當而近二, 故能履. 適二而媵五, 得娣之正, 故征吉.
절재채씨가 말하였다: 호응함이 없어 가지 못하기 때문에 절름발이가 된다. 있는 자리가 합당하고 이효와 가깝기 때문에 걸어갈 수는 있다. 이효에 가서 오효의 잉첩이 되니 잉첩의 올바름을 얻었기 때문에 가면 길하다.

○ 隆山李氏曰, 古者諸侯一娶九女, 嫡夫人及左右媵, 皆以姪娣從. 聖人制禮, 必以姪娣充媵者, 所以廣國嗣, 使所自出者一同而无他異也.
융산이씨가 말하였다: 고대에 제후는 한 여자에게 장가를 들며 아홉 명의 여자를 얻었으니, 정식 부인 및 좌우의 잉첩들은 모두 자신의 조카딸과 여동생을 데리고 왔다. 성인이 예법을 제정함에 반드시 질제로 잉첩을 충당시킨 이유는 나라의 후손을 넓히기 위해서이니, 출생시킨 자들을 동일하게 해서 다름이 없도록 했다.

○ 進齋徐氏曰, 三爻同處于下, 有娣從之象.
진재서씨가 말하였다: 세 효가 모두 아래에 있으니, 잉첩이 따르는 상이 있다.

○ 雲峯胡氏曰, 卦辭征凶, 初爻之辭征吉, 何也. 以一卦論, 則以說而動, 故其征也凶, 卽此一爻論, 初以剛居剛, 是女子而有賢正之德者, 故征吉. 然爲女而在下无應, 非匹也, 媵也. 爲媵雖賢正, 僅能承助其君, 不能大有所行也, 故有跛能履之象. 象如此而占吉, 以有德故也.
운봉호씨가 말하였다: 괘사에서는 "가면 흉하다"고 했는데 초효의 효사에서는 가면 길하다고 한 이유는 어째서인가? 하나의 괘로써 논의를 해보면 기뻐서 움직이기 때문에 감이 흉하게 되며, 이 한 효로써 논의를 해보면 초효는 굳센 양으로 양의 자리에 있으니 여자이면서 현명하고 올바른 덕을 갖춘 자이기 때문에 가면 길하다. 그러나 여자이면서 아래에 있고 호응함이 없으니 정식 배필이 아니라 잉첩이다. 잉첩이 된 자는 비록 현명하고 올바르더라도 겨우 정처를 받들고 도울 수만 있으니, 크게 시행할 수 없기 때문에 절름발이가 걸어가는 상이 있다. 상이 이와 같은데도 점이 길함은 덕을 갖추고 있기 때문이다.

韓國大全

조호익(曺好益) 『역상설(易象說)』

初九, 歸妹以娣, 跛能履,
초구는 여동생을 잉첩으로 시집보내니, 절름발이가 걸을 수 있어,

娣, 兌象. 跛, 初在下足象. 初不中, 行不中, 故跛. 或曰, 巽爲股, 兌, 巽之反體, 有跛象. 以陽居陽, 陽爲健, 故能履.
잉첩은 태괘의 상이다. 절름발이는 초효가 아래에 있어서 발의 상이 되기 때문이다. 초효는 알맞지 않고 가는 것도 알맞지 않기 때문에 절름발이가 된다. 혹자는 "손괘는 넓적다리가 되고, 태괘는 손괘의 음양이 바뀐 괘이니 절름발이의 상이 있다"고 했다. 양으로 양의 자리에 있는데 양은 굳셈이 되기 때문에 걸을 수 있다.

송시열(宋時烈) 『역설(易說)』

兌爲妾, 而初居下位, 是以娣嫁故之象. 此無足象, 而四爻以震爲應, 初又在下, 故以跛言, 以小象相承觀之, 似是相承於震之意也. 來易云, 兌爲跛爲眇. 天澤履三爻, 并言跛履眇視. 蓋初見震足, 欲往跛足而猶在下位, 故有跛足能履之象耶, 互有坎而傷足之象耶.
태괘는 첩이 되고 초효는 아래 자리에 있으니, 잉첩으로 시집보내는 상이다. 여기에는 다리의 상이 없는데 사효는 진괘로 호응하고 초효는 또한 그 아래에 있기 때문에 절름발이로 말했고, 「소상전」에서 "서로 받들기 때문이다"라고 한 말을 통해 살펴보면 진괘에 대해 서로 받든다는 뜻과 유사하다. 래지덕의 『주역집주』에서는 "태괘는 절름발이가 되고 애꾸눈이 된다. 천택 리괘(履卦)의 삼효에서는 절름발이의 걸음과 애꾸눈의 봄을 함께 언급[37]했다"고 했다. 초효는 진괘의 발을 보고서 절름발이의 발로 가려고 하지만 여전히 아래 자리에 있기 때문에 절름발이의 발이 밟을 수 있는 상이 있는 것이며, 호괘에는 감괘가 있어서 다리를 다치게 하는 상이 될 것이다.

이익(李瀷) 『역경질서(易經疾書)』

天子之女, 嫁於諸侯, 必有姪娣. 妹者, 對姊之稱. 小女, 下兌之象也. 妹又有姪娣, 妹

37) 『周易 · 履卦』: 六三, 眇能視, 跛能履. 履虎尾, 咥人, 凶, 武人爲于大君.

嫡而娣庶, 與六五辭相照. 雖幼以常禮亦行, 故以恒也. 幼故有跛能履之象, 只隨其正嫡而行, 故傳云吉相承也. 此卦初二辭與履三同, 皆下兌也. 兌以說從爲主, 而一陰二陽[38], 乾純陽, 故承乾則履之, 一陰說從也. 震多陰, 故承震, 則歸妹之二陽說從也. 近則視, 而遠則行, 故在一爻, 則先視而後履, 在兩爻, 則先履而後視, 當互考.
천자의 여식이 제후에게 시집을 갈 때에는 반드시 함께 따라가는 여조카와 여동생이 있다. 여동생[妹]은 누이[姊]와 반대되는 칭호이다. 막내딸은 하괘인 태괘의 상이다. 여동생[妹]이 시집을 갈 때에는 여조카와 여동생[娣]이 따라가고, 여동생[妹]은 정처이지만 여동생[娣]은 측실이 되니, 육오의 효사와 서로 그 뜻을 나타낸다. 비록 어리더라도 규정된 예로 시행하기 때문에 항상된 덕을 갖추고 있다. 어리기 때문에 절름발이가 걸을 수 있는 상이 있고, 정처를 따라 시집가기 때문에 「상전」에서는 "길함은 서로 받들기 때문이다"라고 했다. 이 괘의 초효와 이효의 효사는 리괘(履卦)의 삼효[39]와 동일하니, 모두 아래가 태괘이기 때문이다. 태괘는 기뻐하며 따르는 것을 위주로 하며 하나의 음과 두 개의 양으로 되어 있고, 건괘는 모두 양으로 되어 있기 때문에 건괘를 받든다면 걷게 되고 하나의 음이 기뻐하며 따른다. 진괘는 음이 많기 때문에 진괘를 받든다면 귀매괘의 두 양이 기뻐하며 따른다. 가깝다면 보고 멀다면 가기 때문에 하나의 효에 있어서는 먼저 보고 이후에 밟으며, 두 효에 있어서는 먼저 밟고 이후에 보니, 마땅히 상호 참고해야 한다.

심조(沈潮) 「역상차론(易象箚論)」

初九, 跛履.
초구는 절름발이가 걷는다.

在下也.
아래에 있기 때문이다.

유정원(柳正源) 『역해참고(易解參攷)』

正義, 小女謂之妹. 初九以兌適震, 非夫婦匹敵, 是從娣之義也. 故曰歸妹以娣.
『주역정의』에서 말하였다: 막내딸을 매(妹)라고 부른다. 초구는 태괘로 진괘에게 가니, 부부의 올바른 배필이 아니기 때문에 따라서 잉첩이 되는 뜻이다. 그래서 "막내딸을 잉첩으로 시집보낸다"고 했다.

---

38) 陽: 경학자료집성DB와 영인본에는 '陰'으로 되어 있으나 문맥을 살펴 '陽'으로 바로잡았다.
39) 『周易 · 履卦』: 六三, 眇能視, 跛能履. 履虎尾, 咥人, 凶, 武人爲于大君.

○ 隆山李氏曰, 象云征凶者, 以諸爻失位爲妄動之戒. 此云征吉者, 以初安卑下, 而嫡說與之, 偕行也.
융산이씨가 말하였다: 「단전」에서 "가면 흉하다"고 한 것은 여러 효들이 제자리를 잃어 망령스럽게 움직인다는 경계로 삼았다. 이곳에서 "가면 길하다"고 한 것은 초효는 낮은 자리를 편안하게 여기고 정실이 기쁘게 함께 하여 모두 가기 때문이다.

○ 厚齋馮氏曰, 兌爲少女女妹也, 又爲妾娣象也. 六三皆同姓庶女, 從嫡婦人, 所謂媵也. 男以女弟爲妹, 女以女弟爲娣, 故文從女從弟, 以左右之也. 江有汜詩曰, 之子于歸, 不我以, 同此義.
후재풍씨가 말하였다: 태괘는 막내딸이 되고 여동생이 되며 또 첩으로 따라가는 여동생의 상도 된다. 육삼은 모두 성이 같은 여자들로 적실인 부인을 따라가니 잉첩에 해당한다. 남자는 여동생을 매(妹)라고 하고 여자는 여동생을 제(娣)라고 하기 때문에 글자는 여(女)자 부수에 제(弟)자를 합하여 좌우로 두게 된다. 『시경 · 강유사』에서는 "적처가 시집갈 때에 나를 데려가지 않는다"[40]라고 한 말도 이와 뜻이 같다.

○ 案, 初在下象股, 而兌爲毀折, 故跛. 居得正, 故能履. 歸之以娣, 不能得夫婦之正偶, 而猶能在下守常, 故跛能履, 征吉.
내가 살펴보았다: 초효는 아래에 있어서 넓적다리를 상징하고, 태괘는 무너트리고 끊음이 되기 때문에 절름발이가 된다. 머문 곳이 바름을 얻었기 때문에 갈 수 있다. 잉첩으로 시집을 보내면 부부의 바른 짝이 될 수 없지만 여전히 아래에 있으며 상도를 지킬 수 있기 때문에 절름발이가 걸을 수 있어 가면 길하다.

김상악(金相岳) 『산천역설(山天易說)』

初九居下无應, 承助其君, 猶娣之從妹也. 居兌遇震, 又爲跛能履之象. 征則有所歸而吉也.
초구는 아래에 있으며 호응함이 없고 임금을 받들고 도우니, 잉첩이 여동생을 따라 시집가는 것과 같다. 태괘에 있고 진괘를 만나니 또한 절름발이가 걸을 수 있는 상이 된다. 가면 시집갈 대상이 있어서 길하다.

---

40) 『詩經 · 江有汜』: 江有汜, 之子歸. 不以我. 不我以, 其後也悔.

○ 兌爲妾娣之象. 歸妹諸爻, 以陰陽比應, 爲男女相配, 而初九居下而无應, 故曰歸妹以娣. 震足遇兌毁折, 跛之象. 二則與四爲互離, 故言眇. 能履而能視者, 初居正而二得中也. 此爻之象, 與鼎初曰顚趾出否相似, 皆言娣妾之道也. 卦辭曰歸妹征凶, 四變而位不當也. 爻辭曰以娣征吉, 初不變而恒其德也. 又征凶无攸利, 謂三四二爻, 而初九征吉, 四之反也. 上六无攸利, 三之窮也.
태괘는 첩과 잉첩의 상이 된다. 귀매괘의 여러 효들은 음양이 비의 관계이고 호응하여 남녀가 서로 짝함이 되지만, 초구는 아래에 있고 호응함이 없기 때문에 "여동생을 시집보냄에 잉첩을 함께 보낸다"고 했다. 진괘의 발이 태괘의 무너트리고 끊어짐을 만나니 절름발이의 상이 된다. 이효는 사효와 함께 하여 호괘가 리괘가 되기 때문에 애꾸눈이라고 했다. 걸을 수 있고 볼 수 있는 것은 초효는 바른 자리에 있고 이효는 가운데 자리를 얻었기 때문이다. 이 효의 상은 정괘(鼎卦) 초효에서 "발이 넘어졌으나 나쁜 것이 나오다"[41]라고 한 말과 유사하니, 모두 잉첩과 첩의 도를 말한다. 괘사에서는 "귀매는 가면 흉하다"고 했는데, 사효가 변하면 자리가 마땅하지 않기 때문이다. 효사에서는 "잉첩을 보내니 가면 길하다"고 했는데, 초효는 변하지 않고 그 덕을 항상되게 하기 때문이다. 또 "가면 흉하니, 이로울 것이 없다"고 했는데 삼효와 사효를 뜻하고, 초구는 "가면 길하다"고 했는데 사효가 되돌아오기 때문이다. 또 상육은 "이로울 것이 없다"고 했는데 삼효가 다하기 때문이다.

서유신(徐有臣)『역의의언(易義擬言)』

歸於最下爲娣媵也. 長足爲之屈, 短足賴之行, 長足未可獨行, 短足不爲無助. 娣媵隨嫡, 有此象焉, 故曰跛能履也. 征, 恐衍, 據小象可見也. 初九得正, 能知寔命不同之義, 故吉也.
가장 아래로 되돌아가서 잉첩이 된다. 긴 다리는 짧은 다리를 위해 굽히고 짧은 다리는 긴 다리에 힘입어 가는데, 긴 다리 홀로 갈 수가 없고 짧은 다리도 도움이 없어서는 안 된다. 잉첩이 적실을 따라가는 데에는 이러한 상이 있기 때문에 "절름발이가 걸을 수 있다"고 했다. 정(征)자는 아마도 연문인 것 같으니, 「소상전」의 기록에 근거하면 이러한 사실을 알 수 있다. 초구는 바른 자리를 얻었고 이러한 명이 같지 않다는 뜻을 알 수 있기 때문에 길하다.

박제가(朴齊家)『주역(周易)』

卦曰歸妹, 不曰歸女, 則當以兄之歸之爲說可矣. 雖不得已, 而不能正配, 乃以娣而送之. 然跛者亦履, 雖不正立亦能行也. 去則吉矣. 象傳曰以恒也, 此說出爲兄而送之者

41)『周易 · 鼎卦』: 初六, 鼎顚趾, 利出否, 得妾, 以其子, 无咎.

之情也. 如母送之門而戒之之云也. 言雖歸之以娣, 猶望其恒者也. 不然則豈以歸之以娣爲常道者耶.
괘사에서는 "여동생을 시집 보낸다"고 했고, "딸을 시집 보낸다"고 하지 않았으니, 마땅히 오빠가 시집을 보낸다고 설명하는 것이 옳다. 비록 부득이해서라고 하지만 정식 배필이 될 수 없으니 잉첩으로 보내는 것이다. 그러므로 절름발이도 걸을 수 있고 비록 바르게 서 있을 수 없지만 또한 걸을 수 있다. 떠나면 길하다. 「상전」에서는 "항상 된 덕을 갖췄기 때문이다"라고 했는데, 이러한 설명은 오빠가 되어 여동생을 시집보낸다는 정감에서 나온 것이다. 이것은 모친이 문안에서 전송을 하며 경계를 해주는 말과 같다. 즉 비록 잉첩으로 시집을 보내더라도 항상 된 덕을 갖추기를 바란다는 뜻이다. 그렇지 않다면 어찌 잉첩으로 시집보내는 것을 항상 된 도로 삼을 수 있겠는가?

이지연(李止淵) 『주역차의(周易箚疑)』

初九當雷澤之時, 獨以一爻爲雷風之行者.
초구는 우레와 못의 때에 해당하는데 유독 하나의 효를 우레와 바람의 행함으로 삼은 것이다.

김기례(金箕澧) 「역요선의강목(易要選義綱目)」

兌爲妾, 故曰娣.
태괘는 첩이기 때문에 잉첩이라고 했다.

○ 蓋女欲歸而无正應, 又居下則賤也. 但陽剛居正, 則以正從姊而爲媵者也.
여자가 시집을 가고 싶지만 정응하는 자가 없고 또 아래에 있으니 천하다. 다만 양의 굳셈이 바른 자리에 있으니, 바름으로 언니를 따라가서 잉첩이 되는 자이다.

○ 无應則不行, 故曰跛.
호응함이 없다면 가지 않기 때문에 절름발이라고 했다.

○ 剛正而承二, 故曰能履.
굳세고 바르며 이효를 받들기 때문에 "걸을 수 있다"고 했다.

○ 適二而媵五, 所以爲娣之正, 故征吉.
이효를 따라가서 오효의 잉첩이 되는 것은 잉첩의 바름이 되기 때문에 "가면 길하다"고 했다.

심대윤(沈大允) 『주역상의점법(周易象義占法)』

歸妹之義, 與同人大類. 〈同人同類.〉 相求, 故言利貞. 歸妹, 從於一人, 故不言利貞. 同類相親, 人道之正也. 從於一人, 人道之終也. 終必有始, 无止于終者也. 以身從人終也, 人將從我始也. 君臣朋友, 其義略同, 故歸妹之六爻, 皆與同人相似也. 歸妹之世, 以應爲重, 而不取比近也. 歸妹, 臣事君, 女歸夫也, 而爻辭以成說而未及歸之. 前言之不言已歸, 而言其未歸者, 謹其始也. 不謹其始, 而後不可悔矣, 寧可苟合而已哉. 歸妹之爻位, 居剛順從而求親也, 居柔自守而不媚也.

귀매괘의 뜻은 동인괘(同人卦)와 같은 부류이다. 〈동인괘와 부류가 같다는 뜻이다.〉 서로 구하기 때문에 곧음이 이롭다고 했다.[42] 귀매괘는 한 사람을 따르기 때문에 곧음이 이롭다고 하지 않았다. 같은 부류는 서로 친하니 인도의 바름이다. 한 사람을 따르는 것은 인도의 끝이다. 끝나면 반드시 시작됨이 있으니, 끝남에서 그치지 않는다. 자신이 남을 따르는 것이 끝이며 남이 나를 따르려고 하는 것이 시작이다. 임금과 신하 및 벗들에 있어서도 그 뜻이 대략적으로 동일하기 때문에 귀매괘의 여섯 효는 모두 동인괘와 서로 유사하다. 귀매의 때에는 호응함이 중대하며 친하고 가까운 것을 취하지 않는다. 귀매는 신하가 임금을 섬기고 여자가 남자에게 시집가는 것인데, 효사에서는 이루어진 것으로 설명을 하고 아직까지 시집가는 절차까지는 언급하지 않았다. 앞에서 이미 시집을 갔다고 말하지 않고 아직 시집가지 않았다고 말한 것은 시작을 조심하기 때문이다. 시작을 조심하지 않고 이후에 후회해도 소용없으니, 어찌 구차히 합하는 정도에 그치겠는가? 귀매괘 효의 자리 중 굳센 양의 자리에 있는 것은 따라서 친근한 자를 구하고, 부드러운 음의 자리에 있는 것은 스스로 지켜서 아첨하지 않는다.

歸妹之解☳. 初九以剛居剛, 女之良而順從以求親者也. 歸妹之初, 釋其所守而從人, 有解之義, 在下而副於二, 有娣之象, 故曰歸妹以娣. 四非正應, 而阻於二, 不能遽合, 而初承順以求親, 故曰跛能履, 言跛之能履而未遽行也. 离麗震足曰履. 跛能履, 又爲爲禮拘束, 而不能行之意. 初之才剛, 而以其居卑, 而拘於禮, 故不能遽合于四也. 對小過, 巽互兌傷爲跛. 君子之仕也, 行其義也, 以禮求君之視寵可也, 故曰征吉. 小過震巽爲征.

귀매괘가 해괘(解卦☳)로 바뀌었다. 초구는 굳센 양으로 양의 자리에 있어서, 여자 중 선량한 자가 순종하며 따라서 친근한 자를 구하는 것이다. 귀매괘의 초효는 지키던 것을 풀고서 남을 따르니, 해괘의 뜻이 있고, 아래에 있으며 이효를 도우니 잉첩의 상이 있기 때문에

42) 『周易 · 同人卦』: 同人于野, 亨, 利涉大川, 利君子貞.

"여동생을 잉첩으로 시집보낸다"고 했다. 사효는 정응이 아니고 이효에게 막혀서 급작스럽게 할 수 없고 초효는 받들고 순종함으로 친근한 자를 구하기 때문에 "절름발이가 걸을 수 있다"고 했으니, 절름발이가 걸을 수 있지만 급히 갈 수는 없다는 뜻이다. 리괘가 진괘의 발에 매달려 있으니 "걷는다"고 했다. 절름발이가 걸을 수 있고 또 예에 의해 구속되어 걸을 수 없는 뜻이다. 초효는 재질이 굳세지만 낮은 자리에 있고 예에게 구속되기 때문에 사효에게 급작스럽게 합할 수 없다. 음양이 바뀐 소과괘(小過卦)는 손괘와 호괘인 태괘가 상처가 되어 절름발이가 된다. 군자가 벼슬을 할 때에는 도의를 시행하고, 예에 따라 임금의 총애를 구하는 것이 옳기 때문에 "가면 길하다"고 했다. 소과괘의 진괘와 손괘는 가는 것이 된다.

오치기(吳致箕) 「주역경전증해(周易經傳增解)」

初九剛, 雖得正而居卑无應, 故當歸妹之時爲娣媵之象, 而剛正和說, 婦人之有賢德者也. 但爲娣妹之賤, 不得行正嫡之事, 故有側足不能正行之象. 然承助其君, 亦爲職分之當然, 而爲能履婦道, 故言以是而行則吉也.
초구는 굳세니 비록 바름을 얻었지만 낮은 곳에 있고 호응함이 없기 때문에 귀매의 때에 잉첩이 되는 상인데, 굳세고 바르며 조화롭게 기뻐하는 것은 부인 중에서도 현명한 덕을 갖춘 여자이다. 다만 잉첩처럼 천한 자가 되어 정처가 하는 일들을 시행할 수 없기 때문에 절름발이가 똑바로 걸어갈 수 없는 상이 있다. 그러나 임금을 받들고 돕는 것은 또한 직분에 따른 당연한 바이고, 부인의 도를 시행할 수 있기 때문에 이로써 가면 길하다고 했다.

○ 兌爲少女, 娣妹之象. 娣, 謂媵也. 應震爲足, 而兌爲毁折, 跛之象也.
태괘는 막내딸이 되어 잉첩의 상이 된다. 제(娣)자는 잉첩을 뜻한다. 호응하는 진괘는 다리가 되고 태괘는 무너트리고 끊어짐이 되니 절름발이의 상이다.

이진상(李震相) 『역학관규(易學管窺)』

歸妹以娣.
여동생을 잉첩으로 시집보내니.

以, 卽江汜不我以之以. 媵妾不能專行, 而依人以行, 故曰跛能履. 兌爲妾娣之象也. 下體, 巽股之反也. 兌爲毁折, 故曰跛. 質則陽剛, 故能履.
이(以)자는 『시경 · 강유사』의 "나를 데려가지 않는다"[43]고 했을 때의 이(以)자이다. 잉첩은 마음대로 갈 수 없고, 남에게 의지하여 가기 때문에 "절름발이가 걸을 수 있다"고 했다. 태괘는 첩과 잉첩의 상이 된다. 하체는 손괘의 넓적다리가 음양이 바뀐 것이 된다. 태괘는 무너트리고 끊어짐이 되기 때문에 절름발이라고 했다. 바탕은 양의 굳셈이기 때문에 걸을 수 있다.

이병헌(李炳憲)『역경금문고통론(易經今文考通論)』

虞曰, 初无應, 變爲陰.
우번이 말하였다: 초효는 호응함이 없고 변하여 음이 된다.

王曰, 娣, 少女, 少女之行善, 莫若娣夫承嗣以君之子. 雖跛能履, 斯乃恒久之義, 相承之道也. 娣爲媵.
왕필이 말하였다: 잉첩은 막내딸이니, 막내딸의 선행 중에는 남편의 잉첩이 되어 부군의 자식을 낳아 받들어 잇는 것만 한 것이 없다. 비록 절름발이가 걸을 수 있더라도 이것은 항구의 뜻이며 서로 받드는 도이다. 제(娣)는 잉첩이 된다.

43)『詩經·江有汜』: 江有汜. 之子歸, 不我以. 不我以, 其後也悔.

象曰, 歸妹以娣, 以恒也, 跛能履吉, 相承也.

「상전」에서 말하였다: "여동생을 잉첩으로 시집보냄"은 항상된 덕을 갖췄기 때문이며, "절름발이가 걸을 수 있어 길함"은 서로 받들기 때문이다.

中國大全

傳

歸妹之義, 以說而動, 非夫婦能常之道, 九乃剛陽, 有賢貞之德, 雖娣之微, 乃能以常者也. 雖在下, 不能有所爲, 如跛者之能履, 然征而吉者, 以其能相承助也. 能助其君, 娣之吉也.

귀매의 뜻은 기쁨으로써 움직임이니 부부가 항상 될 수 있는 도가 아니지만, 구(九)는 굳센 양이 되어 현명하고 곧은 덕이 있으니, 비록 미천한 잉첩의 신분이지만 항상 됨으로써 할 수 있는 자이다. 비록 밑에 있어서 할 수 있는 행위가 없어 절름발이가 걸을 수 있는 경우와 같지만, 나아가 길한 이유는 서로 받들어 도울 수 있기 때문이다. 정처를 도울 수 있음은 잉첩의 길함이다.

本義

恒, 謂有常久之德.
'항(恒)'은 항상 된 덕이 있음을 뜻한다.

小註

建安丘氏曰, 卦辭言歸妹征凶者, 蓋歸妹以說而動, 故征則凶也. 初九歸妹以娣, 反言征吉者, 蓋初九以常德承君, 故征則吉也.
건안구씨가 말하였다: 괘사에서는 여동생을 시집보냄에 가면 흉하다고 했는데, 여동생을 시집보낼 때 기뻐함으로써 움직였기 때문에 가면 흉하게 된다. 초구에서는 여동생을 시집보냄

에 잉첩으로써 보낸다고 했는데 오히려 가면 길하다고 한 이유는 초구는 항상 된 덕으로 정처를 받들기 때문에 가면 길하게 된다.

韓國大全

김상악(金相岳) 『산천역설(山天易說)』

居下者爲娣, 乃其常分也. 相承, 謂承助其君也.
아래에 있는 자는 잉첩이 되니 그녀의 본분이다. "서로 받들기 때문이다"는 임금을 받들어 돕는다는 뜻이다.

○ 兌爲常恒之象. 恒者, 久也, 夫婦之道, 不可以不久, 故曰以恒也. 兌反巽, 則爲恒, 恒九三處巽之終, 不恒其德, 故或承之羞. 歸妹則居兌之下, 能以恒, 故相承而吉.
태괘는 항상되다는 상이 된다. 항(恒)은 '오래'의 뜻인데, 부부의 도는 오래하지 않아서는 안 되기 때문에 "항상됨으로써 한다"고 했다. 태괘의 음양이 바뀐 괘는 손괘이니 항상 됨이 되는데, 항괘(恒卦) 구삼은 손괘의 끝에 있어서 그 덕을 항상되게 할 수 없기 때문에 혹 부끄러움을 받들게 된다.[44] 귀매괘는 태괘의 아래에 있어서 항상되게 할 수 있기 때문에 서로 받들고 길하다.

서유신(徐有臣) 『역의의언(易義擬言)』

卑下而爲媵, 常道也. 左右相承, 乃能連步, 跛足亦尙有用也.
낮추어서 잉첩이 되는 것이 항상된 도리이다. 좌우에서 서로 받들게 되면 연이어 걸어갈 수 있고, 절름발이의 발로도 힘을 쓸 수 있다.

김기례(金箕澧) 「역요선의강목(易要選義綱目)」

以恒也.

44) 『周易·恒卦』: 九三, 不恒其德. 或承之羞, 貞吝.

항상된 덕을 갖췄기 때문이다.

悅而動, 非從人之正道, 故文王卦辭曰征凶. 然初以正承女君, 則能得恒久之德也.
기뻐하며 움직이는 것은 남을 따르는 바른 도가 아니기 때문에 문왕은 괘사에서 "가면 흉하다"고 했다. 그러나 초효가 바름으로 정부인을 받든다면, 항구의 덕을 얻을 수 있다.

심대윤(沈大允)『주역상의점법(周易象義占法)』

承順以求親, 臣妻之常道也. 相承, 以禮承四也.
받들고 순종함으로 친근하기를 구하는 것은 신하와 처의 항상 된 도이다. 서로 받드는 것은 예에 따라 사효를 받드는 것이다.

오치기(吳致箕)「주역경전증해(周易經傳增解)」

有嫡有媵, 卽人道之常也. 雖不專行而能履婦道, 乃相承以助其君也.
적실이 있고 잉첩이 있는 것은 인도의 항상 됨이다. 비록 마음대로 할 수 없지만 부인의 도를 시행할 수 있다면 서로 받들어서 임금을 돕는다.

박문호(朴文鎬)「경설(經說)·주역(周易)」

承, 助其君, 君, 指嫡也. 六五以娣對君言者是也.
승(承)자는 군(君)을 돕는다는 뜻인데, '군(君)'은 정부인을 뜻한다. 육오에서 제(娣)를 군(君)과 대비해서 말한 것이 이것이다.

九二，眇能視，利幽人之貞.

구이는 애꾸눈으로 볼 수 있으니, 그윽하고 조용한 자의 곧음이 이롭다.

中國大全

傳

九二陽剛而得中，女之賢正者也，上有正應而反陰柔之質，動於說者也，乃女賢而配不良. 故二雖賢，不能自遂以成其內助之功，適可以善其身而小施之，如眇者之能視而已，言不能及遠也. 男女之際，當以正禮，五雖不正，二自守其幽靜貞正，乃所利也. 二有剛正之德，幽靜之人也. 二之才如是，而言利貞者，利言宜於如是之貞，非不足而爲之戒也.

구이는 굳센 양이며 가운데 자리를 얻었으니 여자 중에서도 현명하고 올바른 자인데, 위에 정응이 있지만 도리어 부드러운 음의 자질이어서, 기뻐함에 움직이는 자이므로 여자가 현명하지만 배필이 어질지 못한 경우이다. 그렇기 때문에 이효가 비록 현명하지만 스스로 이루어서 내조의 공을 완성할 수 없고, 단지 자신을 선하게 해서 조금 베풀 수 있을 뿐이니, 애꾸눈이 볼 수 있음과 같을 따름이므로, 멀리까지 미칠 수 없음을 뜻한다. 남녀 사이에서는 마땅히 올바른 예에 따라야 하니, 오효가 비록 바르지 못하더라도 이효가 스스로 그윽하고 조용하며 곧고 올바름을 지키면 이롭다. 이효는 굳세고 올바른 덕이 있고 그윽하고 조용한 사람이다. 이효의 재질이 이와 같은데도 곧음이 이롭다고 말한 이유는 이로움은 이와 같은 곧음에 마땅함을 말함이며 부족해서 경계를 한 말이 아니다.

本義

眇能視，承上爻而言. 九二陽剛得中，女之賢也，上有正應而反陰柔不正，乃女賢而配不良，不能大成內助之功，故爲眇能視之象，而其占則利幽人之貞也. 幽人，亦抱道守正而不偶者也.

애꾸눈이 볼 수 있음은 상효를 이어서 한 말이다. 구이는 굳센 양이 가운데 자리를 얻음이니 여자

중에서도 현명한 자이지만, 위에 정응이 있지만 도리어 부드러운 음으로 바르지 못하니, 여자는 어질지만 배필이 어질지 못하여 내조의 공을 크게 이룰 수 없기 때문에 애꾸눈이 볼 수 있는 상이 있고, 그 점은 그윽하고 조용한 자의 곧음이 이롭다. '유인(幽人)'은 또한 도를 간직하고 바름을 지키지만 짝을 이루지 못한 자이다.

小註

誠齋楊氏曰, 諸爻言歸妹, 二獨不言者, 以二下卦之尊, 卽妹之身也. 幽人, 賢德之稱, 言少妹之幽貞也. 幽則至静而不可動, 貞則至潔而不可渝, 皆陽剛中正之德也.
성재양씨가 말하였다: 여러 효에서 '귀매(歸妹)'를 언급했는데, 이효에서만 언급하지 않은 이유는 이효는 하괘의 존귀한 자가 되므로 여동생 자신이기 때문이다. '유인(幽人)'은 현명한 덕을 가진 자를 지칭하니 어린 여동생이 조용하며 곧음을 뜻한다. 조용하다면 지극히 고요하여 움직일 수 없고, 곧으면 지극히 결백하여 바뀔 수 없으니, 모두 굳센 양으로 중정한 덕이다.

○ 厚齋馮氏曰, 二以其陽明居兌體, 故以眇能視爲象. 剛中而位陰, 故以利幽人之貞爲占, 言有望於君而未偶, 守正於內而未行, 宜固守其正者也.
후재풍씨가 말하였다: 이효는 양의 밝음이 태괘의 몸체에 있기 때문에 애꾸눈이 볼 수 있음을 상으로 삼는다. 굳세고 알맞지만 음의 자리에 있기 때문에 유인의 곧음이 이롭다는 말로 점을 삼았으니, 임금에게 바라는 점이 있지만 아직 뜻이 맞지 않았고 내적으로 올바름을 지키지만 아직 시행하지 못했으니 마땅히 올바름을 고수해야 하는 자를 뜻한다.

○ 雙湖胡氏曰, 九二以陽爻居陰位, 又爲兌體而居下卦之中, 故有幽人之象, 以其不正, 故又戒之以利貞.
쌍호호씨가 말하였다: 구이는 양효로 음의 자리에 있고 또 태괘의 몸체가 되지만 하괘의 가운데 자리에 있기 때문에 유인의 상이 있고, 올바르지 않기 때문에 또한 곧음이 이롭다고 경계를 하였다.

○ 雲峯胡氏曰, 初曰跛能履, 此曰眇能視, 承初而言也. 九二陽剛得中, 女之賢者也. 上有正應, 則非初之娣矣. 在娣則不能有行, 非娣而亦眇能視, 何也. 九二剛中而上應, 六五陰柔不正, 是女之賢而不遇其夫, 如豊之六二文明而上應, 六五之柔暗, 臣之賢而不遇其君者也, 故豊曰日中見斗. 此曰眇能視, 其見其視, 由於彼而不由於此也. 履亦下兌, 六三眇能視跛能履, 刺之也. 此分言於初二, 憫之也. 履九二曰幽人貞吉, 此亦曰利幽人之貞, 皆以近於三故也. 六三陰柔不中正, 二獨以剛中自守, 履之三武人爲于大君, 不貞者也, 然後見二爲君子之幽貞. 歸妹之三反歸以娣, 不貞者也, 然後見二爲女子之幽貞.
쌍호호씨가 말하였다: 초효에서는 "절름발이가 걸을 수 있다"고 했고 이곳에서는 "애꾸눈으로 볼 수 있다"고 했으니 초효를 이어서 한 말이다. 구이는 굳센 양이 가운데 자리를 얻었으니 여자 중에서도 현명한 자이다. 위에서 정응함이 있다면 초효와 같은 잉첩이 아니다. 잉첩에 있어서는 행동함이 있을 수 없는데 잉첩이 아닌데도 또한 애꾸눈으로 볼 수 있다는 말은 무슨 뜻인가? 구이는 굳세고 알맞아서 위로 호응을 하는데 육오는 부드러운 음이고 바르지 못하여, 여자가 현명하지만 남편을 만나지 못함이니, 풍괘(豊卦)의 육이가 문명하며 위로 호응을 하지만 육오가 부드럽고 어두워서, 현명한 신하가 임금을 만나지 못함과 같기 때문에, 풍괘에서는 "대낮에도 북두칠성이 보인다"고 하였다. 이곳에서는 "애꾸눈으로 살펴볼 수 있다"고 했는데, 보임과 살펴봄은 상대 쪽에서 비롯됨이지 자기 쪽에서 비롯됨이 아니다. 이괘(履卦) 또한 아래가 태괘인데, 육삼에서 "애꾸눈이 보며 절름발이가 걷는다"[45]고 한 말은 헐뜯은 것이다. 여기에서는 초효와 이효로 나누어서 말했으니 가엾게 여긴 것이다. 이괘의 구이에서는 "유인이라야 곧고 길하다"[46]고 했고 이곳에서는 또한 "유인의 곧음이 이롭다"라고 했는데 둘 모두 삼효에 가깝기 때문이다. 육삼은 부드러운 음이고 중정하지 못하며 이효만 굳세고 알맞음으로 스스로를 지키는데, 이괘의 삼효에서 무인이 대군이 됨은 곧지 않은 자이기 때문이니, 그런 뒤에야 이효가 군자의 그윽하고 곧음이 됨을 알 수 있다. 귀매괘의 삼효가 다시 돌아와 잉첩이 됨은 곧지 않은 자이니, 그런 뒤에야 이효가 여자의 그윽하고 곧음이 됨을 알 수 있다.

韓國大全

조호익(曺好益) 『역상설(易象說)』

九二, 眇能視,
구이는 애꾸눈으로 볼 수 있으니,

---

45) 『周易 · 履卦』: 六三, 眇能視, 跛能履, 履虎尾咥人, 凶, 武人爲于大君.
46) 『周易 · 履卦』: 九二, 履道坦坦, 幽人貞吉.

眇, 互離目象. 二不正, 視不正, 故眇. 有應, 故能視.
애꾸눈은 호괘인 리괘가 눈인 상이다. 이효는 바르지 않고 보는 것이 바르지 않기 때문에 애꾸눈이 된다. 호응이 있기 때문에 볼 수 있다.

송시열(宋時烈) 『역설(易說)』

眇, 互離爲目. 坎來傷之, 然二以陽得中, 能視之象耶. 坎爲幽, 幽人利於貞固而不動. 小象未變常者, 二當不變其常道也.
애꾸눈은 호괘인 리괘가 눈이 되기 때문이다. 감괘가 와서 상처를 입히지만 이효는 양으로 가운데 자리를 얻었으니 볼 수 있는 상이 된다. 감괘는 그윽함이 되고 그윽하고 고요한 자는 바르고 곧음을 이롭게 여겨 움직이지 않는다. 「소상전」에서 "항상됨을 변하지 않았기 때문이다"라고 한 것은 이효가 상도를 바꿔서는 안 되기 때문이다.

홍여하(洪汝河) 「책제(策題): 문역(問易) · 독서차기(讀書箚記)-주역(周易)」

歸妹九二, 幽人之貞.
귀매괘 구이에서 말하였다: 그윽하고 조용한 자의 곧음.

巽爲武人, 兌爲幽人.
손괘는 무인이 되고 태괘는 그윽하고 조용한 자가 된다.

이익(李瀷) 『역경질서(易經疾書)』

諸爻皆言歸妹, 惟九二不然, 則乃尙主者也. 二與五, 雖正應, 二陽而五陰, 皆失其正. 陰居動體, 陽居說體, 是陰先而陽從也, 非尙主而何. 眇者, 一目盲也. 詳在履三. 視者, 仰瞻也. 瞻不得正, 故有眇能視之象. 幽人, 幽側之人也. 尊卑本不相敵, 若守其本分, 無悅慕之心, 則貞. 傳所謂未變常者, 語意如中庸所謂不變塞也. 須與娣對勘, 當是女稱. 楚有女嬃漢有呂嬃, 則謂姊爲嬃, 須卽嬃之省也. 以須者, 娣猶未長, 故庶姊從嫡妹, 行失位, 故曰未當也. 旣歸以須, 終歸以娣, 初旣未行, 後乃斷行, 故曰反歸也. 其象未詳.
여러 효에서 모두 귀매를 말했는데 오직 구이에서만 그렇지 않았으니, 주인을 숭상하는 자이다. 이효와 오효는 비록 정응이지만 이효는 양이고 오효는 음이니 모두 바름을 잃었다. 음은 움직이는 몸체에 있고 양은 기뻐하는 몸체에 있어, 음이 먼저 움직여서 양이 따르는 것이니 주인을 숭상하는 자가 아니면 무엇이겠는가? 애꾸눈은 한쪽 눈을 잃은 것으로, 자세한 설명은 리괘(履卦) 삼효에 나온다. 본다는 것은 위로 치켜본다는 뜻이다. 치켜보는 것이 바름을 얻지 못했기 때문에 애꾸눈이 볼 수 있는 상이 있다. 유인(幽人)은 미천한 곳에 은둔해 있는 자이다. 신분이 본래 서로 대등하지 않은데, 만약 본분을 지키고 기뻐하고 흠모하는 마음이 없다면 곧음이 된다. 「상전」에서 "항상됨을 변하지 않았기 때문이다"라고 한 말은 말의 뜻이 『중용』에서 "궁할 때의 의지를 변치 않는다"[47]고 한 말과 같다. 수(須)자와 제(娣)자는 대비가 되니 이것은 여자를 지칭하는 말이다. 초나라에는 여수(女嬃)가 있었고 한나라에는 여수(呂嬃)가 있었으니, 누이[姊]를 수(嬃)라고 부른 것이고, 수(須)는 수(嬃)자가 생략된 형태이다. '이수(以須)'는 누이가 아직 장성하지 못했기 때문에 여러 누이들이 적실로 가는 누이를 따르는데, 가서 자리를 잃기 때문에 "자리가 마땅하지 않기 때문이다"라고 했다. 이미 수(須)로 시집을 보낸다고 했는데 끝내 제(娣)로 시집을 보낸다고 했으니, 처음에는 아직 가지 않았지만 이후에는 결단하여 간 것이기 때문에 "다시 돌아온다"고 했다. 그 상에 대해서는 자세히 모르겠다.

심조(沈潮) 「역상차론(易象箚論)」

九二, 眇視.
구이는 애꾸눈으로 본다.

互離也.
호괘인 리괘이다.

유정원(柳正源) 『역해참고(易解参攷)』

王氏曰, 雖失其位, 而居內處中. 眇, 猶能視, 足以保常也. 在內履中, 而能守其常, 故利幽人之貞.
왕필이 말하였다: 비록 제자리를 잃었지만 안에 있으며 가운데 있다. 애꾸눈이라도 여전히 볼 수 있으니 상도를 보호할 수 있다. 안에서 가운데를 걸음에 있어 상도를 지킬 수 있기 때문에 그윽하고 조용한 자의 곧음이 이롭다.

○ 郭璞洞林晉顧士群母病, 筮得歸妹之隨, 云命盡秋節. 至七日遂凶. 歸妹女之終, 兌主秋, 至立秋日凶.

---

47) 『中庸』: 故君子和而不流, 强哉矯! 中立而不倚, 强哉矯! 國有道不變塞焉, 强哉矯! 國無道至死不變, 强哉矯!

곽박의 『동림』에 진나라 고사군의 모친이 병이 들어 시초점을 쳤는데 귀매괘가 수괘(隨卦)로 바뀌는 괘를 얻었고, "수명이 중추절에 다한다"고 했다. 칠일 째가 되어서 결국 죽었다. 귀매괘는 여자의 끝이고 태괘는 가을을 주관하니, 입추일에 이르러 흉사를 치른 것이다.

○ 漢上朱氏曰, 互離爲目, 兌毁其目, 眇也.
한상주씨가 말하였다: 호괘인 리괘는 눈이 되는데 태괘가 그 눈을 훼손하니 애꾸눈이다.

○ 童溪王氏曰, 六五上體之中, 旣稱其君矣, 則所謂嫡者五也. 二不復爲嫡, 居陰守常, 未適乎外, 女子之賢明, 妹之來歸者, 故爻辭但以守常爲正, 而以幽人象之.
동계왕씨가 말하였다: 육오는 상체의 가운데 있고 이미 임금이라 지칭했으니 정실은 오효가 된다. 이효는 재차 정실이 되지 못하고 음의 자리에 있으며 상도를 지키고 아직 밖으로 가지 않았으니, 여자 중에서도 현명한 자이고 다시 돌아온 여동생이기 때문에 효사에서는 단지 상도를 지키는 것을 바름으로 삼았고, 그윽하고 조용한 자로 나타내었다.

○ 案, 諸爻皆言歸妹, 而二獨不言何也. 夫正位乎內, 得君子之賢, 而贊成內助之功, 方可謂女也. 而九二乃女賢, 而配不良, 是女之不幸者也. 然貞靜幽閑, 女德之善也, 故言幽人之貞.
내가 살펴보았다: 여러 효에서는 모두 귀매(歸妹)를 말했는데 이효에서만 말하지 않은 것은 어째서인가? 안에서 자리를 바르게 하여 현명한 군자를 얻고 내조의 공을 도와서 이루면 여자라 부를 만 하다. 구이는 현명한 여자이지만 배필이 선량하지 못하니, 이것은 여자에게 있어서 불행한 것이다. 그러나 곧고 고요하며 그윽하고 조용히 있는 것은 여자가 갖춰야 할 덕 중에서도 선한 것이기 때문에 그윽하고 조용한 자의 곧음을 말했다.

김상악(金相岳) 『산천역설(山天易說)』

九二, 居兌之中比三, 爲互離, 有眇能視之象. 應五而不變, 故利於幽人之貞. 履之二曰, 幽人貞吉, 言君子之幽貞也. 此曰利幽人之貞, 言少妹之幽貞也.
구이는 태괘의 가운데 자리에 있으며 삼효와 가까워 호괘인 리괘가 되니, 애꾸눈이 볼 수 있는 상이 있다. 오효와 호응하며 변하지 않기 때문에 그윽하고 조용한 자의 곧음에서 이롭다. 리괘(履卦)의 이효에서는 "유인(幽人)이라야 곧고 길하다"[48]고 했는데, 군자의 그윽하고 곧음을 뜻한다. 이곳에서 "유인의 곧음이 이롭다"고 했는데, 그윽하고 곧은 막내 여동생을 뜻한다.

---

48) 『周易 · 履卦』: 九二, 履道坦坦, 幽人, 貞吉.

김규오(金奎五) 「독역기의(讀易記疑)」

九二眇能視, 互离也. 履亦然.
구이의 애꾸눈이 볼 수 있는 것은 호괘인 리괘 때문이다. 걷는 것 또한 그러하다.

○ 歸妹之凶, 在說而動. 九二說體, 而幽貞, 其賢乎哉.
귀매괘의 흉함은 기뻐하며 움직이는데 있다. 구이는 기뻐하는 몸체이지만 그윽하고 곧으니 현명한 자가 아니겠는가.

서유신(徐有臣) 『역의의언(易義擬言)』

微目不能視, 賴明目而視, 譬如娣媵賴嫡之明也. 跛能履, 以初九譬短足也. 眇能視, 以九二譬明目也. 和說不妒, 故曰幽人也. 六五之正應相與, 故曰貞, 明其爲嫡室也.
흐린 눈은 볼 수 없고 밝은 눈에 힘입어 보게 되니, 비유하자면 잉첩이 정실의 밝음에 의지하는 것과 같다. 절름발이가 걸을 수 있는 것은 초구로 짧은 다리를 비유한 것이다. 애꾸눈이 볼 수 있는 것은 구이로 밝은 눈을 비유한 것이다. 화락하고 시기하지 않기 때문에 그윽하고 조용한 자라고 했다. 육오가 정응으로 함께 하기 때문에 곧다고 했으니, 정실이 됨을 나타낸다.

박제가(朴齊家) 『주역(周易)』

本義, 眇能視, 承上爻而言者, 是也. 二非它人, 卽初之娣也. 旣爲娣, 故不更言, 非以二之中德而非娣也, 旣爲人之娣矣. 以不動爲貞, 如所謂無攸遂, 惟酒食, 是議者也. 蓋雖不正視, 亦稍安矣, 故象傳曰未變常也. 初之恒, 戒也. 此之未變常, 能守其戒者也.
『본의』에서는 "애꾸눈이 볼 수 있음은 상효를 이어서 한 말이다"라고 했는데, 이 말은 옳다. 이효는 다른 사람이 아니라 초효의 잉첩이다. 이미 잉첩이 된다고 했기 때문에 다시 말하지 않은 것이니, 이효가 알맞은 덕으로 인해 잉첩이 되지 않는다는 뜻이 아니며, 이미 남의 잉첩이 된 것이다. 움직이지 않음을 곧음으로 삼는 것은 마치 "이루는 바가 없다"[49]는 뜻으로, 오직 술과 밥만이 따라야 할 대상이다. 비록 바르게 볼 수 없지만 보다 편안하기 때문에 「상전」에서는 "항상 됨을 변하지 않았기 때문이다"라고 했다. 초효의 항상 된 덕은 경계하는 말이다. 이곳에서 "항상 됨을 변하지 않았기 때문이다"라고 한 것은 경계를 지킬 수 있기 때문이다.

49) 『周易·家人卦』: 六二, 无攸遂, 在中饋, 貞吉.

강엄(康儼) 『주역(周易)』

按，幽人指占者而言．女賢而配不良，在君子則是包道守正而不偶者也，卽所謂幽人也．故本義下亦字．

내가 살펴보았다: 유인(幽人)은 점치는 자를 가리켜서 한 말이다. 여자가 현명하지만 배필이 선량하지 않으니, 군자에게 있어서는 도를 간직하고 바름을 지키지만 짝을 만나지 못한 것으로 유인(幽人)이라는 말에 해당한다. 그래서 『본의』에는 뒤에 역(亦)자를 기록했다.

이지연(李止淵) 『주역차의(周易箚疑)』

兌有眇幽人之象，故履亦如是言之．居雖中而終是說體，故云耳．

태괘에는 애꾸눈과 그윽하고 조용한 자의 상이 있기 때문에 리괘(履卦)에서도 이처럼 말한 것이다. 머문 곳이 비록 가운데 자리이지만 결국 기뻐하는 몸체가 되기 때문에 이처럼 말했다.

김기례(金箕澧) 「역요선의강목(易要選義綱目)」

以剛中正應陰柔，則陰如女賢而配不良者也．所施由內，不由外，如眇能視．陽明居兌，故曰視．

굳센 양이 중정함으로 부드러운 음과 호응하니 음은 현명한 여자와 같지만 배필이 선량하지 않은 것이다. 베푸는 것은 안으로부터 하고 밖으로부터 하지 않으니 애꾸눈이 볼 수 있는 것과 같다. 양의 밝음이 태괘에 있기 때문에 본다고 했다.

○ 以陽居隨，故戒當如幽人守貞而未[50]變常．陰位故曰幽人．初爲賢娣之助二，二有幽貞之常道，故曰利．

양으로 수괘(隨卦)에 있기 때문에 마땅히 그윽하고 조용한 자가 곧음을 지키고 항상됨을 변하지 않는 것처럼 해야 한다고 경계했다. 음의 자리이기 때문에 유인(幽人)이라고 했다. 초효는 현명한 잉첩이 이효를 돕고, 이효는 그윽하고 조용하며 곧은 상도를 갖추고 있기 때문에 이롭다고 했다.

심대윤(沈大允) 『주역상의점법(周易象義占法)』

歸妹之震䷲，遷動也．九二以剛中居柔，自守而不媚，有正應于五，而隔于四，或可或

---

50) 未: 경학자료집성DB와 영인본에는 '末'로 되어 있으나, 문맥을 살펴 '未'로 바로잡았다.

否. 時有獻替, 而不專承順也, 故曰眇能視, 言其可否微而婉不敢顯. 然正言如眇之視物微而不快也. 眇能視, 又爲恭畏, 含晦而不能自明之象. 离兌爲眇. 九二位卑契踈而守禮不諂, 亦不過剛以傷恩義, 故曰利幽人之貞. 二居艮, 兌爲防閑和說, 曰幽. 對恒有乾爲人. 幽人者, 得禮之中, 有守而能和者也. 不專承順, 而有所可否, 釁隙之所自生也, 故以九二之盡善, 而言利不言吉也. 若專承順, 而无所可否, 則又焉用彼相矣. 故初九之以禮承順, 而言吉不言利也. 承順而違禮, 諂也, 可否而不恭, 傲也. 傲與諂, 非事人之道也.

귀매괘가 진괘(震卦䷲)로 바뀌었으니, 옮기고 움직이는 것이다. 구이는 굳센 양과 알맞음으로 부드러운 음의 자리에 있어서 스스로 지키며 아첨하지 않고, 오효와 정응함이 있지만 사효에게 막혀서 어떤 때는 할 수 있지만 어떤 때는 그렇지 않다. 때에 따라 받들고 간언을 하지만 전적으로 받들고 순종하지 못하기 때문에 "애꾸눈으로 볼 수 있다"고 했으니, 가부가 미미하고 아름다움을 감히 드러내지 않음을 말한다. 그러므로 말을 바르게 하는 것은 애꾸눈이 사물을 보는 것이 미미하여 상쾌하지 않음과 같다. 애꾸눈으로 볼 수 있는 것은 또한 공손하고 두려워하여 숨기고 스스로 드러내지 못하는 상이 된다. 리괘와 태괘는 애꾸눈이 된다. 구이는 자리가 낮고 소원하지만 예를 지키고 아첨하지 않으니 또한 지나친 굳셈으로 은의를 해치지 않기 때문에 "그윽하고 조용한 자의 곧음이 이롭다"라고 했다. 이효는 간괘에 있고 태괘는 화락함을 방비하기 때문에 유(幽)라고 했다. 음양이 바뀐 항괘(恒卦)에는 건괘가 있어서 인(人)이 된다. 유인(幽人)은 예의 알맞음을 얻어서 지키며 조화로울 수 있는 자이다. 자기 마음대로 받들고 순종하지 못하여 가부가 나뉘는 점이 있어서 틈이 이를 통해 생겨나기 때문에 구이는 진선이지만 이롭다고 말하고 길하다고 말하지 않은 것이다. 만약 마음대로 받들고 순종할 수 있으며 가부가 나뉘는 점이 없다면, 또한 어찌 상대의 도움이 필요하겠는가. 그러므로 초구는 예를 통해 받들고 순종하여 길하다고 말하고 이롭다고 말하지 않은 것이다. 받들고 순종하지만 예를 어기는 것은 아첨이며, 가부가 나뉘고 공손하지 않은 것은 거만함이다. 거만하고 아첨함은 남을 섬기는 도가 아니다.

오치기(吳致箕) 「주역경전증해(周易經傳增解)」

九二以剛得中, 而上應不正之柔, 在歸妹之時, 乃女賢而所配不良者也. 以其爲正應, 故爲能視之象, 而不得良配, 故爲眇不能遠視之象. 然旣有剛中之德, 故戒言利在守幽人之貞而不變其志也.

구이는 굳센 양으로 가운데 자리에 있지만 위로 바르지 못한 음과 호응하니, 귀매의 때에 있어서 여자는 현명하지만 배필이 선량하지 못한 경우이다. 정응이 되기 때문에 볼 수 있는 상이 되지만, 선량한 배필을 얻지 못했기 때문에 애꾸눈이 멀리 볼 수 없는 상이 된다. 그러나 이미 굳세고 알맞은 덕을 가지고 있기 때문에 그윽하고 조용한 자의 곧음을 지키며 그 뜻을 바꾸지 않는데 이로움이 달려 있다고 경계해서 말했다.

○ 互離爲目, 而兌爲毁折, 故爲眇之象. 抱道不遇, 而自守其正者, 曰幽人, 而互坎爲隱伏幽之象也.
호괘인 리괘는 눈이 되고 태괘는 무너트리고 끊어짐이 되기 때문에 애꾸눈의 상이 된다. 도를 가졌지만 때를 만나지 못해서 스스로 바름을 지키는 자를 유인(幽人)이라고 부르니, 호괘인 감괘는 숨고 그윽한 상이 된다.

이진상(李震相) 『역학관규(易學管窺)』

眇能視,
애꾸눈으로 볼 수 있으니,
二至四互離爲目, 而兌爲毁, 故目眇. 二旣當陽, 故能視. 歸妹諸爻, 皆無應, 而獨九二與六五爲正應. 二體卑而用剛, 則尙主之尉也. 五體尊而用柔, 則下嫁之姫也. 以寡陋之眼目獲覩下嫁之威儀, 如眇者之能視. 然不可席婦勢而遽驕盈, 故曰利幽人之貞. 幽人, 卽安分守靜之人也. 尙主者占之, 則當以此義看. 若擇婦者占之, 則夫雖不良而女有幽靜之德, 雖不能大成冨家之功, 而猶有壼儀之可觀也. 若只是平常之占, 則雖不能大有作爲, 而尙有創覩之好事, 特利於守正耳. 蓋由二視六五, 則乃柔暗不正之男子, 而由五視九二, 則亦可謂剛中恬靜之丈夫. 易之不可爲典要如此.
이효로부터 사효까지는 호괘가 리괘가 되어 눈이 되고, 태괘는 무너트림이 되기 때문에 애꾸눈이 된다. 이효는 이미 양에 해당하기 때문에 볼 수 있다. 귀매괘의 여러 효들은 모두 호응함이 없지만 유독 구이는 육오와 정응이 된다. 이효의 바탕은 낮은데 굳셈을 사용하니, 주인을 숭상하는 관리가 된다. 오효의 바탕은 존귀한데 부드러움을 사용하니, 아래로 시집가는 거(姫)가 된다. 좁고 비루한 눈으로 아래로 시집가는 위의를 볼 수 있는 것은 애꾸눈이 볼 수 있는 것과 같다. 그러나 부인의 권세에 있으면서 교만하게 굴 수 없기 때문에 "그윽하고 조용한 자의 곧음이 이롭다"고 했다. 유인(幽人)은 본분에 만족하며 고요함을 지키는 자이다. 주인을 숭상하는 것으로 점을 친다면 마땅히 이러한 뜻으로 보아야 한다. 만약 부인을 택하는 것으로 점을 친다면 남편이 비록 선량하지 않지만 여자에게는 그윽하고 고요한 덕이 있으니, 비록 집안을 부유하게 할 수 있는 공을 크게 이룰 수는 없지만 여전히 거동에는 지켜볼 만한 점이 있다. 만약 평상시대로 점을 치는 경우라면, 비록 할 수 있는 일을 크게 가질 수 없지만 여전히 호사스러운 일이 생기니 다만 바름을 지키는 데에서 이로울 따름이다. 이효를 통해 육오를 본다면 유약하고 어두우며 바르지 못한 남자가 되는데, 오효로부터 구이를 본다면 또한 굳세고 알맞으며 안정적인 남자라 할 수 있다. 역을 불변의 법칙으로 삼을 수 없는 것이 이와 같다.

○ 小註, 誠齋說.
소주의 성재양씨의 주장에 대하여.
二不言妹, 正以其可屬於尙主之人故也. 以少妹爲幽人, 恐非本義. 以女子則女賢而配不良, 如幽人之抱道而不偶, 以男子則身卑而配者尊. 所宜恬靜安分, 不變平生之所守, 如幽人之爲也.
이효에서 여동생을 언급하지 않은 것은 바로 주인을 숭상하는 자에게 속하기 때문이다. 막내 여동생을 유인(幽人)으로 삼는다면 아마도 『본의』의 뜻은 아닌 것 같다. 여자의 경우로 본다면 여자가 현명하지만 배필이 선량하지 않은 것이니, 마치 그윽하고 조용한 자가 도를 가지고 있지만 짝을 만나지 못한 것과 같고, 남자의 경우로 본다면 본인은 낮지만 배필이 존귀한 경우이다. 따라서 마땅히 안정을 지키며 본분에 편안히 여기고 평생 지켜야 할 것을 바꾸지 않아야 하니, 유인의 행위와 같다.

박문호(朴文鎬) 「경설(經說)・주역(周易)」

不偶, 偶, 合也.
'불우(不偶)'라고 했는데, 우(偶)자는 합한다는 뜻이다.

이병헌(李炳憲) 『역경금문고통론(易經今文考通論)』

王曰, 雖失其位, 而居內處中. 眇猶能視, 足以保常也.
왕필이 말하였다: 비록 제자리를 잃었지만 내괘에 있으며 가운데 있다. 애꾸눈도 여전히 볼 수 있으니 상도를 지킬 수 있다.

象曰, 利幽人之貞, 未變常也.

「상전」에서 말하였다: "그윽하고 조용한 자의 곧음이 이로움"은 항상됨을 변하지 않았기 때문이다.

中國大全

傳

守其幽貞, 未失夫婦常正之道也. 世人以媟狎爲常, 故以貞靜爲變常, 不知乃常久之道也.

그윽하고 곧음을 지키니 부부의 항상 되고 올바른 도를 아직 잃지 않음이다. 세상 사람들은 친압함을 항상 됨으로 여기기 때문에 곧고 고요함을 항상 됨을 변화시킨 것으로 여기니, 이것이 항상되고 오래되는 도가 됨을 알지 못했기 때문이다.

小註

潘氏曰, 守其幽靜之正, 以奉承乎五, 可謂賢矣. 幽, 女德也, 未變女德之常也. 世之悍婦庸奴其夫者, 由有才而不知道也.

반씨가 말하였다: 그윽하고 고요한 올바름을 지켜서 오효를 받드니 현명하다고 할 수 있다. 그윽함은 여자의 덕이니 여자가 갖춰야 하는 덕의 항상 됨을 바꾸지 않은 것이다. 세상의 사나운 여자들 중 자신의 남편을 미천하게 취급하는 자는 재질은 있지만 도를 알지 못했기 때문이다.

○ 建安丘氏曰, 娣之從嫡, 必當如跛者之履, 而不足以與行, 則无僭上之疑, 而嫡妾之分明. 妻之從夫, 必當如眇者之視, 而不足以有明, 則无反目之嫌, 而夫婦之倫正. 是妾婦之常道也. 釋象於初曰以恒, 於二曰未變常, 唯各安其常, 此初之所以吉, 二之所以利歟.

건안구씨가 말하였다: 잉첩이 정처를 따를 때에는 반드시 절름발이가 걷는 것과 같게 해서 함께 나아갈 수 없게 한다면, 윗사람에게 분수에 지나치게 군다는 혐의가 없게 되고 정처와

첩의 구분이 명확하게 된다. 처가 남편을 따름에는 반드시 애꾸눈이 살펴봄과 같게 해서 밝게 볼 수 없게 한다면, 반목한다는 혐의가 없게 되며 부부의 질서가 올바르게 된다. 이것은 첩과 부인이 지켜야 하는 항상 된 도이다. 상을 풀이함에 초효에 대해서는 "항상 된 덕을 갖췄기 때문이다"고 하였고, 이효에 대해서는 "항상 됨을 변치 않았기 때문이다"고 했는데, 단지 각각 그 항상 됨을 편안히 여긴 것으로, 이것이 초효가 길하게 되고 이효가 이롭게 되는 이유일 것이다.

韓國大全

김상악(金相岳) 『산천역설(山天易說)』

從應於上, 是未變常也. 初則以常分言, 二則以常德言.
상효를 따르고 호응하니 항상 됨을 변하지 않았기 때문이다. 초효는 항상 된 본분으로 말한 것이고 이효는 항상 된 덕으로 말한 것이다.

서유신(徐有臣) 『역의의언(易義擬言)』

娣賢而曰恒, 嫡貞而曰常. 此蓋分內恒常之道, 非爲超越奇特之行也.
잉첩이 현명하여 항상된 덕이라고 했고, 정실이 곧아서 항상 됨이라고 했다. 이것은 본분에 따른 항과 상의 도이며 등급을 뛰어넘는 기이한 행동이 아니다.

심대윤(沈大允) 『주역상의점법(周易象義占法)』

有所可否, 而不失其承順之常道也.
가부가 나뉘는 점이 있지만, 받들고 순종하는 상도를 잃지 않았다.

오치기(吳致箕) 「주역경전증해(周易經傳增解)」

守其貞靜之德, 而不變常正之道, 乃婦人之賢也.
곧고 고요한 덕을 지키고 항상 되고 바른 도를 바꾸지 않는다면 부인 중에서도 현명한 자가 된다.

六三, 歸妹以須, 反歸以娣.

육삼은 여동생을 기다림으로써 시집보내니, 다시 돌아와 잉첩이 되어야 한다.

中國大全

傳

三居下之上, 本非賤者, 以失德而无正應, 故爲欲有歸而未得其歸. 須, 待也, 待者, 未有所適也. 六居三, 不當位, 德不正也. 柔而尚剛, 行不順也. 爲說之主, 以說求歸, 動非禮也. 上无應, 无受之者也, 无所適, 故須也. 女子之處如是, 人誰取之. 不可以爲人配矣. 當反歸而求爲娣媵則可也, 以不正而失其所也.

삼효는 하괘의 위에 있으니 본래 천한 자가 아닌데, 덕을 잃고 정응함이 없기 때문에 시집을 가고자 하지만 아직 시집을 가지 못한다. '수(須)'자는 기다린다는 뜻이니 기다림은 아직 갈 곳이 없기 때문이다. 육(六)이 삼효에 있음은 합당한 자리가 아니며 덕이 바르지 못하다. 부드럽지만 굳셈을 숭상하는 것은 순하지 않은 행동이다. 기쁨의 주인이 되어 기쁨으로써 시집감을 구하는 것은 예법에 맞지 않은 행동이다. 위에 호응함이 없는 것은 받아주는 자가 없음이니 갈 곳이 없기 때문에 기다린다. 여자가 이처럼 대처하면 그 누가 부인으로 데려가겠는가? 그러므로 남의 배필이 될 수 없다. 마땅히 돌아와서 잉첩이 되기를 바란다면 괜찮으니, 올바르지 않아서 제 자리를 잃었기 때문이다.

本義

六三陰柔而不中正, 又爲說之主, 女之不正, 人莫之取者也, 故爲未得所適而反歸爲娣之象. 或曰, 須, 女之賤者.

육삼은 부드러운 음이고 중정하지 못한데 또한 기쁨의 주인이 되니, 바르지 못한 여자가 되어 데려가는 자가 없다. 그렇기 때문에 갈 곳을 얻지 못하여 되돌아와서 잉첩이 되는 상이 있다. 어떤 이는 '수(須)'자는 여자 중에서도 미천한 자를 뜻한다고 말한다.

小註

進齋徐氏曰, 須, 待也. 三本非賤者, 无應宜待而急於從人, 不得爲人配而反歸爲娣, 是自賤也. 夫人志在祿位而不自重, 欲速好進而甘於卑下, 卒爲人所賤者, 何以異此哉.
진재서씨가 말하였다: '수(須)'는 기다린다는 뜻이다. 삼효는 본래 미천한 자가 아닌데 호응함이 없어서 마땅히 기다려야 하지만 남을 따르는데 급급하고, 남의 배필이 되지 못하고 도리어 되돌아와서 잉첩이 되니, 스스로를 천하게 만든 꼴이다. 사람의 뜻이 녹봉과 지위에만 있고 스스로 다스리지 못하며, 급히 하려고 하며 나아가기만 좋아하고 밑에 있는 것을 감내하여, 끝내 남으로부터 천시를 당하는 자와 무엇이 다르겠는가?

○ 漢上朱氏曰, 天官書須女四星, 賤妾之稱, 織女三星, 天女也. 陸震云, 天文織女貴須女賤, 則須賤女可知.
한상주씨가 말하였다: 「천관서」에서는 수녀(須女) 사성은 미천한 첩의 칭호이며,[51] 직녀(織女) 삼성은 천녀라고 했다.[52] 육진은 "천문 중 직녀성은 존귀하고, 수녀성은 미천하다"고 했으니, '수(須)'가 미천한 여자가 됨을 알 수 있다.

○ 雲峯胡氏曰, 初九居下, 娣也. 六三居下之上, 非娣也. 陰柔而不中正, 又爲兌, 說之主, 无德之女也. 无德之女, 人无取之者, 故本宜須而反歸以娣也. 初之吉, 二之利, 皆以德取. 六三无德, 象所謂征凶无攸利, 不言可知矣.
운봉호씨가 말하였다: 초구는 아래에 있으니 잉첩이 된다. 육삼은 하괘의 위에 있으니 잉첩이 아니다. 부드러운 음이고 중정하지 않은데, 또한 태괘가 되며 기쁨의 주인이 되지만 덕이 없는 여자이다. 덕이 없는 여자는 아내로 들이는 자가 없기 때문에 기다려서 되돌아와 잉첩이 되어야만 한다. 초효의 길함과 이효의 이로움은 모두 덕으로써 취했기 때문이다. 육삼은 덕이 없으니 별다른 말을 하지 않아도, 단사에서 "가면 흉하니, 이로울 것이 없다"고 한 말에 해당한다는 사실을 알 수 있다.

---

51) 『宋史 · 天文志』: 須女四星, 天之少府, 賤妾之稱, 婦職之卑者也.
52) 『宋史 · 天文志』: 織女三星. 在天市垣東北. 一曰在天紀東. 天女也.

韓國大全

조호익(曺好益) 『역상설(易象說)』

須, 賤妾, 兌象. 娣, 亦兌象. 三在二上, 而從適於二, 有反歸以娣之象.
수(須)는 천첩이니 태괘의 상이다. 잉첩 또한 태괘의 상이다. 삼효는 이효 위에 있고 이효를 따라서 가니 다시 돌아와 잉첩이 되는 상이 있다.

송시열(宋時烈) 『역설(易說)』

須者, 賤妾也. 天文志有須女星, 爲賤星也. 三陰柔無應, 近比於兩陽之間, 女之失德者也, 故顚倒及下, 同歸於在下之娣. 小象未當, 言其歸不當也.
수(須)는 천첩이다. 「천문지」에는 수녀성이 나오는데 천한 별자리가 된다. 삼효는 부드러운 음이고 호응함이 없는데 두 양 사이에서 가깝고 친근하니, 여자 중에서 덕을 잃은 자이기 때문에 거꾸로 아래로 내려와서 함께 아래에 있는 잉첩으로 돌아간다. 「소상전」에서 "자리가 마땅하지 않기 때문이다"는 돌아감이 마땅하지 않다는 뜻이다.

유정원(柳正源) 『역해참고(易解參攷)』

正義, 六三處歸妹之時, 處下體之上, 居不當位, 未當其時, 則宜有待, 故曰歸妹以須也. 旣而有須, 不可以進, 宜反歸待時, 以娣乃行, 故曰反歸以娣.
『주역정의』에서 말하였다: 육삼은 귀매의 때에 처하여 하체의 위에 있고 머무는 곳이 자리에 마땅하지 않고 때에 마땅하지 않으니 마땅히 기다림이 있어야 하기 때문에 "여동생을 기다림으로써 시집보낸다"고 했다. 이미 기다림이 있어서 나아갈 수 없으니 마땅히 되돌아와서 때를 기다리며 잉첩으로 간다면 가야 하기 때문에 "다시 돌아와 잉첩이 되어야 한다"고 했다.

○ 案, 女之不正, 人莫之取, 則雖娣媵之賤, 誰與之歸乎. 況六三陰居陽, 而爲婦德之失, 上无應而无可適之所, 則不足爲人之配矣. 然而不以從人爲急, 而有須待以行之心, 則女道之猶可取也, 故曰歸妹以須, 反歸以娣.
내가 살펴보았다: 여자가 바르지 못하면 사람들이 아내로 취하지 않으니 비록 잉첩처럼 미천한 자일지라도 누가 그녀와 시집을 가겠는가? 하물며 육삼은 음으로 양의 자리에 있고 부인의 덕을 잃었으며, 위로 호응함이 없어서 갈 곳이 없으니, 남의 배필이 되기에 부족하

다. 그런데 남을 따르는 것을 급급하게 여기지 않고 기다려서 가려는 마음이 있으니, 여자의 도를 여전히 취할 수 있기 때문에 "여동생을 기다림으로써 시집보내니, 다시 돌아와 잉첩이 되어야 한다"고 했다.

김상악(金相岳) 『산천역설(山天易說)』

須者, 待也. 反歸, 謂下歸也. 卦成於三四, 而說體不正, 不能須四而從二, 故反歸以娣也.
수(須)자는 기다린다는 뜻이다. 반귀(反歸)는 아래로 시집을 간다는 뜻이다. 괘는 삼효와 사효에서 이루어지고 기뻐하는 몸체가 바르지 않아서 사효를 기다리지 못해 이효를 따르기 때문에 "다시 돌아와 잉첩이 되어야 한다"고 했다.

○ 六三與上无應, 故反於下歸. 然二有正配, 則三爲其娣, 失歸妹之義. 六五曰其娣, 亦謂三也.
육삼은 상효와 호응함이 없기 때문에 "아래로 시집가는 데로 돌아간다. 그러나 이효는 바른 짝이 있으니 삼효는 그녀의 잉첩이 되어 귀매의 뜻을 잃었다. 육오에서 기제(其娣)라고 한 말 또한 삼효를 말한다.

조유선(趙有善) 『경의(經義)-주역본의(周易本義)』

六三上六皆陰, 而上爲震體, 故以士言, 三爲兌體, 故以女言.
육삼과 상육은 모두 음인데 상효는 진괘의 몸체가 되기 때문에 남자로 말했고, 삼효는 태괘의 몸체가 되기 때문에 여자로 말했다.

서유신(徐有臣) 『역의의언(易義擬言)』

六三所以成兌, 此爲㝡少女也. 內卦爲歸, 而三在其終, 爲須而歸也. 无正應而從於二, 故曰反歸以娣也. 詩云不我與, 其後也處, 六三似之.
육삼은 태괘를 이루니 이것은 가장 어린 여자가 된다. 내괘는 시집감이 되고 삼효는 그 끝에 있으니 기다려서 시집을 간다. 정응이 없고 이효를 따르기 때문에 "다시 돌아와 잉첩이 되어야 한다"고 했다. 『시경』에서 "나를 데려가지 않으나 그 뒤에는 편안히 처 한다"[53]고 했는데, 육삼이 그와 유사하다.

---

53) 『詩經 · 江有汜』: 江有渚. 之子歸, 不我與. 不我與, 其後也處.

박제가(朴齊家) 『주역(周易)』

此乃不得於舅家, 而反歸之云也. 如所謂媵之待年於國者, 雖反歸而不至遽絶者也. 故下爻曰愆期, 此則蓋有期矣. 須, 作女之賤者, 義爲優. 如女嬃樊嬃之屬, 皆此義. 此乃見其妹之反歸, 而含怒之辭, 言賤而歸之如須女然矣, 乃其反, 則乃娣而不變矣. 爻辭說出閭里常談纖悉如此. 象傳曰未當者, 又包得兩邊義, 言女固未當, 而言亦有未當之意. 傳義曰, 未得所適而反歸求爲娣, 則爻辭勸其改適矣. 初既以娣, 又何更娣. 此皆以爻位, 而不以一事先後爲次. 又不知全卦之皆爲妄娣故也.
이 효는 남편의 집에서 신임을 받지 못하여 되돌아온다고 말한 것이다. 마치 잉첩이 나라에서 혼사가 결정되기를 기다리니 비록 되돌아오지만 완전히 관계가 끊어지는 지경에는 이르지 않은 것과 같다. 그러므로 뒤의 효에서는 "혼기를 지나친다"고 했으니 이 효는 아마도 혼기가 정해져 있는 것이다. 수(須)자를 여자 중의 미천한 자로 여기는 것이 의미상 더 낫다. 예를 들어 여수(女嬃)나 번수(樊嬃)와 같은 부류들이 모두 이러한 뜻에 해당한다. 이것은 여동생이 돌아가며 노기 섞인 말을 하는 것이 미천하면서도 돌아가기를 미천한 여자처럼 한다는 말이니, 되돌아가면 잉첩이 되어 변하지 않는다는 것을 드러내었다. 효사는 마을에서 쓰이는 일상적인 말로 설명을 하고 있으니, 세세하고 은미한 데까지 두루 미침이 이와 같다. 「상전」에서 "자리가 마땅하지 않기 때문이다"라고 했는데, 이것은 또한 두 가지 뜻을 포함한 것으로, 여자가 진실로 마땅하지 않다는 뜻이며, 또한 마땅하지 않다는 뜻도 포함하고 있다. 『본의』에서 "갈 곳을 얻지 못하여 되돌아와서 잉첩이 된 다"고 했으니, 효사는 고쳐서 다시 가기를 권하는 것이다. 초효는 이미 잉첩으로 갔는데 또 어떻게 재차 잉첩이 되겠는가? 이것은 모두 효의 자리로써 말한 것이지, 한 사안의 선후로 순서를 정한 것이 아니다. 또 전체 괘가 모두 망령스럽게 잉첩이 되는 것을 모르기 때문이다.

이지연(李止淵) 『주역차의(周易劄疑)』

六三, 可謂人必自侮, 而後人侮之.
육삼은 사람들이 반드시 스스로를 업신여긴 이후에야 남도 그를 업신여긴다고 할 수 있다.[54)]

김기례(金箕澧) 「역요선의강목(易要選義綱目)」

歸妹當待時, 而三以陰居剛失正. 故急於從人而无應, 則友爲妾媵而適人.

---

54) 『孟子 · 離婁上』: 夫人必自侮, 然後人侮之, 家必自毁, 而後人毁之, 國必自伐, 而後人伐之.

여동생을 시집보낼 때에는 마땅히 때를 기다려야 하는데, 삼효는 음으로 굳센 양의 자리에 있어서 바름을 잃었기 때문에 남을 따르는데 급급하고 호응함이 없으니, 친구가 첩과 잉첩이 되어 남에게 시집을 간 것이다.

○ 三本非賤而爲悅主, 故失正而自賤, 故象曰未當, 卦辭所謂征凶者.
삼효는 본래 천한 것이 아니지만 기뻐함의 주인이 되기 때문에 바름을 잃어서 스스로를 천하게 한 것이다. 그러므로 「상전」에서는 "자리가 마땅하지 않기 때문이다"라고 했으니, 괘사에서 "가면 흉하다"고 한 것에 해당한다.

심대윤(沈大允) 『주역상의점법(周易象義占法)』

歸妹之大壯䷡, 壯于承順也. 六三以柔居剛, 每事承順, 而介於二剛之間, 不得自用之甚也. 上六非正應, 而又阻於四, 徒有其名而无親愛之實, 有大壯不實之義, 侯牧之阻于大臣, 而不得自通于君, 妻妾之阻于嬖寵而不得自通于夫也. 名雖爲娣, 而承順之實, 无異於須, 故曰歸妹以須, 反歸以娣. 言勞勤承事則以須, 而任責之重則以娣也. 天官書須女四星, 賤妾之稱. 六三居半上落下之地, 而委任專重, 易有嫌隙, 宜有凶咎而能承順故免也. 〈臣妾之爲君夫所敬而任重者[55], 皆如此說也.〉
귀매괘가 대장괘(大壯卦䷡)로 바뀌었으니, 받들고 순종하는데 장성한 것이다. 육삼은 부드러운 음으로 굳센 양의 자리에 있어서 매사에 받들고 순종하지만 두 굳센 양 사이에 끼어 있어서 스스로 운용하지 못함이 심하다. 상육은 정응이 아니고 또 사효에게 막혀서 단지 명분만 있고 친애하는 실질이 없으니, 크게 장성하여도 꽉 차지 않는 뜻이 있으며, 제후가 대신에게 막혀서 스스로 임금과 통하지 못하고, 처와 첩이 총애를 받는 자에게 막혀서 스스로 남편과 통하지 못하는 것이다. 명분상 비록 잉첩[娣]이 되지만 받들고 순종함의 실질은 천한 여자[須]와 차이가 없기 때문에 "여동생을 천한 여자로써 시집보내니, 다시 돌아와 잉첩이 되어야 한다"고 했다. 즉 수고롭게 받드는 일을 기준으로 한다면 수(須)으로써 하는 것이고 책임의 막중함으로써 한다면 제(娣)로써 한다는 뜻이다. 「천관서」에서는 수녀 사성이 있는데 천한 첩의 칭호이다. 육삼은 열심히 하다가 중도에 그만 두는 자리에 있고 맡은 임무가 중대하여 역에서는 혐의를 두어 마땅히 흉하고 허물이 있어야 할 것 같지만 받들고 순종할 수 있기 때문에 면한다. 〈신하와 첩이 임금 및 남편에게 공경을 받고 중책을 맡는 것은 모두 이와 같음을 말한다.〉

55) 者: 경학자료집성DB에는 '旨'로 되어 있으나, 경학자료집성 영인본을 참조하여 '者'로 바로잡았다.

오치기(吳致箕) 「주역경전증해(周易經傳增解)」

六三陰柔不正, 而上无正應, 故在歸妹之時, 欲歸而未得其配, 須待而未有所適, 終不能爲正嫡之貴, 而反歸以娣媵之賤. 其象如此, 占可知也. 程傳備矣.
육삼은 부드러운 음으로 바르지 않고 위로 정응이 없기 때문에 귀매의 때에 시집가기를 바라지만 짝을 얻지 못하고, 기다리지만 시집갈 곳이 없어서 끝내 존귀한 정실이 될 수 없고 되돌아와 천한 잉첩으로 시집을 간다. 그 상이 이와 같으니 점 또한 알 수 있다. 『정전』에 자세히 설명되어 있다.

○ 須者, 待也. 互體之坎爲險, 對體之艮爲止. 見險而止, 爲須待之象. 或曰, 須女星, 賤妾之稱, 恐非也.
'수(須)'자는 기다린다는 뜻이다. 호괘인 감괘는 험함이 되고 음양이 바뀐 간괘는 그침이 된다. 험함을 보고 그치니 기다리는 상이 된다. 혹자는 "수녀성은 천한 첩의 칭호이다"라고 했는데, 아마도 잘못된 주장인 것 같다.

이진상(李震相) 『역학관규(易學管窺)』

歸妹以須,
여동생을 수(須)로써 시집보내니,

六三上無正應, 恐未有須待之義. 須乃女之賤者, 當帝乙歸妹之日, 以賤女從嫁, 覬得近幸於丈夫, 而反復歸之. 以初九之娣, 賢明善事, 渙得丈夫之意, 須女之不中不正, 失勢無應, 雖不言凶而凶可知矣. 蓋初九待年之女, 而終得依歸者也. 六三陪嫁之婢, 而全無聊賴者也.
육삼은 위로 정응함이 없으니 아마도 기다린다는 뜻은 없는 것 같다. 수(須)자는 여자 중 천한 자를 뜻하니, 제을이 여동생을 시집보내는 날 천한 여자를 뒤딸려 시집을 보내 남편에게 총애를 받을 수 있기를 바란 것이지만 반대로 다시 되돌아온 것이다. 초구의 잉첩은 현명하고 일을 잘하여 남편의 뜻을 얻을 수 있지만, 천한 여자는 알맞지 않고 바르지 않으며 권세를 잃고 호응함이 없으니 비록 흉하다고 말하지 않았지만 흉함을 알 수 있다. 초구는 나이가 차기를 기다리는 여자로 끝내 시집갈 곳을 얻는 자이다. 육삼은 함께 딸려가는 천한 여자로 의지할 곳이 전혀 없는 자이다.

박문호(朴文鎬)「경설(經說)·주역(周易)」

女子之處, 猶言女子之所處也.
'여자지처(女子之處)'라는 말은 여자가 머무는 곳이라고 말하는 것과 같다.

이병헌(李炳憲)『역경금문고통론(易經今文考通論)』

京曰, 嫥, 媵之妾也.
경방이 말하였다: 전(嫥)은 잉첩이다.

程傳曰, 當反歸而求爲娣媵則可也.
『정전』에서 말하였다: 마땅히 돌아와서 잉첩이 되기를 바란다면 괜찮다.

象曰, 歸妹以須, 未當也.

「상전」에서 말하였다: "여동생을 기다림으로써 시집보냄"은 자리가 마땅하지 않기 때문이다.

中國大全

傳

未當者, 其處其德其求歸之道皆不當, 故无取之者, 所以須也.

"마땅하지 않기 때문이다"는 말은 처한 곳, 가진 덕, 시집감을 구하는 방법이 모두 마땅하지 않다는 뜻이기 때문에, 데려가는 자가 없으므로 기다려야만 한다.

小註

建安丘氏曰, 六三陰柔不正, 而上无正應, 无受之者, 故以須而從二. 然二剛中而應五, 小君之貴也, 而己乘之. 如此則是以卑賤之妾驕而上僭, 其爲二所棄必矣. 在三不若反歸於下, 如初之爲, 以娣媵之禮事之, 則爲當位而无驕僭之患. 象言未當者, 以六居三, 柔乘剛, 賤陵貴, 皆未當之義.

건안구씨가 말하였다: 육삼은 부드러운 음이고 바르지 못하며, 위로 정응함이 없어서 받아주는 자가 없기 때문에, 기다려서 이효를 따라야 한다. 그러나 이효는 굳세고 알맞으며 오효와 호응하니 존귀한 소군이 되는데, 삼효가 이효를 올라타고 있다. 이와 같다면 미천한 첩이 교만함을 떨어 위에서 분수에 지나치게 구니 반드시 이효로부터 버림을 당하게 된다. 삼효에 있어서는 아래로 되돌아옴만 같지 못하니, 만약 초효처럼 행동하여 잉첩의 예로써 섬긴다면 자리에 마땅하게 되며 교만하고 참람되게 군다는 우환도 없게 된다. 「상전」에서는 "마땅하지 않기 때문이다"고 했는데, 육(六)이 삼효에 있어서 부드러운 음이 굳센 양을 올라탔으며 미천한 자가 귀한 자를 능멸하므로, 모두 마땅하지 않은 뜻이 된다.

韓國大全

김상악(金相岳) 『산천역설(山天易說)』

象傳位未當, 謂四而爻在三, 爲其升降之爻也. 无攸利, 謂三而爻在上, 爲其相應之爻也.

「단전」에서 "자리가 마땅하지 않기 때문이다"라고 한 말은 사효를 가리키는데 효로는 삼효에 있는 것은 오르고 내리는 효가 되기 때문이다. "이로울 것이 없다"는 삼효를 가리키는데 효로는 상효에 있는 것은 서로 호응하는 효가 되기 때문이다.

서유신(徐有臣) 『역의의언(易義擬言)』

不當須而須也.

기다려서는 안 되는데 기다리기 때문이다.

심대윤(沈大允) 『주역상의점법(周易象義占法)』

其所處未當也.

처한 곳이 마땅하지 않기 때문이다.

오치기(吳致箕) 「주역경전증해(周易經傳增解)」

處未當位而失其時, 上无正應而无所適, 是以須待也.

처함에 자리가 마땅하지 않고 그 시기를 놓치며 위로 정응이 없고 갈 곳이 없으니, 이러한 까닭으로 기다린다.

九四, 歸妹愆期, 遲歸有時.

정전 구사는 여동생을 시집보냄에 혼기를 지나치니, 지체하여 돌아감에 때가 있기 때문이다.
본의 구사는 여동생을 시집보냄에 혼기를 지나치니, 돌아갈 곳을 지체함이 때가 있기 때문이다.

中國大全

傳

九以陽居四, 四上體, 地之高也. 陽剛, 在女子爲正德, 賢明者也, 无正應, 未得其歸也, 過時未歸, 故云愆期. 女子居貴高之地, 有賢明之資, 人情所願娶, 故其愆期, 乃爲有時, 蓋自有待, 非不售也, 待得佳配而後行也. 九居四, 雖不當位, 而處柔乃婦人之道. 以无應, 故爲愆期之義, 而聖人推理, 以女賢而愆期, 蓋有待也.

구(九)는 양으로 사효 자리에 있고 사효는 상체가 되며 높은 지위이다. 굳센 양은 여자에게 있어서는 올바른 덕이 되니 현명한 자이며, 정응함이 없는 것은 시집갈 곳을 얻지 못함이며, 혼기를 놓쳐서 시집을 가지 못했기 때문에 '건기(愆期)'라고 하였다. 여자가 존귀하고 높은 곳에 있고 현명한 자질을 가지고 있으면 인정상 아내로 맞이하려고 하기 때문에, 혼기를 놓친 이유는 곧 정해진 때가 있어서이니, 스스로 기다려서이며, 시집을 못 갔기 때문이 아니니, 아름다운 배필을 얻기를 기다린 이후에 시집을 가려는 자이다. 구(九)가 사효의 자리에 있음은 비록 마땅한 자리가 아니지만, 부드러운 음에 있음은 부인의 도이다. 호응함이 없기 때문에 혼기를 놓치는 뜻이 되는데, 성인은 이치를 미루어 여자가 현명한데도 혼기를 놓친 이유는 기다리기 때문이라고 했다.

本義

九四以陽居上體而无正應, 賢女不輕從人而愆期以待所歸之象, 正與六三相反.

구사는 양으로 상체에 있지만 정응함이 없으니, 현명한 여자가 가볍게 남을 따르지 않아서, 혼기를 놓쳐 시집가기를 기다리는 상이 되니, 육삼과는 정반대가 된다.

小註

節初齊氏曰, 九四正歸妹者也, 而曰歸妹愆期, 剛履柔而能從容俟時, 以全其妹之正者也. 詩曰士如歸妻, 迨氷未泮, 故家語云, 霜降多婚, 氷泮殺止, 震則氷泮矣, 而猶曰遲歸有時, 非愆期乎.
절초제씨가 말하였다: 구사는 바로 여동생을 시집보내는 자이지만 "여동생을 시집보냄에 혼기를 지나친다"고 한 이유는 굳센 양이 부드러운 음을 밟고서 침착하게 때를 기다려서, 여동생의 올바름을 온전히 할 수 있는 자이기 때문이다. 『시경』에서는 "사내가 만약 처를 데려오고자 하면, 얼음이 풀리기 전에 한다"[56]고 했고, 『공자가어』에서는 "서리가 내리면 혼사가 많아지고, 얼음이 풀리면 그친다"[57]고 했는데, 오히려 "돌아갈 곳을 지체함이 때가 있기 때문이다"고 했으니, 혼기를 놓쳤다는 뜻은 아닐 것이다.

○ 隆山李氏曰, 三四雖无應, 而震兌終相合, 故曰遲歸有時.
융산이씨가 말하였다: 삼효와 사효는 비록 호응함이 없지만, 진괘와 태괘가 끝내 서로 합치기 때문에 "돌아갈 곳을 지체함이 때가 있기 때문이다"고 하였다.

○ 雲峯胡氏曰, 六三九四皆失位无應, 三以其无應也, 急於從人, 而反歸以娣. 四雖无應, 不輕從人而愆期遲歸, 何其相反如此之甚哉. 三陰柔不中正, 爲无女德者, 四剛健, 在女則爲賢明有德者也. 士之自賤自貴如之.
운봉호씨가 말하였다: 육삼과 구사는 모두 자리를 잃고 호응함이 없는데, 삼효는 호응함이 없기 때문에 남을 따르는데 급급하고 다시 돌아와 잉첩이 되어야 한다. 사효는 비록 호응함이 없지만 경솔하게 남을 따르지 않고 혼기를 놓치고도 돌아갈 곳을 지체하니 어찌하여 이처럼 극명하게 상반되는가? 삼효는 부드러운 음이며 중정하지 못하여 여자의 덕이 없는 자이며, 사효는 강건하니 여자에게 있어서는 현명함이 되어 덕을 갖춘 자가 되기 때문이다. 선비 중 스스로를 미천하게 만들고 또는 존귀하게 만드는 자는 이와 같다.

---

56) 『詩經 · 匏有苦葉』: 雝雝鳴鴈, 旭日始旦. 士如歸妻, 迨冰未泮
57) 『孔子家語 · 本命解』: 極霜降而婦功成, 嫁娶者行焉. 冰泮而農桑起, 婚禮而殺於此.

韓國大全

조호익(曺好益)『역상설(易象說)』

愆期, 取震象. 節初齊氏曰, 詩曰士如歸妻, 迨冰未泮. 家語曰, 霜降多婚, 冰泮殺止. 震則冰泮矣, 故曰愆期. 有時, 四變則坤, 坤則霜降矣, 初爲正應矣.
‘혼기를 지나침’은 진괘의 상에서 취했다. 절초제씨는 “『시경』에서 ‘선비가 아내를 데려오고자 하면 얼음이 아직 녹기 전에 한다’[58]고 했고, 『공자가어』에서는 ‘서리가 내리면 혼사가 많아지고 얼음이 녹으면 그친다’[59]라고 했다. 진괘는 얼음이 녹기 때문에 ‘혼기를 지나치다’라고 했다”라고 했다. “때가 있기 때문이다”는 사효가 변하면 곤괘가 되고 곤괘는 서리가 내리는 것이 되며, 초효는 정응이 되기 때문이다.

송시열(宋時烈)『역설(易說)』

當歸妹之時, 不見其應, 處於衆陰之中, 而皆非與我爲配者, 故曰愆期. 然其所遲歸者, 亦當有時. 小象有待而行者, 以震行之德, 將待初. 陽變陰之時, 上六陰極, 必復生於初爻故也.
여동생을 시집보내야 할 때에 호응함을 보지 못하고 여러 음 속에 처하여 모두 본인에게 짝이 될 자들이 아니기 때문에 “혼기를 지나치다”라고 했다. 그러나 지체하여 돌아감에는 또한 정해진 때가 있어야 한다. 「소상전」에서 “기다렸다가 시집을 가려고 해서이다”라고 한 것은 진괘의 행동하는 덕으로 초효를 기다리려는 것이다. 양이 음으로 변할 때 상육은 음이 지극하여 반드시 다시 초효에서 생겨나기 때문이다.

이익(李瀷)『역경질서(易經疾書)』

遲, 待也. 前漢公孫弘傳云, 臣竊遲之心, 欲速而以爲遲也. 李白詩, 門前遲行跡, 亦得此意. 傳添之志二字, 而結之曰, 有待而行也, 乃江有汜媵有待年之類. 只言歸妹者, 承上文以娣而言, 其遲歸之象, 則亦未詳, 而語脉如此, 姑依文解之.
지(遲)자는 기다린다는 뜻이다. 『전한서 · 공손홍전』에서는 “신은 지(遲)하려는 마음이었습니다”[60]라고 했으니, 빨리 하려고 했지만 기다린다고 여겼던 것이다. 이백의 시에서 “문 앞

58)『詩經 · 匏有苦葉』: 雝雝鳴鴈, 旭日始旦. 士如歸妻, 迨冰未泮.
59)『孔子家語 · 本命解』: 極霜降而婦功成, 嫁娶者行焉. 冰泮而農桑起, 婚禮而殺於此.

에서 오가는 발자취를 기다린다"고 한 것도 이러한 뜻이다. 「상전」에서는 지지(之志)라는 두 글자를 첨가하였고, 결론을 맺으며 "기다렸다가 시집을 가려고 해서이다"라고 했으니, 『시경 · 강유사』편에서 혼사를 기다리는 부류와 같다. 단지 귀매(歸妹)라고 말한 것은 앞 문장의 "잉첩으로 보낸다"라는 문장을 이어서 말한 것이고, 돌아가길 지체하는 상은 또한 상세하지 않지만, 문맥이 이러하므로 우선 문맥을 살펴 풀이 한다.

유정원(柳正源) 『역해참고(易解參攷)』

東谷鄭氏曰, 物不可以苟合. 旣有婦德, 遲歸何傷乎.
동곡정씨가 말하였다: 사물은 구차하게 합할 수 없다. 이미 부인의 덕을 갖추고 있는데 지체하여 돌아감이 어떤 해를 주겠는가?

小註, 節初說, 霜降 [至] 殺止.
소주에서 절초제씨가 말하였다: 서리가 내리면 … 그친다.

案, 家語聖人因時而合偶. 男女窮天數, 霜降而婦功成, 嫁娶者行焉, 冰泮而農桑起, 昏禮殺於此焉. 荀子霜降迎女, 冰泮殺止. 齊氏蓋合二說而言之.
내가 살펴보았다: 『공자가어』의 말은 성인이 때에 따라 짝을 이루도록 한 것이다. 남녀가 나이가 참에 서리가 내려서 부인의 공이 완성되면 시집 장가가는 일이 행해지고, 얼음이 녹아 농사와 누에치는 일이 시작되면 혼례는 이 시기에 그친다. 『순자』에서는 "서리가 내리면 부인을 맞이하고 얼음이 녹으면 그친다"[61]고 했다. 절초제씨는 아마도 이 두 주장을 합해서 말한 것 같다.

김상악(金相岳) 『산천역설(山天易說)』

當歸妹之時, 三四互坎離, 皆无應於上下, 則三歸於四, 而遇險爲愆期. 然本其定耦時過則行, 故遲歸有時.
귀매의 때에 삼효와 사효는 호괘가 감괘와 리괘이며 모두 위아래로 호응이 없으니 삼효가 사효에게 시집을 가지만 위험을 만나 혼기를 지나치게 된다. 그러나 본래 정해진 짝이 시기를 지나서 가기 때문에 지체하여 돌아감에 때가 있다.

---

60) 『漢書 · 公孫弘卜式兒寬傳』: 期年而變, 臣弘尙竊遲之.
61) 『荀子 · 大略』: 霜降逆女, 冰泮殺止, 十日一御.

或曰, 四五亦相比而交, 而必以三爲愆期者, 何也. 五乃帝女之尊, 而下有正應, 則豈可以私係而歸哉, 故五曰以貴行也.
어떤 이가 말하였다: 사효와 오효 또한 서로 가까워서 사귀는데, 기어코 삼효를 혼기를 지나친 것으로 여긴 것은 어째서인가? 오효는 제왕의 여식으로 존귀한 자이며 아래로 정응이 있으니 어찌 사사롭게 연루되어 시집을 가겠는가? 그러므로 오효에서는 "귀함으로 시행하기 때문이다"라고 했다.

○ 離日坎月, 期之象. 記云日月以告君, 又家語霜降多婚, 氷泮殺止, 詩云士如歸妻, 迨氷未泮, 是也. 本爻出兌入震, 故曰愆期. 又卦有坎體, 則取象多如此者, 見屯六二. 愆期, 卽不字也. 遲歸, 卽十年乃字也. 又震木生離火, 兌金生坎水, 水火交而爲旣濟. 旣濟六二曰, 婦喪其茀, 所以歸妹愆期也, 勿逐七日得, 所以遲歸有時也. 又歸妹, 泰之變也. 泰之三四二爻相比而交, 故其四曰翩翩, 不富以其隣, 不戒以孚. 本爻曰遲歸, 卽翩翩之反, 愆期, 卽不戒以孚之反. 專由於陰陽之交不交也. 或曰, 遲亦待也. 三之須待四之求也, 四之遲須五之歸也.
리괘는 해가 되고 감괘는 달이 되니 기일의 상이다. 『예기』에서는 "혼인 날짜를 정하여 군주에게 아뢴다"[62]고 했고, 또 『공자가어』에서는 "서리가 내리면 혼사가 많아지고 얼음이 녹으면 그친다"[63]고 했으며, 『시경』에서는 "선비가 아내를 데려오려면 얼음이 아직 녹기 전에 한다"[64]고 했다. 이 효는 태괘에서 나와서 진괘로 들어가기 때문에 "혼기를 지나친다"고 했다. 또 괘에는 감괘가 있으니 상을 취함이 대부분 이와 같은 것은 그 설명이 준괘(屯卦) 육이에 나온다. "혼기를 지나친다"는 것은 자식을 잉태하지 못함이다. '지체하여 돌아감'은 십년이 되어서야 잉태한다는 뜻이다.[65] 또 진괘의 나무는 리괘의 불을 낳고 태괘의 금은 감괘의 물을 낳는데 물과 불이 사귀어 기제괘(旣濟卦)가 되었다. 기제괘 육이에서는 "부인이 가리개를 잃었다"고 했으니 여동생을 시집보냄에 혼기를 지나치게 되며, "좇아가지 않으면 칠일 만에 얻으리라"라고 했으니, 지체하여 돌아감에 때가 있다.[66] 또 귀매괘는 태괘(泰卦)가 변한 것이다. 태괘의 삼효와 사효는 서로 가까워 사귀기 때문에 사효에서는 "훨훨 날아 내려오니, 부유하지 않으면서도 이웃과 함께 하여 경계하지 않아도 믿음이 있을 것이다"라고 했다. 이 효에서는 '지체하여 돌아감'이라고 했으니 "훨훨 날아 내려온다"의 반대가 되고, "혼기를 지나치다"라고 했으니 "경계하지 않아도 믿음이 있을 것이다"의 반대가 된다.

62) 『禮記 · 曲禮上』: 故日月以告君, 齊戒以告鬼神, 爲酒食以召鄕黨僚友, 以厚其別也.
63) 『孔子家語 · 本命解』: 極霜降而婦功成, 嫁娶者行焉. 冰泮而農桑起, 婚禮而殺於此.
64) 『詩經 · 匏有苦葉』: 雝雝鳴鴈, 旭日始旦. 士如歸妻, 迨冰未泮.
65) 『周易 · 屯卦』: 六二, 屯如邅如, 乘馬班如, 匪寇, 婚媾. 女子貞, 不字, 十年, 乃字.
66) 『周易 · 旣濟卦』: 六二, 婦喪其茀, 勿逐七日得.

이것은 전적으로 음양이 사귀고 사귀지 않음에 따른 것이다. 혹자는 "지(遲)자 또한 기다린다는 뜻이다. 삼효의 수(須)는 사효가 구하기를 기다리는 것이고, 사효의 지(遲)는 오효가 돌아오길 기다리는 것이다"라고 했다.

서유신(徐有臣) 『역의의언(易義擬言)』

內卦已過, 愆期之象也. 外卦始歸, 遲歸之象也. 非愆期也, 自有時也.

내괘는 이미 지나치므로 혼기를 지나치는 상이다. 외괘는 비로소 돌아가므로 더디게 돌아가는 상이다. 이것은 혼기를 지나친 것이 아니며 본래 정해진 때를 가지고 있는 것이다.

박제가(朴齊家) 『주역(周易)』

前未遽絶, 故有期, 而應之士緩, 故愆. 然遲則有時可歸, 非別擇佳配而待期也. 本義謂與三相反, 蓋以三爲當改嫁, 而以四爲賢女不輕從故也. 與一人之身, 而有三之時, 有四之時, 非爻位之元有高下賢不賢也. 故爻位不可固守, 固守則安在其變而通之耶.

이전에 완전히 관계가 끊어진 것이 아니므로 혼기가 있지만 호응하는 남자가 느리기 때문에 지나치게 된다. 그러나 더디게 간다면 정해진 때가 있어서 시집을 갈 수 있으니 좋은 배우자를 가려내어 혼기가 정해지기를 기다리는 것은 아니다. 『본의』에서는 삼효와 정반대가 된다고 했는데, 삼효는 마땅히 재가를 해야 하고 사효는 현명한 여자로 경솔하게 따르지 않기 때문일 것이다. 한 사람의 입장에서 삼효의 때가 있고 사효의 때가 있는 것이지, 효의 자리에 본래부터 높고 낮으며 현명하고 현명하지 않은 차이가 있는 것은 아니다. 그러므로 효의 자리를 고수해서는 안 되니, 고수를 한다면 어떻게 변화하여 통할 수 있겠는가?

이지연(李止淵) 『주역차의(周易箚疑)』

標有梅, 傾筐墍之. 求我庶士, 迨其今兮.

『시경 · 표유매』편에서 말하였다: 떨어지는 매실이여 광주리를 기울여 모두 담도다.[67] 나를 찾는 서사들이여, 오늘 당장 오소서.[68]

---

67) 『詩經 · 摽有梅』: 摽有梅, 頃筐墍之. 求我庶士, 迨其謂之.

68) 『詩經 · 摽有梅』: 摽有梅, 其實三兮. 求我庶士, 迨其今兮.

김기례(金箕澧) 「역요선의강목(易要選義綱目)」

剛履柔而從容俟時, 雖无正應, 不輕從人, 故愆期遲歸, 可謂女行畝不願娶, 宜其有時三之及也.

굳센 양이 부드러운 음을 밟고 있고 침착하게 때를 기다리니 비록 정응함이 없지만 남을 경솔하게 따르지 않기 때문에 혼기를 지나치고 지체하여 돌아가니, 여자가 시집을 가더라도 남자가 아내로 들이기를 원하지 않으니, 삼효가 이름에는 마땅히 그 때가 있다.

심대윤(沈大允) 『주역상의점법(周易象義占法)』

歸妹之臨䷒, 下接也. 九四以剛居柔, 自守以不媚, 多所可否, 而不專求親于君夫. 下應於初而非其私係. 臣之能下接百僚民庶以從君, 妻之能下接妾媵婢僕而事夫也. 有應于上, 謂之君夫, 有應于下, 謂妾之媵, 易隨時而取義也. 震兌离爲遷變日. 曰愆期, 言不遽求親於君夫也. 對中孚, 艮巽爲遲爲歸, 巽离爲改日. 曰時, 言能駕御百僚輯睦妾媵, 則自然親寵於君夫也. 能下接僚媵者, 乃所以求親於君夫也.

귀매괘가 림괘(臨卦䷒)로 바뀌었으니, 아래로 접하는 것이다. 구사는 굳센 양으로 부드러운 음의 자리에 있고 스스로 지키며 아첨하지 않으니, 가부를 가를 것이 많고 임금과 남편에게 친근함을 전적으로 구하지는 않는다. 아래로 초효와 호응하지만 사적으로 얽매이는 것이 아니다. 신하가 아래로 관리들 및 백성들과 접촉하여 임금을 섬기고 처가 아래로 잉첩 및 노비들과 접촉하여 남편을 섬기는 것이다. 위로 호응함이 있는 것을 임금과 남편이라고 하고, 아래로 호응함이 있는 것을 잉첩이라고 하니, 역에서는 때에 따라 의미를 취한다. 진괘 · 태괘 · 리괘는 날을 옮기고 바꾸는 것이 된다. "혼기를 지나치다"고 한 것은 임금과 남편에 대해서 친근함을 급히 구하지 않는다는 뜻이다. 음양이 바뀐 중부괘(中孚卦)에서 간괘와 손괘는 지체함이 되고 돌아감이 되며, 손괘와 리괘는 날을 고치는 것이 된다. '때'라고 한 것은 관리들을 부리고 잉첩들을 화목하게 할 수 있다면 자연히 임금과 남편에게 친근함과 총애를 얻게 된다는 뜻이다. 아래로 관리 및 잉첩과 접촉할 수 있는 것이 바로 임금과 남편에게 친함을 구하는 방법이다.

오치기(吳致箕) 「주역경전증해(周易經傳增解)」

九四, 剛失中正而下无正應, 故在歸妹之時, 愆其婚期, 而以其居柔, 故不輕從人, 乃遲其歸而待有時也.

구사는 굳센 양이지만 중정함을 잃고 아래로 정응이 없기 때문에 귀매의 때에는 혼기를 지나치게 되지만 부드러운 음의 자리에 있기 때문에 경솔하게 남을 따르지 않으니, 돌아감을 더디게 하고 때가 생기기를 기다린다.

○ 愆者, 過也. 期者, 婚期, 而互離之日, 互坎之月, 爲日月之期也. 居互坎之中, 故有不速而遲之象. 震春兌秋, 離夏坎冬, 爲四時, 故言時也.
건(愆)은 지나침이다. 기(期)는 혼기이고, 호괘인 리괘는 해가 되고 호괘인 감괘는 달이 되어 일월의 정해진 기한이 된다. 호괘인 감괘의 가운데 있기 때문에 빨리 하지 않고 더디게 하는 상이 있다. 진괘는 봄이고 태괘는 가을이며, 리괘는 여름이고 감괘는 겨울이니 사계절이 되기 때문에 시(時)라고 했다.

이진상(李震相) 『역학관규(易學管窺)』

歸妹愆期.
여동생을 시집보냄에 혼기를 지나치니.
歸妹自泰, 九三變居四, 是失位也. 物極必反, 更歸爲泰. 必有其時, 故有此象. 雙湖以四當歸妹之男, 亦通.
귀매괘는 태괘(泰卦)로부터 왔는데 구삼이 변하여 사효에 있는 것은 제자리를 잃은 것이다. 사물이 다하면 반드시 돌아오니, 다시 돌아오면 태괘가 된다. 반드시 정해진 때가 있기 때문에 이러한 상이 있다. 쌍호호씨가 사효를 여동생을 시집보내는 남자에 해당한다고 한 말 또한 통한다.

○ 註, 齊氏說.
소주에서 절초제씨가 말하였다.
霜降迎女, 氷泮殺止, 出荀子家語, 則曰霜降而婦功成, 嫁娶者行焉. 氷泮而農桑起, 昏禮殺於此.
"서리가 내리면 아내를 맞이하고 얼음이 녹으면 그친다"고 한 것은 『순자』와 『공자가어』의 기록에서 나왔으니, "서리가 내리면 부인의 공이 이루어져서 혼사가 시행된다. 얼음이 녹으면 농사와 양잠이 시작되니 혼례가 여기에서 그친다"고 말하였다.

박문호(朴文鎬) 「경설(經說) · 주역(周易)」

不售, 謂嫁終不成也. 推理以女賢, 言以女賢而推其理也.
'불수(不售)'는 혼사가 끝내 이루어지지 않았다는 뜻이다. '추리이녀현(推理以女賢)'은 여자가 현명하여 그 이치를 미루었다는 뜻이다.

이병헌(李炳憲) 『역경금문고통론(易經今文考通論)』

虞曰, 愆, 過也.
우번이 말하였다: '건(愆)'은 지나친다는 뜻이다.

孟曰, 姪娣, 年十五以上, 能共事君子, 可以往. 二十而御.
맹희가 말하였다: 질제(姪娣)는 나이가 십오 세 이상이 되면 함께 군자를 섬길 수 있어서 시집을 갈 수 있다. 이십 세가 되면 시중을 든다.

按, 待謂待年, 娣媵之制, 非最善之義.
내가 살펴보았다: 대(待)자는 혼사가 정해지기를 기다린다는 뜻으로, 잉첩으로 따라가는 질제의 제도에 있어서는 가장 좋은 뜻이 아니다.

象曰, 愆期之志, 有待而行也.

「상전」에서 말하였다: "혼기를 지나친"뜻은 기다렸다가 시집을 가려고 해서이다.

中國大全

傳

所以愆期者, 由己而不由彼. 賢女, 人所願娶, 所以愆期, 乃其志欲有所待, 待得佳配而後行也.

혼기를 놓친 까닭은 자신에게서 비롯되었지 남에게서 비롯되지 않았다. 현명한 여자는 남들이 아내로 맞이하려고 하는 자이니, 혼기를 놓친 까닭은 그 뜻에 기다려서 아름다운 배필을 얻은 이후에야 시집을 가려고 함이 있기 때문이다.

韓國大全

유정원(柳正源) 『역해참고(易解參攷)』

待而行.
기다렸다가 시집을 간다.

正義, 嫁宜及時. 今乃過期而遲歸者, 此嫁者之志, 正欲有所待而後行也.
『주역정의』에서 말하였다: 시집을 갈 때에는 마땅히 그 시기에 미쳐서 가야 한다. 현재 혼기를 지나쳤는데도 돌아가기를 더디게 하는 것은 시집가려는 자의 뜻이 기다린 뒤에 가기를 바라기 때문이다.

김상악(金相岳)『산천역설(山天易說)』

婦人謂嫁曰行. 愆期者, 在彼不在己, 而坎體未盡, 故有待. 需所以爲須者, 是也.
부인이 시집가는 것을 행(行)이라고 부른다. '혼기를 지나침'은 상대에게 달린 것이지 나에게 달린 것이 아니지만, 감괘의 몸체가 미진하기 때문에 기다림이 있다. 수괘(需卦䷄)가 기다림이 되는 것[69]도 이러한 이유 때문이다.

서유신(徐有臣)『역의의언(易義擬言)』

應與之志也. 媒聘之待也.
호응하여 함께 하려는 뜻이다. 중매가 들어오기를 기다리는 것이다.

강엄(康儼)『주역(周易)』

按, 九四有賢正之德, 人情所願娶. 但九四不輕從人, 而待其佳耦, 故未免愆期, 乃九四之自愆期也, 非若六三之人不取而須也. 故象明之曰, 愆期之志, 有待而行也. 或曰, 六三之須, 亦待也. 象不以待言之, 而以未當言之者, 何也. 曰, 六三之須, 雖亦待義, 然其須也, 非如九四之待佳耦也. 惟其德不中正, 人皆不取, 故无所適歸而自不得不須, 此象所以不許其待, 而特以未當斷之者也. 且六三在下之上, 本不當爲姊者也. 雖其无所適歸, 若能遲久寧耐, 則人或有取之者, 未可知也, 乃急於從人, 而甘於卑下, 須不幾時而反歸爲娣[70], 若是者其可曰須乎. 噫, 士大夫急於進用, 而反自取辱者多矣, 奚獨女之從人也哉.
내가 살펴보았다: 구사는 현명하고 바른 덕을 가지고 있어서 사람들의 정감상 아내로 들이고자 하는 대상이다. 다만 구사는 경솔하게 남을 따르지 않고 좋은 짝을 기다리기 때문에 혼기를 지나치는 것을 면하지 못하니, 구사가 제 스스로 혼기를 지나치게 한 것으로 육삼처럼 사람들이 취하지 않아 기다리는 것과는 다르다. 그래서 「상전」에서는 이 사실을 명시하여 "'혼기를 지나친' 뜻은 기다렸다가 시집을 가려고 해서이다"라고 했다.
어떤 이가 물었다: 육삼의 '수(須)' 또한 기다림입니다. 그런데 「상전」에서 기다림으로 말하지 않고 "자리가 마땅하지 않기 때문이다"라고 말한 것은 어째서입니까?
답하였다: 육삼의 수(須)에도 비록 기다린다는 뜻이 있지만, 그 기다림이라는 것은 구사가 좋은 짝을 기다리는 것과는 같지 않습니다. 다만 그녀의 덕이 중정하지 않아서 사람들이

69)『周易・需卦』: 彖曰, 需, 須也, 險在前也. 剛健而不陷, 其義不困窮矣.
70) 娣: 경학자료집성DB와 영인본에는 '悌'로 기록되어 있으나, 문맥을 살펴 '娣'로 바로잡았다.

모두 아내로 들이지 않기 때문에 시집갈 곳이 없어서 제 스스로 기다리지 않을 수가 없는 것이니, 이것이 「상전」에서 그녀의 기다림을 허여하지 않고 단지 자리가 마땅하지 않다는 말로 단정을 한 것입니다. 또 육삼은 하괘에서 맨 위에 있으니 본래부터 손위 누이가 될 수 없는 자입니다. 비록 시집갈 곳이 없지만, 만약 오래도록 지체하며 인내할 수 있다면 사람들 중 간혹 그녀를 아내로 들이는 경우도 있을 것이지만 이러한 사실을 알 수 없으니 이에 남을 따르는데 급급하게 되고 낮게 되는 것도 감내하게 되어 얼마 버티지 못하고 되돌아와 잉첩이 되니, 이와 같은 경우를 '기다린다'고 할 수 있겠습니까? 아! 사대부가 관직에 진출하는데 급급하여 도리어 제 스스로 욕됨을 당하는 경우가 많으니, 어찌 여자가 남을 따르는 것에만 한정되겠습니까?

김기례(金箕澧) 「역요선의강목(易要選義綱目)」

有待而行.
기다렸다가 시집을 가려고 해서이다.

三四雖无正應, 震兌終必相合. 待時而行, 則豈徒女行. 士之出處亦然, 故永終知敝.
삼효와 사효는 비록 정응이 없지만 진괘와 태괘는 끝내 반드시 서로 합하게 된다. 때를 기다려서 시집을 가는 것이 어찌 여자의 시집감에만 해당하겠는가? 남자가 나아가고 머무는 것도 그러하므로 끝을 영구하게 하여 사물에 무너짐이 있음을 안다.

오치기(吳致箕) 「주역경전증해(周易經傳增解)」

愆期而不輕從人, 其志欲有所待. 待得佳配而後行也.
혼기를 지나치더라도 경솔히 남을 따르지 않으니 그녀의 뜻은 기다리기를 원하는 것이다. 즉 좋은 짝을 만나기를 기다린 뒤에야 시집을 간다.

六五, 帝乙歸妹, 其君之袂, 不如其娣之袂良, 月幾望, 吉.

정전 육오는 제을이 여동생을 시집보내니, 정처의 소매가 잉첩의 소매보다 아름답지 못하니, 달이 거의 보름에 가까우면 길하다.

본의 육오는 제을이 여동생을 시집보내니, 정처의 소매가 잉첩의 소매보다 아름답지 못하고, 달이 거의 보름에 가까우니, 길하다.

中國大全

傳

六五居尊位, 妹之貴高者也. 下應於二, 爲下嫁之象. 王姬下嫁, 自古而然, 至帝乙而後, 正婚姻之禮, 明男女之分, 雖至貴之女, 不得失柔巽之道, 有貴驕之志, 故易中陰尊而謙降者, 則曰帝乙歸妹, 泰六五是也. 貴女之歸, 唯謙降以從禮, 乃尊高之德也, 不事容飾以說於人也. 娣媵者, 以容飾爲事者也, 衣袂, 所以爲容飾也. 六五, 尊貴之女, 尙禮而不尙飾, 故其袂不及其娣之袂良也. 良, 美好也. 月望, 陰之盈也, 盈則敵陽矣, 幾望, 未至於盈也. 五之貴高, 常不至於盈極, 則不亢其夫, 乃爲吉也, 女之處尊貴之道也.

육오는 존귀한 자리에 있으니 여동생 중에서도 존귀하고 높은 자이다. 아래로 이효에 호응하니 지체가 낮은 곳으로 시집가는 상이 된다. 왕가의 어린 딸을 지체가 낮은 곳으로 시집보냄은 예로부터 그러하였는데, 제을에 이른 뒤에야 혼인의 예법을 바로잡고 남녀의 본분을 명확히 하여, 비록 지극히 존귀한 여자라 하더라도 부드럽고 공손한 도를 잃어서 존귀하게 여기며 교만한 뜻을 갖지 못하도록 했기 때문에, 『주역』에서는 음이 존귀한데도 겸손하게 낮추는 것을 "제을이 여동생을 시집보내다"라고 했으니, 태괘(泰卦)의 육오가 여기에 해당한다. 존귀한 여자가 시집을 감에 겸손히 낮춰서 예법에 따르는 것만이 존귀하고 높은 덕이 되니, 용모를 꾸며서 남을 기쁘게 만드는데 힘쓰지 않았다. 잉첩은 용모를 꾸미는데 힘쓰는 자이며 의복의 소매는 용모를 장식하기 위함이다. 육오는 존귀한 여자이지만 예법을 숭상하고 장식을 숭상하지 않았기 때문에, 그녀의 소매는 잉첩의 소매처럼 좋지 않다. '양(良)'자는 좋고 예쁘다는 뜻이다. 보름달은 음이 가득참이며 가득차면 양에게 대적하는데, '기망(幾望)'은 아직 가득차지 않은 상태이다. 오효는 존귀하고 높은데 항상 가득차고 지극해지는 지경에는 이르지 않았으니, 남편에게 대항하지 않아서 길하게 되므로, 여자가 존귀함에 처하는 도이다.

本義

六五柔中居尊, 下應九二, 尙德而不貴飾, 故爲帝女下嫁而服不盛之象. 然女德之盛, 无以加此, 故又爲月幾望之象, 而占者如之則吉也.

육오는 부드럽고 알맞아서 존귀한 자리에 있고 아래로 구이에 호응하여 덕을 숭상하고 장식을 존귀하게 여기지 않았기 때문에, 제왕의 여식을 지체가 낮은 곳으로 시집보내며 복식을 융성하게 꾸미지 않은 상이 된다. 그러나 여자의 덕이 융성하여 더할 것이 없기 때문에 달이 보름에 가까운 상이 되니, 점치는 자가 이와 같다면 길하다.

小註

朱子曰, 易中言帝乙歸妹, 箕子明夷, 高宗伐鬼方之類, 疑皆當時帝乙高宗箕子曾占得此爻, 故後人因而記之, 而聖人以入爻也. 如漢書大橫庚庚, 余爲天王, 夏啓以光, 亦是啓曾占得此爻也. 火珠林亦如此.

주자가 말하였다: 『주역』에서 "제을이 여동생을 시집보내다"고 하며, "기자가 밝음을 감추다"[71]고 하고, "고종이 귀방을 정벌했다"[72]고 한 부류들은 아마도 당시에 제을 · 고종 · 기자가 점을 쳐서 이러한 효를 얻었기 때문에 후세 사람들이 그에 따라 기록을 했고 성인이 효사에 편입했던 것 같다. 예를 들어 『한서』에서 "가로로 크게 갈라져서, 장차 천왕이 될 것이고, 하나라의 계(啓)처럼 빛낼 것이다"[73]라고 한 말 또한 계가 점을 쳐서 이러한 효사를 얻었던 것이다. 화주림 또한 이와 같다.

○ 月幾望, 是說陰盛.

달이 거의 보름이 되었다는 말은 음의 융성함을 뜻한다.

○ 丹陽都氏曰, 月者至陰之精, 而群陰之主, 女君之象也. 幾望, 言女君之謙盛, 而未盈也. 望則盈矣. 吉, 宜家之謂也.

단양도씨가 말하였다: 달은 지음(至陰)의 정수이며 뭇 음들의 주인이 되니 여군(女君)의 상이 된다. 보름이 거의 되었음은 여군이 융성함을 겸손히 낮추고 아직 완전히 차지 않았음을 뜻한다. 보름달은 완전히 참을 뜻한다. 길함은 가정에 마땅함을 뜻한다.

---

71) 『周易 · 明夷』: 六五, 箕子之明夷, 利貞.
72) 『周易 · 旣濟』 : 九三, 高宗伐鬼方, 三年克之, 小人勿用.
73) 『漢書 · 文帝紀』: 占曰, 大橫庚庚, 余爲天王, 夏啓以光.

○ 節初齊氏曰, 袂, 衣袖. 君, 小君. 堯降二女于潙汭, 而後世一稱湘君, 一稱夫人, 嫡例爲君而餘皆媵也.
절초제씨가 말하였다: '메(袂)'는 소매를 뜻한다. '군(君)'은 소군을 뜻한다. 요임금은 순임금이 있는 규예로 두 딸을 시집보냈고 후세 사람들은 그 중 한 여식을 '상군(湘君)'이라고 불렀으며 다른 여식을 '부인(夫人)'이라고 불렀는데, 정처는 규범에 따라 군(君)이 되며 나머지 여인들은 모두 잉첩이 된다.

○ 雲峯胡氏曰, 娣以容飾爲事. 五, 君也, 豈假容飾以悅人者. 故曰其君之袂不如其娣之袂良, 良在德而不在袂也. 下三陽皆以女德稱, 六五柔中居尊, 下應九二, 是帝之女而下嫁者也. 而不盛其服飾, 德之盛无以加於此矣, 故又取月幾望之象. 月幾望, 在小畜中孚以位言, 陰盛而與陽亢也. 在歸妹以德言, 陰盛而可與陽對也. 本義於二與四, 皆以女之賢稱, 於初則曰在女則爲賢正之德, 於五則曰女德之盛无以加此, 其旨深哉.
운봉호씨가 말하였다: 잉첩은 용모 꾸밈을 일삼는다. 오효는 여군이 되니 어찌 용모를 꾸밈으로써 남을 기쁘게 만드는 자이겠는가? 그렇기 때문에 여군의 소매는 잉첩의 소매보다 아름답지 않다고 했으니, 아름다움은 덕에 달려 있지 소매에 달려 있지 않기 때문이다. 아래 세 양은 모두 여자의 덕으로 지칭했는데, 육오는 부드럽고 알맞으며 존귀한 자리에 있고 아래로 구이와 호응하니, 제왕의 여식이 지체가 낮은 자에게 시집을 감이다. 그런데 복장의 장식을 융성하게 꾸미지 않으나 덕이 융성하여 더할 나위가 없기 때문에 또한 달이 거의 보름이 된 상을 취하였다. 달이 거의 보름이 되었음은 소축괘(小畜卦)와 중부괘(中孚卦)의 자리로 말을 해보면, 음이 융성하여 양과 필적함을 뜻한다. 귀매괘의 덕으로써 말을 해보면, 음이 융성하여 양과 상대할 수 있음을 뜻한다. 『본의』에서는 이효와 사효에 대해서 모두 여자의 현명함을 지칭하고, 초효에 대해서는 "여자에게 있어서는 현명하고 바른 덕이 된다"고 했으며, 오효에 대해서는 "여자의 덕이 융성하여 더할 것이 없다"고 했으니, 그 뜻이 매우 심오하다.

韓國大全

조호익(曺好益) 『역상설(易象說)』

帝乙, 五君象. 君, 五象. 袂, 雙湖曰, 三陽乾衣也. 中二爻陰陽, 互袂象.

제을은 오효인 임금의 상이다. 군(君)은 오효의 상이다. 소매에 대해 쌍호호씨는 "세 양은 건괘의 옷이다. 가운데 두 효는 음과 양으로 상호 소매의 상이 된다"고 했다.

愚謂, 三在二上, 耦畫分峙, 有袂象. 娣, 指三, 三兌體. 良[74], 三陽乾爲衣, 五在衣外, 三在衣內, 有美飾象. 月, 互坎象. 五在坎體上, 已盈矣. 云幾, 戒辭.
내가 살펴보았다: 삼효는 이효의 위에 있고 짝이 되는 획이 나뉘어 솟으니 소매의 상이 있다. 제(娣)는 삼효를 가리키니 삼효는 태괘의 몸체이다. 양(良)은 세 양인 건으로 옷이 되고, 오효는 옷 밖에 있고 삼효는 옷 안에 있으니, 아름답게 장식하는 상이 있다. 월(月)은 호괘인 감괘의 상이다. 오효는 감괘의 몸체 위에 있어서 이미 찬 것이다. 기(幾)라고 말한 것은 경계하는 말이다.

송시열(宋時烈) 『역설(易說)』

帝乙, 與泰之六五同辭. 五以君位, 下嫁九二. 其服色之美, 皆以中黃之正, 蓋震得天玄地黃, 乾衣坤裳之正色者, 故以袂言之. 彼初爻娣, 三爻須之輩, 皆以兌之容悅衣之間色爲之. 王姬之下嫁, 以禮爲貴, 不尙華采之服. 不如云者, 反復勝之謂耶. 於小象以貴行可見. 坎爲月, 坎將盡, 則月之幾望, 將虧之時也. 震爲東, 兌爲西, 自東徂西, 象陰不可敵於陽. 當存盛滿之戒, 如月之將虧則吉.
제을은 태괘(泰卦) 육오와 말이 같다.[75] 오효는 임금의 자리에 있는데 아래로 구이에게 시집을 간다. 복식 색깔의 아름다움은 모두 중앙인 황색의 정색(正色)으로 하니, 진괘는 하늘의 검은색과 땅의 황색을 얻어 건괘의 상의와 곤괘의 하의의 정색이 되기 때문에 소매로 말을 했다. 초효의 잉첩이나 삼효는 미천한 무리들은 모두 태괘의 기뻐함과 간색(間色)으로 만든 옷으로 행한다. 천자의 여식이 신하에게 시집을 갈 때에는 예를 존귀하게 여기고 옷의 화려함을 숭상하지 않는다. "~만 못하다"라고 말한 것은 도리어 더 낫다는 뜻인 것 같다. 「소상전」에서 "귀함으로 시행하기 때문이다"라고 한 말을 통해서 이러한 사실을 확인할 수 있다. 감괘는 달이 되는데 감괘가 다하게 되면 달은 거의 보름에 가깝게 되어 앞으로 이지러지게 되는 때가 된다. 진괘는 동쪽이고 태괘는 서쪽인데, 동쪽으로부터 서쪽으로 가는 것은 음이 양을 대적할 수 없음을 상징한다. 마땅히 가득 참에 대한 경계를 두어서, 달이 앞으로 이지러지게 될 것처럼 한다면 길하다.

---

74) 良: 경학자료집성DB에는 '艮'으로 되어 있으나, 경학자료집성 영인본을 참조하여 '良'으로 바로잡았다.
75) 『周易 · 泰卦』: 六五, 帝乙歸妹, 以祉元吉.

석지형(石之珩) 『오위귀감(五位龜鑑)』

臣謹按, 歸妹之六五, 以人君言, 則爲抑尊尙德之義, 以后妃言, 則爲儉素去飾之義, 以下嫁言, 則爲謙降柔巽之義. 此三者, 隨位受用, 靡不合道. 王者修身齊家之事, 盡在是矣. 其取月象何也. 互坎爲月, 下體爲兌, 兌爲缺, 故取月不盈之象. 伏願殿下, 觀象玩辭, 各盡其用焉.

신이 삼가 살펴보았습니다: 귀매괘의 육오는 임금을 기준으로 말한다면 존귀함을 억누르고 덕을 숭상하는 뜻이 되며, 왕비를 기준으로 말한다면 검소하여 장식을 제거하는 뜻이 되고, 아래로 시집가는 것으로 말한다면 겸손히 낮추고 유순하고 공손하다는 뜻이 됩니다. 이 세 가지는 자리에 따라서 수용하면 도에 합치되지 않는 것이 없게 됩니다. 천자가 자신을 수양하고 가정을 다스리는 일은 모두 여기에 달려 있습니다. 그런데 달의 상을 취한 것은 어째서이겠습니까? 호괘인 감괘는 달이 되고 하체는 태괘인데, 태괘는 이지러짐이 되기 때문에 달이 가득차지 않은 상에서 취한 것입니다. 엎드려 바라건대 전하께서는 상을 살피고 그 말을 완상하시어, 각각 그 쓰임을 다하시기 바랍니다.

이현익(李顯益) 「주역설(周易說)」

六五, 帝乙歸妹, 非帝乙是五, 妹是五也, 而建安丘氏謂五言帝乙于歸妹之上, 則歸妹之主也. 五以帝乙之賢, 居柔履謙而歸其妹云云. 是以帝乙爲五, 而不以妹爲五也. 殊不知六爻皆是女之歸者, 則帝乙非五, 而妹乃五也. 〈帝乙歸妹, 朱子謂帝乙, 曾占得此爻, 故聖人以入[76]爻也. 以此則尤不當以帝乙爲五也.〉

"육오는 제을이 여동생을 시집보낸다"라고 했는데 제을이 오효라는 뜻이 아니며 여동생이 오효라는 뜻인데, 건안구씨는 "오효에서 제을을 귀매보다 앞서 언급했으니 귀매의 주인이 된다. 오효는 제을처럼 현명한 자가 부드러운 음에 있으며 겸손함에 따라서 누이를 시집보냄이다"라고 했다. 이것은 제을을 오효로 여긴 것이고 여동생을 오효로 여기지 않은 것이다. 즉 여섯 효가 모두 여자가 시집가는 것이 됨을 알지 못한 것이니, 제을은 오효가 아니며 여동생이 곧 오효이다. 〈제을이 여동생을 시집보낸다고 했는데 주자는 제을은 일찍이 점을 쳐서 이러한 효를 얻었기 때문에 성인이 효사에 넣은 것이라고 했다. 이를 통해 살펴보면 더욱이 제을을 오효로 여겨서는 안 된다.〉

---

76) 入: 경학자료집성DB에는 '八'로 되어 있으나, 경학자료집성 영인본을 참조하여 '入'으로 바로잡았다.

이익(李瀷)『역경질서(易經疾書)』

六五, 歸妹之主也. 帝乙, 據左傳, 微子之父, 殷帝也. 夏殷之制, 雖不可考, 書云娶于塗山, 辛壬癸甲, 必稱塗山, 則知親迎之禮, 夏時猶未備, 至殷始定, 亦有王女下嫁之制. 故言歸妹, 則必以帝乙爲主, 如伐鬼方, 則以高宗爲主也. 君者, 小君也. 天子所歸之妹, 卽諸侯之小君也. 服有上下, 言衣則裳包之矣. 衣之爲儀, 莫如袂, 言袂則衣包之矣. 如深衣所謂行擧袖爲儀是也. 是衣也, 恐是翟褘, 宮內之服也. 君袂不如娣袂, 則娣吉而君不吉也. 小君者, 宮內之所儀則, 而今如此, 亦恐是小君死而娣攝其位者也. 禮諸侯不再娶, 女君死則姪娣攝宮內之政, 所謂攝女君是也. 月者配日, 有后妃之象. 自朝至夕, 日之侯也. 自夕至朝, 月之侯也. 日下於西而月上於東, 謂之望. 東爲震, 西爲兌, 兌下震上, 是爲歸妹, 苟使其君安享得吉, 宜但曰旣望, 今君凶而娣吉, 故有幾望之象, 謂下於望也. 傳只刪其君之袂一句, 則妹之爲君尤明, 與中孚之六四有別. 彼以臣道言, 而上弦之侯也.

육오는 귀매괘의 주인이다. 제을은『좌전』에 따르면 미자의 부친으로 은나라 때의 제왕이다. 하나라와 은나라의 제도는 비록 고찰할 수 없지만『서경』에서는 "도산씨에게 장가를 들어 신 · 임 · 계 · 갑 사일을 보냈다"[77]고 했는데, 도산씨라고 기어코 지칭을 했다면 친영의 의례는 하나라 때에는 아직 제대로 갖춰지지 않았는데 은나라에 이르러 비로소 확정이 되었으니 또한 천자의 여식이 신하에게 시집가는 제도가 있었다. 그러므로 여동생을 시집보낸다고 말한다면 반드시 제을을 주인으로 삼은 것이고 귀방을 정벌하는 경우에는 고종을 주인으로 삼은 것이다.[78] 군(君)은 소군이다. 천자가 시집을 보낸 여동생은 제후의 부인이 된다. 복장에는 상의와 하의가 있는데 상의를 말했다면 하의도 포함된 것이다. 상의의 격식 중에 소매만한 것이 없으니 소매를 말했다면 상의가 포함된 것이다. 마치『예기 · 심의』에서 걸어 다님에 소매를 들어 올리는 것을 거동의 격식으로 삼은 것[79]이 바로 이것이다. 이러한 옷은 아마도 적위(翟褘)에 해당할 것이니 궁 안에서 입는 복장이다. 소군의 소매가 잉첩의 소매만 못하다고 했으니 잉첩은 길한 것이고 소군은 불길한 것이다. 소군은 궁 안에서 의칙으로 삼는 대상인데 현재 이처럼 된 것은 아마도 소군이 죽고 잉첩이 그 지위를 대신하는 경우일 것이다. 예법에 따르면 제후는 재취를 하지 않고 여군이 죽으면 잉첩이 궁 안의 정무를 대신한다고 하니, "여군을 대신 한다"[80]는 것이 바로 이것이다. 달은 해와 짝하니 후비의 상이 있다. 아침부터 저녁까지는 해의 시간이다. 저녁부터 아침까지는 달의 시간이다. 해는 서쪽

77)『書經 · 益稷』: 予創若時, 娶于塗山, 辛壬癸甲, 啓呱呱而泣, 予弗子.

78)『周易 · 旣濟卦』: 九三, 高宗伐鬼方, 三年克之, 小人勿用.

79)『禮記 · 深衣』: 故規者, 行擧手以爲容, 負繩抱方者, 以直其政方其義也.

80)『禮記 · 雜記上』: 女君死, 則妾爲女君之黨服. 攝女君則不爲先女君之黨服.

으로 기울고 달은 동쪽에서 떠오르니, 보름달이라고 했다. 보름달이라고 했는데, 동쪽은 진괘가 되고 서쪽은 태괘가 되며 태괘가 아래에 있고 진괘가 위에 있으면 귀매괘가 된다. 만약 소군이 편안하고 길함을 얻었다면 마땅히 "이미 보름이 되었다"라고 해야 하지만, 현재 소군에게는 흉하고 잉첩에게는 길하기 때문에 달이 거의 보름에 가까운 상이 있고, 보름보다는 못하다는 의미이다. 「상전」에서는 '기군지메(其君之袂)'라는 한 구문을 삭제했으니, 여동생이 소군이 됨이 더욱 분명하며, 중부괘(中孚卦) 육사[81]와 구별되는 점이 있다. 중부괘는 신하의 도리로 말한 것이니 상현의 시기가 된다.

심조(沈潮) 「역상차론(易象箚論)」

六五, 帝乙歸妹.
육오는 제을이 여동생을 시집보내니.

帝, 震位也. 乙, 震地也. 與泰之六五一般意思.
제(帝)는 진괘의 지위이다. 을(乙)은 진괘인 자리이다. 태괘(泰卦)의 육오와 의미가 같다.

유정원(柳正源) 『역해참고(易解參攷)』

合沙鄭氏曰, 卦與泰類, 而人位兩爻交, 互有掩袂之象. 蓋天地之義, 備於人之一身, 人之一身, 左陽而右陰, 陰陽之交, 如其袂之交也. 娣位乎下而畫陽, 君位乎上而畫陰, 陽善而陰惡, 此君之袂不如娣之袂良也.
합사정씨가 말하였다: 귀매괘는 태괘(泰卦)와 같은 부류가 되고, 사람의 자리에 있는 두 효가 사귀어 서로 소매를 가려주는 상이 있다. 천지의 뜻은 사람의 한 몸에 갖춰져 있고, 사람의 한 몸에 있어서 좌측은 양이고 우측은 음이니 음양이 사귀는 것은 소매가 겹쳐지는 것과 같다. 잉첩은 아래에 위치하는데 양획이고 소군은 위에 위치하는데 음획이니, 양은 선하고 음은 악하여 이것이 소군의 소매가 잉첩의 소매보다 아름답지 못한 이유이다.

小註, 朱子說, 漢書 [至] 以光.
소주에서 주자가 말하였다: 『한서』에서 … 계(啓)처럼 빛낼 것이다.

文帝本紀, 代王卜龜, 得大横庚庚云云. 索隱曰, 大横, 龜兆横理也. 庚, 猶更, 言以諸侯更帝位.

---

81) 『周易 · 中孚卦』: 六四, 月幾望, 馬匹亡, 无咎.

『사기 · 문제본기』에서는 천자를 대신하여 거북점을 쳤는데, 대횡경경(大橫庚庚)을 얻었다고 했다. 『사기색은』에서는 "대횡(大橫)은 거북껍질의 갈라짐이 횡으로 무늬를 이룬 것이다. 경(庚)은 바뀐다는 뜻이니, 제후가 천자의 지위를 대신한다는 의미이다"라고 했다.

김상악(金相岳) 『산천역설(山天易說)』

六五柔中居尊, 下應九二而交, 爲帝乙歸妹之象. 娣, 指三也. 以震遇兌, 三互離坎, 故又有其君之袂不如其娣之袂良, 月幾望之象. 王姬之貴而不尙容飾, 未至盈滿, 女德之盛也, 何吉如之.

육오는 부드럽고 알맞음으로 존귀한 자리에 있고 아래로 구이와 호응하여 사귀니 제을이 여동생을 시집보내는 상이 된다. 잉첩은 삼효를 가리킨다. 진괘가 태괘를 만나고 삼효는 호괘가 리괘와 감괘이기 때문에 또한 정처의 소매가 잉첩의 소매보다 아름답지 못하니, 달이 거의 보름에 가까운 상이 있다. 천자의 여식은 존귀하지만 용모를 꾸미는 것을 숭상하지 않아서 가득 찬 지경까지는 이르지 않으니, 이것은 여자의 덕이 융성한 것으로 무엇이 이처럼 길하겠는가?

○ 帝乙歸妹, 見泰六五. 君, 女君也. 袂, 衣袖也, 所以爲容飾者. 良, 美好也. 古人褧衣, 其美見於外者袂也. 兌則二陽在內, 說見于外, 震則二陰處外, 陽蔽于內, 又離有布帛成章之象. 而三得其中, 五居其外, 故曰其君之袂不如其娣之袂良也. 旣濟則五剛四柔, 故四曰繻有衣袽, 蓋本爻之象, 與旣濟之五曰, 東隣殺牛, 不如西隣之禴祭, 相似. 所以作易者, 怕處其盛也. 月幾望者, 坎月見於兌之丁, 而又在離日之上, 是望滿之期也. 月與日, 望則相敵, 幾望者, 月遜日也, 婦遇夫之象也.

"제을이 여동생을 시집 보낸다"는 태괘(泰卦)의 육오에 나온다.[82] 군(君)은 여군이다. 몌(袂)는 옷의 소매이니, 용모를 꾸미는 장식으로 삼는 것이다. 양(良)은 아름답고 좋다는 뜻이다. 옛 사람들이 홑옷으로 화려한 옷을 가릴 때 겉으로 그 아름다움이 드러나는 것은 소매이다. 태괘는 두 양이 안에 있고 기뻐함이 밖으로 드러나며, 진괘는 두 음이 밖에 있어서 양이 안에서 가려지고, 또 리괘에는 비단 옷의 화려한 무늬를 가리는 상이 있다. 그리고 삼효는 알맞음을 얻었고 오효는 밖에 있기 때문에 "소군의 소매가 잉첩의 소매보다 아름답지 못하다"라고 했다. 기제괘(旣濟卦)는 오효는 양이고 사효는 음이기 때문에 사효에서는 "젖음에 옷과 헌옷을 장만해 둔다"[83]고 했으니, 이 효의 상이 기제괘 오효에서 "동쪽 이웃의

82) 『周易 · 泰卦』: 六五, 帝乙歸妹, 以祉元吉.
83) 『周易 · 旣濟卦』: 六四, 繻有衣袽, 終日戒.

소를 잡는 제사는 서쪽 이웃의 검소한 제사만 못하다"[84]라고 한 것과 유사하다. 그래서 『역』을 지은 자가 가득 참에 처한 것을 두려워했다. "달이 거의 보름에 가깝다"는 감괘의 달이 태괘의 정일(丁日)에 나타난 것이고 또 리괘의 해 위에 있으니, 이것은 보름달이 가득 차는 기한이 된다. 달과 해는 가득 차면 서로 대적하는데, 거의 보름에 가까운 것은 달이 해에게 겸손하게 대한 것으로 부인이 남편을 만나는 상이다.

김규오(金奎五) 「독역기의(讀易記疑)」

六五月幾望, 傳說恐長. 蓋帝乙高宗之屬, 朱子疑其曾占得此爻, 然鬼方之伐, 見於二濟, 帝乙歸妹, 見於泰妹. 此等占一筮則已, 何必再筮. 雖使再筮, 鬼方之占, 以反對見之, 只是一爻, 歸妹之占, 以卦變見之, 又只是一爻. 易自屢遷, 豈必如是之巧也. 未敢知也.

육오는 "달이 거의 보름에 가깝다"고 했는데, 『정전』의 설명이 더 나은 것 같다. 제을과 고종 등의 부류에 대해 주자는 일찍이 점을 쳐서 이러한 효를 얻은 것으로 의심을 했는데, 귀방을 정벌하는 것은 기제괘(旣濟卦)[85]와 미제괘(未濟卦)[86]에 나오며, 제을이 여동생을 시집보내는 것은 태괘(泰卦)[87]와 귀매괘에 나온다. 이러한 점들은 한 차례 시초점을 쳤을 따름인데 어째서 반드시 재차 시초점을 쳤겠는가? 비록 재차 시초점을 쳤다고 하더라도 귀방에 대한 점괘는 거꾸로 된 괘로 드러냈으니 단지 하나의 효일 뿐이며, 여동생을 시집보내는 점괘는 괘의 변화로 드러냈으니 또한 단지 하나의 효일 뿐이다. 역이 제 스스로 수차례 바뀌는 것이 어떻게 반드시 이처럼 정교하단 말인가? 감히 알 수 없는 점이다.

서유신(徐有臣) 『역의의언(易義擬言)』

五居尊, 二爲正應, 帝女下嫁也. 君, 帝乙之妹也. 君純袂, 娣飾袂. 飾爲良, 純爲貴. 其不如者, 非不如也. 禮君純裘, 大夫飾袂, 亦此義也. 古者嫁女戒之曰, 夙夜無違夫子, 從夫之道也. 九二兌爲月, 上弦之象. 尊而柔, 不敢抗其夫, 月幾望之象也. 帝女謙順, 其吉可知也.

오효는 존귀한 자리에 있고 이효는 정응이 되니 제왕의 여식이 신하에게 시집가는 것이다. 군(君)은 제을의 여동생이다. 소군은 단색의 소매를 하고 잉첩은 소매를 꾸민다. 꾸민 것은

84) 『周易 · 旣濟卦』: 九五, 東隣殺牛, 不如西隣之禴祭, 實受其福.
85) 『周易 · 旣濟卦』: 九三, 高宗伐鬼方, 三年克之, 小人勿用.
86) 『周易 · 未濟卦』: 九四, 貞吉, 悔亡, 震用伐鬼方, 三年, 有賞于大國.
87) 『周易 · 泰卦』: 六五, 帝乙歸妹, 以祉元吉.

좋은 것이고 단색으로 한 것은 존귀한 것이다. 불여(不如)라는 것은 "~만 못하다"는 뜻이 아니다. 예법에서 임금은 단색의 가죽으로 대고 대부는 소매를 장식한다고 한 것도 이러한 의미이다. 고대에 딸자식을 시집보낼 때에는 경계를 시키며 "밤낮으로 남편과 아들을 어김이 없는 것이 남편을 따르는 도이다"라고 한다. 구이는 태괘로 달이 되니 상현의 상이다. 존귀하지만 부드러워 감히 남편에게 대적하지 않으므로, 달이 거의 보름에 가까운 상이다. 제왕의 여식이 겸손하고 순종하니 길함을 알 수 있다.

박제가(朴齊家) 『주역(周易)』

此爻, 先儒皆以爲尊貴之女, 尙禮不尙飾, 然與爻旨相反. 此乃妾中之極尊貴者, 故必曰帝乙. 雖曰天子之妹, 乃爲人娣者也. 故曰此帝乙之妹之袂之良, 反勝於其女君之袂者, 亦理之常耳. 月幾望者, 以月配日, 而正圓者, 正配也. 今日幾望者, 幾乎正配也. 言娣則娣矣, 而反勝於凡人之適妻, 其威儀氣象幾乎十四十六之月輪矣. 歎其貴而甚言之辭也, 與它卦月幾望不同. 丹陽都氏曰, 其以幾望爲女君之謙盛而未盈者, 乃以娣反爲女君者也. 象傳曰, 其位在中, 以貴行也, 謂雖娣而以貴而行也. 傳曰以尊貴而行中道也. 若然則經當曰, 貴以行也. 朱子知其然, 故本義改之曰, 以其有中德之貴而行. 然旣曰在中, 何必復言貴耶. 惟其由賤而言, 故必曰貴耳.

이 효에 대해서 선대 학자들은 모두 존귀한 여자는 예를 숭상하고 장식을 숭상하지 않는다고 여겼지만, 효의 뜻과는 상반된다. 이것은 첩 중에서도 지극히 존귀한 자에 해당하기 때문에 기어코 '제을(帝乙)'이라고 말한 것이다. 비록 천자의 여동생이라 하더라도 남의 잉첩이 된 자를 뜻한다. 그러므로 "이러한 제을의 여동생이 하는 소매의 아름다움이 도리어 여군의 소매보다도 더 낫다"고 한 것이니, 이 또한 이치에 따른 상도일 따름이다. "달이 거의 보름에 가깝다"고 했는데 달을 해에 짝하게 되면 완전히 둥근 것이 정식 배필이 된다. 현재는 거의 보름에 가까우니 정식 배필에 가깝다는 뜻이다. 잉첩이라고 했다면 잉첩이지만 도리어 일반인들의 정실인 처보다도 나으므로, 그 위엄과 기상은 십사일이나 십육일의 달 둥글기에 가까운 것이다. 이것은 그녀의 존귀함을 감탄하며 절실히 한 말로, 다른 괘에서 달이 거의 보름에 찼다고 한 것과는 다르다. 단양도씨는 "보름에 가까운 것을 여군의 겸손함과 융성함이 아직 가득 차지 않은 것으로 삼았으니, 잉첩을 도리어 여군으로 삼은 것이다"라고 했다. 「상전」에서는 "그 자리가 가운데에 있어서 귀함으로 시행하기 때문이다"라고 했으니, 비록 잉첩이지만 귀함으로 시집을 갔다는 뜻이다. 『정전』에서는 "존귀함으로 중도를 시행하기 때문이다"라고 했다. 만약 그렇다면 경문에서는 마땅히 '귀이행(貴以行)'이라고 기록해야 한다. 주자는 이러한 사실을 알았기 때문에 『본의』에서는 이 말을 고쳐서 "존귀한 중도의 덕을 갖추고서 시행했다"라고 했다. 그런데 이미 가운데 있다고 했는데 어떻게 재차 귀하다고 말할 수 있는가? 다만 미천함으로부터 미루어서 말했기 때문에 기어코 귀하다고 말한 것일 뿐이다.

강엄(康儼) 『주역(周易)』

按, 在九二, 則九二剛中, 而上應六五之陰柔, 故取女賢配不良之象. 在六五, 則六五柔中居尊, 而下應九二, 故取帝女下嫁之象. 易之取象, 變動无常如此. 月幾望, 易中凡三言之. 小畜上九言月幾望者, 以陰盛而與陽亢也. 中孚六四言月幾望者, 以居得其正而近於君也. 歸妹六五言月幾望者, 以女德之盛无以加此也. 若加此則盈而亢陽, 不足以言德之盛也. 然則小畜取陰盛亢陽之義, 中孚歸妹取盛而未盈之義. 雲峯以中孚月幾望, 亦謂陰盛而與陽亢, 恐未然.

내가 살펴보았다: 구이에게 있어서 구이는 굳세고 알맞으며 위로 육오의 부드러운 음에 호응하기 때문에 여자가 현명하지만 짝이 선량하지 못한 상을 취했다. 육오에게 있어서 육오는 부드럽고 알맞으며 존귀한 자리에 있고 아래로 구이와 호응하기 때문에 제왕의 여식이 신하에게 시집가는 상을 취했다. 역에서 상을 취함에 변동해서 일정함이 없는 것이 이와 같다. "달이 거의 보름에 가깝다"를 『주역』에서는 모두 세 차례 언급했다. 소축괘(小畜卦) 상구에서 "달이 거의 보름에 가깝다"[88]고 한 것은 음이 융성하여 양과 대적하기 때문이다. 중부괘(中孚卦) 육사에서 "달이 거의 보름에 가깝다"[89]고 한 것은 머묾이 바름을 얻고 임금과 가깝이 있기 때문이다. 귀매괘 육오에서 "달이 거의 보름에 가깝다"고 한 것은 여자의 덕이 융성하여 더 보탤 것이 없기 때문이다. 만약 여기에 더 보태게 된다면 가득 차서 양과 대적하게 되므로 덕이 융성하다고 말하기에는 부족하다. 그러므로 소축괘에서는 음이 융성하여 양에 대적하는 뜻을 취한 것이고, 중부괘와 귀매괘는 융성하지만 아직 가득차지 않은 뜻을 취한 것이다. 운봉호씨는 중부괘에서 "달이 거의 보름에 가깝다"고 한 것 또한 음이 융성하여 양과 대적하는 뜻이라고 했는데, 아마도 그렇지 않을 것 같다.

김기례(金箕澧) 「역요선의강목(易要選義綱目)」

六五, 帝乙歸妹,

육오는 제을이 여동생을 시집보내니,

見泰.

설명이 태괘(泰卦䷊)에 나온다.

---

88) 『周易 · 小畜卦』: 月幾望, 君子征凶.

89) 『周易 · 中孚卦』: 六四, 月幾望, 馬匹亡, 无咎.

其君,
그 정처,
卦中多娣嫁, 故稱女君.
괘에서는 대부분 잉첩이 시집가는 것을 말했기 때문에 여군을 지칭했다.

之袂不如其娣之袂良[90],
의 소매가 잉첩의 소매보다 아름답지 못하니,
柔中居尊應二, 下嫁而尙德, 則良[91]在德, 故不若娣. 娣之衣飾, 以爲良[92]者.
부드러운 음이 가운데 있고 존귀한 자리에 있으며 이효와 호응하니, 신하에게 시집을 가면서도 덕을 숭상하는 것이니, 아름다움은 덕에 달려 있기 때문에 잉첩과 같지 않은 것이다. 잉첩은 옷을 장식하는 것을 아름다움으로 삼는 자이다.

月幾望, 吉.
달이 거의 보름에 가까우면 길하다.
陰德盛而對陽, 所謂君子好逑[93]也.
음의 덕이 융성하여 양에 필적하니, "군자의 좋은 짝이로다"[94]라는 뜻에 해당한다.
○ 小畜中孚, 言陰盛而敵陽, 故凶.
소축괘(小畜卦)와 중부괘(中孚卦)에서는 음이 융성하여 양의 기운을 빼앗기 때문에 흉하다고 했다.

○ 互坎, 故曰月. 月, 陰精主群陰而明者. 卦中二四, 皆賢婦人, 初亦賢娣. 五以小君謙盛, 而宜家.
호괘가 감괘이기 때문에 달이라고 했다. 달은 음의 정기로 뭇 음들을 주관하며 밝은 것이다. 괘에서 이효와 사효는 모두 현명한 부인이고 초효 또한 현명한 잉첩이다. 오효는 소군으로서 겸손하고 융성하여 집안에 마땅하게 한다.

---

90) 良: 경학자료집성DB에는 '艮'으로 기록되어 있으나, 경학자료집성 영인본을 참조하여 '良'으로 바로잡았다.
91) 良: 경학자료집성DB에는 '艮'으로 기록되어 있으나, 경학자료집성 영인본을 참조하여 '良'으로 바로잡았다.
92) 良: 경학자료집성DB에는 '艮'으로 기록되어 있으나, 경학자료집성 영인본을 참조하여 '良'으로 바로잡았다.
93) 逑: 경학자료집성DB에는 '逑'로 기록되어 있으나, 경학자료집성 영인본을 참조하여 '逑'로 바로잡았다.
94) 『詩經 · 關雎』: 關關雎鳩, 在河之洲. 窈窕淑女, 君子好逑.

윤종섭(尹鍾燮) 『경(經)-역(易)』

歸妹與泰, 三陰三陽之卦, 而泰天地之正交也, 歸妹不正之交也. 泰之象傳曰, 天地交而萬物通, 歸妹之象傳曰, 天地不交, 萬物不興.

귀매괘와 태괘(泰卦)는 세 개의 음과 양으로 이루어진 괘인데, 태괘는 천지가 바르게 사귀는 것이고 귀매괘는 바르지 않게 사귀는 것이다. 그래서 태괘의 「단전」에서는 "천지가 사귀어 만물이 형통하다"[95]고 했고, 귀매괘의 「단전」에서는 "하늘과 땅이 교감하지 않으면 만물이 흥성하지 못한다"고 했다.

심대윤(沈大允) 『주역상의점법(周易象義占法)』

歸妹之兌䷹. 六五以柔中居剛, 和悅以承順, 下應於九二而隔于四, 能親信其僚媵之賢者而无私溺也. 近四而讓權于賢. 以五之當君位, 故曰帝乙歸妹, 其君之袂, 不如其娣之袂良. 稱君, 貴之也. 娣, 謂四也. 對中孚, 艮爲君, 互震巽爲袂, 袂衣之近手臂而動者也. 五之位亞於君夫, 復進則疑於陽, 故曰月幾望, 言未主于盈也. 坎月, 互巽東南爲幾望, 以五之中德, 固宜其吉也.

귀매괘가 태괘(兌卦䷹)로 바뀌었다. 육오는 유순하고 알맞음으로 굳센 양의 자리에 있고 화락함으로 받들고 순종하며 아래로 구이에 호응하며 사효에게 막히지만 관리와 잉첩 중 현명한 자를 친애하고 믿을 수 있고 사적으로 빠짐이 없다. 사효와 가깝지만 현명한 자에게 권세를 양보한다. 그리고 오효는 임금의 자리에 해당하기 때문에 "제을이 여동생을 시집보내니, 정처의 소매가 잉첩의 소매보다 아름답지 못하다"고 했다. 군(君)이라고 지칭한 것은 존귀하게 여긴 것이다. 제(娣)는 사효를 가리킨다. 음양이 바뀐 중부괘(中孚卦)는 간괘가 임금이 되고 호괘인 진괘와 손괘는 소매가 되는데, 소매는 상의 중 팔과 가까이 있고 움직이는 부분이다. 오효의 지위는 임금 및 남편에 버금가니, 재차 나아간다면 양에게 의심을 받기 때문에 "달이 거의 보름에 가깝다"고 했으니, 아직 완전히 차지 않았다는 의미이다. 감괘는 달이고 호괘인 손괘는 동쪽과 남쪽이 되어 달이 거의 보름에 가까움이 되는데, 오효는 알맞은 덕을 갖추고 있으므로 진실로 길함이 마땅하다.

오치기(吳致箕) 「주역경전증해(周易經傳增解)」

六五柔得中而居尊, 下應九二之剛中, 有帝妹下嫁之象. 而以其柔中之德, 尙禮而不尙飾, 故服容不盛, 有其君之袂不如其娣之象. 而女德甚盛, 亦有月幾望之象, 故言其吉也.

---

95) 『周易·泰卦』: 彖曰, 泰, 小往大來, 吉亨, 則是天地交而萬物通也, 上下交而其志同也.

육오는 부드러운 음으로 알맞음을 얻었고 존귀한 자리에 있으며 아래로 구이처럼 굳세고 알맞은 것과 호응하니 제왕의 여동생이 신하에게 시집가는 상이 있다. 그리고 부드럽고 알맞은 덕으로 예를 숭상하고 장식을 숭상하지 않기 때문에 의복을 화려하게 하지 않아서 정처의 소매가 잉첩의 소매보다 아름답지 못한 상이 있다. 여자의 덕이 매우 융성하고 또 달이 거의 보름에 가까운 상이 있기 때문에 길하다고 했다.

○ 帝乙歸妹, 已見泰五. 君, 如小君縣君之稱, 而居尊, 故指正嫡而曰君也. 袂者, 衣之袖, 非衣之全體, 而言其袖, 則全衣可知矣. 乾爲衣, 而震在上, 得乾之一陽爲君之袂, 兌在下, 得乾之二陽爲娣之袂, 故曰其君之袂, 不如其娣之袂良也. 良者, 美好也. 月取於互坎, 而卦有震東兌西, 坎月離日, 相望之象也. 幾者, 方盛之謂, 而若云旣望, 則將消, 故言其幾也.
"제을이 여동생을 시집보낸다"는 것은 이미 그 설명이 태괘(泰卦) 오효에 나왔다. 군(君)은 소군이나 현군 등의 칭호와 같고, 존귀한 자리에 있기 때문에 정처를 가리켜서 군(君)이라고 했다. '메(袂)'는 옷에 달린 소매이니 옷의 전체가 아니지만 소매라고 했다면 옷의 전체를 뜻한다는 사실을 알 수 있다. 건괘는 옷이 되고 진괘는 위에 있어서 건괘의 한 양을 얻어 소군의 소매가 되고 태괘는 아래에 있어서 건괘의 두 양을 얻어 잉첩의 소매가 되기 때문에 "정처의 소매가 잉첩의 소매보다 아름답지 못하다"고 했다. 양(良)은 아름답고 좋다는 뜻이다. 달은 호괘인 감괘에서 취했고, 괘에는 진괘의 동쪽 태괘의 서쪽, 감괘의 달 리괘의 해가 있으니, 상호 바라보는 상이 된다. '기(幾)'는 융성해지려고 한다는 뜻인데, "이미 보름이다"라고 했다면 앞으로 사그라지게 되기 때문에 기(幾)라고 했다.

이진상(李震相) 『역학관규(易學管窺)』

自三至五, 互坎, 坎爲月. 位在五, 而陰尙虛, 故曰幾望. 三四兩爻陰陽交互, 故以袂言, 而初九陽而爲娣, 六五陰而爲嫡, 故曰不如其娣之良.
삼효로부터 오효까지는 호괘가 감괘이고, 감괘는 달이 된다. 자리는 오효에 있지만 음은 오히려 비어 있기 때문에 "거의 보름에 가깝다"고 했다. 삼효와 사효는 음양이 상호 교차하기 때문에 소매로 말했고, 초구는 양으로 잉첩이 되며 육오는 음으로 정처가 되므로 "잉첩의 소매보다 아름답지 못하다"고 했다.

박문호(朴文鎬) 「경설(經說) · 주역(周易)」

易之隨爻取象固無定, 而歸妹在二則爲二嫁於五, 在五則爲五嫁於二. 蓋旣以歸妹名卦, 故逐爻必取嫁之義.
『주역』에서 효에 따라 상을 취할 때에는 고정된 것이 없으니, 귀매괘 중 이효에 있어서는 이효가 오효에게 시집을 가는 것이며, 오효에 있어서는 오효가 이효에게 시집을 가는 것이다. 이미 귀매(歸妹)로 괘명을 지었기 때문에 효마다 반드시 시집을 간다는 것을 뜻으로 삼았다.

幾望, 程傳取未盛之義, 蓋主幾字而言, 本義取盛義, 蓋主望字而言, 二說俱通.
'기망(幾望)'에 대해 『정전』에서는 아직 융성하지 못하다는 뜻을 취한 것은 기(幾)자를 위주로 말한 것이며, 『본의』에서 융성하다는 뜻을 취한 것은 망(望)자를 위주로 말한 것이니, 두 주장이 모두 통한다.

只擧經文而自爲韻者, 始見於此. 蓋所擧經文適爲二句, 而良字又在其末, 故以之爲韻, 而叶於上下, 只添一也字耳.
다만 경문에 의거하여 그 자체로 운이 맞는 것은 여기에 처음 나타난다. 이는 제시하고 있는 경문이 마침 두 구절이고 양(良)자가 또 말미에 있기 때문에 운이 되는데, 앞뒤로 운을 맞추기 위해 단지 하나의 야(也)자를 첨가했을 뿐이다.

이병헌(李炳憲) 『역경금문고통론(易經今文考通論)』

虞曰, 震爲帝.
우번이 말하였다: 진괘는 제왕이 된다.

王曰, 歸妹之中, 獨處貴位. 袂, 衣袖, 所以爲禮容者也. 其君, 爲帝乙所寵, 卽五也.
왕필이 말하였다: 귀매괘 중에서 유독 존귀한 자리에 있다. 메(袂)는 옷의 소매이니 예에 따른 장식을 꾸미는 것이다. 기군(其君)은 제을에게 총애를 받으니 오효이다.

程傳曰, 下應於二, 爲下嫁之象.
『정전』에서 말하였다: 아래로 이효에 호응하니 지체가 낮은 곳으로 시집가는 상이 된다.

按, 此爻爲歸妹最善之義.
내가 살펴보았다. 이 효는 귀매괘 중에서 가장 선한 뜻이 된다.

象曰, 帝乙歸妹, 不如其娣之袂良也, 其位在中, 以貴行也.

「상전」에서 말하였다: "제을이 여동생을 시집보내니, 잉첩의 소매처럼 아름답지 못함"은 그 자리가 가운데에 있어서 귀함으로 시행하기 때문이다.

中國大全

傳

以帝乙歸妹之道言. 其袂不如其娣之袂良, 尙禮而不尙飾也. 五以柔中, 在尊高之位, 以尊貴而行中道也. 柔順降屈, 尙禮而不尙飾, 乃中道也.

제을이 누이를 시집보내는 도리로써 말을 했다. 소매가 잉첩의 소매보다 아름답지 못함은 예를 숭상하고 장식을 숭상하지 않기 때문이다. 오효는 부드럽고 알맞음으로써 존귀한 자리에 있으니, 존귀함으로 중도를 시행하기 때문이다. 유순하고 낮추고 굽혀서 예를 숭상하며 장식을 숭상하지 않음은 중도에 해당한다.

本義

以其有中德之貴而行, 故不尙飾.

존귀한 중도의 덕을 갖추고서 시행하기 때문에 장식을 숭상하지 않는다.

小註

雲峯胡氏曰, 本義於漸獨釋二與上之象, 於歸妹獨釋初與五之象. 歸妹, 漸之反. 漸之上以无應爲高尙之賢. 歸妹之初以无應爲賢正之娣. 漸之二爲臣, 志不在於溫飽, 卽歸妹之五爲君, 德不在於飾. 本義謂二有恒久之德, 五有中德之貴, 提出兩德字, 眞足爲女之說以動者戒矣. 士大夫之輕動當如何哉.

운봉호씨가 말하였다: 『본의』에서는 점괘(漸卦)에 대해서 유독 이효와 상효의 상을 풀이했고, 귀매괘에 대해서는 유독 초효와 오효의 「상전」을 풀이했다. 귀매괘는 점괘가 거꾸로 된 괘이다. 점괘의 상효는 호응함이 없음을 높고 숭고한 현명함으로 삼았다. 귀매괘의 초효는 호응함이 없음을 현명하고 바른 잉첩으로 삼았다. 점괘의 이효는 신하가 되며 그 뜻이 따뜻하고 배불리 먹는데 있지 않으니, 귀매괘의 오효가 여군이 되고 덕이 장식을 하는데 있지 않음에 해당한다. 『본의』에서는 이효는 항구한 덕을 갖추고 있고 오효는 존귀한 중도의 덕을 갖추고 있다고 하여 두 개의 덕자를 제시했는데, 여자 중에서 기쁨으로써 움직이는 자를 위해 경계하기 충분하다. 사대부 중 경솔하게 움직이는 자에 대해서는 어떻게 해야겠는가?

韓國大全

유정원(柳正源) 『역해참고(易解參攷)』

袂良 [至] 行也.
소매가 아름다움 … 시행하기 때문이다.

正義, 既以長適少, 非歸妹之美而得吉者, 其位在五之中, 以貴盛而行, 所往必得合, 而獲吉也.
『주역정의』에서 말하였다: 이미 나이가 많은 자가 젊은 자에게 시집을 가니, 귀매의 아름다움이 아닌데도 길함을 얻는 것은 지위가 오효의 가운데 있고 융성함을 귀하게 여겨서 가며 가는 곳에서 반드시 합함을 얻어서 길하게 된다.

김상악(金相岳) 『산천역설(山天易說)』

中以德言, 貴以位言也. 卦惟此爻在中而從應, 故曰以貴行也.
'가운데[中]'는 덕으로 말한 것이고 '귀함[貴]'은 자리로 말한 것이다. 귀매괘에서 오직 이 효만이 가운데 있으며 호응하는 짝을 따르기 때문에 "귀함으로 시행하기 때문이다"라고 했다.

서유신(徐有臣) 『역의의언(易義擬言)』

帝乙之歸妹, 故衣章各稱其等威也. 自五歸二, 位在中也. 正嫡而嫁, 以貴行也.
제을이 여동생을 시집보내기 때문에 옷에 새기는 무늬는 각각 해당 등급에 따른다. 오효에서 이효로 돌아감은 자리가 가운데 있어서이다. 정처로 시집을 가니, 귀함으로 시행한다.

이항로(李恒老) 「주역전의동이석의(周易傳義同異釋義)」

傳, 以尊貴而行中道也.
『정전』에서 말하였다: 존귀함으로 중도를 시행하기 때문이다.

按, 貴字之釋, 傳以位而本義以德.
내가 살펴보았다: 귀(貴)자의 해석에 있어서 『정전』에서는 지위를 기준으로 했고, 『본의』에서는 덕을 기준으로 했다.

심대윤(沈大允) 『주역상의점법(周易象義占法)』

言以得中, 亦不失其貴也. 〈臣雖賢於君, 常讓於君, 故曰在中以貴行也. 月幾望, 是也.〉
가운데 자리를 얻었고 또 귀함을 잃지 않았다는 뜻이다. 〈신하가 비록 임금보다 현명하더라도 항상 임금에게 양보를 하기 때문에 "가운데에 있어서 귀함으로 시행하기 때문이다"라고 했다. 달이 거의 보름에 가까운 것이 여기에 해당한다.〉

오치기(吳致箕) 「주역경전증해(周易經傳增解)」

居尊貴而行以中德, 故尙禮而不尙飾也.
존귀한 자리에 있고 알맞은 덕을 시행하기 때문에 예를 숭상하고 장식을 숭상하지 않는다.

上六, 女承筐无實, 士刲羊无血, 无攸利.

정전 상육은 여자가 광주리를 받지만 담겨진 물건이 없다. 남자가 양을 베었으나 피가 없으니, 이로울 것이 없다.

본의 상육은 여자는 광주리를 받지만 담겨진 물건이 없으며, 남자는 양을 베었으나 피가 없으니, 이로울 것이 없다.

中國大全

傳

上六, 女歸之終而无應, 女歸之无終者也. 婦者, 所以承先祖奉祭祀, 不能奉祭祀, 則不可以爲婦矣, 筐篚之實, 婦職所供也. 古者, 房中之俎葅歜之類, 后夫人職之. 諸侯之祭, 親割牲, 卿大夫皆然, 割取血以祭, 禮云血祭盛氣也. 女當承事筐篚而无實, 无實則无以祭, 謂不能奉祭祀也. 夫婦共承宗廟, 婦不能奉祭祀, 乃夫不能承祭祀也, 故刲羊而无血, 亦无以祭也, 謂不可以承祭祀也. 婦不能奉祭祀, 則當離絶矣. 是夫婦之无終者也, 何所往而利哉.

상육은 여자가 시집감의 마침인데 호응함이 없으니 여자가 시집감에 마침이 없는 자이다. 시집을 간 여자는 선조를 받들고 제사를 모시는 자인데, 제사를 모시지 못한다면 부인이라 할 수 없고, 광주리에 담는 물건은 부인이 직분에 따라 공급하는 것이다. 옛날에는 방안에 차리는 조(俎)와 절임류에 대해서 왕후(王后)와 부인(夫人)이 맡았다. 제후의 제사에서는 직접 희생물을 도축하며 경과 대부도 모두 이처럼 하여, 희생물을 베어 피를 담아 제사를 지내니, 『예기』에서는 "희생물의 피를 가지고 제사를 지내는 일은 기운을 융성하게 만드는 방법이다"[96]라고 했다. 여자는 마땅히 광주리를 들어야 하는데 담긴 물건이 없으니, 담긴 물건이 없다면 제사를 지낼 수 없으므로, 이 말은 제사를 모시지 못한다는 뜻이다. 부부가 함께 종묘의 제사를 받드는데, 부인이 제사를 모시지 못한다면 남편도 제사를 모실 수 없기 때문에, 양을 베었지만 피가 없는 것도 제사를 지낼 수 없으니, 이 말은 제사를 모시지 못한다는 뜻이다. 부인이 제사를 모실 수 없다면 헤어지고 관계를 끊어야만 한다. 이것이 부부 사이에 온전히 마침이 없는 경우이니 어느 곳에 간들 이롭겠는가?

---

96) 『禮記 · 郊特牲』: 血祭, 盛氣也, 祭肺肝心, 貴氣主也.

本義

上六, 以陰柔居歸妹之終而无應, 約婚而不終者也, 故其象如此, 而於占爲无所利也.

상육은 부드러운 음으로 귀매괘의 끝에 있지만 호응함이 없으니, 약혼을 했지만 끝이 없는 자이기 때문에 그 상이 이와 같고, 점에 있어서는 이로울 바가 없다.

小註

隆山李氏曰, 三上二爻皆陰, 不能相合爲夫婦, 故止以士女稱之. 古者婦助祭, 必以筐筥實蘋藻之類, 而諸侯卿大夫躬割牲, 所以重宗廟之祀, 盡繼承之道, 今三上无應承筐无實刲羊无血, 是夫婦之禮不成, 而祭祀无主矣.

융산이씨가 말하였다: 삼효와 상효 두 효는 모두 음이라서 서로 합해 부부가 될 수 없기 때문에 단지 남자와 여자로 지칭했다. 고대에 부인이 제사를 도울 때에는 반드시 광주리에 나물류를 담아서 바쳤으며, 제후・경・대부는 직접 희생물을 도축했으니, 종묘의 제사를 중시하고 세대를 계승하는 도를 다했기 때문인데, 현재 삼효와 상효는 호응함이 없어서 광주리를 받들지만 담은 물건이 없고 양을 베었지만 피가 없으니, 부부의 예가 성립되지 않고 제사에 제주가 없는 꼴이다.

○ 雲峯胡氏曰, 震有虛筐象, 兌羊象. 上與三皆陰虛无應, 故有承筐无實, 刲羊无血之象. 程傳以爲女歸之无終, 本義以爲約婚而无終, 蓋曰士曰女, 未成爲夫婦也. 先女而後士, 罪在女矣. 故无攸利之占與卦辭同, 而有不同者, 卦以六來居三, 失夫婦之正, 故无攸利, 爻以三上不相應, 是約婚而不終, 故无攸利. 然其歸罪於兌之陰則一也.

운봉호씨가 말하였다: 진괘에는 빈 광주리의 상이 있고, 태괘에는 양의 상이 있다. 상효와 삼효는 모두 음으로 속이 비어서 호응함이 없기 때문에 광주리를 받들지만 채워진 물건이 없고 양을 베었지만 피가 없는 상이 있다. 『정전』에서는 여자가 시집을 감에 끝이 없음으로 여겼고, 『본의』에서는 약혼을 했지만 끝이 없음으로 여겼는데, 남자라고 말하고 여자라고 말한 이유는 아직 부부가 되지 못했기 때문이다. 먼저 여자를 언급하고 뒤에 남자를 언급한 이유는 그 죄가 여자에게 있기 때문이다. 이로울 바가 없다는 점사는 괘사와 동일하지만, 다른 점은 괘사에서는 육(六)이 찾아와 삼효에 있어서 부부의 올바름을 잃었기 때문에 이로울 바가 없고, 효사에서는 삼효와 상효가 서로 호응하지 않았으니 약혼을 했지만 끝이 없음이 되기 때문에 이로울 바가 없다. 그러나 시집을 감에 태괘의 음에게 죄를 물었다는 측면에서는 동일하다.

‖ 韓國大全 ‖

권근(權近) 『주역천견록(周易淺見錄)』

程傳以承筐刲羊爲奉祭祀之事. 本義爲約婚而不終. 吳氏曰, 女謂上六, 士爲初九. 此卦六爻, 惟二五相應而成夫婦. 初上二爻陰陽得位而無應, 此男女守正而婚姻不成者也. 有室, 男之初也, 於其初而無室可受, 則不成娶, 故不得爲夫, 而但稱士. 適人, 女之終也, 於其終無人可適, 則不成嫁, 故不得爲婦, 而但稱女. 女之嫁者, 非受幣, 不交不親. 上卦震有筐之象. 上六欲從夫於三, 而三非陽也. 陽爲實, 無陽無以實其筐, 故曰承筐無實. 蓋婚不成, 而無納幣之禮也. 士之娶者, 爲酒食以召鄕黨僚友. 下卦兌爲羊. 初九欲迎婦于四, 而四非陰也. 陰爲血, 無陰則無血, 故曰刲羊無血. 蓋婚不成, 不饗食賓客, 不刲羊, 故無血也. 咸恒漸歸妹四卦, 皆爲男女夫婦之義. 此漸者男方求女之事, 歸妹女將歸男之時, 以未成夫婦而名卦也. 咸者夫婦始初相合之情, 恒者夫婦終久相處之道, 以已成夫婦而名卦也.

『정전』에서는 "광주리를 받든다"는 말과 "양을 베다"는 말을 제사를 받드는 일로 여겼다. 『본의』에서는 약혼을 했지만 혼인이 이루어지지 않은 것이라고 여겼다. 오씨는 "여자는 상육을 뜻하고 남자는 초구가 된다. 이 괘의 여섯 효 중에서 오직 이효와 오효만이 서로 호응하여 부부를 이룬다. 초효와 상효는 음양이 제자리를 얻었지만 호응함이 없으니, 이것은 남녀가 바름을 지키지만 혼인이 성사되지 않은 경우이다. 아내를 들이는 것은 남자의 시작인데 시작에 있어서 맞이할 수 있는 아내가 없어 장가를 들 수 없기 때문에 남편이 될 수 없어 단지 남자[士]라고만 불렀다. 남에게 시집을 가는 것은 딸로서는 끝인데 마칠 때 시집갈 수 있는 사람이 없어 시집을 갈 수 없기 때문에 부인이 될 수 없어 단지 여자[女]라고만 불렀다. 여자가 시집을 갈 때 예물을 받지 않았다면 사귈 수 없고 친애할 수 없다. 상괘인 진괘에는 광주리의 상이 있다. 상육은 삼효에 대해서 남편으로 따르고 싶어 하지만 삼효는 양이 아니다. 양은 채움이 되는데, 양이 없어 광주리를 채울 수 없기 때문에 '광주리를 받지만 담겨진 물건이 없다'고 했다. 혼인이 이루어지지 않아서 납폐의 의례가 없기 때문이다. 남자가 장가를 들 때에는 술과 음식을 마련하여 향당의 동료와 친구들을 초대한다. 하괘인 태괘는 양(羊)이 된다. 초구는 사효에 대해서 부인으로 맞이하려고 하지만 사효는 음이 아니다. 음은 피가 되는데 음이 없다면 피도 없기 때문에 '양을 베었으나 피가 없다"고 했다. 혼인이 성사되지 않아서 빈객들에게 음식을 대접하지 않고 양을 베지 않기 때문에 피가 없다. 함괘(咸卦)·항괘(恒卦)·점괘(漸卦)·귀매괘는 모두 남녀와 부부의 뜻이 된다. 점괘는 남자가 여자를 구하려는 일이 되고, 귀매괘는 여자가 남자에게 시집을 가려는 때에 해당하니, 아직 부부가 성사되지 않은 것으로 괘명을 정했다. 함괘는 부부가 처음 서로 합했을 때의 정이고 항괘는 부부가 오래도록 서로 머무는 도이니, 이미 부부를 이룬 것으로 괘명을 정했다.

愚按, 歸妹女將歸男之時. 傳以承筐刲羊爲奉祭祀, 則是已成夫婦之後, 與卦不合. 故朱子以約婚無終言之. 吳氏發明朱子之義, 最爲明備. 但以士爲初九, 似亦牽强. 是因歸妹無終之義, 而并言之爾. 然以全卦初終而言, 則亦通矣.
내가 살펴보았다: 귀매괘는 여자가 남자에게 시집을 가려는 때에 해당한다. 『정전』에서 "광주리를 받는다"라고 한 말과 "양을 베다"라고 한 말을 제사를 받드는 것으로 여겼으니, 이미 부부를 이룬 뒤에 해당하여, 괘와는 합치되지 않는다. 그렇기 때문에 주자는 약혼을 했지만 혼인이 이루어짐이 없는 경우로 말했다. 오씨는 주자의 뜻을 드러낸 것 중 가장 명확한 설명이 된다. 다만 남자를 초구로 여긴 것은 견강부회의 설명 같다. 이것은 귀매괘의 끝이 없다고 한 뜻으로 인해 아울러 말한 것일 뿐이다. 그러나 전체 괘의 처음과 끝으로 말한다면 또한 뜻이 통한다.

조호익(曺好益) 『역상설(易象說)』

上六, 女承筐无實, 士刲羊无血.
상육은 여자가 광주리를 받지만 담겨진 물건이 없다. 남자가 양을 베었으나 피가 없다.

女, 上陰象. 筐, 震竹象. 承, 震反艮手象. 无實, 陰虛象. 士, 指三. 羊, 兌象. 刲, 離兵象. 離兵在兌羊上, 有刲羊象. 血, 坎象. 坎血在上, 而離爲乾卦, 有无血象.
여자는 상효인 음의 상이다. 광주리는 진괘인 대나무의 상이다. 받음은 진괘의 음양이 바뀐 간괘가 손인 상이다. 물건이 없음은 음이 비어 있는 상이다. 남자는 삼효를 가리킨다. 양은 태괘의 상이다. 베임은 리괘의 병장기 상이다. 리괘의 병장기가 태괘인 양 위에 있으니 양을 베는 상이 있다. 피는 감괘의 상이다. 감괘의 피가 위에 있고 리괘는 건괘가 되니 피가 없는 상이 있다.

김장생(金長生) 『경서변의(經書辨疑)-주역(周易)』

上六傳, 房中之俎葅歜.
상육의 『정전』에서 말하였다: 방안에 차리는 조(俎)와 절임.

歜音蠶, 菖蒲葅.

歜자의 음은 잠(蠶)이며, 창포의 절임을 뜻한다.

송시열(宋時烈)『역설(易說)』

女者, 兌, 承者, 自下承上也. 筐者, 震竹之器, 實者, 陽也. 言三以兌之上爻承震而陰爻, 故無實, 又離之中虛象也. 士者, 震, 互離爲戈, 而兌爲羊, 互坎爲血, 言以離戈刲割兌羊, 不用互坎之血, 言以陰從陽无實之象, 與兌爲應而不以九四之陽也.
여자는 태괘이며 받들음은 아래로부터 위를 받드는 것이다. 광주리는 진괘의 대나무로 만든 그릇이며, 물건은 양이다. 즉 삼효는 태괘의 상효로 진괘를 받들지만 음효이기 때문에 물건이 없다는 뜻이고, 또한 리괘가 가운데가 빈 상이 된다. 남자는 진괘이고 호괘인 리괘는 창이 되며, 태괘는 양이 도고 호괘인 감괘는 피가 되니, 리괘의 창으로 태괘의 양을 베었으나 호괘인 감괘의 피를 쓸 수 없다는 뜻이며, 음이 양을 따르지만 실질이 없는 상이니 태괘와 호응이 되지만 구사의 양으로 하지 못한다는 뜻이다.

이익(李瀷)『역경질서(易經疾書)』

上六位尊, 而在事外, 卽女師之從行者也. 己雖得正, 諸爻皆失位, 故無攸利. 其辭則皆爻外意也. 昏姻迎相, 所以承宗祀, 故以祀享終之. 士與女, 乃備外內之官也. 詩云, 于以盛之, 維筐及筥, 女之任也. 夏官云, 羊人割羊牲, 士之任也. 君而不吉, 宗祀無託, 雖有攝娣, 非所以夫婦共事, 官雖備而事墮也. 筐不荇芼, 則承無實矣. 羊不芻養, 則刲無血矣. 此非上六之辭, 總言卦義如此. 著之於女師之位, 蓋謂雖有其人, 無所施教也.
상육은 지위가 존귀하지만 일밖에 있으니 여사가 따라서 간 것이다. 본인은 비록 바름을 얻었지만 여러 효들이 모두 제자리를 잃었기 때문에 이로울 것이 없다. 효사는 모두 효 이외의 뜻이다. 혼인을 하여 맞이하는 것은 종묘의 제사를 받드는 것이기 때문에 제사를 지내는 것으로 마쳤다. 사(士)와 여(女)는 내외의 관직을 갖추는 것이다.『시경』에서 "이에 담기를 네모난 광주리와 둥근 광주리로다"[97]라고 했는데, 여(女)의 임무이다.『주례 · 하관』에서는 "양인이 희생물인 양을 벤다"[98]고 했으니, 사(士)의 임무이다. 소군이지만 길하지 않아서 종묘의 제사가 의탁할 곳이 없으니, 비록 대신하는 잉첩이 있더라도 부부가 함께 제사를 받드는 방법이 아니고, 관직이 비록 갖춰져 있더라도 일이 무너지게 된다. 광주리는 행모가 아니라면 받들더라도 담긴 것이 없다. 양은 꼴로 기르지 않는다면 베어도 피가 나지 않는다.

97)『詩經 · 采蘋』: 于以盛之, 維筐及筥. 于以湘之, 維錡及釜.
98)『周禮 · 羊人』: 掌羊牲凡祭祀飾羔.

이것은 상육에 대한 말이 아니며 이 괘의 뜻이 이와 같음을 총괄적으로 말한 것이다. 이러한 내용을 여사의 자리에 기술한 것은 비록 해당하는 사람이 있더라도 가르침을 베풀 곳이 없다는 뜻을 나타낸다.

심조(沈潮) 「역상차론(易象箚論)」

上六, 刲羊無血,
상육은 양을 베었으나 피가 없으니,

自二至六, 爲間爻兌, 故稱羊. 出坎之外, 故稱無血.
이효로부터 육효까지는 중간의 효들이 태괘가 되기 때문에 양이라고 했다. 감괘 밖으로 나가기 때문에 피가 없다고 했다.

유정원(柳正源) 『역해참고(易解参攷)』

左僖十五年. 初晉獻公筮嫁伯姬於秦[99], 遇歸妹之睽. 史蘇占之曰, 不吉. 其繇曰, 士刲羊, 〈震爲長男, 故稱士. 兌爲羊, 刲羊者, 士之職.〉 亦无衁〈音荒〉也, 〈衁, 血也. 上六與六三正應, 而兩陰相値, 无復相應, 故如刲羊无血.〉 女承筐, 〈離爲中女, 故稱女. 爲大腹, 故稱筐. 承筐者, 女之職.〉 亦无貺也. 〈離中虛, 故爲虛筐. 上九, 居卦之極, 上无所承, 亦虛筐之象. 无貺賜也.〉 西隣責言, 〈兌西方, 兌爲口舌. 兌從震, 口舌雷動, 故有責讓之言.〉 不可償也. 〈口舌旣動, 雷震電明, 故不可報償.〉 歸妹之睽, 猶无相也. 〈无相助, 故乖離.〉 震之離, 亦離之震, 爲雷爲火, 爲嬴敗姬. 〈震木離火, 火動熾而害其母, 女嫁及害其家之象.〉 車說其輹, 〈輹, 車下縛也. 震車, 爲歸妹上六无應, 車說輹之象.〉 火焚其旗, 〈上六失位, 火焚旗之象.〉 不利行師, 〈行師以車旗爲重, 車敗旗焚, 故不利.〉 敗于宗丘. 〈丘, 猶邑也. 大車害母, 敗不出國, 近在宗邑.〉 歸妹睽孤, 〈上九變睽, 處睽之極, 故爲睽孤.〉 寇張之弧. 〈睽上九失位, 孤絶遇寇難, 有弓矢之警.〉 姪其從姑, 〈震木離火, 火從木生, 離爲震妹, 於火爲姑. 子圉質秦, 姪從姑之象.〉 六年其逋, 〈易六位, 故從姑六年, 而逋凶.〉 逃歸其國, 〈子圉逃歸其國.〉, 而棄其家, 〈家, 子圉婦懷嬴. 棄婦而逃.〉 明年其死於高梁〈晉地〉之虛. 〈惠公死之明年, 文公入殺懷公于高梁.〉
『좌전』 희공 15년. 애초에 진(晉)나라 헌공이 백희를 진(秦)나라에 시집보내려고 하여 시초

99) 秦: 경학자료집성DB에는 '桼'로 기록되어 있으나, 경학자료집성 영인본을 참조하여 '秦'로 바로잡았다.

점을 쳤는데, 귀매괘가 규괘(睽卦䷥)로 바뀌는 점괘를 얻었다. 사관인 소는 점을 풀이하며, "불길합니다. 그 효사에서 '남자가 양을 베었으나 〈진괘는 맏아들이기 때문에 남자라고 불렀다. 태괘는 양이 되고 양을 베는 것은 남자의 직무이다.〉 또한 황(衁)〈음은 황(荒)이다.〉이 없다고 했고, 〈황(衁)은 피이다. 상육은 육삼과 정응이지만 두 음이 서로 상치되니 재차 서로 호응이 없기 때문에 양을 베지만 피가 없는 것과 같다.〉 여자가 광주리를 받지만 〈리괘는 둘째딸이기 때문에 여자라고 불렀다. 리괘는 큰 배가 되기 때문에 광주리라고 불렀다. 광주리를 받는 것은 여자의 직무이다.〉 또한 담겨진 물건이 없다'고 했습니다. 〈리괘는 가운데가 비었기 때문에 빈 광주리가 된다. 상구는 괘의 끝에 있고 위로 받들 것이 없으니 빈 광주리의 상이 되고, 하사함이 없는 것이다.〉 서쪽 이웃이 책망하는 말을 〈태괘는 서쪽이 되고 태괘는 입과 혀가 된다. 태괘가 진괘를 따르니 입과 혀가 재빨리 움직이기 때문에 책망하는 말이 있다.〉 보상할 수 없습니다. 〈입과 혀가 이미 움직이고, 우레가 움직이고 번개가 빛을 내기 때문에 보상할 수 없다.〉 귀매괘가 규괘로 변한 것은 도움이 없는 것과 같습니다. 〈서로 도움이 없기 때문에 위배된다.〉 진괘가 리괘로 바뀐 것은 또한 리괘가 진괘로 바뀐 것과 같아서, 우레가 되고 불이 되어 영씨가 희씨를 패망시킬 것입니다. 〈진괘는 나무이고 리괘는 불인데 불이 움직여 왕성해져서 그 모친을 해하니, 여자가 시집을 가면 그 집을 해치는 상이다.〉 수레는 복토가 벗겨지고 〈복(輹)은 수레의 밑부분을 연결하는 것이다. 진괘의 수레가 귀매괘의 상육이 되면 호응함이 없어서 수레의 복토가 벗겨지는 상이 된다.〉 불이 깃발을 태우니 〈상육은 제자리를 잃었으니 불이 깃발을 태우는 상이 된다.〉 군사를 움직이는데 이롭지 않아 〈군대를 움직일 때에는 수레와 깃발이 중요한데, 수레가 망가지고 깃발이 타버리기 때문에 이롭지 않다.〉 종구에서 패할 것입니다. 〈구(丘)는 읍(邑)이다. 큰 수레가 모친을 해하여, 패망함이 나라를 벗어나지 않아서 가까이 종읍에서 패한다.〉 귀매괘가 규고(睽孤)가 되어 〈상구가 변하여 규괘가 되면 규괘의 끝에 있기 때문에 규고가 된다.〉 도적이 활시위를 당기는 상입니다. 〈규괘의 상구는 자리를 잃어 외로이 떨어져 도적의 난리를 만나니 활과 화살의 경계가 있다.〉 조카가 고모를 따르다가 〈진괘는 나무이고 리괘는 불인데 불은 나무를 통해서 생겨나니 리괘는 진괘의 누이가 되니 불에 있어서는 고모가 된다. 자어가 진나라의 포로가 된 것은 조카가 고모를 따르는 상이다.〉 육년 만에 도망쳐서 〈역의 여섯 자리이기 때문에 고모를 따르기를 육년 동안 하다가 흉사에서 도망친다.〉 피신해 자신의 나라로 돌아오지만, 〈자어가 도망쳐서 자신의 나라로 돌아오는 것이다.〉 자신의 부인을 버려서 〈가(家)는 자어의 부인인 회리이다. 부인을 버리고 도망친 것이다.〉 다음해 고량〈진나라 땅이다.〉의 터에서 죽을 것입니다"라고 했다. 〈혜공이 죽은 다음해에 문공이 들어가서 회공을 고량에서 죽였다.〉

○ 李氏曰, 三兌體, 女象. 上震體, 士象.

이씨가 말하였다: 삼효는 태괘의 몸체로 여자의 상이다. 상효는 진괘의 몸체로 남자의 상이다.

○ 潛齋胡氏曰, 凡取婦, 先有筐篚以實納幣之禮. 今士乃不實以幣, 徒授以筐, 是非幣不交不親也. 禮稱主人割牲, 則主婦佐之房中. 今三上无應, 士雖刲羊割血, 而房中无人佐之, 與无血同.

잠재호씨가 말하였다: 아내를 들일 때에는 먼저 광주리에 납폐하는 예물을 담는 예가 있다. 현재 남자는 예물로 채우지 않고 단지 광주리만을 준 것이니, 이것은 예물이 아니면 사귀지 않고 친애하지 않는 것이다. 예에 따르면 주인이 희생물을 가른다고 했으니, 주부는 방안에서 돕게 된다. 현재 삼효와 상효는 호응함이 없으니 남자가 비록 양을 베어 피를 취하더라도 방안에서 도와주는 자가 없으니 피가 없는 것과 같다.

○ 雙湖胡氏曰, 六爻中四當歸妹之男, 三當歸妹之女. 以四爲震主, 三爲兌主故也. 然兩爻皆不中正. 二五則以中爲重, 二質陰而德剛, 五質陽而德柔, 故以二爲妹身, 五則歸妹者也. 故兌體二稱幽人, 初與二爲娣. 震體四歸妹而愆期, 上爲士而刲兌之羊无血, 三爲女而承震之筐无實, 約婚不終, 无攸利者也. 爻以士女稱之可見. 唯五與二應, 歸二妹以爲君而初與三爲從妹之娣.

쌍호호씨가 말하였다: 여섯 효 중에서 사효는 여동생을 시집보내는 남자에 해당하고 삼효는 여동생을 시집보내는 여자에 해당한다. 사효는 진괘의 주인이 되고 삼효는 태괘의 주인이 되기 때문이다. 그러나 두 효는 모두 중정하지 않다. 이효와 오효는 알맞음을 중시하지만 이효는 바탕이 음이고 덕이 굳세며 오효는 바탕이 양이고 덕이 유약하기 때문에, 이효를 여동생 본인으로 삼았으니 오효는 여동생을 시집보내는 자이다. 그러므로 태괘의 몸체에 있는 이효에 대해서는 그윽하고 조용한 자라고 했고 초효와 이효는 잉첩이 된다. 진괘의 몸체에 있는 사효에 대해서는 여동생을 시집보내지만 혼기를 지나쳤다고 했고 상효는 남자가 되어 태괘의 양을 베지만 피가 없고 삼효는 여자가 되지만 진괘의 광주리를 받들며 담긴 물건이 없으니, 약혼을 하였지만 끝까지 가지 못하여 이로울 것이 없다. 효에서 남자와 여자로 지칭한 뜻을 확인할 수 있다. 다만 오효는 이효와 호응하여 이효로 시집을 가는 여동생을 정실로 여긴 것이고 초효와 삼효는 여동생을 따라가는 잉첩으로 삼았다.

○ 梁山來氏曰, 凡祭承筐而採蘋藻者, 女之事也. 刲羊而實鼎俎者, 男之事也. 今上與三, 皆陰爻, 不成夫婦, 則不能供祭祀矣.

양산래씨가 말하였다: 제사에서 광주리를 받들고 빈조 등의 나물을 캐는 것은 여자의 일이다. 양을 베어 솥과 도마에 고기를 채우는 것은 남자의 일이다. 현재 상효와 삼효는 모두

음효여서 부부를 이룰 수 없으니 함께 제사를 받들 수 없다.

傳, 房中 [至] 職之.

『정전』에서 말하였다: 방안에 … 직무이다.

周禮籩人, 羞籩之實, 糗餌粉餈. 祭祀, 爲后供其內羞. 醢人, 羞豆之實, 酏食糝食. 祭祀, 爲后供其內羞. 註, 內羞, 房中之羞.

『주례 · 변인』에서는 “변(籩)에 담아내는 음식은 구이(糗餌)와 분자(粉餈)이다. 제사를 지내게 되면 왕후는 내수(內羞)를 공급한다”[100]고 했다. 『주례 · 해인』에서는 “두(豆)에 담아내는 음식은 이사(酏食)와 삼사(糝食)이다. 제사를 지내게 되면 왕후는 내수를 공급 한다”[101]고 했다. 정현의 주에서는 “내수는 방안에 차리는 음식이다”라고 했다.

○ 案, 周禮又有加籩加豆之實. 菱芡與芹菹兔醢之類, 皆王后亞獻所加之物, 而程傳所言菹歜, 似指芹菹以下. 然此則非房中之羞也.

내가 살펴보았다: 『주례』에는 또한 추가적으로 차리는 변과 두에 담아내는 음식들도 나온다. 능검(菱芡) · 근저(芹菹) · 토해(兔醢) 등의 음식들은 모두 왕후가 아헌을 할 때 추가적으로 차리는 음식인데, 『정전』에서 말한 저촉(菹歜)은 근저로부터 그 이하의 음식들을 가리키는 것 같다. 그러나 이러한 것들은 방안에 차리는 음식이 아니다.

親割牲.

『정전』에서 말하였다: 직접 희생물을 가른다.

郊特牲, 君拜手稽首, 肉袒親割, 敬之至也. 疏, 諸侯降天子, 宗廟亦親殺. 大夫士不敢與君同, 故視之而不親殺之.

『예기 · 교특생』에서는 “임금이 절을 하며 머리를 조아리고 팔을 걷어서 신체를 드러내며 직접 희생물을 가르는 것은 공경함을 지극히 나타내는 것이다”[102]라고 했다. 공영달의 소에서는 “제후는 천자보다 낮추니 종묘의 제사에서도 또한 직접 희생물을 가른다. 대부와 사는 감히 제후와 동일하게 할 수 없기 때문에 그에 맞춰서 하되 직접 희생물을 가르지 않는다”고 했다.

100) 『周禮 · 籩人』: 羞籩之實糗餌粉餈. 凡祭祀共其籩薦羞之實. 喪事及賓客之事共其薦籩羞籩. 爲王及后世子共其內羞. 凡籩事掌之.

101) 『周禮 · 醢人』: 羞豆之實, 酏食 · 糝食. 凡祭祀, 共薦羞之豆實, 賓客 · 喪紀亦如之. 爲王及后 · 世子共其內羞. 王擧, 則共醢六十罋, 以五齊 · 七醢 · 七菹 · 三臡實之.

102) 『禮記 · 郊特牲』: 君再拜稽首, 肉袒親割, 敬之至也. 敬之至也, 服也. 拜服也. 稽首, 服之甚也. 肉袒, 服之盡也. 祭稱孝子孝孫, 以其義稱也. 稱曾孫某, 謂國家也. 祭祀之相, 主人自致其敬, 盡其嘉, 而無與讓也.

血祭盛氣.
『정전』에서 말하였다: 희생물의 피를 가지고 제사를 지내는 일은 기운을 융성하게 만드는 방법이다.
亦郊特牲文. 陳氏曰, 有血有氣乃爲生物, 血由氣以滋, 死則氣盡而血亦枯矣. 故血祭者, 所以表其氣之盛也.
이 또한 『예기 · 교특생』편의 문장이다.[103] 진호는 "피를 가지고 있고 기를 가지고 있다면 살아있는 사물이 되며, 피는 기를 통해서 많아지고 죽게 되면 기가 소진되어 피 또한 마르게 된다. 그렇기 때문에 희생물의 피를 바쳐서 제사를 지내는 것은 기의 융성함을 드러내는 방법이 된다"라고 했다.

김상악(金相岳) 『산천역설(山天易說)』

貞兌悔震, 卦之不交也. 三上皆陰爻之无應也. 承筐而无實, 刲羊而无血, 則未成爲夫婦, 有何所利.
곧음은 태괘이고 후회는 진괘이니 괘가 사귀지 않은 것이다. 삼효와 상효는 모두 음효이므로 호응이 없다. 광주리를 받지만 담겨진 물건이 없고 양을 베었으나 피가 없으니, 아직 부부가 되지 못한 것인데 무슨 이로움이 있겠는가?

○ 女, 兌象, 士, 震象, 而三之與上非正應, 則約婚而无終者. 故止以士女稱之. 大過九二, 比初六, 則曰老夫得其女妻. 九五交上六, 則曰老婦得其士夫. 陰陽相配, 爲夫婦也. 兌之女承震之筐, 震之士刲兌之羊, 而曰无實无血者, 三與上皆陰虛也. 中四爻, 皆失其位, 男不得正位乎外, 女不得正位乎內, 與家人相反. 故家人二曰在中饋, 五曰王假有家. 在中饋則筐有實矣, 假有家則已成爲夫婦也. 又變爻爲睽, 雖睽乖之時, 與三爲應, 故曰非寇婚媾. 晉獻公嫁伯姬於秦, 遇歸妹之睽, 卽此爻也.
여자는 태괘의 상이고 남자는 진괘의 상인데, 삼효는 상효와 정응이 아니니 약혼을 했지만 끝까지 가지 못하는 자이다. 그래서 단지 남자와 여자라고만 지칭했다. 대과괘(大過卦)의 구이는 초육과 가까워서 "늙은 남자가 젊은 아내를 얻었다"[104]고 했다. 구오는 상육과 사귀니 "늙은 부인이 젊은 남자를 얻는다"[105]고 했다. 음양이 서로 짝을 이루어야 부부가 된다. 태괘의 여자가 진괘의 광주리를 받들고 진괘의 남자는 태괘의 양을 베는데 "담겨진 물건이

---

103) 『禮記 · 郊特牲』: 血祭, 盛氣也, 祭肺肝心, 貴氣主也.
104) 『周易 · 大過卦』: 九二, 枯楊, 生稊, 老夫, 得其女妻, 无不利.
105) 『周易 · 大過卦』: 九五, 枯楊, 生華, 老婦, 得其士夫, 无咎无譽.

없다"고 하고 "피가 없다"고 한 것은 삼효와 상효는 모두 음으로 비어 있기 때문이다. 가운데 네 효는 모두 제자리를 잃어서 남자는 밖에서 바른 자리를 얻지 못하고 여자는 안에서 바른 자리를 얻지 못하여 가인괘(家人卦)와 상반된다. 그래서 가인괘의 이효에서는 "집안에서 먹는다"[106]라고 했고 오효에서는 "왕이 집안을 이룸에 지극하다"[107]고 했다. 집안에서 먹는다면 광주리에 담긴 물건이 있는 것이고 집안에 이룸이 지극하다면 이미 부부가 된 것이다. 또 효가 변하면 규괘(睽卦)가 되는데, 비록 어긋나는 때라도 삼효와 호응하기 때문에 "도적이 아니라 혼구(婚媾)이다"[108]라고 했다. 진(晉)나라 헌공이 백희를 진(秦)나라에 시집보낼 때 귀매괘가 규괘로 바뀌는 점괘를 얻었는데, 바로 이 효에 해당한다.

서유신(徐有臣) 『역의의언(易義擬言)』

筐上六, 震爲竹, 而承之者, 兌小女也. 羊六三, 兌爲羊, 而刲之者, 震長男也. 虛筐无實, 女不能供幣也. 死羊无血, 士不能備牲也. 兩陰虛乏, 不成家室, 牲幣不備, 无以享祀而受福, 故无攸利也. 說以動, 所歸妹也, 故卦終而其象如此, 是之謂終卒成之也.
광주리는 상육이고 진괘는 대나무가 되며 받드는 자는 태괘인 막내딸이다. 양은 육삼이고 태괘는 양이 되며 베는 자는 진괘인 맏아들이다. 빈 광주리에 담긴 것이 없는 것은 여자가 폐물을 바칠 수 없기 때문이다. 양을 죽이지만 피가 없는 것은 남자가 희생물을 갖출 수 없기 때문이다. 두 음은 비어 있고 결핍되어 가정을 이룰 수 없고 희생물과 폐물을 갖출 수 없으니 제사를 지내서 복을 받을 수 없기 때문에 이로울 것이 없다. 기뻐하면서 움직이는 것은 귀매가 되기 때문에 괘의 끝에 이르러 그 상이 이와 같으니 이것은 끝내 마침을 이룬다는 의미이다.[109]

박제가(朴齊家) 『주역(周易)』

傳以爲離絶, 本義謂約婚而不終者爲優. 蓋承則承矣而无實, 刲則刲矣而无血, 故謂之約而不終. 然此乃統論一卦, 卽彖之征凶无攸利, 大象之知敝者也. 蓋自初非正應而行, 則雖有勝於君之貴, 畢竟无實之筐而已矣. 統言之, 故曰女曰士, 非必約而不終之一事矣. 象傳不說士刲羊者, 全卦皆以女爲言, 戒在女也, 士不必說矣. 諸儒之以二爲妹身, 故不言妹云云, 皆失之. 爻位有不可勝辨者矣.

106) 『周易 · 家人卦』: 六二, 无攸遂, 在中饋, 貞吉.
107) 『周易 · 家人卦』: 九五, 王假有家, 勿恤, 吉.
108) 『周易 · 睽卦』: 上九, 睽孤, 見豕負塗載鬼一車. 先張之弧, 後說之弧, 匪寇, 婚媾. 往遇雨則吉.
109) 『周易 · 繫辭下』: 其初難知, 其上易知, 本末也. 初辭擬之, 卒成之終.

『정전』에서는 헤어지고 관계를 끊어야 한다고 여겼고, 『본의』에서는 약혼을 했지만 끝이 없는 자라고 했는데 이 주장이 더 낫다. 받든다면 받들기는 하지만 담긴 물건이 없고 벤다면 베기는 하지만 피가 없기 때문에 약혼을 했지만 끝이 없다고 했다. 그러나 이것은 한 괘 전체에 대해서 통괄적으로 논의한 것이니, 괘사에서 "가면 흉하니, 이로울 것이 없다"고 한 말과 「대상전」에서 "사물에 무너짐이 있음을 안다"고 한 말과 같다. 애초부터 정응이 아닌데도 간다면 비록 존귀한 정실보다 낫다고 하더라도 결국 채운 물건이 없는 광주리가 될 따름이다. 통괄적으로 말을 했기 때문에 여자라고 했고 남자라고 했으니, 반드시 약혼을 했지만 끝이 없다는 한 가지 사안에만 해당하지 않는다. 「상전」에서 남자가 양을 벤다는 사안을 설명하지 않은 것은 전체 괘가 모두 여자로 말을 했고 경계함도 여자에게 있기 때문에 남자에 대해서는 반드시 말할 필요는 없다. 여러 학자들은 이효를 여동생 본인이라고 여겼기 때문에 여동생을 말하지 않았다고 했는데, 모두 잘못되었다. 효의 자리에는 일일이 변별할 수 없는 점이 있다.

강엄(康儼) 『주역(周易)』

本義, 約婚而不終.

『본의』에서 말하였다: 약혼을 했지만 끝이 없는 자이다.

按, 女之承筐, 士之刲羊110), 程傳以祭祀言之, 其義卻易曉. 本義則以約111)婚不終釋之, 若是則爻辭何必以承筐刻羊112)取象也. 蓋曰士曰女, 則未爲夫婦可見, 故以約婚言之. 承筐, 女之事, 而曰无實, 刲羊113), 士之事, 而曰无血, 則是乃約婚而不終之象也, 故本義說如此. 蓋爻辭只是取士女之事, 以明其不終, 初非取於奉祀之義也.

내가 살펴보았다: 여자가 광주리를 받들고 남자가 양을 베는 것에 대해 『정전』에서는 제사로 설명을 했는데, 그 뜻이 더욱 쉽게 파악된다. 『본의』는 약혼을 했지만 끝까지 가지 못한 것으로 풀이했는데, 이와 같다면 효사에서 하필 광주리를 받들고 양을 베는 것으로 상을 취했겠는가? 남자라고 말했고 여자라고 말했다면 아직 부부가 되지 않았다는 사실을 알 수 있기 때문에 약혼으로 말했다. 광주리를 받드는 것은 여자의 일인데 "담겨진 물건이 없다"고 했고, 양을 베는 것은 남자의 일인데 "피가 없다"라고 했으니, 이것이 바로 약혼을 했지만 끝까지 가지 못한 상이므로, 『본의』에서 이와 같이 설명한 것이다. 효사에서는 단지 남자와

---

110) 羊: 경학자료집성DB에는 '半'으로 되어 있으나, 경학자료집성 영인본을 참조하여 '羊'으로 바로잡았다.
111) 約: 경학자료집성DB에는 '酌'으로 되어 있으나, 경학자료집성 영인본을 참조하여 '約'으로 바로잡았다.
112) 羊: 경학자료집성DB에는 '半'으로 되어 있으나, 경학자료집성 영인본을 참조하여 '羊'으로 바로잡았다.
113) 羊: 경학자료집성DB에는 '半'으로 되어 있으나, 경학자료집성 영인본을 참조하여 '羊'으로 바로잡았다.

여자의 일을 취하여 끝이 없는 것을 드러내었는데, 애초부터 제사를 받든다는 뜻에서 취한 것이 아니다.

이지연(李止淵) 『주역차의(周易箚疑)』

士指六三. 牲殺器皿不備, 則不敢以祭. 女无采蘩之誠, 男无殺牲之祿, 於男无受歸之德, 於女无依歸之所.
남자는 육삼을 가리킨다. 희생물을 도축하여 피를 받는 것이 갖춰지지 않는다면 감히 제사를 지낼 수 없다. 여자에게 나물을 캐는 성실함이 없고 남자에게 희생물을 도축할 수 있는 녹봉이 없으면 남자에게는 부인을 받아들이는 덕이 없고 여자에게는 의지하여 돌아갈 곳이 없다.

이항로(李恒老) 「주역전의동이석의(周易傳義同異釋義)」

傳, 不能奉祭祀, 則不可以爲婦矣.
『정전』에서 말하였다: 제사를 모시지 못한다면 부인이라 할 수 없다.

本義, 約婚而不終者也.
『본의』에서 말하였다: 약혼을 했지만 끝까지 가지 못한 자이기 때문이다.

按, 卦言歸妹之終始, 而不宜先言離絶. 故以約婚不終釋之, 觀象傳可見.
내가 살펴보았다: 괘는 여동생을 시집보내는 끝과 시작을 말했으니 먼저 관계를 끊는다고 말하는 것은 마땅하지 않다. 그러므로 약혼을 했지만 끝까지 가지 못한 것으로 풀이를 했으니, 「상전」을 살펴보면 확인할 수 있다.

오치기(吳致箕) 「주역경전증해(周易經傳增解)」

上六陰柔, 居歸妹之終, 而无應无比, 故不成夫婦. 終未能供祭祀, 有承筐无實, 刲羊无血之象. 是以言无攸利也.
상육은 부드러운 음이며 귀매괘의 끝에 있고 호응함이 없고 가까운 자도 없기 때문에 부부를 이룰 수 없다. 끝내 제사를 지낼 수 없으니 광주리를 받지만 담겨진 물건이 없고 양을 베지만 피가 없는 상이 있다. 이러한 까닭으로 이로울 것이 없다고 했다.

○ 兌爲女, 震爲士也. 承, 奉也, 取於對艮. 竹器中虛曰筐, 而取震之象. 刲與羊, 皆取於應兌. 血取於互坎也. 无應, 故言无實无血也.
태괘는 여자가 되고 진괘는 남자가 된다. 승(承)은 받든다는 뜻으로 음양이 바뀐 간괘에서 취했다. 대나무로 만든 그릇 중 가운데가 빈 것을 광(筐)이라고 부르고 진괘의 상에서 취했다. 베는 것과 양은 모두 호응하는 태괘에서 취했다. 피는 호괘인 감괘에서 취했다. 호응함이 없기 때문에 담긴 물건이 없고 피도 없다고 했다.

이진상(李震相) 『역학관규(易學管窺)』

女指六三, 言筐震象. 三承其下, 而五六俱陰, 故曰無實. 上六本震體, 震爲男, 故以士言. 而兌在下體, 互離爲兵, 卽刲羊象. 血, 互坎象, 而三在最下虛處, 又無應於六, 故无血, 極言昏禮之不終也.

여자는 육삼을 가리키니 광주리라고 말한 것은 진괘의 상이다. 삼효는 그 아래를 받들고 있는데 오효와 육효가 모두 음이기 때문에 "담긴 물건이 없다"고 했다. 상육은 본래 진괘의 몸체인데 진괘는 남자가 되기 때문에 남자[士]라고 말했다. 그리고 태괘는 하체에 있고 호괘인 리괘는 병장기가 되니 양을 베는 상이 된다. 피는 호괘인 감괘의 상이고 삼효는 가장 아래인 빈자리에 있고 또 육효와 호응함도 없기 때문에 피가 없으니, 이것은 혼례에서 끝까지 가지 못한 것을 극단적으로 말한 것이다.

○ 象註, 丘氏說.

「상전」의 소주 중 구씨가 말하였다.

此與傳義不盡合, 而易象取義多端, 不妨自爲一說. 蓋歸妹六爻, 有定體者二, 初九娣也, 六三須也. 九二以爻象言, 則尙主之男也. 以卦體言, 則賢德之女也. 九四以爻象, 則擇對之女也. 以卦體, 則自貴之士也. 六五以爻象則下嫁之姫, 以卦體則嫁女之主也. 上六, 亦可以通男女看.

이것은 『정전』의 뜻과 모두 합치되지 않는데 역의 상에서 뜻을 취한 것은 여러 갈래이나 그 자체로 하나의 설이 되어도 무방하다. 귀매괘의 여섯 효 중에서 정해진 몸체가 있는 것은 둘이니, 초구의 잉첩과 육삼의 천한 여자이다. 구이는 효의 상으로 말을 한다면 주인을 숭상하는 남자이다. 괘의 몸체로 말을 한다면 현명한 덕을 가진 여자이다. 구사는 효의 상으로 본다면 가려서 짝이 되는 여자이다. 괘의 몸체로 본다면 스스로 귀한 남자이다. 육오는 효의 상으로 본다면 신하에게 시집가는 여동생이고 괘의 몸체로 본다면 여동생을 시집보내는 주인이다. 상육 또한 남녀를 통괄해서 볼 수 있다.

박문호(朴文鎬) 「경설(經說)·주역(周易)」

承筐, 刲羊, 程傳恐鑿, 而本義似爲平順. 蓋以祭之无實无血之事, 譬其約婚之不終也.

"광주리를 받는다"와 "양을 베었다"에 대해서 『정전』의 해석은 아마도 천착인 것 같고, 『본의』의 해석이 평이한 것 같다. 제사를 지내며 담은 것이 없거나 피가 없다는 사안으로 혼인이 마쳐지지 못한 것을 비유했기 때문이다.

親割牲者, 諸侯也. 此蓋釋士刲羊也.
직접 희생물을 잡는 것은 제후이다. 이 내용은 아마도 사가 양을 베는 것을 풀이한 것 같다.

이병헌(李炳憲) 『역경금문고통론(易經今文考通論)』

鄭曰, 宗廟之禮, 主婦奉筐.
정현이 말하였다: 종묘의 의례에서 주부가 광주리를 받든다.

虞曰, 女謂應三兌也. 自下受上, 稱承. 震爲筐. 刲, 刺也. 震爲士, 兌爲羊, 故士刲羊.
우번이 말하였다: 여자는 호응하는 삼효인 태괘이다. 아래로부터 위에서 받아서 받든다고 칭했다. 진괘는 광주리가 된다. 규(刲)자는 찌른다는 뜻이다. 진괘는 남자가 되고 태괘는 양이 되기 때문에 남자가 양을 벤다.

按, 無以奉祭, 夫婦之道窮矣. 歸妹之義, 惟再娶之制最善, 可行於古今上下.
내가 살펴보았다: 제사를 받들 수 없다면 부부의 도가 다하게 된다. 귀매의 뜻은 오직 재취를 정하는 것이 최선이니 고금과 상하에 시행할 수 있다.

象曰, 上六无實, 承虛筐也.

「상전」에서 말하였다: "상육은 담겨진 물건이 없음"은 빈 광주리를 받든 것이다.

中國大全

傳

筐无實, 是空筐也, 空筐可以祭乎. 言不可以奉祭祀也. 女不可以承祭祀, 則離絶而已, 是女歸之无終者也.

광주리에 담겨진 물건이 없음은 빈 광주리를 뜻하니, 빈 광주리로 제사를 지낼 수 있는가? 이는 제사를 모실 수 없다는 뜻이 된다. 여자가 제사를 받들지 못한다면 떠나고 관계를 끊을 따름이니, 여자가 시집을 감에 마침이 없음을 뜻한다.

小註

董氏曰, 象不及刲羊无血者, 卦爲歸妹設也.

동씨가 말하였다: 「상전」에서 "양을 베었으나 피가 없다"는 말을 언급하지 않은 이유는 괘가 여동생을 시집보낸다는 뜻에서 세워졌기 때문이다.

○ 建安丘氏曰, 震, 長男也, 兌, 少女也. 以少女從長男, 歸妹之象也. 合六爻論之, 五言帝乙于歸妹之上, 則歸妹之主也. 二與五應居內卦之中而不言歸妹者, 則正妹之身也. 初三乃妹之娣媵, 皆稱娣于歸妹之下, 初在二下, 卽娣之以吉相承于妹者, 三在二上, 卽娣之以賤而躐居於貴者. 二以少女之身幽靜之節, 體陰而性陽, 質柔而德剛, 皆常德之不可變者, 其妹之賢者乎. 而五以帝乙之賢居柔履謙而歸其妹, 以德禮爲光華而不以衣服爲容飾, 故曰其君之袂不如其娣之袂良也. 初以陽明安分爲美, 三以柔邪上僭爲嫌, 二又能不矜其才, 自遜其美, 何吉如之. 在九四爲二五正應之間, 則言歸妹之愆期, 上陰柔處一卦之極, 則泛言夫婦之无終而不言歸妹.

건안구씨가 말하였다: 진괘는 큰아들에 해당하고 태괘는 막내딸에 해당한다. 막내딸이 큰아들을 따르기 때문에 귀매의 상이 된다. 여섯 효를 함께 논의해보면, 오효에서는 '제을(帝乙)'을 귀매보다 앞서 언급했으니 귀매의 주인이 된다. 이효는 오효와 호응하여 내괘의 가운데 있는데 '귀매(歸妹)'를 언급하지 않았다면, 바로 여동생 자신이 된다. 초효와 삼효는 여동생 중에서도 잉첩이 되는 자이며 둘 모두에 대해서는 잉첩을 귀매보다 뒤에 지칭했고 초효는 이효 밑에 있으니 잉첩이 길함으로 여동생을 받들고 있음이며, 삼효는 이효 위에 있으니 잉첩 중에 미천함으로 존귀한 자를 밟고 있는 자이다. 이효는 막내딸 본인이 그윽하고 조용한 절도로써 하여 몸체는 음이지만 성질은 양에 해당하며 바탕은 유약하지만 덕은 강하니, 이 모두는 변화시킬 수 없는 항상된 덕으로 여동생 중에서도 현명한 자이다. 오효는 제을처럼 현명한 자가 부드러운 음에 있으며 겸손함에 따라서 누이를 시집보냄이니, 덕과 예를 찬란하게 여기고 의복을 용모의 꾸밈으로 삼지 않았기 때문에, "정처의 소매가 잉첩의 소매보다 아름답지 못하다"고 하였다. 초효는 양의 밝음으로 분수에 안존함을 아름다움으로 삼고, 삼효는 유약하고 삿됨으로 위에 분수에 지나치게 구는 것을 혐의로 삼으며, 이효는 또한 그 재질을 자랑하지 않고 스스로 아름다움을 낮추는데 어떤 길함이 이와 같겠는가? 구사가 이효와 오효가 정응하는 사이에 머문데 있어서는 여동생을 시집보냄에 혼기를 놓쳤다고 했고, 상효는 부드러운 음으로 한 괘의 끝에 있으니, 범범하게 부부의 끝이 없음을 언급했고 여동생을 시집보낸다는 말을 하지 않았다.

韓國大全

김상악(金相岳) 『산천역설(山天易說)』

但曰承虛筐者, 歸咎于妹也. 故无攸利與卦同辭.

단지 "빈 광주리를 받든 것이다"라고 말한 것은 여동생에게 허물을 돌린 것이다. 그래서 "이로울 것이 없다"는 말은 괘사와 동일하다.

서유신(徐有臣) 『역의의언(易義擬言)』

筐之无實, 職由乎震爲虛筐之故也. 其責在於上六, 不可但曰女不能供幣也.

광주리에 담긴 물건이 없는 것은 그 원인이 진괘가 빈 광주리가 되는 데에서 비롯된다. 그

책임은 상육에게 달려 있으니 단지 "여자가 폐백을 공급하지 못한다"고 할 수 없다.

오치기(吳致箕) 「주역경전증해(周易經傳增解)」

承筐而无實, 是筐之虛也. 筐虛則不可以奉祭祀, 乃女歸之无終者也.
광주리를 받들지만 담긴 물건이 없는 것은 광주리가 비어 있기 때문이다. 광주리가 비었다면 제사를 받들지 못하니 여자가 시집을 감에 끝이 없는 것이다.

55

풍괘

豐卦䷶

∥中國大全∥

傳

豊, 序卦, 得其所歸者, 必大, 故受之以豊. 物所歸聚, 必成其大, 故歸妹之後, 受之以豊也, 豊, 盛大之義. 爲卦, 震上離下, 震, 動也, 離, 明也. 以明而動, 動而能明, 皆致豊之道. 明足以照, 動足以亨, 然後能致豊大也.

풍괘(豊卦䷶)는 「서괘전」에 "돌아갈 곳을 얻은 자는 반드시 커지므로 풍괘로 받았다"고 하였다. 물건이 돌아가 모이면 반드시 그 큼을 이루므로 귀매괘(歸妹卦䷵)의 뒤에 풍괘로 받았으니, 풍(豊)은 성대하다는 뜻이다. 괘는 진괘(☳)가 위에 있고 리괘(☲)가 아래에 있으니, 진괘는 움직임이고 리괘는 밝음이다. 밝음으로 움직이고 움직여 밝게 할 수 있는 것이 모두 성대함을 이루는 도이다. 밝으면 비출 수 있고 움직이면 형통할 수 있으니, 그런 뒤에 성대하고 큼을 이룰 수 있다.

豊, 亨, 王假之, 勿憂, 宜日中.

정전 풍(豊)은 형통하니, 왕이어야 이르니, 근심하지 않게 하려면 해가 중천에 있듯이 하여야 한다.
본의 풍(豊)은 형통하니, 왕이 이르러 근심하지 말고 해가 중천에 있듯이 하여야 한다.

中國大全

傳

豊爲盛大, 其義自亨, 極天下之光大者, 唯王者, 能至之. 假, 至也. 天位之尊, 四海之富, 群生之衆, 王道之大, 極豊之道, 其唯王者乎. 豊之時, 人民之繁庶, 事物之殷盛, 治之, 豈易周. 爲可憂慮, 宜如日中之盛明, 廣照, 无所不及, 然後无憂也.

풍(豊)은 성대함이 되니 그 뜻이 저절로 형통하며, 천하의 빛나고 큼을 지극히 하는 자는 왕이어야 이를 수 있다. '격(假)'은 이른다는 말이다. 하늘 자리[天位]가 높고 사해(四海)가 부유하며 백성이 많고 왕도가 크게 됨은 성대함을 지극하게 하는 도니, 그는 오직 왕일뿐이다. 풍성한 때에는 백성이 많고 사물이 번성하니, 다스리는 것을 어찌 쉽게 두루 할 수 있겠는가? 그것이 우려할 만한데 마땅히 해가 중천에서 성대하게 밝아 널리 비추어 미치지 않는 곳이 없는 것과 같게 되어야, 그런 뒤에 근심이 없다.

本義

豊, 大也. 以明而動, 盛大之勢也, 故其占, 有亨道焉. 然王者, 至此, 盛極當衰, 則又有憂道焉. 聖人, 以爲徒憂, 无益, 但能守常, 不至於過盛則可矣. 故戒以勿憂宜日中也.

풍(豊)은 큼이다. 밝음으로써 움직임은 성대한 기세이므로 그 점에 형통한 도가 있다. 그러나 왕이 이에 이르면 성대함이 지극하여 쇠함을 맞으니, 또 근심하는 도가 있다. 성인은 한갓 근심만 하면 유익함이 없어서 다만 일정한 도를 지켜서 지나치게 성대한 데에 이르지 않게 하는 것이 옳다고 생각하였다. 그러므로 "근심하지 말고 해가 중천에 있듯이 하여야 한다"고 경계하였다.

小註

朱子曰, 須是王假之了, 方且勿憂, 宜日中. 若未到這箇田地, 更憂甚底, 王亦未有可憂.
주자가 말하였다: 모름지기 왕이 이르러야 바야흐로 또 근심을 하지 않고, 해가 중천에 있듯이 한다. 아직 이러한 경지에 이르지 못했다면 더욱 근심이 심해지는 것인데, 왕이 또한 근심할 것이 없겠는가?

○ 漢上朱氏曰, 豊大之時, 所宜憂者, 不在乎日之未中, 而在乎日之旣中也. 明動不已, 未有能保其大者也. 保此道者, 其唯中乎.
한상주씨가 말하였다: 풍성하고 큰 때에 근심해야 할 바는 해가 아직 중천에 있지 않은 것이 아니라 해가 이미 중천에 있는 것이다. 밝음과 움직임이 그치지 않으니 그 큼을 보전할 수 있는 자가 있지 않다. 이러한 도를 보전하는 것은 오직 알맞음[中]이다.

○ 童溪王氏曰, 六五以柔居尊位而屬震體, 有震動憂驚之象. 聖人則戒之以勿憂, 離明在下, 又勉之以宜日中.
동계왕씨가 말하였다: 육오는 부드러운 음으로 높은 자리에 있고 진괘(☳)의 몸체에 속하니, 떨려 움직이고 근심하여 놀라는 상이 있다. 성인이 '근심하지 말라'고 경계하였으니, 리괘(☲)의 밝음이 아래에 있고, 또 해가 중천에 있듯이 힘쓴다.

○ 雙湖胡氏曰, 豊下離上震, 正日未出東之天. 其光亨之勢未已, 何憂之有. 豈非以柔中之主履豊亨之會. 故不能无憂, 重煩聖人致戒致勉耳. 然不勉以日進, 但勉以日中, 毋亦康節怕處其盛之意歟.
쌍호호씨가 말하였다: 풍괘는 아래가 리괘(☲)이고 위가 진괘(☳)이니, 바로 해가 동쪽하늘에서 아직 떠오르지 않음이다. 그 빛의 형통한 형세가 아직 그치지 않았는데 무슨 근심이 있겠는가? 어찌 유순하고 가운데 있는 주인이 풍성하고 형통한 기회를 밟는 것이 아니겠는가? 그러므로 근심이 없을 수 없어 거듭 번민하여 성인이 경계를 하고 권면한 것이다. 그러나 해가 나아가는 것으로 권면하지 않고 '해가 중천에 있는 것'으로만 권면하였으니, 또한 아마 소강절이 성대함에 대처하는 뜻이 아니겠는가?

○ 雲峯胡氏曰, 卦辭稱王者三, 渙萃曰王假有廟, 豊曰王假之. 假, 至也, 唯王者爲能至此. 豊之大, 有亨道焉. 大則必通也, 亦有憂道焉. 大則可憂也, 不必過於憂, 如日之中, 斯可矣. 泰晉夬家人升, 皆曰勿恤, 此曰勿憂, 皆當極之時, 常人所不憂, 而聖人所深憂, 其辭曰勿, 深切之辭, 非謂无憂也. 於此有道焉, 可不必憂也.
운봉호씨가 말하였다: 괘사에서 '왕'이라고 일컬은 것이 셋인데, 환괘(渙卦䷺)와 취괘(萃卦䷬) 괘사에서 "왕이 종묘에 이르며"[1]라고 하였고, 풍괘(豊卦)에서는 "왕이 이른다"고 하였다. '격(假)'은 이르는 것이니, 왕이라야 여기에 이를 수 있게 된다. 성대함이 크면 형통한 도가 있다. 크면 반드시 통하지만 또 근심해야 하는 도가 있다. 크면 근심하게 되지만 지나치게 근심할 필요는 없어 해가 중천에 있듯이 하면 이에 괜찮다. 태괘(泰卦䷊)와 진괘(晉卦䷢)와 쾌괘(夬卦䷪)와 가인괘(家人卦䷤)와 승괘(升卦䷭)에서 모두 "걱정하지 말라[勿恤]"고 하였고, 풍괘에서 "걱정하지 말라[勿憂]"고 한 것은 모두 지극한 때를 당하여 보통 사람들은 걱정하지 않는 바인데 성인이 깊이 걱정하는 것이니, 그 말(괘사)에 "~말라"고 한 것은 매우 절실한 말이니, '걱정이 없다'는 것을 말하는 것이 아니다. 여기에 방법이 있으니, 반드시 걱정해야 하는 것은 아니다.

韓國大全

송시열(宋時烈) 『역설(易說)』

上震雷動, 下離火明. 動萬物者, 莫疾照萬物而相見, 所以爲豊大也. 卦義占辭, 有亨通之意, 故曰亨. 震爲王, 六五爲王, 故曰王. 惟王者, 能致其豊, 能至其極, 故曰假之. 互有坎象爲憂, 而震爲喜樂, 故曰勿[2]憂. 離爲日, 王者, 當存日昃之戒, 常如日中之先明, 故曰宜日中.
위의 진괘(☳)는 우레의 움직임이고, 아래의 리괘(☲)는 불의 밝음이다. 만물을 움직이는 자는 만물을 빨리 비추지 않는데도 서로 보기 때문에 풍성하고 크게 된다. 괘의 뜻과 점의 말에 형통의 뜻이 있으므로 "형통하니"라고 하였다. 진괘(☳)가 왕이고 육오가 왕이므로 '왕'이라고 하였다. 왕만이 풍성함을 이루고 지극하게 하므로 "이르러"라고 하였다. 호괘인 감괘

1) 『周易 · 萃卦』: 萃, 亨王假有廟. 渙卦: 渙, 亨, 王假有廟, 利涉大川, 利貞.
2) 曰勿: 경학집성자료 DB와 영인본에는 '易'으로 되어 있으나, 문맥을 살펴 '曰勿'로 바로잡았다.

(☳)의 상이 근심이 되고, 진괘가 기쁨이 되므로 "근심하지 말고"라고 하였다. 리괘(☲)는 해이고, 왕은 마땅히 해가 기우는 경계를 두어 항상 해가 중천에서 먼저 밝히듯이 해야 하므로 "해가 중천에 있듯이 하여야 한다"고 하였다.

조호익(曺好益) 『역상설(易象說)』

王指五. 二至五似體坎, 坎爲憂. 三至五互體兌, 兌爲說, 有勿憂之象. 日離象, 離爲午, 有日中象. 愚因雙湖之說推之, 豊下離上震, 正日未出東之象, 有光亨之勢, 故曰豊亨, 將至明盛之地, 故曰假之. 日至於中則盛極矣, 盛極則可憂, 然不必過於憂也. 宜至於中而不過, 過則衰之始也.

왕은 오효를 가리킨다. 이효에서 오효까지는 감괘(☵)의 몸체와 같아 감괘는 근심이 된다. 삼효에서 오효까지는 호괘인 태괘(☱)의 몸체로 태괘는 기쁨이 되므로 근심하지 않는 상이 있다. 해는 리괘(☲)의 상이고 리괘는 오(午)가 되므로 해가 중천에 있는 상이다. 내가 쌍호의 설명으로 인하여 미루어 보니, 풍괘는 아래가 리괘(☲)이고 위가 진괘(☳)로, 바로 해가 동쪽에 아직 나오지 않은 상이지만 빛나고 형통하는 형세가 있으므로 "풍은 형통하니"라고 하였고, 장차 밝고 성대한 땅에 이르므로 "이르니"라고 하였다. 해가 중천에 이르면 지극히 성대하게 되며, 지극히 성대하게 되면 근심할만하지만 근심보다 굳이 지나칠 필요는 없다. 마땅히 중도에 이르러 지나치지 않아야 하니, 지나치면 쇠퇴가 시작된다.

김장생(金長生) 『경서변의(經書辨疑)-주역(周易)』

傳意宜如日中之盛明廣照, 義意宜日中勿使昃昳, 傳意似長.

『정전』에서는 "마땅히 해가 중천에서 성대하게 밝아 널리 비추어"라고 생각하였고, 『본의』에서는 "해가 중천에 있듯이 하여 기울지 않게 하여야 한다"라고 생각하였는데, 『정전』의 뜻이 나은 것 같다.

권만(權萬) 「역설(易說)」

豊之王, 以陰居尊位, 柔順之君也. 以柔臨下, 爲可憂懼. 假四爻陽剛之大臣, 使之輔佐, 則可無憂也. 假, 古文作徦, 本狢字也. 震有震動之象, 故居柔之君, 有震懼之象.

풍의 왕은 음으로 높은 자리에 있는 유순한 임금이다. 유순함으로 아래를 다스려 근심스럽고 두려워할만하니, 사효의 강한 양인 대신에게 가서 보좌하게 하면 걱정이 없을 것이다. '격(假)'은 고문에는 '가(徦)'로 되어 있는데 본래 격(狢)자이다. 진괘(☳)에는 진동하는 상이 있으므로 유약한 임금에게 놀라고 두려워하는 상이 있다.

○ 宜日中云者, 以成卦言之. 離在震下, 爲日未出東之象. 王者勿憂己才之弱, 而得大臣之剛健者之助, 勿以爲憂, 則出東之日, 且到中天, 明旡不照也.
"해가 중천에 있듯이 하여야 한다"는 이루어진 괘로 말한 것이다. 리괘(☲)가 진괘(☳) 아래에 있어 해가 아직 동쪽에 솟지 않은 상이다. 왕은 자신의 재주가 약함을 근심하지 말고 강하고 굳센 대신의 도움을 얻는 것을 근심하지 않으면, 동쪽에서 나온 해가 중천에 도달하여 밝음이 비추지 않음이 없는 것이다.

○ 日之未出, 震方亦暗, 日之初出, 震隅未光, 日之旣中, 東西南北, 旡所不照也.
해가 아직 나오지 않았을 때는 진(震)의 방향 또한 어둡고, 해가 처음 나왔을 때 진(震)의 모퉁이가 아직 빛나지 않고, 해가 이미 중천이면 동서남북에 비추지 않는 곳이 없을 것이다.

○ 雷在上而火在下. 雷者雨時發聲, 離明雨則遮蔽, 故憂.
우레가 위에 있고 불이 아래에 있다. 우레는 비가 올 때 나는 소리인데, 리(離)의 밝음은 비가 오면 차단되기 때문에 근심스럽다.

○ 喜氣屬陽, 憂氣屬陰. 長男雖以一陽而動, 而其體本陰也, 故憂. 中女雖是陰柔之物, 而本陽體故明.
기쁜 기운은 양에 속하고 근심스러운 기운은 음에 속한다. 장남이 하나의 양으로 움직이지만 그 몸체는 본래 음이므로 근심스럽고, 중녀(中女)가 부드러운 음이지만 본래 양의 몸체이므로 밝다.

이현익(李顯益) 「주역설(周易說)」

勿憂宜日中, 謂勿憂而宜日中也, 則是勉其爲日中也. 至彖傳日中則昃, 始爲憂其或過也. 本義曰發明卦辭外意, 此可見也. 漢上朱氏, 謂所宜憂者, 不在乎日之未中, 而在乎日之旣中. 雙湖胡氏, 亦謂勉以日中, 毋亦康節怕處其盛之意歟. 是以勿憂宜日中, 爲以日中爲憂也非是.
"근심하지 말고 해가 중천에 있듯이 하여야 한다"는 근심하지 말고 해가 중천에 있듯이 하여야 한다는 말이니, 이것은 해가 중천이 되기를 힘쓰는 것이다. 「단전」의 "해가 중천에 있으면 기울고"에 이르면 비로소 근심이 간혹 지나치게 되는 것이니, 『본의』에서 "괘사 밖에 있는 뜻을 밝혔다"고 한 것에서 알 수 있다. 한상주씨는 "근심해야 할 바는 해가 중천에 있지 않은 것이 아니라 해가 이미 중천에 있다는 것"이라고 하였다. 쌍호호씨는 또한 "해가 중천에 있는 것으로 권면하였으니, 또한 아마 소강절이 성대함에 대처하는 뜻이 아니겠는가?"라고 하였다. 그러므로 "근심하지 말고 해가 중천에 있듯이 하여야 한다"를 해가 중천에 있음을 근심하는 것으로 여기는 것은 옳지 않다.

涑水司馬氏, 以豊其蔀爲二以陰居陰之象. 然四非以陰居陰, 而亦以此言, 則其說未然. 四之象, 以豊其蔀爲位不當也, 則九四豊其蔀, 不專以五之故也.
속수사마씨가 "가리개가 풍성하여"는 이효가 "음으로 음의 자리에 있는" 상이라고 여겼다. 그러나 사효는 음으로 음의 자리에 있지 않으니, 또한 이것으로써 말하면 그 설명이 그렇지 않다. 사효의 「상전」에서 "가리개가 풍성함"을 "자리가 마땅하지 않음"으로 여겼으니, 구사의 "가리개가 풍성함"은 오효로만 하지는 않았기 때문이다.

이익(李瀷) 『역경질서(易經疾書)』

王假之者, 王大而極之也. 王之所大, 莫尙於土地, 日麗天而動無所不照, 故有此象. 然地有東西, 日有早暮, 非日中不能遍照. 勿憂者, 謂雖大而勿憂其不照也. 謂明其政刑, 如日中天, 則無障蔽之患也. 然物極則及盈虛消息, 理所必有識, 時者宜戒人力烏得以移易之乎. 鬼神與謙彖禍盈福謙相照, 凡云神祇者, 四望山川人鬼祭享, 皆是祭所以求福, 故人力之所不逮. 鬼神或爲之降福降灾, 而其於天地自然之大數, 則鬼神亦無奈何也. 或謂易之道以卜筮者尙其占, 故鬼神者以卜筮言亦通.
'왕이 이르러'는 왕이 그것을 크게 하고 지극하게 한다는 것이다. 왕이 크게 여기는 것은 토지보다 높이는 것이 없으니, 해가 하늘에 걸려 움직임에 비추지 않는 것이 없기 때문에 이러한 상이 있다. 그러나 땅은 동쪽과 서쪽이 있고, 해는 아침과 저녁이 있으니 해가 중천에 있지 않으면 널리 비출 수 없다. '근심하지 말고'는 크게 될지라도 비추지 못함을 근심하지 않는다는 말이니, 정치와 형벌을 밝게 하기를 해가 중천에 있듯이 하면 막히는 걱정이 없을 것이라는 말이다. 그렇지만 사물이 지극해지면 '차고 비고 사그라지고 불어나는' 데에 미침은 이치상 반드시 알 수 있는 것이나 '때'를 사람의 힘으로 어떻게 바꿀 수 있겠느냐고 경계한 것이다. '귀신'은 겸괘(謙卦) 「단전」에서 "귀신은 가득찬 것을 해롭게 하며 겸손한 것은 복되게 한다"[3]와 서로 대비되니, 귀신은 사방의 산천을 바라보고 귀신에게 제사지내는 것으로 모두 제사하여 복을 구하는 것이므로 사람의 힘으로 미칠 수 없는 것이다. 귀신은

---

3) 『周易 · 謙卦』: 彖曰, 謙亨, 天道下濟而光明, 地道卑而上行. 天道, 虧盈而益謙, 地道, 變盈而流謙, 鬼神, 害盈而福謙, 人道, 惡盈而好謙, 謙, 尊而光, 卑而不可踰, 君子之終也.

간혹 복이나 재난을 내리지만 천지자연의 큰 법칙에 대해서는 귀신도 어떻게 할 수 없는 것이다. 어떤 이는 역(易)의 도는 거북과 시초로써 그 점을 높이므로 귀신은 거북과 시초로써 말한다고 하니, 또한 통한다.

유정원(柳正源)『역해참고(易解參攷)』

正義, 豐者, 多大之名, 德大則无所不容, 財多則无所不濟, 故豐, 亨. 豐亨之道, 王之所尙, 非有王者之德, 不能至之, 故曰王假之也. 王能至於豐亨, 乃得无憂, 故曰勿憂也. 然後可以居臨萬國, 徧照四方, 如日中之時, 徧照天下, 故曰宜日中.

『주역정의』에서 말하였다: '풍(豐)'은 많고 크다는 이름이니, 덕이 크면 포용하지 못할 것이 없고, 재물이 많으면 구제하지 못할 것이 없으므로 '풍(豐)은 형통하니'라고 하였다. 형통하게 하는 도는 왕이 높일 수 있는 것이어서 왕의 덕을 가진 자가 아니면 이를 수 없기 때문에 "왕이 이르러"라고 하였다. 왕이 형통하게 하는 데에 이르러야 근심이 없게 되기 때문에 "근심하지 않게 하려면"이라고 하였다. 그런 이후에야 온 나라에 임하여 사방을 두루 비출 수 있는 것이 마치 해가 중천에 있을 때 천하를 두루 비출 수 있는 것과 같기 때문에 "중천에 있듯이 하여야 한다"고 하였다.

○ 路氏純中曰, 陰陽之運, 至午而亨嘉, 品彙之生, 至夏而假大.

노순중이 말하였다: 음과 양의 운행은 오(午)에 이르러 형통하고 빼어나며, 만물은 여름에 이르러야 아름답고 커진다.

○ 白雲郭氏曰, 噬嗑與豐, 皆明動之卦. 噬嗑先動而求明, 得明而後可亨, 豐已明而後動, 則不期而自亨矣.

백운곽씨가 말하였다: 서합괘(噬嗑卦)와 풍괘(豐卦)는 모두 밝히고 움직이는 괘이다. 서합괘는 먼저 움직이고 밝음을 구하는데 밝음을 얻은 이후에 형통하고, 풍괘는 이미 밝은 이후에 움직이니, 기약하지 않아도 스스로 형통한다.

○ 平庵項氏曰, 漢高除彭豨繫蕭何疑陳平, 唐太宗殺劉洎李君羨, 皆旣豐之後, 憂之深也. 聖人曰, 是不必憂, 愈憂則愈惑, 非保大之道也. 君人者昭德, 如日之中照臨下土, 豈有陰慝敢干其間哉. 如此則不必憂矣.

평암항씨가 말하였다: 한나라 고조는 팽희(彭豨)를 제거하고, 소하(蕭何)를 매달고, 진평(陳平)을 의심하였으며, 당나라 태종은 유계(劉洎)와 이군선(李君羨)을 죽였으니, 모두 풍부해진 이후에는 근심이 깊은 것이다. 성인이 "반드시 걱정할 필요는 없다"라고 하였으니,

걱정이 깊을수록 의혹도 깊어지니, 큰 것을 보존하는 도가 아니다. 임금은 덕을 밝히기를 마치 해가 중천에서 천하를 비추듯이 해야 하니, 어찌 어둡고 악한 것으로 감히 그 사이에 막히게 하겠는가? 이와 같이 하면 반드시 걱정할 필요가 없다.

○ 案, 離日在下, 方升之日也. 升而至中, 則勿憂之矣. 若過中則昃, 是可憂也.
내가 살펴보았다: 리괘(☲)인 해가 아래에 있으니 막 떠오르려는 해이다. 떠올라 중천에 이르면 근심하지 않게 된다. 중천을 지나게 되면 기울게 됨을 걱정해야 한다.

김상악(金相岳) 『산천역설(山天易說)』

明動相資, 二四爲致豊之亨. 假, 至也. 六五居尊而假之, 能勿憂, 而宜如日中之盛, 則可以保豊之亨矣. 或曰假大也, 讀如字與假哉天命之假同. 與彖傳豊大也, 王假之, 尙大之義相貫.
밝음과 움직임은 서로 의지하니, 이효와 사효가 풍의 형통함을 이룬다. '이름[假]'은 이르다[至]이다. 육오가 높은 곳에 있지만 이르러 근심하지 말고 마치 해가 중천에 있듯이 성대하게 하면 풍의 형통함을 보존할 수 있다. 어떤 이는 "'격(假)'은 크다"라고 하니, 글자 그대로 읽으면 "큰 하늘의 명령은"[4]이라는 '큰[假]'과 같다. 「단전」에 "풍은 큼이니"와 "왕이어야 이름은 숭상함이 큰 것이고"의 뜻과 서로 이어진다.

○ 王假之, 與家人萃渙有異. 非如有家有廟之主一事, 故但曰王假之, 其假之之大, 无不至也. 憂者震之懼也, 曰勿憂者, 震反艮也. 日, 離象, 日中, 二之居中也. 離之五, 曰日昃之離, 在三也. 蠱卦曰先甲三日後甲三日, 故革卦曰已日乃孚. 六二曰已日乃革之, 豊曰宜日中. 蓋蠱者事也, 有事而後可革, 革而後能豊, 所以王假之勿憂.
풍괘의 "왕이 이르러[王假之]"는 가인괘 · 취괘 · 환괘[5]와 다르다. 집과 사당에서 하나의 일을 주관하는 것과는 다르기 때문에 "왕이 이르러"라고만 하였으니, 이르러 크게 하여 지극하지 않음이 없다. '근심'은 진괘(震卦)의 근심이다. "근심하지 말고"는 진괘(☳)가 거꾸로 된 간괘(☶)이다. '해'는 리괘(☲)의 상이니, "해가 중천에 있듯이"는 이효가 가운데 있는 것이다. 리괘(䷝)의 오효를 "해가 기울어 걸려 있으니"라고 할 수 있을텐데 리괘(䷝)에서는 삼효에 있다.[6] 고괘(䷑) 괘사에서 "갑(甲)보다 삼일 앞서서 하고, 갑보다 뒤로 삼일을 한다"[7]고

4) 『詩經 · 大雅』: 穆穆文王, 於緝熙敬止. 假哉天命, 有商孫子. 商之孫子, 其麗不億. 上帝旣命, 侯于周服.
5) 『周易 · 家人卦』: 九五, 王假有家, 勿恤, 吉. 萃卦: 萃, 亨王假有廟. 渙卦: 渙, 亨, 王假有廟, 利涉大川, 利貞.
6) 『周易 · 離卦』: 九三, 日昃之離, 不鼓缶而歌, 則大耋之嗟, 凶. 六五, 出涕沱若, 戚嗟若, 吉.
7) 『周易 · 蠱卦』: 蠱, 元亨. 利涉大川, 先甲三日, 後甲三日.

하였다. 따라서 혁괘(䷰) 괘사에서 "시일이 지나야 믿을 것이니"[8]라고 하였고, 육이에서는 "시일이 지나서야 변혁할 수 있으니"[9]라고 하였고, 풍괘에서는 "해가 중천에 있듯이 하여야 한다"고 하였다. 고(蠱)는 일이니, 일이 있은 후에 변혁할 수 있고, 변혁한 이후에 성대하게 할 수 있으니, 그래서 "왕이 이르러 근심하지 말고"라고 하였다.

서유신(徐有臣) 『역의의언(易義擬言)』

假致也, 豊亨, 王所致之也, 蓋明王也. 噬嗑變爲豊, 而無互坎, 故勿憂. 國家閒暇無憂也. 無憂爲可憂, 及此時, 益修其德, 如中天之太陽, 則乃可以永勿憂也.

'이름[假]'은 이룸[致]이고, '성대함[豊]'은 형통함[亨]이니, 왕이 이루는 것으로 밝은 왕이다. 서합괘(䷔)의 위 · 아래괘가 바뀌면 풍괘가 되어 호괘인 감괘(☵)가 없기 때문에 근심하지 않는다. 국가가 한가하면 근심이 없다. 근심 없음이 근심이 있게 되면 이때에 더욱 그 덕을 닦아 중천의 해와 같이 하면 길이 근심이 없을 것이다.

박제가(朴齊家) 『주역(周易)』

傳, 宜如日中之盛明, 无所不及, 然後无憂, 然經不曰宜日中勿憂. 本義, 聖人, 以爲徒憂, 无益, 但能守常, 不至過盛則可矣. 故戒而勿憂宜日中, 則經未嘗曰勿徒憂. 蓋曰有憂道焉, 則義非不好, 但於文義說不通, 當曰勿患其不豊, 但可宜日中, 固不可倒說與補說也.

『정전』에서 "마땅히 해가 중천에서 성대하게 밝아 미치지 않는 곳이 없는 것과 같게 되어야, 그런 뒤에 근심이 없다"고 하였지만 괘사에서는 "해가 중천에 있듯이 하여야 근심이 없다"라고 말하지 않았다. 『본의』에서 "성인은 한갓 근심만 하면 유익함이 없어서 다만 일정한 도를 지켜서 지나치게 성대한 데에 이르지 않게 하는 것이 옳다고 생각하였다. 그러므로 '근심하지 말고 해가 중천에 있듯이 하여야 한다'고 경계하였다"고 하였는데, 괘사에서는 일찍이 "한갓 근심만 하지 말라"고 말하지 않았다. 근심해야 하는 도가 있다고 한다면 뜻이 좋지 않는 것은 아니지만 문장의 뜻에는 통하지 않을 것이니, 그 형통하지 않음을 근심하지 말고 해가 중천에 있듯이 하여야 한다고만 하면 참으로 상반되거나 보충하는 말이 되지는 않을 것이다.

雲峯胡氏曰, 不必過[10]於憂, 又曰於此有道焉, 可不必憂也. 終是曉他說不得.

---

8) 『周易 · 革卦』: 革, 已日, 乃孚, 元亨, 利貞, 悔亡.

9) 『周易 · 革卦』: 六二, 已日, 乃革之, 征吉, 无咎.

운봉호씨가 "지나치게 근심할 필요는 없다"라고 하며, 또 "여기에 방법이 있으니, 반드시 걱정해야 하는 것은 아니다"라고 하였는데, 끝내 이 설명은 깨우칠 수 없다.

假大也, 如假哉皇考之假, 言占得此卦者, 必得王之大汝也.
'격(假)'은 큼이니, "위대하신 문왕께서"[11]에서의 '격(假)'과 같으니, 점에서 이 괘를 얻은 자는 왕이 너를 크게 함을 반드시 얻을 것이라는 말이다.

勿憂猶勿恤, 言勿憂王之不假之也.
'근심하지 말고[勿憂]'는 근심하지 않음[勿恤]이니, 왕이 이르지 않음을 근심하지 말라는 말이다.

曰日中者, 事至之時也, 言當於日中而有其事也.
'해가 중천에 있듯이'라는 말은 일이 이른 때이니, 해가 중천에 있을 때 그 일이 있다는 말이다.

占辭本如此. 彖傳曰尙大也, 謂上有大之者, 在王者自占, 則上有大之之天矣. 由此以往, 貼着義理說, 無所不可. 以宜日中爲戒語自好, 如宜照天下之云耳, 以彖傳之宜照天下之辭觀之, 此卦不患不大而患不明者也. 惟明然後可以享其大, 不明則其所謂大者, 反爲自蔽之具而已. 故爻之言日中者三, 皆以見斗見沫爲言, 日雖中其如无光何哉. 日中者亭午也, 亭午而見星爲日食旣之象, 見小星者, 非見之益小也, 日之食之旣而暗愈甚也. 離爲萬物相見之卦, 而徒能豊於上, 則在下者, 失其明之全體. 此猶富而好禮之義, 富而好禮然後文質彬彬, 富而不好禮, 則殉財之鄙夫而已. 象之一宜字, 使之文質彬彬者也, 此所以爲戒語者也. 爻之三日中, 乃極言其蔽, 有若欲中而不得者. 然二四皆吉, 三至折肱亦无咎者, 罪在豊不在明也.
점의 말이 본래 이와 같다. 「단전」에서 "숭상함이 큰 것이고"라고 하였는데 위에 크게 여길 게 있다는 말이니, 왕의 자리에 있는 자가 자신이 점을 치면 위에 크게 여길 하늘이 있다는 것이다. 이렇게 보면 의리적인 관점에서 불가할 것이 없다. "해가 중천에 있듯이 하여야 한다"는 경계하는 말로는 본래 좋으니 "마땅히 천하에 비추어야 하는 것이다"는 말과 같을 뿐이다. 「단전」에서 "마땅히 천하에 비추어야 하는 것이다"라는 말로 보면 이 괘는 크게 하지 못함을 근심하는 것이 아니라 밝지 못함을 걱정하는 것이다. 밝은 연후에 큼을 형통하게 할 수 있으니, 밝지 못하면 이른바 크다는 것이 도리어 자신을 가리는 도구가 될 뿐이다.

---

10) 過: 경학자료집성DB와 영인본에는 '通'으로 되어있으나, 『주역전의대전』을 참조하여 '過'로 바로잡았다.
11) 『詩經 · 周頌』: 於薦廣牡, 相予肆祀, 假哉皇考, 綏予孝子.

따라서 효에서 "대낮에"라고 한 것은 세 곳인데 모두 "북두성을 보니", "작은 별을 보고"라고 하였는데 해가 중천에 있지만 빛이 없는 것 같음은 어째서인가? '대낮'은 정오로 정오에 별을 봄은 개기일식의 상이고, 작은 별을 봄도 더 작은 것을 보는 것이 아니라 개기일식에는 더욱 어두운 것이다. 리괘(☲)는 만물이 서로 보는 괘인데, 위에서만 풍성하면 아래에 있는 것은 밝음의 전체를 잃게 되는 것이다. 이것은 부자이면서 예를 좋아한다는 뜻으로 부자이면서 예를 좋아한 연후에 문식과 바탕이 조화를 이루는 것이니, 부자이면서 예를 좋아하지 않으면 재물을 따르는 어리석은 사람일 뿐이다. 「단전」의 '마땅히[宜]'는 그로 하여금 문식과 바탕이 조화를 이루게 하는 것이니, 이 때문에 경계의 말로 하는 것이다. 효에서 세 번 "대낮에도"는 그 가려짐을 지극히 말한 것으로 중천이고자 하나 그렇지 못한 경우이다. 그러나 이효와 사효에는 모두 '길하다'고 하였고, 삼효에서 "오른쪽 팔이 부러졌으니, 허물할 데가 없다"고 하였으니, 죄가 풍성함에 있고 밝음에 있지 않다는 것이다.

강엄(康儼) 『주역(周易)』

按宜日中之義, 程傳云, 宜廣照无所不及, 本義云, 但能守常不至於過盛. 蓋彖傳云, 勿憂宜日中, 宜照天下也, 程傳主之. 又云日中則昃, 月盈則食, 本義主之. 然本義之意, 亦非不取[12]照天下之義. 若守常而不過, 如日之方中, 而不過乎中, 則自當廣照天下矣.
"해가 중천에 있듯이 하여야 한다"를 살펴보면, 『정전』에서는 "마땅히 널리 비추어 미치지 않는 곳이 없다"고 하였고, 『본의』에서는 "다만 일정한 도를 지켜서 지나치게 성대한 데에 이르지 않게 한다"라고 하였다. 「단전」에서 "근심하지 않게 하려면 해가 중천에 있듯이 하여야 함은 마땅히 천하에 비추어야 하는 것이다"고 한 것은 『정전』에서 위주로 하였고, "해가 중천에 있으면 기울고 달은 차면 이지러지니"라고 한 것은 『본의』에서 위주로 하였다. 그렇지만 『본의』의 뜻도 천하에 비추어야 한다는 뜻을 취하지 않은 것은 아니다. 일정함을 지켜서 지나치지 않음을 해가 막 중천에 있듯이 하여 중도를 지나치지 않는다면, 저절로 마땅히 널리 천하를 비출 것이다.

하우현(河友賢) 『역의의(易疑義)』

或問卦辭勿憂宜日中, 傳義不同. 然今按彖傳曰, 勿憂宜日中, 宜照天地也云爾, 則是夫子分明以日中盛明廣照, 釋卦辭宜日中之義, 而傳承之, 則其說似甚穩當, 而今本義不從, 何耶. 况彖所謂日昃等說, 是夫子發文王卦辭言外之意, 以爲示人處豊之戒,[13] 而文

---

12) 取: 경학자료집성DB에는 '敗'으로 되어있으나, 경학자료집성 영인본을 참조하여 '取'로 바로잡았다.

王卦辭初無是意乎. 曰伊川解此只據彖宜照天下之文而釋之. 若本義則統言處豊守中之道, 以爲占者戒[14]耳. 上六三歲不覿凶, 按卦辭曰勿憂宜日中, 彖曰天地盈虛, 與時消息, 而況於人乎. 蓋處豊之道, 貴乎守中, 而今上六所處之地, 高亢如此, 其凶也宜哉.
어떤 이가 물었다: 괘사에 "근심하지 말고 해가 중천에 있듯이 하여야 한다"는 『정전』과 『본의』가 같지 않습니다. 그렇지만 지금 「단전」을 살펴보니 "근심하지 말고 해가 중천에 있듯이 하여야 함은 마땅히 천하에 비추어야 하는 것이다"라고 하였으니, 공자는 분명히 해가 중천에서 성대히 밝아 널리 비춘다는 것으로 "해가 중천에 있듯이 하여야 한다"는 괘사의 뜻을 풀이하였고, 『정전』에서 이것을 이어받은 것은 그 말이 매우 온당한 것 같은데 지금 『본의』에서 이것을 따르지 않은 것은 어째서 입니까? 하물며 「단전」에서 말한 "해가 (중천에 있으면) 기울고" 등의 말은 공자가 문왕의 괘사에서 말 밖의 뜻을 말씀하시어 형통할 때 대처하는 경계를 다른 사람들에게 보여준 것이니, 문왕의 괘사에 처음부터 이러한 뜻이 없었겠습니까?
답하였다: 이천은 이것을 해석할 때 「단전」에서 "마땅히 천하에 비추어야 하는 것이다"에 근거하여 풀이하였습니다. 『본의』에서는 풍성함에 대처하고 알맞음을 지키는 도를 통틀어 말하여 점치는 자의 경계로 삼았을 뿐입니다. 상육에서는 "삼년이 되어도 보지 못하니, 흉하다"고 하였는데, 내가 살펴보니, 괘사에서는 "근심하지 말고 해가 중천에 있듯이 하여야 한다"고 하였고, 단전에서는 "천지가 차고 비는 것이 때에 따라 사그라지고 불어나는데, 하물며 사람에 있어서며"라고 하였습니다. 형통함에 대처하는 도는 알맞음을 지킴을 귀하게 여기는데, 지금 상육이 처한 자리는 높기가 이와 같으니, 그 흉함이 마땅할 것입니다.

김기례(金箕澧) 「역요선의강목(易要選義綱目)」

豊.
풍은.
物歸而聚, 則必成其大, 以明而動, 則足以豊大.
물건이 돌아가 모이면 반드시 그 큼을 이루고, 밝음으로 움직이면 형통하고 크게 될 수 있다.

亨.
형통하니.
明而動, 故亨道.

---

13) 戒: 경학자료집성DB와 영인본에는 '戎'으로 되어있으나, 문맥을 살펴 '戒'로 바로잡았다.
14) 戒: 경학자료집성DB와 영인본에는 '戎'으로 되어있으나, 문맥을 살펴 '戒'로 바로잡았다.

밝아서 움직이기 때문에 형통하는 도이다.

王假之.
왕이어야 이르니.
非王者, 何以極天下之豊大.
왕이 아니면 어떻게 천하의 형통하고 큼을 지극하게 하겠는가?

勿憂宜日中.
근심하지 않게 하려면 해가 중천에 있듯이 하여야 한다.
雙爲日, 故曰日中.
짝하여 해가 되기 때문에 "해가 중천에 있다"고 하였다.

○ 王者當豊盛之時, 寧不憂, 憂則當知日中則昃, 而戒於盛則衰, 而守常不失.
왕은 풍성한 때를 당하여 편안히 하여 걱정하지 말아야 하니, 걱정하면 해가 중천에 있으면 기운다는 것을 마땅히 알아야 하고, 성대하면 쇠퇴하는 것을 경계하여 일정함을 지켜 잃지 말아야 한다.

○ 王指六五.
왕은 육오효를 가리킨다.

○ 極盛者, 常人所不憂, 聖人所深憂.
지극히 성대한 것은 보통 사람들은 걱정하지 않는 것이지만 성인은 매우 걱정하는 것이다.

윤종섭(尹鍾燮) 『경(經)-역(易)』

豊之取日, 震离皆先後天日出之位, 而在後天日出於震而中於离. 折其右肱, 互兌爲折, 震反爲艮, 而在离之右.
풍괘에서 해를 취함은 진괘(☳)와 리괘(☲)가 모두 선천(先天)과 후천(後天)에서는 해가 나오는 자리이고, 후천에서는 해가 진괘에서 나와 리괘에서 중천에 있는 것에서 취하였다. "오른팔이 부러졌으니"는 호괘인 태괘(☱)가 부러짐이고, 진괘(☳)가 거꾸로 된 간괘(☶)가 손이 되며, 리괘의 오른쪽에 있는 것에서 취하였다.

심대윤(沈大允) 『주역상의점법(周易象義占法)』

威力明察, 足以服天下, 故曰亨. 其精神足以洞徹隱微, 而周遍四海, 故曰王假之. 坎爲神巽爲精, 坎爲流巽爲感通曰假, 震得乾之主爻曰王. 夫以威力明察, 服天下, 嚴而无恩, 畏而不愛. 豊之日方在東, 其明轉盛, 故卦爻多以日言之也. 以若明盛而加以憂慮, 則將復甚焉, 至於極而息矣, 故曰勿憂. 不過其明而保其明, 則大而可久, 故曰宜日中. 勿憂宜日中, 言明不可過極也.
위엄있는 힘과 밝은 통찰력으로 천하를 복종시킬 수 있기 때문에 "형통하니"라고 하였다. 그 정신은 은미함을 밝게 알아 사해에 두루하기 때문에 "왕이 이르러"라고 하였다. 감괘(☵)는 신(神), 손괘(☴)는 정(精), 감괘(☵)는 흐름[流], 손괘(☴)는 감통(感通)이므로 '이르러'라고 하였고, 진괘(☳)가 건괘의 주인 효를 얻었으므로 '왕'이라고 하였다. 위엄있는 힘과 밝은 통찰력으로 천하를 복종시키면 엄하기만 하고 은혜가 없으며, 두렵기만 하고 사랑이 없게 된다. 풍괘의 해가 동쪽에 있으면 그 밝음이 성대하게 되므로 괘와 효에서 해로써 말을 많이 하였다. 만약 성대한 밝음에 걱정과 생각을 더하면 장차 다시 심하게 되어 지극함에 이르러 쉬게 되므로 "근심하지 말고"라고 하였다. 그 밝음을 지나치게 하지 말고 그 밝음을 보존하면 크게 되어 오래 갈 수 있기 때문에 "해가 중천에 있듯이 하여야 한다"라고 하였다. "근심하지 말고 해가 중천에 있듯이 하여야 한다"는 지나치게 밝게 해서는 안 된다는 말이다.

오치기(吳致箕) 「주역경전증해(周易經傳增解)」

豊大也, 離在下震在上, 而明動相資, 所以大也. 雷電交作, 有盛大之勢, 乃豊之象也. 明動相資, 以致盛大, 故言亨. 王者至此盛大之時, 其治道宜如日之方中, 而廣照天下, 故言王假之. 勿憂宜日中, 卽戒辭也.
풍은 큼이니, 리괘(☲)가 아래에 있고 진괘(☳)가 위에 있어 밝음과 움직임이 서로 의지하여 크게 할 수 있다. 우레와 번개가 교대로 일어나 성대한 세력이 있는 것이 풍의 상이다. 밝음과 움직임이 서로 의지하여 성대함을 이루기 때문에 형통하다고 하였다. 왕은 이러한 성대한 때에 이르러 그 다스리는 도가 마땅히 해가 중천에 있듯이 하여 천하를 널리 비추기 때문에 "왕이 이르러"라고 하였다. "근심하지 말고 해가 중천에 있듯이 하여야 한다"는 경계하는 말이다.

○ 王指六五也, 假至也, 言至于盛大之時也. 勿憂言不可徒憂其不能盛大也. 六五雖得中而居尊, 以其在豊大之時, 柔失其正而明在下, 故其戒如此. 二五无應, 故不言大亨, 震失正位, 故不言貞.
왕은 육오를 가리키고, '격(假)'은 이름이니, 성대한 때에 이름을 말한다. '근심하지 말고'는 성대하지 못할 것을 한갓 걱정하지 말하는 말이다. 육오가 가운데를 얻어 높은 곳에 있으면서 형통하고 크게 되는 때에 있지만 유약함이 그 바름을 잃어 밝음이 아래에 있기 때문에 경계함이 이와 같다. 이효와 오효가 호응하지 않으므로 크게 형통하다고 말하지 않았고, 진괘(☳)가 바른 자리를 잃기 때문에 곧다고 말하지 않았다.

이진상(李震相) 『역학관규(易學管窺)』

離日在下, 未至於中也. 以明而動, 故有亨義. 爲人君者, 但當極至其道, 勿用過慮, 宜如日中之盛明廣照而已. 震爲恐懼, 故戒以勿憂. 日中, 則明之至, 宜日中者, 乃以假之爲宜也. 若日未中而預憂其過中之必具, 則終不能假之矣. 程傳以豊時爲有憂, 而日中爲無憂, 恐非本意. 朱子又謂但能守常, 不至過盛者, 亦恐未安. 彖傳日中, 則是乃發明卦辭外意.

리괘(☲)의 해가 아래에 있음은 아직 중천에 이르지 않은 것이다. 밝음으로 움직이기 때문에 형통하는 뜻이 있다. 임금은 다만 그 도를 지극하게 하여 지나치게 염려하지 말고 해가 중천에 있는 것과 같이 성대한 밝음으로 널리 비출 뿐이다. 진괘(☳)가 두려움이므로 근심하지 말라고 경계하였다. 해가 중천에 있으면 밝음이 지극한 것이니, "해가 중천에 있듯이 하여야 한다"는 해가 중천에 이름을 마땅히 여김이다. 해가 아직 중천에 이르지 않았는데 중천을 지났을 때 반드시 갖추어야 할 것을 미리 염려하면 끝내 이르지 못할 것이다. 『정전』에서는 풍성한 때에 근심을 두어야 하고, 해가 중천에 있을 때에는 근심하지 말아야한다고 여겼는데, 아마 본래의 뜻이 아닐 것이다. 주자도 "다만 일정한 도를 지켜서 지나치게 성대한 데에 이르지 않게 한다"고 하였는데 또한 아마 적절하지 않는 것 같다. 「단전」에서의 '해가 중천에 있음'은 괘사 밖의 뜻을 펴서 밝힌 것이다.

彖曰, 豊大也, 明以動, 故豊,

「단전」에서 말하였다: 풍(豊)은 큼이니, 밝음으로써 움직이므로 풍성하니,

中國大全

傳

豊者, 盛大之義. 離明而震動, 明動相資, 而成豊大也.

풍(豊)은 성대한 뜻이다. 리괘(☲)는 밝고 진괘(☳)는 움직이니, 밝음[明]과 움직임[動]이 서로 의지하여 풍성하고 큼을 이룬다.

本義

以卦德, 釋卦名義.

괘의 덕으로 괘의 이름을 풀이하였다.

小註

朱子曰, 明以動故豊, 以明心應事物, 非明則動无所之, 非動則明无所用.
주자가 말하였다: 밝음으로 움직이므로 크며, 밝은 마음으로 사물에 호응하니, 밝지 않으면 움직여도 갈 곳이 없고, 움직이지 않으면 밝아도 쓰일 곳이 없다.

‖韓國大全‖

권만(權萬) 「역설(易說)」

豊, 先天之離, 後天之震, 會於同宮爲上下體. 離雖陰而本乾體, 震雖二陰而爲陽, 卦是陽卦, 居於陽位, 陽爲大而陰爲小, 豊所以大也. 然離明而震動, 故所以爲大. 不以明而動, 則人不信從, 雖欲大得乎.
풍괘는 선천(先天)의 리괘(☲)와 후천(後天)의 진괘(☳)가 같은 궁궐에서 만나 위아래의 몸체가 된 것이다. 리괘가 음이지만 본래 건괘(☰)의 몸체이고, 진괘가 음이 둘이지만 양이며, 괘(卦)는 양의 괘이고 양의 자리에 있어 양이 크고 음이 작으므로 풍이 큰 이유이다. 그러나 리괘가 밝고 진괘가 움직이기 때문에 크게 될 수 있다. 밝음으로 움직이지 않으면 사람이 믿고 따르지 않을 것이니, 크게 하려고 하더라도 되겠는가?

유정원(柳正源) 『역해참고(易解參攷)』

正義, 動而不明, 未能光大, 資明以動, 乃能致豊, 故曰明以動故豊也.
『주역정의』에서 말하였다: 움직이는데 밝지 못함은 아직 광대하지 못함이니, 밝음에 의지하여 움직이면 형통함을 이룰 수 있기 때문에 "밝음으로써 움직이므로 풍성하니"라고 하였다.

○ 案, 明而不動, 則豊蔀豊沛, 動而不明, 則見斗見沬.
내가 살펴보았다: 밝은데 움직이지 않으면 가리개가 풍성하고 장막이 풍성하게 되며, 움직였는데도 밝지 않으면 (대낮에) 북두성을 보고 작은 별을 볼 것이다.

김상악(金相岳) 『산천역설(山天易說)』

以卦德釋卦名義. 非明則動无所之, 非動則明无所用, 惟明動相資, 以成其大也, 故名豊.
괘의 덕으로 괘의 이름을 풀이하였다. 밝지 않으면 움직여도 갈 곳이 없고, 움직임이 아니면 밝아도 쓰일 곳이 없으니, 밝음과 움직임이 서로 의지하여 그 큼을 이루므로 풍이라고 하였다.

서유신(徐有臣) 『역의의언(易義擬言)』

明以動, 所以爲豊亨也.
밝음으로 움직임이 형통하게 되는 까닭이다.

이지연(李止淵) 『주역차의(周易箚疑)』

聲之豊者, 雷也, 色之豊者, 火也. 雷動于上, 火明于下, 其爲豊可知.
소리가 풍성한 것은 우레이고, 색이 풍성한 것은 불이다. 우레가 위에서 움직이고 불이 아래에서 밝으니, 풍이 됨을 알 수 있다.

심대윤(沈大允) 『주역상의점법(周易象義占法)』

明察而有威力, 故大也.
밝게 살피는데 위력이 있기 때문에 큰 것이다.

王假之, 尙大也,

"왕이어야 이름[王假之]"은 숭상함이 큰 것이고,

中國大全

傳

王者, 有四海之廣兆民之衆, 極天下之大也, 故豊大之道, 唯王者能致之. 所有旣大, 其保之治之之道, 亦當大也. 故王者之所尙, 至大也.

왕은 넓은 사해와 많은 백성을 소유하여 천하의 큼을 지극히 하므로 풍성하고 큰 도는 왕이어야만 이룰 수 있다. 소유한 것이 이미 크니, 보존하고 다스리는 도가 또한 마땅히 커야 한다. 그러므로 왕이 숭상하는 바는 지극히 크다.

小註

朱子曰, 王假之尙大也, 只是王者至此一箇極大底時節, 所尙者, 皆大事.
주자가 말하였다: "왕이어야 이름은 숭상함이 큰 것이다"는 왕이 지극히 큰 때에 이르는 것이니, 숭상하는 것이 모두 큰 일이다.

韓國大全

권만(權萬) 「역설(易說)」

假字, 書本作各, 結而來之也, 古文易從之. 尙與上同. 大指九四, 陽爻之大也. 王指六五也, 言六五㣪九四上來助己也. 凡自下加上謂之尙, 草尙之風, 尙公主, 皆此義也.
'격(假)' 자는 서(書)에서 '㣪'으로 되어 있으니, 맺어서 온다는 말이고, 고문역(古文易)에서 그것을 따랐다. '상(尙)'은 높이다[上]와 같다. '대(大)'는 구사를 가리키는데 양효의 큰 것이다. '왕(王)'은 육오를 가리키는데 육오가 구사와 맺어 위로 와서 자신을 돕게 하는 것을 말한다. 아래에서 위를 더하는 것을 '상(尙)'이라고 하는데, "바람이 풀 위에 분다"[15], "공주를 높인다"[16]가 모두 이 뜻이다.

유정원(柳正源) 『역해참고(易解參攷)』

王氏曰, 大者王之所尙, 故至之也.
왕필이 말하였다: '큰 것'은 왕이 높이는 것이기 때문에 거기에 이른다.

○ 案, 王者之所尙, 不但土地人民之大也. 所爲者大, 如井田封建之類, 禮樂刑政之屬, 皆大也
내가 살펴보았다: 왕이 높이는 것은 토지와 백성의 큰 것뿐만이 아니다. 하는 것이 큰 것은 정전제, 봉건제, 예악형정과 같은 것이 모두 큰 것이다.

윤동규(尹東奎) 『경설(經說)-역(易)』

豊卦彖辭王假之假, 恐讀作假哉天命之假爲是. 傳曰王假之尙大也, 大卽假之之義也. 其所謂尙大二字, 正解王假之三字也. 其所以大之者, 宜如何當勿憂, 而如日尙中, 是大之道也.
풍괘 단사에서 "왕이 이르러"의 '격(假)'은 아마도 "큰 하늘의 명령[假哉天命]"[17]의 '격(假)'으로 읽는 것이 옳다. 「단전」에서 말한 "왕이어야 이름은 숭상함이 큰 것이고"에서 '대(大)'는 크게 한다는 뜻이다. '상대(尙大)' 두 글자는 바로 '왕격지(王假之)' 세 글자를 해석한 것이다. 크게 하는 까닭은 어떻게든 근심하지 말고 마치 해가 높이 중천에 있듯이 하는 것이니, 이것이 크게 하는 도이다.

---

15) 『孟子 · 藤文公 上』: 君子之德, 風也, 小人之德, 草也. 草尙之風, 必偃.
16) 『資治通鑑』 卷第二百八十: 久之, 帝以其謀告樞密直學士薛文遇, 文遇對曰, 以天子之尊, 屈身奉夷狄, 不亦辱乎. 又虜若循故事求尙公主, 何以拒之.
17) 『詩經 · 大雅』: 穆穆文王, 於緝熙敬止. 假哉天命, 有商孫子. 商之孫子, 其麗不億. 上帝旣命, 侯于周服.

勿憂宜日中, 宜照天下也.

정전 "근심하지 않게 하려면 해가 중천에 있듯이 하여야 함"은 마땅히 천하에 비추어야 하는 것이다.
본의 "근심하지 말고 해가 중천에 있듯이 하여야 함"은 마땅히 천하에 비추어야 하는 것이다.

中國大全

傳

所有旣廣, 所治旣衆, 當憂慮其不能周及, 宜如日中之盛明, 普照天下, 无所不至, 則可勿憂矣. 如是然後, 能保其豊大, 保有豊大, 豈小才小知之所能也.

소유한 것이 이미 넓고 다스려지는 것이 이미 많으면 두루 미치지 못할까 우려해야 하니, 해가 중천에서 성대하게 밝아 널리 천하를 비추어서 이르지 않는 곳이 없을 것 같으면 근심하지 않게 된다. 이와 같은 뒤라야 풍성하고 큼을 보전할 수 있으니, 풍성하고 큼을 보전함이 어찌 작은 재주와 작은 지혜로써 할 수 있는 바이겠는가?

本義

釋卦辭.

괘사(卦辭)를 풀이하였다.

小註

或問, 宜日中, 宜照天下, 人君之德, 如日之中, 乃能盡照天下否. 朱子曰, 易如此看不得, 只是如日之中, 則自然照天下, 不可將作道理解他. 日中則昃, 月盈則食, 天地盈虛, 與時消息, 而況於人乎, 況於鬼神乎. 自是如此. 物事到盛時必衰, 雖鬼神有所不能違也.
어떤 이가 물었다: '해가 중천에 있듯이 하여야 함'은 천하에 비추어야 한다는 것이니, 임금

의 덕은 해가 중천에 있는 것과 같아야 천하를 다 비출 수 있는 것이 아닙니까?
주자가 답하였다: 역은 이렇게 볼 수 없으니, 다만 해가 중천에 있는 것과 같은 것이라면 저절로 천하를 비추는 것이어서 도리로 그것을 해석할 수 없습니다. 해가 중천에 있으면 기울고 달이 차면 이지러지니, 천지가 차고 비는 것이 때에 따라 사그라지고 불어나는데, 하물며 사람에 있어서며, 하물며 귀신에 있어서이겠습니까? 저절로 이와 같을 뿐입니다. 물사(物事)가 왕성한 때에 이르면 반드시 쇠하게 되니, 비록 귀신일지라도 어길 수 없는 바가 있는 것입니다.

○ 問, 此卦後面諸爻不甚好. 曰, 是他忒豊大了. 這物事盛極, 去不得了, 必衰也. 人君於此之時, 當如捧盤水, 戰兢自持, 方无傾側滿溢之患. 若纔有纖毫驕矜自滿之心, 卽敗矣, 所以此處極難.
물었다: 이 괘 뒤의 여러 효가 매우 좋지 않음은 어째서입니까?
답하였다: 그것은 풍성하고 큼을 변질 시킨 것입니다. 사물이 극성하면 가지 못하고 반드시 쇠퇴합니다. 임금이 이러한 때에 마땅히 사발에 가득한 물을 받들 듯이 하여 전전긍긍 자신을 잡아서 기울거나 차서 넘치는 근심이 없어야 합니다. 조금이라도 교만하거나 자만하는 마음이 있으면 실패하게 되기 때문에 이곳이 매우 어려운 것입니다.

❙韓國大全❙

서유신(徐有臣)『역의의언(易義擬言)』

所尙者大, 故致豊亨也. 噬嗑變爲豊, 而震往居上, 尙大之象也. 天下匹夫匹婦, 不得其所, 亦足以召災沴, 故曰宜照天下也. 當豊之時, 四海之廣, 萬品之衆, 豈一人之可遍照哉. 明目達聰, 所以爲盛明之周普也. 日中, 六二也, 六五來章, 可以照天下也.
높이는 것이 크므로 형통함을 이룬다. 서합괘(䷔)가 위아래가 바뀌면 풍괘(䷶)가 되어 진괘(☳)가 위에 있으니, 숭상함이 큰 상이다. 천하의 모든 백성들이 자기 자리를 얻기 못하면 또한 재앙을 부르므로 "마땅히 천하에 비추어야 하는 것이다"고 하였다. 형통할 때에 사해는 넓고 만물은 많으니, 어찌 한 사람이 널리 비출 수 있겠는가? 눈과 귀가 총명함이 성대하게 밝음이 두루 미치게 되는 이유이다. "해가 중천에 있듯이"는 육이효이니, 육오가 와서 밝아 천하를 밝힐 수 있다.

심대윤(沈大允) 『주역상의점법(周易象義占法)』

尙大, 尙其威明也. 宜照天下, 言保其明而不可過極也.
"숭상함이 큰 것이고"는 그 위력 있는 밝음을 숭상하는 것이다. "마땅히 천하에 비추어야 하는 것이다"는 그 밝음을 보존하되 궁극을 지나쳐서는 안 된다는 말이다.

日中則昃, 月盈則食, 天地盈虛, 與時消息, 而況於人乎, 況於鬼神乎.

해가 중천에 있으면 기울고 달은 차면 이지러지니, 천지가 차고 비는 것이 때에 따라 사그라지고 불어나는데, 하물며 사람에 있어서며 하물며 귀신에 있어서이겠는가?

中國大全

傳

旣言豊盛之至, 復言其難常, 以爲誡也. 日中盛極, 則當昃昳, 月旣盈滿, 則有虧缺, 天地之盈虛, 尙與時消息, 況人與鬼神乎. 盈虛, 謂盛衰, 消息, 謂進退, 天地之運, 亦隨時進退也. 鬼神, 謂造化之迹, 於萬物盛衰, 可見其消息也. 於豊盛之時, 而爲此誡, 欲其守中, 不至過盛, 處豊之道, 豈易也哉.

이미 풍성하고 성대함이 지극하다고 말하고 다시 그 항상되기 어려움을 말하여 경계한 것이다. 해가 중천에 있어 성대함이 지극하면 마땅히 기울고, 달이 이미 가득 차면 이지러짐이 있으니, 천지가 차고 비는 것이 오히려 때에 따라 사그라지고 불어나는데, 하물며 사람과 귀신에게 있어서이겠는가? '차고 빔[盈虛]'은 성하고 쇠함[盛衰]을 말하며, '사그라지고 불어남[消息]'은 나아가고 물러남을 말하니, 천지의 운행이 또한 때에 따라 나아가고 물러나는 것이다. '귀신'은 조화(造化)의 자취를 말하니, 만물이 성하고 쇠함에서 그 사그라지고 불어남을 볼 수 있다. 풍성하고 성대한 때에 이러한 경계를 한 것은 중도를 지켜 지나치게 성대한 데에 이르지 않으려 함이니, 풍성함에 대처하는 도가 어찌 쉽겠는가?

本義

此, 又發明卦辭外意, 言不可過中也.

이는 또 괘사(卦辭) 밖에 있는 뜻을 밝힌 것이니, 중도를 넘어서는 안 됨을 말한다.

小註

朱子曰, 天地, 是擧其大體而言, 鬼神, 是擧其中運動變化者, 通上徹下而言, 如雨風露雷草木之類, 皆是.
주자가 말하였다: '천지'는 그 큰 몸체를 들어 말한 것이고, '귀신'은 그 가운데 움직여 변화한 것을 든 것이니, 위아래를 관통하여 말하면 비와 바람과 이슬과 우레와 풀과 나무의 부류가 모두 이것이다.

○ 豊卦彖許多言語, 其實只在日中則昃, 月盈則食, 天地盈虛, 與時消息數語上, 這盛得極, 常須謹保守得日中時候方得. 不然便是偃仆傾壞了. 又曰, 這處去危亡, 只是一間耳. 須是兢兢如捧盤水方得, 須是謙抑貶損, 方可保得. 又曰, 這便是康節所謂酩酊離披時候, 如何不憂危謹畏. 宣政間, 有以奢侈爲言者, 小人都云當豊亨豫大之時, 須是恁地侈泰方得, 所以一向放肆, 如何得不亂. 物事到盛時必衰, 雖鬼神有不能違也.
풍괘 「단전」의 허다한 말이 그 실상 "해가 중천에 있으면 기울고 달이 차면 이지러지니, 천지가 차고 비는 것이 때에 따라 사그라지고 불어난다"는 몇 마디 말에 있으니, 이 성대함이 지극함은 해가 중천에 있을 때를 항상 삼가 보전하여 지킬 수 있어야 된다. 그렇지 않으면 곧 스러지고 엎어져 무너지게 된다.
또 말하였다: 이 곳은 위태로움과 한끝 차이일 뿐이다. 모름지기 조심조심 사발의 물을 받드는 것과 같이 하여야 되니, 반드시 겸손하고 낮추어야 보전할 수 있다.
또 말하였다: 이는 곧 소강절이 이른바 만취하여 흔들리고 요동치는 때이니, 어떻게 위태로움을 근심하고 두려움에 삼가지 않겠는가? 선화(宣和) · 정화(政和) 연간에 사치한 것으로 말한 자가 있었는데, 소인들이 모두 풍요롭고 안락하며 태평스러운 때에 해당하여 모름지기 이렇게 사치해도 된다고 하니, 이 때문에 줄곧 제멋대로 하여 거리낌이 없게 되었으니, 어떻게 어지럽지 않을 수 있겠는가? 사물이 성대한 때에 이르면 반드시 쇠하니, 귀신일지라도 어길 수 없음이 있다.

○ 問, 鬼神者, 造化之迹. 然天地盈虛, 卽是造化之迹矣, 而復言鬼神, 何邪. 曰, 天地, 擧全體而言, 鬼神, 指其功用之迹, 似有人所爲者.
물었다: '귀신'이란 조화의 자취입니다. 그러나 천지가 차고 비는 것이 곧 조화의 자취인데, 다시 귀신을 말한 것은 어째서입니까?
답하였다: '천지'는 전체를 들어서 말한 것이고 '귀신'은 그 공용(功用)의 자취를 가리키니, 사람의 하는 바가 있는 것과 같습니다.

○ 瀘川毛氏曰, 豊, 大也, 亦盈也. 唯有道者, 明德若不足, . 未嘗中, 故不昃, 未嘗盈,故不食. 日新則爲大, 反是則爲盈, 知日中之宜, 則知日昃之可戒.
노천모씨가 말하였다: 풍(豊)은 큼이고 또 차는 것이다. 도가 있는 자만이 밝은 덕이 부족한 듯이 하여 아직 한 가운데가 아니기 때문에 기울지 않고, 아직 차지 않았기 때문에 이지러지지 않는다. 날로 새로워지면 크게 되고 이것을 되돌리면 차게 되는데, 해가 중천에 있는 것이 마땅한 줄을 알면 해가 기울 것을 경계해야 함을 안다.

○ 西溪李氏曰, 極弊大壞之形, 常出於豊亨豫大之後, 天地盈虛, 與時消息, 此理也. 雖天地如之, 人與鬼神, 安得而違也. 卦言宜日中, 故贊發此意而爲玩治者之戒.
서계이씨가 말하였다: 지극히 해지고 크게 무너지는 형세는 항상 풍요롭고 안락하여 태평한 이후에 나오니, 천지가 차고 비는 것이 때에 따라 사그라지고 불어나는 것이 이 이치이다. 비록 천지일지라도 그와 같은데 사람과 귀신이 어떻게 어길 수 있겠는가? 괘에서 "해가 중천에 있듯이 해야 한다"고 말했기 때문에 이 뜻을 칭찬하여 드러내 태평에 빠진 자의 경계를 삼았다.

○ 雲峯胡氏曰, 盈虛消息, 唯剝與豊言之. 剝則君子之道, 已消而虛, 故有息之幾, 豊則天下之勢, 已息而盈, 故有消之幾. 天地鬼神, 乾卦後唯謙與豊言之. 謙則有虛, 可以持盈, 豊則自盈, 必至於虛, 此固天地鬼神之常理也. 此本義所謂不可過乎中者也.
운봉호씨가 말하였다: 차고 비며 사그라지고 불어남은 박괘(剝卦䷖)와 풍괘(豊卦䷶)에서만 말하였다. 박괘는 군자의 도가 이미 사그라져서 비었기 때문에 불어나는 조짐이 있으며, 풍괘는 천하의 형세가 이미 불어나서 찼기 때문에 사그라지는 조짐이 있다. 천지와 귀신은 건괘(乾卦) 이후로 겸괘(謙卦䷎)와 풍괘에서만 말하였다. 겸괘는 비움이 있어 채울 수 있고 풍괘는 저절로 차서 반드시 빈 데에 이르니, 이것은 진실로 천지와 귀신의 항상된 도리이다. 이것이 『본의』에서 이른바 "중도를 넘어서는 안 된다"는 것이다.

‖韓國大全‖

송시열(宋時烈)『역설(易說)』

象, 日昃以下, 推演示戒天地人思亦皆消息, 況其餘萬物之豊多者乎.

「단전」의 "해가 (중천에 있으면) 기울고" 이하는 하늘과 땅, 그리고 사람의 생각 또한 사그라지고 불어난다는 것을 미루고 헤아려 경계를 보인 것이니, 하물며 그 나머지 풍성하고 많은 만물이겠는가!

조호익(曺好益) 『역상설(易象說)』

日離象, 月似體坎象. 天上二爻, 地下二爻, 人中二爻, 鬼指陰爻, 神指陽爻.
'해'는 리괘(☲)의 상이고, '달'은 감괘(☵)를 몸체로 한 듯하다. '하늘'은 위의 두 효이고, '땅'는 아래의 두 효이며, '사람'은 가운데의 두 효이다. '귀(鬼)'는 음의 효를 가리키고, '신(神)'은 양의 효를 가리킨다.

권만(權萬) 「역설(易說)」

日中則昃, 言離也, 月盈則食, 指震也. 震本坤體, 而得乾之一陽, 有似乎太陰之月交太陽之精而食. 昃, 古文作稷.
"해가 중천에 있으면 기울고"는 리괘(☲)를 말한 것이고, "달은 차면 이지러지니"는 진괘(☳)를 말한 것이다. 진(震)은 본래 곤괘(坤卦)의 몸체이지만 건괘의 한 양을 얻어 마치 태음의 달이 태양의 정기와 사귀어 이지러지는 것과 같다. '측(昃)'은 고문에 '직(稷)'으로 되어 있다.

○ 天地盈虛, 言离本乾天, 而得坤之中畫, 故虛, 震本坤地, 而得乾之初畫, 故實, 實則有虛之漸焉.
"천지가 차고 비는 것"은 리괘가 본래 건괘의 하늘이지만 곤괘의 가운데 획을 얻었으므로 비었고, 진괘가 본래 곤괘의 땅이지만 건괘의 첫 획을 얻었으므로 가득하니, 가득함은 빈 것이 점차적으로 차오른 것이다.

○ 與時消息, 言乾得陰時消, 坤得陽時息, 皆就乾坤离震之交而言之也.
"때에 따라 사그라지고 불어나는데"는 건이 음을 얻은 때에는 사그라지고, 곤이 양을 얻은 때에는 불어나는 것을 말하는데, 모두 건과 곤, 리와 진이 사귀는 것에 나아가 말한 것이다.

○ 而況於人乎而況於鬼神乎, 由中女長男而言, 則人也, 由乾之屈而爲离, 坤之伸而爲震而言, 則亦鬼神之屈伸往來也. 此等處, 皆欲一一開釋如此者, 近於舛錯. 然易取象之書, 聖人未嘗汎然措辭, 學者宜究解得及此, 而勿爲纏繞可也.
"하물며 사람에 있어서며 하물며 귀신에 있어서이겠는가?"는 둘째 딸과 맏아들로 말하면,

사람이고, 건이 굽혀져 리가 되며 곤이 펴져 진이 되는 것으로 말하면, 또한 귀신이 굽히고 펴고 가고 오는 것이다. 이러한 것들을 모두 하나하나 이와 같이 해석하는 것은 천착에 가깝다. 그렇지만 역은 상을 취하는 글로 성인이 일찍이 범범하게 글을 붙이지는 않았으니, 배우는 자는 연구하고 풀어서 여기까지 미쳐야 하나 얽어매지 말아야 한다.

유정원(柳正源) 『역해참고(易解參攷)』

厚齋馮氏曰, 卦本乾下坤上, 乾之九自二往四, 坤之六自四來二, 則乾中虛而坤下盈, 天地盈虛之象也. 六二在下卦人位, 人也, 九四在上卦陰位, 鬼也, 爻陽, 神也.
후재풍씨가 말하였다: 괘는 본래 건괘가 아래이고 곤괘가 위인데, 건괘의 구(九)가 이효에서 사효로 가고, 곤괘의 육(六)이 사효에서 이효로 오면 건괘는 가운데가 비고 곤괘는 아래가 차게 되니, 천지가 차고 비는 상이다. 육이는 아래 괘에서 사람의 자리에 있으므로 사람이고, 구사는 위의 괘에서 음의 자리에 있으므로 귀(鬼)이고, 양(陽)의 효이므로 신(神)이다.

김상악(金相岳) 『산천역설(山天易說)』

日月, 坎離也. 東坡蘇氏曰, 離日見兌西昃象, 坎月見兌毁食象.
해와 달은 감괘(☵)와 리괘(☲)의 상이다. 동파소씨가 말하였다: 리(離)의 해가 태(兌)의 서쪽에서 보이는 것이 기우는 상이고, 감(坎)의 달이 태(兌)의 이지러지는 곳에서 보이는 것이 월식의 상이다.

김규오(金奎五) 「독역기의(讀易記疑)」

彖日中則昃云云, 本義以爲卦辭外義, 而卦辭宜日中, 本義旣以不至過盛爲解, 則卦辭之意, 自是日昃月缺之意, 若以傳言則可矣.
「단전」에서 "해가 중천에 있으면 기울고"를 『본의』에서는 괘사 밖에 있는 뜻이라고 여겼고, 괘사에서 "해가 중천에 있듯이 하여야 한다"를 『본의』에서 이미 "지나치게 성대한 데에 이르지 않게 한다"로 해석하였는데, 괘사의 뜻은 본래 해가 기울고 달이 이지러지는 뜻이어서 「단전」의 뜻으로 말하면 좋을 것이다.

서유신(徐有臣) 『역의의언(易義擬言)』

日中者, 日軌之中也. 天之正中, 則日行之所不至也. 月與日正相望, 則極盈而必食焉.

其不食者, 躔度少差, 而有毫分不盈也, 人之目力不省而以爲盈也. 未正中而便退, 未極盈而遜避, 其爲挹損之義乎. 惟其昃矣, 所以來日復中也. 惟其虧矣, 所以來月復盈也. 天地之道, 有時乎虛, 有時乎消, 所以復盈復息也, 況於人於鬼神, 可無履滿知懼與時偕行之道乎.
"해가 중천에 있음"은 해가 지나가는 한가운데이다. 하늘의 한가운데는 해가 가서 이를 수 없는 곳이다. 달과 해는 정면으로 서로 보면 아주 가득 차서 반드시 가려진다. 가려지지 않는 것은 궤도가 조금 어긋나서 약간 차지 않은 부분이 있기 때문인데, 사람의 시력으로는 살피지 못해서 가득 차 있다고 여긴다. 한 가운데에 가지 않았는데도 바로 물러나고 아주 가득 차지 않았는데 사양하여 피하니, 아마도 겸손한 의미일 것이다. 기울어 졌기 때문에 오는 해가 다시 중천에 있게 되고, 이지러졌기 때문에 오는 달이 다시 차게 된다. 천지의 도는 비고 사그라지는 때가 있기 때문에 다시 차고 불어나는 것이니, 하물며 사람과 귀신에게 가득 차면 두려워할 줄 알아 때에 맞추어 함께 행하는 도가 없겠는가?

윤행임(尹行恁) 『신호수필(新湖隨筆)·역(易)』

豊者大也, 雷火相合, 文明之極也. 大往則小來, 明往則暗來, 故曰天地盈虛, 與時消息. 君子當其時, 雖安而思危, 雖治而慮患, 無至於日中見沫, 而發其蔀, 祛其疑, 則所以永豊之道也.
풍은 큼이니, 우레와 불이 서로 합하여 지극히 문채가 밝다. 큰 것이 가면 작은 것이 오고, 밝음이 가면 어둠이 오기 때문에 "천지가 차고 비는 것이 때에 따라 사그라지고 불어나는데"라고 하였다. 군자는 그 때에 편안하더라도 위태로움을 생각하고, 다스려지더라도 환란을 근심하여 "대낮에도 작은 별을 보는데"에 이르지 말아야 하며, 가리개를 걷고 그 의심스러움을 제거함이 길이 풍성한 도이다.

강엄(康儼) 『주역(周易)』

彖傳曰, 中則昃, 月盈則食.
「단전」에서 말하였다: 해가 중천에 있으면 기울고 달은 차면 이지러진다.

按, 日中則昃, 而卦辭云宜日中, 何也. 蓋日无恒中之理, 中則必至於昃, 蓋盛極當衰之象也. 是以聖人於豊大之時, 凡所施爲謹守常分, 不使至於過盛, 則其豊大之業久, 而不喪如日之方中而未至於昃也. 此聖人盡人事回天運之道, 如堯舜禹三聖相承, 歷年幾二百年, 而其治如一者, 以其知日中必昃之理, 而戒謹恐懼, 以操夫日中不昃之柄也.

내가 살펴보았다: "해가 중천에 있으면 기울고"라고 하였는데, 괘사에서는 "해가 중천에 있듯이 하여야 한다"라고 한 것은 어째서 입니까? 해가 항상 중천에 있는 이치는 없어서 중천에 있으면 반드시 저물게 되니, 지극히 성대하면 당연히 쇠퇴하는 상이다. 그래서 성인이 형통함이 큰 때에 시행하면서 일정한 분수를 삼가 지켜 지나치게 성대한 데에 이르지 않게 하면 형통함이 큰 업적이 오래가게 되어 해가 중천에 있음을 잃지 않고 기우는데 이르지 않을 것이다. 이것이 성인이 인사를 다하고 하늘의 운행의 도를 되돌려 마치 요·순·우 세 성인이 서로 계승하기를 몇 백년 하였지만 그 다스림이 한결같은 것은 해가 중천에 있으면 반드시 기우는 이치를 알아 경계하고 삼가고 두려워하여 해가 중천에 있지만 기울지 않는 근본을 잡았기 때문이다.

김기례(金箕澧) 「역요선의강목(易要選義綱目)」

天地以全體言, 鬼神以功用言, 蓋消息之理, 天地鬼神之所不能違也.
천지는 전체로 말한 것이고, 귀신은 공용으로 말한 것이니, 사그라지고 불어나는 이치는 천지와 귀신이 어길 수 없는 것이다.

심대윤(沈大允) 『주역상의점법(周易象義占法)』

言明過極則息也. 旣言天地, 又言鬼神, 於人言之後, 則鬼神非程子所謂造化之迹明矣. 天地造化, 豈可分言乎. 單言天地, 而造化在其中矣, 單言造化, 而天地包之矣, 分言則天地爲空殼, 而造化无根着矣, 況以人隔間而分別之哉. 且天地盈虛, 非造化而何.
밝음이 너무 지나치면 그친다는 말이다. 이미 천지를 말하고, 또 귀신을 말하고, 사람에 대해서는 뒤에 말하였으니, 귀신은 정자가 말한 조화의 자취가 아닌 것이 확실하다. 천지와 조화를 어찌 나누어 말할 수 있겠는가? 천지만 말해도 조화가 그 가운데 있고, 조화만 말해도 천지가 거기에 포함되어 있으며, 나누어 말하면 천지는 빈 껍질이고, 조화는 뿌리 없이 붙어 있는 것이니, 하물며 사람으로 사이를 떼어 나누어 다르게 하겠는가? 천지가 차고 비는 것이 조화가 아니면 무엇이겠는가?

旣言造化, 而又言鬼神之消息盈虛者, 何. 朱子又曰, 天地, 擧全體而言, 鬼神, 指功用之迹. 然則全體之消息盈虛, 功用之消息盈虛, 亦有不同而分言之耶. 人生於天地, 鬼神生於人, 人天地之形也, 鬼神人之氣也.
이미 조화를 말하고 또 귀신이 사그라지고 불어나며 차고 비는 것을 말한 것은 어째서 입니까? 주자가 또 답하였다: 천지는 전체를 들어서 말한 것이고, 귀신은 공용(功用)의 흔적을 가리킨 것입니다. 그렇다면 전체의 사그라지고 불어나며 차고 비는 것과 공용의 사그라지고 불어나며 차고 비는 것이 또한 같지 않음이 있어 나누어 말한 것이겠습니까? 사람은 천지에서 생기고, 귀신은 사람에게서 생기니, 사람은 천지의 형체이고, 귀신의 사람의 기운입니다.
〈氣太極也, 人兩儀也, 鬼神四象也, 三極之道也.
기는 태극이고, 사람은 양의이고, 귀신은 사상이니, 삼극(三極)의 도이다.〉

오치기(吳致箕)「주역경전증해(周易經傳增解)」

此以卦德釋卦名義及卦辭也. 明動相資, 而成豊大, 故王至此盛大之時, 其治道之所尙極大, 當勿憂其不能盛大. 惟戒盛極則必衰, 常如日之方中, 然後保豊大之業矣. 終又極言天地盈虛之運, 日月傾虧之理, 雖以人神而不能違, 以明盛大之道, 不可過中而致衰也.
이것은 괘의 덕으로 괘의 이름, 괘의 말을 해석한 것이다. 밝음과 움직임이 서로 의지하여 형통하고 큼을 이루므로 왕이 이러한 성대한 때에 이르러 다스리는 도가 높이는 것이 지극이 크니, 성대하지 못할 것을 근심하지 말아야 한다. 성대함이 지극하면 반드시 쇠퇴함을 경계해야 할 뿐이니, 항상 해가 중천에 있듯이 한 이후에 형통하고 큰 사업을 보존할 수 있다. 끝에서 또한 천지가 차고 비는 운행과 해와 달이 기울고 이지러지는 이치를 비록 사람과 귀신이라도 어길 수 없음을 심하게 말하여 성대한 도는 알맞음을 지나쳐서 쇠퇴함을 이루어서는 안 됨을 밝혔다.

이진상(李震相)『역학관규(易學管窺)』

明以致豊, 王道之至也. 勿憂爲有厚坎而戒其心憂也. 離明在下, 故宜日中. 離若在上, 則旡是辭矣.
밝음이 형통함을 이룸은 왕도의 지극함이다. "근심하지 말고"는 '두터운 감괘[䷜]'여서 그 마음의 근심을 경계하라는 것이다. 리괘의 밝음이 아래에 있으므로 해가 중천에 있듯이 하여야 하는 것이다. 리괘가 만약 위에 있으면 이러한 말이 없을 것이다.

최세학(崔世鶴) 주역단전괘변설(周易彖傳卦變說)」

豊彖曰, 勿憂宜日中, 照天下也. 日中則昃, 月盈則食, 天地盈虛, 與時消息.
풍괘「단전」에서 말하였다: "근심하지 말고 해가 중천에 있듯이 하여야 함"은 마땅히 천하에 비추어야 하는 것이다. 해가 중천에 있으면 기울고 달이 차면 이지러진다.

豊, 泰之二體變也, 二與四二爻爲主, 故象以日中日昃言之. 否二來居於下體之中, 爲日中之象, 而否四往居於上體之下, 爲動之主. 日旣中而纔動, 則必昃, 故宜日中, 戒其昃也.
풍괘(䷶)는 태괘(䷊)의 두 몸체가 변한 것으로 이효와 사효가 주인이기 때문에 「단전」에서 해가 중천에 있고, 해가 기운다고 말하였다. 비괘(䷋)의 이효가 아래 몸체의 가운데에 오면 해가 중천에 있는 상이 되고, 비괘의 사효가 위 몸체의 아래에 가면 움직임의 주인이 된다. 해가 이미 중천에 왔는데 움직이면 반드시 기우므로 "해가 중천에 있듯이 하여야 한다"라고 하여 기우는 것을 경계하였다.

이병헌(李炳憲) 『역경금문고통론(易經今文考通論)』

姚信曰, 假大也.
요신이 말하였다: '격(假)'은 큼이다.

干曰, 坎宮陰世在五, 以其宜中, 而憂其側也. 勿憂者, 勸勉之言也.
간보가 말하였다: 감궁(坎宮)인 음의 세상이 오효에 있어 중앙을 마땅하게 여겨 그 기움을 걱정한다. "근심하지 말고"는 권면하는 말이다.

鄭曰, 言皆有休已无常盛也.
정현이 말하였다: 모두 그치는 때가 있고 항상 성대하지는 않다는 말이다.

按, 王假之而尙大, 則懼以時中, 故無昃食之憂也. 漸之居德善俗, 歸妹之永終知敝, 已功成治定尙. 恐人情狂於安逸, 故繼以豊旅之刑獄, 猶上經臨觀之保民設敎, 以後繼之以噬嗑賁也.
내가 살펴보았다: 왕이 이르러 숭상함이 크면 두려워 때에 맞게 하므로 기울거나 이지러지는 근심이 없다. 점괘 「상전」의 "덕에 머물며 풍속을 선하게 했다"[18]와 귀매괘 「상전」의 "끝을 영구하게 하여 사물에 무너짐이 있음을 안다"[19]에서 이미 높게 공이 이루어지고 다스림이 안정됨을 알 수 있다. 아마 사람은 안일함에 골몰하기 때문에 풍괘와 여괘의 옥사와 형벌로 이었으니, 「주역 상경」의 림괘와 관괘에서 백성을 보존하고 가르침을 베푼 이후에 서합괘와 비괘로 이은 것과 같다.

---

18) 『周易 · 漸卦』: 象曰, 山上有木漸, 君子以, 居賢德, 善俗.
19) 『周易 · 歸妹卦』: 象曰, 澤上有雷, 歸妹, 君子以, 永終, 知敝.

象曰, 雷電皆至, 豐, 君子以, 折獄致刑.

「상전」에서 말하였다: 우레와 번개가 모두 이르는 것이 풍(豐)이니, 군자가 그것을 본받아서 옥사를 결단하고 형벌을 집행한다.

中國大全

傳

雷電皆至, 明震竝行也, 二體相合, 故云皆至. 明動相資, 成豐之象, 離, 明也, 照察之象, 震, 動也, 威斷之象. 折獄者, 必照其情實, 唯明克允, 致刑者, 以威於姦惡, 唯斷乃成. 故君子觀雷電明動之象, 以折獄致刑也. 噬嗑言先王飭法, 豐言君子折獄, 以明在上而麗於威震, 王者之事, 故爲制刑立法, 以明在下而麗於威震, 君子之用, 故爲折獄致刑. 旅, 明在上而云君子者, 旅取愼用刑與不留獄, 君子皆當然也.

우레(☳)와 번개(☲)가 모두 이르는 것은 밝음과 진동함이 함께 행하는 것이니, 두 몸체가 서로 합했기 때문에 "모두 이른다[皆至]"고 하였다. 밝음[明]과 움직임[動]이 서로 의지하여 풍성한 상을 이루니, 리괘(☲)는 밝음이어서 비추어 살피는 상이고, 진괘(☳)는 움직임이어서 위엄으로 결단하는 상이다. '옥사를 결단[折獄]함'은 반드시 그 실정을 비추어 밝아야만 믿을 수 있고, '형벌을 집행함[致刑]'은 간악한 자에게 위엄으로써 대하여 결단하여야만 이루어진다. 그러므로 군자가 우레와 번개의 밝고 움직이는 상을 살펴서 옥사를 결단하고 형벌을 집행하는 것이다. 서합괘(噬嗑卦䷔)에서 선왕이 법을 삼감을 말하였고, 풍괘(豐卦䷶)에서는 군자가 옥사를 결단함을 말했으니, 밝음으로 위에 있어 위엄을 떨치는 데 걸려 있음은 왕의 일이기 때문에 형벌을 만들고 법을 세우는 것이 되고, 밝음으로 아래에 있어 위엄을 떨치는 데 걸려 있음은 군자의 쓰임이기 때문에 옥사를 결단하고 형벌을 집행하는 것이 된다. 려괘(旅卦䷷)는 밝음이 위에 있는데도 군자라고 말한 것은 려괘가 형벌을 쓰는 데 신중하고 옥사를 지체하지 않는 뜻을 취한 것이니, 군자가 모두 그렇게 하여야 한다.

本義

取其威照竝行之象.

그 위엄과 비춤이 함께 행해지는 상을 취하였다.

小註

或問, 雷電噬嗑與雷電豊亦一同. 朱子曰, 噬嗑, 明在上, 是明得事理, 先立這法在此, 未有犯底人. 留待異時之用, 故云明罰勅法. 豊, 威在上, 明在下, 是用這法時, 須是明見下情曲折方得. 不然威動於上, 必有過錯也, 故云折獄致刑, 此是伊川之意, 其說極好.
어떤 이가 물었다: 우레와 번개가 서합괘(噬嗑卦䷔)가 된 것과 우레와 번개가 풍괘(豊卦䷶)가 된 것이 또한 한 가지로 같은 것입니까?
주자가 답하였다: 서합괘는 밝음이 위에 있어 사리를 밝힐 수 있는 것이니, 여기에서 먼저 이 법을 세움에 범하는 사람이 아직 없습니다. 다른 때에 쓰이기를 기다리기 때문에 "벌을 밝히고 법을 신칙한다"고 하였습니다. 풍괘는 위엄이 위에 있고 밝음이 아래에 있어 이 법을 쓰는 때이니, 모름지기 아랫사람의 곡진한 정상(情狀)을 밝게 보아야된다. 그렇게 하지 않으면 위엄이 위에서 움직여 반드시 지나쳐 어긋남이 있으므로 "옥사를 결단하고 형벌을 집행한다"고 하였으니, 이는 이천의 뜻으로 그 설명이 매우 좋습니다.

○ 節齋蔡氏曰, 折獄, 離明象. 致刑, 震懼象. 震者, 陽破陰. 刑者, 君子所以懼小人.
절재채씨가 말하였다: '옥사를 결단함'은 리괘(☲)의 밝은 상이다. '형벌을 집행함'은 진괘(☳)의 두려워하는 상이다. 진괘는 양이 음을 깨뜨리는 것이다. '형벌[刑]'은 군자가 소인을 두렵게 하는 까닭이다.

○ 雲峯胡氏曰, 折獄, 象電之照, 致刑, 象雷之威, 威照竝行, 象雷電皆至.
운봉호씨가 말하였다: '옥사를 결단함'은 번개가 비추는 것을 형상하고 '형벌을 집행함'은 우레의 위엄을 형상하니, 위엄과 비춤이 함께 행해짐은 우레와 번개가 모두 이르는 것을 형상한다.

○ 蘭氏廷瑞曰, 折者, 折衷其至當之理, 致者, 自此而致之於彼.
난정서가 말하였다: '결단한다[折]'는 것은 그 지극히 당연한 이치로 절충하는 것이고, '집행한다[致]'는 것은 이로부터 저것에 이르게 하는 것이다.

○ 中溪張氏曰, 君子體電之明, 可以折斷獄情, 體雷之威, 可以致用刑殺, 苟威至而明不至, 則片言何以折獄, 明至而威不至, 則姑息何以致刑, 必威明皆至, 而後可以成豐亨之功.
중계장씨가 말하였다: 군자가 번개의 밝음을 체득하여 옥사의 정상(情狀)을 결단할 수 있고, 우레의 위엄을 체득하여 형살(刑殺)의 씀을 이룰 수 있으니, 진실로 위엄은 지극한데 밝음이 지극하지 못하면 치우친 말로 어떻게 옥사를 결단할 수 있을 것이며, 밝음은 지극한데 위엄이 지극하지 못하다면 고식(姑息)적인 것으로 어떻게 형벌을 집행할 수 있겠는가? 반드시 위엄과 밝음이 모두 지극한 뒤에 풍성함의 공(功)을 이룰 수 있다.

韓國大全

송시열(宋時烈) 『역설(易說)』

大象. 變火言雷. 以明天之震曜. 而獄刑者. 君子之所以則天而震曜也. 震爲剛健決躁折獄之象, 離爲戈兵致刑之象也, 與噬嗑略同, 說見噬嗑註.
「대상전」에서 불[火]을 우레[雷]로 바꾸어 말하여 하늘이 벼락치며 번쩍이는 것을 밝혔고, 옥사와 형벌은 군자가 하늘을 본받아 벼락치고 빛나는 것이다. 진괘(☳)는 강건함이 빠르게 옥사를 결단하는 상이고, 리괘(☲)는 무기로 형벌을 집행하는 상이니, 서합괘와 대략 같고, 설명은 서합괘 주석에 있다.

이만부(李萬敷) 「역통(易統)·역대상편람(易大象便覽)·잡서변(雜書辨)」

臣謹按, 程朱之意, 噬嗑先明後威, 是爲預明罰, 而先勑法以待用者, 豐先威後明, 是爲方用刑, 而明察其情者, 嗑與豐之所以不同也.
신이 삼가 살펴보았습니다: 정자와 주자의 뜻은 서합괘는 밝음을 먼저하고 위엄을 뒤로 하여 미리 형벌을 밝힌 것으로 먼저 법을 바루어서 쓰임을 기다린 것이고, 풍괘는 위엄을 먼저 하고 밝음을 뒤로 하여 장차 형벌을 쓰려는 것으로 그 진실을 밝게 살피는 것이니, 서합괘와 풍괘가 같지 않은 이유입니다.

이익(李瀷) 『역경질서(易經疾書)』

電雷噬嗑, 先電而後雷, 雷之遠者也, 可以明罰而飭法也. 雷電皆至, 謂同時俱至, 雷之近者也. 折獄在斯, 致刑在斯, 當斷, 不斷亦害事.
번개와 우레인 서합괘(䷔)는 번개가 먼저이고 우레가 뒤라서 우레가 먼 것으로 형벌을 밝히고 법령을 정비할 수 있다. "우레와 번개가 모두 이르는 것"은 동시에 모두 이른다는 것으로 우레가 가까운 것이다. 옥사를 결단하고 형벌을 집행함이 여기에 있어 결단해야 하는데 결단하지 않음도 일을 해치는 것이다.

유정원(柳正源) 『역해참고(易解參攷)』

梁山來氏曰, 始而問獄之時, 法電之明, 以折其獄, 是非曲直必得其情, 終而定刑之時, 法雷之威, 以定其刑輕重大小, 必當其罪.
양산래씨가 말하였다: 처음에 송사를 문초할 때 번개의 밝음을 본받아 옥사를 결단하여 시비와 곡직이 반드시 그 실제를 얻게 하고, 끝에 형벌을 정할 때 우레의 위엄을 본받아 형벌의 경중과 대소를 정하여 반드시 그 죄에 합당하게 한다.

김상악(金相岳) 『산천역설(山天易說)』

雷電皆至, 明威竝行也. 折獄者, 離之明也, 致刑者, 震之威也. 蘇氏所謂雷電相遇, 必及刑獄是也.
"우레와 번개가 모두 이르는 것"은 밝음과 위엄이 함께 행하는 것이다. "옥사를 결단하고"는 리괘의 밝음이고, "형벌을 집행한다"는 진괘의 위엄이다. 소씨가 말한 우레와 번개가 서로 만나면 반드시 형벌과 옥사에 이른다는 것이 이것이다.

서유신(徐有臣) 『역의의언(易義擬言)』

雷電皆至, 則盛大矣, 折獄, 離之明也, 致刑, 震之威也. 折之於己, 內卦之象, 致之於人, 外卦之象.
"우레와 번개가 모두 이르는 것"은 성대한 것이고, "옥사를 결단하고"는 리괘의 밝음이고, "형벌을 집행한다"는 진괘의 위엄이다. 자기에게서 결단함은 내괘의 상이고, 다른 사람에게 집행함은 외괘의 상이다.

박제가(朴齊家) 『주역(周易)』

大象, 折獄致刑.
「대상전」에서 말하였다: 옥사를 결단하고 형벌을 집행한다.

朱子曰, 噬嗑明在上, 是明得事理, 先立這法在此, 未有犯底人, 留待異時之用, 故云明罰勑法. 豊威在上, 明在下, 是用底法時, 須是明見下情曲折方得. 不然, 威動於上, 必有過錯也. 此是伊川之意, 其說極好. 然則噬嗑之初與上, 不可謂受刑, 乃校而已將刑者矣.
주자가 말하였다: 서합(噬嗑)은 밝음이 위에 있으니, 이는 사리(事理)를 밝히려면 먼저 법이 여기에서 확립되어, 범법자가 아직 있지 않더라도 다른 때에 쓰임을 기다려야 하므로 "형벌을 밝히고 법령을 정비하였다[明罰勑法]"[20]고 한 것이다. 풍(豊)은 위엄이 위에 있고 밝음이 아래에 있으니, 이는 법을 사용할 때 모름지기 아랫사람의 진실과 사정을 밝게 살펴보아야 한다. 그렇지 않으면 위에서 위엄이 움직여 반드시 그 잘못이 있게 된다. 이것이 정이천의 뜻으로 설명이 아주 좋다. 그렇다면 서합괘의 초효와 상구효는 형벌을 받는 것이라고 할 수 없고 형틀을 채워서 장차 형벌을 집행할 자이다.

이지연(李止淵) 『주역차의(周易箚疑)』

以威臨上而以明照下.
위엄으로 위에 임하고 밝음으로 아래를 비춘다.

김기례(金箕澧) 「역요선의강목(易要選義綱目)」

君子以折獄致刑.
군자가 그것을 본받아 옥사를 결단하고 형벌을 집행한다.

威明而察刑獄, 无有姑息折而斷.
위엄과 밝음으로 형벌과 옥사를 살펴야 임시방편으로 옥사를 결단함이 없을 것이다.

허전(許傳) 「역고(易考)」

豊, 乃噬嗑之反對卦也, 俱有明威之象, 故噬嗑曰利用獄, 豊曰折獄致刑. 然噬嗑離明在上, 故言明其獄情, 豊震威在上, 故竝言用刑. 然亦先折衷於獄情, 然後致愼於用刑也.
풍괘(䷶)는 서합괘(䷔)와 위아래가 바뀐 괘로 모두 밝음과 위엄의 상이 있으므로 서합괘에서는 "옥을 쓰는 것이 이롭다"고 하였고, 풍괘에서는 "옥사를 결단하고 형벌을 집행한다"고 하였다. 그러나 서합괘는 리괘(☲)의 밝음이 위에 있으므로 옥사의 진실을 밝힌다고 하였고,

20) 『周易 · 噬嗑卦』: 象曰, 雷電噬嗑, 先王以, 明罰勑法.

풍괘는 진괘(☳)의 위엄이 위에 있으므로 "형벌을 쓴다"고 아울러 말하였다. 그러나 또한 옥사의 진실을 먼저 절충한 이후에 형벌을 쓰는데 신중할 수 있다.

심대윤(沈大允) 『주역상의점법(周易象義占法)』

雷電一時竝至者, 霹靂之象, 君子見其威明俱大, 以斷獄施刑也.
우레와 번개가 한꺼번에 함께 이르는 것은 벼락의 상으로, 군자는 그 위엄과 밝음이 모두 큰 것을 보아서 옥사를 결단하고 형벌을 시행한다.

오치기(吳致箕) 「주역경전증해(周易經傳增解)」

明震竝行, 而二體相合, 故言皆至, 而明動相資, 成豊大之象. 明以照察, 動以威斷, 故君子觀其象, 以折獄致刑, 詳見程傳.
밝음과 벼락이 함께 행해져서 두 몸체가 서로 합하므로 "모두 이르는 것"이라고 하였으니, 밝음과 움직임이 서로 의지하여 형통하고 큰 것을 이루는 상이다. 밝음은 비춤으로 살피고, 움직임은 위엄으로 결단하므로 군자는 그 상을 보아서 옥사를 결단하고 형벌을 집행하는 것이니, 『정전』에서 자세하게 보인다.

이진상(李震相) 『역학관규(易學管窺)』

坎爲眚爲盜, 離爲獄, 震爲刑. 折者離之明, 致者震之威也.
감괘(☵)는 허물이 되고, 도둑이 되며, 리괘(☲)는 옥사가 되고, 진괘(☳)는 형벌이 된다. 결단함은 리괘의 밝음이고, 집행함은 진괘의 위엄이다.

이병헌(李炳憲) 『역경금문고통론(易經今文考通論)』

按, 火逢雷, 則必曰電也.
내가 살펴보았다: 불이 우레를 만나면 반드시 번개라고 한다.

初九, 遇其配主, 雖旬, 无咎, 往, 有尙.

초구는 짝이 되는 주인을 만나되 비록 똑같으나 허물이 없으니, 가면 가상(嘉尙)함이 있을 것이다.

中國大全

傳

雷電皆至, 成豊之象, 明動相資, 致豊之道. 非明, 无以照, 非動, 无以行, 相須猶形影, 相資猶表裏. 初九, 明之初, 九四, 動之初, 宜相須以成其用. 故雖旬而相應, 位則相應, 用則相資, 故初謂四爲配主, 己所配也. 配雖匹稱, 然就之者也, 如配天以配君子. 故初於四云配, 四於初云夷也. 雖旬无咎, 旬, 均也. 天下之相應者, 常非均敵, 如陰之應陽, 柔之從剛, 下之附上, 敵則安肯相從. 唯豊之初四, 其用則相資, 其應則相成, 故雖均是陽剛, 相從而无過咎也. 蓋非明則動无所之, 非動則明无所用, 相資而成用. 同舟則吳越一心, 共難則仇怨協力, 事勢使然也. 往而相從, 則能成其豊, 故云有尙, 有可嘉尙也. 在他卦, 則不相下而離隙矣.

우레와 번개가 모두 이르니 풍성한 상을 이루고, 밝음과 움직임이 서로 의지하니 풍성한 도를 이룬다. 밝음이 아니면 비출 수 없고 움직임이 아니면 행할 수 없으니, 서로 따르는 것이 형체와 그림자 같고, 서로 의지하는 것이 겉과 속이 되는 것과 같다. 초구는 밝음(☲)의 처음이고 구사는 움직임(☳)의 처음이니, 마땅히 서로 따라 그 쓰임을 이룬다. 그러므로 비록 똑같으나 서로 호응하니, 자리는 서로 호응하고 쓰임은 서로 의지하므로 초효가 사효를 짝이 되는 주인이라고 말했으니, 자기의 짝이 되는 것이다. 짝[配]은 비록 배필로 걸맞지만 그에게 나아가는 자이니, 하늘에 짝하는 것과 같이 군자를 짝하는 것이다. 그러므로 초효가 사효에 대하여 '짝'이라고 말하고, 사효는 초효에 대하여 '대등하다[夷]'고 말했다. '비록 똑같으나 허물이 없으니[雖旬无咎]'에서의 '똑같음[旬]'은 균등함이다. 천하에 서로 호응하는 것은 항상 균등하게 맞서지는 않으니, 예컨대 음이 양에 호응하고 부드러움[柔]이 굳셈[剛]을 따르며 아랫사람이 윗사람에게 붙는 것이 맞서는 것이라면 어찌 기꺼이 서로 따르겠는가? 풍괘(豊卦䷶)의 초효와 사효만이 그 쓰임은 서로 의지하고 그 호응은 서로 이루어주므로 비록 똑같이 굳센 양이지만 서로 따르고 허물이 없다. 밝음이 아니면 움직임이 갈 곳이 없고 움직임이 아니면 밝음이 쓰일 곳이 없으니, 서로 의지하여 씀을 이룬다. 배를 함께 타면 오(吳)나라와 월(越)나라가 한 마음이 되고, 난리를 함께 하면 원수라도 협력함은 일의 형세가 그렇게 만드는 것이다. 가서 서로 따르면 풍성함을 이룰 수 있으므로 "가상함이 있다[有尙]"고 말했으니, 아름답게 칭찬할 만한 것이 있는 것이다. 다른 괘에 있어서는 서로 낮추지 못하여 헤어지고 틈이 있다.

本義

配主, 謂四, 旬, 均也, 謂皆陽也. 當豊之時, 明動相資, 故初九之遇九四, 雖皆陽剛, 而其占如此也.

'짝이 되는 주인[配主]'은 사효를 이르고 '똑같음[旬]'은 균등함이니, 모두가 양임을 말한다. 풍성한 때를 당하여 밝음과 움직임이 서로 의지하므로 초구가 구사를 만남에 비록 모두 굳센 양이지만 그 점이 이와 같다.

小註

或問, 動非明, 則无所之, 明非動, 則无所用. 朱子曰, 徒行不明, 則行无所向, 冥行而已, 徒明不行, 則明无所用, 空明而已.

어떤 이가 물었다: 움직임은 밝음이 아니면 갈 곳이 없고, 밝음은 움직임이 아니면 쓰일 곳이 없다는 것은 무슨 뜻입니까?

주자가 답하였다: 한갓 행하기만 하고 밝지 못하면 행함에 향하는 곳이 없어서 어둡게 행할 뿐이며, 한갓 밝기만 하고 행하지 못하면 밝음이 쓰일 곳이 없어서 헛되이 밝을 뿐이다.

○ 節齋蔡氏曰, 初四, 爻皆剛則相敵, 理勢之常也. 唯豊盛之時, 事物至多, 其明易惑, 故以剛明同德而相遇, 雖均无咎. 往有尙, 謂應四也.

절재채씨가 말하였다: 초효와 사효는 효가 모두 굳센 양이니 서로 대적함은 이치의 형세가 항상 그런 것이다. 풍성하고 성대한 때엔 사물이 지극히 많아 그 밝음이 쉽게 미혹되기 때문에 굳세고 밝음으로 덕을 같이하여 서로 만나니, 비록 균등하나 허물이 없다. '가면 가상함이 있음'은 사효에 호응함을 말한다.

○ 雲峯胡氏曰, 初不言豊, 初未至豊也. 五亦不言豊者, 陰虛歉然, 方賴在下之助, 不知有其豊也. 凡卦爻取剛柔相應, 豊則取明動相資. 初當離體之初, 四在震體之初, 同德而相遇, 雖兩陽之勢均敵, 往而從之, 非特无咎, 且有尙矣. 或曰, 離納己, 震納庚, 至己十日爲旬.

운봉호씨가 말하였다: 초효에서 풍성함을 말하지 않은 것은 초효가 아직 풍성함에 이르지

않았기 때문이다. 오효에서도 풍성함을 말하지 않은 것은 음이 비어 부족하고 아래에 있는 도움에 의지해서는 그 풍성함이 있음을 알지 못하기 때문이다. 괘의 효가 굳센 양과 부드러운 음이 서로 호응함을 취하는데, 풍괘는 밝음과 움직임이 서로 의지함을 취한다. 초효는 리괘(☲) 몸체의 처음에 해당하고 사효는 진괘(☳) 몸체의 처음에 있어 덕을 같이하여 서로 만나니, 비록 두 양의 형세가 균등하게 맞서지만 초효가 가서 따르니, 다만 허물이 없을 뿐만이 아니라 또한 가상함이 있다.
어떤 이가 말하였다: 리괘(離卦)의 납갑(納甲)은 기(己)이고 진(震)의 납갑은 경(庚)이니, 경(庚)에서 기(己)까지 십일에 이른 것이 순(旬)이다.

韓國大全

조호익(曺好益) 『역상설(易象說)』

初九, 遇其配主, 雖旬.
초구는 짝이 되는 주인을 만나되 비록 똑같으나.

初四相應之位, 故曰配. 初指四爲主, 四指初爲主, 各因本爻爲義. 初四皆陽故曰旬.
초효와 사효는 서로 호응하는 자리이므로 '짝이 되는[配]'이라고 한 것이다. 초효는 사효를 가리켜 주인으로 삼고, 사효는 초효를 가리켜 주인으로 삼았으니, 각각 본래 효로 인하여 뜻으로 삼았다. 초효와 사효는 모두 양효이므로 '똑같으나[旬]'라고 한 것이다.

송시열(宋時烈) 『역설(易說)』

初九配主, 指九四也. 配者, 配合也, 主者, 正應也. 與九四爻辭互看, 以下配上, 故曰配, 自上視下, 故曰夷. 雖旬者, 言雖十日之久, 亦无咎. 旬傳云均也. 以陽遇陽, 果均是陽爻, 而小象過旬, 亦以過均看者, 似欠, 未知如何. 蓋震納庚离納己, 自庚至己十日爲旬說者, 或有取焉. 來氏所謂文王以一日言, 周公以十日言者耶. 日之數終於十, 以旬字看, 然後小象過旬灾之義, 似明. 往有尙者. 言往從九四, 四爲同德相應, 當萬物豊多之時, 初能以類相求, 其事有可尙也.
초구의 "짝이 되는 주인"은 구사효를 가리킨다. '짝함'은 짝지어 만남이고, '주인'은 정응(正應)이다. 구사효의 효사와 함께 보면 아래에서 위로 짝하기 때문에 '짝함[配]'이라고 하였고,

위에서 아래로 보기 때문에 '대등하다[夷]'고 하였다. "비록 똑같으나"는 십일이라는 오랫동안이지만 또한 허물이 없다는 말이다. '똑같음[旬]'은 『정전』에서 균등함이라고 하였다. 양이 양을 만나면 같은 양효인데 「소상전」에서 "대등함을 지나면[過旬]"이라고 하였으니, 또한 균등함을 지나친 것으로 보는 것은 뭔가 부족한 것 같은데 어떤지 잘 모르겠다. 진(震卦)의 납갑(納甲)은 경(庚)이고, 리(離卦)의 납갑(納甲)은 기(己)인데, 경(庚)에서 기(己)까지 십일을 '순[旬]'이라고 하였으니, 혹 취할만하다. 래씨가 말한 문왕은 하루로 말하였고, 주공은 십일로 말한 것이겠는가? 날짜는 십에서 마치는데 '순(旬)'이라는 글자로 본 이후에 「소상전」의 "대등함이 지나면 재앙이 있으리라"는 뜻이 분명할 듯하다. "가면 가상함이 있을 것이다"는 가서 구사효를 따름은 사효가 같은 덕으로 서로 호응하기 때문으로 만물이 풍부한 때에 애초에 같은 종류는 서로 구하니, 그 일을 높일만하다는 말이다.

이익(李瀷) 『역경질서(易經疾書)』

初與四位也, 位有定象, 九與六數也, 數有迭値. 以位則初與四爲配, 上者應也, 以數則九與九爲夷, 夷等也. 位以上爲尊, 故四爲初主, 數以始爲本, 故初九爲九四之主. 然則初爲四之夷主, 四爲初之配主也. 十日爲旬, 卦以日之中晨爲況, 則知旬之爲數日也. 凡卦例以上下卦則三也, 遍歷而復則七也. 又進一位則八也, 至應爻則十也, 如自姤至復則七也, 自臨至否則八也. 陽則稱日, 陰則稱月, 亦其例也. 如屯二者, 以屯爲義, 故始不婚媾, 十年乃字, 亦遍歷而後至於五也. 此皆可證再遇則可遇, 此亦爲灾也. 當與諸卦互考, 遇其配主, 遇九四也. 雖旬旡咎, 歷六位而再遇也. 卦以豊盛爲義, 故再遇而旡咎也.
초효와 사효는 자리로 자리에는 정한 상이 있고, 구와 육은 수로 수에는 번갈아 만남이 있다. 자리로 보면 초효와 사효가 짝함은 위가 호응함이고, 수로 보면 구와 구가 대등함이 되므로 대등함이다. 자리는 위를 높은 것으로 여기므로 사효가 초효의 주인이 되고, 수는 시작을 근본으로 여기므로 초구가 구사의 주인이 된다. 그렇다면 초효가 사효의 대등한 주인이고, 사효는 초효와 짝하는 주인이다. 10일이 순(旬)이므로 괘에서 해가 중천에 있거나 새벽에 있음을 비교하면 순(旬)이 며칠이 되는지 알 수 있다. 괘의 예에서 위와 아래 괘로 보면 셋이고, 두루 거쳐 다시 돌아가면 일곱이다. 또 한 자리 더 나아가면 여덟이고, 호응하는 효에 이르면 열이니, 구괘(姤卦)에서 복괘(復卦)까지가 일곱이고, 림괘(臨卦)에서 비괘(否卦)까지가 여덟이다. 양에서는 해를 말하고, 음에서는 달을 말하는 것이 그 예이다. 준괘(屯卦) 이효는 어려움을 뜻으로 여기므로 처음에는 혼인하지 않다가 십년이 되어서 시집가니, 또한 두루 거친 이후에 오효에 이른 것이다. 이는 모두 두 번 만나면 만날 수 있음을 증명하는 것으로 이것도 재앙이 될 수 있다. 여러 괘를 서로 고찰해 보아야 하니, "짝이 되는 주인을 만나되"는 구사효를 만나는 것이다. "비록 똑같은 양이나 허물이 없으니"는 여섯 자리를 거쳐서 다시 만남이다. 괘는 풍성함을 뜻으로 여기므로 다시 만나도 허물이 없다.

심조(沈潮) 「역상차론(易象箚論)」

離納己, 震納庚, 故配字從己從酉, 又雜坤己也, 互兌酉也. 旬從日者离也, 主震帝也.
리괘(離卦)의 납갑(納甲)은 기(己)이고, 진괘(震卦)의 납갑(納甲)은 경(庚)이므로 '배(配)' 자는 '유(酉)' 부수에 '기(己)'를 더한 것이고, 곤(坤)에 섞여 있는 것이 '기(己)'이며, 호괘인 태(兌)가 유(酉)이다. '순(旬)' 자가 '일(日)'를 가진 것이 리괘(☲)이고, 주인은 진괘(☳)의 제왕이다.

유정원(柳正源) 『역해참고(易解參攷)』

沙隨程氏曰, 八卦離直午數, 至震直卯, 適滿十數, 故云旬.
사수정씨가 말하였다: 팔괘(八卦)에서 리괘(離卦)는 오(午) 방향의 수를 만나고 진괘(震卦)에 이르러 묘(卯)를 만나 십의 수를 채우므로 '순(旬)'이라고 하였다.
○ 梁山來氏曰, 因宜日中一句, 故爻辭皆以日言. 文王象豊, 以一日象之, 故曰勿憂宜日中. 周公象豊, 以十月象之, 故曰旬无咎. 十日爲一旬, 言初之豊, 以一月論, 已一旬也, 言正豊之時也.
양산래씨가 말하였다: "해가 중천에 있듯이 하여야 한다"는 한 구절 때문에 효사에서 모두 해로써 말하였다. 문왕이 풍괘를 상징할 때는 하루로써 형상하였기 때문에 "근심하지 말고 해가 중천에 있듯이 하여야 한다"고 하였고, 주공이 풍괘를 상징할 때에는 10일을 한 달로나누어 형상하였기 때문에 "똑같으나 허물이 없으니"라고 하였다. 십일이 한 순(旬)임은 초효의 풍성함을 말하고, 한 달로써 논한 것도 한 순(旬)이니, 바로 풍성한 때를 말한다.

○ 案. 配, 猶言合也, 大凡朋友之相交, 或以道義而相合, 或以志氣而相合. 初之於四, 以其剛德之相合也. 主者, 主人也, 初目四爲主人, 四目初爲主人.
내가 살펴보았다: '짝[配]'은 합함이라고 말하는 것과 같으니, 벗이 서로 사귈 때 혹 도의로 서로 합하고 혹 지기(志氣)로 서로 합한다. 초효가 사효에게서 그 강한 덕으로 서로 합하는 것이다. '주(主)'는 주인이니, 초효가 사효를 주인으로 지목하고, 사효가 초효를 주인으로 지목하는 것이다.

김상악(金相岳) 『산천역설(山天易說)』

配主謂四也. 十日爲旬. 初九居離之下, 應震之初, 明動相資, 而旬爲一月之初, 未過于中, 故无咎. 又比二之明, 往合于五, 則有可尙之功矣.

"짝이 되는 주인"은 사효를 말한다. 십일이 순(旬)이다. 초구가 리괘(☲)의 아래에 있고 진괘(☳)의 초효와 호응하니, 밝음과 움직임이 서로 의지하여 똑같이 한 달의 초가 되어 가운데를 아직 지나치지 않았기 때문에 "허물이 없다." 또 이효의 밝음이 가까이 있으나 오효와 합하면 가상할만한 공이 있을 것이다.

○ 凡易中言遇者, 皆相配之卦也. 離震相遇, 故言配. 初上偶於四, 故云配主. 四下就於初, 故云夷主. 離納己, 震納庚, 自庚至己, 旬之象. 以爻言, 初爲上旬, 二爲中旬, 三爲下旬也. 雖旬无咎, 卽宜日中之義也. 上六則處卦之極, 故三歲不覿而凶也. 往有尙者, 雖有配主之遇, 二爲文明之主, 合來章之五, 故從二而往則有尙也.
『주역』 가운데 만남을 말한 것은 모두 서로 짝이 되는 괘이다. 리괘(☲)와 진괘(☳)가 서로 만나기 때문에 '짝[配]'라고 하였다. 초효가 위로 사효와 짝하기 때문에 "짝이 되는 주인"이라고 하였다. 사효는 아래로 초효에 나아가기 때문에 "대등한 상대[夷主]"라고 하였다. 리괘의 납갑은 기(己)이고 진괘의 납갑은 경(庚)으로 경(庚)에서 기(己)까지가 순(旬)의 상이다. 효로써 말하면 초효는 상순(上旬)이고, 이효는 중순(中旬)이고, 삼효는 하순(下旬)이다. "비록 똑같으나 허물이 없으니"는 "해가 중천에 있듯이 하여야 한다"는 뜻이다. 상육은 괘의 맨 위에 처하였기 때문에 "삼년이 되어도 보지 못하니, 흉하다"고 하였다. "가면 가상함이 있을 것이다"는 비록 짝이 되는 주인과의 만남이 있더라도 이효가 문명의 주인으로 "빛난 것을 오게" 하는 오효와 합치기 때문에 이효를 따라 가면 가상함이 있을 것이다.

서유신(徐有臣) 『역의의언(易義擬言)』

雷電, 必相合者, 故九四爲配主也. 相遇, 所以成其豊也. 初九猶朔日, 九四爲旬日也. 十爲盈數, 得無豊大之懼乎. 一旬而已, 則猶不爲過, 故无咎也. 明動相資, 往而有功也.
'우레와 번개'는 반드시 서로 합하기 때문에 구사가 "짝이 되는 주인"이 된다. 서로 만나기 때문에 풍성함을 이룬다. 초구는 초하루와 같고, 구사는 십일이 된다. 십이 가득 찬 수이니, 풍성하고 큰 것에 대한 두려움이 없겠는가? 십일뿐이면 오히려 지나침이 되지 않기 때문에 허물이 없다. 밝음과 움직임이 서로 의지하여 가서 공이 있다.

강엄(康儼) 『주역(周易)』

按, 睽之初九曰, 喪馬勿逐自復, 九四曰, 遇元夫交孚. 豊之初四相求, 與睽初四相似. 睽乖之時, 固當以同德相求, 而豊盛之時, 又何用相求哉.[21] 蓋豊大之業, 必待明動相

21) 哉: 경학자료집성DB에는 '㦸'으로 되어있으나, 경학자료집성 영인본을 참조하여 '哉'로 바로잡았다.

資而後成, 此初九九四所以不容不相求者也. 且以豊大旣致之後言之, 暗君在上, 將旡以保其日中之治, 則君子於此尤當汲引同德之士, 以左右其君, 使天下之豊, 旡至於傾壞. 古之聖賢事暗君, 而求同德者多矣. 故於初九勉其往有尙, 於九四許其遇夷主, 雖與睽乖之時不同, 而其不可不相求之義, 與睽旡以異也.
내가 살펴보았다: 규괘 초구에서 "말을 잃고 쫓지 않아도 스스로 돌아오니"[22]라고 하였고, 구사에서 "착한 남편을 만나 서로 믿으니"[23]라고 하였다. 풍괘의 초효와 사효가 서로 구하는 것이 규괘의 초효와 사효와 서로 비슷하다. 어긋나고 어그러지는 때에는 같은 덕으로 서로 구해야 하니, 풍성한 때에도 어찌 서로 구함을 쓰지 않겠는가? 풍성하고 큰 사업은 반드시 밝음과 움직임을 서로 의지함을 기다린 이후에 이루어지니, 이는 초구와 육사가 서로 구하지 않을 수 없는 까닭이다. 또한 풍성하고 큰 것을 이미 이룬 이후로 말하면 어두운 임금이 위에 있어 장차 그 해가 중천에 있는 다스림을 보존하지 못하면 군자는 이에 더욱 마땅히 같은 덕의 선비를 끌어당기어 임금을 도와서 천하의 풍성함을 기울어지고 무너지는데 이르지 않게 해야 한다. 옛날 성현들은 어두운 임금을 섬기면서 같은 덕을 구한 이가 많았다. 그러므로 초구에서는 "가면 가상함이 있을 것이다"라고 힘쓰게 하였고, 구사에서는 "대등한 상대를 만나는" 것을 허용하였으니, 비록 어긋나고 어그러지는 때는 같지 않으나 서로 구하지 않으면 안 되는 뜻은 규괘와 다르지 않다.

이지연(李止淵) 『주역차의(周易箚疑)』

明者, 每欲以明勝人, 故但以旡咎系之, 不云吉.
밝은 이는 매번 밝음으로 다른 사람을 이기려 들기 때문에 다만 "허물이 없다"라고 하고 길하다고 하지 않았다.

김기례(金箕澧) 「역요선의강목(易要選義綱目)」

四以同德而應, 故曰配主, 主陽也. 豊盛之時, 以同剛相遇明而動, 故雖勻旡咎, 往從四也, 上友也.
사효는 같은 덕으로 호응하므로 "짝이 되는 주인"이라고 하였으니, 양을 주인으로 삼는 것이다. 풍성한 때에는 같은 굳셈으로 서로 만나 밝고 움직이기 때문에 비록 똑같이 허물이 없지만 가서 사효를 따르니, 위로 벗하는 것이다.

---

22) 『周易 · 睽卦』: 初九, 悔亡, 喪馬, 勿逐, 自復, 見惡人, 旡咎.
23) 『周易 · 睽卦』: 九四, 睽孤, 遇元夫, 交孚, 厲旡咎.

○ 震初爲主, 故震多謂主.
진괘(☳)는 초효가 주인이 되므로 진괘에 '주인'을 많이 말하였다.

심대윤(沈大允) 『주역상의점법(周易象義占法)』

豊之義, 察奸蔽罪也. 察奸以明, 蔽罪以威, 明以燭之, 威以行之. 程子云, 明動相資, 善矣. 夫威必藉於上, 明必藉於下. 豊之爲卦, 下离明而上震威, 威明之相資, 猶雷電皆至, 故豊之六爻, 雖同物而亦取應也. 噬嗑議獄也, 豊斷獄也. 六爻大略相類, 豊之爻位, 居剛用其威明也, 居柔霽威息明也.
풍의 뜻은 간사함을 살피고 죄를 막는 것이다. 밝음으로 간사함을 살피고, 위엄으로 죄를 막는 것이니, 밝음으로 밝히고 위엄으로 행하는 것이다. 정자가 "밝음과 움직임이 서로 의지한다"고 했으니, 좋다. 위엄은 반드시 위에 의지하고 밝음은 반드시 아래에 의지하여야 한다. 풍괘는 아래의 리괘(☲)는 밝고 위의 진괘(☳)는 위엄 있어 위엄과 밝음이 서로 의지함은 "우레와 번개가 모두 이르는 것"과 같으므로 풍괘의 여섯 효가 비록 같은 것이지만 또한 호응을 취하였다. 서합괘(䷔)는 옥사를 의론하고 풍괘는 옥사를 결단한다. 여섯 효가 대략 서로 비슷하지만 풍괘의 효의 자리는 굳셈에 있으면 그 위엄과 밝음을 사용하고, 부드러움에 있으면 위엄과 밝음을 쉰다.

豊之小過䷽, 過而不至於有迹也. 初九以剛居剛, 以剛明之才, 用其威明, 與四爲應. 雖有三之隔, 而尙藉以有威, 故曰遇其配主. 遇者離而得合也. 巽爲遇配, 言威明之相配而爲用也. 初與四爲乾之主爻, 故曰主, 初處卑而易慢, 居初而未極, 雖若小過而无咎. 旬, 猶彖之言日中也, 極而未過也. 离日震動, 有昨去明來之象, 离互坎有晝夜之象, 故以旬言也. 离二震八合而爲十, 以是而往則可大, 故曰往有尙. 下進從于上而得威, 上延問于下而得明, 故初二言往, 五言來, 初言配四言夷也.
풍괘가 소과괘(䷽)로 바뀌었으니, 지나치지만 흔적이 있음에 이르지 않은 것이다. 초구는 굳셈으로 굳센 자리에 있어 굳세고 밝은 재주로 그 위엄과 밝음을 사용하여 사효와 호응한다. 비록 세 효가 떨어져 있지만 높이고 의지하여 위엄이 있기 때문에 "짝이 되는 주인을 만나되"라고 하였다. '만남'은 떨어져 있지만 합하는 것이다. 손괘(☴)가 만나는 짝이니, 위엄과 밝음으로 서로 짝이 되어 쓰임이 된다는 말이다. 초효와 사효가 건괘의 주인 효가 되므로 '주인'이라고 하였고, 초효가 낮은 데 처하여 게으르기 쉽고 처음에 있어 아직 지극하여 않아 비록 작은 잘못이 있더라도 허물은 없을 것이다. '순(旬)'은 「단전」에서 말한 "해가 중천에 있음"이니, 지극하지만 아직 지나치지는 않음이다. 리괘(☲)의 해와 진괘(☳)의 움직임에 어제가 지나가고 밝음이 오는 상이 있고, 리괘(☲)의 호괘인 감괘(☵)에 낮과 밤의 상이 있으므로 '순

(旬)'이라고 하였다. 리괘(☲)의 2와 진괘(☳)의 8이 합하여 10이 되어 이것으로 가면 크게 될 수 있으므로 "가면 가상함이 있을 것이다"라고 하였다. 아래가 나아가서 위를 따르면 위엄을 얻고, 위가 이끌어 아래에게 물으면 밝음을 얻으므로 초효와 이효에서 '가다[往]'를 말하고, 오효에서는 '오다[來]'를 말하며, 초효에서는 '짝[配]'을, 사효에서는 '대등함[夷]'을 말하였다.

오치기(吳致箕) 「주역경전증해(周易經傳增解)」

初九剛明得正, 而應九四之剛, 故爲遇其配主之象, 而以剛應剛, 均之爲剛, 雖若有咎, 然在豊之時, 明動相資, 可以有濟, 故言雖旬[24]而无咎, 以此道往則有功也.
초구가 굳센 밝음으로 바름을 얻어 구사의 굳셈과 호응하기 때문에 "짝이 되는 주인을 만나는" 상이 되고, 굳셈으로 굳셈에 호응하여 같이 굳셈이 되어 비록 허물이 있을 것 같으나 풍성한 때에 밝음과 움직임이 서로 의지하여 구제할 수 있으므로 "비록 똑같으나 허물이 없으니"라고 하였으니, 이 도로 가면 공이 있을 것이다.

○ 初爲明之始, 四爲動之始, 而居當應之地, 故曰配曰主, 而初謂四曰配主, 四謂初曰夷主也. 旬者均也, 尙謂功也.
초효는 밝음의 시작이고, 사효는 움직임의 시작인데, 마땅히 호응하는 자리에 있기 때문에 '짝', '주인'이라고 하였고, 초효는 사효를 "짝이 되는 주인"이라고 하였고, 사효는 초효를 "대등한 주인"이라고 하였다. '순(旬)'은 균등함이고, '상(尙)'은 공을 말한다.

이용구(李容九) 「역주해선(易註解選)」

豊初九, 傳曰同舟則吳越一心, 共難則仇怨協心.
풍괘 초구 『정전』에서 말하였다: 배를 함께 타면 오나라와 월나라가 한 마음이 되고, 어려움을 함께 하면 원수라도 협력한다.

이병헌(李炳憲) 『역경금문고통론(易經今文考通論)』

配主指四而言, 旬蓋周甲之數言. 文王雖爲配命之主, 往尙有功, 而不能久於殷廷也.
"짝이 되는 주인"은 사효를 가리켜 말한 것이고, '순(旬)'은 대개 10인 천간(天干)의 수를 모두 도는 수인 10을 말한다. 문왕이 천명에 짝이 되는 주인이어서 가면 가상하여 공이 있겠지만 은나라 조정에서는 오래갈 수 없었다.

---

24) 旬: 경학자료집성DB와 영인본에는 '均'으로 되어있으나, 문맥과 중국대전을 참조하여 '旬'으로 바로잡았다.

象曰, 雖旬无咎, 過旬, 災也.

「상전」에서 말하였다: 비록 똑같은 양(陽)이나 허물이 없으니, 대등함을 지나면 재앙이 있으리라.

中國大全

傳

聖人, 因時而處宜, 隨事而順理, 夫勢均則不相下者, 常理也. 然有雖敵而相資者, 則相求也, 初四是也. 所以雖旬而无咎也. 與人同而力均者, 在乎降己以相求, 協力以從事, 若懷先己之私, 有加上之意, 則患當至矣, 故曰過旬災也. 均而先己, 是過旬也, 一求勝, 則不能同矣.

성인은 때에 따라 마땅하게 대처하고 일에 따라 이치를 따르니, 형세가 균등하면 서로 낮추지 못하는 것이 항상된 이치이다. 그러나 비록 대적하더라도 서로 의지할 경우에는 서로 구함이 있으니, 초효와 사효가 이것이다. 이 때문에 비록 똑같더라도 허물이 없다. 남과 함께 하면서 힘이 균등한 경우에는 자신을 낮추어 서로 구하고 협력하여 일에 따르는 데 달려 있으니, 자기의 사사로움을 먼저 하려는 마음을 품고 올라타려는 뜻이 있으면 환난(患難)이 마땅히 이르므로 "대등함을 지나면 재앙이 있다" 고 말하였다. 균등한데도 자신을 먼저 함이 대등함을 지남이니, 한번이라도 이기기를 구하면 함께 할 수 없다.

本義

戒占者, 不可求勝其配, 亦爻辭外意.

점치는 자가 그 짝을 이기기를 구하지 말라고 경계한 것이니, 또한 효사(爻辭) 밖에 있는 뜻이다.

小註

建安丘氏曰, 兩剛相遇, 勢已均等, 不可復過矣. 過則偏勝之患生, 是有災也. 初爻位俱陽, 德盛於四, 倘或過旬, 能无災乎.
건안구씨가 말하였다: 굳센 두 양이 서로 만나니 형세가 이미 균등하여 다시 지나칠 수 없다. 지나치면 한쪽이 이기는 근심이 생겨나니 재앙이 있는 것이다. 초효는 효와 자리가 모두 양이어서 덕이 사효보다 성대한데, 오히려 혹 균등함을 지나치면 재앙이 없을 수 있겠는가?

○ 雲峯胡氏曰, 需九三致寇至, 而象曰敬愼不敗也, 本義以爲占外之占. 豊初九曰雖旬无咎, 而象曰過旬災也, 本義以爲爻辭外意. 蓋旬則配而與之均, 過旬則勝而出其上, 處豊之下而有欲上人之心, 可乎哉.
운봉호씨가 말하였다: 수괘(需卦䷄)의 구삼은 도적이 옴을 이루고 「상전」에서 "공경하고 삼가면 패망치 않는다"고 하였는데, 『본의』에서는 점 밖의 숨은 점이라고 여겼다. 풍괘(豊卦䷶) 초구에서 "비록 똑 같으나 허물이 없다"고 하였고 「상전」에서 "대등함을 지나면 재앙이 있다"고 하였는데, 『본의』에서 "효사 밖에 있는 뜻"이라고 여겼다. 대체로 똑 같으면 짝하여 더불어 균등한데, 똑 같음을 지나면 이겨 그 위로 나오니, 풍괘의 아래에 있으면서 남의 위에 있고자 하는 마음이 있다면, 옳을 수 있겠는가?

韓國大全

조호익(曺好益) 『역상설(易象說)』

因雲峯, 離納己, 震納庚, 至己十日爲旬之說推之, 凡相求之道, 速則合, 緩則睽. 十者數之終, 僅能无咎而已, 過則有災必矣.
운봉호씨의 "리괘(離卦)의 납갑(納甲)은 기(己)이고 진괘(震卦)의 납갑은 경(庚)이니, 경(庚)에서 기(己)까지 십일에 이르는 것이 순(旬)이다"는 설명으로 인하여 미루어 보면, 무릇 서로 구하는 도는 빠르면 합해지고 느슨하면 등진다. 십(十)은 숫자의 끝이어서 겨우 허물이 없을 뿐이니, 지나치면 반드시 재앙이 있게 된다.

유정원(柳正源) 『역해참고(易解參攷)』

正義, 勢若不均, 則相傾奪. 旣相傾奪, 則爭競乃興, 而相違背, 災咎至焉, 故曰過旬災也.
『주역정의』에서 말하였다: 세력이 만약 같지 않으면 서로 기울거나 싸우게 되고, 이미 서로 기울거나 싸웠다면 다툼이 일어나서 서로 어기거나 등지게 되어 재앙이 이르게 되므로 "대등함이 지나면 재앙이 있으리라"고 하였다.

김상악(金相岳) 『산천역설(山天易說)』

過旬之災, 言盛極必衰也. 窮大者, 必失其居, 故旅初亦言災.

"대등함을 지나면 재앙이 있으리라"는 지극히 성대하면 반드시 쇠퇴한다는 말이다. 큼을 끝까지 하는 자는 반드시 그 자리를 잃기 때문에 려괘(旅卦䷷) 초효에서도 재앙을 말하였다.

서유신(徐有臣) 『역의의언(易義擬言)』

過旬則過中, 豊太盛而爲灾也.

"대등함을 지나치면" 중도를 지나가고, 풍성함이 너무 성대하면 재앙이 된다.

김기례(金箕澧) 「역요선의강목(易要選義綱目)」

處下者自卑, 則匀而爲配, 若恃剛而求勝,[25] 欲上於人則災.

아래에 있는 자가 스스로 낮추면 균등해져 짝이 될 수 있고, 만약 굳셈을 믿고 이기기를 구하여 다른 사람보다 위에 오르려고 하면 재앙이 생긴다.

오치기(吳致箕) 「주역경전증해(周易經傳增解)」

明有餘而動或不足, 動有餘而明或不足, 則爲過旬而災也.

밝음은 아주 넉넉한데 움직임이 혹 부족하고, 움직임은 아주 넉넉한데 밝음이 혹 부족하면 "대등함을 지나면 재앙이 있으리라"가 된다.

이진상(李震相) 『역학관규(易學管窺)』

今之數程途者, 有由旬之稱. 蓋欲遇配主, 雖費旬日, 固所當往, 自離之卯數到震之丑, 恰滿十日. 若過旬, 則動極而生失, 震六之征匈是已. 以一日論, 則日中爲豊之至 以一月論, 則旬爲豊之時. 日之言旬, 猶月之言望也. 旬之訓均可通, 而但象言過旬處, 終似硬了.

---

25) 勝: 경학자료집성DB와 영인본에는 '謄'으로 되어 있으나, 문맥을 살펴 '勝'으로 바로 잡았다.

요즘 숫자 헤아리는 방법에는 십단위로 재는 법이 있다. 짝이 되는 주인을 만나려고 하면 비록 10일 걸리더라도 진실로 가는 것이 당연하니, 리괘(☲)의 묘(卯)의 수에서 진괘(☳)의 축(丑)까지가 10일을 꽉 채운다. 만약 "대등함을 지나면" 움직임이 지극하여 잘못이 생기니, 진괘(䷲) 상육에서 "가면 흉하다"[26]는 것이 이것이다. 하루로써 논하면 해가 중천에 있음이 풍성함의 지극함이고, 한 달로써 논하면 10일이 풍성한 때이다. 해에서 10일을 말함은 달에서 보름을 말하는 것과 같다. '순(旬)'은 균등함이라고 새겨도 통하지만 「소상전」에서 "대등함을 지나면"이라고 말한 것만은 끝내 무리인 것 같다.

26) 『周易·震卦』: 上六, 震, 索索, 視, 矍矍, 征, 凶. 震不于其躬, 于其鄰, 无咎, 婚媾, 有言.

六二, 豊其蔀, 日中見斗, 往, 得疑疾, 有孚發若, 吉.

육이는 가리개[蔀]가 풍성하여 대낮에도 북두성을 보며, 가면 의심과 미움을 얻으리니, 믿음을 갖고 감동하여 분발하면 길하리라.

中國大全

傳

明動相資, 乃能成豊. 二爲明之主, 又得中正, 可謂明者也, 而五在正應之地, 陰柔不正, 非能動者. 二五雖皆陰, 而在明動相資之時, 居相應之地, 五才不足, 旣其應之才不足資, 則獨明不能成豊, 旣不能成豊, 則喪其明功, 故爲豊其蔀. 日中見斗, 二, 至明之才, 以所應不足與, 而不能成其豊, 喪其明功. 无明功, 則爲昏暗, 故云見斗. 斗, 昏見者也. 蔀, 周匝之義, 用障蔽之物, 掩晦於明者也. 斗, 屬陰而主運平, 象五以陰柔而當君位. 日中盛明之時, 乃見斗, 猶豊大之時, 乃遇柔弱之主. 斗以昏見, 言見斗, 則是明喪而暗矣. 二雖至明中正之才, 所遇乃柔暗不正之君, 旣不能下求於己. 若往求之, 則反得疑猜忌疾, 暗主如是也. 然則如之何而可. 夫君子之事上也, 不得其心, 則盡其至誠, 以感發其志意而已. 苟誠意能動, 則雖昏蒙可開也, 雖柔弱可輔也, 雖不正可正也, 古人之事庸君常主, 而克行其道者, 己之誠意, 上達而君見信之篤耳, 管仲之相桓公, 孔明之輔後主, 是也. 若能以誠信, 發其志意, 則得行其道, 乃爲吉也.

밝음과 움직임이 서로 의지하여야 풍성함을 이룰 수 있다. 이효는 밝음의 주인이 되고 또 중정을 얻었으니, 밝은 자라고 이를 만하다. 그런데 오효는 정응의 자리에 있지만 유약한 음으로 바르지 못하니, 움직일 수 있는 자가 아니다. 이효와 오효가 비록 모두 음이나 밝음과 움직임이 서로 의지하는 때에 있고 서로 호응하는 곳에 있는데 오효의 재주가 부족하여 이미 그 호응의 재주를 거의 의지할 수 없다면 밝음만으로는 풍성함을 이룰 수 없고, 이미 풍성함을 이룰 수 없다면 밝음의 공(功)을 잃으므로 그 가리개가 풍성하게 된다. "대낮에도 북두성을 본다"는 것은 이효가 지극히 밝은 재주이지만 호응하는 바가 거의 함께할 수 없고 풍성함을 이룰 수 없어 밝음의 공(功)을 상실하였다. 밝음의 공이 없으면 어둡게 되기 때문에 "북두성을 본다"고 말하였다. '북두성[斗]'은 어두울 때에 나타나는 것이다. '가리개[蔀]'는 두루 가린다는 뜻이니, 막고 가리는 물건을 사용하여 밝음을 가리어 어둡게 하는 것이다. 북두성[斗]은 음에 속하나 운행과 조절을 주관하니, 오효가 유약한 음이나 임금 자리에 해당함을 형상한다. 해가 중천에 있어 가장 밝은 때에 북두성을 봄은 풍성하고 큰 때에 유약한 임금을 만남과 같다. 북두성은 어두울 때에 나타나니, 북두성을 본다고 말했다면 밝음이 상실되어 어두워진 것이다. 이효가 비록 지극히 밝고 중정한 재질이나 만나는 바가 바로 유약하고 어두워 바르지 못한 임금이라 이미 낮추어 자기에게 구하지 못한다. 만약 내가 가서 구한다면 도리어 의심하여 시기하고 꺼려 미워함을 얻을 것이니, 어두운 임금이 이와 같다. 그렇다면 어찌 하여야 옳은가? 군자가 윗사람을 섬길 때에 그 마음을 얻지 못하면 지극한 정성을 다하여 윗사람의 의지(意志)를 감동하게 분발시킬 뿐이다. 진실로 성의(誠意)로 감동시킨다면 비록 어둡고 몽매하더라도 개발할 수 있고, 비록 유약하더라도 보필할 수 있으며, 비록 바르지 못하더라도 바르게 할 수 있으니, 옛사람 가운데 용렬한 임금과 보통의 임금을 섬김에 그 도를 행할 수 있었던 자는 자신의 성의가 위로 도달되어 임금이 돈독한 신임을 보였다. 관중(管仲)이 환공(桓公)을 도운 것과 공명(孔明)이 후주(後主: 유선)를 보필한 것이 이 경우이다. 정성과 신의로써 임금의 의지를 감동하게 분발시키면 그 도를 행할 수 있어 이에 길(吉)함이 된다.

本義

六二居豊之時, 爲離之主, 至明者也, 而上應六五之柔暗, 故爲豊蔀見斗之象. 蔀, 障蔽也. 大其障蔽, 故日中而昏也. 往而從之, 則昏暗之主, 必反見疑, 唯在積其誠意, 以感發之則吉. 戒占者, 宜如是也. 虛中, 有孚之象.

육이가 풍성한 때에 있어 리괘(離卦)의 주인으로 지극히 밝은 자이나 위로 육오의 유약하고 어두움이 호응하므로 가리개가 풍성하여 북두성을 보는 상이 된다. '가리개[蔀]'는 막고 가리는 것이다. 막고 가림을 크게 하기 때문에 대낮인데도 어둡다. 가서 따르면 어두운 임금이 반드시 도리어 의심하니, 오직 그 성의(誠意)를 쌓는 것으로 감동하게 분발시키면 길하다. 점치는 자가 마땅히 이와 같아야 함을 경계한 것이다. 가운데가 비었으니, 믿음이 있는 상이다.

小註

涑水司馬氏曰, 六二處下而在內, 以陰居陰, 如蔀屋幽暗. 不見知於人也, 故往得疑疾, 君子居中守正, 久幽不變, 人將信之, 然後可以發其蔀而行其志也.

속수사마씨가 말하였다: 육이는 아래에 처하여 안에 있고, 음으로 음의 자리에 있어서 오막살이집의 어두움과 같다. 다른 사람에게 알려지지 않았기 때문에 가면 의심과 미움을 얻으니, 군자가 가운데에 있으면서 바름을 지켜 오래도록 그윽하게 변하지 않고, 사람들이 믿게 된 뒤에 그 가리개[蔀]를 드러내고 그 뜻을 행해야 한다.

○ 厚齋馮氏曰, 離日方中, 而陰蔽其上, 此豊之蔀也.
후재풍씨가 말하였다: 리괘(☲)인 해가 한낮인데 음이 그 위에서 가리니, 이것이 풍성한 가리개[蔀]이다.

○ 李氏曰, 居中守正, 人臣之盛位. 卦體爲離而處震下, 爲掩覆之象.
이씨가 말하였다: 가운데 있으면서 바름을 지킴은 신하의 성대한 지위이다. 괘의 몸체는 리괘(離卦)가 되지만 진괘(震卦)의 아래에 처하여 가리고 덮이는 상이 된다.

○ 雲峯胡氏曰, 日中, 豈有見斗之理. 謂之疑疾, 猶睽之載鬼一車也. 凡言往者, 多自下而進上, 初之往上而從四也. 初以陽居陽, 而四又陽, 故往有尙. 二之往上而從五也. 二以陰居陰, 而五又陰, 故往得疑疾. 然二有居陰從陰之象, 固足以致疾, 有離明中虛之象, 亦足以致吉. 所以占辭兩及之, 豊其蔀, 外也, 有孚發若, 內也. 外有疑內有孚, 孚, 疑之反也, 發, 蔀之反也.
운봉호씨가 말하였다: 한 낮에 어찌 북두성을 보는 이치가 있겠는가? 의심과 미움이라고 말한 것은 규괘(睽卦䷥)에서 "귀신을 한 수레 싣는다"는 것과 같다. '간다[往]'고 말하는 것은 대부분 아래에서 위로 나아감이니, 초효가 위로 가서 사효를 따르는 것이다. 초효는 양으로 양의 자리에 있고 사효도 양이기 때문에 가면 가상함이 있다. 이효는 위로 가서 오효를 따른다. 이효는 음으로 음의 자리에 있고 오효도 음이기 때문에 가면 의심과 미움을 얻는다. 그러나 이효는 음의 자리에 있으면서 음을 따르는 상이 있으니 진실로 미움 받기에 충분하지만, 리괘(☲)의 밝음인 가운데가 빈 상이 있으니 또한 길함을 이루기에 충분하다. 이 때문에 점사에서 양쪽으로 언급하였으니, '가리개가 풍성함'은 밖이고, '믿음을 갖고 감동하여 분발함'은 안이다. 밖으로는 의심이 있으나 안으로는 믿음이 있으니, '믿음'은 의심의 반대이다. '감동하여 분발함[發]'은 가리개[蔀]의 반대이다.

韓國大全

조호익(曺好益) 『역상설(易象說)』

蔀, 雙湖曰, 草茂也, 震巽象. 日中離象, 見離目象. 斗, 雙湖曰, 五上陰爻, 四點象. 往, 應五也. 疑疾, 五陰暗象. 暗則生疑, 疑則生疾. 孚, 虛中象. 發, 五在震體, 有可發之象.
'가리개[蔀]'에 대해서 쌍호호씨가 말하기를, "풀이 무성한 것이니, 진(震)과 손(巽) 상이다"고 하였다. '대낮에도[日中]'는 리(離)의 상이고, '보며[見]'는 이(離)의 목(目) 상이다. '북두성[斗]'에 대해서 쌍호호씨가 말하기를, "오효와 상효가 음효이니, 네 개 점(點)의 상이다"고 하였다. '가면[往]'은 오효에 호응하는 것이다. '의심과 미움[疑疾]'은 오효가 음효로서 어두운 상이다. 어두우면 의심이 생기고 의심하면 병이 생기는 것이다. '믿음[孚]'은 가운데가 빈 상이다. '감동하여 분발함[發]'은, 오효가 진(震)의 몸체에 있으니 감동하여 분발할 수 있는 상이 있는 것이다.

송시열(宋時烈) 『역설(易說)』

六二蔀者, 王弼以覆釋之, 後儒從之. 程傳亦依此解之. 來易之蔀者, 巽草之象, 爲蔭幽不明之象. 蓋王弼掃象者也, 象無可論. 日中見斗者, 下离爲日, 二爻方中仰見星斗, 斗者麗於日月之上, 運轉不已者也. 舊說云, 斗爲帝車運于中央. 震者帝出之方也, 震又爲動, 此指六五也, 言二爻過离日坎月之上. 見斗星之運動, 往而從之, 則五是柔暗之君, 下雖有离日, 而爲互巽所蔽, 其光不明. 但得坎象之疑疾, 若其志相孚, 而五主震發動焉則吉. 小象信者, 有孚也, 發志者, 發若也.
육이의 '가리개[蔀]'에 대해 왕필이 '가리다[覆]'로 해석하였는데, 뒷날의 유학자들이 그것을 따랐고, 『정전』에서도 이에 의거하여 해석하였다. 래지덕(來知德)의 『周易集注』에 '가리개[蔀]'는 손괘(☴)의 풀의 상이라 하였으니, 그윽하고 밝지 않은 상이다. 대개 왕필은 상을 사용하지 않으므로 상으로 논할 수 없다. "대낮에도 북두성을 보며"는 아래의 리괘(☲)가 해로 육이효가 막 중천에서 북두성을 올려보는 것이니, 북두성은 해와 달 위에 걸려있으면서도 운행을 그치지 않는 것이다. 옛 설명에 북두성은 임금의 수레가 중앙에서 운행하는 것이라고 하였다. 진괘(☳)는 임금이 나오는 방향이며, 진(震)은 또 움직임이니, 이는 육오를 가리키는 것으로 이 효가 리(離)인 해와 감(坎)인 달의 위를 지나간다는 말이다. 북두성의 운동을 보고 가서 따르면 오효는 어두운 임금이어서 아래에 리(離)의 해가 있지만 호괘인 손(巽)에 가려져서 그 빛이 밝지 못하다. 감(坎)의 상(象)인 의심과 미움을 얻지만 만약 그 뜻을 서로 믿어 진괘(震卦)의 주인인 오효가 발동하면 길할 것이다. 「소상전」에 '믿음'은 믿음을 갖는 것이고, '뜻을 감동하게 분발시킴'은 '감동하여 분발하면'이다.

이익(李瀷) 『역경질서(易經疾書)』

此卦與明夷相似. 明夷日入地中, 豊日入雷雨之中, 日雖自若, 在地爲陰翳所蔽. 六二爲離之主, 九四爲震之主, 故此兩爻, 皆有豊蔀見斗之象. 見斗雖均, 其實四來蔽二也. 凡蔽日有三, 雷雨距地不遠, 惟蔽者蔽耳. 月距日尙遠, 雖食而未至於星見, 地距南北二千里, 而日蝕差一分, 則可以見矣. 或氛祲最高近日 障蔽晝爲之昏黑 如苻堅時, 日瞑恒星皆見, 是也. 星之晝見, 遠日則見, 故日入而星見, 形大則見, 故金或晝見, 雖遠大而已沒則不見. 惟北斗遠日形大, 無時不露於地上, 而晝昏則宜先見, 故以斗爲言也. 此言若以此不明暗昧而行事, 其得猜疑忌疾必矣. 然猶誠信自守, 暴發其本志亦吉, 凡人當危疑之際, 不能守正, 變其志, 而荒亂失操者多矣, 故戒之.

이 괘는 명이괘(明夷卦䷣)와 비슷하다. 명이괘는 해가 땅속으로 들어가는 것이고, 풍괘는 해가 우레와 비속으로 들어가는 것이니, 해는 비록 본래 대로지만 땅에서는 그늘로 가려지게 된다. 육이는 리괘의 주인이고, 구사는 진괘의 주인이므로 이 두 효에는 모두 "가리개가 풍성하여 대낮에도 북두성을 보는" 상이 있다. 북두성을 보는 것은 같지만 실제로는 사효가 와서 이효를 덮는 것이다. 해를 가림은 삼효인데 우레와 비가 땅과의 거리가 멀지 않아서 가리는 것만 가릴 뿐이다. 달이 해와의 거리가 더욱 멀면 일식이어서 별을 보는 데에는 이르지 못하지만 땅의 거리가 남북으로 2천리가 되어 일식의 차이가 10%라도 나면 볼 수 있다. 간혹 어두운 기운이 가장 높이 해에 가까이 가면 낮을 가려 어둡게 되니, 부견[27] 때 해가 어두워져서 별을 모두 볼 수 있었다는 것이 이것이다. 별을 낮에 보는 것은 해와 멀수록 보이기 때문에 해가 들어가야 별이 나타나고, 형체가 크면 보이기 때문에 금성이 간혹 낮에 보이지만 멀고 크더라도 이미 지고나면 보이지 않는다. 북두성은 해에서 멀고 형체가 커서 어느 때이든지 땅 위에서 드러나지 않은 적이 없지만 낮이 어두우면 먼저 보이므로 북두성으로 말을 한 것이다. 이는 이러한 밝지 못하고 어두운 것으로 일을 행하면 반드시 의심과 미움을 얻는다는 말이다. 그러나 오히려 정성과 믿음으로 스스로를 지키고 자신의 본래 뜻을 드러내면 또한 길하다. 사람은 위기와 의심의 때에 바름을 지키지 않아서 뜻을 바꾸어 거칠고 어지러워 지조를 잃는 자가 많기 때문에 경계한 것이다.

심조(沈潮) 「역상차론(易象箚論)」

在离之中, 故曰日中, 斗陰也.

---

27) 부견(苻堅, 337~385): 중국 오호 십육국 시대의 전진(前秦)의 임금.

리괘(☲)의 가운데 이므로 “해가 중천”이라고 하였고, ‘북두성’은 음이다.

유정원(柳正源) 『역해참고(易解參攷)』

王氏曰, 蔀, 覆曖, 鄣光明之物也. 處明動之時, 不能自豊以光大之德, 旣處乎內, 而又以陰居陰, 所豊在蔀, 幽而无覩者也, 故曰豊其蔀.
왕필이 말하였다: ‘가리개[蔀]’는 가리는 것으로 빛나고 밝은 것을 가리는 물건이다. 밝고 움직이는 때에 밝고 큰 덕으로 스스로를 풍성하게 하지 못하고, 이미 안에 있는데다가 또 음으로 음의 자리에 있어 풍성함이 가리개에 있어 어두워 볼 수 없으므로 “가리개가 풍성하여”라고 하였다.

○ 漢上朱氏曰, 震巽爲草, 二在草中, 有周匝掩蔽之象, 故曰蔀.
한상주씨가 말하였다: 진(震)과 손(巽)이 풀인데 육이가 풀 가운데 있어 두루 가리는 상이 있으므로 ‘가리개[蔀]’라고 하였다.

○ 案, 以二之柔弱, 遇五之柔闇, 則鄣蔽昏冥, 長夜乾坤. 疑猜忌疾, 肝膽楚越. 然而旣有居中之正, 又有虛中之誠, 終豈无發蔀開昏之吉乎.
내가 살펴보았다: 육이의 유약함으로 육오의 유약하고 어두움을 만나면 가려지고 어두워져 천지가 긴 밤이 되어 의심하고 미워하며 간과 쓸개 같이 비슷하지만 전혀 다르고 초나라와 월나라 같이 가깝지만 멀게 된다. 그렇지만 이미 중앙의 바름에 있는데다가 또 가운데가 빈 참됨이 있으니, 끝내 어찌 가리개를 걷고 어두움을 여는 길함이 없겠는가?

傳, 管仲相桓.
『정전』에 관중이 환공을 도운 것.
案, 桓公獨任管仲, 四十年霸諸侯, 可見其君臣見信之篤也. 不特指開昏蒙, 輔柔弱而言.
내가 살펴보았다: 환공이 홀로 관중을 임명하여 40년 동안 제후들의 패자가 되었으니, 임금과 신하가 믿음을 독실하게 보임을 알 수 있다. 어두움을 열었을 뿐만 아니라 유약함을 도운 것을 가리켜 말하였다.

김상악(金相岳) 『산천역설(山天易說)』

蔀者, 障蔽之物, 謂四也. 斗, 五居尊位之象也. 六二居離之中, 爲應於五, 而九四震互巽體以爲間, 明之始進者, 動反爲蔽, 而五互坎體往, 則必見疑疾. 惟在積其誠意, 以感發之則吉也.

'가리개[蔀]'는 가리는 물건으로 사효를 말한다. '북두성'은 오효가 높은 자리에 있는 상이다. 육이가 리괘(☲)의 가운데 있어 오효에 호응하는데, 구사가 진괘(☳)의 호괘인 손괘(☴)의 몸체로 틈에 끼어 밝음이 처음 나옴에 움직임이 도리어 가리게 되고, 오효는 호괘인 감괘(☵)의 몸체여서 가면 반드시 의심과 미움을 받게 된다. 자신의 정성과 뜻을 쌓아 감동시켜 분발시키는데 있으면 길하다.

○ 蔀字從草, 震木巽草, 皆覆于下, 蔀之象. 二居離中, 日中之象, 三四居卦之中, 故亦言日中. 斗, 南斗北斗也. 震木之精爲星, 而少陽之數七, 故取象于斗, 而離南坎北, 故二四皆言斗. 三之沫, 則上六居五之後也. 蓋日中見斗者, 日光之見蔽於蔀也. 古文莫字, 從日在草中是也. 疑疾者, 坎之心病也. 昔老子之送葬也, 日食而止堩者, 以人之情爲疑於疾患也, 故曰見星而行, 惟罪人與奔父母之喪者乎. 日有食之, 安知其不見星也. 今欲得君行道, 見斗而往, 何能免疑疾乎. 孚者, 誠也, 發, 感發而開道之也. 離之中虛爲孚, 外實能發若. 發卽蔀之反也. 去其蔀, 則彼之昏暗, 可開而豊亨可保也. 晉之爲卦, 離君在上, 而初居无位, 與五无應, 故雖罔孚, 寬裕以處之. 罔孚卽疑疾也, 裕者發若之反, 故曰未受命也.

'가리개[蔀]'는 풀 초(草) 부수이니, 진괘(☳)는 나무이고 손괘(☴)는 풀로 모두 아래를 덮어 가리는 상이다. 육이가 리괘(☲)의 가운데 있어 해가 중천에 있는 상이고, 삼효와 사효는 괘 가운데 있으므로 또한 해가 중천에 있다고 말하였다. '북두성[斗]'은 남두(南斗)와 북두(北斗)이다. 진괘(☳)인 나무의 정기가 별이 되고 소양(少陽)의 수가 7이므로 북두성에서 상을 취하였고, 리괘(☲)는 남쪽, 감괘(☵)는 북쪽이므로 이효와 사효에서 모두 북두성을 말하였다. 삼효에서 '작은 별'은 상육이 오효의 뒤에 있는 것이다. "대낮에 북두성을 봄"은 해의 빛이 가리개에 가리는 것이다. 고문에 莫라는 글자는 해가 풀 가운데 있는 것이다. '의심과 미움'은 감괘(☵)의 마음의 병이다. 옛날 노자가 장례를 치를 때 일식이 있어 갈 길을 멈춘 것을 사람들은 질병으로 의심하였기 때문에 "별을 보고서 갔다"고 하였으니, 죄인과 부모의 상에 가는 자만 그렇겠는가? 일식에 별을 볼 수 없음을 어찌 알겠는가? 지금 임금이 도를 행함을 얻고자 북두성을 보고 가면 어찌 의심과 미움을 면하겠는가? '믿음[孚]'는 정성이고, '감동하여 분발함[發]'은 감동하게 분발시켜 열어주는 것이다. 리괘(☲)의 가운데가 빈 것이 믿음으로 밖으로 성실하여 감동하여 분발할 수 있다. 감동하여 분발함은 가리는 것의 반대이다. 가리개를 제거하면 저 어두움을 열어서 형통함을 보존할 수 있을 것이다. 진괘(晉卦䷢)는 리괘(☲)의 밝은 임금이 위에 있으나 초효가 지위가 없음에 있어 오효와 호응이 없기 때문에 비록 믿어주지 않더라도 너그러움으로 대처한다. "믿어주지 않음"은 의심과 미움이고, '여유로움'은 감동하여 분발하는 것과 반대이므로 "아직 명령을 받지 않았기 때문이다"[28]고 하였다.

서유신(徐有臣) 『역의의언(易義擬言)』

六二之所豐者蔀也. 震爲蔀, 離爲日, 豐蔀蔽日也. 六五難見, 如日中之斗也, 白晝何以見星乎. 蔀蔽幽暗, 若將見之, 而其不可見, 則日中也. 疑疾者, 五不相信也, 有蔽之故也. 發若者, 發五之志也, 積孚誠而發之也. 五志開發, 則疑疾亡而蔀蔽者去矣.
육이에서 풍성한 것은 가리개이다. 진괘(☳)는 가리개이고, 리괘(☲)는 해이니, 풍성한 가리개가 해를 가리는 것이다. 육오를 보기 어려움은 해가 중천에 있을 때의 북두성과 같으니, 대낮에 어떻게 별을 보겠는가? 가리개로 가려 어두워 장차 보려해도 볼 수 없음은 해가 중천에 있기 때문이다. "의심과 미움"은 오효가 서로 믿지 않아 가림이 있기 때문이다. "감동하여 분발하면"은 오효의 뜻을 감동하게 분발시킴이니, 믿음과 정성을 쌓아 감동하게 분발시키는 것이다. 오효의 뜻이 열리면 의심과 미움이 없어지고 가리개로 가린 것이 제거될 것이다.

윤행임(尹行恁) 『신호수필(薪湖隨筆)·역(易)』

人臣之道, 當以有孚發若爲上乘, 積誠開導, 納於無過, 不以榮辱嬰其心, 不以得喪屈其節. 知無不言, 言無不盡, 期有致君澤民之効, 於唐得陸宣公, 於宋得李伯紀.
신하의 도는 마땅히 "믿음을 갖고 감동하게 분발시키는 것"으로 위로 올라가는 것을 삼아 정성을 쌓고 계도하여 허물이 없는 곳으로 들어가고, 영광과 수치로 그 마음을 두르지 말며, 얻음과 잃음으로 그 절개를 굽히지 말아야 한다. 지혜로는 말하지 않음이 없고 말로는 극진하지 않음이 없어 임금을 보좌하여 백성을 윤택하게 하는 효과를 기대해야 하니, 당나라에서 육선공을 얻은 것이고, 송나라에서 이백기를 얻은 것이다.

이지연(李止淵) 『주역차의(周易箚疑)』

二與五之間爲坎, 坎者北也. 斗爲北方之宿, 故以斗與沫稱之. 有孚, 以中虛取象.
이효와 오효의 사이는 감괘(☵)가 되니, 감(坎)은 북쪽이다. 북두성은 북방의 별이므로 북두성과 작은 별을 말하였다. "믿음을 갖고"는 가운데가 빈 것으로 상을 취한 것이다.

김기례(金箕澧) 「역요선의강목(易要選義綱目)」

中正居明, 五以柔暗在上, 不能動, 如蔀蔽而昏.
중정(中正)하여 밝음에 있는데 오효는 유약하고 어두우면서 위에 있어 움직일 수 없으니, 가리개로 가려 어두운 것과 같다.

---

28) 『周易·晉卦』: 初六, 晉如摧如, 貞吉, 罔孚, 裕, 无咎. 象曰, 晉如摧如, 獨行正也. 裕无咎, 未受命也.

○ 斗, 昏中之星也, 見於日中, 不明甚矣. 豊大之時, 遇暗主, 失明大矣. 上不明而往, 則不見知, 而五視若睽之載鬼, 故得疑疾.
북두성은 어둠 가운데의 별로 해가 중천에 있을 때 뜨면 거의 밝게 빛나지 않는다. 풍성하고 큰 때에 어두운 주인을 만나면 밝음을 잃음이 클 것이다. 위가 밝지 못한데 가면 알아주지 않고, 오효가 규괘(睽卦䷥)에서 귀신을 실은 수레와 같이 볼 것이기 때문에 의심과 미움을 얻게 된다.

○ 二中虛故曰有孚, 言誠有感發五志則吉, 有孚則去疑.
이효는 가운데가 비어 있으므로 "믿음을 갖는 것"라고 했으니, 참으로 오효의 뜻을 감동하게 분발시키면 길하고, 믿음이 있으면 의심을 제거할 수 있다는 말이다.

○ 發則去蔀.
감동하게 분발시키면 가리개를 제거할 수 있다.

심대윤(沈大允) 『주역상의점법(周易象義占法)』

豊之大壯䷡, 壯于威明也. 六二以柔居柔, 有所霽息威明者也. 應五而二剛隔之, 威有不足而爲明之主, 乘初之剛, 俯從而不盡自用, 位卑而近民, 主廉察擿發之職. 多所私行, 責怒數罰, 教戒警覺, 而實多隱掩含包, 不盡暴之于上, 而致其法, 有大壯不實之義, 是嚴于數罪, 而寬于用刑者也. 嚴于數罪, 則民畏服, 寬于用刑, 則民感悅. 凡下有罪過, 必先嚴責, 若將用刑者, 使其懲畏而貰之, 待其不悛, 然後竟致之罰, 亦其義也.
풍괘가 대장괘(䷡)로 바뀌었으니, 위엄과 밝음에 장성한 것이다. 육이는 부드러운 음으로 부드러움에 있어 위엄과 밝음을 그치게 함이 있는 것이다. 오효에 호응하지만 두 굳센 양이 가로막았고, 위엄은 부족하지만 밝음의 주인이 되었으며, 초효의 굳셈을 타고 구부려서 따라서 제멋대로 하지 않고, 자리는 낮지만 백성과 가까이 하여 청렴하게 살피고 들춰내어 드러내는 직책을 주관한다. 사사로운 행동이 많으면 책망하고 성내며 벌을 주고 경계하고 깨닫게 하지만 실제로는 대부분 숨겨주고 감싸주며 위로 다 드러내어 법을 시행하지 않아 크게 장성함에는 성실하지 못한 뜻이 있으니, 이는 죄를 주는 데에는 엄격하지만 형벌을 쓰는 데에는 너그러운 것이다. 죄를 주는 데에 엄격하면 백성들이 두려워 복종하고, 형벌을 쓰는 데에 너그러우면 백성들이 감동하여 기뻐한다. 아랫사람이 죄나 허물이 있으면 반드시 먼저 엄격하게 책망해야 하고, 만약 장차 형벌을 쓰려는 자는 그들로 하여금 뉘우치고 두려워하게 하여 용서하고, 잘못을 고치지 않음을 기다린 이후에 끝내 형벌을 시행한다는 것이 또한 이 뜻이다.

變卦爲兌, 有敎責之象. 六二得中, 可隱掩則隱掩, 可以報聞則報聞, 故曰豊其蔀. 蔀, 障于下也, 言隱掩於民也. 坎巽爲蔀, 以茅蔽之也. 日中見斗者, 斗星之大者也, 言掩其小罪, 而明白其大奸, 以報聞于五也, 言明察之甚, 而有所不明也. 离坎爲夜明曰星, 故以斗言之. 斗, 指五也. 斗爲帝車, 以主運平. 二應五, 而有二剛之隔, 亦爲明白罪狀以上于君, 而有所隱蔽之象. 日中見斗, 兼掩小明大, 及上于五二義也, 往進于五而上, 其決案, 有所疑滯而不通, 故曰往得疑疾. 二五非正應, 而坎剛隔之, 有其象二居明信之體, 能感發人主之志, 故曰有孚發若. 若語辭, 震爲發.
변한 태괘(☱)에 가르치고 질책하는 상이 있다. 육이가 가운데를 얻어 숨길만 하면 숨기고, 알리고 싶으면 알리므로 "가리개가 풍성하여"라고 하였다. '가리개[蔀]'는 아래를 가리는 것으로 백성을 숨긴다는 말이다. 감괘(☵)와 손괘(☴)가 '가리개[蔀]'이니, 띠풀로 가리는 것이다. "대낮에도 북두성을 보며"는 북두성은 큰 별로 작은 죄는 숨기지만 아주 악한 것은 밝게 드러내어 오효에게 알리는 것으로 아주 밝게 살피지만 밝히지 않는 것이 있다는 말이다. 리괘(☲)와 감괘(☵)가 밤에 밝아 별이라고 하므로 북두성으로 말한 것이다. '북두성'은 오효를 가리키니, 북두성은 임금의 수레로 운행과 조절을 주관한다. 이효가 오효에 호응하지만 두 굳센 양이 가로막고 있으니, 또한 죄상을 위로 임금에게 밝게 드러내려 하지만 은폐하는 상이 있다. "대낮에도 북두성을 보며"는 작은 것은 숨기고 큰 것은 드러내는 것과 오효에게로 올린다는 두 뜻을 겸하고 있으니, 오효에게로 나아가 올라가면 생각을 결단함에 의심하고 막힘이 있어 통하지 않으므로 "가면 의심과 미움을 얻으리니"라고 하였다. 이효와 오효가 바른 호응이 아니고 감괘(☵)가 굳세게 가로 막았으나 이효가 밝게 믿는 몸체에 있는 상이 있어 임금의 뜻을 감동시켜 나오게 할 수 있기 때문에 "믿음을 갖고 감동하여 분발하면"이라고 하였다. '약(若)'은 어조사이고, 진괘(☳)가 '감동하여 분발하면'이다.

오치기(吳致箕) 「주역경전증해(周易經傳增解)」

六二柔得中正, 而有文明之才, 卽賢臣在下者也. 在豊之時, 六五柔君, 雖居當應之位, 而質弱不能有爲, 乃反昏蔽之甚, 有豊其蔀, 日中見斗之象, 故戒言若往從此柔暗之主, 則必得其猜疑而憎疾. 然旣與同德矣, 能積其誠信, 而開發其明, 則可以獲吉矣.
육이가 부드러운 음으로 중정을 얻어 문채가 밝은 재주가 있으니, 곧 아래에 있는 현명한 신하이다. 풍성한 때에 육오의 부드러운 임금이 마땅히 호응하는 자리에 있지만 자질이 유약하여 큰 일을 하지 못하고 도리어 어둡고 가림이 심하여 "가리개가 풍성하여 대낮에도 북두성을 보는" 상이므로 만약 이 유약하고 어두운 임금을 따라 가면 반드시 의심과 미움을 얻을 것임을 경계하여 말하였다. 그러나 함께 덕을 같이 하여 정성과 믿음을 쌓아 그 밝음을 열어 펴게 하면 길함을 얻을 수 있다는 것이다.

○ 蔀者蔽也, 互巽及震爲草木, 蕃茂蔽覆之象. 日與見, 取於離, 斗者, 初昏所見之星, 而取於互兌之象. 日中, 言盛明之時, 而日中見斗, 謂昏蔽之甚也. 猜[29]疑慉疾, 皆在心, 故取於離爲心也. 有孚取於離, 發謂開發也, 若語辭.
'가리개[蔀]'는 가리는 것으로 호괘인 손괘(☴)와 진괘(☳)가 풀과 나무가 되어 우거져 가리는 상이다. '해'와 '보다'는 리괘(☲)에서 취하였고, '북두성'은 초저녁에 보이는 별로 호괘인 태괘(☱)의 상에서 취하였다. '대낮'은 성대하게 밝은 때이고, "대낮에 북두성을 보며"는 어둡고 가림이 심함을 말한다. 의심과 미움은 모두 마음에 있으므로 리괘(☲)에서 취하여 마음으로 삼았다. "믿음을 갖고"는 리괘(☲)에서 취하였고, '감동하여 분발하면'은 열어 펴는 것이고, '약(若)'은 어조사이다.

이진상(李震相) 『역학관규(易學管窺)』

日外明而內暗. 六二正當其暗, 故有此象. 如今日食旣, 則雖當午之時, 天星盡見, 此乃日中見斗之驗. 所應之五震體, 而震爲辰斗, 卽北辰之居尊者也.
해는 밖으로는 밝지만 안으로는 어둡다. 육이가 바로 그 어둠에 해당하므로 이러한 상이 있다. 지금 일식이 있으면 정오 때에도 하늘의 별을 다 볼 수 있으니, 이것이 "대낮에도 북두성을 본다"는 증거이다. 호응하는 오효가 진괘(☳)의 몸체인데 진괘가 북두성이니, 곧 북두성이 높은 데 있는 것이다.

이병헌(李炳憲) 『역경금문고통론(易經今文考通論)』

薛虞曰, 蔀,[30] 小席也.
설우가 말하였다: '부(蔀)'는 작은 자리이다.

按, 日中見主, 指時王, 三沫四斗, 皆疑疾也. 非文王之有孚發若, 難矣哉.
내가 살펴보았다: 대낮에 주인을 봄은 당시의 왕을 가리키고, 삼효의 작은 별과 사효의 북두성은 모두 의심과 미움이다. 문왕이 믿음을 갖고 감동하게 분발시키지 않으면 어려울 것이다.

---

29) 猜: 경학자료집성DB에는 '精'으로 되어있으나, 경학자료집성 영인본을 참조하여 '猜'로 바로잡았다.
30) 蔀: 경학자료집성DB와 영인본에는 '蔀'로 되어 있으나, 문맥을 살펴 '蔀'로 바로 잡았다.

象曰, 有孚發若, 信以發志也.

「상전」에서 말하였다: "믿음을 갖고 감동하여 분발함"은 믿음으로 뜻을 분발시키는 것이다.

中國大全

傳

有孚發若, 謂以己之孚信, 感發上之心志也. 苟能發, 則其吉可知, 雖柔暗, 有可發之道也.

'믿음을 갖고 감동하여 분발함[有孚發若]'은 자신의 믿음으로 윗사람의 심지(心志)를 감동하게 분발시킨다는 말이다. 진실로 감동하게 분발시킬 수 있으면 길함을 알 수 있으니, 비록 유약하고 어둡지만 감동하게 분발시킬 수 있는 방법이 있다.

小註

中溪張氏曰, 臣之事君, 不可以君之明暗而異其心. 一於孚信, 終可以感發六五之志, 而行其道, 顧不吉歟.

중계장씨가 말하였다: 신하가 임금을 섬김은 임금의 현명함과 어두움 때문에 그 마음을 달리할 수 없다. 믿음을 한결같이 하면 결국 육오의 뜻을 감동하게 분발시켜 그 도를 행할 수 있으니, 돌아보건대 길하지 않겠는가?

‖韓國大全‖

유정원(柳正源)『역해참고(易解參攷)』

發志也.
뜻을 감발시키는 것이다.

梁山來氏曰, 能盡己之誠信, 以感發其君之心志, 則己之心與君之心, 相爲流通矣. 伊尹之于太甲, 孔明之于後主, 郭子儀之于肅宗代宗, 用此道也.
양산래씨가 말하였다: 자신의 정성과 믿음을 다하여 그 임금의 마음과 뜻을 감동하게 분발시키면 자신과 임금의 마음이 서로 소통할 것이다. 이윤이 태갑에게, 제갈공명이 후주에게, 곽자의가 숙종과 대종에게 이 도를 사용하였다.

김상악(金相岳)『산천역설(山天易說)』

信以發志, 故五有來章之慶.
"믿음으로 뜻을 감동하게 분발"시키므로 오효에 빛난 것을 오게 하는 경사가 있다.

서유신(徐有臣)『역의의언(易義擬言)』

志, 應與之志也. 發志, 所以去蔽也. 苟君之志未發, 則雖力去其蔽, 蔽之者又進, 可勝去之哉. 君志一發, 則蔀蔽者, 不攻自破矣. 發志之道, 存乎孚信也.
'뜻'은 호응하여 함께 하는 뜻이다. "뜻을 감발시킴"은 가림을 제거하는 것이다. 만약 임금의 뜻을 감동하게 분발시키지 못하면 힘써 가림을 제거하더라도 가리는 것이 다시 나오니, 그것을 다 제거할 수 있겠는가? 임금의 뜻을 한 번 감동하게 분발시키면 가리개로 가린 것이 공격하지 못하고 스스로 깨질 것이다. 뜻을 감동하게 분발시키는 도는 믿음에 있다.

강엄(康儼)『주역(周易)』

按, 大有六五, 居上離之中, 而曰厥孚交如, 象曰信以發志也. 豊六二, 居下離之中, 而曰有孚發若, 象曰信以發志也. 蓋大有與豊, 皆有盛大之義.
내가 살펴보았다: 대유괘(大有卦䷍) 육오는 위의 리괘(☲)의 가운데 있어 "믿음으로 사귀니"라고 하였고, 「소상전」에서 "믿음으로 뜻을 일으킨다"고 하였다. 풍괘의 육이는 아래의

리괘(☲)의 가운데 있어 "믿음을 갖고 감동하여 분발하면"이라고 하였고, 「소상전」에서 "믿음으로 뜻을 감동하게 분발시키는 것이다"라고 하였다. 대유괘와 풍괘는 모두 성대한 뜻이 있다.

六五虛中居尊, 而發天下之志, 豊六二虛中居下, 而發六五之志, 位雖不同, 而其虛中則同也, 故皆言孚信. 或曰離之虛中, 固有孚之象而陰柔, 或不足於誠實, 故必言乎信以戒之.
육오가 가운데가 비었으면서 높은 데 있어 천하의 뜻을 일으키고, 풍괘의 육이가 가운데가 비었으면서 아래에 있어 육오의 뜻을 감동하여 분발시키니, 자리가 같지 않지만 가운데가 빈 것은 같으므로 모두 믿음을 말하였다. 어떤 이가 "리괘(☲)가 가운데 빈 것은 진실로 믿음이 있는 상이지만 유약한 음이라서 간혹 성실함에 부족하다"고 하므로 반드시 믿음을 말하여 경계하였다.

오치기(吳致箕) 「주역경전증해(周易經傳增解)」

以己之誠信, 感發君上之志, 則可以開明其昏蔽, 吉之道也.
자신의 정성과 믿음으로 임금의 뜻을 감동하여 분발시키면 그 어둡고 가린 것을 열어 밝힐 수 있으니, 길한 도이다.

九三, 豊其沛. 日中見沫, 折其右肱, 无咎.

구삼은 장막이 풍성하다. 대낮에도 작은 별을 보고 오른팔이 부러졌으니, 허물할 데가 없다.

中國大全

傳

沛字, 古本有作旆字者, 王弼以爲幡幔, 則是旆也. 幡幔, 圍蔽於內者, 豊其沛, 其暗, 更甚於蔀也. 三, 明體而反暗於四者, 所應, 陰暗故也. 三, 居明體之上, 陽剛得正, 本能明者也. 豊之道, 必明動相資而成, 三應於上, 上, 陰柔, 又无位而處震之終, 旣終則止矣, 不能動者也. 他卦, 至終則極, 震, 至終則止矣. 三, 无上之應, 則不能成豊. 沫, 星之微小无名數者, 見沫, 暗之甚也. 豊之時而遇上六, 日中而見沫者也. 右肱, 人之所用, 乃折矣, 其无能爲, 可知. 賢智之才, 遇明君, 則能有爲於天下, 上无可賴之主, 則不能有爲, 如人之折其右肱也. 人之爲有所失, 則有所歸咎, 曰由是故, 致是, 若欲動而无右肱, 欲爲而上无所賴, 則不能而已, 更復何言, 无所歸咎也.

패(沛)자는 고본에 패(旆)자로 쓴 것이 있고, 왕필(王弼)은 휘장[幡幔]이라고 하였으니, 장막[旆]이다. 휘막 안을 에워싸 가리는 것이니, '장막이 풍성함'은 그 어두움이 가리개보다도 더 심한 것이다. 삼효는 밝은 몸체인데 도리어 사효보다 어두운 것은 호응하는 바가 음으로 어둡기 때문이다. 삼효는 밝은 몸체의 맨 위에 있고 굳센 양으로 바름을 얻었으니, 본래 밝을 수 있는 자이다. 풍성함의 도는 반드시 밝음과 움직임이 서로 의지하여 이루어지는데, 삼효는 상효와 호응하고 상효는 부드러운 음이고 또 지위가 없으면서 진괘(☳)의 끝에 처했으니, 이미 끝이 되면 멈추니 움직일 수 없는 자이다. 다른 괘는 끝에 이르면 지극하나 진괘는 끝에 이르면 멈춘다. 삼효는 상효의 호응이 없으면 풍성함을 이룰 수 없다. 매(沫)는 별이 미세하고 작아 이름을 짓거나 셀 수 없는 것이니, '작은 별[沫]을 봄'은 어둠이 깊은 것이다. 풍성한 때에 상육을 만남이 대낮에 작은 별을 보는 것과 같다. '오른팔'은 사람이 주로 쓰는 부위인데 부러졌다면 할 수 있는 것이 없음을 알 수 있다. 어질고 지혜로운 재목이 현명한 임금을 만나면 천하에 훌륭한 일을 할 수 있는데, 위로 의지할 만한 임금이 없으면 훌륭한 일을 할 수 없으니, 사람의 오른팔이 부러진 것과 같다. 사람의 행위에 잘못이 있으면 허물을 돌릴 곳이 있어 말하기를 "이 때문에 이렇게 되었다"고 하는데, 만일 움직이고자 하나 오른팔이 없고, 하고자 하나 위로 의지할 바가 없다면 할 수 없을 뿐이니, 다시 무슨 말을 하겠는가? 허물을 돌릴 곳이 없는 것이다.

本義

沛, 一作旆, 謂幡幔也. 其蔽甚於蔀矣. 沫, 小星也. 三處明極而應上六, 雖不可用而非咎也, 故其象占如此.

패(沛)는 어떤 판본에는 패(旆)로 되어 있으니, 휘장[幡幔]을 말한다. 그것의 가림은 '가리개' 보다도 심하다. 매(沫)는 작은 별이다. 삼효가 밝음의 끝에 있으면서 상육과 호응하니, 비록 쓸 수는 없으나 허물이 아니므로 그 상과 점이 이와 같다.

小註

進齋徐氏曰, 三與上應, 上柔暗極甚於二四, 所見益小, 故取見沫爲象. 折, 毁也. 右肱, 謂上也, 前爲右. 右肱, 人之所用, 而最便者, 三欲用上之切, 如右肱也, 上暗益甚, 失其所應, 如折其右肱, 无所賴矣.

진재서씨가 말하였다: 삼효는 상효와 호응하는데, 상효의 유약하고 어두움이 이효나 사효보다도 극심하여 보이는 것이 더욱 작기 때문에 작은 별을 보는 것을 취해 상을 삼았다. '부러짐[折]'은 훼손됨이다. 오른팔은 상효를 말하는데, 앞이 오른쪽이 된다. 오른팔은 사람이 사용하는데 가장 편한 것이니, 삼효가 상효를 쓰고자 하는 간절함이 오른팔과 같은데 상효의 어두움이 더욱 심하여 그 호응하는 바를 잃음이 오른팔이 부러지는 것과 같아서 신뢰할 바가 없다.

○ 雲峯胡氏曰, 蔽愈大, 則見愈小. 沛之蔽, 甚於蔀, 故沫之見甚於斗. 三剛正, 又居明之極, 可以有爲, 上幽暗, 不足以有爲, 故有折右肱之象. 然非三之咎也.

운봉호씨가 말하였다: 가림이 크면 클수록 보이는 것이 더욱 작다. 장막의 가림이 가리개[蔀]보다도 심하기 때문에 작은 별의 드러남이 북두성보다 심하다. 삼효는 굳센 양으로 바르며 또 밝음의 끝에 있어 훌륭한 일을 할 수 있는데, 상효는 어두워 훌륭한 일을 할 수 없기 때문에 오른팔이 부러지는 상이 있다. 그러나 삼효의 허물은 아니다.

‖韓國大全‖

조호익(曺好益) 『역상설(易象說)』

沛作旆, 鄭氏云旌旗之垂者. 愚謂三陰畫爲坤, 坤爲帛, 互體巽, 巽爲木, 有旗旆之象. 日中離象, 見離目象. 沬小星. 雙湖曰, 亦上二陰爻象. 折兌毁折象. 右指上, 兵法前爲右. 折右肱, 震者艮之反, 艮爲手, 艮手倒置, 有折肱之象.

'장막[沛]'은 '깃발 패(旆)'가 되어야 하니, 정씨(鄭氏)가 말한 깃발이 드리운 것이다.
내가 살펴보았다: 세 음획이 곤괘(☷)가 되는데 곤(坤)은 비단[帛]이 되고, 호체가 손괘(☴)인데 손(巽)은 나무이니, 깃발[旗旆]의 상이 있다. '대낮'은 리괘(☲)의 상이고, '보며'는 리괘(☲)의 눈[目] 상이다. '매(沬)'는 작은 별이다. 쌍호호씨가 "또한 위에 있는 두 음효의 상이다"고 하였다. '부러짐[折]'은 태괘(☱)의 상처입고 꺾이는[毁折] 상이다. '오른쪽'은 상효를 가리키는데 병법에서 앞을 오른쪽으로 삼는다. '오른팔이 부러졌으니[折右肱]'는 진괘(☳)가 간괘(☶艮)가 뒤집어진 것이고 간괘가 손인데 간괘의 손이 도치되어 있으니, 팔이 부러지는 상이 있다.

송시열(宋時烈) 『역설(易說)』

沛者, 王弼以爲旆, 後儒從之. 傳以幡幔釋之, 來易以沛然下雨之意爲釋, 互兌爲澤也云云. 沬, 傳云, 星之微者, 來易云, 沬水源也. 蓋太陽方食, 食之不甚, 則大星可見, 此見斗之象. 食之既甚, 則小星亦見, 此見沬之象也. 二之蔀, 蔽之小也, 三之沛, 蔽之大也. 三之所應, 乃是上六, 而過中處極, 終於陰柔昏暗而已. 折者, 互兌爲毁折也. 右者前也. 師之左次, 明夷之左腹, 皆以後言之, 則此右字, 似以前字看. 肱者, 震綜艮, 互兌錯艮, 艮爲手也. 蓋兌爲小爲瑣微之事, 故見其沬, 而不可大事, 折肱, 亦不可大事之象.

'장막[沛]'은 왕필이 '깃발 패(旆)'로 여기자 후세의 유학자들이 그것을 따랐다. 『정전』에서 휘장[幡幔]으로 해석하였고, 래지덕은 『주역집주』에서 세차게 비가 내리는 뜻으로 해석하였고, 호괘인 태괘(☱)가 못이 된다고 하였다. '작은 별[沬]'은 『정전』에서 별이 작은 것이라고 하였고, 래지덕은 『주역집주』에서 '매(沬)'는 물의 근원이라고 하였다. 태양이 일식일 때에 일식이 심하지 않으면 큰 별은 볼 수 있는데 이것이 북두성을 본다는 상이다. 일식이 심해지면 작은 별도 볼 수 있는데 이것이 작은 별을 본다는 상이다. 이효의 '가리개[蔀]'는 작게 가린 것이고, 삼효의 '장막[沛]'은 크게 가린 것이다. 삼효가 호응하는 것은 상육인데 가운데를 지나쳐 끝에 처하여 부드러운 음이 어두운 것에서 끝날 뿐이다. '부러짐[折]'은 호괘인 태괘(☱)가 상처입고 부러짐이 된다. '오른쪽'은 앞이다. 사괘(師卦䷆)의 "군대가 물러나 머무니"[31]와 명이괘(明夷卦䷣)의 "좌측 배로 들어가니"[32]는 모두 뒤를 말한 것이니, 여기의 '오른쪽'은 '앞[前]'이라는 글자로 보아야 할 것이다. '팔[肱]'은 진괘(☳)가 거꾸로 되면 간괘(☶)이고, 호괘인 태괘(☱)가 음양이 바뀐 간괘(☶)가 손이다. 태괘(☱)는 작고 자질구레한 일이므로 작은 별을 보아 큰 일을 할 수 없는 것이고, 팔이 부러짐도 큰 일을 할 수 없는 상이다.

이익(李瀷) 『역경질서(易經疾書)』

沛者, 卽雷雨之雱沛也, 雱沛之豊盛, 亦蔽日而不明也. 离與震接, 故有此象. 沬, 古易作昧, 沬昧通用也. 雷雨之蔽日, 未必爲灾, 然日中而見沬, 則亦見地體之本色. 此時人不能動作, 故不可大事也. 折其右肱, 與明夷左股相勘. 凡用足必先左, 用手必先右, 而手上足下, 明入謂之左股, 則日中謂之左肱, 宜矣. 明夷之極, 以冬至之夜爲況, 則日中之極, 亦宜以夏至之晝爲況. 日軌平分長短, 以赤道爲界, 自東而西, 故北爲右, 南爲左, 有折右肱之象.

'패(沛)'는 우레와 비가 퍼붓는 것으로, 풍성하게 퍼부으면 해를 가리어 밝지 않다. 리괘(☲)와 진괘(☳)가 붙어 있으므로 이러한 상이 있다. '매(沬)'는 옛날 역에서는 '매(昧)'로 되어 있으니, '매(沬)'와 '매(昧)'는 통용된다. 우레와 비가 해를 가려도 반드시 재앙이 되지는 않지만 대낮에 작은 별을 보면 또한 땅의 본래 색을 본다. 이때에 사람은 움직일 수 없으므로 큰 일을 할 수 없다. "오른팔이 부러졌으니"는 명이괘(明夷卦䷣)의 "왼쪽다리"[33]와 서로 비교된다. 발을 사용할 때는 반드시 왼쪽을 먼저 하고, 손을 사용할 때는 반드시 오른쪽을 먼저 하는데 손은 위에 있고 발은 아래에 있으니, 밝음이 들어갈 때는 '왼쪽다리'라고 하고, 대낮은 '왼쪽팔'이라고 하는 것이 마땅하다. 명이괘의 끝은 동지의 밤을 비유로 삼고, 대낮의 끝은 하지의 낮을 비유로 삼으며, 해가 천구를 일주하는 장단은 적도를 경계로 삼아 동쪽에서 서쪽으로 가기 때문에 북쪽이 오른쪽이고 남쪽이 왼쪽이어서 오른팔이 부러지는 상이 있다.

권만(權萬) 「역설(易說)」

九三沬, 古文易作昧.

구삼에서 '매(沬)'는 고문역(古文易)에서는 '매(昧)'로 되어 있다.

---

31) 『周易·師卦』: 六四, 師左次, 无咎.
32) 『周易·明夷卦』: 六四, 入于左腹, 獲明夷之心, 于出門庭.
33) 『周易·明夷卦』: 六二, 明夷, 夷于左股, 用拯馬壯, 吉.

심조(沈潮) 「역상차론(易象箚論)」

陽爻長, 肱似之, 右亦陽也. 離爲戈兵, 又逢兌金, 不折而何. 又以陽居陽, 太剛故折.
양의 효가 긴 것은 팔이 그것과 비슷한데 오른쪽이 또한 양이다. 리괘(☲)는 병기인데 또 태괘(☱)인 쇠를 만나니, 부러지지 않고 어쩌겠는가? 또 양으로 양의 자리에 있어 너무 굳세므로 부러진다.

유정원(柳正源) 『역해참고(易解參攷)』

鄭氏剛中曰, 安定謂沛, 繫於旗干, 旌旗之垂也, 義亦爲旆, 皆掩蔽光明之謂. 九家易謂沫, 斗柄後小星, 日中見沫, 其光微細, 所見小愈不明矣.
정강중이 말하였다: 안정(安定)[34]이 '패(沛)'는 깃발이나 방패에 매단 것으로 매달려 깃대에 드리운 것이라고 하였는데, 뜻이 또한 '깃발[旆]'이니, 모두 밝음을 가리는 것을 말한다. 『구가역』에서 '매(沫)'는 북두성 자루 뒤의 작은 별이라고 하였는데 "대낮에도 작은 별을 보고"는 그 빛이 미미하여 보이는 것이 작아 더욱 밝지 않은 것이다.

○ 雙湖胡氏曰, 三以明體處震下, 爲四所蔽, 則三有豊沛之象.
쌍호호씨가 말하였다: 삼효는 밝은 몸체로 진괘(☳)의 아래에 있어 사효에게 가려졌으니, 삼효에 장막이 풍부한 상이 있다.

○ 梁山來氏曰, 沛澤也, 沛然下雨是也, 乃雨貌. 沫者水源也, 故曰涎沫濡沫, 跳沫流沫, 乃霢霂細雨, 不成水之意. 此爻未變中爻, 兌爲澤沛之象也, 旣變中爻, 成坎水矣, 沫之象也. 二爻巽木, 故以草象之, 三爻澤水, 故以沫象之. 王弼不知象, 以蔀爲覆曖, 後儒從之, 卽以爲鄣蔽. 王弼以沛爲旆, 後儒亦以爲旆, 殊不知雷在上, 中爻, 有澤有風, 方取此沛沫之象, 何曾有旆之象哉.
양산래씨가 말하였다: '패(沛)'는 비가 오는 것이니, 『맹자 · 양혜왕』에서 "세차게 비가 내린다"는 것이 이것으로 비 내리는 모습이다. '말(沫)'은 물의 근원이므로 '침방울[涎沫]', '적셔주는 물방울[濡沫]', '솟구치는 물방울[跳沫]', '흐르는 물방울[流沫]'이라고 하였으니, 바로 가랑비와 안개비가 물이 되지 않았다는 뜻이다. 이 효는 중간 효가 바뀌지 않으면 태괘(☱)가 연못의 상이고, 중간 효가 바뀌어 버리면 물인 감괘(☵)가 되어 물의 근원의 상이다. 이효가 손괘(☴)인 나무이므로 풀로써 형상했고, 삼효가 물이므로 '물의 근원[沫]'으로써 형상했다. 왕필이 상을 알지 못하여 '가리개[蔀]'를 휘장[覆曖]이라고 하자 후세의 유학자들이 따랐으

34) 호원(胡瑗 : 993~1059): 자(字)는 익지(翼之), 중국 북송 시기의 유학자. 안정(安定)선생이라 부름.

니, 가리는 것으로 여겼던 것이다. 왕필이 '패(沛)'를 '장막[旆]'이라고 하자 후세의 유학자도 장막으로 여겼던 것이니, 우레가 위에 있고 가운데에 비와 바람이 있어 여기에서 못과 물의 근원의 상을 취했음을 전혀 알지 못한 것이니, 어떻게 장막의 상이 있는 것이겠는가?

○ 案, 右者陰也, 上也, 指上六也. 折其右肱, 上之所爲, 非我之所咎. 自古賢者之終身不遇, 蓋以此也.
내가 살펴보았다: '오른쪽'은 음이고 위이니, 상육을 가리킨다. "오른팔이 부러졌으니"는 위가 한 일이니, 나의 허물이 아니다. 옛날부터 어진 이가 끝내 만나지 못한 이유는 이 때문이다.

김상악(金相岳) 『산천역설(山天易說)』

沛雨貌, 沫指上六也. 九三居離之終, 互爲兌體, 故沛之蔽大於蔀. 沫之見小於斗也. 與上爲應, 而陰暗无位, 是折其右肱也. 雖不能相資以動, 三不失其明, 故无所咎也.
'패(沛)'는 비오는 모습이고, '매(沫)'는 상육을 가리킨다. 구삼이 리괘(☲)의 끝에 자리하고, 호괘가 태괘(☱)의 몸체이므로 비가 와서 가리는 것이 가리개보다 크니, 작은 별이 보이는 것이 북두성보다 작다. 상효와 호응하지만 어두운 음이고 지위가 없으니, 이것이 "오른팔이 부러짐"이다. 서로 의지하여 움직일 수 없지만 삼효가 그 밝음을 잃지 않으므로 허물할 것이 없다.

○ 兌爲澤沛之象, 沫小星. 漢書王商傳引此爻沫作昧, 註斗後小星也. 離日隱於兌澤之下, 故曰豊其沛, 日中見沫. 右肱六居上體, 遇兌毀折, 故曰折其右肱. 明夷六四居上體之下, 則曰入于左腹, 六二居下體之中, 則曰夷于左股.
태괘(☱)가 연못이 되니, 비오는 상이고, '매(沫)'는 작은 별이다. 『한서(漢書)·왕상전(王商傳)』에 이 효를 인용하여 '매(沫)'를 '매(昧)'로 해놓고, 북두성 뒤의 작은 별이라고 주석하였다. 해인 리괘(☲)가 연못인 태괘(☱)의 아래에 숨어있으므로 "장막이 풍성하다. 대낮에도 작은 별을 보고"라고 하였다. '오른팔'은 음이 위 괘의 몸체에 있고 태괘(☱)의 상처입고 부러짐을 만나므로 "오른팔이 부러졌으니"라고 하였다. 명이괘(明夷卦䷣)의 육사가 상괘 몸체의 아래에 있어서 "왼쪽 배로 들어가니"[35]라 하였고, 육이가 아래 몸체의 가운데에 있어서 "왼쪽 다리에 상처를 입으니"[36]라고 하였다.

---

35) 『周易·明夷卦』: 六四, 入于左腹, 獲明夷之心, 于出門庭.
36) 『周易·明夷卦』: 六二, 明夷, 夷于左股, 用拯馬壯, 吉.

이지연(李止淵) 『주역차의(周易箚疑)』

甚於見斗者, 況又折肱乎. 无咎, 二字未詳.
북두성을 보는 것보다 심한데, 하물며 또 팔을 꺾임에야! "허물할 데가 없다"는 자세하지 않다.

김기례(金箕澧) 「역요선의강목(易要選義綱目)」

三居明極應上, 上處震極, 无位而不能動, 三之失明, 尤甚於二, 如旛之蔽上. 沬, 至微星之晝見.
삼효는 밝음의 끝에서 상육에 호응하는데 상육은 진괘(☳)의 끝에서 지위가 없어 움직일 수 없고, 삼효는 밝음을 잃음이 이효보다 더 심하여 깃발이 위를 덮고 있는 것과 같다. '작은 별[沬]'은 낮에 볼 수 있는 아주 작은 별이다.

○ 上无所賴, 則不能有爲, 如折右肱. 人之所用, 在右手上, 六在上, 故曰右, 无所措手, 則无所歸咎處.
상육에 의지할 수 없으면 할 수 있는 것이 없음이 오른팔이 부러진 것과 같다. 사람이 사용하는 것은 오른손에 있으니, 음이 상육에 있으므로 오른쪽이라고 하였고, 손을 둘 곳이 없으면 허물을 돌릴 곳이 없다.

심대윤(沈大允) 『주역상의점법(周易象義占法)』

豐之震䷲, 遷動也. 九三以剛居剛, 極其威明, 而有六之正應, 威力雖足, 而四剛隔之. 皐陶數之三, 堯曰宥之三, 係乎上而或從或否, 不能自極其威明, 故曰豐其沛. 沛, 先儒以爲沛障于上, 而閃動者也. 巽帛互震坎爲旆. 日中見沬, 沬, 先儒以爲小星, 言三之明察, 詳細无遺也. 兌爲右艮巽爲肱, 右肱, 人之所以用事者也, 言爲四所阻, 而不能用事也. 三爲主獄之官, 其道當然, 雖爲上所可否, 爲大臣所阻, 而无咎也.
풍괘가 진괘(䷲)로 바뀌었으니, 움직여서 옮겨가는 것이다. 구삼이 굳센 양으로 굳센 양의 자리에 있어 그 위엄과 밝음이 지극하고 상육의 정응이 있어 위력이 풍족하지만 굳센 사효가 막고 있다. 고요는 세 번 죽이라고 하고, 요임금은 세 번 용서하라[37]고 하였으니, 위에 매달려 있으면서 혹은 따르기도 하고 따르지 않을 수 있지만 스스로 위엄과 밝음을 지극히 할 수 없기 때문에 "장막이 풍성하다"고 하였다. '장막[沛]'은 이전 유학자들이 위에서 가린다

---

37) 蘇軾, 「刑賞忠厚之至論」: 皐陶曰, 殺之三, 堯曰, 宥之三. 故天下畏皐陶執法之堅, 而樂堯用刑之寬.

고 여겼으니, 흔들리는 것이다. 손괘(☴)인 비단[帛]이 괘(☲)와 감괘(☵)와 서로 장막[旆]이 된다. "대낮에도 작은 별을 보고"에서 '작은 별[沫]'은 이전 유학자들이 작은 별로 여겼으니, 삼효가 밝게 살핌을 상세하게 하여 남김이 없다는 말이다. 태괘(☱)가 오른쪽이고, 간괘(☶)와 손괘(☴)가 팔이니, '오른팔'은 사람이 일할 때 쓰는 것으로 사효에게 막혀서 일을 할 수 없음을 말한다. 삼효는 옥사를 주관하는 관리로 그 도가 마땅히 그러하지만 윗사람에게 옳고 그름을 묻고, 대신에게 막히더라도 허물이 없을 것이다.

오치기(吳致箕) 「주역경전증해(周易經傳增解)」

九三陽剛過中, 而在離之終, 以剛明之才, 應上六之柔. 然在豊之時, 彼柔不與我同德, 未得相資之力, 而乃反昏蔽, 有豊其沛, 日中見沫之象. 而明旣爲蔽, 以可用之才, 不見其援引, 故有折其右肱之象. 雖若有咎, 而三旣得正, 匪其自致之過, 故言无咎.
구삼은 굳센 양이 가운데를 지나 리괘(☲)의 끝에 있으면서 굳세고 밝은 재주로 부드러운 상육에 호응한다. 그렇지만 풍성한 때에 저 유약한 자가 나와 덕을 함께 하지 않아 서로 의지하는 힘을 얻지 못하고 도리어 어둡고 가려지게 되어 "장막이 풍성하다. 대낮에도 작은 별을 보는" 상이 있다. 밝음이 이미 가려져 쓸 수 있는 재주로는 도움을 받지 못하기 때문에 "오른팔이 부러지는" 상이 있다. 비록 허물이 있을 것 같지만 삼효가 이미 바름을 얻고 스스로 만든 허물이 아니므로 "허물할 데가 없다"고 하였다.

○ 沛者, 雨下滂沛之貌, 而取於爻變互坎. 沫, 古易作水沫水泡, 而亦以雨言也. 日中見沫, 亦昏蔽之象也. 折取於互兌, 右取於陽, 而手臂曰肱, 取爻變互艮爲手也. 肱之用便於右, 而曰折則无所資也.
'패(沛)'는 비가 세차게 퍼붓는 모습으로 효가 변한 호괘인 감괘(☵)에서 취하였다. '말(沫)'은 옛날 역(易)에서 물거품이라고 하였으니, 또한 비로써 말한 것이다. "대낮에도 작은 별을 보고"는 또한 어둡고 가려진 상이다. '부러짐'은 호괘인 태괘(☱)에서 취하였고, '오른쪽'은 양에서 취하였고, 손의 팔을 팔뚝[肱]이라 하는데 효가 변한 호괘인 간괘(☶)가 손이 됨을 취하였다. 팔뚝은 오른쪽이 쓰기 편한데, "부러졌다"고 했다면 의지할 것이 없는 것이다.

이진상(李震相) 『역학관규(易學管窺)』

日中見沫.
대낮에도 북극성을 보니.
荀九家, 以沫爲斗柄後小星, 言其暗之極也. 沛, 古本作芾, 蔀與[38]芾, 皆草舍掩蔽之象. 震爲萑葦蕃鮮之屬故也. 震體在上兩陰, 及揜離明, 故取以爲象.
『순구가역』에서는 '작은 별[沬]'을 북두성 자루 뒤의 작은 별로 여겼으니, 매우 어둡다는 말이다. '장막[沛]'은 옛 판본에는 '우거질 불(芾)'로 보았는데, '부(蔀)'와 '불(芾)'은 모두 초가가 가려진 상이니, 진괘(☳)가 갈대로 우거져 깨끗한 것들이기 때문이다. 진괘(☳)의 몸체에는 위로 두 음이 있어 리괘의 밝음을 가리기 때문에 취하여 상으로 삼았다.

○ 折其右肱.
오른팔이 부러졌으니.
卦互兌, 兌爲毁折, 不曰股而曰肱者, 以其上體之見折也. 震反爲艮, 艮爲手也. 右者, 陰也上也, 上六不應之象. 上不應, 則明無所用, 而非九三不明之咎也.
괘의 호괘가 태괘(☱)로 태는 해지고 끊어짐이니, '넓적다리'라고 하지 않고 '팔'이라고 한 것은 위 몸체가 끊어지기 때문이다. 진괘(☳)가 뒤집어진 괘는 간괘(☶)로 간은 손이다. '오른쪽'은 음이고 위이니, 상육이 호응하지 않는 상이다. 상효가 호응하지 않으면 밝음을 쓸 데가 없으니, 구삼이 밝지 못한 잘못은 아니다.

이병헌(李炳憲) 『역경금문고통론(易經今文考通論)』

虞曰, 沛不明也, 荀九家云, 大暗謂之沛. 沬, 斗杓後小星也. 姚曰, 右肱謂上也. 右肱折, 尙何用哉. 言无咎者, 自取敗亡, 无所歸咎也.
우번이 말하였다: '장막[沛]'은 밝지 않은 것으로 『순구가역』에서는 큰 어둠을 '장막[沛]'이라고 했다. '작은 별[沬]'은 북두성 자루 뒤의 작은 별이라고 하였다.
요씨가 말하였다: '오른팔'은 위를 말한다. 오른팔이 부러졌는데, 더욱이 무엇을 사용하겠는가? "허물할 데가 없다"는 패망을 스스로 취한 것이라서 허물을 돌릴 데가 없다는 말이다.

38) 與: 경학자료집성DB에는 '典'으로 되어있으나, 경학자료집성 영인본과 문맥을 살펴 '與'로 바로잡았다.

象曰, 豊其沛, 不可大事也, 折其右肱, 終不可用也.

「상전」에서 말하였다: “장막이 풍성하니” 큰일을 할 수 없고, “오른팔이 부러졌으니” 끝내 쓸 수 없다.

中國大全

傳

三應於上, 上應而无位, 陰柔无勢力而處旣終, 其可共濟大事乎. 旣无所賴, 如右肱之折, 終不可用矣.

삼효가 상효에 호응하는데 상효가 호응하지만 지위가 없고, 유약한 음으로 세력이 없고 있는 곳이 이미 끝이니, 어찌 함께 큰 일을 이룰 수 있겠는가? 이미 의지하는 바가 없으니, 오른팔이 부러진 것과 같아서 끝내 쓸 수가 없다.

小註

中溪張氏曰, 九三豊其沛, 則不可以出任大事, 至於斷折其右肱, 則雖有左在, 而隻其手亦終不可以有所用也. 如此則无所措手, 又何所歸咎乎.

중계장씨가 말하였다: 구삼은 장막이 풍성함이니 출사하여 큰일을 맡을 수 없고 그 오른팔이 부러졌으니, 비록 왼팔이 있지만 그 한 쪽 손도 끝내 쓰이는 바가 있을 수 없다. 이와 같다면 손 둘 곳이 없는데 또 어디에 허물을 돌리겠는가?

▎韓國大全▎

김상악(金相岳)『산천역설(山天易說)』

見蔽於上, 故不可大事也, 无賴於應, 故終不可用也.
위에서 가림을 당하므로 “큰 일을 할 수 없고,” 호응을 믿을 수 없으므로 “끝내 쓸 수 없다.”

서유신(徐有臣)『역의의언(易義擬言)』

大事者, 伐沛之事也, 昏蔽之時, 不可爲也. 終不可用者, 不可用, 故不用也.
‘큰 일’은 장막을 걷는 일이니, 어둡고 가려진 때는 할 수 없다. “끝내 쓸 수 없다”는 쓸 수 없기 때문에 쓰지 않는 것이다.

심대윤(沈大允)『주역상의점법(周易象義占法)』

大獄不能自決, 而係乎上也, 阻于大臣, 而不能用事也.
큰 옥사는 자신이 결정할 수 없고 위에 달려있는 것인데 대신에게 막혀서 일을 할 수 없다.

오치기(吳致箕)「주역경전증해(周易經傳增解)」

昏蔽之甚, 故不可共濟大事矣. 旣旡所資, 故終不可用矣.
어둡고 가림이 심하기 때문에 큰일을 함께 할 수 없다. 의지할 것이 이미 없기 때문에 “끝내 쓸 수 없다.”

九四, 豊其蔀, 日中見斗, 遇其夷主, 吉.

구사는 가리개가 풍성하여 대낮에도 북두성을 보니, 대등한 상대[夷主]를 만나면 길하다.

中國大全

傳

四, 雖陽剛, 爲動之主, 又得大臣之位, 然以不中正, 遇陰暗柔弱之主, 豈能致豊大也. 故爲豊其蔀. 蔀, 周圍掩蔽之物, 周圍則不大, 掩蔽則不明. 日中見斗, 當盛明之時, 反昏暗也. 夷主, 其等夷也, 相應, 故謂之主. 初四, 皆陽而居初, 是其德同, 又居相應之地, 故爲夷主. 居大臣之位, 而得在下之賢, 同德相輔, 其助豈小也哉, 故吉也. 如四之才, 得在下之賢, 爲之助, 則能致豊大乎. 曰在下者, 上有當位, 爲之與, 在上者, 下有賢才, 爲之助, 豈无益乎. 故吉也. 然而致天下之豊, 有君而後能也, 五, 陰柔居尊而震體, 无虛中巽順下賢之象, 下雖多賢, 亦將何爲. 蓋非陽剛中正, 不能致天下之豊也.

사효가 비록 굳센 양으로 움직임의 주인이 되고, 또 대신(大臣)의 지위를 얻었으나 중정하지 못한 자로서 음의 어둡고 유약한 임금을 만났으니, 어찌 성대하고 큼을 이룰 수 있겠는가? 그러므로 가리개의 풍성함이 된다. '가리개[蔀]'는 주위를 가려 덮는 물건이니, 주위를 가리면 크지 못하고 가려 덮으면 밝지 못하다. "대낮에 북두성을 본다"는 것은 왕성하게 밝은 때에 해당하는데, 도리어 어두운 것이다. '이주(夷主)'는 대등한 상대[等夷]이니, 서로 호응하기 때문에 주인[主]이라고 말하였다. 초효와 사효는 모두 양으로 처음에 있는 것은 그 덕이 같고, 또 서로 호응하는 자리에 있기 때문에 대등한 상대가 된다. 대신(大臣)의 지위에 있고 아래에 있는 어진 자를 얻어서 덕을 함께 하여 서로 돕는다면 도움이 어찌 작겠는가? 그러므로 길하다. 사효와 같은 재질로 아래에 있는 어진 자가 그의 도움이 됨을 얻는다면 성대하고 큼을 이룰 수 있겠는가? 아래에 있는 자는 위로 지위를 담당한 이가 있어 자신과 함께 함이 있고, 위에 있는 자는 아래로 어진 재주가 있는 이가 있어 자신을 도와준다고 한다면 어찌 유익함이 없겠는가? 그러므로 길하다. 그러나 천하의 풍성함을 이루는 데에는 임금이 있은 뒤에야 가능하니, 오효는 유약한 음으로 높은 자리에 있고 진괘(☳)의 몸체라서 마음을 비우고 손순(巽順)하게 어진 이에게 낮추는 상이 없으니, 아래에 비록 어진 자가 많으나 또한 무엇을 할 수 있겠는가? 굳센 양의 중정함이 아니면 천하의 풍성함을 이루지 못한다.

本義

象與六二同, 夷, 等夷也, 謂初九也. 其占, 爲當豊而遇暗主, 下就同德則吉也.

상이 육이와 같다. '이(夷)'는 대등한 상대이니, 초구를 말한다. 그 점이 풍성한 때에 해당하나 어두운 임금을 만나게 되니, 아래로 덕이 같은 자에게 나아가면 길하다.

小註

或問, 九四近幽暗之君, 所以有豊其蔀日中見斗之象, 亦是他本身不中正所致, 故象云位不當也. 朱子曰, 也是如此.
어떤 이가 물었다: 구사는 어두운 임금에 가까우니, 이 때문에 가리개가 풍성하여 대낮에도 북두성을 보는 상이 있으며, 또한 그 자신도 중정함으로 이루는 바가 아니기 때문에 「상전」에서 "자리가 마땅하지 않다"고 한 것입니까?
주자가 답하였다: 또한 이와 같을 뿐입니다.

○ 進齋徐氏曰, 夷主, 謂四與初皆剛, 同德相應. 故初以四爲配主, 四以初爲夷主也.
진재서씨가 말하였다: '대등한 상대[夷主]'는 사효와 초효가 모두 굳센 양으로 덕을 같이하여 서로 호응함을 말한다. 그러므로 초효는 사효를 짝이 되는 주인[配主]이라고 하고, 사효는 초효를 대등한 상대[夷主]라고 한다.

○ 雙湖胡氏曰, 配者, 配合之義, 彼來爲我配也. 夷者, 等夷之義, 與我爲等夷也. 皆陽故皆曰主.
쌍호호씨가 말하였다: '짝한다[配]'는 것은 짝하여 합한다는 뜻이니, 저것이 와서 나의 짝이 되는 것이다. '대등하다[夷]'는 것은 가지런하여 평평한 뜻이니, 나와 대등한 상대가 되는 것이다. 모두 양이기 때문에 다 "주인"이라고 하였다.

○ 東谷鄭氏曰, 初視四爲配, 以下偶上也, 四視初爲夷, 降上就下也.
동곡정씨가 말하였다: 초효가 사효를 보고 짝으로 여기니, 아랫사람이 윗사람을 짝하는 것이며, 사효가 초효를 보고 대등한 상대로 여기니, 윗사람이 내려가 아랫사람을 따르는 것이다.

○ 建安丘氏曰, 六五暗主在上, 二應而四承之, 所覩均也. 故皆曰豊蔀見斗. 夷, 等夷也, 初四皆剛, 故曰夷. 處豊盛之時, 四以剛明之才, 上承暗主, 欲有所發, 則已亦居陰, 明不足也. 故不若資人以同往. 初剛在下而離體, 至明之才, 上與己應, 可以助己. 四若資之以輔五, 則昏蔽之主可開, 而豊盛之治可保, 宜其吉也.
건안구씨가 말하였다: 육오의 어두운 주인이 위에 있는데, 이효가 호응하고 사효가 받드는 것은 보는 것이 균등한 것이다. 그러므로 모두 "가리개가 풍성하여 북두성을 본다"고 하였다. 이(夷)는 대등한 상대이니, 초효와 사효가 모두 굳센 양이기 때문에 "대등한 상대"라고 하였다. 풍성하고 성대한 때에 처하여 사효는 굳세고 밝은 재질로 위로 어두운 임금을 받들어 드러내고자 하는 바가 있다면, 자신이 또한 음의 자리에 있어 밝음이 부족하다. 그러므로 남에게 의지하여 함께 가는 것만 못하다. 초효는 굳센 양으로 아래에 있고 리괘(☲)의 몸체여서 지극히 밝은 재질은 위로 사효와 호응하여 사효를 도울 수 있다. 사효가 초효에게 의지하여 오효를 돕는다면 어두운 임금이 개명될 수 있어 풍성하게 다스림을 보전할 수 있으니, 그 길함이 마땅하다.

韓國大全

송시열(宋時烈)『역설(易說)』

見斗以上, 說見六二. 夷者, 平夷低下之謂也. 小象位不當者, 綜巽雖爲蔀象, 而上無障蔽, 故曰位不當也. 幽不明者, 亦與初同. 吉行者, 震之行而下從初應吉也
"북두성을 보니" 이상은 육이효에 설명이 보인다. '대등한[夷]'은 평등하게 낮아지는 것을 말한다. 「소상전」에서 "자리가 마땅하지 않기 때문이고"은 거꾸로 된 손괘(☴)가 가리개의 상이지만 위에 가림이 없기 때문에 "자리가 마땅하지 않기 때문이고"라고 하였다. "어두워 밝지 못하기 때문이요"는 또한 초효와 같다. "길하게 행함이다"는 진(震)이 가서 아래로 초효와 호응하여 길한 것이다.

이익(李瀷)『역경질서(易經疾書)』

九四象已見上. 易擧正吉行, 作志行.
구사의 상은 이미 위에 보인다.『역거정(易擧正)』[39]에서는 '길하게 행함이다[吉行]'라고 하는 것은 '뜻이 행해짐이다[志行]'로 되어 있다.

39) 역거정(易擧正): 중국 당나라 시기 곽경(郭京)의 저술.

심조(沈潮) 「역상차론(易象箚論)」

九四日中見斗.
구사는 대낮에도 북두성을 보니.

以陽居陰, 如日在雲霧中也, 此非所謂位不當, 而不明之象也. 斗數七也, 此卦下離數三, 上震數四, 合爲七也. 上互兌二, 下互巽五, 亦合爲七也.
양인데 음에 있어 해가 구름과 안개 속에 있는 것과 같으니, 이것은 자리가 마땅하지 않아 밝지 않다는 상을 말하는 것이 아니다. 북두성은 7개인데, 이 괘의 하괘인 리괘(☲)는 수가 3이고, 상괘인 진괘(☳)는 4이므로 합하여 7이다. 상괘의 호괘인 태괘(☱)가 2이고, 하괘의 호괘인 손괘(☴)가 5이므로 또한 합하여 7이다.

유정원(柳正源) 『역해참고(易解參攷)』

正義, 九四以陽居陰, 闇同於六二, 故曰豊其蔀. 夷, 平也. 四應在初, 而同是陽爻, 能相顯發, 而得其吉, 故曰遇其夷主, 吉也, 言四之與初交相爲主, 若賓主之義也.
『주역정의』에서 말하였다: 구사는 양으로 음의 자리에 있어 육이와 같이 어둡기 때문에 "장막이 풍성하다"고 하였다. '대등한[夷]'은 평평함이다. 사효의 호응은 초효에 있는데 똑같이 양효로 서로 드러내어 길함을 얻기 때문에 "대등한 상대를 만나면 길하다"고 하였으니, 사효가 초효와 사귀어 서로 주인이 됨을 말하니, 손님과 주인의 뜻과 같다.

○ 陸氏希聲曰, 初言配主恭也, 四言夷主謙也.
육희성이 말하였다: 초효에서는 "짝이 되는 주인"이라고 했으니 공손함이고, 사효에서는 "대등한 주인"이라고 했으니 겸손한 것이다.

○ 案, 豊蔀見斗, 六五所爲也. 二與之應, 四與之比, 故其象同.
내가 살펴보았다: 가리개가 풍성하여 북두성을 봄은 육오가 하는 것이다. 이효는 그것과 호응 관계이고, 사효는 그것과 가까운 관계이므로 그 상이 같다.

김상악(金相岳) 『산천역설(山天易說)』

九四居震互巽, 應初而比五, 故與六二同象. 夷主謂初也, 遇同德之應, 承來章之主, 則明不蔽而動有功, 故吉也.
구사는 진괘(☳)에 있고 호괘가 손괘(☴)로 초효에 호응하고 오효와 가까이 있기 때문에 육이와 상이 같다. "대등한 상대"는 초효를 말하니, 같은 덕의 호응을 만나고, "빛난 것을 오게 하는" 임금을 받들면 밝음이 가려지지 않고 움직임에 공이 있기 때문에 길하다.

○ 夷等夷也, 渙六四曰, 非夷所思, 亦指初也.
'대등한[夷]'은 대등함이고, 환괘(渙卦䷺) 육사에서 "보통 사람이 생각할 바가 아니다"[40]라고 하였으니, 또한 초효를 가리킨다.

四居大臣之位, 不從于五, 與初相遇, 與小過六二曰, 不及其君, 遇其臣, 相似, 初變則爲小過也. 又睽之九四, 居于離體, 與初同德相應, 故曰遇元夫交孚, 取象同. 四以震體之主, 爲蔀於豊, 然豊无此爻, 卦當爲明夷, 功亦大矣, 故以吉行也.
사효는 대신의 자리에 있으면서 오효를 좇지 않고 초효와 서로 만나는데 소과괘(小過卦䷽) 육이에서 "임금에게 미치지 않고 신하에게 맞게 하면"과 서로 비슷하니, 초효가 변하면 소과괘이다. 규괘(睽卦䷥) 구사는 리괘(☲)의 몸체에 있으면서 초효와 같은 덕이고 서로 호응하므로 "착한 남편을 만나 서로 믿으니"[41]라고 하였으니, 상을 취함이 같다. 사효는 진괘(☳) 몸체의 주인을 풍성함에 가린 것으로 여겼지만 풍괘에는 이러한 효가 없고 괘는 명이괘(明夷卦䷣)가 되어야 공이 또한 크기 때문에 길하게 행할 수 있다.

김규오(金奎五) 「독역기의(讀易記疑)」

九四, 象傳作吉行, 恐以吉屬上文爲句.
구사의 「소상전」에서 "길하게 행함이다[吉行]'라고 하였는데, 아마도 '길(吉)'은 윗 문장에 속하게 하여 한 구절로 삼아야 할 것 같다.

서유신(徐有臣) 『역의의언(易義擬言)』

四爲蔀, 故曰豊其蔀也. 日中見斗, 六五不相得也. 遇其夷主, 初九相遇也. 及旬日, 故遇也, 資其明, 故吉也.
사효가 장막이므로 "장막이 풍성하다"고 하였다. "대낮에도 북두성을 보니"는 육오와 서로 얻지 못하기 때문이다. "대등한 상대를 만나면"은 초구와 서로 만나는 것이다. 10일에 이르므로 만나고, 그 밝음에 의지하므로 길하다.

---

40) 『周易 · 渙卦』: 六四, 渙, 其群, 元吉, 渙, 有丘, 匪夷所思.
41) 『周易 · 睽卦』: 九四, 睽孤, 遇元夫, 交孚, 厲无咎.

김기례(金箕澧) 「역요선의강목(易要選義綱目)」

豊盛之時, 四不中正, 處大臣位, 上有暗主, 故亦曰豊蔀. 見斗已不正, 而上亦暗, 何以明. 但得初剛同德而應, 故吉. 四在上, 故指初平交.

풍성한 때인데 사효가 중정하지 않고 대신의 지위에 있는데 위에 어두운 임금이 있으므로 또한 "장막이 풍성하다"고 하였다. 북두성을 보는 것은 이미 바르지 않고 위가 또한 어두운 것이니, 어떻게 밝히겠는가? 오직 굳센 초효를 얻어 덕을 같이 하여 호응할 뿐이므로 길한 것이다. 사효가 위에 있으므로 초효를 가리켜 평등하게 사귄다고 하였다.

심대윤(沈大允) 『주역상의점법(周易象義占法)』

豊之明夷䷣, 晦其明也. 九四剛而居柔, 爲君之委任, 有所霽息威明, 而不嗜刑殺, 有明夷之義.

隱掩于下, 而明白于上, 二應五而四近五, 故同其辭也. 夷等夷也, 四應于初, 能延問于下, 而藉其明. 然爲三之隔, 有不爲苛察微細之象, 故曰遇其夷主.

풍괘가 명이괘(明夷卦䷣)로 바뀌었으니, 그 밝음을 어둡게 하는 것이다. 구사는 굳세지만 부드러운 자리에 있어 임금의 위임을 행함에 위엄과 밝음을 흐리게 함이 있고 형벌과 죽임을 좋아 하지 않음에 명이(明夷)의 뜻이 있다. 아래에는 숨기고 위로는 밝히며, 이효가 오효에 호응하고 사효가 오효에 가까이 있으므로 그 말이 같다. '대등한[夷]'은 대등함이고, 사효가 초효에 호응하니, 아래에게 물어 그 밝음을 빌린다. 그렇지만 삼효에게 막혀 세밀한 것을 잘 살필 수 있는 상이 없으므로 "대등한 상대를 만나면"이라고 하였다.

오치기(吳致箕) 「주역경전증해(周易經傳增解)」

九四剛不中正, 而居近君之位, 不能助柔中之君, 而乃致其昏蔽, 有豊蔀見斗之象. 然任大臣之責者, 當求天下之賢, 共理國事. 故戒言同德等夷者, 旣在當應之地, 若與之相遇, 明動互資, 則可以共濟豊大之功, 而獲吉也.

구사가 굳셈으로 중정하지 못하면서 임금과 가까운 자리에 있어 유약하고 가운데 있는 임금을 도울 수 없고 어둡게 가리니, 장막이 풍부하고 북두성을 보는 상이 있다. 그렇지만 대신의 책임을 맡은 자는 천하의 어진 이를 구하여 나라의 일을 함께 다스려야 한다. 그러므로 덕을 함께 하는 대등한 자가 이미 호응하는 지위에 있어 만약 그와 서로 만나 밝음과 움직임을 서로 의지하면 풍성하고 큰 공을 함께 이룰 수 있어 길함을 얻을 것이라고 경계하여 말하였다.

○ 二應於五, 四比於五, 故所蔽之象同也. 夷, 謂等夷也, 主之義, 已見初九.
이효는 오효에 호응하고 사효는 호효에 가까이 있으므로 가려지는 상이 같다. '대등한[夷]'은 대등하다는 말이고, '상대[主]'의 뜻은 이미 초구에 보인다.

이진상(李震相) 『역학관규(易學管窺)』

豊蔀見斗, 同乎二者, 二應五, 四近五, 而皆有柔暗之患也. 震之萑葦蕃鮮, 卽蔀舍之物也. 九四以陽居陰, 宜若異於純陰, 而重陰在上, 見蔽則反甚也. 若九三則重剛, 又隔九四, 雖在震下而無此象也. 遇其夷主, 與初遇也. 初言配, 位之異四陰位, 四言夷德之同也.
장막이 풍성하여 북두성을 봄은 이효와 같은 것으로 이효가 오효에 호응하고 사효가 오효에 가깝지만 모두 유약하고 어두운 근심이 있다. 진괘(☳)는 갈대로 우거져 깨끗한 것들로 곧 가리는 물건이다. 구사는 양으로 음의 자리에 있어 당연히 순수한 음과는 다르고 거듭한 음이 위에 있어 가려지는 것이 도리어 심하다. 구삼이라면 거듭한 굳셈이고 또 구사에게 막혀 있으니, 진괘(☳) 아래에 있지만 이러한 상이 없다. "대등한 상대를 만나면"은 초효와 만나는 것이다. 초효에서 '짝'을 말한 것은 자리가 사효의 음의 자리와 다르다는 것이고, 사효에서 '대등한'을 말한 것은 덕이 같다는 것이다.

이병헌(李炳憲) 『역경금문고통론(易經今文考通論)』

程傳曰, 蔀, 掩蔽之物. 初四皆陽, 而居相應之地, 故爲夷主.
『정전』에서 말하였다: '가리개[蔀]'는 가리는 물건이다. 초효와 사효는 모두 양으로 서로 호응하는 자리에 있기 때문에 '대등한 상대'가 된다.

象曰, 豊其蔀, 位不當也,

「상전」에서 말하였다: "가리개가 풍성함"은 자리가 마땅하지 않기 때문이고,

中國大全

傳

位不當, 謂以不中正居高位, 所以闇而不能致豊.

'자리가 마땅하지 않음'은 중정하지 않음으로 높은 자리에 있음을 말하니, 이 때문에 어두워 풍성함을 이룰 수 없다.

韓國大全

유정원(柳正源) 『역해참고(易解参攷)』

位不當.

자리가 마땅하지 않기 때문이고.

正義, 位不當者, 止謂以陽居陰, 而位不當, 所以豊蔀而闇者也.

『주역정의』에서 말하였다: "자리가 마땅하지 않기 때문이고"는 다만 양으로 음에 자리에 있어 자리가 마땅하지 않기 때문에 가리개가 풍성하여 어둡다는 말이다.

日中見斗, 幽不明也,

"대낮에 북두성을 봄"은 어두워 밝지 못하기 때문이고,

中國大全

傳

謂幽暗不能光明, 君陰柔而臣不中正故也.

어두워서 빛나고 밝힐 수 없음을 말하니, 임금은 유약한 음이고 신하는 중정하지 못하기 때문이다.

小註

臨川吳氏曰, 豊蔀見斗之象, 六二爻辭已有, 象傳不於六二釋之, 而於九四釋之者, 蓋二象由九四而成, 四爲蔀, 故二見斗, 二爻之象同, 而所重在四也.

임천오씨가 말하였다: 가리개가 풍성하여 북두성을 보는 상은 육이의 효사에 이미 있는데, 육이의 「상전」에서 그것을 해석하지 않고 구사의 「상전」에서 해석한 것은 대체로 이효의 상이 구사로부터 이루어져 사효가 가리개[蔀]가 되기 때문에 이효에서 북두성을 보는 것이니, 두 효의 상은 같지만 중요한 것은 사효에 있다.

韓國大全

유정원(柳正源)『역해참고(易解參攷)』

幽不明.

어두워 밝지 못하기 때문이고.

正義, 日中盛則反而見斗, 以譬當光大而居陰, 是應明而幽闇不明也.

『주역정의』에서 말하였다: 해가 중천에 성대하면 도리어 북두성을 본다는 것은 크게 빛나지만 음에 있다는 비유이니, 응당 밝아야 하는데 어두워 밝지 않다는 것이다.

遇其夷主, 吉行也.

"대등한 상대[夷主]를 만남"은 길하게 행함이다.

中國大全

傳

陽剛相遇, 吉之行也. 下就於初, 故云行, 下求則爲吉也.

굳센 양이 서로 만남은 길한 행동이다. 아래로 초효에게 나아가기 때문에 '행한다'고 말했으니, 아래로 구하면 길하게 된다.

韓國大全

유정원(柳正源) 『역해참고(易解參攷)』

吉行也.
길하게 행함이다.

正義, 處於陰位, 爲闇已甚, 叓應於陰, 无由獲吉, 猶與陽相遇, 故吉行.
『주역정의』에서 말하였다: 음의 자리에 처하여 어둠이 이미 심하고, 또 음에 호응하여 길함을 얻을 방법이 없지만 오히려 양과 서로 만나므로 길하게 행할 수 있다.

김상악(金相岳) 『산천역설(山天易說)』

爲蔀於豐, 位雖不當, 震本生明之方, 往遇於離, 則始雖幽暗, 終能向明, 是從吉而行也.
풍성함에 가림은 자리가 마땅하지 않지만 진괘(☳)는 본래 밝음을 만드는 방향이어서 가서 리괘(☲)를 만나면 시작은 어둡지만 끝내 밝음으로 향할 것이니, 길함을 따라 행하는 것이다.

○ 豊蔀見斗, 二四同象, 而其所蔽明者在四, 故象傳所以備戒者如此. 不明, 與明夷上六同. 不明則晦, 幽字從見斗而來, 記云幽宗祭星也. 蓋離震皆有二象, 離承震, 則火麗而明, 雷交電, 則氣菀而晦, 故四曰不明, 五曰來章. 又豊之明蔽, 猶困之剛掩也. 四曰位不當, 與困三同, 幽不明, 與困初同. 上曰闚其戶, 闃其无人, 與困三之入于其宮, 不見其妻, 相似, 三歲不覿, 又與困初同, 故困以動悔爲吉行, 豊以向明爲吉行也.
가리개가 풍성하여 북두성을 봄은 이효와 사효가 같은 상이지만 밝음을 가리는 것은 사효에 있으므로 「소상전」에서 경계를 갖춤이 이와 같다. '밝지 못함'은 명이괘 상육[42]과 같다. 밝지 못하면 어둡고, '유(幽)'라는 글자는 북두성을 보는 것으로부터 왔으니, 『예기』에서 "유종[幽禜으로 星壇]에 기도함은 별에 제사함"[43]이라고 하였다. 리괘(☲)와 진괘(☳)가 모두 두 개의 상이 있지만 리괘가 진괘를 이으면 불이 걸려서 밝고, 우레와 번개가 사귀면 기가 울창하여 어둡기 때문에 사효에서 "밝지 못하다"고 하고, 오효에서 "빛난 것을 오게 하면"이라고 하였다. 또 풍괘의 밝음을 가림은 곤괘(困卦䷮)의 굳셈을 가림과 같다. 사효에서 "자리가 마땅하지 않기 때문이고"는 곤괘의 삼효[44]와 같고, "어두워 밝지 못하기 때문이고"는 곤괘의 초효[45]와 같다. 상육에 "그 문을 엿보니, 고요하여 사람이 없어서"는 곤괘 육삼에 "집에 들어가도 아내를 만나보지 못하니"와 서로 비슷하고, "삼년이 되어도 보지 못하니"는 곤괘 초효와 같기 때문에 곤괘는 움직이면 후회하는 것을 가는 것이 길한 것으로 여겼고, 풍괘는 밝음을 향하는 것을 길하게 행하는 것으로 여겼다.

서유신(徐有臣) 『역의의언(易義擬言)』

位不當, 故爲蔀也. 幽不明者, 自蔽也. 吉下疑有志字.
자리가 마땅하지 않기 때문에 장막이 된다. 어두워 밝지 못하기 때문에 스스로 가리는 것이다. '길(吉)' 자 아래에 아마도 '지(志)'가 있을 것 같다.

---

42) 『周易·明夷卦』: 上六, 不明, 晦, 初登于天, 後入于地.
43) 『禮記·祭法』 第二十三.
44) 『周易·困卦』: 六三, 困于石, 據于蒺藜. 入于其宮, 不見其妻, 凶. 象曰, 據于蒺藜乘剛也. 入于其宮不見其妻, 不祥也.
45) 『周易·困卦』: 初六, 臀困于株木. 入于幽谷, 三歲不覿. 象曰, 入于幽谷, 幽不明也.

심대윤(沈大允) 『주역상의점법(周易象義占法)』

九四任敎化之責, 而不當刑獄之位也. 日中見斗之爲明察, 不言可知, 故但釋其有所不明也. 吉行, 言以吉道行之也, 延問廉訪, 足以爲明, 而不爲已甚, 吉道也. 初二之事小, 而四之事尤大, 故不釋于初二, 而釋于四也, 且明尊卑之不敵也.
구사는 교화의 책임을 맡아서 형벌과 옥사를 담당하는 지위가 아니다. "대낮에도 북두성을 보니"는 밝게 살핌은 되지만 알 수 있다고는 말하지 않았으므로 다만 밝지 않은 것이 있음을 해석한 것이다. "길하게 행함이다"는 길한 도로써 행함을 말하니, 가르침을 청하고 가서 조사하는 것이 충분히 밝으면서도 너무 심하지 않아 길한 도이다. 초효와 이효의 일은 작지만 사효의 일은 매우 크므로 초효와 이효에서 해석하지 않고 사효에서 해석하였으니, 또한 높음과 낮음은 대적할 수 없음을 밝힌 것이다.

오치기(吳致箕) 「주역경전증해(周易經傳增解)」

不得中正, 而居高位, 故所以致幽暗而不明也. 若遇在下同德之賢, 則行而得吉也. 豊蔀見斗, 由九四而成, 故釋之如此.
중정을 얻지 못하고 높은 자리에 있기 때문에 어두워져서 밝지 못하다. 만약 아래에 있는 같은 덕의 어진 이를 만나면 행하여 길함을 얻을 것이다. 장막이 풍성하여 북두성을 봄은 구사로 인하여 이루어진 것이므로 이와 같이 해석하였다.

六五, 來章, 有慶譽, 吉.

육오는 빛난 것을 오게 하면 경사와 명예가 있어 길하리라.

中國大全

傳

五以陰柔之才, 爲豊之主, 固不能成其豊大, 若能來致在下章美之才而用之, 則有福慶, 復得美譽, 所謂吉也. 六二文明中正, 章美之才也. 爲五者, 誠能致之在位而委任之, 可以致豊大之慶, 名譽之美, 故吉也. 章美之才, 主二而言, 然初與三四皆陽剛之才, 五能用賢則彙征矣. 二雖陰, 有文明中正之德, 大賢之在下者也. 五與二雖非陰陽正應, 在明動相資之時, 有相爲用之義, 五若能來章, 則有慶譽而吉也. 然六五无虛己下賢之義, 聖人, 設此義以爲敎耳.

오효가 부드러운 음의 재질로 풍성함의 주인이 되어 진실로 성대하고 큼을 이룰 수 없지만 아래에 있는 빛나고 아름다운 재주를 오게 하여 쓸 수 있으면 복과 경사가 있고 또 아름다운 명예를 얻을 것이니, 이른바 길하다는 것이다. 육이는 문명(文明)하고 중정하니, 빛나고 아름다운 재주이다. 오효가 진실로 그를 데려다가 지위에 있게 하고 위임하면 성대하고 큰 경사와 명예의 아름다움을 이룰 수 있기 때문에 길하다. 빛나고 아름다운 재질은 이효를 위주로 말했으나 초효와 삼효·사효가 모두 굳센 양의 재질이니, 오효가 어진 이를 쓸 수 있으면 무리지어 나올 것이다. 이효가 비록 음이지만 문명하고 중정한 덕이 있으니, 크게 어진 이가 아래에 있는 것이다. 오효와 이효는 비록 음과 양의 정응은 아니지만 밝음과 움직임이 서로 의지하는 때에 있어 서로 쓰이게 되는 뜻이 있으니, 오효가 만약 빛난 것을 오게 할 수 있으면 경사와 명예가 있어 길하다. 그러나 육오가 자신을 비워 어진 이에게 낮추는 뜻이 없으니, 성인이 이러한 뜻을 상정하여 가르침으로 삼았을 뿐이다.

本義

質雖柔暗, 若能來致天下之明, 則有慶譽而吉矣. 蓋因其柔暗, 而設此以開之,

占者能如是, 則如其占矣.

기질이 비록 유약하고 어두우나 천하의 밝은 이를 오게 할 수 있으면 경사와 명예가 있어 길할 것이다. 유약하고 어두움으로 인하여 성인이 이것을 가설해서 개진하였으니, 점치는 자가 이처럼 한다면 이 점과 같다.

小註

進齋徐氏曰, 來, 謂來之也. 以六五柔中之君, 而能來六二中正之臣, 資其開導之益, 則有慶且有譽矣. 此二五同德相照, 得處豊之道, 故吉.
진재서씨가 말하였다: '래(來)'는 오게 함을 말한다. 육오의 유순하고 알맞은 임금으로 육이의 중정한 신하를 오게 하여 그 열어 이끄는 이로움을 의지한다면 경사가 있고 또 명예가 있을 것이다. 이것은 이효와 오효가 덕을 같이하며 서로 비추어 풍성함에 처하는 도를 얻었기 때문에 길하다.

○ 臨川吳氏曰, 陰下從陽, 是庸愚從賢智. 旣有福慶歸於己, 而又有名譽開於人, 有慶有譽, 所以吉也.
임천오씨가 말하였다: 음이 낮추어 양을 따르니, 용렬하고 어리석은 자가 어질고 지혜로운 이를 따르는 것이다. 이미 복과 경사가 자신에게 돌아옴이 있고, 또 명예가 남에게서 드러남이 있어 경사가 있고 명예가 있으니, 이 때문에 길하다.

○ 建安丘氏曰, 二之應五, 未信則不可往, 往則反召其疑, 唯積誠以感之而後, 五之蔽可開, 故曰有孚發若吉. 四之比五, 无助則不可行, 行則未必見信, 唯求初九同德之賢以助己, 而後五之昏可輔, 故曰遇其夷主吉. 此人臣事暗君之訓也. 六五陰暗在上, 處豊之時, 本无慶譽. 以在下有二四剛明之臣, 可以輔己. 上若屈意下之, 資人之明以爲明, 則不唯有慶有譽, 而且得吉也. 此暗主用臣之訓也.
건안구씨가 말하였다: 이효가 오효에 호응함에 신뢰하지 않으면 갈 수가 없고 가면 도리어 그 의심을 부르니, 정성을 들여 감동시킨 뒤라야만 오효의 가린 것을 열 수 있기 때문에 "믿음을 갖고 감동하여 분발하면 길하다"고 하였다. 사효는 오효에 가까우나 도움이 없으면 행할 수 없고, 행한다고 반드시 신뢰를 받는 것은 아니니, 오직 덕을 같이하는 초구의 어진 이를 구하여 자신을 돕게 한 뒤라야 어두운 오효를 도울 수 있기 때문에 "대등한 상대를 만나면 길하다"고 하였다. 이것은 신하가 어두운 임금을 섬기는 가르침이다. 육오는 음과 어두움으로 위에 있고 풍성한 때에 있어 본래 경사와 명예가 없다. 그런데 아래에 이효와 사효의 굳세고 밝은 신하가 있어 육오를 도울 수 있다. 그러니 윗사람이 만약 뜻을 굽혀

낮추고, 남의 밝음에 의지하여 밝음으로 삼는다면 경사가 있고 명예가 있을 뿐만이 아니라 또 길함을 얻는다. 이는 어두운 임금이 신하를 쓰는 가르침이다.

○ 雲峯胡氏曰, 四爻稱豊, 皆无善道. 初與五不言豊, 獨爲可尙. 三爻稱日中, 皆有所蔽. 六五不稱日中, 蓋宜日中无蔽也. 自二之五則曰往. 五, 暗主也, 往則得疾, 自五致二則曰來. 二, 文明者也, 來之則有慶譽而吉. 柔暗之主, 未必能如此. 本義從程傳, 謂因其柔暗而設此以開之, 眞得聖人作易之旨矣.
운봉호씨가 말하였다: 네 효에서 '풍성하다[豊]'고 일컫는 것은 모두 선한 도가 없기 때문이다. 초효와 오효에서 '풍성하다'고 말하지 않은 것은 높일 만하기 때문이며, 세 효에서 '대낮[日中]'이라고 일컬은 것은 모두 가린 바가 있기 때문이다. 육오에서 '대낮[日中]'이라고 일컫지 않은 것은 의당 대낮에는 가림이 없어야 하기 때문이다. 이효에서 오효자리로 가면 "간다[往]"고 한다. 오효는 어두운 임금이니, 가면 미움을 얻는다. 오효가 이효를 이르게 하면 "온다[來]"고 한다. 이효는 문명한 자이니, 오게 하면 경사와 명예가 있어 길하다. 유약하고 어두운 임금은 반드시 이와 같을 수는 없다. 『본의』에서 『정전』을 따라 "유약하고 어두움으로 인하여 이것을 가설해서 개진하였다"고 하였으니, 참으로 성인이 역을 지은 뜻을 얻은 것이다.

韓國大全

송시열(宋時烈) 『역설(易說)』

來者, 來之之意, 言下離文章自來也, 指六二也. 宜日中, 正是此爻義, 言下有光明之來助, 則五當受而來之. 然則有度與譽, 慶者吾之慶也, 譽者人之譽也, 是以吉也.
'오다[來]'는 찾아오는 뜻이니, 아래의 리괘(☲)의 문채와 빛남이 스스로 찾아오는 것으로 육이를 가리킨다. "해가 중천에 있듯이 하여야 한다"가 바로 이 효의 뜻이니, 아래에서 빛남이 와서 도우면 오효가 받아들여 오게 한다는 말이다. 그렇다면 법도와 명예가 있게 되니, '경사'는 나의 경사이고, '명예'는 남의 명예라서 길하다.

이현석(李玄錫) 「역의규반(易義窺斑)」

離明震動, 其卦爲豊. 明足以照, 動足以亨, 卦象甚好, 而爻辭多不吉者, 何也. 序卦曰,豊者大也, 窮大者必失其居. 先儒亦曰, 豊盈也. 蓋當豊亨盈滿之世, 而離有文飾之象, 震有動作之義, 故有窮大失居之戒也. 人臣之務豊其屋盈其居者, 必欺掩君上之明, 以自厚其私, 故豊卦之爻居臣位者, 多凶咎. 豊蔀者二, 豊沛豊屋者一. 其曰見斗見沫云者, 謂旣豊蔀沛, 以遮蔽天日之明, 故雖日中而所見陽光, 僅如斗如沫而止也. 及其豊屋之極其欲也, 則闚戶無人, 終亦必凶.
리괘(☲)는 밝고 진괘(☳)는 움직임이 풍괘이다. 밝음은 충분히 비출 수 있고, 움직임은 충분히 형통할 수 있어 괘의 상이 매우 좋은데 효사에 길하지 않음이 많은 것은 어째서인가? 『서괘전』에 "풍(豊)은 큼이니, 큼을 끝까지 하는 자는 반드시 그 거처를 잃을 것이다"고 하였다. 이전 유학자가 또 "풍은 가득함이다"고 하였다. 형통하고 가득 찬 세상에는 리괘(☲)의 문채를 꾸미는 상이 있고, 진괘(☳)의 동작의 뜻이 있으므로 큼을 궁극하게 하는 자는 거처를 잃는다는 경계가 있다. 집을 풍성하게 하고 거처를 가득 차게 하는데 힘쓰는 신하는 반드시 임금의 밝음을 속이고 가려서 자신의 사사로움을 두텁게 하므로 풍괘의 효에서 신하의 자리에 있는 자는 대부분 흉하고 허물이 있다. "가리개가 풍성함"은 두 번 나오고, "장막이 풍성함"과 "집을 풍성하게 함"은 한 번 나온다. 북두성을 보고 작은 별을 봄은 이미 가리개와 장막이 풍성하여 하늘에 있는 해의 밝음을 가림을 말하기 때문에 해가 중천에 있더라도 양의 밝음을 볼 수 있는 것은 겨우 북두성과 작은 별에 그칠 뿐이다. 집을 풍성하게 하여 욕심을 지극하게 함에 이르면 문을 엿보아도 사람이 없고 끝내 또한 반드시 흉할 것이다.

歷考史傳, 人臣之豊大封殖者, 未有不招禍殃, 高明之家, 鬼瞰其室信矣. 獨六五以柔順之德, 居中莅尊爲豊之主, 此人君之豊也. 柔而中也, 故無妄動浮華之擧, 順而虛也, 故有舍己受人之象. 廣求俊彦, 多致賢哲者, 卽人君之豊富也, 此所以來章有慶而吉也. 程傳言, 六五柔暗無虛己下賢之義, 而聖人設此以爲敎云, 恐或未然. 六五雖柔而居震之體, 爲豊之主, 則不可謂柔弱也. 當豊之世, 協德於離, 則不可謂昏暗也. 與二爲應, 明動相資, 則何可謂無虛己下賢之義乎. 五乃明君, 故如二之豊蔀者, 往而見疑也. 以其見疑於正應之明君, 故發若而後有孚也. 發若者, 謂二自發其蔀也. 司馬遷所謂戴盆何以望天, 卽此義也. 去其障蔽遮掩之私, 而以誠信結於五, 則五亦當來其章美, 而有慶譽也. 六五之德, 苟或不明, 則當見欺於二之豊蔀, 而信之不疑矣, 豈曰得疑疾乎. 以此論之, 六五之得暗主之名, 似非爻辭之本指也.
역사를 차례차례 살펴보면, 자신을 풍성하고 크게 하며 증식시키는 신하는 재앙을 부르지 않음이 없으며 지위가 높은 집안은 귀신이 그 집을 엿본다는 것이 진실이다. 유독 육오는 부드럽고 유순한 덕으로 가운데와 높은 데 있어 풍의 주인이 되었으니, 이는 임금의 풍성함이다. 부드러우면서도 가운데에 있으므로 거짓된 행동이나 헛된 거동이 없고, 유순하면서도 비어있으므로 자기를 버리고 남을 받아들이는 상이 있다. 뛰어난 선비를 널리 구하고 어진

이를 많이 부르는 것은 임금의 풍부함이니, 이것이 "빛난 것을 오게 하면 경사가 있어 길하다"는 것이다. 『정전』에서 "육오가 부드럽고 어둡지만 자신을 비워 어진 이에게 낮추는 뜻이 없으니, 성인이 이러한 뜻을 상정하여 가르침으로 삼았을 뿐이다"라고 하였는데, 아마도 그렇지 않은 것 같다. 육오가 부드럽지만 진괘(☳)의 몸체에 있어 풍괘의 주인이 되니, 유약하다고 할 수 없다. 풍성한 때에 리괘(☲)와 덕을 협력하니, 어둡다고 할 수 없다. 이효와 호응하여 밝음과 움직임을 서로 의지하면 어찌 자신을 비워 어진 이에게 낮추는 뜻이 없다고 말할 수 있겠는가? 오효가 바로 밝은 임금이므로 이효와 같은 가리개가 풍성한 자는 가더라도 의심을 받는다. 정응의 밝은 임금에게 의심을 받기 때문에 감동하게 분발시킨 이후에 믿음이 있을 것이다. "감동하여 분발하면"은 이효가 스스로 그 장막을 걷어내는 것이다. 사마천이 말한 "동이를 이고 어찌 하늘을 바라볼 수 있겠는가?"가 이 뜻이다. 가리고 숨기는 사사로움을 제거하여 성실과 믿음으로 오효와 맺으면 오효도 그 빛나고 아름다움을 오게 하여 경사와 명예가 있을 것이다. 육오의 덕이 만약 간혹 밝지 않으면 이효의 가리개가 풍성함에 속임을 당하여 믿음이 의심받을 것이니, 어찌 "의심과 미움을 얻으리니"라고 하겠는가? 이것으로 보면 육오가 어두운 임금이라는 말을 얻은 것은 아마 효사의 본래 뜻이 아닐 것이다.

이익(李瀷) 『역경질서(易經疾書)』

六五不言象, 只云來章, 則彖所謂王假日中者, 是也.

육오에서는 상을 말하지 않고 다만 "빛난 것을 오게 하면"이라고 하였으니, 「단전」에서 왕의 이름이 해가 중천에 있듯이 하여야 한다가 이것이다.

심조(沈潮) 「역상차론(易象箚論)」

六五來章.

육오는 빛난 것을 오게 하면.

章, 陰帶些陽也, 如坤六三含章之章一般.

'빛남[章]'은 음이 양을 조금 가지고 있음이니, 곤괘 육삼에서 "아름다움을 머금어"의 '아름다움 장(章)'과 같다.

유정원(柳正源) 『역해참고(易解參攷)』

縉雲馮氏曰, 六二言往, 六五言來, 二五往來交合, 章明之象.

진운풍씨가 말하였다: 육이에서는 가다[往]를 말하고, 육오에서는 오다[來]를 말했으니, 이효

와 오효가 왕래하여 서로 합함이 밝음의 상이다.

○ 陳氏曰, 五陰暗則往而疑, 二文明則來而章. 章者, 離體文明之象.
진씨가 말하였다: 오효가 음이면서 어두우니 가더라도 의심받고, 이효가 문채로 밝으니 와서 빛난다. '빛남[章]'은 리괘(☲) 몸체의 문명의 상이다.

○ 案, 以暗居尊, 應二又闇, 此亦豐蔀之象. 然聖人作易, 開示人向善之路, 雖以五之柔暗, 能虛己下人, 來致三四陽明之美, 則有慶有譽而獲吉.
내가 살펴보았다: 어두움으로 높은 데 있으면서 이효와 호응하고도 어두우니, 이것도 가리개가 풍성한 상이다. 그렇지만 성인이 역을 지음은 사람에게 선으로 향하는 길을 열어 보인 것이니, 오효의 부드러움과 어두움일지라도 자신을 비우고 다른 사람에게 낮추어 삼효와 사효의 밝은 양의 아름다움을 오게 하면 경사와 명예가 있어 길함을 얻을 것이다.

김상악(金相岳) 『산천역설(山天易說)』

六五爲豐之主, 正王假日中之時, 能來致六二之明, 近得九四之動, 相合而成章, 故有慶譽而吉. 詩云, 維其有章矣, 是以有慶矣, 此之謂也.
육오가 풍괘의 주인으로 왕이 해가 중천일 때 이르는 시기에 육이의 밝음을 오게 하고 가까이 구사의 움직임을 얻어 서로 합하여 빛남을 이루므로 경사와 명예가 있어 길하다. 『시경』에서 "그 빛남이 있으니, 이 때문에 경사가 있도다"[46]라고 하였으니, 이것을 말한다.

○ 章者, 離之文明也. 震木得離火, 英華自生, 章之象. 故噬嗑曰雷電合而章. 五爲見斗之爻, 居其所而不動, 星之最尊者, 故在下之星, 環繞而來向, 以成其文也. 凡言來者, 多在坎離之卦, 此曰來章, 二在離體而炎上也. 旣濟五曰, 吉大來, 五居坎體而潤下也. 習坎則三互離體, 故曰來之坎坎. 來章而五變則爲革, 革之五曰, 大人虎變, 其文炳也, 乃章美之極致也. 又坤六三曰, 含章可貞, 或從王事, 以時發也, 所以六五在中之文, 卽三之所發也. 又未濟之爲卦, 以離居上, 五爲文明之主, 故曰君子之光, 而象傳其暉吉也. 豐假之之王, 得在下之明, 以成其光暉之盛, 則可以日中無憂, 故有慶譽而吉也. 又豐旅反對, 旅曰射雉, 雉者文明之物也, 故此曰來章而皆言譽.
'빛남[章]'은 리괘(☲)의 문명이다. 진괘(☳)의 나무가 리괘(☲)의 불을 얻어 꽃이 저절로 생기는 것이 '빛남[章]'의 상이다. 그러므로 서합괘(噬嗑卦䷔) 「단전」에서 "우레와 번개가 합하여

46) 『詩經 · 小雅』: 裳裳者華, 芸其黃矣. 我覯之子, 維其有章矣. 維其有章矣, 是以有慶矣.

빛나고"[47]라고 하였다. 오효가 북두성을 보는 효로 그 자리에 있어 움직이지 않음은 별 중에 가장 높은 것이므로 아래의 별들이 고리처럼 두르고 와서 향하여 그 문채를 이룬다. 무릇 '오다'를 말한 것은 감괘(☵)와 리괘(☲)에 많이 있으니, 여기에서 "빛난 것을 오게 하면"은 이효가 리괘의 몸체에 있으면서 위로 불타오르는 것이다. 기제괘 오효에서 "길함이 크게 오는 것이다"[48]라고 하였으니, 오효가 감괘의 몸체에 있으면서 아래로 젖어드는 것이다. 감괘(坎卦䷜)는 삼효의 호괘가 리괘의 몸체이므로 "오고 감에 험하고 험한데"[49]라고 하였다. 빛난 것을 오게 하여 오효가 변하면 혁괘(革卦䷰)가 되는데 혁괘 오효에 "대인이 호랑이 변하듯 변함은 그 문채가 빛남이다"[50]라고 하였으니, 빛나고 아름다움의 극치이다. 또 곤괘(坤卦䷁) 육삼에서 "아름다움을 머금어 곧을 수 있으나, 혹 왕의 일에 종사하면 때에 맞추어 드러내는 것이다"[51]라고 하였으니, 육오의 가운데 있는 문채는 곧 삼효가 드러낸 것이다. 또 미제괘에서 리괘가 위에 있고 오효가 문명의 주인이므로 "군자의 빛남"이라 하였고, 「소상전」에서 "그 빛남이 길한 것이다"[52]라고 하였다. 풍괘에서 이르는 왕이 아래에 있는 밝음을 얻어 성대한 빛남을 이루면 해가 중천에 있듯이 걱정이 없으므로 경사와 명예가 있어 길한 것이다. 또 풍괘와 려괘(旅卦䷷)는 뒤집힌 괘로 려괘에서 "꿩을 쏘아"[53]라고 하였고, 꿩은 문명의 동물이므로 여기에서 "빛난 것을 오게 하면"이라 하였으니, 모두 명예를 말한 것이다.

서유신(徐有臣) 『역의의언(易義擬言)』

來章, 所以爲豊也. 至此, 蔀已決矣, 志已發矣, 六二來而章矣. 五有以來之, 二得以來也. 來臣之章, 成已之章, 照天下而有餘光矣, 是爲五之德, 而有慶譽吉也.

"빛난 것을 오게 하면"은 풍성하게 되는 것이다. 여기에 이르러 가리개가 끊어지고 뜻이 펴지니, 육이가 와서 빛난다. 오효가 이효를 오게 할 수 있어 이효가 올 수 있다. 신하의 빛남을 오게 하고 자신의 빛남을 이루어 천하를 비추어 여유로운 빛남이 있으니, 이것이 오효의 덕이 되어 경사와 명예가 있어 길한 것이다.

---

47) 『周易·噬嗑卦』: 象曰, 頤中有物, 曰噬嗑, 噬嗑而亨. 剛柔分, 動而明, 雷電, 合而章, 柔得中而上行, 雖不當位, 利用獄也.

48) 『周易·旣濟卦』: 九五, 東隣殺牛, 不如西隣之禴祭, 實受其福. 象曰, 東隣殺牛, 不如西隣之時也, 實受其福, 吉大來也.

49) 『周易·坎卦』: 六三, 來之, 坎坎, 險, 且枕, 入於坎窞, 勿用.

50) 『周易·革卦』: 九五, 大人虎變, 未占, 有孚. 象曰, 大人虎變, 其文炳也.

51) 『周易·坤卦』: 六三, 含章可貞, 或從王事, 无成有終. 象曰, 含章可貞, 以時發也,

52) 『周易·未濟卦』: 六五, 貞吉, 无悔, 君子之光, 有孚, 吉. 象曰, 君子之光, 其暉吉也.

53) 『周易·旅卦』: 六五, 射雉, 一矢亡, 終以譽命.

이지연(李止淵) 『주역차의(周易箚疑)』

陰中陽, 每以章言之. 坤之六三, 可見我自有含章之德, 而又以文明應之, 其章可知.
음 중의 양은 매번 빛남으로 말하였다. 곤괘(坤卦)의 육삼이 나에게 아름다움을 머금은 덕이 있음을 알고 또 문명으로 호응하니, 그 빛남을 알 수 있다.

김기례(金箕澧) 「역요선의강목(易要選義綱目)」

章指二虛明.
'빛남[章]'은 이효의 비고 밝음을 가리킨다.

○ 五雖柔暗居尊, 能來在下之明, 則二以信誠來應, 故疑發蔀, 以致慶譽. 卦中五與初, 不言豊者, 初在下而未至豊, 五虛中而賴下助, 則不知豊者也.
오효가 부드럽고 어두울지라도 높은 데 있어 아래에 있는 밝음을 오게 하면 이효가 믿음과 정성으로 와서 호응하므로 아마 가리개를 걷어 경사와 명예를 이룰 것이다. 괘 가운데 오효와 초효에 풍성함을 말하지 않은 것은 초효는 아래에 있어 아직 풍성함에 이르지 못했고, 오효는 가운데가 비어 아래의 도움에 의존하니 풍성함을 알지 못하는 것이다.

심대윤(沈大允) 『주역상의점법(周易象義占法)』

豊之革䷰, 去故也. 罪之不可宥者, 誅戮而除之. 震爲摧擊, 兌爲刑傷, 有其象. 不善者, 皆去故之習, 而遷于善. 震爲遷動, 兌爲革變, 有其象, 二者皆革之義也. 六五居剛, 用其威明, 而委任九四之賢臣, 而不自用, 下應于二, 而隔于二陽, 不極其明, 以柔道行中, 威而不酷, 察而不苛, 寬而不懦. 來章, 言延問于二, 而成其明也. 震离爲來, 對艮言离顯爲譽. 初在下而卑, 五不自用, 故不言豊也.
풍괘가 혁괘(革卦䷰)로 바뀌었으니, 옛 것을 제거하는 것이다. 죄를 용서할 수 없는 자는 죽여서 제거해야 한다. 진괘(☳)는 꺾고 침이 되고, 태괘(☱)는 형벌과 상처가 되어 그 상이 있다. 선하지 않은 자는 모두 옛 습관을 제거하여 선한 데로 옮기게 하는 것이다. 진괘는 옮기고 움직임이며, 태괘는 바뀜이 되어 그 상이 있으니, 두 가지는 모두 바뀐다는 뜻이다. 육오가 굳셈에 있어 그 위엄과 밝음을 사용하되 구사의 어진 신하에게 위임하여 스스로 쓰지 않고, 아래로 이효와 호응하지만 두 양에 막혀 그 밝음을 지극하게 할 수 없으니, 부드러운 도로 알맞은 도를 행하여 위엄이 있지만 혹독하지 않고 살피지만 사납지 않고 너그럽지만 나약하지 않다. "빛남을 오게 하면"은 아래로 이효에게 물어서 그 밝음을 이룸을 말한다. 진괘(☳)와 리괘(☲)가 옴이고, 음양이 바뀐 간괘(☶)의 말과 리괘(☲)의 드러남이 명예가 된다. 초효가 아래에서 낮고, 오효는 스스로 쓰지 않으므로 풍성하다고 말하지 않았다.

오치기(吳致箕) 「주역경전증해(周易經傳增解)」

六五柔得中而居尊, 下應六二同德之臣. 然質柔而乘九四之剛臣, 爲其所蔽, 乃至昏暗而不能有爲. 故戒言能來致六二文明章美之才, 明動互資, 則當濟豊大之功, 有慶譽而得吉也.
육오는 부드러우면서 가운데를 얻어 높은 데 있으면서 아래로 같은 덕의 신하인 육이와 호응한다. 그렇지만 바탕이 유약한데, 구사의 굳센 신하를 타고 그에게 막히니, 지극히 어두워 큰일을 할 수 없다. 그러므로 육이의 문명하고 아름다운 재주를 가진 이를 오게 하여 밝음과 움직임을 서로 의지하면 풍성하고 큰 공을 이루어 경사와 명예가 있어 길함을 얻을 것이라고 경계하여 말하였다.

○ 來謂來致也, 章謂文明也. 苟非剛明中正之德, 則无以成豊大之業, 而六五柔君, 有此昏柔, 故所以爲戒也.
'오다[來]'는 와서 이르는 것이다. '빛남[章]'은 문채가 밝은 것이다. 굳세고 밝으며 중정한 덕이 아니면 풍성하고 큰 사업을 이룰 수 없고, 육오의 부드러운 임금이 이러한 어리석고 유약함이 있으므로 경계한 것이다.

이진상(李震相) 『역학관규(易學管窺)』

在他爻看, 則六五柔暗, 不足與有爲, 而入本位, 動而之陽, 又其內剛而外柔, 故三陽之在下者, 皆來輔之, 所以有譽也. 六二在本位, 則固亦柔暗, 而來應於五, 則全體文明, 反添中正之美, 所以无害也.
다른 효에서 보면 육오는 부드럽고 어두워 더불어 좋은 일을 할 수 없고, 본래의 자리에 들어가서 움직여 양으로 가더라도 안은 강하지만 밖은 부드럽기 때문에 아래에 있는 세 양이 모두 와서 도우면 그 때문에 명예가 있을 것이다. 육이가 본래의 자리에 있으면 참으로 또한 부드럽고 어둡지만 와서 오효와 호응하면 전체의 문명이 도리어 중정의 아름다움에 첨가되어 그 때문에 해로움이 없을 것이다.

이병헌(李炳憲) 『역경금문고통론(易經今文考通論)』

程傳曰, 六二文明中正, 章美之才也. 若能用, 則可以爲天下之福.
『정전』에서 말하였다: 육이는 문명하고 중정하니, 빛나고 아름다운 재주이다. 만약 쓴다면 천하의 복이 될 수 있을 것이다.

象曰, 六五之吉, 有慶也.

「상전」에서 말하였다: "육오의 길함"은 경사가 있는 것이다.

中國大全

傳

其所謂吉者, 可以有慶福, 及于天下也. 人君雖柔暗, 若能用賢才, 則可以爲天下之福, 唯患不能耳.

이른바 '길하다'는 것은 경사와 복이 천하에 미칠 수 있다는 것이다. 임금이 비록 유약하고 어두우나 어진 이의 재주를 쓸 수 있으면 천하의 복이 될 수 있으니, 오직 그렇게 할 수 없음을 걱정할 뿐이다.

韓國大全

서유신(徐有臣) 『역의의언(易義擬言)』

豊大之時, 五柔而能吉者, 以其有來章之慶也.

풍성하고 큰 때에 오효가 부드러우면서도 길한 것은 빛난 것을 오게 하는 경사가 있기 때문이다.

오치기(吳致箕) 「주역경전증해(周易經傳增解)」

人君雖或昏柔, 若能用賢才, 則慶福可以及天下, 而爲吉也.

임금이 비록 간혹 어리석고 부드럽더라도 만약 어질고 재주있는 사람을 쓰면 경사와 복을 천하에 미치게 하여 길할 것이다.

上六, 豊其屋, 蔀其家. 闚其戶, 闃其无人, 三歲, 不覿, 凶.

상육은 집을 풍성하게 하고 집에 가리개를 쳐놓는다. 그 문을 엿보니, 고요하여 사람이 없어서 삼년이 되어도 보지 못하니, 흉하다.

中國大全

傳

六以陰柔之質, 而居豊之極, 處動之終, 其滿假躁動, 甚矣. 處豊大之時, 宜乎謙屈而處極高, 致豊大之功, 在乎剛健而體陰柔, 當豊大之任, 在乎得時而不當位, 如上六者, 處无一當, 其凶可知. 豊其屋, 處太高也, 蔀其家, 居不明也. 以陰柔, 居豊大而在无位之地, 乃高亢昏暗, 自絶於人. 人誰與之. 故闚其戶, 闃其无人也. 至於三歲之久而不知變, 其凶宜矣. 不覿, 謂尙不見人, 蓋不變也. 六居卦終, 有變之義, 而不能遷, 是其才不能也.

육(六)이 부드러운 음의 재질로 풍괘의 끝에 있고 움직임의 마지막에 처했으니, 자만하고 큰 체하며 조급히 움직임이 심하다. 성대하고 큰 때에 처해서는 겸손하고 굽혀야 함이 마땅한데도 지극히 높은 데 처하고, 성대하고 큰 공(功)을 이룸은 강건함에 달려 있는데 몸체는 부드러운 음이며, 성대하고 큰 임무를 감당함은 때를 얻는데 달려 있는데 자리가 합당하지 않으니, 상육과 같은 자는 처지가 하나도 합당하지 않으니, 그 흉함을 알 수 있다. "집을 풍성하게 한다"는 것은 너무 높은 데에 있는 것이고, "집에 가리개를 쳐놓는다"는 것은 밝지 못함에 있는 것이다. 부드러운 음으로 성대하고 큼에 있지만 지위가 없는 자리에 있으니, 이는 너무 높고 어두워서 스스로 남과 끊는 것이다. 어느 누가 함께 하겠는가? 그러므로 그 문을 엿봄에 고요하여 사람이 없는 것이다. 삼년의 오랜 세월에 이르도록 변할 줄을 모르니, 그 흉함이 당연하다. "보지 못한다"는 것은 아직도 사람을 보지 못함을 말하니, 변하지 않는 것이다. 육(六)이 괘의 끝에 있어 변하는 뜻이 있으나 옮길 수 없으니, 이는 그 재질로는 할 수 없는 것이다.

本義

以陰柔, 居豊極, 處動終, 明極而反暗者也. 故爲豊大其屋, 而反以自蔽之象. 无

人不覿, 亦言障蔽之深, 其凶甚矣.

부드러운 음으로 풍괘의 끝에 있고 움직임의 마지막에 처했으니, 밝음이 극에 달하여 도로 어두워진 자이다. 그러므로 집을 성대하고 크게 하지만 도리어 자신을 가리는 상이다. "사람이 없다"는 것과 "보지 못한다"는 것이 또한 막고 가림이 심함을 말하니, 그 흉함이 심하다.

小註

路氏純中曰, 居一卦之上, 而位極其高, 故曰豐其屋. 體陰柔之質, 而材蔽於暗, 故曰蔀其家. 无剛明之才以用下, 而且窮大以失其居焉. 九三雖應於下, 彼孰肯爲之應哉. 此所以闚其戶闃其无人, 而三歲不覿也.
노순중이 말하였다: 한 괘의 맨 위에 있어 지위가 그 높음을 다했기 때문에 "그 집을 풍성하게 한다"고 하였다. 부드러운 음이 바탕을 몸체로 하여 재질이 어두움에 가려졌기 때문에 "그 집에 가리개를 쳐놓았다"고 하였다. 굳세고 밝은 재주로써 아랫사람을 씀이 없고, 또 궁함이 커서 그 거처함을 잃었다. 구삼이 비록 아래에서 호응하지만 저 누군들 기꺼이 그에게 호응하겠는가? 이것이 그 문을 엿보니 고요하여 사람이 없어서 삼년이 되어도 보지 못하는 까닭이다.

○ 誠齋楊氏曰, 自古小人揜其君之明者, 不過欲豊乎己之屋而已, 不知豊其屋者, 適以揜其家而不光, 又不過欲高其位而天飛而已, 不知高其位者, 適以空其門而自遁. 家之揜也, 門之空也, 自此三歲而熠燿行於室, 麋鹿遊於臺矣, 豈復覿汝家之有人跡乎. 凶莫大焉.
성재양씨가 말하였다: 예로부터 소인이 그 임금의 밝음을 가리는 것은 자기의 집을 풍성하게 하고자 하는데 불과할 뿐이니, 그 집[屋]을 풍성하게 하는 것이 그 집[家]을 가리어 빛나지 못하게 하는 것임을 알지 못한 것이고, 또 그 지위를 높여 하늘 높이 날고자 하는데 불과할 뿐이니, 그 지위를 높게 하는 것이 그 가문을 헛되게 하여 스스로 달아나게 하는 것임을 알지 못한 것이다. 집이 가려지고 가문이 헛되게 되는 것이 이로부터 삼년이 되어도 도깨비불만 집에 반짝이고 큰 사슴이 대(臺)에 노니니, 어찌 다시 너의 집에 사람의 흔적이 있었음을 보겠는가? 흉한 것 가운데 이보다 큰 것이 없다.

○ 沙隨程氏曰, 六五以謙接物, 故雖九三非應而必來. 上六以亢自居, 雖九三正應而不爲用. 此吉凶之斷也.
사수정씨가 말하였다: 육오는 겸손으로 사물을 접대하므로 비록 구삼이 호응하는 것은 아니지만 반드시 온다. 상육은 너무 높은 곳에 있으니, 비록 구삼이 정응이지만 쓰임이 되지

못한다. 이것이 길흉의 나눔이다.

○ 雲峯胡氏曰, 六以陰柔居豊極, 處動終, 明極反暗, 故蔀其家. 動極必静, 故闚其戶闃其无人. 闃, 静也, 卦辭曰勿憂宜日中. 二下卦之中, 日中之象. 五上卦之中, 日中之位. 初與四未及乎中, 三與上已過乎中者也, 況上又處豊之極, 其凶宜矣.
운봉호씨가 말하였다: 육은 부드러운 음으로 풍성함의 끝에 있고 움직임의 마지막에 있으니, 밝음이 다하여 도리어 어두워지므로 그 집에 가리개를 쳐놓은 것이다. 움직임이 다하면 반드시 고요하므로 그 문을 엿보니 고요하여 사람이 없는 것이다. '격(闃)'은 고요함이니, 괘사에서 "근심하지 말고 해가 중천에 있듯이 하여야 한다"고 하였다. 이효는 하괘의 가운데 있으니 해가 중천에 있는 상이다. 오효는 상괘의 가운데 있으니 해가 중천에 있는 자리이다. 초효와 사효는 아직 가운데에 미치지 못하였는데, 삼효와 상효는 이미 가운데를 지난 것들이고, 더욱이 상효는 또 풍성함의 끝에 처하였으니, 그 흉함은 마땅하다.

‖韓國大全‖

송시열(宋時烈)『역설(易說)』

豊其屋, 艮爲屋廬象, 言高大其屋也. 蔀解見上. 屋其家, 皆自上視下爲艮, 應爲互巽. 又艮爲門戶, 闚者, 從門從窺, 見觀卦. 主[54]言陽之四爻, 障蔽其間, 自藏其身, 又不見其人. 離爲目, 而互坎幽暗, 至於三歲之久, 所以凶也. 小象天際翔者, 其屋甚高, 如翼蔽天際, 然詩之如鳥斯飛之意也. 始則爲蔽於人, 終則自藏, 始則有離明之見, 而終則幽暗而不見, 與明夷上六, 初登于天, 後入于地, 同意耶.
"집을 풍성하게 하고"는 간괘(☶)가 집의 상으로 그 집안을 높고 크게 한다는 말이다. '가리개[蔀]'는 해석이 위에 보인다. '집[屋, 其家]'은 모두 위에서 아래로 보면 간괘(☶)가 되고, 호응하는 것이 호괘인 손괘(☴)가 된다. 또 간괘(☶)는 문이 되니, '엿봄[闚]'은 '문(門)'과 '규(窺)'로 된 글자로, 관괘(䷓)에 보인다. '주인[主]'은 양인 네 번째 효를 말하는데, 그 사이를 가리고 자신을 스스로 감추어 또한 그 사람을 볼 수 없는 것이다. 리괘(☲)는 눈이고,

54) 主: 경학자료집성DB와 영인본에는 '住'로 되어 있으나, 문맥을 살펴 '主'로 바로잡았다.

호괘인 감괘(☵)가 어둠인데 3년이나 오래되니 흉하다. 「소상전」에 "하늘 가로 비상하는 것"은 그 집이 매우 높아 날개가 하늘을 가리는 것과 같지만, 『시경』에서 "새가 나는 것 같다"[55]는 뜻이다. 시작에서는 다른 사람에게 가려지고, 마지막에서는 스스로 감추며, 시작에서는 리괘의 밝음을 볼 수 있고, 마지막에는 어두워 볼 수 없으니, 명이괘(明夷卦䷣) 상육의 "처음에는 하늘에 오르고, 뒤에는 땅으로 들어간다"[56]와 같은 뜻일 것이다.

이익(李瀷) 『역경질서(易經疾書)』

上六豊之極, 而爲侈大, 於是大苑囿高宮室, 無所不至. 于時必有宵小鴟, 張擁揜聰明, 如氛翳蔽日, 莫之敢干, 忠諫不入, 上下隔遠, 亡無日矣. 家者國之所本, 人主之內治也. 戶則其出入者, 人居其內, 而謂之自藏, 則非無人也. 然而闚闖而不敢入, 則闚者非自藏之主人也. 此豫怠之極, 上下阻隔者也, 其凶可知. 孔子解之曰, 豊其屋, 天際翔也, 闚其戶, 闃其無人, 自藏也. 屋固有豊大者矣, 何若是天際翔也. 人固有不覿者矣, 何若是闃其自藏也. 其歎慨之深, 箴警之切, 溢於辭表.

상육은 풍괘의 끝으로 아주 사치하여 이에 동산과 높은 집을 크게 지으면서 하지 않는 짓이 없다. 이때에 반드시 밤에 작은 올빼미가 있어 총명함을 크게 가림이 나쁜 기운이 해를 가림에 감히 막을 수 없음과 같아서 충직하게 간(諫)하는 말이 받아들여지지 않으면 위와 아래가 멀리 떨어지게 되어 얼마 지나지 않아 망할 것이다. '집[家]'은 나라의 근본으로 임금이 안으로 다스리는 것이다. '문[戶]'은 출입하는 것으로 사람이 안에 있으면서 스스로 감추는 것이라고 한다면 사람이 없는 것이 아니다. 그러나 엿보기만 하고 감히 들어가지 않으면 엿보는 자가 스스로 감추는 주인은 아니다. 이것은 즐기고 게으름을 피우는 극치로 위와 아래가 막혀서 서로 통하지 못하는 것으로 그 흉함을 알 수 있다. 공자가 해석하여 "집안을 풍성하게 함은 하늘 가로 비상하는 것이고, 그 문을 엿보니 고요하여 사람이 없음은 스스로 감추는 것이다"라고 하였다. 집이 참으로 풍성하고 큰 것이 있는데 어찌 이와 같이 하늘 가로 비상하겠으며, 사람이 참으로 보이지 않음이 있는데 어찌 이와 같이 고요히 스스로 감추겠는가? 그 탄식이 깊고 경계가 절실함이 말의 바깥에서 넘친다.

심조(沈潮) 「역상차론(易象箚論)」

窺其戶, 闃其無人, 極有妙處. 戶陽也, 與三應也. 闃其無人, 卽二爻人位而虛也. 三數

55) 『詩經 · 小雅』: 如跂斯翼, 如矢斯棘, 如鳥斯革, 如翬斯飛, 君子攸躋.

56) 『周易 · 明夷卦』: 上六, 不明, 晦, 初登于天, 後入于地.

與離卦相應, 故取其三. 或三爲震木之位, 故取之歟.
"그 문을 엿보니, 고요하여 사람이 없어서"는 매우 묘한 것이 있다. '문'은 양이니, 삼효와 호응한다. "고요하여 사람이 없어서"는 두 효가 사람의 자리인데 비어있는 것이다. 3이라는 숫자는 리괘(☲)와 서로 호응하므로 그 3을 취하였다. 혹은 3이 진괘(☳)의 나무의 자리이므로 취한 것이다.

유정원(柳正源) 『역해참고(易解參攷)』

建安丘氏曰, 斗, 星之大者, 六五以陰居陽, 雖闇而有明, 斗也. 二應四而近之, 故皆有豊蔀見斗之象. 沫, 星之小者, 上六以陰居陰, 其暗特甚, 沫也. 三與之應, 故有豊蔀見沫之象. 沛之蔽過於蔀, 沫之闇過於斗, 此以五上居位之異, 而爲三爻所見之別也.
건안구씨가 말하였다: '북두성'은 별 중에 큰 것이니, 육오가 음으로 양에 있어 어두우나 밝음이 있으므로 북두성이다. 이효가 사효에 호응하는데 그것을 가까이 하므로 모두 가리개가 풍성하여 북두성을 보는 상이 있다. '작은 별'은 별 중에 작은 것이니, 상육이 음으로 음의 자리에 있어 그 어둠이 매우 심하므로 작은 별이다. 삼효가 그것과 호응하므로 가리개가 풍성하여 작은 별을 보는 상이 있다. 장막의 가림은 가리개보다 지나치고, 작은 별의 어둠은 북두성보다 지나치니, 이것이 오효와 상효가 있는 자리가 달라서 삼효가 보는 것이 다른 이유이다.

○ 梁山來氏曰, 此爻與明夷, 初登于天, 後入于地, 相同. 以屋言者, 凡豊亨富貴, 未有不潤其屋者. 豊其屋者, 初登于天也, 蔀其家者, 後入于地也. 蔀其家者, 草生于屋, 非復前日之炫燿而豊矣.
양산래씨가 말하였다: 이 효는 명이괘 상육의 "처음에는 하늘에 오르고, 뒤에는 땅으로 들어간다"[57]와 서로 같다. '집'으로 말한 것은 모두 풍성하고 부귀한 것이니, 집을 윤택하게 하지 않음이 없기 때문이다. "집을 풍성하게 하고"는 "처음에는 하늘에 오르고"이며, "집에 가리개를 쳐놓는다"는 "뒤에는 땅으로 들어간다"이다. "집에 가리개를 쳐놓는다"는 집에 풀이 생겨 다시는 전날에 빛나고 풍성함이 없는 것이다.

○ 案, 應在人位, 而自絶於人, 是闃其旡人.
내가 살펴보았다: 호응이 사람의 자리에 있어 스스로 다른 사람과 끊으니, "고요하여 사람이 없어서"이다.

---

57) 『周易 · 明夷卦』: 上六, 不明, 晦, 初登于天, 後入于地.

김상악(金相岳) 『산천역설(山天易說)』

上六與三爲應, 皆居上下之極矣. 明極則反暗, 動極則必靜, 故豊大其屋, 反以自蔽, 三歲不覿而凶也.

상육은 삼효와 호응하는데, 모두 상괘와 하괘의 끝에 있다. 밝음이 지극하면 도리어 어두워지고, 움직임이 지극하면 반드시 고요해지므로 그 집을 풍성하고 크게 하면 도리어 스스로 가려져 삼년이 되어도 보지 못하여 흉하게 되는 것이다.

○ 上下卦, 皆取豊蔀之象, 而二四則言日斗之明暗, 上六則言家屋之明暗. 蔀其家者, 草生于屋, 非復前日之炫燿而豊矣. 戶, 陽奇也. 三之象人, 三居人位也, 上至三, 歷三位也. 豊屋蔀家, 所以窮大也. 闚戶无人, 所以失其居也. 震反艮, 艮彖曰, 行其庭, 不見其人, 時行而時止者也. 豊爻曰, 闚其戶, 闃其无人, 自蔽而自藏者也. 所以雖有正應, 三歲不覿而凶也.

위아래의 괘가 모두 가리개가 풍성한 상을 취하였는데 이효와 사효는 해와 북두성의 밝음과 어둠을 말하였고, 상육은 집[家, 屋]의 밝음과 어둠을 말하였다. "집에 가리개를 쳐놓는다"는 풀이 집에 생겨 다시는 전날에 빛나고 풍성함이 없는 것이다. '문[戶]'은 홀수인 양이다. 삼이 사람을 상징하는 것은 삼효가 사람의 자리에 있기 때문인데, 상육에서 삼효까지 세 자리를 지난다. 집을 풍성하게 하고 집에 가리개를 쳐놓음은 큼을 궁극하게 하는 것이다. 문을 엿보아도 사람이 없음은 그 거처를 잃음이다. 진괘(☳)가 거꾸로 된 괘는 간괘(☶)로 간괘(䷳) 「단전」에 "그 뜰을 다녀도 그 사람을 보지 못하여, 때가 행할만 하고 때가 그칠만 하다"[58]고 하였다. 풍괘 상육효에서 "그 문을 엿보니, 고요하여 사람이 없어서"는 스스로 가리어 감추는 것이다. 비록 정응이 있더라도 삼년이 되어도 보지 못하니, 흉한 것이다.

서유신(徐有臣) 『역의의언(易義擬言)』

序卦曰, 窮大者必失其居, 上六之謂乎. 豊其屋, 窮其大矣, 蔀其家, 失其居矣. 九四隔於內卦, 故曰蔀其家也. 三四爲門戶, 上六在其外, 故曰闚其戶也. 有家而不得入之象也. 三不相應, 故曰闃其无人也, 離目遇蔽, 爲不覿之象. 戶內有人, 而不可得見, 謂之无人也.

「서괘전」에서 "큼을 궁극히 하는 자는 반드시 그 거처를 잃을 것"이라고 하였으니, 상육을 말한 것이다. "집을 풍성하게 하고"는 그 큼을 궁극히 함이고, "집에 가리개를 쳐놓는다"는

58) 『周易 · 艮卦』: 艮其背, 不獲其身, 行其庭, 不見其人, 无咎. 彖曰, 艮止也. 時止則止, 時行則行, 動靜不失其時, 其道光明, 艮其止, 止其所也. 上下敵應, 不相與也, 是以, 不獲其身, 行其庭, 不見其人, 无咎也.

그 거처를 잃음이다. 구사가 내괘를 막고 있기 때문에 "집에 가리개를 쳐놓는다"고 하였다. 삼효와 사효는 문이고 상육은 밖에 있으므로 "그 문을 엿보니"라고 하였으니, 집이 있지만 들어가지 못하는 상이다. 삼효와 서로 호응하지 못하므로 "고요하여 사람이 없어서"라고 하였으니, 리괘(☲)인 눈이 가림을 만나 볼 수 없는 상이 되었다. 문 안에 사람이 있지만 볼 수 없어서 사람이 없다고 하였다.

박제가(朴齊家) 『주역(周易)』

豊將爲旅矣. 蓋觀於世人, 未有豊其屋, 而不旅者, 甚則夷矣, 旅亦幸焉. 楊子雲所謂, 高明之室, 鬼瞰其屋, 韓子作王承福傳, 皆此意. 故爻辭言其極難明之故, 而彖傳斷之, 以盈虛消息, 一家之豊如此, 何况有天下者豊也哉.

풍괘가 장차 려괘(䷷)가 되려는 것이다. 세상 사람들을 살펴보면 그 집을 풍성하게 하고서 나그네가 아닌 자가 없고, 심하면 망하니, 나그네는 그나마 다행이다. 양자운이 "지위가 높은 집은 귀신이 그 집을 엿본다"고 하였고, 한유[59]는 『왕승복전(王承福傳)』을 지었는데 모두 이 뜻이다. 따라서 효사에서 밝기가 매우 어려운 까닭을 말하였고, 「단전」에서 차고 이지러지고 사그라지고 불어나는 것으로 한 집안의 풍성함을 이와 같이 판단하였으니, 어찌 하물며 천하를 가진 자의 풍성함에 있어서야 말해 무엇 하겠는가!

강엄(康儼) 『주역(周易)』

按, 六二九四之豊其蔀[60], 以有六五之昏暗也, 九三之豊其沛, 以有上六之昏暗也. 是皆非自暗者也, 故六二九四皆言吉, 九三言无咎. 至於上六之豊其屋蔀其家, 是乃自蔽者也, 故言凶, 如白居易凶宅詩曰, 長安多大宅, 列在街西東. 往往朱門內, 房廊相對空. 梟鳴松桂枝, 狐藏蘭菊叢. 前主爲將相, 得罪竄巴庸. 後主爲公卿, 寢疾没其中. 驕者物之盈, 老者數之終云云, 可謂得此爻之旨矣.

내가 살펴보았다: 육이와 구사의 "가리개가 풍성하여"는 육오의 어둠이 있기 때문이고, 구삼의 "장막이 풍성하다"는 상육의 어둠이 있기 때문이다. 이것은 모두 스스로 어두운 것이 아니므로 육이와 구사에서 모두 길함을 말하였고, 구삼에서 허물이 없다고 말하였다. 상육의 "집을 풍성하게 하고 집에 가리개를 쳐놓는다"는 스스로 가리는 자이므로 흉하다고 하였으니, 백거이가 『흉택(凶宅)』이라는 시를 지어 "장안에는 큰 집이 많아 동서로 뻗은 큰 길에 줄지어 있네. 언제나 붉은 대문 안 방과 행랑이 서로 마주보고 비어있네. 올빼미는 소나무

---

59) 한유(韓愈, 768-824): 자는 퇴지, 중국 당나라 학자이자 문필가.
60) 蔀: 경학자료집성DB와 영인본에는 이 글자가 없으나 문맥과 경문을 참조하여 蔀를 추가하였다.

계수나무에서 울고 여우는 난초와 국화에 숨어 사네. 옛 주인은 장군이나 재상이었지만 죄를 얻어 사천과 호남으로 귀양갔네. 다음 주인은 공경이 되었지만 병들어 누웠다가 그 집안에서 죽었다네. 교만은 물건이 가득 참이고 늙음은 숫자의 끝이라네"라고 하였으니, 이 효의 뜻을 얻었다고 할만하다.

이지연(李止淵) 『주역차의(周易箚疑)』

當豊之時, 以陰居陰, 爲至暗之象. 以六二之中正, 尙有日中見斗之象, 況上之不中者乎. 居動之極, 內與明體絶遠, 雖與九三爲正應, 而不中不正, 且有日中見沬之象, 其幽暗當如何天際翔者. 三都賦謂, 室之高大者曰木天, 其穹窿高起也, 宮瑤臺千門萬戶, 是豊其屋者, 非所見不明之致乎.

풍성한 때에 음으로 음의 자리에 있어 지극히 어두운 상이 된다. 육이의 중정으로도 대낮에 북두성을 보는 상이 있는데 하물며 상효가 가운데가 아님에랴! 움직임의 끝에 있고 안으로 밝은 몸체가 단절되어 머니, 구삼과 정응이지만 가운데도 아니고 바르지도 않아서 대낮에 작은 별을 보는 상이 있으니, 그 어두움으로 어찌 하늘 가를 비상하겠는가? 중국 서진의 좌사(左思)[61]가 지은 「삼도부(三都賦)」에서 집이 높고 큰 것을 목천(木天)이라고 하였으니, 하늘처럼 높다는 것이고, 중국 고대 하나라 걸왕이 지었다는 궁요대(宮瑤臺)의 많은 문은 "집을 풍성하게 하는 것"이니, 이는 소견이 밝지 못한 극치가 아니겠는가?

김기례(金箕澧) 「역요선의강목(易要選義綱目)」

上六, 豊其屋.

상육은 집을 풍성하게 하고.

君暗時, 豊而處上位, 自以陰主富之, 質只有聚斂而潤屋.

임금이 어두운 때에 풍성하면서 윗자리에 있는 것은 스스로 음으로써 부자 되기를 주로 하는 것이니, 바탕은 세금을 많이 거두어 집을 윤택하게 함이 있을 뿐이다.

蔀其家.

집에 가리개를 쳐놓는다.

動極明晝, 居豊終反暗, 故蔀其家.

움직임이 지극함에 밝음을 꾀하나 풍성함의 끝에 있어 도리어 어두워지므로 집에 가리개를

61) 좌사(左思, 250?~305?): 중국 서진(西晉)의 문학가. 자는 태충(太沖), 산동성 임치 사람이다. 문집으로는 『좌태사집(左太沖集)』이 있다.

쳐놓는다.

闚其戶.
그 문을 엿보니.
蔀蔽不自明, 故闚.
가리개로 가리워져 스스로 밝지 못하므로 엿보는 것이다.

闃其无人, 三歲不覿, 凶.
고요하여 사람이 없어서 삼년이 되어도 보지 못하니, 흉하다.
處動極而還靜, 故闃无人.
움직임의 지극함에 처하여 도리어 고요해지므로 고요하여 사람이 없다.

○ 五柔雖暗來天下, 故三以陽剛, 不就於過極. 自蔽之上, 而就於五, 則上亦不見應, 故曰三歲不覿. 上至三, 歷三爻, 故曰三歲.
부드러운 오효가 비록 어둡지만 천하를 오게 하므로 삼효가 굳센 양으로 지나치게 높은 데까지 가지 않는다. 스스로 가린 상육인데 오효에 나아가면 상효도 호응을 받지 못하기 때문에 "삼년이 되어도 보지 못하니"라고 하였다. 상효에서 삼효까지 세 효를 거치므로 "삼년"이라고 하였다.

심대윤(沈大允) 『주역상의점법(周易象義占法)』

豊之离☲. 上六以柔居柔, 而處豊之極, 奸慝屛跡, 權强脅息, 而上亦露威息明, 幾致刑措. 豊其屋, 言其尊嚴如天也. 离爲屋, 上六居屋之上, 而不見屋之下, 因屋以遠見, 而反爲屋之所蔽. 有正應于三, 明燭雖至, 而爲四之隔, 有反爲所蔽之象. 九三賴上之威力, 而反爲所持, 上六藉三之明燭, 而反爲所蔽, 故曰蔀其家. 巽爲家, 三居坎巽也. 夫專以威明治天下, 其威明有時而窮, 不可長也. 威行于萬里之外, 而變生于肘腋之內, 燭於遠而蔽於近, 察於著而暗於微, 趙主父, 漢武帝, 唐太宗, 周世宗, 近之矣.
풍괘가 리괘(☲)로 바뀌었다. 상육이 부드러움으로 부드러움에 있으면서 지극히 풍성함에 처하여 간사하고 악한 자들이 자취를 감추고, 강한 권세가들이 움츠려 숨을 죽이며, 윗사람도 위엄을 그치고 밝음을 쉬게 하여 거의 형벌을 쓰지 않게 되었다. "집을 풍성하게 하고"는 그 존엄함이 하늘과 같음을 말한다. 리괘(☲)가 집이니, 상육은 집의 위에 있어 집의 아래를 보지 못하고, 집에서 멀리 보지만 도리어 집에 가리게 된다. 삼효와 정응이 있어 밝음이 지극하지만 사효에 막혀 도리어 가려지는 상이 있다. 구삼이 상효의 위력에 의지하여 도리어 유지되고, 상육이 삼효의 밝음을 빌리지만 도리어 가려지게 되므로 “집에 가리개를 쳐놓는다”고 하였다. 손괘(☴)가 집인데 삼효는 감괘(☵)와 손괘(☴)에 있다. 오로지 위엄과 밝음으로 천하를 다스려도 위엄과 밝음이 때때로 궁핍해져 기를 수 없다. 위엄이 만리 밖에서 행해지더라도 변고가 가까이에서 생기고, 멀리 밝더라도 가까이에서 가려지며, 드러난 것을 잘 살피더라도 은미한 것에 어두우니, 조주보,[62] 한무제, 당태종, 주세종이 그것에 가깝다.

旣无大有交如之孚, 而人不親附悅服, 皆斂避屛藏, 而不願交[63]接, 但羈麗之而已, 故曰闃其戶, 闃其无人, 三歲不覿凶. 艮門互坎蔽离見曰闃, 艮互离爲戶兌震爲无聲曰闃. 震之對巽, 乾之變至震, 而不及于坤, 坤之變至巽, 而不及于乾, 故曰无人. 兌爲无, 乾坤爲人, 巽爲三, 坎离爲歲, 兌离爲不覿. 噬嗑之上與此, 皆以專主威刑, 故雖盡善而亦不免於凶必也. 道之以德, 齊之以禮, 然後庶幾焉已矣.
대유괘(大有卦)와 같이 사귀는 믿음[64]이 이미 없고 사람들이 친히 따르고 기쁘게 복종하지 않음은 모두 피하고 숨는 것으로 사귀기를 원하지 않고, 다만 얽매일 뿐이므로 “집에 가리개를 쳐놓는다. 고요하여 사람이 없어서 삼년이 되어도 보지 못하니, 흉하다”고 하였다. 간괘(☶)인 문이 감괘(☵)인 가림과 리괘(☲)인 봄을 교차하여 “엿보니”라고 하였고, 간괘(☶)와 리괘(☲)가 교차하는 것이 문이고 태괘(☱)와 진괘(☳)가 소리가 없음이므로 “고요하여”라고 하였다. 진괘(☳)와 음양이 바뀐 손괘(☴), 건괘(☰)가 바뀌어 진괘(☳)에 이르렀으나 곤괘(☷)에 미치지 않았고, 곤괘(☷)가 바뀌어 손괘(☴)에 이르렀으나 건괘(☰)에 미치지 않았으므로 “사람이 없어서”라고 하였다. 태괘(☱)가 없음이고 건괘(☰)와 곤괘(☷)가 사람이고, 손괘(☴)가 3이고 감괘(☵)와 리괘(☲)가 1년이고 태괘(☱)와 리괘(☲)가 보지 못함이다. 서합괘(噬嗑卦䷔)의 상육과 이것이 모두 위엄과 형벌을 오로지 주관하므로 선(善)을 다하더라도 반드시 흉함을 면하지 못할 것이다. 그러니 덕으로 인도하고 예로써 가지런하게 한 이후에야 가깝게 될 뿐이다.
〈浮寄孤懸於天下之上, 而情意不着, 有旅之義.
세상에 의지할 곳 없이 외롭게 있으나 마음을 붙이지 않는 것이 나그네의 뜻이다.〉

오치기(吳致箕) 「주역경전증해(周易經傳增解)」

上六陰柔居動之終, 而處豊之極, 方其盛大之時, 富麗侈靡, 有豊屋之象. 然豊極必變,

---

62) 조주보(趙主父): 중국 전국시대 조나라의 대신.
63) 交: 경학자료집성DB에는 ‘父’로 되어 있으나, 경학자료집성 영인본을 참조하여 ‘交’로 바로잡았다.
64) 『周易 · 大有卦』: 六五, 厥孚交如, 威如, 吉.

故明之變而草塞其家, 不見其舊日[65]之炫燿, 動之變而闚戶, 闃寂不見其人, 爲三歲之久, 故言'凶'.

상육은 부드러운 음으로 움직임의 끝에 있고 풍성함의 끝에 처하여 성대한 때에 부유하고 사치하여 집을 풍성하게 하는 상이 있다. 그렇지만 풍성함이 끝에 가면 반드시 변하므로 밝음이 변하여 풀이 그 집을 덮어 옛날의 빛남을 볼 수 없고, 움직임이 변하여 문을 엿보니 고요하여 사람을 볼 수 없음이 3년이나 오래되므로 흉하다고 말하였다.

○ 屋家, 皆取於卦反之艮. 蔀, 取本震對巽爲草木蕃蔽之象. 闚覿, 皆取於變離. 戶, 取於奇畫, 而二五无應, 故言无人. 三, 取離數三也. 窮大者, 每由於動過而明不及, 故諸爻戒之也.

'집[屋, 家]'은 모두 거꾸로 된 괘인 간괘(☶)에서 취하였다. '가리개[蔀]'는 본래 진괘(☳)의 음양이 바뀐 괘인 손괘(☴)에서 초목이 우거져 덮는 상을 취하였다. '엿보다[闚覿]'는 모두 변한 리괘(☲)에서 취하였다. '문[戶]'은 홀수로 긋는 것에서 취하였지만 이효와 오효가 호응하지 않으므로 "사람이 없어서"라고 말하였다. '삼(三)'은 리괘(☲)의 수인 3에서 취하였다. 큼을 궁극히 하는 자는 매번 움직임이 지나침으로 말미암아 밝음이 미치지 못하므로 여러 효에서 그것을 경계하였다.

이진상(李震相)『역학관규(易學管窺)』

豐其屋.

집을 풍성하게 하고.

豐其屋者, 自處之高也, 蔀其家者, 自蔽之甚也. 蓋止與三爲應, 是應在人位, 而陰躁之極, 自絶于[66]人, 故闚其戶, 而閒然無人. 三至上, 歷三爻, 故三歲不覿. 小人之竊高位者, 未有不華侈其屋宇, 而一朝勢去身陷草莽之中, 屋宇荒凉, 無人主管, 非復前日之光景矣, 此其失居而爲旅者乎.

"집을 풍성하게 하고"는 스스로 높게 처함이고, "집에 가리개를 쳐놓는다"는 스스로 심하게 가림이다. 다만 삼효와 호응함에 바로 호응함이 사람의 자리에 있고, 매우 음험하고 조급하여 스스로 다른 사람을 끊으므로 그 문을 엿보아도 사이로 사람이 없는 것이다. 삼효에서 상효까지 세 효를 지나므로 삼년이 되어도 보지 못하는 것이다. 높은 지위를 훔치려는 소인

65) 日: 경학자료집성DB에는 '曰'로 되어 있으나, 경학자료집성 영인본을 참조하여 '日'로 바로잡았다.
66) 于: 경학자료집성DB에는 '子'로 되어 있으나, 경학자료집성 영인본을 참조하여 '于'로 바로잡았다.

은 그 집을 화려하게 하지 않는 경우가 없지만 하루아침에 권세를 잃고 몰락하여 풀이 우거져 집은 황량하고 주관하는 사람이 없어서 다시는 전날의 빛남이 없으니, 이것이 거처를 잃고 나그네가 된다는 것이다.

이병헌(李炳憲) 『역경금문고통론(易經今文考通論)』

孟曰, 豐大也.
맹희가 말하였다: '풍[豐]'은 큼이다.

虞曰, 蔀蔽也.
우번이 말하였다: '가리개[蔀]'는 가림이다.

孟曰, 天降下惡, 祥也. 〈漢五行志云, 異物生謂之眚, 自外來謂之祥, 祥固有善祥惡祥.〉
맹희가 말하였다: 하늘이 아래로 악을 내림이 조짐[祥]이다. 〈『한서·오행지』에서 말하였다: 이상한 물건이 생기는 것을 '재앙[眚]'이라고 하고, 밖에서 오는 것을 조짐[祥]이라고 하니, 조짐[祥]에는 참으로 좋은 조짐과 나쁜 조짐이 있다.〉

鄭曰, 戕傷也.
정현이 말하였다: '죽임[戕]'[67]은 해치는 것이다.

干曰, 豊其屋, 此蓋託紂之侈, 造瑤室玉臺也. 蔀其家, 以託紂多傾國之女也. 社稷既亡, 宮室虛曠, 故曰窺其戶, 闃其無人也. 然則瑤室成, 三年而亡國矣.
간보가 말하였다: "집을 풍성하게 하고"는 주왕의 사치가 아름다운 집을 지은 것에 의탁한 것이다. "집에 가리개를 쳐놓는다"는 주왕이 미인을 많이 둔 것에 의탁한 것이다. 사직이 이미 망하여 집이 비어있으므로 "그 문을 엿보아도 고요하여 사람이 없다"고 하였다. 그렇다면 아름다운 집을 짓고 삼년이 지나 나라가 망한 것이다.

按, 闃静也. 爻中言日中者三, 言主者三, 宜深玩.
내가 살펴보았다: '격(闃)'은 고요함이다. 효 가운데 '해가 대낮에 있다[日中]'를 말한 것이 세 번이고, '주인'을 말한 것이 세 번이니, 깊이 생각해 보아야 한다.

---

67) 영인본에 "象曰豊其屋天際祥也窺其戶闃其無人自戕也."로 되어 있다.

象曰, 豊其屋, 天際翔也, 闚其戶, 闃其无人, 自藏也.

「상전」에서 말하였다: "집을 풍성하게 함"은 하늘 가로 비상(飛翔)하는 것이고, "그 문을 엿보니 고요하여 사람이 없음"은 스스로 감추는 것이다.

中國大全

傳

六, 處豊大之極, 在上而自高, 若飛翔於天際, 謂其高大之甚. 闚其戶而无人者, 雖居豊大之極, 而實无位之地. 人以其昏暗自高大, 故皆棄絶之, 自藏避而弗與親也.

육(六)이 성대하고 큼의 끝에 처하여 위에 있으면서 자신을 높임이 하늘 가로 비상(飛翔)하는 듯하니, 높고 큼이 심함을 말한다. "문을 엿보니 사람이 없다"는 것은 비록 성대하고 큼의 끝에 있으나 실상은 지위가 없는 자리이다. 사람들이 그가 어두우면서 자신을 높이고 크게 하기 때문에 모두 버리고 끊으니, 스스로 감추고 피하여 더불어 친하지 않는 것이다.

本義

藏, 謂障蔽.

장(藏)은 막고 가린다는 말이다.

小註

張子曰, 處上之極而居動之末, 故曰天際翔也.

장자가 말하였다: 맨 위의 끝에 처하고 움직임의 말단에 있으므로 "하늘가로 비상한다"고 하였다.

○ 朱子曰, 豊其屋天際翔也, 似說如翬斯飛樣, 言其屋高大, 到於天際, 卻只是自蔽障得闊.
주자가 말하였다: "그 집을 풍성하게 함은 하늘 가로 비상하는 것이다"고 한 것은 훨훨 날아오르는 것 같음을 말하는 듯하니, 그 집이 높고 커서 하늘 가에 이르지만 도리어 다만 스스로 넓게 가렸다는 말이다.

○ 九三爻解得便順. 九四上六二爻, 不可曉. 看來聖人會得九四上六爻文義, 又與三爻不同.
구삼효의 해석이 순하다. 구사와 상육 두 효는 분명하지 못하다. 살펴보건대, 성인이 구사와 상육효의 문의(文義)를 이해함이 또 삼효와 같지 않다.

○ 童溪王氏曰, 自藏則非人之遠己, 乃已遠人也.
동계왕씨가 말하였다: 스스로 감춘다면 남이 나를 멀리하는 것이 아니라 바로 이미 내가 남을 멀리한 것이다.

○ 雲峯胡氏曰, 辭與明夷上六相似, 皆暗之極. 但彼之暗, 足以傷人, 卒至於自殞厥命, 此之暗, 秪自障蔽耳.
운봉호씨가 말하였다: 효사가 명이괘(明夷卦䷣) 상육과 비슷한 것은 모두 어두움이 지극하기 때문이다. 다만 명이괘의 어두움은 충분히 사람을 상하게 할 수 있어 마침내 스스로 그 목숨을 죽이는 데 이르지만, 풍괘의 어두움은 다만 스스로 막고 가리는 것이다.

○ 建安丘氏曰, 豊, 大也. 以卦體言, 則明動相資而成豊. 然卦以豊名, 而爻象反多戒辭者, 雜卦曰, 豊多故, 是也. 六五爲豊盛之主, 其諸爻, 皆從五者也. 五以柔居君位, 而言來章者, 乃來二四剛明之臣也. 四比五而二應五, 以五之暗也, 故二四皆有豊蔀見斗之象. 二言有孚發若者, 發乎五也. 四言遇其夷主者, 欲得初以共輔乎五也. 初去五最遠, 不能自致, 則遇四之配主而同往焉. 此四爻所以吉也. 獨九三不知從五而遠應上六, 故有折肱之患. 上處豊盛之極, 障蔽之甚, 亦卒至自蔀其家, 而闃其无人也, 豊其可恃乎哉.
건안구씨가 말하였다: 풍(豊)은 큼이다. 괘의 몸체로 말하면 밝음과 움직임이 서로 의지하여 큼을 이룬다. 그러나 괘를 풍(豊)으로 이름하였지만 효와 「단전」에서 도리어 경계하는 말이 많은 것은 「잡괘전」에서 말한 "풍괘(豊卦)는 까닭이 많은 것이다"라는 것이 이것이다. 육오는 풍성함의 주인이 되므로 여러 효가 모두 오효를 따른다. 오효는 부드러운 음으로 임금의 자리에 있는데, '빛난 것을 오게 하면'이라고 말한 것은 바로 이효와 사효의 굳세고

밝은 신하를 오게 함이다. 사효는 오효에 가깝고 이효는 오효에 호응하는데, 오효가 어둡기 때문에 이효와 사효가 모두 가리개가 풍부하고 북두성을 보는 상이 있다. 이효에서 "믿음을 갖고 감동하여 분발한다"고 말한 것은 오효를 감동하게 분발시킴이다. 사효에서 "대등한 상대를 만난다"고 말한 것은 초효를 얻어 함께 오효를 돕고자 함이다. 초효는 오효에서 가장 멀어 스스로 이룰 수 없으니, 사효의 짝이 되는 주인을 만나 함께 간다. 이것이 사효가 길한 까닭이다. 구삼만이 오효를 따라야 함을 알지 못하고 멀리 상육에 호응하기 때문에 팔이 부러지는 근심이 있다. 상효는 풍성함이 지극함에 처하여 막고 가림이 심하니, 또한 마침내 스스로 그 집에 가리개를 쳐 고요하여 사람이 없는 데에 이르니, 풍성함을 얻을 수 있겠는가?

○ 節齋蔡氏曰, 豊, 大也. 又曰, 多故. 極天下事物之多, 難於盡見也. 惟以剛遇剛, 以柔遇柔, 則所見同而可以无疑. 以剛遇柔, 則剛者明而柔者暗, 終不能相信也. 初與四皆剛也, 故有配主之无咎, 夷主之吉. 然四位居柔, 又不免有豊蔀見斗之象. 二與五皆柔也, 故有有孚來章之喜. 然二位居柔, 又未免有往得疑疾之事. 惟三與上以剛遇柔, 故三折右肱而上至於三歲不覿也.
절재채씨가 말하였다: 풍(豊)은 큼이다. 또 "까닭이 많다"고 하였다. 천하 사물은 지극히 많아 다 보기는 어려운 것이다. 오직 굳셈으로 굳셈을 만나고 부드러움으로 부드러움을 만나면 보는 것이 같아서 의심이 없을 수 있다. 굳셈으로 부드러움을 만나면 굳센 것은 밝고 부드러운 것은 어두워 결국 서로 믿을 수 없다. 초효와 사효는 모두 굳센 양이므로 '짝이 되는 주인'의 허물이 없음과 '대등한 상대'의 길함이 있다. 그러나 사효의 자리는 부드러운 음의 자리에 있어 또 가리개가 풍성하고 북두성을 보는 상이 있음을 면하지 못한다. 이효와 오효는 모두 부드러운 음이기 때문에 '믿음을 갖고 빛난 것을 오게 하는' 기쁨이 있다. 그러나 이효는 자리가 부드러운 음의 자리에 있어 또 가면 의심과 미움을 얻는 일이 있음을 면하지 못한다. 삼효와 상효만이 굳센 양으로 부드러운 음을 만나므로 삼효는 오른팔이 부러지고 상효는 삼년이 되어도 보지 못하는데 이른다.

韓國大全

유정원(柳正源) 『역해참고(易解參攷)』

王氏曰, 可以出而不出, 自藏之謂也. 非有爲而藏, 不出戶庭, 失時致凶, 況自藏乎. 凶其宜也.
왕필이 말하였다: 나갈 수 있는데 나가지 않는 것을 "스스로 감춘다"는 것이다. 무슨 일이 있지 않는데도 감추고 문을 나가지 않아 때를 잃고 흉함을 이루니, 하물며 스스로 감춤에랴! 흉함이 마땅하다.

○ 梁山來氏曰, 言豊極之時, 其勢位炙手可熱, 如翱翔于天際雲霄之上, 人可仰而不可卽及爾. 敗壞之後, 昔之光彩氣焰, 不期掩藏而自掩藏, 權臣得罪, 披離之後, 有此氣象.
양산래씨가 말하였다: 풍괘의 끝에 그 세력과 자리는 손을 뜨겁게 델만 하니, 마치 하늘가 구름 위로 날아다니는듯하여 사람이 우러러 보아도 미칠 수 없다. 깨지고 무너진 후에 옛 광채와 기운은 감추기를 기약하지 않아도 스스로 감추게 될 것이니, 권세 있는 신하가 죄를 얻어 나누어지고 쪼개진 후에 이러한 기상이 있게 된다는 말이다.

김상악(金相岳)『산천역설(山天易說)』

天際翔者, 其屋之高大, 飛翔於天邊也. 自藏, 故闃其无人. 上六[68]之象, 與明夷相似, 天際翔, 卽初登于天也, 自藏, 卽後入于地也.
"하늘 가로 비상하는 것"은 그 집이 높고 커서 하늘 가로 나르는 것 같음이다. 스스로 감추므로 고요하여 사람이 없는 것이다. 상육의 상은 명이괘와 서로 비슷하니, "하늘 가로 비상하는 것이고"는 "처음에는 하늘에 오르고"이며, "스스로 감추는 것이다"는 "뒤에는 땅으로 들어간다"[69]이다.

서유신(徐有臣)『역의의언(易義擬言)』

方其窮大, 何其驕亢也. 終焉失居, 由於自蔽也.
큼을 궁극히 함에 어찌 교만함이 높겠는가? 끝내 거처를 잃음은 스스로 가리기 때문이다.

김기례(金箕澧)「역요선의강목(易要選義綱目)」

天際翔.
하늘 가로 비상하는 것이고.

---

68) 六: 경학자료집성DB와 영인본에는 '九'로 되어있으나, 문맥을 살펴 '六'으로 바로잡았다.
69)『周易 · 明夷卦』: 上六, 不明, 晦, 初登于天, 後入于地.

上爲天爻, 言高飛而至極.
상효는 하늘의 효로 높이 날아서 지극한 데 이름을 말한다.

自藏.
스스로 감추는 것이다.
自高自蔽, 自絕於人也. 如明夷上六, 初登于天, 後入于地同義.
스스로 높이고 가려서 스스로 다른 사람과 단절되니, 명이괘 상육의 "처음에는 하늘에 오르고 뒤에는 땅으로 들어간다"[70]와 같은 뜻이다.

○ 卦中宜日中, 指二五. 二爲下體中, 五居上體中, 初四未及中. 上三已過中, 況上居豊極, 故凶.
괘 중에 "해가 중천에 있듯이 하여야 한다"는 이효와 오효를 가리킨다. 이효는 아래 몸체의 가운데에 있고, 오효는 윗 몸체의 가운데에 있으며, 초효와 사효는 가운데에 미치지 못했다. 상효와 삼효는 이미 가운데를 지나쳤는데, 하물며 상효는 풍성함의 극치에 있으므로 흉하다.

贊曰, 動而不明, 何以自誠. 明而不動, 何以自明. 同德之應, 以類通情. 虛中以孚, 感發有成.
찬미하여 말하였다: 움직이지만 밝지 못하니, 어찌 스스로 참되겠는가? 밝지만 움직이지 않으니, 어찌 스스로 밝겠는가? 같은 덕으로 호응하고 같은 무리로써 본심을 통하네. 안이 비어서 진실하고 감동하여 분발하여 이루네.

심대윤(沈大允) 『주역상의점법(周易象義占法)』

嚴威而絕于人, 人皆避匿也.
위엄이 혹독하여 다른 사람을 끊으니, 사람들이 모두 피하고 숨는다.

오치기(吳致箕) 「주역경전증해(周易經傳增解)」

盛極必衰, 故豊屋始雖際天而翬飛, 終自无人而蔽藏也.
성대함이 지극해지면 반드시 쇠퇴하므로 집을 풍성하게 하여 처음에는 하늘까지 날아오르나 끝내 스스로 사람이 없어서 가려지게 된다.

70) 『周易 · 明夷卦』: 上六, 不明, 晦, 初登于天, 後入于地.

56

려괘

旅卦䷷

中國大全

傳

旅, 序卦, 豊, 大也, 窮大者, 必失其居. 故受之以旅. 豊盛, 至於窮極, 則必失其所安, 旅所以次豊也. 爲卦, 離上艮下, 山, 止而不遷, 火, 行而不居, 違去而不處之象. 故爲旅也, 又麗乎外, 亦旅之象.

려괘(旅卦䷷)는 「서괘전」에서 "풍(豊)은 큼이니, 큼을 다 한 자는 반드시 거처를 잃는다. 그러므로 려괘로써 받았다"고 하였다. 풍성함이 궁극에 이르면 반드시 편안한 바를 잃으니, 려괘가 이 때문에 풍괘(豊卦)의 다음이다. 괘가 리괘(☲)가 위에 있고 간괘(☶)가 아래에 있으니, 산[山]은 멈추어 옮기지 않고 불[火]은 행하여 머물지 아니하니, 떠나가서 거처하지 않는 상이다. 그러므로 나그네가 되고, 또 밖에 걸려 있으니, 또한 나그네의 상이다.

小註

臨川王氏曰, 入而麗乎內, 所以爲家人, 出而麗乎外, 所以爲旅.

임천왕씨가 말하였다: 들어가 안에 걸리니 이 때문에 가인괘(家人卦䷤)가 되며, 나와 밖에 걸리니 이 때문에 려괘(旅卦)가 된다.

○ 吳氏應回曰, 旅, 非商賈之謂, 凡客於外者, 皆是也. 天子有天子之旅, 天王出居于鄭, 是也. 諸侯有諸侯之旅, 公在楚, 是也. 大夫有大夫之旅, 崔子之去他邦, 是也. 聖賢有聖賢之旅, 孔子之轍環, 孟子之歷聘, 是也. 旅豈一概哉.

오응회가 말하였다: 려(旅)는 장사치를 말하는 것이 아니라 밖에서 묵는 객(客)이 모두 이것이다. 천자에게는 천자로서 나그네 됨이 있으니 천자가 나와 정(鄭)에 머무름이 이것이다. 제후에게는 제후로서 나그네 됨이 있으니 공이 초(楚)에 있는 것이 이것이다. 대부에게는 대부로서 나그네 됨이 있으니 최자(崔子)가 다른 나라로 도망감이 이것이다. 성현에게는 성현으로서 나그네 됨이 있으니 공자가 천하를 돌아다니고 맹자가 여러 번 초빙된 것이 이것이다. 나그네 됨이 어찌 일률적인 것이겠는가?

旅, 小亨, 旅貞吉.

정전 려(旅)는 조금 형통하니, 나그네가 곧아 길하다.
본의 려(旅)는 조금 형통하니, 나그네가 곧으면 길하다.

中國大全

傳

以卦才言也, 如卦之才, 可以小亨, 得旅之貞正而吉也.

괘의 재질로 말하였으니, 괘의 재질과 같으면 조금 형통할 수 있고 나그네의 곧고 바름을 얻어 길하다.

本義

旅, 羈旅也. 山止於下, 火炎於上, 爲去其所止而不處之象, 故爲旅. 以六五得中於外, 而順乎上下之二陽, 艮止而離麗於明, 故其占, 可以小亨, 而能守其旅之貞則吉. 旅非常居, 若可苟者, 然道无不在, 故自有其正, 不可須臾離也.

려(旅)는 떠도는 나그네이다. 산이 아래에서 멈추고 불이 위에서 타오르니, 머물던 곳을 떠나 거처하지 못하는 상이 되므로 나그네가 된다. 육오가 밖에서 알맞음을 얻어 위아래의 두 양에게 따르고, 간괘(☶)는 멈추고 리괘(☲)는 밝음에 걸려 있으므로 그 점이 조금 형통할 수 있어 나그네의 곧음을 지킬 수 있으면 길하다. 나그네는 항상 거처하는 것이 아니어서 구차할 듯하나, 도는 있지 않은 곳이 없으므로 자신이 그 바름을 가지고 있어 잠깐이라도 떠날 수 없다.

小註

平菴項氏曰, 旅小亨, 就旅之卦才言之, 可以小亨, 不可以大用. 旅貞吉者, 旅於貞則吉, 不貞則凶, 乃處旅之道也.
평암항씨가 말하였다: '려(旅)는 조금 형통하니'는 려괘(旅卦)의 재질을 가지고 말하였다. 조금 형통할 수 있다면 크게 써서는 안 된다. "나그네가 곧으면 길하다"는 것은 곧은 곳에 떠돌면 길하고 그렇게 하지 않으면 흉한 것은 바로 나그네로 처신하는 도이다.

○ 中溪張氏曰, 以卦變言, 則旅自否來. 六本居三, 今往居五而麗於外, 猶人失其所居而客於外, 乃旅之象也. 凡人處旅, 本无大通之理. 羇旅而亨者, 雖大亦小也, 所貴者, 守正則吉爾.
중계장씨가 말하였다: 괘의 변화로 말하면 려괘(旅卦䷷)는 비괘(否卦䷋)에서 왔다. 육(六)이 본래 삼효자리에 있었는데 이제 가서 오효자리에 있어 밖에 걸린 것이 사람이 그 거처하는 곳을 잃고 밖에서 나그네가 되는 것과 같으니, 바로 나그네의 상이다. 사람이 나그네 신세가 되면 본래 크게 통하는 이치가 없다. 떠도는 나그네로 형통한 것은 비록 크게 형통할지라도 별 것 아니니, 귀하게 여기는 바가 바름을 지키면 길한 것이다.

○ 雲峯胡氏曰, 止而麗乎外, 旅之義也. 山上之火, 去其所止而不處, 旅之象也. 或曰, 山止而不動, 旅館之象, 火動而不止, 旅人之象. 豊爲大, 則旅爲小. 在旅而亨, 亨之小者也. 然事有大小, 道无不在. 大亨固利於貞, 愼不可以旅亨之小而失其貞也. 道果可須臾離哉.
운봉호씨가 말하였다: 멈추어 밖에 걸려 있는 것이 나그네라는 뜻이다. 산 위의 불이 머물 곳을 떠나 정처가 없으니 나그네의 상이다.
어떤 이가 말하였다: 산은 멈추어서 움직이지 않으니 나그네가 묵는 상이고, 불은 움직여 멈추지 않으니 나그네의 상이다. 풍괘(豊卦䷶)가 큼이 된다면 려괘(旅卦䷷)는 작음이 된다. 나그네에게 있어 형통함은 그 형통함이 작은 것이다. 그러나 일에는 크고 작음이 있지만 도는 있지 않음이 없다. 크게 형통함은 진실로 곧음에서 이롭지만 참으로 나그네의 형통함이 작다고 그 곧음을 잃어서는 안 된다. 도가 과연 잠깐이라도 떨어질 수 있겠는가?

▌韓國大全▐

이익(李瀷) 『역경질서(易經疾書)』

火本無體, 麗木爲質, 無木則火去矣. 木在山者也, 故風山爲木漸長之象. 上火下山, 火燃山木, 非木, 則火未有在山之理. 互爲大過, 大過則巽木在中也. 木盡則火不留, 惟其所向, 不戀其故, 未嘗有定處恒所, 故師旅及覊旅, 皆趨便而未嘗淹, 卽其象也. 易以陰陽爲大小, 然如大畜小畜之類, 不可帖陰陽看. 此云小亨者, 謂亨者不大也. 旅非可亨之道, 惟善處者得吉. 處旅之方, 最忌其躁進, 進必審察, 故曰止而麗乎明.

불은 본래 몸체가 없고 나무에 붙어 바탕이 되니 나무가 없으면 불도 없어진다. 나무는 산에 있는 것이므로 풍산(風山) 점괘(漸卦)는 나무가 점차로 자라는 상이 된다. 위가 불이고 아래가 산이어서 산의 나무에 불이 붙는 것이니, 나무가 아니면 불이 산에 있을 이유가 없다. 호괘가 대과괘(䷛)인데 대과괘는 손괘(☴)의 나무가 가운데 있다. 나무가 없어지면 불도 남아 있지 못한다. 갈 곳을 향할 때에 이전에 있던 곳을 그리워하지 않지만 정해진 장소나 일정한 거처가 있지 않으므로 군대와 떠도는 나그네가 모두 편안 곳으로 달려가지만 머물 곳이 없는 것이 곧 이 상이다. 역은 음과 양을 크고 작은 것으로 여기지만 대축괘(䷙)와 소축괘(䷈)와 같은 것들은 음과 양을 따라서 볼 수 없다. 여기서 말한 "조금 형통하니"는 형통함이 크지 않다는 것이다. 려괘는 형통할 수 있는 도가 아니니, 잘 대처하는 자만이 길함을 얻을 수 있다. 나그네로 처신하는 방법은 조급하게 나아감을 가장 꺼려 나아감에 반드시 자세히 살펴야 하므로 "멈추고 밝음에 걸려있다"고 하였다.

유정원(柳正源) 『역해참고(易解參攷)』

〈厚齋馮氏曰, 再稱卦名, 衍也.〉
〈후재풍씨가 말하였다: 괘의 이름을 두 번 말하였는데 군더더기 문장이다.〉

坤鑿度, 孔子占其命得旅, 泣而曰, 鳳鳥不來, 河旡圖至. 嗚呼, 天之命也. 息志停讀, 作十翼.

『곤착도(坤鑿度)』에서 말하였다[1]: 공자가 운명을 점쳐서 려괘를 얻고 울면서 "봉황이 오지

---

1) 鄭玄, 『乾坤鑿度』: 孔子附仲尼魯人, 生不知易, 本偶筮其命得旅, 請益於商瞿氏曰, 子有聖智而無位, 孔子泣而曰, 天也命也, 鳳鳥不來, 河無圖至, 嗚呼, 天命之也, 嘆訖而後, 息志停讀, 禮止史削, 五十究易, 作十翼明也.

않고 황하에서 그림이 나오지 않는구나. 아! 하늘의 명이로구나"라고 하고 자신의 뜻과 독서를 그치고 십익(十翼)을 지었다.

○ 正義, 失本居, 而寄他方, 謂之旅. 旣爲羈旅, 苟求僅存, 雖得自通, 非甚光大, 故小亨而已.
『주역정의』에서 말하였다: 본래 거처를 잃고 다른 지방에 기대어 사는 사람을 나그네라고 한다. 이미 나그네가 되고 나서 참으로 겨우 살아 있기를 구하니, 스스로 통함을 얻더라도 아주 빛나고 크지 않으므로 "조금 형통하니"라고 하였다.

○ 誠齋楊氏曰, 內爲主, 外爲客, 山止不動, 猶館舍也. 火行不止, 猶行人也.
성재양씨가 말하였다: 안이 주인이고 밖이 손님이다. 산이 멈추어 움직이지 않음이 객사와 같고, 불이 타서 멈추지 않음은 길가는 사람과 같다.

○ 厚齋馮氏曰, 卦以六五爲主, 則爲小事之亨, 次以艮九三爲象, 則以得位之貞爲吉. 陰爲小, 陽以居上爲貞, 當位爲吉.
후재풍씨가 말하였다: 괘가 육오를 주인으로 삼으니, 조그만 일의 형통함이 되고, 다음으로 간괘(☶)의 구삼을 상(象)으로 삼으니, 자리의 곧음을 얻음으로 길함으로 삼는다. 음은 작고 양은 위에 있어 곧으니, 자리에 마땅하여 길하다.

○ 雙湖胡氏曰, 離火去其所止而不處, 固有旅義. 辭之所主在離, 曰小亨, 以六五陰小故也. 曰貞吉, 以六五陰居陽不正, 故戒之以貞則吉.
쌍호호씨가 말하였다: 불인 리괘(☲)가 머문 곳을 떠나 머물러 있지 않으니, 참으로 나그네의 뜻이 있다. 괘사에서 주로 하는 것은 리괘(☲)에 있으므로 "조금 형통하니"라고 하였으니, 육오가 작은 음이기 때문이다. "곧아 길하다"는 육오의 음이 양의 자리에 있어 바르지 않기 때문에 곧으면 길하다고 경계하였다.

○ 梁山來氏曰, 旅道親寡, 勢渙情疏, 縱有亨通之事, 亦必微小, 故其占爲小亨.
양산래씨가 말하였다: 나그네의 길은 친척이 적어지고 기세가 흩어지고 인정이 성글어져 형통하는 일이 있더라도 또한 반드시 작을 것이므로 그 점에 조금 형통하다고 하였다.

○ 案, 如周公之几几, 孔子之棲棲, 是旅貞之道, 而亦聖人之不幸也, 只小亨而已.
내가 살펴보았다: 주공의 번성함과 공자의 바쁘게 돌아다님이 나그네의 곧은 도이니, 또한 성인의 불행으로 조금 형통한 것일 뿐이다.

김상악(金相岳) 『산천역설(山天易說)』

卦成於三五. 六五得中於外, 而順乎剛, 故小亨. 九三艮止于下, 而麗乎明, 故貞吉. 然二之柔中, 亦有貞吉之義, 爻辭可見.

괘는 삼효와 오효에서 완성된다. 육오는 밖에서 가운데를 얻었으면서 굳셈을 따르므로 조금 형통하고, 구삼은 간괘(☶)가 아래에서 멈추었는데 밝음에 걸려 있으므로 곧아 길하다. 그러나 이효가 부드러우면서 가운데라서 또한 곧고 길한 뜻이 있으니, 효사에서 알 수 있다.

김규오(金奎五) 「독역기의(讀易記疑)」

卦辭旅貞之貞, 恐指六二. 蓋卦唯二三得位, 而三爲過剛, 則惟六二爲最善矣. 六二貞字, 亦恐自爲一句, 不連上文, 以與卦辭合故也. 艮爲門闕, 有次舍之象.

괘사에서 "나그네가 곧아"에서 '곧아[貞]'는 아마 육이를 가리킨 것 같다. 괘에서 이효와 삼효만 제자리를 얻었는데 삼효는 지나치게 굳세니, 육이만 가장 좋다. 육이에서 '곧음[貞]'은 또한 스스로 한 구절이 되어 앞의 글과 연결되지 않는 듯하니, 괘사와 합하기 때문이다. 간괘(☶)가 문이어서 거처에 머무는 상이 있다.

서유신(徐有臣) 『역의의언(易義擬言)』

旅小亨, 旅者, 小亨也, 二五皆柔, 故小亨也. 旅貞吉, 旅于正者, 吉也, 止而麗乎明是也, 如孔子於衛主顔讐由, 於宋主司城貞子也.

"려(旅)는 조금 형통하니"는 나그네가 조금 형통한 것으로 이효와 오효가 모두 부드러운 음이기 때문에 조금 형통한 것이다. "나그네가 곧아 길하다"는 바른 것으로 나그네되는 것이 길한 것으로 멈추고 밝음에 걸려있는 것이 이것이니, 공자가 위나라에서는 안탁추(顔濁鄒) 집에서 주로 살았고, 송나라에서는 사성정자(司城貞子)의 집에서 주로 살았던 것과 같다.[2)]

강엄(康儼) 『주역(周易)』

按, 坎是險陷之卦, 困是憊乏之卦, 在於人事, 則最難堪處者. 聖人猶曰有孚心亨, 又曰貞大人吉, 而況於旅乎. 旅雖羈旅困窮之時, 而君子之道, 无乎不在, 故卦辭亦以貞吉二字示之, 聖人之憂患, 後生可謂至矣.

내가 살펴보았다: 감괘(坎卦䷜)는 험한 데 빠지는 괘이고, 곤괘(困卦䷮)는 고달픈 괘이니,

---

2) 『맹자 · 만장』.

사람의 일에 있어서 견디면서 살기가 가장 어려운 것이다. 성인이 오히려 "정성이 있어 마음 때문에 형통하니"[3]라고 하였고, 또 "곧으니, 대인이라서 길하고"[4]라고 하였으니, 하물며 나그네에 대해서는 말해 무엇 하겠는가? 나그네가 떠돌이로 곤궁한 때일지라도 군자의 도가 있지 않은 적이 없으므로 괘사에서 또한 "곧아 길하다[貞吉]"라는 말을 보여 주었으니, 성인의 근심을 뒷사람들이 지극하다고 할만하다.

이지연(李止淵) 『주역차의(周易箚疑)』

火之過山, 如旅之過店.
불이 산을 지나감이 나그네가 여관을 지나감과 같다.

김기례(金箕澧) 「역요선의강목(易要選義綱目)」

旅豊盛之極, 必失所居, 故爲旅. 山止而火行, 麗乎外, 故曰旅, 小亨, 旅貞, 吉. 卦變自否來, 六三往居五, 而得離明順正之體, 如旅人之居外, 而以貞正之道得吉. 雖非大亨, 以道自貞, 故小亨.
려괘(旅卦䷷)는 풍성함이 끝이라서 반드시 거처하는 곳을 잃으므로 려괘가 된다. 산은 멈추고 불은 행하여 밖에 걸려 있으므로 "려는 조금 형통하니, 나그네가 곧아 길하다"고 하였다. 괘의 변화는 비괘(否卦䷋)에서 온 것으로 육삼이 오효로 가서 있는데 리괘(☲)의 밝고 유순하고 바른 몸체를 얻었으니, 나그네가 밖에 있지만 곧고 바른 도로써 길함을 얻은 것과 같다. 크게 형통하지는 않지만 도로써 자신을 곧게 하므로 조금 형통한 것이다.

심대윤(沈大允) 『주역상의점법(周易象義占法)』

旅不得安其居, 奉使也, 營求也, 違難也, 故曰小亨. 旅之道, 欲其正而有成, 終不可邪曲, 而半道廢也, 故旅貞吉. 再言旅者, 以明旅非可貞之事也, 而旅之事可貞也. 又旅之道, 以恭巽爲主, 恭巽者, 常道也.
나그네는 그 머무는 곳에 편할 수 없지만 사명을 받들고 영리를 구하고 어려움을 피하므로 "조금 형통하니"라고 하였다. 나그네의 도는 바르게 하여 이룸이 있고자 하면서 끝내 사악할 수 없어 중간에 그만두기 때문에 "나그네가 곧아 길하다"고 하였다. '나그네[旅]'를 두 번 말한 것은 나그네가 곧을 수 있는 일이 아니고 나그네의 일이 곧을 수 있음을 밝힌 것이다.

---

3) 『周易·坎卦』: 習坎, 有孚, 維心亨, 行有尙.
4) 『周易·困卦』: 困, 亨貞大人吉无咎, 有言不信.

또한 나그네의 도는 공손함을 위주로 해야 하니, 공손함이 일정한 도이다.

오치기(吳致箕) 「주역경전증해(周易經傳增解)」

旅謂羈旅也. 山止而不動, 火炎而不居, 麗于外而動行, 不能內居, 爲旅之象. 序卦言, 失其居爲旅, 而艮止于內, 爲家居之象, 離麗于外, 爲失居之象也. 卦體則二五皆柔, 而順乎剛, 卦義則旅困者, 不能致大亨, 故言小亨. 柔得中正, 故言旅貞吉, 而蓋戒辭也.
'나그네'는 떠돌이를 말한다. 산은 멈춰서 움직이지 않고, 불은 타올라 머물지 않으니, 밖으로 걸려 있어 움직여 나아가서 안에 거주하지 않음이 나그네의 상이 된다. 「서괘전」에 "그 거처를 잃어 나그네가 되는데 간괘(☶)는 안에서 멈추어 집에 머무는 상이 되고, 리괘(☲)는 밖에 걸려 있어 거처를 잃는 상이 된다"고 하였다. 괘의 몸체는 이효와 오효가 모두 부드러운 음이어서 굳센 양을 따르는데, 괘의 뜻은 곤궁한 나그네가 크게 형통함을 이룰 수 없으므로 "조금 형통하니"라고 하였다. 부드러운 음이 중정을 얻었으므로 "나그네가 곧아 길하다"고 하였는데, 대개 경계하는 말이다.

박문호(朴文鎬) 「경설(經說)・주역(周易)」

上旅指卦名, 下旅指旅人, 故不嫌其重複言之.
위의 나그네는 괘의 이름을 가리키고, 아래의 나그네는 나그네(旅人)를 가리킨다. 그러므로 거리낌 없이 중복해서 말하였다.
可苟者, 言因仍苟且而過也.
『본의』에서 말한 "구차할 듯하나"는 구차함으로 말미암아 지나침을 말한 것이다.

彖曰, 旅小亨, 柔得中乎外而順乎剛, 止而麗乎明. 是以小亨旅貞吉也,

「단전」에서 말하였다: "려(旅)는 조금 형통하니"는 부드러운 음이 밖에서 알맞음을 얻고 굳센 양을 따르며, 멈추고 밝음에 걸려 있다. 이 때문에 조금 형통하니, 나그네가 곧아 길하다.

中國大全

傳

六上居五, 柔得中乎外也, 麗乎上下之剛, 順乎剛也. 下艮止, 上離麗, 止而麗於明也. 柔順而得在外之中, 所止能麗於明, 是以小亨, 得旅之貞正而吉也. 旅困之時, 非陽剛中正, 有助於下, 不能致大亨也. 所謂得在外之中, 中非一揆, 旅有旅之中也. 止麗於明, 則不失時宜, 然後得處旅之道.

육(六)이 위로 오효의 자리에 있음은 부드러운 음이 밖에서 알맞음을 얻은 것이고, 위아래의 굳센 양에 걸려 굳센 양을 따르는 것이다. 아래의 간괘는 멈추고 위의 리괘는 걸리니, 멈추고 밝음에 걸린 것이다. 유순하면서 밖에 있는 알맞음을 얻고 멈춘 바가 밝음에 걸릴 수 있으니, 이 때문에 조금 형통하고 나그네의 곧고 바름을 얻어 길하다. 나그네로 곤궁할 때에는 중정한 굳센 양이 아니라면 아래에서 도움이 있더라도 크게 형통함을 이룰 수 없다. 이른바 "밖에 있는 알맞음을 얻었다"는 알맞음은 한 가지 법(法)이 아니어서 나그네에게는 나그네의 알맞음이 있다. 멈추어 밝음에 걸려 있는 것은 때의 마땅함을 잃지 않으니, 그런 뒤에야 나그네로 처신하는 도를 얻는다.

本義

以卦體卦德, 釋卦辭.

괘의 몸체와 괘의 덕으로 괘사를 풀이하였다.

小註

進齋徐氏曰, 一柔在外而處二剛之中, 是羇旅之人交於强有力者, 苟非善處, 卑則取辱, 高則招禍, 鮮不失矣. 惟於止知其所止, 无私交, 无暗事, 非賢不主, 非善不與, 止而麗乎明也. 夫如是內不失己, 外不失人, 雖在旅困, 亦可小亨, 得旅之正而吉也.
진재서씨가 말하였다: 부드러운 한 음이 밖에 있어 굳센 두 양 가운데에 처함은 떠도는 사람이 힘 있는 강한 사람과 사귀는 것이니, 진실로 잘 대처하지 않으면 작게는 욕됨을 얻고 크게는 화를 불러 잘못되지 않음이 드물다. 오직 멈추어야 함에 멈출 줄을 알아서 사사롭게 사귐이 없고 속으로 꾸미는 일도 없어서 어질지 않으면 주인으로 삼지 않고 착한 사람이 아니면 함께 하지 않으니, 멈추어 밝음에 걸리는 것이다. 이와 같이 안으로 자신을 잃지 않고 밖으로 남을 잃지 않으면 비록 나그네의 곤궁함에 있더라도 조금은 형통할 수 있어 나그네의 바름을 얻어서 길하다.

○ 雲峯胡氏曰, 以卦體釋小亨, 以卦德釋旅貞吉. 柔而不順乎剛, 則不亨, 止而不麗乎明, 則不正.
운봉호씨가 말하였다: 괘의 몸체로 '조금 형통함'을 해석하였으며, 괘의 덕으로 '나그네가 곧으면 길함'을 해석하였다. 부드러운 음으로 굳센 양을 따르지 않으면 형통하지 못하고, 멈추어 밝음에 걸리지 않으면 바르지 못하다.

韓國大全

권만(權萬) 「역설(易說」

旅山上有火, 字當從示. 作旅猶祡祭之祡, 從木作柴之誤也. 然祭天於山謂之旅, 而合衆神而祭之, 亦謂之旅, 則與師旅之旅, 鄙衆之旅, 作一義看, 亦無不可矣.
려괘는 산 위에 불이 있는 것이니, '려(旅)' 자는 '시(示)' 부수로 해야 한다. '려(旅)'라고 되어 있는 것은 시제사[祡祭]의 '시(祡)'와 같으니, 목(木) 자 부수로 쓴 '시(柴)'의 잘못이다. 그런데 산에서 하늘에 제사지내는 것을 '려(旅)'라고 하고, 여러 신을 합하여 제사지내는 것도 '려(旅)'라고 하지만, 군대의 '려(旅)'와 천한 무리의 '려(旅)'를 한 뜻으로 보아도 안 될 것은 없다.

○ 离在豊則爲日, 在旅則爲火. 山上之火, 明則明矣, 而不若日上山頭之爲大明, 故曰小亨. 又曰六陰爲小, 在君位爲亨.
리괘(☲)가 풍괘(豊卦䷶)에 있으면 해가 되고, 려괘에 있으면 불이 된다. 산 위의 불은 밝음이 분명하지만 해가 산꼭대기 위에서 크게 밝음만은 못하기 때문에 "조금 형통하니"라고 하였다. 또한 육(六)인 음이 조금이 되고, 임금의 지위에 있음이 형통함이 된다.

○ 六五居上下二陽之間, 有一陰而牽於二陽之象, 貞以自持然後吉. 又上承一陽, 下乘二陽, 苟不貞固, 則鮮不爲汙, 故曰貞吉.
육오가 아래 위 두 양의 사이에 있어 한 음이 두 양에게 이끌리는 상이 있으니, 곧게 하여 스스로 지킨 이후에 길할 수 있다. 또한 위로 한 양을 받들고 아래로 두 양을 타서 참으로 곧고 굳게 하지 않으면 추잡하게 되지 않기가 드물 것이므로 "곧아 길하다"고 하였다.

○ 周禮, 國有大故則旅. 姑使其神托宿於此, 其爲祭, 與祀天祭先有間, 易以褻慢, 故曰貞潔以將則吉.
『주례(周禮)·춘관종백(春官宗伯)·대종백(大宗伯)』에서 "나라에 큰 일이 있으면 려제사[旅祭]를 지낸다"고 하였다. 잠시 그 귀신을 여기에 머무르게 하니, 제사가 하늘과 선조에 제사지내는 것과는 차이가 있어서 쉽게 더럽히고 게으르게 되기 때문에 "정결이 하여 받들면 길할 것이다"라고 하였다.

○ 羈旅之人, 多窘乏之事, 必貞固其志, 旡苟得之失則吉, 故曰貞吉.
떠도는 나그네는 고달픈 일이 많아서 반드시 그 뜻을 곧고 굳게 하여 참으로 얻은 것을 잃게 하지 않으면 길할 것이므로 "곧아 길하다"고 하였다.

○ 柔得中乎外而順乎剛, 指上體也. 止而麗乎明, 指下體也. 順乎剛之剛, 卽艮山之剛也, 麗乎明之明, 卽離火之明也.
"부드러운 음이 밖에서 알맞음을 얻고 굳센 양을 따르고"는 위 몸체를 가리킨 것이고, "멈추고 밝음에 걸려있다"는 아래 몸체를 가리킨 것이다. "굳센 양을 따르며"의 굳센 양은 곧 산인 간괘(☶)의 굳셈이고, "밝음에 걸려 있다"의 밝음은 곧 불인 리괘(☲)의 밝음이다.

○ 柔而順剛, 故亨, 而非有正應, 故所亨者小也. 勿以順剛之亨, 而貞正自守, 然後吉, 故曰貞吉.
부드러워 굳셈을 따르므로 형통하지만 정응이 있지 않으므로 형통함이 적다. 굳센 양을 따르는 형통함으로 하지 않고 곧고 바르게 자신을 지킨 이후에 길하므로 "곧아 길하다"고 하였다.

○ 旅本象旅祭之旅, 而取象, 有羈旅之義. 爻辭中焚字, 亦叅以焚柴之義看.
나그네 '려(旅)'는 본래 려제사의 '려(旅)'를 본떠서 상을 취했으니, 떠도는 나그네의 뜻이 있다. 삼효와 상효의 효사 중에 '불태움[焚]'은 또한 땔나무를 불태운다는 뜻을 참조하여 보아야 한다.

유정원(柳正源) 『역해참고(易解參攷)』

正義, 柔處於外, 弱而爲客之象. 若所託不得其主, 得主而不能順從, 則乖逆而離散, 何由得貞吉乎. 柔雖處外, 而得中順陽, 又止而麗明, 動不履妄, 故能於羈旅之時, 得通而正也.
『주역정의』에서 말하였다: 부드러움이 밖에 처하여 약해져서 손님의 상이 된다. 기탁한 곳에서 주인을 얻지 못하거나 주인을 얻었으나 순종할 수 없으니, 어그러져 흩어지게 될 것이니, 무슨 까닭으로 곧아서 길하겠는가? 부드러움이 밖에 처하였지만 알맞음을 얻어 양을 따르고, 또 그쳐서 밝음에 걸려있고, 움직이지만 거짓된 행동을 하지 않으므로 떠도는 나그네의 때에 통하여 바를 수 있다.

김상악(金相岳) 『산천역설(山天易說)』

以卦體卦德, 釋卦辭. 柔謂五也. 以卦變言六五自四而上, 是得中乎外也. 二五皆柔中而稱外者, 見其爲六五也. 柔之順剛, 致旅之亨, 止而麗明, 得旅之貞, 處旅而能亨能貞, 所以時義之大也.
괘의 몸체와 덕으로써 괘의 말을 해석하였다. '부드러움'은 오효를 말한다. 괘의 변화로 말하면 육오가 사효에서 올라갔으니, 바로 밖에서 알맞음을 얻은 것이다. 이효와 오효가 모두 부드럽고 알맞은데 밖이라고 한 것은 육오가 된 것을 보았기 때문이다. 부드러운 음이 굳센 양을 따르는 것이 나그네의 형통함을 이루는 것이고, 멈추고 밝음에 걸린 것이 나그네의 곧음을 얻은 것이고, 나그네로서 형통하고 곧을 수 있기에 때와 뜻이 큰 것이다.

○ 旅巽之小亨, 皆柔之順剛, 而非陰陽之正應, 故其亨小而不大. 卦雖小亨, 可推而大, 故贊其時義之大.
려괘와 손괘가 조금 형통함[5]은 모두 부드러운 음이 굳센 양을 따르지만 음양이 정응이 아니기 때문에 그 형통함이 적고 크게 될 수 없다. 괘가 조금 형통하지만 미루어 크게 될 수

5) 『周易 · 巽卦』: 巽, 小亨, 利有攸往, 利見大人.

있기 때문에 "때와 뜻이 크도다"라고 찬미하였다.

서유신(徐有臣) 『역의의언(易義擬言)』

賁變爲旅, 離往麗於外, 而五得中矣, 麗於艮門之外, 爲旅也. 柔中而順剛, 得旅之道矣, 得其止而麗乎明, 得旅之所矣. 但旅之時, 而柔之事, 故不能大亨也.
비괘(賁卦☲)가 려괘(☶)가 되었으니, 리괘(☲)는 가서 밖에 걸리지만 오효가 가운데를 얻고 간괘(☶)의 문 밖에 걸려 려괘가 된다. 부드럽고 알맞으면서 굳센 양을 따름은 나그네의 도를 얻음이고, 멈출 곳을 얻고 밝음에 걸림은 나그네가 처소를 얻음이다. 다만 나그네의 때인데 부드러운 음의 일이라서 크게 형통할 수 없다.

김기례(金箕澧) 「역요선의강목(易要選義綱目)」

柔得中乎外而順乎剛.
부드러운 음이 밖에서 알맞음을 얻고 굳센 양을 따르며.
指五中麗乎上下之剛而順也. 旅道得柔中則善矣, 亦交有力者而順吉.
가운데 있는 오효가 위아래 굳센 양에 걸려 따름을 가리킨다. 나그네의 도는 부드럽고 알맞음을 얻으면 좋고, 또한 힘이 있는 자를 사귀어 따르면 길하다.

止而麗乎明.
멈추고 밝음에 걸려 있다.
指內艮外離, 釋貞吉.
내괘가 간괘이고 외괘가 리괘임을 가리키니, "곧아서 길하다"를 해석한 것이다.

심대윤(沈大允) 『주역상의점법(周易象義占法)』

順乎剛, 言离柔順乎艮剛也. 旅之義, 本无可亨, 而以其才如此, 能得其所欲, 故小亨, 是以再言小亨也. 奉使營求違[6]難三者, 其義俱大而不可常, 故贊其時義也.
"굳센 양을 따르며"는 부드러운 리괘(☲)가 굳센 간괘(☶)를 따름을 말한다. 나그네의 뜻은 본래 형통할 수 없는데도 그 재주가 이와 같음으로 그 하고자 함을 얻으므로 "조금 형통하니," 그래서 "조금 형통하니"를 두 번 말한 것이다. 사명을 받들고 영리를 추구하고 어려움을 피하는 세 가지는 그 뜻이 모두 크지만 일정할 수 없으므로 그 때와 뜻을 찬미한 것이다.

---

6) 違: 경학자료집성DB에는 '遠'으로 되어 있으나, 경학자료집성 영인본을 참조하여 '違'로 바로 잡았다.

오치기(吳致箕) 「주역경전증해(周易經傳增解)」

此以卦體, 釋小亨之辭, 以卦德, 釋貞吉之辭, 而旅之道, 利柔不利剛. 若不能柔順, 而過於剛, 則益困而失處旅之宜矣. 能止於當止, 而明於事理, 則是乃得正而爲吉. 然難處者旅之時, 難盡者旅之義, 故終又特言其大也.
여기에서는 괘의 몸체로 "조금 형통하니"를 해석하였고, 괘의 덕으로 "곧아 길하다"를 해석하였으니, 나그네의 도는 부드러움을 이롭게 여기고, 굳셈을 이롭게 여기지 않는다. 만약 유순하지 못하고 지나치게 굳세면 더욱 곤궁하여 나그네로 처신하는 마땅함을 잃을 것이다. 그쳐야 할 곳에 그치고, 사리에 밝으면 바름을 얻어 길할 수 있다. 그러나 처신하기 어려운 것은 나그네의 때이고, 다하기 어려운 것은 나그네의 뜻이므로 끝내 또 다만 그 큼을 말하였다.

최세학(崔世鶴) 「주역단전괘변설(周易彖傳卦變說)」

旅, 否之二體變也, 三與五二爻爲主, 故彖以柔得中, 旅貞吉言之. 泰三來止於下體之上, 而能守其正, 內不失己也, 泰五往麗於上體之中, 而能交其剛, 外不失人也.
려괘(䷷)는 비괘(否卦䷋)의 두 몸체가 바뀐 것으로 삼효와 오효 두 효가 주인이 되므로 「단전」에서 "부드러운 음이 알맞음을 얻어서 나그네가 곧아 길하다"는 것으로 말하였다. 태괘(泰卦䷊)의 삼효가 와서 아래 몸체의 맨 위에 그쳐 그 바름을 지켜 안으로 자신을 잃지 않고, 태괘의 오효가 가서 위 몸체의 가운데 걸려 있어 그 굳셈과 잘 사귀어 밖으로 다른 사람을 잃지 않는다.

이정규(李正奎) 「독역기(讀易記)」

旅之彖傳, 有曰旅之時義大矣哉. 程朱所解, 旅之時爲難處者, 包含許多旅義, 而包含之中, 提出一事有可言者, 蓋旅者非主之稱也. 在鄕不得爲主人, 則鄕之旅也, 在國不得爲主人, 則國之旅也, 在世不得爲主人, 則世之旅也, 何也. 卦體山止而不動, 火依而揚, 有不安所之象, 又依物而不能自得, 故曰旅也. 以此觀之, 縱橫之世, 孔孟旅矣, 奄寺之世, 陳荀旅矣, 項羽之時, 漢祖旅矣, 李密之時, 唐祖旅矣. 孔孟尙矣, 其餘故人, 亦皆以明哲之見, 中正之德, 巽順之言行, 善處旅而免者也. 故不明哲中正, 而惟巽順則易致悔辱. 初六之瑣瑣, 取灾也. 高剛而不巽順, 則易致喪敗. 九三之焚其次, 喪其童僕, 上九之鳥焚其巢, 先笑後咷, 喪牛之凶也. 惟中正柔順而吉者, 六二之旅卽次懷其資得童僕, 九四之旅于處得其資斧, 六五之射雉一矢亡終以譽命是也. 以此推之, 何莫非旅義哉.
려괘 「단전」에 "나그네의 때와 뜻이 크도다"라고 말한 것이 있다. 정자와 주자가 해석한

“나그네의 때는 대처하기 어려움이 된다”는 나그네의 많은 뜻을 포함하고 있는데, 포함하는 것 가운데 한 가지 일을 제출하여 말할 수 있는 것은 나그네는 주인을 말하는 것이 아니라는 것이다. 지방에서 주인이 되지 못하면 지방의 나그네이고, 나라에서 주인이 되지 못하면 나라의 나그네이며, 세상에서 주인이 되지 못하면 세상의 나그네이니, 무슨 의미인가? 괘의 몸체가 산은 멈추어 움직이지 않고 불은 산에 의지하여 타오르니, 편안하게 거처하지 못하는 상이 있고, 또한 다른 사물에 의지하여 자득할 수 없으므로 나그네라고 하였다. 이것으로 보면 술책이 종횡무진하던 춘추전국시대에는 공자와 맹자가 나그네였고, 환관이 설치던 시대에는 동한(東漢)의 진식(陳寔)과 순숙(荀淑)이 나그네였으며,[7] 항우의 때에는 한나라 고조가 나그네였고,[8] 이밀의 때에는 당나라 고조가 나그네였다.[9] 공자와 맹자가 높으면 그 나머지 옛사람들도 모두 명철한 견해와 중정한 덕과 공손한 언행으로 나그네의 때에 잘 대처하여 면한 자들이다. 그러므로 명철하거나 중정하지 못하면서 공손하기만 하면 모욕을 당하기 쉬우니, 초육의 자잘함이 재앙을 취함이다. 높고 굳세지만 공손하지 못하면 잃고 패배하기 쉬우니, 구삼이 머무는 곳을 불태우고 동복을 잃음이고, 상구의 새가 둥지를 불태워 먼저는 웃고 나중에는 울부짖으며 소를 잃는 흉함이다. 오직 중정하면서 유순하여 길한 것은 육이에서 나그네가 머무는 곳에 나아가 물자를 간직하고 동복을 얻는 것이고, 구사에서 나그네가 거처하고 물자와 도끼를 얻는 것이며, 육오에서 꿩을 쏘니, 화살 하나를 잃어도 끝내 명성과 복록으로써 한다는 것이 이것이다. 이것으로 미루어보면, 어느 것인들 나그네의 의미가 아니지 않겠는가?

이병헌(李炳憲) 『역경금문고통론(易經今文考通論)』

虞曰, 小謂柔.

우번이 말하였다: ‘조금’은 부드러운 음을 말한다.

---

7) 후한(後漢)의 진식(陳寔)이 원방(元方), 계방(季方) 두 아들과 손자 장문(長文)을 데리고 순숙(荀淑)의 집에 가자 하늘에 덕성(德星)이 모이는 상서(祥瑞)가 나타났고, 태사(太史)가 “오백 리 안에 현인(賢人)이 모였을 것입니다”라고 상주(上奏)하였다는 고사가 있다.

8) 진나라가 망하자 항우는 스스로 초패왕(楚覇王)이라 하고, 유방에게는 서쪽 변방지대인 촉 땅을 주며 한왕(漢王)이라 하였다. 유방은 촉 땅에서 중원과의 통로인 잔도를 불살라 결코 항우의 중원을 넘보지 않겠다는 의지를 보였다.

9) 이밀(李密, 582~619)은 수나라 말기에서 당나라 초기에 걸쳐 활약했던 정치가이자 유력한 군웅의 한 사람으로, 수 양제의 지배에 반기를 들고 일어난 반란군의 수령이었다. 당나라를 건국할 때, 부하 위징(魏徵) 등을 이끌고 당나라 수도 장안으로 들어갔다. 이연은 이밀을 환대하여 높은 지위와 벼슬을 주었다. 그 후 당나라를 배반하여 그 자신의 세력을 재흥시키려고 하였다. 그러나 당나라 장수 성언사(盛彦師)에게 사로잡혀 생을 마감하였다.

荀曰, 謂陰升居五, 與陽通者也.
순상이 말하였다: 음이 위로 올라가 오효에 있으면서 양과 통하는 것을 말한다.

姚曰, 重言旅者, 明五非陰位居之如旅耳. 上[10]下二對, 皆三陰三陽, 而策準中數. 易中稱時義大者, 惟豫遯姤旅.
요신이 말하였다: 나그네를 거듭 말한 것은 오효가 음의 자리가 아니라서 거처하기를 나그네와 같이 함을 밝힌 것이다. 위와 아래 두 괘를 짝하여 보면 모두 음과 양이 3개로 수가 360이 된다. 역(易) 가운데 "때와 뜻이 크도다"라고 한 것은 예괘(豫卦䷏)[11] · 돈괘(遯卦䷠)[12] · 구괘(姤卦䷫)[13] · 려괘 뿐이다.

10) 上: 경학자료집성DB와 영인본에 '土'로 되어 있으나, 문맥을 살펴 '上'으로 바로 잡았다.
11) 『周易 · 豫卦』: 豫之時義, 大矣哉.
12) 『周易 · 遯卦』: 遯之時義, 大矣哉.
13) 『周易 · 姤卦』: 姤之時義, 大矣哉.

旅之時義, 大矣哉.

나그네의 때와 뜻이 크도다!

中國大全

傳

天下之事, 當隨時各適其宜, 而旅爲難處, 故稱其時義之大.

천하의 일은 때에 따라 각각 그 마땅함에 맞게 하여야 하는데, 나그네는 대처하기가 어려우므로 그 때와 뜻이 크다고 말하였다.

本義

旅之時爲難處.

나그네의 때는 대처하기 어려움이 된다.

小註

李氏曰, 適旅之時, 動得其宜, 其義大矣.
이씨가 말하였다: 나그네의 때를 만나 움직임이 그 마땅함을 얻었으니, 그 뜻이 크다.

○ 雲峯胡氏曰, 難盡者, 旅之義, 難處者, 旅之時, 此其時義之所以爲大.
운봉호씨가 말하였다: 다하기 어려운 것은 나그네의 뜻이고 대처하기 어려운 것은 나그네의 때이니, 이것은 그 때와 뜻이 크게 되는 까닭이다.

韓國大全

서유신(徐有臣) 『역의의언(易義擬言)』

六五之時義也, 尋常, 寄旅, 不無時義, 而豈得至於大矣哉. 易道廣大悉備, 聖人辭旨微遠也.

육오의 때와 뜻은 평범하나 얹혀사는 나그네에게 때와 뜻 아님이 없으니, 어찌 큰 데 이를 수 있겠는가? 역의 도는 광대하고 남김없이 갖추었고, 성인의 말과 뜻은 은미하면서도 멀다.

김기례(金箕澧) 「역요선의강목(易要選義綱目)」

言爲旅之大難.

나그네가 매우 어렵게 됨을 말한다.

象曰, 山上有火旅, 君子以, 明愼用刑, 而不留獄.

「상전」에서 말하였다: 산 위에 불이 있는 것이 려(旅)이니, 군자가 그것을 본받아 형(刑)을 쓰는 것을 밝게 하고 삼가며 옥사를 지체하지 않는다.

中國大全

傳

火之在高, 明无不照, 君子觀明照之象, 則以明愼用刑. 明不可恃, 故戒於愼, 明而止亦愼象. 觀火行不處之象, 則不留獄, 獄者, 不得已而設, 民有罪而入, 豈可留滯淹久也.

불이 높은 곳에 있어 밝음이 비추지 않음이 없으니, 군자가 밝게 비추는 상을 보면, 형(刑)을 쓰기를 밝게 하고 삼간다. 밝음을 믿을 수 없기 때문에 삼가라고 경계했으니, 밝고 멈춤이 또한 삼가는 상이다. 불이 번져가고 머물지 않는 상을 관찰하면 옥사를 지체하지 않으니, 옥(獄)은 부득이하여 만든 것으로 백성들이 죄가 있어 들어오면 어찌 지체하여 오랫동안 머물게 하겠는가?

本義

愼刑如山, 不留如火.

형(刑)을 산과 같이 삼가고, 불과 같이 지체하지 않는다.

小註

朱子曰, 明愼用刑, 而不留獄, 卻只是火在山上之象, 又不干旅事.
주자가 말하였다: "형(刑)을 쓰는 것을 밝게 하고 삼가며 옥사를 지체하지 않는다"는 오히려 다만 불이 산 위에 있는 상이이고 또 나그네의 일과는 관계가 없다.

○ 瀘川毛氏曰, 君子觀象而用刑, 則取其火以爲明, 取其止以爲愼, 取其旅以不留獄.
노천모씨가 말하였다: 군자가 상을 보고 형을 씀은 그 불을 취하여 밝음을 삼고 그 멈춤을 취하여 삼감을 삼으며, 그 나그네를 취하여 옥사를 지체하지 않는 것이다.

○ 建安丘氏曰, 山者, 火之所旅, 久則延燒, 獄者, 囚徒之所旅, 留則淹滯. 旅有行而不處之象, 故火不可使久處於山, 囚徒不可使久留於獄也. 明象火之燭物, 愼象山之静止.
건안구씨가 말하였다: 산은 불이 머무르는 바이지만 오래되면 타게 되며, 옥(獄)은 죄인이 머무르는 바이지만 지체되면 감옥에 두는 것이다. 나그네는 가고 머무르지 않는 상이 있으므로 불을 산에 오래 머무르게 할 수 없고 죄인을 옥에 오래 머무르게 할 수 없다. '밝음[明]'은 불이 물건을 비추는 것을 형상하고 '삼감[愼]'은 산이 고요하게 멈추어 있음을 형상한다.

○ 中溪張氏曰, 明則无遁情, 愼則无濫罰, 明愼旣盡, 斷決隨之. 聖人取象於旅, 正恐其留獄也.
중계장씨가 말하였다: 밝으면 실정을 숨김이 없으며 삼가면 벌을 남용함이 없으니, 밝게 하고 삼감이 이미 다하면 결단함이 따른다. 성인이 려괘에서 상을 취함이 바로 그 옥사가 지체됨을 걱정한 것이다.

○ 雲峯胡氏曰, 明如火, 愼如山 不留獄, 如山不留火.
운봉호씨가 말하였다: '밝음'은 불과 같고 '삼감'은 산과 같으며, '옥사를 지체하지 않음'은 산에 불을 머무르게 하지 않는 것과 같다.

韓國大全

김도(金濤) 「주역천설(周易淺說)」

愚按, 本義下所釋, 朱子惟一條, 毛氏以下凡四條, 而皆得於大象之義矣. 蓋火者照物者也, 山者止物者也. 火能照而山體重明, 愼之義, 備在於其中矣. 是以君子觀象於此, 以之用刑, 而又不留獄, 其爲明照剛決之意, 可謂切矣. 大槪火之所及久則延燒, 人之所囚留則不決. 君子所以取象而爲用者, 慮有二者之患耳. 獄者非得已者也, 有罪而入者, 豈可留滯而不決乎. 惟在乎明愼而已. 古者皐陶作士, 明于五刑, 而民恊于中者, 用此道也. 周之設官, 司馬掌邦政, 而主戎馬之事, 司寇掌邦禁, 而主禁暴之事, 邦政邦禁, 莫不均平, 寇賊奸宄, 自底於革面, 而順從之, 此豈非盛世之美政乎. 後之人君, 如欲反古道, 而於吾身親見之, 則必也先擇明威兼備之人, 宅之于冢宰之職, 而使之總百官, 而均四海, 則凡厥庶事无不底平, 况刑獄之事乎. 愚故曰冢宰得人, 則天下之治, 可不勞而馴致矣.

내가 살펴보았다: 『본의』 아래에 해석한 것은 주자는 한 조목뿐이고, 모씨 이하 네 조목은 모두 「대상전」의 뜻에 맞는다. 불은 물건을 비추는 것이고, 산은 물건을 멈추게 하는 것이다. 불이 비추면 산의 몸체가 거듭 밝아지니, 삼가는 뜻이 그 가운데에 갖추어 있다. 그래서 군자가 여기에서 상을 보고 그것으로 형벌에 사용하고 또한 옥사를 지체하지 않으니, 그 밝게 비추고 굳세게 결단하는 뜻을 지극하다고 할 수 있다. 불이 오래 미치면 불길이 번져 타 나가고, 사람이 죄수가 되어 지체되면 결단할 수 없으니, 군자 상을 취하여 쓸 때에 이 두 가지의 근심을 걱정했을 뿐이다. 옥사는 부득이 한 것으로 죄가 있어서 들어오면 어찌 지체하여 결단하지 않겠는가? 밝게 하고 신중하게 할 뿐이다. 옛날 고요가 옥관이 되어서 오형(五刑)을 밝혀 백성들이 중도에 맞게 한 것[14]은 이 도를 쓴 것이다. 주나라에서 벼슬을 설치하여 사마(司馬)[15]에게는 나라의 정치를 담당하여 전쟁의 일을 주관하게 하고, 사구(司寇)[16]에게는 나라에서 금지하는 것을 담당하게 하여 백성을 괴롭히는 폭력을 다스리는 일을 주관하게 하자 나라의 정치와 금하는 것이 공평하지 않음이 없어서 도적떼가 스스로 잘못을 고침에 이르러 순종하였으니, 이것이 어찌 융성한 세상의 아름다운 정치가 아니겠는가? 뒷날 임금들이 옛 도를 되돌려서 자신의 몸에서 친히 보려고 하면 반드시 밝음과 위엄을 겸비한 사람을 먼저 선발하여 총재의 지위에 정해주어서 그로 하여금 백관을 총괄하고 사해를 균등하게 하면 모든 일이 공평함에 이르지 않음이 없을 것이니, 하물며 형벌과 옥사만 그렀겠는가? 내가 그래서 총재가 올바른 사람을 얻으면 천하의 다스림은 노력하지 않아도 점차로 이루어질 것이라고 하였다.

이만부(李萬敷) 「역통(易統)·역대상편람(易大象便覽)·잡서변(雜書辨)」

臣謹按, 合此四條觀之, 則與舜典象刑之說頗合, 其曰明罰勑法, 卽明勑典流鞭扑贖常刑, 以待有罪之意也. 其曰折獄致刑, 卽賊刑必罪之意也. 其曰議獄緩刑, 卽肆赦原情之意也. 其曰明愼用刑, 卽恤刑審愼之意也. 蓋刑者輔治之具, 聖人不得已而用之, 故

14) 『書經·虞書·大禹謨』: 帝曰, 皐陶, 惟玆臣庶, 罔或干予正, 汝作士, 明于五刑, 以弼五敎, 期于予治, 刑期于無刑, 民協于中, 時乃功, 懋哉.

15) 『周禮·夏官司馬』.

16) 『周禮·秋官司寇』.

人之有罪者, 未嘗有所容貸, 而惻隱好生之意, 亦自寓於其中矣.
신이 삼가 살펴보았습니다: 이 네 조목을 합하여 살펴보면, 『순전(舜典)』의 옷에 형벌을 그린다는 설명[17]과 자못 합쳐지니, 서합괘(噬嗑卦䷔) 「대상전」에서 "형벌을 밝히고 법령을 정비하였다"[18]는 것은 곧 밝게 정비하여 일정한 형벌 · 유배 · 채찍 · 회초리 · 속죄[19]하는 일정한 형벌을 죄가 있는 자에 대비한다는 뜻입니다. 풍괘(豊卦䷶) 「대상전」에서 "옥사를 결단하고 형벌을 집행한다"[20]는 것은 곧 죽임에 해당하는 형벌은 반드시 죄를 준다는 뜻입니다. 중부괘(中孚卦䷼) 「대상전」에서 "옥사를 의논하며 형벌을 늦춘다"[21]고 한 것은 과오나 불행으로 죄를 지은 자는 풀어주고 사정에 호소한다는 뜻입니다. 려괘에서 "형을 쓰는 것을 밝게 하고 삼가며"라고 한 것은 곧 형벌을 신중히 하고 조심하고 삼간다는 뜻입니다. 형벌은 다스림을 도우는 도구니, 성인이 부득이 하게 쓰는 까닭에 죄인에게 용서할 수 있는 것이 일찍이 없더라도 측은하고 살리기를 좋아하는 생각이 또한 본래 마음속에 가지고 있는 것입니다.

이익(李瀷) 『역경질서(易經疾書)』

旅之大象, 何云刑獄. 凡君子之行政, 莫不則天之明也, 天地之刑, 物惟電雷可驗. 一雷一火, 則噬嗑豊是也, 雷奮雷作則豫解是也, 山火火山, 則賁旅是也. 又賁爲噬嗑之反對, 旅爲豊之反對. 賁旅之山, 卽噬嗑豊之雷, 而木非山不長, 火非木不焫, 故有殘殺之象也. 殘殺易以傷害, 故必須明愼. 明屬離, 愼屬艮, 又火焫而不留, 故有不留獄之象. 當斷不斷, 則亦甚妨政.
려괘의 「대상전」에서 어찌 형벌과 옥사를 말하였는가? 군자가 정치를 행할 때 하늘의 밝음을 본받지 않음이 없으니, 천지의 형벌은 사물에게는 우레와 번개로 증명할 수 있다. 한 번 번개치고 한 번 불이 나는 것은 서합괘(噬嗑卦䷔)와 풍괘(豊卦䷶)이고, 우레가 떨치고 일어나는 것은 예괘(豫卦䷏)와 해괘(解卦䷧)이며, 산에 불이 나고 불이 산에 나는 것은 비괘(賁卦䷕)와 려괘이다. 또 비괘(賁卦䷕)는 서합괘(噬嗑卦䷔)의 거꾸로 된 괘이고, 려괘는 풍괘(豊卦䷶)의 거꾸로 된 괘이다. 비괘와 려괘의 산은 서합괘와 풍괘의 우레이니, 나무는

---

17) 상형(象刑): 죄인에게 육형(肉刑)을 가하지 않고 그 죄질에 따라 옷에 형벌의 그림을 그려 부끄러움을 알게 하던 형벌이다.
18) 『周易 · 噬嗑卦』: 象曰, 雷電噬嗑, 先王以, 明罰勑法.
19) 『書經 · 舜典』: 象以典刑, 流宥五刑, 鞭作官刑, 扑作敎刑, 金作贖刑, 眚災肆赦, 怙終賊刑, 欽哉欽哉, 惟刑之恤哉.
20) 『周易 · 豊卦』: 象曰, 雷電皆至, 豊, 君子以, 折獄致刑.
21) 『周易 · 中孚卦』: 象曰, 澤上有風, 中孚, 君子以, 議獄緩死.

산이 아니면 자랄 수 없고, 불은 나무가 아니면 탈 수 없으므로 죽이는 상이 있다. 죽임은 쉽게 해칠 수 있으므로 반드시 밝게 하고 삼가야 한다. 밝음은 리괘(☲)에 속하고, 삼감은 간괘(☶)에 속하며, 또한 불은 번지면서 멈추지 않으므로 "옥사를 지체하지 않는다"는 상이 있다. 결단해야 하는데 결단하지 않으면 또한 정치를 매우 방해할 것이다.

심조(沈潮) 「역상차론(易象箚論)」

象, 明愼用刑而不留獄.

「상전」에서 말하였다: 형을 쓰는 것을 밝게 하고 삼가며 옥사를 지체하지 않는다.

艮爲門戶, 互巽爲入, 此便是自外入店之象. 互有兌, 口舌之象也. 火乃不留, 故入而旋出, 有雜體乾坤, 故旅字從方從衣. 互卦反復看, 皆爲兌, 故爲刑殺爲獄訟. 斧鉞刀鋸, 非此兌金乎. 桎梏鞭扑, 非此巽木乎. 巽爲股而據門限出脚門外之象, 下巽上兌, 又有到處口舌之象, 上九又有路象.

간괘(☶)는 문이 되고, 호괘인 손괘(☴)는 들어감이 되니, 이것은 곧 밖에서 가게로 들어가는 상이다. 호괘인 태괘(☱)는 입과 혀의 상이다. 불은 머무르지 않기 때문에 들어가도 돌아나오고, 건괘와 곤괘가 뒤섞인 몸체이므로 '려(旅)' 자는 방(方) 부수에 의(衣)를 합한 글자이다. 호괘를 반복해서 보면 모두 태괘(☱)가 되므로 형벌과 옥사가 된다. 도끼·칼·톱은 태괘인 쇠가 아니겠는가? 족쇄·채찍·회초리는 손괘인 나무가 아니겠는가? 손괘는 다리로 문지방에 의지하여 발을 문밖으로 내놓는 상이다. 아래의 손괘와 위의 태괘에 또한 가는 곳마다 구설의 상이 있으며, 상구에 또한 도로의 상이 있다.

유정원(柳正源) 『역해참고(易解參攷)』

馮氏去非曰, 山, 止不動者, 室廬之象. 火, 動不止者, 行旅之象. 火暫在上, 猶旅附室, 旅于外之象.

풍거비가 말하였다: 산은 그쳐서 움직이지 않는 것으로 집의 상이다. 불은 움직여 멈추지 않는 것으로 지나가는 나그네의 상이다. 불이 잠시 위에 있는 것은 나그네가 잠시 집에 있거나 밖을 다니는 상과 같다.

김상악(金相岳) 『산천역설(山天易說)』

易集恃明, 則不能愼, 過愼則遲疑而易留, 明愼相須, 可以善其明精其愼, 而不留其獄也. 離火明於用刑, 艮止愼於治獄. 不留者, 山不留火也, 山止而火行也.

쉽게 밝음을 믿는데 이르면 삼가할 수 없고, 지나치게 삼가면 더디어 의심받아 쉽게 지체하게 된다. 밝음과 신중함이 서로 의지하여야 그 밝음을 잘하고 신중함을 정밀하게 하여 옥사를 지체하지 않을 것이다. 리괘(☲)의 불은 형벌을 쓰는데 밝고, 간괘(☶)의 그침은 옥사를 다스리는데 신중하다. "지체하지 않는다"는 산에 불이 지체하지 않는 것으로 산이 멈추어 있고 불이 타오르는 것이다.

박제가(朴齊家) 『주역(周易)』

大象, 明愼用刑而不留獄.
「대상전」에서 말하였다: 형벌을 쓰는 것을 밝게 하고 삼가며 옥사를 자체하지 않는다.

朱子曰, 卻只是火在山上之象, 又不干旅事.
주자가 말하였다: 오히려 다만 불이 산 위에 있는 상이고 또 나그네의 일과는 관계가 없다.

案, 此因澤中有火, 與治歷明時, 不甚相干而說, 故曰又蓋澤中有火爲革, 見革而治歷. 革爲之承接之階梯, 去階梯而直說, 則若不相接, 此猶人見水中有魚, 而結網焉. 若曰見水而結網, 則爲不相干, 此革大象之喩也. 若旅則文王見山上有火, 而曰旅之義, 孔子見山上有火, 而曰當不留獄. 象與大象之不同, 往往而然也, 然亦不可如此說.
내가 살펴보았다: 이것은 "못 가운데 불이 있는 것으로 인하여 역수를 계산하여 때를 밝힌다"[22]와는 그다지 관련시키지 않고 말한 것이므로 또한 "못 가운데 불이 있는 것이 혁괘(革卦䷰)가 되니, 혁괘를 보고 역수를 계산한다"고 하였다. 변혁은 이어주는 계단이 되는데, 계단을 제거하여 곧바로 말하면 서로 이어지는 것이 없는 것과 같으니, 이것은 사람이 물속에 고기가 있는 보고 그물을 뜨는 것과 같다. 만약 물을 보고 그물을 뜬다고 하면 어긋나지 않게 되니, 이것이 혁괘 「대상전」의 비유이다. 려괘는 문왕이 산 위에 불이 있는 것을 보고 "나그네의 뜻"이라고 한 것이고, 공자가 산 위에 불이 있는 것을 보고 "옥사를 지체하지 말아야 한다"라고 한 것이다. 「단전」과 「대상전」이 같지 않은 것은 이따금 그랬던 것이지만 또한 이와 같이 말해서는 안 된다.

夫獄囚者, 旅中之最困者也. 君子見山上之火, 而知羈旅之情, 則先從其窮困者而施之, 故不留獄, 爲處旅之急先務矣. 其曰不留獄者, 乃止獄之云也. 若以不留謂如火, 則爲獄之焚矣. 蓋明愼用刑而獄止, 爲火山之象. 如噬嗑之火, 豊之火, 皆天上自然之火, 故但說明山上之火, 則失火之火, 故必曰愼. 聖人不苟下一字如此, 又明愼而不留之,

22) 『周易·革卦』: 象曰, 澤中有火, 革, 君子以, 治歷明時.

而字有力. 若不留如火之急, 則必有欲愼而不及愼者矣. 噬嗑曰明罰明在上矣, 豊曰致刑明在下矣, 旅曰明愼用刑, 而明又在上矣, 刑罰皆屬於明也明矣. 此不留獄, 不可謂如火之不留, 乃止之而不留矣.
감옥의 죄수는 나그네 중에 가장 곤란한 자이다. 군자가 산 위의 불을 보고 떠도는 나그네의 심정을 알면 먼저 그 가장 곤란한 자에게부터 베풀 것이므로 옥사를 지체하지 않을 것이니, 나그네를 처우하는 급선무이다. "옥사를 지체하지 않는다"는 옥사를 그치게 한다는 말이다. 만약 지체하지 않음을 불과 같이 한다고 말했다면 옥이 불타는 것이 된다. 형벌을 쓰는 것을 밝게 하고 삼가 옥사를 그치게 하는 것이 산에 있는 불의 상이 된다. 서합괘(噬嗑卦䷔)의 불과 풍괘(豊卦䷶)의 불과 같은 것은 모두 하늘 위의 자연스러운 불이므로 다만 산 위의 불을 설명할 뿐이라면 실수로 난 불이므로 반드시 '삼가며'라고 하였다. 성인은 참으로 한 글자도 이렇게 함부로 쓰지 않고, 또한 밝게 하고 삼가며 지체하지 않는다고 하였으니, '이(而)' 자에 힘이 있다. 만약 지체하지 않음을 불과 같이 급하게 하면 반드시 삼가고자 하여도 삼가게 되지 않을 것이다. 서합괘에서 "형벌을 밝히고"[23]는 밝음이 위에 있는 것이고, 풍괘에서 "형벌을 집행한다"[24]는 밝음이 아래 있는 것이고, 려괘에서 "형벌을 쓰는 것을 밝게 하고 삼가며"는 밝음이 또한 위에 있는 것이니, 형벌이 모두 밝음에 속하는 것이 분명하다. 여기에서의 "옥사를 지체하지 않는다"는 불과 같이 지체하지 않음을 말하는 것이 아니고 그치게 하기를 지체하지 않는 것이다.

夫山上有火爲旅, 不可以火爲旅. 如程傳火行而不居, 雲峯胡氏曰, 火動而不止. 旅人之象者, 皆未達山上有火, 失火也, 依山而居者, 皆奔迸而失所, 棲棲故謂之旅, 非以旅人比之於延燒之火也. 然則所謂旅人者, 單屬不居之火矣, 安在其止之山耶. 故彖傳曰止而麗乎明, 不曰明而麗乎止. 若明而麗乎止, 則燒之盡矣, 安得旅耶.
산 위에 불이 있는 것이 나그네가 되니, 불을 나그네로 여겨서는 안 된다. 『정전』에서 "불이 번져 가 멈추지 않는다"라고 하였고, 운봉호씨는 "불이 움직여 멈추지 않으니, 나그네의 상이다"고 한 것은 모두 아직 산 위에 있는 불에 아직 미치기 전에 실수로 불이 나서 산에 의지하여 살던 사람들이 모두 흩어져 살 곳을 잃어 바쁘고 불안하기 때문에 나그네라고 하는 것이니, 나그네를 번지는 불길에 비유한 것이 아니다. 그렇다면 이른바 나그네가 한 곳에 머물지 않는 불에 속할 뿐이라면, 어떻게 멈추어 있는 산에 있겠는가? 그러므로 「단전」에서 "멈추고 밝음에 걸려 있다"고 하였지 "밝고 멈춤에 걸려 있다"고 하지 않았다. 만약 밝고 멈춤에 걸려 있다고 한다면 다 탈 것이니, 어찌 나그네가 될 수 있겠는가?

---

23) 『周易 · 噬嗑卦』: 象曰, 雷電噬嗑, 先王以, 明罰勅法.
24) 『周易 · 豊卦』: 象曰, 雷電皆至, 豊, 君子以, 折獄致刑.

윤행임(尹行恁) 『신호수필(新湖隨筆) · 역(易)』

雷與火皆是動物, 且有高明之象. 故卦之有雷有火者, 多言刑獄, 以其愼於動, 而明於用也. 若火山旅之不留獄, 尤係王政之先務, 成康之刑措, 由於明愼, 而唐太宗縱囚則反, 是旅.
우레와 불은 모두 움직이는 사물이고, 또 높고 밝은 상이 있다. 따라서 괘에 우레와 불이 있는 것은 형벌과 옥사를 많이 말하였으니, 움직임에 삼가고 쓰임에 밝아야 하기 때문이다. 불과 산인 려괘에서의 "옥사를 지체하지 않는다"와 같은 것은 왕도 정치의 급선무와 매우 관계가 깊으니, 성왕과 강왕이 형벌을 폐지한 것은 밝게 하고 삼간 것에서 말미암고, 당나라 태종이 죄수를 석방하여 돌려보낸 것이 나그네이다.

서유신(徐有臣) 『역의의언(易義擬言)』

山止猶旅次, 火行猶旅人也. 君子觀旅之象, 念旅之苦, 旅莫苦於囹圄之旅, 故明愼用刑而不留獄. 無濫繫無滯囚, 而獄無旅人也. 明愼火山象.
산이 멈춰있음은 나그네의 처소와 같고, 불이 번져감은 나그네와 같다. 군자는 려괘의 상을 보고 나그네의 고통을 생각하는데 나그네 중에서 감옥에 있는 나그네보다 더 고통스러운 것은 없으므로 형벌을 쓰는 것을 밝게 하고 삼가며 옥사를 지체하지 않는다. 함부로 잡혀온 죄수가 없거나 지체하는 죄수가 없으면 옥에는 나그네가 없을 것이다. 밝음과 삼감은 불과 산의 상이다.

하우현(河友賢) 『역의의(易疑義)』

大象明愼象明, 而止不留象火行不滯. 本義闕明字之義. 又按朱子曰, 明愼用刑, 而不留獄, 卻只是火在山上之象, 又不干旅事, 不留獄, 先儒或有以取象於旅之不留而言者, 不可如此費力.
「대상전」에서 "밝게 하고 삼가며"는 밝음을 본떴고, 그치기를 지체하지 않음은 불이 번져서 멈추지 않는 것을 본떴다. 『본의』에서는 '밝게 하고[明]'를 빠뜨렸다. 또한 주자가 "'형벌을 쓰는 것을 밝게 하고 삼가며 옥사를 지체하지 않는다'는 오히려 다만 불이 산 위에 있는 상이고 또 나그네의 일과는 관계가 없다"라고 한 것을 살펴보면, "옥사를 지체하지 않는다"는 이전의 유학자 중에 혹시 나그네가 멈추지 않는다는 데에서 상을 취하여 말한 사람이 있으나 이와 같이 애쓸 필요가 없다는 것이다.

이지연(李止淵) 『주역차의(周易箚疑)』

卦之本意與大象, 元不相干, 可見卦自卦, 象自象.
괘의 본래 뜻과 「대상전」은 원래 상관이 없으니, 괘는 본래 괘이고, 상은 본래 상임을 알 수 있다.

김기례(金箕澧) 「역요선의강목(易要選義綱目)」

君子以, 明愼用刑, 而不留獄, 明若觀火, 愼重如山, 不留久獄, 如山之不留過火.
"군자가 그것을 본받아 형벌을 쓰는 것을 밝게 하고 삼가하여 옥사를 지체하지 않는 것"은 밝음이 불을 보는 것과 같고, 신중함이 산과 같고, 오래도록 옥사를 지체하지 않음은 산에 불이 지나치게 번짐을 지체하지 않는 것과 같다.

심대윤(沈大允) 『주역상의점법(周易象義占法)』

山上有火, 主山而言止而明也. 愼刑象山之止明, 而不留獄象火之不住. 火照山明, 燭其雜亂細瑣, 故賁與旅之象, 皆言用刑. 雖旅之道, 亦以明愼而不淹滯爲貴, 雖庶政亦然也. 离明艮愼, 對卦艮震爲用, 兌爲刑, 本卦艮兌爲不留獄.
산 위에 불이 있음은 산을 위주로 하여 멈추고 밝은 것을 말한다. 형벌을 삼가함은 산이 멈춤을 본떴고, 밝게 하여 "옥사를 지체하지 않는다"는 불이 그치지 않음을 본떴다. 불이 비추면 산이 밝아 난잡하고 자잘한 것들을 비추므로 비괘(賁卦䷕)[25]와 려괘의 상에 모두 형벌을 사용함을 말하였다. 나그네의 도이지만 또한 밝게 하고 삼가하여 지체하지 않음을 귀하게 여기니, 정치도 그러하다. 리괘(☲)는 밝고 간괘(☶)는 삼가며, 거꾸로 된 괘인 간괘(☶)와 진괘(☳)가 쓰임이 되고 태괘(☱)가 형벌이 되며, 본괘인 간괘(☶)와 태괘(☱)가 "옥사를 지체하지 않는다"가 된다.

오치기(吳致箕) 「주역경전증해(周易經傳增解)」

卦自豊反, 故此又言刑獄之象, 而愼刑取於山重之象, 不留取於火速之象也.
괘가 풍괘(䷶)에서 아래 위가 뒤집힌 괘이므로 여기에서 또한 형벌과 옥사의 상을 말했고, 형벌을 삼감은 산이 무거운 상에서 취하였고, 지체하지 않음은 불이 빠른 상에서 취하였다.

---

25) 『周易 · 賁卦』: 象曰, 山下有火賁, 君子以明庶政, 无敢折獄.

이진상(李震相) 『역학관규(易學管窺)』

朱子以不留獄爲不干旅事, 然丘氏說獄爲囚徒之所旅者, 似之.
주자는 "옥사를 지체하지 않는다"를 나그네의 일에 간여치 않음으로 여겼다. 그러나 건안구씨는 "옥은 죄인이 머무르는 곳"으로 설명하니, 근사하다.

박문호(朴文鎬) 「경설(經說) · 주역(周易)」

明而止亦愼象. 蓋止是愼象, 非竝指明也.
밝게 하고 그침도 삼감의 상이다. 그침이 삼감의 상이지만 밝음을 아울러 가리킨 것은 아니다.

이병헌(李炳憲) 『역경금문고통론(易經今文考通論)』

侯果曰, 火在山上, 其勢非長久, 旅之象也.
후과가 말하였다: 불이 산 위에 있음은 그 형세가 길고 오래지 않으니, 나그네의 상이다.

按, 上明故能用刑獄, 如賁則明在下, 故無敢折獄.
내가 살펴보았다: 위가 밝으므로 형벌과 옥사를 쓸 수 있고, 비괘(賁卦䷕)와 같은 경우는 밝음이 아래에 있으므로 "감히 옥사를 결단하지 않는다."[26]

---

26) 『周易 · 賁卦』: 象曰, 山下有火賁, 君子以明庶政, 无敢折獄.

初六, 旅瑣瑣, 斯其所取災.

초육은 나그네가 자잘하니, 이는 그 재앙을 취함이다.

中國大全

傳

六以陰柔, 在旅之時, 處於卑下, 是柔弱之人, 處旅困而在卑賤, 所存汚下者也. 志卑之人, 旣處旅困, 鄙猥瑣細, 无所不至, 乃其所以致悔辱, 取災咎也. 瑣瑣, 猥細之狀. 當旅困之時, 才質如是, 上雖有援, 无能爲也. 四, 陽性而離體, 亦非就下者也. 又在旅, 與他卦爲大臣之位者異矣.

육(六)이 부드러운 음으로 나그네의 때에 있고 낮고 아래에 처했으니, 유약한 사람이 나그네의 곤궁함에 처하여 비천한 자리에 있는 것으로 간직한 바가 더럽고 낮은 것이다. 뜻이 낮은 사람이 이미 나그네의 곤궁함에 처하면 비굴하고 추잡하며 자질구레하여 이르지 않는 바가 없으니, 이에 뉘우침과 모욕을 부르고 재앙과 허물을 취하는 까닭이다. '자잘함[瑣瑣]'은 자질구레한 모양이다. 나그네의 곤궁할 때를 당하여 재질이 이와 같으니, 위에서 비록 이끌음이 있으나 큰 일을 할 수가 없다. 사효는 양의 성질로 리괘의 몸체이니 또한 아래로 내려오는 자가 아니다. 또 나그네로 있으니 다른 괘에서 대신(大臣)의 지위가 되는 것과는 다르다.

本義

當旅之時, 以陰柔居下位, 故其象占如此.

나그네의 때를 당하여 부드러운 음으로 낮은 자리에 있기 때문에 그 상과 점이 이와 같다.

小註

建安丘氏曰, 初以陰柔而在下, 是卑賤之人, 處旅不得志而困窮者也. 不務遠大而局於瑣屑, 此其所以自取災殃也.
건안구씨가 말하였다: 초효는 부드러운 음으로 아래에 있으니, 비천한 사람으로 나그네의 처지가 되어 뜻을 얻지 못하고 곤궁한 자이다. 멀고 큰 것에 힘쓰지 못하고 자질구레한 것에 국한되니, 이것이 스스로 재앙을 취하는 까닭이다.

○ 雲峯胡氏曰, 旅而居下, 其道, 途負販之旅乎. 柔弱卑賤, 其鄙固宜, 而以爲斯其所取災, 蓋爲旅之賤者而瑣細, 取災如此. 富商巨賈, 蓋可知也. 象之意, 可以旁通, 又不特爲旅言也.
운봉호씨가 말하였다: 나그네로 아래에 있으니, 그 도가 길에서 물건을 지고 다니며 파는 나그네이다. 유약하고 비천하며 그 비루함이 진실로 마땅하여 "이는 그 재앙을 취함이다"고 여겼으니, 나그네로 천한 자가 되어 자잘함이 재앙을 취함이 이와 같다. 부유한 상인과 큰 장사치는 알 수 있다. 「상전」의 뜻은 널리 통하니, 또 나그네만을 위하여 말한 것은 아니다.

韓國大全

송시열(宋時烈) 『역설(易說)』

瑣瑣, 細屑猥鄙之貌. 斯者, 王應麟曰, 後漢左雄傳, 註曰斯賤也. 郭京曰, 斯作廝, 謂賤役也. 蓋艮小子在下, 上雖有援, 無所事, 但志有窮困猥屑, 取災也.
"자잘하니"는 자잘하고 추한 모습이다. '이는'은 왕응린이 "후한 순제 때 좌웅[27]전의 주석에 '이는'은 천한 것이라고" 하였고, 곽경은 "'이는'은 '심부름꾼[廝]'이라고 하였으니, 비천한 일을 말한다"고 하였다. 간괘(☶)의 작은 아들이 아래에 있고 위에서 비록 이끌음이 있으나 할 수 있는 일이 없고 다만 뜻이 곤궁하고 비굴하고 자질구레하여 재앙을 취할 뿐이다.

이익(李瀷) 『역경질서(易經疾書)』

此卦下三爻象羈旅, 上三爻象師旅. 瑣瑣, 卽詩所謂瑣尾也, 流離之貌也. 斯, 王弼郭京

27) 좌웅(左雄): 중국 한나라 순제(漢順帝) 때 사람. 효렴으로 천거되어 기주 자사(冀州刺使)가 되자 기탄없이 탐관오리를 탄핵했다. 그가 과거 제도의 시정을 상소하자 순제는 그의 건의를 받아들였다(『後漢書 · 左雄傳』).

諸儒, 皆作衡. 衡與厮通, 賤役也. 王應麟引後漢左雄傳, 職斯祿薄之語, 尤可證. 初六居下而賤, 有童僕之象. 六二之所得者, 卽此也, 童僕其號也. 衡其職也, 其意若曰其所取災, 賤役故也.
이 괘의 아래 세 효는 떠도는 나그네[羈旅]를 상징하고, 위 세 효는 군사[師旅]를 상징한다. "자잘하니"는 『시경』에서 말하는 "자잘하며 자잘한 떠도는 모습"[28]이다. '이는'은 왕필이나 곽경 등 여러 학자들이 모두 '심부름꾼[衡]'이라고 했다. '심부름꾼[衡]'은 '하인[厮]'과 통하니, 비천한 일이다. 왕응린은 후한 「좌웅전」에 "천한 일을 맡아 녹봉이 박하다"는 말을 인용하여 이를 증명하였다. 초육은 아래에 있으면서 천하여 동복(童僕)의 상이 있다. 육이가 얻은 것이 이것으로 동복은 그 호칭이다. '이[衡]'는 그 직업으로 그 의미는 "그 재앙을 취함이다"라고 한 것과 같으니, 비천하기 때문이다.

심조(沈潮) 「역상차론(易象箚論)」

初六取災.
초육은 재앙을 취함이다.

此與離之初爻相應, 故災字從火.
이것이 리괘의 초효와 서로 호응하므로 '재앙[災]'이라는 글자에 불 화(火)가 있다.

유정원(柳正源) 『역해참고(易解參攷)』

王氏曰, 最處下極, 羈旅不得所安, 而爲衡賤之役, 致災窮困.
왕필이 말하였다: 맨 아래에 가장 극단에 있어 떠돌며 안정을 얻지 못하고 비천한 일을 하니, 재앙을 이루어 곤궁한 것이다.

○ 梁山來氏曰, 初變則兩離矣, 故瑣而又瑣. 瑣者羈旅之間, 計財利得失之毫末也.
양산래씨가 말하였다: 초효가 변하면 두 개의 리괘(☲)가 되므로 자잘하고 또 자잘하다. '자잘함'은 나그네로 떠도는 사이에 재물과 이익에 대한 득실의 작은 것까지 계산하는 것이다.

○ 案, 瑣之細小, 斯之卑賤, 皆陰象.
내가 살펴보았다: 작은 자잘함과 이러한 비천함은 모두 음의 상이다.

---

28) 『詩經 · 邶風』: 瑣兮尾兮, 流離之子. 叔兮伯兮, 褎如充耳.

김상악(金相岳)『산천역설(山天易說)』

瑣瑣, 猥細之狀, 初六當旅之時, 雖有正應, 止而不交. 二陰相比, 瑣屑无所不至, 乃其所取災也.
"자잘하니[瑣瑣]"는 자질구레한 모양이니, 초육이 나그네의 때에 정응이 있지만 그치고 사귀지 않는다. 두 음이 서로 가까우나 자잘함이 이르지 않는 곳이 없어서 재앙을 취한다.

○ 瑣瑣, 陰之小也, 卽詩所云瑣兮尾兮. 斯, 郭京作廝, 王弼云爲斯賤之役, 因二三指初, 爲童僕而言也. 然初之取災者, 以其瑣瑣也. 斯字, 言其所以取災之由也, 恐不可作廝也.
"자잘하니[瑣瑣]"는 음의 작음이니, 『시경』에서 말한 "자잘하며 자잘한"이다. '이는[斯]'은 곽경은 '심부름꾼[廝]'이라고 하였고, 왕필은 비천한 일이라고 하였으니, 이효와 삼효로 인하여 초효가 동복(童僕)이 됨을 가리켜 말한 것이다. 그러나 초효가 재앙을 취한 것은 자잘하기 때문이다. '이는[斯]'은 재앙을 취한 이유를 말한 것이니, 아마도 '심부름꾼[廝]'으로 해서는 안 될 것 같다.

박제가(朴齊家)『주역(周易)』

天火曰災, 字從火, 如左傳新宮災者是也. 蓋有火則急出而已, 若欲收拾其家中細瑣之物, 則取災必矣, 此失火爲旅之初義也. 二曰卽次, 三則火及其次, 喪其僕矣, 四則于處, 比次稍大矣, 亦得其所資, 而心亦不之快. 五之譽命, 如今失火之有恤典也. 上則窮而火及於鳥巢之木杪矣 曰先笑後號咷者, 承上鳥巢而言. 失火者, 始則不知, 故先笑. 猶曰燕雀巢於幕, 子母相煦, 不知火之將及已者也, 此皆失火而出在外之序也.
하늘의 불이 '재앙[災]'으로 불 화(火) 부수이니, 『춘추좌씨전』에서 "신궁에 재앙이 있다"[29]가 이것이다. 불이 나면 급히 나갈 뿐이니, 만약 집에 있는 자질구레한 물건을 거두려면 반드시 재앙을 취할 것이니, 여기에서 불이 난 것이 려괘 초효의 뜻이다. 이효에서 "머무는 곳에 나아가"라고 하였고, 삼효에서 "머무는 곳을 불태우고 동복을 잃었다"고 하였는데, 사효에서 "거처하고"라고 하였으니, 머무는 곳보다 조금 커지고 또 물자를 얻었지만 마음은 또한 유쾌하지 않은 것이다. 오효에서 "명예와 복록"은 지금 불이 났을 때 구제하는 법이 있는 것과 같다. 상육은 끝이어서 불이 새둥지의 나무 끝에 미치니, "먼저는 웃고 뒤에는 울부짖는다"는 것은 앞에 있는 새 둥지를 이어서 말한 것이다. 불이 난 것을 처음에는 알지

---

29) 『春秋左氏傳』成公 3년: 三年春王正月. 公會晉侯宋公衛侯曹伯伐鄭. 辛亥, 葬衛穆公. 二月, 公至自伐鄭. 甲子, 新宮災, 三日哭. 乙亥, 葬宋文公.

못하므로 “먼저는 웃는” 것이다. 제비와 참새가 장막에 둥지를 틀어[30] 새끼와 어미가 서로 보살필 때 불이 장차 자신들에게 미치는 것을 모른다고 말하는 것과 같으니, 이것은 모두 불이 났을 때 밖으로 나가는 순서이다.

서유신(徐有臣) 『역의의언(易義擬言)』

以柔居下, 又順乎柔, 柔順太過, 爲瑣瑣也. 卑屈甚而悔辱至, 滄浪自取也. 瑣瑣猶碌碌, 艮爲小石也.
유약한 음으로 아래에 있으며, 또 유약함을 따르니, 유순함이 너무 지나쳐서 자잘함이 된다. 비굴함이 심하면 후회와 욕됨이 이르게 되니, 창랑의 물은 스스로 취하는 것이다. “자잘하니[瑣瑣]”는 보잘 것 없음[碌碌]이니, 간괘(☶)가 작은 돌이 되는 것이다.

이지연(李止淵) 『주역차의(周易箚疑)』

瑣兮尾兮, 流離之子.
『시경(詩經)』에서 “자잘하고 자잘한 떠도는 사람이다”라고 하였다.

김기례(金箕澧) 「역요선의강목(易要選義綱目)」

以柔在下, 蓋卑賤之爲旅者, 詩所謂瑣兮尾兮也, 何不窮災.
부드러운 음으로 아래에 있어 비천한 나그네가 되는 것은 『시경(詩經)』에서 말한 “자잘하고 자잘한”이니, 어찌 궁하고 재앙이 없겠는가?

심대윤(沈大允) 『주역상의점법(周易象義占法)』

旅之爻位, 居剛行也, 居柔止也.
려괘의 효의 자리는 굳셈에 있으면 행하고 부드러움에 있으면 그친다.

旅之离䷝. 初六才柔地卑而居剛, 罷於行役, 附麗於人, 以奔走經營, 乃人之使令, 富商之負販, 流民行乞, 附人而謀食與利者也. 有應於四, 四居坎食巽貨之體, 旅之義, 无所住着也, 故不以應爲重, 而有應者, 乃志有所係着營求也. 初之志在於食貨, 而爲三所隔, 其人與事, 旣已瑣屑, 勞碌而所得, 亦復微細, 故曰旅瑣瑣, 斯其所取災. 瑣瑣, 象

30) 『春秋左氏傳』「襄公」29년: 夫子之在此也, 猶燕之巢于幕上, 君又在殯, 而可以樂乎.

火之照山, 物之細瑣也. 重离爲瑣瑣, 災有心之灾也.
려괘가 리괘(離卦☲☲)로 바뀌었다. 초육은 부드러운 재주로 지위가 낮은데 굳센 자리에 있어 일을 하는 데 지쳐서 다른 사람에게 빌붙어 분주히 경영하는 것이니, 다른 사람의 심부름꾼이고 부유한 상인의 보따리 장사꾼이며 떠돌아다니면서 걸식하는 것으로 다른 사람에게 빌붙어 먹을 것과 이익을 도모하는 자이다. 사효와 호응이 있는데 사효가 간괘(☶)의 밥과 손괘(☴)의 재화라는 몸체에 있어 나그네의 뜻이 붙을 곳이 없기 때문에 호응을 귀중하게 여기지 않는데, 호응이 있는 것은 마음에 꺼림칙하게 도모하는 것이 있는 것이다. 초효의 뜻은 음식과 재물에 있는데 삼효가 가로막아 사람과 일이 이미 자잘하여 쉬지 않고 일하지만 얻는 것이 또한 다시 자잘하기 때문에 "나그네가 자잘하니, 이는 그 재앙을 취함이다"라고 하였다. "자잘하니[瑣瑣]"는 불이 산을 비추고 물건이 자잘한 상이다. 거듭한 리괘(☲)가 "자잘하니[瑣瑣]"이고, 재앙은 마음에 있는 재앙이다.

오치기(吳致箕) 「주역경전증해(周易經傳增解)」

初六陰柔在下, 而失其正, 上雖有應, 而不相援, 在旅之初, 窮困失志, 而細屑猥鄙, 有瑣瑣之象. 斯所以召人之輕侮, 而取其災也.
초육은 부드러운 음이 아래에 있어 그 바름을 잃었고, 위에 호응이 있지만 서로 도와주지 못하니, 려괘의 초기에 곤궁하고 뜻을 잃었고, 자잘하고 추잡하고 비굴하여 자잘한 상이 있다.

○ 瑣瑣, 猥鄙之狀, 而取於陰小之象. 斯者此也.
"자잘하니[瑣瑣]"는 추잡하고 비굴한 모양이고 음의 작은 상을 취한 것이다. '사(斯)'는 이것이라는 뜻이다.

이진상(李震相) 『역학관규(易學管窺)』

斯其所取災.
이는 그 재앙을 취함이다.

瑣瑣, 即取災之由也. 參攷以斯爲僀賤之僀, 如是則其所字無着落.
"자잘하니[瑣瑣]"가 재앙을 취하는 이유이다. 『역해참고(易解參攷)』에서 '사(斯)'를 비천하다는 '시(僀)'로 여겼는데, 이와 같다면 '기소(其所)' 자는 둘 곳이 없다.

박문호(朴文鎬) 「경설(經說)·주역(周易)」

灾非謂禍, 乃謂辱, 故傳先言悔辱, 後言灾咎.
재앙은 화(禍)를 말하는 것이 아니라 욕됨을 말하는 것이므로 『정전』에서 뉘우침과 모욕을 먼저 말하고 재앙과 허물을 뒤에 말하였다.

이용구(李容九) 「역주해선(易註解選)」

旅初六, 詩曰瑣兮尾兮, 流離之子, 有焉.
려괘 초육은 『시경』에서 "자잘하고 자잘한 떠도는 사람이다"라고 하였으니 그것에 있다.

이병헌(李炳憲) 『역경금문고통론(易經今文考通論)』

鄭曰, 瑣瑣猶小小也, 艮爲小石.
정현이 말하였다: "자잘하니[瑣瑣]"는 자질구레 함[小小]이니, 간괘(☶)가 작은 돌이 된다.

陸曰, 履非其[31]正應離之始以應. 火災焚, 自取也.[32]
육적이 말하였다: 리괘(履卦䷉)는 정응해서는 안 되는 리괘(☲)의 처음[초효]과 [리괘(☲)가 불이고 간괘(☶)가 산이 되어] 호응해서 화재가 나서 불타는 것을 스스로 취한 것이다.

虞曰, 艮手爲取.
우번이 말하였다: 간괘(☶)의 손이 취함이 된다.

---

31) 其: 경학자료집성DB에는 '甚'으로 되어 있으나 경학자료집성 영인본과 문맥을 살펴 '其'로 바로잡았다.
32) 『陸氏易解』: 瑣瑣小也, 艮爲小石, 故曰旅瑣瑣也. 履非其正應離之始, 離爲火艮爲山以應. 火災焚自取也, 故曰斯其所取災也.

象曰, 旅瑣瑣, 志窮, 災也.

「상전」에서 말하였다: "나그네가 자잘함"은 뜻이 궁하여 재앙이 있는 것이다.

中國大全

傳

志意窮迫, 益自取災也. 災眚, 對言則有分, 獨言則謂災患耳.

의지가 궁박(窮迫)하여 더욱 재앙을 스스로 취하는 것이다. 재(災)와 생(眚)은 상대하여 말하면 분별이 있으나, 하나로 말하면 재환(災患)을 말한다.

小註

臨川吳氏曰, 柔而居下, 其志猥陋, 故曰窮.
임천오씨가 말하였다: 부드러운 음으로 아래에 있으니, 그 뜻이 추잡하고 비루하므로 "궁하다"고 하였다.

○ 中溪張氏曰, 詩云, 瑣兮尾兮, 流離之子, 初六有焉.
중계장씨가 말하였다: 『시경』에서 "자잘하고 자잘한 떠도는 사람이다"[33]고 하였으니, 초육에 그러한 것이 있다.

---

33) 『詩經 · 邶風 · 旄丘』.

韓國大全

김상악(金相岳) 『산천역설(山天易說)』

居下而瑣瑣, 志窮而災也.

아래에 있어 자잘하고 뜻이 궁하여 재앙이 있는 것이다.

서유신(徐有臣) 『역의의언(易義擬言)』

煩猥相干, 故不爲四之所與也.

번거롭고 추잡함이 서로 관련되기 때문에 사효와 함께 할 수 없다.

심대윤(沈大允) 『주역상의점법(周易象義占法)』

志在食貨, 而亦不得, 故曰窮

뜻이 음식과 재화에 있으나 또한 얻지 못하므로 궁하다.

오치기(吳致箕) 「주역경전증해(周易經傳增解)」

居下鄙瑣, 志意窮迫, 益取其災患也.

아래에 있어 비굴하고 자잘하며, 뜻이 궁하고 박절하여 재앙과 근심을 더욱 취한다.

六二, 旅卽次, 懷其資, 得童僕貞.

육이는 나그네가 머무는 곳에 나아가 물자(物資)를 간직하고 동복(童僕)의 곧음을 얻는다.

中國大全

傳

二有柔順中正之德. 柔順則衆與之, 中正則處不失當. 故能保其所有, 童僕亦盡其忠信, 雖不若五有文明之德, 上下之助, 亦處旅之善者也. 次舍, 旅所安也, 財貨, 旅所資也, 童僕, 旅所賴也. 得就次舍, 懷畜其資財, 又得童僕之貞良, 旅之善也. 柔弱在下者, 童也, 强壯處外者, 僕也. 二柔順中正, 故得內外之心. 在旅, 所親比者, 童僕也. 不云吉者, 旅寓之際, 得免於災厲, 則已善矣.

이효는 유순하고 중정한 덕이 있다. 유순하면 사람들이 함께 하고 중정하면 처신에 마땅함을 잃지 않는다. 그러므로 그 소유한 것을 보존할 수 있고 동복(童僕)도 충성과 믿음을 다하니, 비록 문명한 덕과 위아래의 도움이 있는 오효만은 못하지만 나그네로 잘 처신하는 자이다. 차사(次舍)는 나그네가 편안히 쉬는 곳이고, 재화(財貨)는 나그네가 의지하는 것이며, 동복(童僕)은 나그네가 도움을 받는 바이다. 편히 쉬는 집에 나아가 물자(物資)와 재물(財物)을 간직할 수 있고 또 동복의 곧고 선량함을 얻음은 나그네에게 좋은 것이다. 유약하여 아래에 있는 자는 어린아이[童]이고, 강하고 씩씩하여 밖에 있는 자는 종[僕]이다. 이효가 유순하고 중정하므로 안팎의 마음을 얻었다. 나그네에게 있어 가깝고 친한 자는 동복이다. '길하다'고 말하지 않은 것은 나그네의 처지에 있을 때에는 재앙과 위태로움을 면할 수 있으면 이미 좋은 것이다.

本義

卽次則安, 懷資則裕, 得其童僕之貞信, 則无欺而有賴, 旅之最吉者也. 二有柔順中正之德, 故其象占如此.

머무는 곳에 나아가면 편안하고 물자(物資)를 간직하면 여유롭고 동복(童僕)의 곧음과 믿음을 얻으면 속임이 없고 신뢰를 받으니, 나그네로서 가장 길한 것이다. 이효는 유순하고 중정한 덕이 있으므로 그 상과 점이 이와 같다.

小註

童溪王氏曰, 次, 旅之居也. 資, 旅之用也. 童僕, 旅之役走者也. 旅卽次, 則其所舍也有其居. 懷其資, 則其所畜也有其用. 得童僕, 則其所以奔走而服役也, 又有其人. 旅道何脩而得此哉. 蓋以六居二之爲正故也.
동계왕씨가 말하였다: '차(次)'는 나그네가 머무는 곳이다. '자(資)'는 나그네가 쓰는 것이다. '동복(童僕)'은 나그네가 부리는 자이다. "나그네가 머무는 곳에 나아간다"는 것은 그 집에 거처함이 있는 것이다. "물자를 간직한다"는 것은 그 축적한 바에 쓰임이 있는 것이다. "동복을 얻는다"는 것은 분주히 복역하고 또 그렇게 하는 사람이 있다는 것이다. 나그네의 도가 어찌하여야 이를 얻겠는가? 대체로 육(六)이 이효 자리에 있는 것이 바름이 되기 때문이다.

○ 雲峯胡氏曰, 旅貴卑巽, 故位陰爻柔者多吉, 而六二兼之. 二以柔居中, 承剛乘柔, 旅之甚安而且裕者. 貞字, 諸家自作一句讀, 本義以連上文. 蓋卽次懷資, 自見六二有柔順中正之德, 不必復以貞戒之. 惟旅中不能无賴乎童僕之用, 亦多不能免乎童僕之欺. 惟得其貞信者, 則无欺而有賴, 此旅之最吉者也.
운봉호씨가 말하였다: 나그네는 낮추고 공손함을 귀하게 여기므로 음의 자리에 있거나 부드러운 음효인 것이 대부분 길한데, 육이는 그것을 겸하였다. 이효는 부드러운 음으로 가운데에 있고 굳센 양을 받들며 부드러운 음을 탔으니, 나그네가 매우 편안하고 또 느긋한 것이다. '곧다[貞]'는 글자는 여러 사람들이 하나의 구절로 읽어야 한다고 하였는데, 『본의』에서는 앞의 글과 연결하였다. '머무는 곳에 나아가 물자를 간직함'은 육이가 유순하고 중정한 덕이 있음을 저절로 아니, 굳이 '곧음'으로 경계할 필요가 없다. 나그네로 다니는 중에 동복의 쓰임에 도움을 받지 않을 수 없고, 또 동복이 속이는 것을 대부분 면할 수 없다. 곧고 미더운 동복을 얻을 경우에만 속임이 없어 신뢰하니, 이것이 나그네로서 가장 길한 것이다.

韓國大全

권근(權近) 『주역천견록(周易淺見錄)』

旅, 六二, 旅卽次, 懷其資, 得童僕貞, 言得童僕之貞良也.
려괘에서 "육이는 나그네가 머무는 곳에 나아가 물자를 간직하고 동복의 곧음을 얻는다"는 바르고 좋은 종복을 얻는다는 말이다.

송시열(宋時烈) 『역설(易說)』

六二卽次者, 就於旅舍也. 懷其資粮者, 巽爲市利故也. 得童僕者, 艮爲童僕也. 貞者如象之旅貞, 卽止而貞固之意也. 終无尤者, 與五爲應, 而无咎害之者也.
육이에서 "머무는 곳에 나아가"는 나그네가 머무는 숙소에 나아감이다. "물자나 식량을 간직하고"는 손괘(☴)가 시장의 이익이 되기 때문이다. "동복을 얻는다"는 간괘(☶)가 동복이 되기 때문이다. "곧음"은 괘사에서 "나그네가 곧아"와 같으니, 곧 머물러 있으면서 곧고 굳세다는 뜻이다. "끝내 허물이 없는 것"은 오효와 호응하여 허물이나 해가 없는 것이다.

이현익(李顯益) 「주역설(周易說)」

六[34]二, 童僕貞, 謂童僕之貞, 九三貞厲, 謂九三貞也. 此本義之旨, 而建安丘氏謂, 二之貞無尤, 而三之貞則厲者, 二柔順得中, 三過剛不中故也. 是以童僕貞與貞厲之貞, 爲一義也, 非是. 貞厲之貞, 或屬上讀如傳說, 而若童僕貞, 則分明是童僕之貞也.
육이에서 "동복의 곧음"은 동복의 곧음을 말하고, 구삼에서 "곧더라도 위태롭다"는 구삼의 곧음이다. 이것은 『본의』의 뜻인데 건안구씨는 "이효의 곧음은 허물이 없지만 삼효의 곧음이 위태로운 것은 이효는 유순하여 알맞음을 얻었지만 삼효는 지나치게 굳세어 알맞지 않기 때문이다"라고 하였다. 그래서 "동복의 곧음"과 "곧더라도 위태롭다"의 '곧음'을 하나의 뜻으로 하면 옳지 않다. "곧더라도 위태롭다"의 곧음은 간혹 『정전』의 설명과 같이 앞의 글에 붙여서 읽어야 하고, "동복의 곧음"은 분명히 동복의 곧음이다.

---

34) 六: 경학자료집성DB와 경학자료집성 영인본에는 '九'로 되어 있으나, 문맥을 살펴 '六'으로 바로잡았다.

이익(李瀷)『역경질서(易經疾書)』

六二柔順中正, 上無正應, 而與初爲比, 故有得僮僕之象. 僮僕, 指初之斯役也. 羈旅之得僮僕, 非懷其資財, 則不能. 凡人情位尊則服, 恩重則服. 外此惟懷資而結納, 方可以羈縻也. 故无尤, 與九三之失位過剛, 不同.
육이는 유순하고 중정하지만 위로 정응이 없고, 초효와 가깝기 때문에 동복을 얻는 상이 있다. '동복'은 초효의 천한 자를 가리킨다. 떠도는 나그네가 동복을 얻고 물자를 간직하지 않으면 아무것도 할 수 없다. 사람은 지위가 높으면 복종하고 은혜가 중하면 복종한다. 이것 이외에는 물자를 간직하여 약속을 맺고 서로 의지하여야만 얽매이게 된다. 따라서 "허물이 없는 것"은 구삼이 지위를 잃고 지나치게 굳셈과는 같지 않다.

심조(沈潮)「역상차론(易象箚論)」

次字, 此爲第二爻也. 資之從次, 亦此意.
'머무는 곳[次]'이라는 글자는 두 번째 효가 된다. 물자를 가지고 머무는 곳에 가는 것이 또한 이 뜻이다.

유정원(柳正源)『역해참고(易解參攷)』

王氏曰, 次者, 可以安行旅之地也. 懷來也. 得位居中, 體柔奉上, 以此羈旅, 必獲次舍, 懷來資斧, 得童僕之所正也. 旅不可以處盛, 故其美盡於僮僕之正也.
왕필이 말하였다: '머무는 곳[次]'은 떠도는 나그네가 편안히 여길 수 있는 곳이다. '간직하고[懷]'는 오는 것이다. 자리를 얻어 가운데에 있고 부드러운 몸체로 위를 받드니, 이 떠도는 나그네는 반드시 머물 곳을 얻고 물자를 간직하여 동복이 바르게 여기는 것을 얻는다. 나그네는 좋은 곳에 머물 수 없으므로 동복의 바름에서 아름다움을 다한다.

○ 張子曰, 居得位, 得次之義. 得三之助, 故曰懷其資. 下有一陰, 无所係累, 故曰得僮僕貞.
장자가 말하였다: 거처함에 자리를 얻음은 머물 곳을 얻는다는 뜻이다. 삼효의 도움을 얻기 때문에 "물자를 간직하고"라고 하였다. 아래에 음이 하나 있지만 얽매이지 않으므로 "동복의 곧음을 얻는다"고 하였다.

○ 漢上朱氏曰, 離爲蠃, 貨貝資財之象, 巽爲入, 懷其資也, 艮爲少男, 初卑陰賤僮僕也.
한상주씨가 말하였다: 리괘(☲)는 소라로 화폐나 물자의 상이고, 손괘(☴)는 들어감이므로

물자를 간직하는 것이고, 간괘(☶)는 막내아들이므로 처음에는 비천한 동복이다.

○ 梁山來氏曰, 次者, 旅之舍也. 艮爲門, 二居艮止之之中, 卽次得安之象也. 資者財也, 旅之用也. 中爻巽, 巽爲近利市三倍, 懷資之象.
양산래씨가 말하였다: '머무는 곳[次]'은 나그네의 숙소이다. 간괘(☶)는 문인데 이효는 간괘(☶)의 그치게 하는 가운데에 있다. '머무는 곳에 나아가'는 편함을 얻는 상이다. '물자'는 재화로 나그네가 쓰는 것이다. 가운데 효가 손괘(☴)로 손괘는 이익을 가까이 하여 세 배의 폭리를 남김이 되므로 물자를 간직하는 상이다.

○ 案, 初陰順附, 在下之童貞也. 三陽親比, 在外之僕貞也.
내가 살펴보았다: 따르고 기대는 초효의 음은 아래에 있는 동복의 곧음이다. 친하고 가까이 지내는 삼효의 양은 밖에 있는 동복의 곧음이다.

김상악(金相岳) 『산천역설(山天易說)』

六二柔正居艮之中, 而三互巽兌, 故卽次而懷資, 得童僕之貞. 貞謂貞信不欺也.
육이가 부드럽고 바르면서 간괘(☶)의 가운데 있고 삼효의 호괘가 손괘(☴)과 태괘(☱)이므로 "머무는 곳에 나아가 물자를 간직하고 동복의 곧음을 얻는다"고 하였다. '곧음'은 곧고 믿을 수 있어 속이지 않는 것이다.

○ 次, 旅之居也, 艮爲門闕而又爲止, 卽次之象. 旅不可以久處, 故以卽爲安也. 懷者, 抱也. 山之性能畜風, 而巽爲市利, 兌又爲金, 懷資之象. 艮爲小男, 而初又居下, 童僕之象. 貞者, 陰之在下爲正也. 三亦取童僕爲象, 而得喪之不同者, 柔中剛過之別也. 艮者震之反, 又離火生於震木, 反其所由生, 而爲重震. 旅卽次, 躋于九陵之反, 懷其資, 億喪貝之反, 得童僕貞, 對七日得也. 旅之諸爻, 柔中爲善, 故二懷資而得僕, 五射雉而譽命. 初則柔而處卑者, 故瑣瑣而取災. 四則剛而失位者, 故得資斧而心不快. 三與上, 則剛居上下之極, 故焚次喪牛, 失其義也.
'머무는 곳[次]'은 나그네의 거처로 간괘(☶)가 문이 되고 또 그침이 되니 "머무는 곳에 나아간다"는 상이다. 나그네는 오래 거처할 수 없으므로 나아감을 편안하게 여긴다. '간직함[懷]'은 품는 것이다. 산의 성질은 바람을 일으키고, 손괘(☴)는 이익이고, 태괘(☱)는 쇠이니, 물자를 간직하는 상이다. 간괘(☶)는 막내아들로 초효가 또 아래에 있어 동복의 상이다. '곧음[貞]'은 음이 아래에서 바른 것이다. 삼효도 동복을 취하는 것으로 상을 삼았는데 얻고 잃음이 같지 않은 것은 부드러운 음이 가운데 있는 것과 굳센 양이 지나치는 것의 차이이다.

간괘(☶)는 진괘(☳)와 거꾸로 된 괘이고, 또 리괘(☲)의 불이 진괘(☳)의 나무에서 생기는데 생기는 원인을 되돌리면 중복된 진괘(䷲)가 된다. “나그네가 머무는 곳에 나아간다”는 “아홉 언덕에 오르니”35)의 반대이고, “물자를 간직하고”는 “재물을 잃을 것을 헤아려”의 반대이고, “동복의 곧음을 얻는다”는 “이레 만에 얻으리라”에 짝한다. 려괘의 여러 효는 부드러우면서 가운데이어서 선함이 되기 때문에 이효는 물자를 간직하고 동복을 얻고, 오효는 꿩을 쏘아 명성과 복록이 있다. 그런데 초효는 부드러우면서 낮은데 처하므로 자잘하여 재앙을 취한다. 사효는 굳세면서 자리를 잃으므로 물자와 도끼를 얻으나 마음이 유쾌하지 않다. 삼효와 상효는 굳셈이 위와 아래의 끝에 있으므로 머무는 곳을 불태우고 소를 잃어 그 의리를 잃는다.

박제가(朴齊家) 『주역(周易)』

六二得童僕貞.
육이는 동복의 곧음을 얻는다.

幼而在下者爲童僕. 得者不求而自至之辭, 謂初也. 傳柔弱在下者童也, 强壯在外者僕也, 分內外說. 然已方旅矣, 安有在內在外之役使耶.
어리면서 아래는 있는 이가 동복이다. ‘얻음’은 구하지 않아도 저절로 온다는 말로 초효를 말한다. 『정전』에서 “유약하여 아래에 있는 자는 어린아이[童]이고, 강하고 씩씩하여 밖에 있는 자는 종[僕]”이라고 하였으니, 안과 밖을 구분하여 말한 것이다. 그러나 이미 나그네가 되었으니, 어찌 안에 있거나 밖에 있는 심부름꾼이 따로 있겠는가?

서유신(徐有臣) 『역의의언(易義擬言)』

以柔居柔, 在旅而得其所者也. 旅人之資用, 莫切於柔順, 而柔中順剛, 二所自有, 故曰懷其資也. 互巽亦有資財之象也. 二爲五之臣, 旅時, 故稱僕也. 柔順中正, 止所當止, 能得臣僕忠貞之義也.
부드러운 음으로 부드러움에 있어 여행 중에 그 처소를 얻은 자이다. 나그네의 밑천은 유순함보다 절실한 것이 없는데, 부드럽고 가운데 있으면서 굳셈을 따라 두 가지를 본래 소유하였으므로 “물자를 간직하고”라고 하였다. 호괘인 손괘(☴)에도 재물의 상이 있다. 이효는 오효의 신하인데 여행 중이기 때문에 종이라고 부른다. 유순하면서 중정하여 마땅히 머물

---

35) 『周易 · 震卦』: 六二, 震來厲, 億喪貝, 躋于九陵, 勿逐, 七日得.

곳에 머물러 신하와 종의 충실하고 곧은 의리를 얻을 수 있다.

강엄(康儼) 『주역(周易)』

按卦辭云, 旅貞吉, 而六爻無一言吉者. 然六二有柔順中正之德, 故本義以爲旅之最吉. 蓋旅貞吉之義, 此爻可以當之. 六五雖有柔順文明之德, 且得中道, 而猶不得正, 故未免一矢之亡. 六二既正且中, 德全无欠, 故无所失而有所得, 此本義所以謂最吉者也.
내가 살펴보았다: 괘사에 "나그네가 곧아 길하다"고 하였는데 여섯 효 어디에도 길하다고 한 경우가 없다. 그러나 육이가 유순하고 중정한 덕을 가졌으므로 『본의』에서 "나그네로서 가장 길한 것이다"고 하였으니, "나그네가 곧아 길하다"는 뜻은 이 효에 해당할 수 있다. 육오가 유순하고 문명한 덕이 있고 또 알맞은 도를 얻었지만 오히려 바름을 얻지 못했기 때문에 "화살 하나를 잃음"을 면할 수 없다. 육이는 이미 바르고 알맞아 덕이 온전하고 모자라지 않기 때문에 잃을 것은 없고 얻을 것은 있으니, 이것이 『본의』에서 말한 "가장 길한 것이다."

이지연(李止淵) 『주역차의(周易劄疑)』

旅, 亦不可无中正之道也.
나그네는 중정한 도가 없을 수 없다.

김기례(金箕澧) 「역요선의강목(易要選義綱目)」

位虛故曰卽次. 承剛故曰懷資, 易中以剛多謂金. 乘下柔, 故曰得童僕貞. 旅道貴乎巽順, 二以中正, 卽次懷資, 又有服役之信, 何尤之有.
자리가 비었으므로 "머무는 곳에 나아가"라고 하였다. 굳셈을 받들므로 "물자를 간직하고"라고 하였으니, 『주역』에서는 굳셈이 많은 것을 금전이라고 한다. 아래로 부드러움을 탔으므로 "동복의 곧음을 얻는다"고 하였다. 나그네의 도는 공손하게 따르는 것이 귀한데, 이효가 중정으로써 "머무는 곳에 나아가 물자를 간직하고", 또 복종하는 심부름꾼의 믿음이 있으니, 무슨 허물이 있겠는가?

심대윤(沈大允) 『주역상의점법(周易象義占法)』

旅之鼎䷱, 變惡爲善也. 六二以柔居柔, 止而從於三. 棲屑者得息, 匱乏者得給, 孤懸者得從, 鼎之義也. 巽离艮爲卽, 艮爲次, 巽爲財貨, 取其巽以爲人用也. 三居艮巽, 言從三也. 艮童巽僕, 言初之從二也. 二以柔中, 可以止而止, 故曰貞.
려괘가 정괘(鼎卦䷱)로 바뀌었으니, 악이 변하여 선이 된 것이다. 육이는 부드러운 음으로 부드러움에 있어 멈추고 삼효를 따른다. 정처 없이 떠도는 자는 휴식을 얻고, 물자가 하나도 없는 자는 넉넉함을 얻고, 외로운 자는 심부름꾼을 얻는 것이 정괘의 뜻이다. 손괘(☴)・리괘(☲)・간괘(☶)는 '나아가'이며, 간괘(☶)는 '머무는 곳', 손괘(☴)는 재화인데 손괘를 취하여 사람의 재물로 여겼다. 삼효가 간괘(☶)와 손괘(☴)에 있으니, 삼효를 따른다는 말이고, 간괘(☶)가 아이고 손괘(☴)가 종인 것은 초효가 이효를 따른다는 말이다. 이효가 부드러우면서 가운데 있어서 그쳐야 할 때 그칠 수 있으므로 "곧다"고 하는 것이다.

오치기(吳致箕) 「주역경전증해(周易經傳增解)」

六二柔得中正, 上承九三之剛, 而處以柔順, 下乘初六之柔, 而不失正道, 在旅而得其當, 故卽其所舍, 而旡棲屑之苦, 懷其所資, 而旡窮乏之困. 又得童僕之貞信者, 而有賴, 卽旅之善者也. 雖不言占, 卽象可知矣.
육이가 부드러우면서 중정을 얻어 위로 구삼의 굳셈을 받들면서 유순함으로써 처신하고, 아래로 초육의 부드러움을 타고 바른 도를 잃지 않아 나그네로 있으면서 그 마땅함을 얻었으므로 그 처소에 나아가 정처 없이 떠도는 고통이 없고, 그 물자를 간직하여 궁핍한 곤란이 없다. 또한 동복의 곧고 믿음직함을 얻어 의지함이 있으니, 곧 선한 나그네이다. 점괘를 말하지 않았지만 상으로 알 수 있다.

○ 卽, 就也, 次, 舍也, 皆取於艮也. 入于身曰懷, 而艮爲身, 互巽爲入也. 金爲旅資, 而爻變互乾爲金也. 艮爲少男, 童之象, 互巽爲伏之象, 而少男之在下伏侍, 爲童僕之象也. 二得正故言貞.
'나아가[卽]'는 나아감이고, '머무는 곳'은 처소이니, 모두 간괘(☶)에서 취하였다. 자신에게 들어가는 것을 '품다'라고 하는데 간괘(☶)가 몸이고, 호괘인 손괘(☴)가 들어감이다. 금전은 나그네의 물자이고, 효가 변한 호괘인 건괘(☰)가 금전이 된다. 간괘(☶)는 막내아들로 아이의 상이고, 호괘인 손괘(☴)는 엎드리는 상이 되어 막내아들이 아래에서 엎드려 시중하는 동복의 상이 된다. 이효가 바름을 얻었기 때문에 '곧음'이라고 하였다.

이진상(李震相) 『역학관규(易學管窺)』

六二旅卽次.
육이는 나그네가 머무는 곳에 나아가.

下體艮, 艮有止其所之義, 故曰次. 互體巽, 巽有近利市之象, 故曰資. 艮爲少男, 而初卑陰賤童僕也.
아래 몸체가 간괘(☶)로 그것에는 알맞은 곳에 머문다는 뜻이 있으므로 '머무는 곳'이라고 하였다. 호괘의 몸체가 손괘(☴)여서 손괘에 이익을 가까이 하는 상이 있으므로 '물자'라고 하였다. 간괘(☶)가 막내아들이어서 처음에는 비천한 동복이다.

박문호(朴文鎬) 「경설(經說) · 주역(周易)」

童指初也, 僕指三也, 此所謂衆與也.
'아이'는 초효를 가리키고, '종'은 삼효를 가리키니, 이것은 여러 사람들과 함께 한다는 말이다.

이병헌(李炳憲) 『역경금문고통론(易經今文考通論)』

荀九家曰, 卽就, 次舍也, 資財也. 以陰居二, 卽就其舍, 承陽有實, 故懷其資. 初者卑賤, 二得履之, 故得童僕. 處和得位, 故正.
『순구가역』에서 말하였다: '나아가[卽]'는 나아감[就]이고, '머무는 곳[次]'은 처소이고, '물자[資]'는 재물이다. 음으로써 이효에 있으므로 그 처소에 나아가고, 양을 받들어 재물이 있으므로 물자를 간직한다. 초효는 비천하고 이효는 그것을 행하므로 동복을 얻는다. 화목함에 처하여 자리를 얻으므로 바르다.

虞曰, 艮爲童僕.
우번이 말하였다: 간괘(☶)가 동복이 된다.

姚曰, 二得正, 故終无尤.
요신이 말하였다: 이효가 바름을 얻었으므로 끝내 허물이 없다.

象曰, 得童僕貞, 終无尤也.

「상전」에서 말하였다: “동복(童僕)의 곧음을 얻음”은 끝내 허물이 없는 것이다.

中國大全

傳

羇旅之人, 所賴者童僕也, 旣得童僕之忠貞, 終无尤悔矣.

나그네로 떠도는 사람은 도움을 받는 자가 동복(童僕)인데 동복의 충성과 곧음을 얻었으니, 끝내 허물과 후회가 없다.

小註

中溪張氏曰, 六二居位得中, 旅卽次也. 上承九三之剛, 懷其資也. 下乘初六之柔, 得童僕也. 人之處旅, 有次可安, 有資可用, 又有童僕之忠貞者, 可託, 雖在旅寓之中, 終无悔尤矣.

중계장씨가 말하였다: 육이는 자리에 있음이 알맞음을 얻었으니, 나그네가 머무는 곳에 나아감이다. 위로 구삼의 굳셈을 받들음은 물자를 간직함이다. 아래로 부드러운 초육을 탄 것은 동복을 얻음이다. 사람이 나그네의 처지가 되어 편안히 머물 곳이 있고, 쓸 수 있는 물자가 있으며, 또 동복의 충성과 곧음을 가지고 있는 자는 의탁할 수 있어서 비록 나그네로 떠도는 때일지라도 끝내 후회와 허물이 없다.

韓國大全

김상악(金相岳) 『산천역설(山天易說)』

親寡旅也, 而得童僕之貞, 故有所賴而无尤也.

친척이 적은 것이 나그네인데 동복의 곧음을 얻으므로 의지할 데가 있어 허물이 없을 것이다.

서유신(徐有臣) 『역의의언(易義擬言)』

與蹇六二小象, 同其義也.

건괘(蹇卦䷦) 육이의 「소상전」[36]과 그 뜻이 같다.

오치기(吳致箕) 「주역경전증해(周易經傳增解)」

有次可安, 有資可用, 又有童僕之貞, 故雖羈旅而无尤悔也.

머물 곳이 있어 편안할 수 있고, 물자가 있어 쓸 수 있으며, 또한 동복의 곧음이 있으므로 떠도는 나그네이지만 허물이나 후회가 없다.

---

36) 『周易 · 蹇卦』: 六二, 王臣蹇蹇, 匪躬之故. 象曰, 王臣蹇蹇, 終无尤也.

九三, 旅焚其次, 喪其童僕貞, 厲.

정전 구삼은 나그네가 머무는 곳을 불태우고 동복(童僕)의 곧음을 잃었으니, 위태롭다.

九三, 旅焚其次, 喪其童僕, 貞厲.

본의 구삼은 나그네가 머무는 곳을 불태우고 동복(童僕)을 잃으니, 곧더라도 위태롭다.

中國大全

傳

處旅之道, 以柔順謙下爲先, 三, 剛而不中, 又居下體之上, 與艮之上, 有自高之象. 在旅而過剛自高, 致困災之道也. 自高則不順於上, 故上不與, 而焚其次, 失所安也, 上離爲焚象. 過剛則暴下, 故下離而喪其童僕之貞信, 謂失其心也. 如此則危厲之道也.

나그네로 처신하는 도는 유순함과 겸손함을 우선으로 삼는데, 삼효는 굳센 양이면서 가운데 있지 못하며, 또 하체(下體)의 맨 위와 간괘(☶)의 꼭대기에 있어 스스로 높게 여기는 상이 있다. 나그네로 있으면서 지나치게 굳세고 스스로 높게 여김은 곤궁과 재앙을 부르는 도이다. 스스로 높게 여기면 윗사람을 따르지 않으므로 윗사람이 함께 하지 않고, 그 머무는 곳을 불태워 편안한 바를 잃으니, 상괘인 리괘(☲)는 불타는 상이 된다. 지나치게 굳세면 아랫사람에게 사나우므로 아랫사람이 떠나서 그 동복(童僕)의 곧음과 믿음을 잃으니, 그 마음을 잃는 것을 말한다. 이와 같으면 위태로운 도이다.

本義

過剛不中, 居下之上, 故其象占如此. 喪其童僕, 則不止於失其心矣. 故貞字連下句爲義.

지나치게 굳세고 가운데 있지 못하고 하괘(下卦)의 맨 위에 있으므로 그 상과 점이 이와 같다. 동복(童僕)을 잃으면 그 마음을 잃는 데에만 그치지 않는다. 그러므로 '곧다[貞]'는 글자를 아래 구절에 연결하여 뜻을 삼았다.

小註

建安丘氏曰, 九三爻辭全與二反, 二卽次而三焚, 二得童僕而三喪, 二之貞无尤, 而三之貞則厲者, 二柔順得中, 三過剛不中故也. 過剛, 豈處旅之道哉.
건안구씨가 말하였다: 구삼의 효사는 전적으로 이효와 반대되니, 이효는 머무를 곳에 나아가지만 삼효는 불사르고, 이효는 동복을 얻지만 삼효는 잃으며, 이효의 곧음[貞]은 허물이 없지만 삼효의 곧음이 위태로운 것은 이효는 유순하여 알맞음을 얻었지만 삼효는 지나치게 굳세어 알맞지 않기 때문이다. 지나치게 굳센 것이 어떻게 나그네로 처신하는 도이겠는가?

○ 雲峯胡氏曰, 九三因六二取象. 二柔順中正故卽次, 三過剛不中, 又近離, 故焚其次. 二居中乘柔, 故得童僕貞, 三過剛則无徒, 又下之柔已爲二所得, 故喪其童僕, 是雖於爻爲貞, 於旅則爲厲也.
운봉호씨가 말하였다: 구삼은 육이로 인하여 상을 취하였다. 이효는 유순하고 중정하므로 머무를 곳에 나아가지만 삼효는 지나치게 굳세고 알맞지 않으며, 또 리괘(☲)에 가까우므로 그 머무는 곳을 불사른다. 이효는 가운데 있고 부드러운 음을 타고 있으므로 동복의 곧음을 얻는데, 삼효는 지나치게 굳세니 동복이 없고, 또 맨 아래의 부드러운 음은 이미 이효가 얻은 바가 되므로 그 동복을 잃는 것이니, 이는 비록 효에 있어서는 곧음이 되지만 나그네로서는 위태로움이 된다.

○ 潘氏曰, 居剛而用剛, 平時猶不可, 況旅乎. 以此與下, 焚次喪僕, 固其宜也. 九三以剛居下體之上則焚次, 上九以剛居上體之上則焚巢, 位愈高, 剛愈亢, 則禍愈深矣.
반씨가 말하였다: 굳센 양의 자리에 있으면서 굳셈을 쓰니, 평시라도 오히려 안 되는데 하물며 나그네인 때에 있어서이겠는가? 이것으로 아랫사람과 함께 하니 머무는 곳을 불사르고 동복을 잃는 것이 진실로 마땅하다. 구삼은 굳센 양으로 하체(下體)의 맨 위에 있으니 머무는 곳을 불사르고, 상구는 굳센 양으로 상체(上體)의 맨 위에 있으니 곧 둥지를 불사른다. 지위가 높을수록 굳셈이 더욱 지나쳐 화(禍)가 더욱 심하다.

▎韓國大全 ▎

권근(權近) 『주역천견록(周易淺見錄)』

九三, 旅焚其次, 喪其童僕貞, 厲, 程傳喪其童僕之貞信, 謂失其心也, 本義, 喪其童僕, 則不止失其心矣, 故貞字連下句爲義.
"구삼은 나그네가 머무는 곳을 불태우고 동복의 곧음을 잃었으니, 위태롭다"는 『정전』에서는 "그 동복의 곧음과 믿음을 잃으니, 그 마음을 잃는 다는 말이다"라고 하였고, 『본의』에서는 "동복을 잃으면 그 마음을 잃는 데에만 그치지 않는다. 그러므로 '곧다[貞]'는 글자를 아래 구절에 연결하여 뜻을 삼았다"고 하였다.

愚謂, 喪童僕貞, 當如九二之例, 以貞字句絶, 謂失童僕之忠貞者也. 背而去之, 非止失其心而已. 覊旅之時, 所賴而當親者, 童僕也. 唐人詩云, 漸與骨肉遠, 轉於童僕親, 是也. 人懷忠貞者, 雖在羈困患難之際, 不相背棄, 然亦在上御之而已. 如陳平韓信, 背項羽歸漢, 相爲腹心瓜瓜, 〈當作爪牙〉 以成帝業. 雖有蒯通之說而不從, 在漢可謂貞矣, 而在羽則背之. 九三剛暴自高, 失其與下之義, 故雖童僕之忠貞者, 亦背而去, 則其不貞者可知. 在旅而失童僕, 雖不貞者已厲, 況貞者乎, 其危甚矣. 此爻與六二, 正相反. 言焚次喪僕, 而不言資者, 旣焚其次, 則資亦隨之, 不必言也. 程朱之意, 旣背而去, 不可謂貞, 故或以爲失其心, 或以爲貞厲. 然臣僕之忠與不忠, 在上御之如何, 上所謂陳韓是也.
내가 살펴보았다: "동복의 곧음을 잃는다[喪童僕貞]"는 육이의 예와 같이 '곧다[貞]'는 글자로 구를 끊어야 하니, 동복의 충실하고 곧음을 잃는다는 말이다. 등지고 떠났으니 그 마음을 잃는 것에만 그치지 않는다. 나그네가 되었을 때 의지하고 친하게 지내야 할 것은 아이 종[童僕]이다. 당나라 사람의 시(詩)에 "점차 골육과 멀어질수록 동복과 가까이 하네"라는 것이 그것이다. 충실하고 곧은 이는 비록 괴로이 떠도는 환난 속에서도 서로 배반하거나 버리지 않으니, 또한 윗사람이 어떻게 부리느냐에 달려 있을 뿐이다. 예를 들어 진평(陳平)과 한신(韓信)은 항우(項羽)를 버리고 한(漢)나라에 귀의하여 서로 진심으로 좋은 사이가 되고 수하가 되어 한나라가 제왕의 업을 이룰 수 있었다. 괴통(蒯通)의 설득[37]이 있음에도

37) 괴통(蒯通): 전한 탁군(涿郡) 범양(范陽) 사람으로 본명은 철(徹)이다. 진승(陳勝)이 반란을 일으켜 무신(武臣)을 보내 조지(趙地)를 차지하자 그가 창양령(蒼陽令)을 설득해 항복하게 하는 한편 무신을 설득해 맞이하게 했다. 무신이 그 계책을 받아들여 싸우지 않고도 연조(燕趙)의 30여 개 성을 차지할 수 있었다. 나중에 한신(韓信)에게 모반하고 자립할 것을 권했는데, 듣지 않자 미친 사람처럼 행세하며 숨어 지냈다고 한다.

따르지 않았으니, 한나라에 대해서는 진실하였지만 항우에 대해서는 배반한 것이다. 구삼은 굳세고 포악하고 스스로를 높게 여겨 아랫사람과 함께 하는 의리를 잃었으므로 충실하고 곧은 동복이더라도 배반하고 떠나가니, 곧지 않은 이는 어찌할지 알 수 있다. 여행 중에 동복을 잃는다면 곧지 않은 이도 이미 어려울 것이니, 하물며 곧은 이야 어떠하겠는가? 그 위험이 심할 것이다. 여기의 효는 육이와 정반대이다. "머무는 곳을 불태우고 동복을 잃었다"는 것에 대해 말하면서도 물자에 대해 말하지 않은 것은 이미 머무는 곳을 불태웠다면 물자도 그렇게 되었음을 굳이 말할 필요가 없기 때문이다. 정자와 주자의 생각은 이미 배반하고 떠났다면 진실하다 할 수 없으므로 혹은 그 마음을 잃었다고 하고 혹은 곧더라도 위태롭다고 여겼다. 그러나 신하와 동복이 충성을 하고 안 하고는 윗사람이 어떻게 다루느냐에 달려 있다. 위에서 말한 진평과 한신이 이에 해당한다.

송시열(宋時烈)『역설(易說)』

九三焚者, 離火之近接也. 近於離, 則失艮之象矣, 故曰喪其童僕. 三爲重剛, 故有貞厲之義. 小象旅焚其次[38] 已極傷歎 而三爻以旅客 而以重剛之才 待下剛暴 無恩厚相包之道 有刻薄過暴之事 其義當喪失其下之心也.

구삼에서 '불태우고'는 불인 리괘(☲)에 근접한 것이다. 리괘(☲)에 가까이 가면 간괘(☶)의 상을 잃게 되므로 "동복을 잃는다"고 하였다. 삼효가 거듭된 굳셈이 되므로 "곧더라도 위태롭다"는 뜻이 있다. 「소상전」에 "나그네가 머무는 곳을 불태우고"는 이미 지극하게 상처받고 탄식하는 것으로 삼효가 나그네로써 거듭된 굳센 자질로 아래 사람을 강한 폭력으로 대우하니, 두터운 은혜로 서로 감싸는 도는 없고 각박하게 심한 폭력의 일은 있으므로 그 뜻이 아래 사람의 마음을 잃게 되는 것이다.

이익(李瀷)『역경질서(易經疾書)』

九三上逼離火, 居互巽之中, 有以木巽火之象. 不獨焚其次, 又喪其僮僕, 雖正亦危, 以九居三位, 則正也. 然以勢位臨下者, 乃平常富貴之事, 至於處旅之道, 必須資財以裕之, 恩意以接之, 降屈 而同甘辛, 然後方得. 不然, 則彼豈有無所爲, 而服勞之理. 九三蓋反之也. 傳云, 以旅與下, 身旣在瑣瑣之中, 又以瑣瑣之道與其下, 則此旅中之旅, 旅其有固志乎.

한신이 죽임을 당한 뒤 반란을 사주했다고 해서 체포당했지만 풀려났다.

38) 旅焚其次: 경학자료집성DB와 경학자료집성 영인본에 '火焚旅次'로 되어 있으나, 문맥을 살펴 '旅焚其次'로 바로잡았다.

구삼은 위로 불인 리괘(☲)에 가깝고 호괘인 손괘(☴)의 가운데 있으니, 손괘인 나무로 불을 내는 상이 있다. "머무는 곳을 불태울" 뿐만 아니라 또한 "동복을 잃으니", 바를지라도 위태로운데, 양인 구(九)로 삼효의 자리에 있으면 바를 것이다. 그러나 권세 있는 자리에서 아래에 있는 자들을 어루만지는 것은 보통 부귀한 일인데, 나그네를 처우하는 도에 이르러서는 반드시 재물로 넉넉하게 하고, 인정으로 대접하고, 자신을 낮추어 고락을 함께 한 이후에 얻을 수 있다. 그렇지 않으면 저들에게 어찌 하는 것도 없이 복종하여 힘쓰는 이치가 있겠는가? 구삼은 그것과 반대이다. 「소상전」에서 말한 "나그네로서 아랫사람과 함께 하니"는 자신이 이미 자잘한 가운데 있고, 또한 자잘한 도로써 아랫사람과 함께 하면 이것은 나그네 중의 나그네이니, 그에게 아마도 굳은 뜻이 있는 것일 것이다.

심조(沈潮) 「역상차론(易象箚論)」

九三, 焚其次, 喪其童僕.
구삼은 머무는 곳을 불태우고 동복을 잃으니.

焚, 近離也. 巽木入於火, 其無焚乎. 喪, 兌主殺也.
'불태움'은 리괘(☲)에 가까이 감이다. 손괘(☴)인 나무가 불 속으로 들어가니, 불태움이 없겠는가? '잃음'은 태괘(☱)가 죽임을 주관하는 것이다.

유정원(柳正源) 『역해참고(易解参攷)』

進齋徐氏曰, 三位高而近離, 有焚象. 僮僕, 初也. 柔本從剛, 三位高而不中, 无以得僮僕之心. 初柔爲二所得, 則三喪其僮僕也. 旅貴柔中, 旅之貞也. 三剛貞而不中, 危厲之道也, 故焚其次, 又喪其僮僕, 所喪多矣.
진재서씨가 말하였다: 삼효는 자리가 높고 리괘(☲)에 가까이 있어 불타는 상이 있다. '동복'은 초효이다. 부드러움은 본래 굳셈을 따르는데, 삼효는 자리가 높지만 가운데가 아니라서 동복의 마음을 얻지 못한다. 초효의 부드러움을 이효가 얻은 것이 되면 삼효는 그 동복을 잃게 된다. 나그네가 부드러움과 알맞음을 귀하게 여김이 나그네의 곧음이다. 삼효는 굳세고 곧지만 가운데가 아니어서 위태로운 도이므로 머무는 곳을 불태우고, 또한 동복을 잃으니, 잃는 것이 많다.

○ 案, 艮止於外, 旅之次也. 過剛不中, 而火風相接, 旅焚次也. 二陰上從, 而過亢寡儔, 喪僮僕也.

내가 살펴보았다: 간괘(☶)가 밖에서 그침이 나그네의 머무는 곳이다. 지나치게 굳세고 가운데가 아닌데, 불과 바람이 서로 만나는 것은 "나그네가 머무는 곳을 불태우는" 것이다. 두 음이 위로 따르지만 너무 높아 짝하는 이가 적으므로 "동복을 잃는" 것이다.

김상악(金相岳) 『산천역설(山天易說)』

九三以艮遇離, 互爲巽體, 故有焚次喪僕之象. 失所而无徒, 雖有過剛之厲, 比二而用柔, 故不至於凶也.
구삼은 간괘(☶)가 리괘(☲)를 만나고, 호괘가 손괘(☴)의 몸체가 되므로 머무는 곳을 불태우고 동복을 잃는 상이 있다. 머무는 곳을 잃고 무리가 없으니, 비록 지나친 굳셈의 위태로움이 있지만 이효와 가깝고 부드러움을 쓰기 때문에 흉함에 이르지는 않는다.

○ 艮之門闕, 遇離火巽風, 焚次之象也. 童僕見上, 二先得之, 故三言喪, 如隨之係小子, 失丈夫.[39]
간괘(☶)의 문이 리괘(☲)의 불과 손괘(☴)인 바람을 만나니, 머무는 곳을 불태우는 상이다. '동복'은 위에 보이는데 이효가 먼저 얻으므로 삼효에 '잃으니'라고 하였으니, 수괘(隨卦䷐) 육이에서 "어린아이에게 얽매이고 장부를 잃는다"[40]와 같다.

박제가(朴齊家) 『주역(周易)』

傳及本義, 皆謂與下之道如此, 義當喪也, 所謂如此者, 未知何如. 蓋三與四接爲火焚固宜. 曰喪童僕者, 失於初也. 失之於初, 故有此火, 蓋失火之謂. 象傳曰與下[41]者, 乃指三之非正應, 而私於初. 故爻曰喪, 而象傳又發出其不正之交, 而曰與下, 不可無端而謂之如此也.
『정전』과 『본의』에서 모두 "아랫사람과 함께 하는 도가 이와 같으니, 의리를 마땅히 상실한다"라고 하였는데, 이른바 "이와 같으니"가 어떤 것인지 알 수 없다. 삼효와 사효가 가까우면 불이 타게 되는 것은 참으로 마땅하다. "동복을 잃는다"고 한 것은 초효에서 잃은 것이다. 초효에서 잃었으므로 이 불은 실수로 난 불임을 말한다. 「소상전」에서 "아랫사람과 함께 하니"라고 한 것은 삼효의 정응이 아니면서 초효와 사사로운 것을 가리킨다. 그러므로 초효

---

39) 丈夫: 경학자료집성DB와 영인본에 '小子'로 되어 있으나 『주역』 원문을 참조하여 '丈夫'로 바로잡았다.
40) 『周易·隨卦』: 六二, 係小子, 失丈夫.
41) 象과 下: 경학자료집성DB와 영인본에는 각각 '彖', '火'로 되어 있으나 원문과 문맥을 살펴 '象', '下'로 바로잡았다.

에서 '잃으니'라고 하였고, 「소상전」에서 바르지 못한 교제를 드러내어 "아랫사람과 함께 하니"라고 하였으니, 단서가 없는데 "이와 같으니"라고 할 수 없다.

서유신(徐有臣) 『역의의언(易義擬言)』

以剛居剛, 爲得其所, 而剛非處旅之道, 故有焚次之災也. 離火接於艮門, 焚次之象也. 三乃上九之僕, 而過剛不中, 好爲人上, 不肯爲下, 故失其臣僕之義也.
굳셈으로 굳센 자리에 있어 제자리를 얻은 것인데, 굳셈은 나그네로 처신하는 도가 아니므로 머무는 곳을 불태우는 재앙이 있다. 리괘(☲)인 불이 간괘(☶)인 문에 가까이 가는 것이 머무는 곳을 불태우는 상이다. 삼효가 상구의 종인데, 지나치게 굳세고 가운데가 아니어서 다른 사람의 위가 되기를 좋아하고 아래가 되기를 즐겨하지 않기 때문에 신하와 종을 잃는 뜻이다.

이지연(李止淵) 『주역차의(周易箚疑)』

言不忠信, 行不篤敬, 雖州閭行乎哉. 以旅與下, 言與瑣瑣之初六, 同體也.
말이 충성스럽고 믿음직하지 못하고 행동이 독실하고 공경하지 못하면 고을에서라도 행해지겠는가?[42] "나그네로서 아랫사람과 함께 하니"는 자잘한 초육과 몸체를 함께 한다는 말이다.

이항로(李恒老) 「주역전의동이석의(周易傳義同異釋義)」

傳, 喪其童僕之貞信, 謂失其心也.
『정전』에서 말하였다: 그 동복의 곧음과 믿음을 잃으니, 그 마음을 잃은 것을 말한다.

本義, 喪其童僕, 則不止於失其心矣. 故貞字連下句爲義.
『본의』에서 말하였다: 동복을 잃으면 그 마음을 잃는 데에만 그치지 않는다. 그러므로 '곧다[貞]'는 글자를 아래 구절에 연결하여 뜻을 삼았다.

按, 本義已辨之矣, 雲峯貞厲之釋, 似或傷巧.
내가 살펴보았다: 『본의』에서 이미 잘 분석하였는데, 운봉호씨의 '곧음'과 '위태로움'에 대한 해석은 아마 교묘함을 해치는 것 같다.

---

42) 『論語』「衛靈公」.

김기례(金箕澧) 「역요선의강목(易要選義綱目)」

二之反.
이효의 반대이다.

○ 居下體之上, 自高自剛, 雖平時猶不可行, 况於旅乎.
아래 몸체의 맨 위에 있어 스스로 높고 굳세다고 여기니, 평소에도 오히려 행할 수 없는데 하물며 나그네 때에 어찌 하겠는가?

○ 過剛不中正, 不得於上, 則上焚其巢. 離爲火, 故曰焚. 不得於下, 則下失童僕. 艮爲閽, 故曰僕. 安得不危.
지나치게 굳세고 중정하지 못하여 위에서 얻지 못하면 위에서 둥지를 불태운다. 리괘(☲)가 불이 되므로 '불태우고'라고 하였다. 아래에서 얻지 못하면 아래에서 동복을 잃는다. 간괘(☶)가 문지기가 되므로 '동복'이라고 하였다. 그러니 어찌 위태롭지 않겠는가?

심대윤(沈大允) 『주역상의점법(周易象義占法)』

旅之晉䷢, 進也. 旅而復失其所也. 九三居剛以行上, 爲四所阻逼, 而下從于二, 四以离居三之上, 有焚次之象. 其見敗而受侮甚矣, 三乃卑巽而去之也. 二居三下爲童僕, 而三乃下從之, 旅之義. 火自山上, 下以就物, 物隨以亡, 有喪之義也. 童僕, 從主者也, 而主反從而求之, 乃爲喪也. 兌爲喪, 坎爲隱蔽, 有亡僕而求之之象. 九三才剛, 見其不容而去之, 去之誠是也, 故曰貞. 不得志以去, 有焚次喪僕之患, 故曰厲.
려괘가 진괘(晉卦䷢)로 바뀌었으니, 나아가는 것이다. 나그네로서 다시 처소를 잃음이다. 구삼이 굳셈에 있으면서 위로 가지만 사효에게 막히고 핍박당하고, 아래로 이효를 따르지만 리괘(☲)의 사효가 삼효의 위에 있어 머무는 곳을 불태우는 상이 있다. 해침을 당하여 심하게 모욕을 받을 것이니, 삼효는 낮추어 공손하게 하고 떠나야 한다. 이효가 삼효의 아래에 있어 동복이 되고 삼효는 아래를 따르니, 나그네의 뜻이다. 불은 산에서 위로 올라가면서 아래로 물건에 나아가므로 물건이 따라서 없어지니, 잃는 뜻이 있다. 동복은 주인을 따르는 자인데 주인이 도리어 좇아서 구하니, 잃음이 된다. 태괘(☱)는 잃음, 감괘(☵)는 은폐가 됨으로 동복을 잃고 구하는 상이 있다. 구삼은 재주가 굳세어 용납되지 않음을 알면 떠나가니, 떠나감이 참으로 옳으므로 '곧다'고 하였다. 뜻을 얻지 못하여 떠나가면 머무는 곳을 불태우고 동복을 잃는 근심이 있으므로 '위태롭다'고 하였다.

오치기(吳致箕) 「주역경전증해(周易經傳增解)」

九三過剛不中, 旡柔巽謙下之德, 失處旅之道, 故焚其所居之舍, 而旡安身之處. 喪其童僕之貞, 而旡伏侍之人, 此乃危厲者也, 故其辭如此.
구삼이 지나치게 강하면서 가운데가 아니어서 부드럽고 공손하거나 아랫사람에게 겸손하게 대하는 덕이 없어 나그네로 처하는 도를 잃었으므로 거처하는 집을 불태워 몸을 편안하게 할 곳이 없다. 그 동복의 곧음을 잃어서 모시는 사람이 없으니, 이것이 위태로운 것이므로 그 말이 이와 같다.

○ 焚取於應離爲火也.
'불태우다'는 호응하는 리괘(☲)가 불인 것에서 취하였다.

이진상(李震相) 『역학관규(易學管窺)』

喪其僮僕.
동복을 잃으니.

九三過剛不中, 而逼近[43]離體, 火風相接[44], 有焚次之象. 三變爲坤, □燼而墟矣. 二陰在下, 而三以太剛折之, 故僮僕離心, 不爲我有, 豈不危哉. 貞屬上句, 義例恐長.
구삼은 지나치게 굳세고 가운데가 아닌데, 리괘(☲)의 몸체에 매우 가깝고 불과 바람이 서로 어어져 머무는 곳을 불태우는 상이 있다. 삼효가 변하여 곤괘(☷)가 되니, 불타서 폐허가 된다. 두 음이 아래에 있지만 삼효가 너무 굳세어 꺾이므로 동복의 마음이 떠나서 나의 소유가 되지 않으니, 어찌 위태롭지 않겠는가? '곧더라도[貞]'는 윗 구절에 연결해야 뜻과 예가 아마도 좋을 것이다.

채종식(蔡鍾植) 「주역전의동귀해(周易傳義同歸解)」

旅九三喪其童僕貞厲, 傳曰喪其童僕之貞, 謂失其心也. 本義作喪其童僕. 雖貞亦厲, 蓋失其心者, 其心雖喪, 而童僕猶存也. 若曰喪僕則不止於失其心, 而童僕竝亡矣. 然失心之童僕雖存而若亡也. 此傳義之所以同也. 且貞字屬上句, 則是童僕之貞也, 屬下句, 則是旅人之貞也. 蓋九三爻陽位剛, 本以得中, 而過剛不中, 是自喪其貞也. 故亦喪

43) 近: 경학자료집성DB에는 '折'로 되어 있으나, 경학자료집성 영인본을 참조하여 '近'으로 바로잡았다.
44) 接: 경학자료집성DB에는 '按'으로 되어 있으나, 경학자료집성 영인본을 참조하여 '接'으로 바로잡았다.

童僕之貞, 此亦傳義之同也.
려괘의 구삼에서는 "동복을 잃으니, 곧더라도 위태롭다"고 하였는데,『정전』에서 "그 동복의 곧음을 잃으니, 그 마음을 잃는 것을 말한다"고 하였다.『본의』에서는 "동복을 잃으니"라고 하였다. 곧더라도 위태롭지만 그 마음을 잃는 것은 그 마음은 잃었지만 동복은 여전히 있는 것이다. 만약 "동복을 잃으면 마음을 잃는 데에만 그치지 않는다"라고 하면 동복이 아울러 없는 것이다. 그러나 마음을 잃는 것은 동복이 아직 있지만 없는 것과 같다. 이것이『정전』과『본의』가 같은 까닭이다. '곧다[貞]'를 윗 구절에 연결하면 동복의 곧음이고, 아랫 구절에 연결하면 나그네의 곧음이다. 구삼은 양의 효로 굳셈에 자리하여 본래 가운데를 얻어야 하는데 지나치게 굳세고 가운데가 아니니, 이는 스스로 그 곧음을 잃은 것이다. 그러므로 또한 동복의 곧음을 잃은 것으로 이것이 또한『정전』과『본의』가 같은 것이다.

박문호(朴文鎬)「경설(經說)·주역(周易)」

程子以喪貞, 釋作失其本心, 本義不取其意, 而以貞屬下句, 故特明之曰, 不止於失其心, 所以證程傳之不然.
정자는 곧음을 잃었다를 그 본심을 잃었다로 해석하였고,『본의』에서는 그 뜻을 취하지 않고 '곧다[貞]'를 아랫 구절에 연결하였기 때문에 다만 "마음을 잃는 데에만 그치지 않는다"고 밝혔으니,『정전』이 분명하지 않다는 것을 밝혔다.

이병헌(李炳憲)『역경금문고통론(易經今文考通論)』

虞曰, 離爲火, 艮爲童僕.
우번이 말하였다: 리괘(☲)는 불이 되고, 간괘(☶)는 동복이 된다.

姚曰, 初發成離艮象壞, 故旅焚其次, 喪其童僕, 剛而不中, 故厲. 下謂初.
요신이 말하였다: 초효가 리괘(☲)와 간괘(☶)를 이루어 무너짐을 상징하므로 나그네가 그 머무는 곳을 불태우고 그 동복을 잃으며, 굳세고 가운데가 아니므로 위태롭다. 아래는 초효를 말한다.

按, 初有童僕之象.
내가 살펴보았다: 초효에 동복의 상이 있다.

象曰, 旅焚其次, 亦以傷矣, 以旅與下, 其義喪也.

「상전」에서 말하였다: "나그네가 머무는 곳을 불태우니" 또한 상(傷)하고, 나그네로서 아랫사람과 함께 하니, 그 의리를 상실한다.

中國大全

傳

旅焚失其次舍, 亦以困傷矣, 以旅之時而與下之道如此, 義當喪也. 在旅而以過剛自高, 待下, 必喪其忠貞, 謂失其心也. 在旅而失其童僕之心, 爲可危也.

나그네가 머무는 집을 불태워 잃었으니 또한 곤궁하고 상하며, 나그네의 때에 아랫사람과 함께 하는 도가 이와 같으니, 의리를 마땅히 상실한다. 나그네로 있으면서 지나치게 굳세고 스스로 높게 여기는 것으로 아랫사람을 대하면 반드시 그 충성과 곧음을 잃으니, 그 마음을 잃음을 말한다. 나그네로 있으면서 동복(童僕)의 마음을 잃으면 위태하게 된다.

本義

以旅之時而與下之道如此, 義當喪也.

나그네의 때에 아랫사람과 함께 하는 도가 이와 같으니, 의리를 마땅히 상실한다.

小註

雲峯胡氏曰, 柔而得中, 旅之道也. 九三過剛不中, 而處下卦之上. 以旅之時而與下之道如此, 義當喪也. 上九過剛不中, 而居上卦之上. 以旅之時而在上之道如此, 義亦當喪也. 兩象辭本相對說.

운봉호씨가 말하였다: 부드럽고 알맞음을 얻음이 나그네의 도이다. 구삼은 지나치게 굳세고 알맞지 않으며 하괘(下卦)의 맨 위에 있다. 나그네의 때에 아랫사람과 함께 하는 도가 이와

같으니 당연히 의리를 상실한다. 상구는 지나치게 굳세고 알맞지 않으며 상괘(上卦)의 맨 위에 있다. 나그네의 때에 위에 있는 도가 이와 같으니, 의리를 또한 당연히 상실한다. 두 「상전」이 본래 상대가 되게 말한 것이다.

韓國大全

윤동규(尹東奎) 「경설-역(經說-易)」

旅九三, 旣旅而焚其次, 亦可傷矣. 亦字, 承旅爲言也. 處旅焚次, 旣不善, 而以此處旅, 不善之道, 與下, 其義宜喪童僕之貞也.

려괘 구삼은 이미 나그네이면서 그 머무는 곳을 불태우니, 또한 다칠 수 있다. '또한[亦]'은 나그네를 이어서 말한 것이다. 나그네가 머무는 곳을 불태움에 처함이 이미 좋지 않은데 이것으로 나그네에 처했으니, 좋지 않은 도로 아랫사람과 함께 하여 그 뜻이 마땅히 동복의 곧음을 잃는다.

김상악(金相岳) 『산천역설(山天易說)』

傷, 困傷也. 以旅之時而過剛, 而喪失與下之義也.

'상(傷)하고'는 곤궁해서 망가진 것이다. 나그네의 때인데 지나치게 강하여 아랫사람과 함께 하는 것을 잃는다는 뜻이다.

서유신(徐有臣) 『역의의언(易義擬言)』

不但焚次爲灾, 又多傷損也. 兌, 毁折也. 旅之時, 尤宜效忠稱, 以旅深責之也. 爻義不兼與 故與下則不與上也, 其義爲喪貞之僕也.

머무는 곳을 불태움이 재앙이 될 뿐만 아니라 손상을 많이 입는다. 태괘(☱)는 해지고 끊어짐이다. 나그네의 때에는 더욱 마땅함을 본받고 충성을 걸맞게 해야 하니, 나그네에게 깊이 요구되기 때문이다. 효의 뜻이 겸하여 함께 하지 못하므로 아랫사람과 함께 하면 윗사람과 함께 하지 못하니, 그 뜻이 곧은 동복을 잃음이 된다.

심대윤(沈大允) 『주역상의점법(周易象義占法)』

有傷害故違之也. 在他卦則无喪其所. 從之義而在旅則從下, 有喪其下之義也.
상처와 해침이 있으므로 떠나는 것이다. 다른 괘에서는 그 처소를 잃음이 없다. 따른다는 뜻은 나그네로서는 아래를 따르는 것이니, 그 아래를 잃는 뜻이 있다.

오치기(吳致箕) 「주역경전증해(周易經傳增解)」

焚其次而失居, 亦可惻矣. 以旅過剛而與下, 故其義當喪也.
그 머무는 곳을 불태워 거처를 잃음은 또한 슬퍼할만 하다. 나그네로서 지나치게 굳세면서 아랫사람과 함께 하므로 그 의리를 마땅히 상실한다.

九四, 旅于處, 得其資斧, 我心不快.

구사는 나그네가 거처하고 물자(物資)와 도끼를 얻으나 내 마음이 유쾌하지 않다.

中國大全

傳

四, 陽剛, 雖不居中, 而處柔, 在上體之下, 有用柔能下之象, 得旅之宜也. 以剛明之才, 爲五所與, 爲初所應, 在旅之善者也. 然四非正位, 故雖得其處止, 不若二之就次舍也. 有剛明之才, 爲上下所與, 乃旅而得貨財之貲, 器用之利也, 雖在旅爲善, 然上无剛陽之與, 下唯陰柔之應, 故不能伸其才, 行其志, 其心不快也. 云我者, 據四而言.

사(四)는 굳센 양이니, 비록 가운데에 있지 못했으나 부드러움에 있고 상체(上體)의 맨 아래에 있어 부드러움을 써서 몸을 낮출 수 있는 상이 있으니, 나그네의 마땅함을 얻었다. 굳세고 밝은 재질로 오효와 함께 하는 바가 되고 초효의 호응하는 바가 되니, 나그네로 잘 처신하는 자이다. 그러나 사효는 바른 자리가 아니므로 비록 거처하고 머물 곳을 얻었으나, 머무는 집으로 나아간 이효보다는 못하다. 굳세고 밝은 재질이 있어 위아래에서 함께 하는 바가 되어 나그네로서 재화(財貨)의 물자(物資)와 기용(器用)의 이로움을 얻었으니, 비록 나그네에 있어서는 좋은 것이 될지라도 위로 굳센 양이 함께 함이 없고 아래로 유약한 음만이 호응하므로 그 재주를 펴고 그 뜻을 행할 수 없어서 그 마음이 불쾌하다. '나[我]'라고 말한 것은 사효를 근거하여 말한 것이다.

本義

以陽居陰, 處上之下, 用柔能下, 故其象占如此. 然非其正位, 又上无剛陽之與, 下唯陰柔之應, 故其心, 有所不快也.

양으로 음의 자리에 있고 상괘(上卦)의 맨 아래에 처하여 부드러움을 써서 몸을 낮출 수 있으므로 그 상과 점이 이와 같다. 그러나 바른 지위가 아니고, 또 위로 굳센 양이 함께 하지 않고 아래로 오직 유약한 음이 호응하므로 그 마음에 유쾌하지 않은 바가 있다.

小註

朱子曰, 資斧, 有做齎斧說底. 這資斧在巽上說, 也自分曉. 然而旅中亦豈可无備禦底物事. 次第這便是.
주자가 말하였다: '물자와 도끼[資斧]'를 '도끼를 가지고 있다[齎斧]'로 설명한 것이 있다. 이 '물자와 도끼[資斧]'를 손괘(☴)에서 설명하면 또한 저절로 분명하다. 그러나 객지에 있는 동안에 또한 어찌 방비하여 막는 물건이 없을 수 있겠는가? '긴급할 때[次第]'가 바로 이러한 경우이다.

○ 雲峯胡氏曰, 旅以行爲義, 處而不行, 非旅之亨也. 雖勝三之焚次, 終不若二之行而卽次也. 得其資斧, 雖勝三之喪童僕, 視二之懷其資得童僕者有間矣. 三以剛居剛, 而在下卦之上, 用剛而不能下人者也. 四以剛居柔, 而在上卦之下, 猶爲能用柔而下於人者, 故得資足以自利, 得斧足以自防也.
운봉호씨가 말하였다: 나그네는 가는 것[行]으로 뜻을 삼으니, 머물러 가지 않으면 나그네의 형통함이 아니다. 비록 삼효에서 '머무는 곳을 불사르는 것'보다는 낫지만 끝내 이효처럼 '가서 머무는 곳에 나아가는 것'보다는 못하다. '그 물자와 도끼를 얻는 것'은 비록 삼효에서 '동복을 잃는 것'보다는 낫지만 이효에서 '그 물자를 간직하고 동복을 얻는 것'에 비교해 보면 차이가 있다. 삼효는 굳센 양으로 굳센 양의 자리에 있고 하괘(下卦)의 맨 위에 있어 굳셈을 쓰고 남에게 낮출 수 없는 자이다. 사효는 굳센 양으로 부드러운 음의 자리에 있고 상괘의 맨 아래에 있어 오히려 부드러움을 써서 남에게 낮출 수 있는 자가 되므로 물자를 얻어 자신을 이롭게 할 수 있고 도끼를 얻어 자신을 방어할 수 있다.

○ 進齋徐氏曰, 才剛, 得其資斧也. 或曰, 資當作齊, 按漢書, 王莽遣王尋屯洛陽將發, 亡其黃鉞, 其士房楊曰, 此經所謂喪其齊斧者也, 應劭云, 齊利也, 讀如齊衰之齊, 資齊音同, 誤作資.
진재서씨가 말하였다: 재질이 굳세어 그 물자와 도끼를 얻는다. 어떤 이는 "자(資)는 자(齊)로 써야한다"고 했으니, 『한서』에 의하면 왕망(王莽)이 왕심(王尋)을 보내어 낙양에 주둔하고 군대를 출동시키려 할 때에 그 황월(黃鉞)을 잃어버리니, 그 군사 방양(房楊)이 "이 경(經)에서 이른바 '가지고 있는 도끼를 잃었다'는 것이다"라고 하였고, 응소(應劭)는 "자(齊)는 '이롭다'는 뜻이다"고 하여 자최(齊衰)[45]의 '자'와 같이 읽었으니, '자(資)'와 '자(齊)'가 음이 같아서 '자(資)'로 잘못 써 놨다는 것이다.

---

45) 자최(齊衰): 조금 굵은 생베에 아랫단을 좁게 접어서 꿰맨 상복(喪服). '자최'라고 읽는다.

○ 雙湖胡氏曰, 徐氏或曰之說, 卽語錄有做齊斧說之義. 又按資與二象同. 斧卽離爲兵象, 亦互兌金在巽木上象. 離兌在四上, 所以得也. 若巽上九喪其資斧, 亦有離兌巽象. 然皆在上爻下, 所以喪也. 合兩卦論, 取象甚明.
쌍호호씨가 말하였다: 서씨의 "어떤 이가 말하였다"는 설명은 바로 『주자어류』에 '자부(齊斧)'로 설명한 뜻이 있다. 또 생각건대, '물자[資]'는 이효와 상이 같다. '도끼[斧]'는 리괘(☲)로 병장기의 상이 되며, 또 호괘인 태괘(☱)로서의 쇠가 손괘(☴)인 나무의 위에 있는 상이다. 리괘와 태괘가 사효의 위에 있으니, 이 때문에 얻은 것이다. 손괘(巽卦䷸)의 상구에서 "물자와 도끼를 잃는다"는 경우가 또한 리괘와 태괘와 손괘의 상이 있다. 그러나 모두 상효의 아래에 있기 때문에 잃는 것이다. 두 괘를 합하여 논하면 상을 취한 것이 매우 분명하다.

韓國大全

송시열(宋時烈) 『역설(易說)』

九四得初之應, 是旅于處也. 然四非中正之位, 是未得其居, 但得旅之處. 資者, 與六二同, 互有巽兌, 巽爲相木, 兌爲孔爲金, 以木貫金, 斧之象也. 又離爲戈兵, 故亦曰斧. 得資斧, 以兌食, 以艮防身, 可謂善矣. 而其心不快, 與艮之六二略同, 蓋中有坎象故也. 小象位者, 說見上. 此得資斧, 巽上九喪資斧, 此則柔而能下, 巽則居極志滿, 所以不同.
구사가 초효의 호응을 얻음이 "나그네가 거처하고"이다. 그러나 사효가 중정의 자리가 아니어서 그 거처를 얻지 못하고 나그네의 거처만 얻었다. '물자'는 육이와 같다. 호괘에 손괘(☴)와 태괘(☱)가 있는데 손괘(☴)는 나무를 도움이 되고 태괘(☱)는 구멍과 쇠가 되니, 나무에 쇠를 끼운 도끼의 상이다. 또한 리괘(☲)가 창과 무기이므로 또한 도끼라고 하였다. 태괘(☱)로 먹고 간괘(☶)로 몸을 방어하니, 선하다고 할 수 있다. 그러나 그 마음이 유쾌하지 않은 것은 간괘(艮卦䷳) 육이와 대략 같은데[46] 중간에 감괘(☵)의 상이 있기 때문이다. 「소상전」의 '지위'는 설명이 위에 보인다. 이 괘에서는 "물자와 도끼를 얻으나"라고 하였고, 손괘(巽卦䷸) 상구에서는 "물자와 도끼를 잃으니"[47]라고 하였으니, 이 괘는 부드러우면서 낮추고, 손괘에서는 끝에 있으면서 뜻이 가득 차 있기 때문에 같지 않은 것이다.

46) 『周易 · 艮卦』: 六二, 艮其腓, 不拯, 其隨, 其心不快.
47) 『周易 · 巽卦』: 上九, 巽在牀下, 喪其資斧, 貞, 凶.

이익(李瀷)『역경질서(易經疾書)』

上三爻以師旅言, 旅于處, 不恒其處也. 詩所謂爰居爰處是也. 資斧者, 卽斧鉞, 主將之所仗而行也. 其所資而獎率者, 惟此物, 故曰資斧也. 不快, 謂梗化不順者故也. 其所以資斧而行者, 何也. 其心有所不快, 苟無不快, 何必至於師旅乎. 當師之始發, 得失未形, 故不言吉凶.

위 세 효는 군대로써 말한 것이니, "나그네가 거처하고"는 그 거처가 일정하지 않음이다. 『시경』에서 말한 "이러저리 머물다가"[48]가 이것이다. "물자와 도끼"는 도끼이니, 주요한 장수가 무기로 가지고 나가는 것이다. 의지하여 격려하면서 이끌 수 있는 것이 이러한 물건뿐이므로 "물자와 도끼"라고 하였다. "유쾌하지 않다"는 강경하여 유순하지 않는 자를 말하기 때문이다. 그가 물자와 도끼를 가지고 나아가는 것은 어째서인가? 그 마음에 유쾌하지 않은 것이 있는 것으로 만약 유쾌하지 않음이 없다면 어찌 반드시 군대에 이르겠는가? 군대가 처음 출발할 때에는 득실이 아직 드러나지 않았기 때문에 길흉을 말하지 않았다.

윤동규(尹東奎)「경설-역(經說-易)」

旅九四象曰, 未得位也, 以九居四, 未得者位也. 四非九之位, 故爻辭曰, 旅于處, 處其暫止之義.

려괘 구사「소상전」에 "지위를 얻지 못함이니"라고 하였는데 양인 구(九)가 사효에 있어 아직 얻지 못한 것이 지위이다. 사효는 양인 구(九)의 자리가 아니므로 효사에서 "나그네가 거처하고"라고 하였으니, 잠시 머무를 곳에 처한다는 뜻이다.

유정원(柳正源)『역해참고(易解參攷)』

正義, 九四處上體之下, 不同九三之自尊, 然不得其位, 猶寄旅之人, 求其次舍, 不獲平坦之所, 而得用斧之地. 言用斧除荊棘, 然後乃處, 故曰旅于處, 得其資斧也. 求安處而得資斧之地, 所以其心不快也.

『주역정의』에서 말하였다: 구사가 위 몸체의 아래에 처하여 구삼이 스스로 높이는 것과 같지 않지만 그 지위를 얻지 못함이 의지해 사는 나그네와 같아서 그 거처를 구하나 편안한 곳을 얻지 못하고 도끼를 쓰는 곳을 얻는다. 도끼로 가시를 제거한 이후에 거처할 수 있으므로 "나그네가 거처하고 물자와 도끼를 얻으나"라고 하였다. 편안한 거처를 구하지만 물자와

---

48)『詩經·邶風』: 擊鼓其鏜, 踊躍用兵. 土國城漕, 我獨南行. 從孫子仲, 平陳與宋. 不我以歸, 憂心有忡. 爰居爰處, 爰喪其馬. 于以求之, 于林之下. 死生契闊, 與子成說. 執子之手, 與子偕老. 于嗟闊兮, 不我活兮. 于嗟洵兮, 不我信兮.

도끼의 땅을 얻었으므로 그 마음이 유쾌하지 않다.

○ 厚齋馮氏曰, 四心之位, 然位陰有不快之象.
후재풍씨가 말하였다: 사효는 마음의 자리이지만 자리가 음이어서 유쾌하지 않는 상이 있다.

○ 梁山來氏曰, 旅處與卽處不同, 卽次者, 就其旅舍, 已得安者也. 旅處者, 行而方處暫棲息者也. 艮土性止, 離火性動, 故次與處不同. 資者, 助也, 卽六二懷資之資, 財貨金銀之類, 斧則所以防身者也, 皆旅之不可旡者. 離爲戈兵, 斧之象.
양산래씨가 말하였다: 나그네가 거처함과 머무는 곳에 나아감은 같지 않으니, 머무는 곳에 나아가는 것은 그 처소에 나아가 이미 편안함을 얻은 것이다. 나그네로 거처하는 것은 가서 거처하여 잠시 머물러 쉬는 것이다. 흙인 간괘(☶)는 성질이 멈추고 불인 리괘(☲)는 성질이 움직이므로 머무는 곳과 거처함이 같지 않다. '물자'는 돕는 것으로 곧 육이의 "물자를 품고"의 물자니 재화나 금과 은 같은 것이고, '도끼'는 자신을 방어하는 것이니, 모두 나그네에게 없어서는 안 되는 것이다. 리괘(☲)가 창과 무기가 되니, 도끼의 상이다.

○ 案, 以剛明之才, 得資身之物, 又得防身之器, 而猶未得僮僕之貞, 是我心之所不快也. 初陰爲應, 非僮僕之貞乎. 曰僮僕非應也, 是親附於己者之稱也. 然則三爲近比, 亦非童僕乎. 曰三以重剛在內, 是僮僕而剛者也, 豈得爲貞乎.
내가 살펴보았다: 굳세고 밝은 재주로 자신에게 도움 되는 물건을 얻고 또 자신을 방어하는 도구를 얻었지만 여전히 동복의 곧음을 얻지 못하였으니, 내 마음이 유쾌하지 않은 것이다. 음인 초효와 호응이 되니, 동복의 곧음이 아니겠는가? 동복이 호응하지 않는다는 것은 자신에게 친히 기대는 자를 말한다. 그렇다면 삼효가 가까이 있으니, 또한 동복이 아니겠는가? 삼효가 거듭한 굳셈으로 안에 있음은 동복으로 굳센 자이니, 어찌 곧음이 되지 않겠는가?

小註朱子說齎斧.
소주에서 주자가 '도끼를 가지고 있다[齎斧]'에 대하여 설명하였다.
〈案, 齎疑齋, 卽音訓中, 齋斧說.
내가 살펴보았다: '재[齎]'는 '재[齋]'인 것 같은데 소리와 새김 가운데 '재부[齎斧]'를 설명한 것이 있는 것 같다.〉

김상악(金相岳)『산천역설(山天易說)』

處者, 止也. 九四自上而下應艮之初, 故有旅于處, 而不行之象. 離互兌體, 又爲得其資斧之象. 然不得其位, 而比五, 互坎體, 故我心不快也.

거처함은 머뭄이다. 구사가 위에서 아래로 간괘(☶)의 초효와 호응하므로 "나그네가 거처하고" 가지 않는 상이 있다. 리괘(☲)의 호괘가 태괘(☱)의 몸체여서 또 "물자와 도끼를 얻는" 상이 된다. 그러나 그 지위를 얻지 못하면서 오효에 가깝고, 호괘인 감괘(☵)의 몸체이므로 "내 마음이 유쾌하지 않다."

○ 處者, 艮之止也. 古文旅作從人, 行而止也. 然止而不行, 非處旅而得者也. 兌爲金, 資之象, 離爲戈兵, 斧之象, 四變而得之者, 此也. 旅巽同取資斧爲象, 而旅則雖失位, 而得其備禦之具, 故心不快而已, 巽則上窮而喪其陽剛之德, 故凶也. 蓋旅居兌離之中, 巽處其外, 故得喪不同也. 又下卦反震爲噬嗑, 其九四曰得金矢, 五曰得黃金, 故本爻曰得其資斧, 二五之取象, 亦與噬嗑相似. 心不快者, 四居心位, 而遇坎之加憂也. 四變則爲重艮, 艮之二不拯所隨, 故其心不快, 旅之四, 則不得其位, 故我心不快. 所以有其我之分, 與觀五六相似.

'거처하고'는 간괘(☶)의 멈춤이다. 고문에서는 '려(旅)'를 사람 인(人) 부수로 가서 멈춤이라고 하였다. 그러나 멈추고 가지 않음은 나그네로 거처하여 얻은 것이 아니다. 태괘(☱)는 금전으로 물자의 상이고, 리괘(☲)는 창과 무기로 도끼의 상이니, 사효가 바뀌어 얻은 것이 이것이다. 려괘와 손괘가 동일하게 물자와 도끼를 취하여 상으로 삼는데, 려괘는 지위를 잃었지만 방어하는 도구는 얻기 때문에 마음이 유쾌하지 않을 뿐이고, 손괘는 위의 끝이라서 굳센 양의 덕을 잃기 때문에 흉하다.[49] 려괘(䷷)는 태괘(☱)와 리괘(☲)의 가운데 있고, 손괘(䷸)는 그 밖에 처하기 때문에 얻고 잃음이 같지 않다. 또 아래 괘가 간괘(☶)의 거꾸로 된 진괘(☳)이면 서합괘(䷔)가 되는데, 서합괘 구사에서 "금과 화살을 얻으나"라고 하였고, 오효에서 "황금을 얻었으니"라고 하였다. 그러므로 이 효에서는 "물자와 도끼를 얻었으나"라고 하였으니, 이효와 오효가 상을 취함이 또한 서합괘와 서로 비슷하다. "마음이 유쾌하지 않다"는 사효가 마음의 자리에 있지만 감괘(☵)를 만나 근심을 더한 것이다. 사효가 바뀌면 거듭된 간괘(䷳)가 되는데, 간괘 이효가 건지지 못하고 따르기 때문에 그 마음이 유쾌하지 않은 것이고,[50] 려괘의 사효는 그 지위를 얻지 못하기 때문에 내 마음이 유쾌하지 않은 것이다. 나라는 구분이 있는 것은 관괘 오효와 육효[51]와 서로 비슷하다.

서유신(徐有臣) 『역의의언(易義擬言)』

位則柔, 旅所安也, 爻則剛, 居不當也. 旅于處, 不若二之卽次也. 資者, 四之柔也, 斧

---

49) 『周易 · 巽卦』: 上九, 巽在牀下, 喪其資斧, 貞, 凶.
50) 『周易 · 艮卦』: 六二, 艮其腓, 不拯, 其隨, 其心不快.
51) 『周易 · 觀卦』: 九五, 觀我生, 君子, 无咎. 上九, 觀其生, 君子, 无咎.

者, 九之剛也. 得四得九, 得其資斧也. 其心本剛而居柔, 故不快也, 謂果斷不足也. 互兌爲斧, 互巽爲不果也.
자리가 부드러움은 나그네가 편안하게 여김이고, 효가 굳셈은 자리가 마땅하지 않음이다. "나그네가 거처하고"는 이효가 머무는 곳에 나아감과는 같지 않다. '물자'는 사효의 부드러움이다. '도끼'는 양(陽)인 구(九)의 굳셈이다. 음인 사효와 양인 구(九)를 얻음이 "물자와 도끼를 얻으나"이다. 그 마음은 본래 굳세지만 부드러움에 있기 때문에 유쾌하지 않으니, 과단성이 부족하다는 말이다. 호괘인 태괘(☱)가 도끼이고, 호괘인 손괘(☴)가 과단성이 없음이 된다.

강엄(康儼) 『주역(周易)』

按, 雲峯云, 旅以行爲義, 處而不行, 非旅之亨也. 今以此說推之, 所謂次者, 如今所謂客舘傳舍之類, 行旅而得此, 爲得其所也. 所謂處者, 如今旅人, 住接於他人之家, 久而不去者也. 此在旅人, 猶爲未得其所, 故胡說如此.
내가 살펴보았다: 운봉호씨가 "나그네는 가는 것을 뜻으로 삼으니, 머물러 가지 않으면 나그네의 형통함이 아니다"라고 하였다. 지금 이 설명으로 미루어 보면, 이른바 '머무는 곳'은 지금에 말하는 객관(客館)과 전사(傳舍)와 같은 것으로 여행을 떠나 이것을 얻으면 제자리를 얻은 것이 된다. 이른바 '거처함'은 지금에 나그네가 다른 사람의 집에 몸을 맡겨 거주하면서 오래도록 떠나지 않는 것이다. 이것은 나그네로서는 아직 제자리를 얻지 못한 것이므로 호씨의 설명이 이와 같다.

이지연(李止淵) 『주역차의(周易箚疑)』

在於外卦, 旅之在外者, 雖得其資身防身之道, 而不如在家之安樂也.
외괘에 있어 나그네가 밖에 있는 것은 자신에게 재물이 되고 방어하는 도를 얻을지라도 집에 있으면서 안락한 것보다는 못하다.

김기례(金箕澧) 「역요선의강목(易要選義綱目)」

四雖剛, 爲上體之下, 居柔而得順, 故猶賢乎三也.
사효가 비록 굳세지만 윗 몸체의 아래가 되고, 부드러움에 있어 유순함을 얻었으므로 오히려 삼효보다 현명하다.

○ 旅不宜久處, 而下无同德之應, 不得行, 故曰于處, 曰心不快. 離爲兵, 故曰得資斧, 謂其剛也. 得斧雖賢於喪僕, 不若懷資之吉. 雖勝於三, 不及二者, 以其剛柔之不同.

나그네는 마땅히 오래 거처하지 못하고 아래로 덕을 함께 하는 호응이 없어 갈 수 없으므로 "거처하고"라고 하고 "마음이 유쾌하지 않다"라고 하였다. 리괘(☲)가 병기이므로 "물자와 도끼를 얻으나"라고 하였으니, 그 굳셈을 말한다. 도끼를 얻음이 동복을 잃음보다 현명하지만 "물자를 간직하는" 길함보다는 못하다. 삼효보다는 낫지만 이효에는 미치지 못하는 것은 굳셈과 부드러움이 같지 않기 때문이다.

심대윤(沈大允) 『주역상의점법(周易象義占法)』

旅之艮䷳. 九四居柔, 以止而從于五, 處三艮剛之上, 有不安之義. 雖見待以尊貴, 而不得政與位, 兌艮震有其象, 故曰旅于處. 艮爲處, 得其資斧, 言得五也. 巽木兌析离兵爲斧, 言得資財與器用也. 四應于初, 初居艮之位, 言离之明信, 震之政道. 四之志, 在於得位, 而行其道, 信言而施其政. 然爲三所隔, 其効未著, 故曰我心不快. 离兌艮爲心不快, 爲不快於三之隔也, 蓋如子思之居衛, 孟子之仕齊也.
려괘가 간괘(䷳)로 바뀌었다. 구사가 부드러움에 있으면서 멈추어 오효를 따르고, 굳센 간괘(☶)의 삼효의 위에 처하여 편하지 않는 뜻이 있다. 존귀함으로 대우를 받지만 정치와 지위를 얻지 못하였고, 태괘(☱)·간괘(☶)·진괘(☳)에 그러한 상이 있기 때문에 "나그네가 거처하고"라고 하였다. 간괘(☶)는 처함이 되고, "물자와 도끼를 얻으나"는 오효를 얻음을 말한다. 손괘(☴)는 나무이고 태괘(☱)는 잘림이고 리괘(☲)는 병기여서 도끼가 되니, 재물과 기용(器用)을 얻는다는 말이다. 사효는 초효에 호응하고 초효는 간괘(☶)의 자리에 있으니, 리괘(☲)의 밝은 믿음과 진괘(☳)의 정치의 도를 말한다. 사효의 뜻이 지위를 얻어 그 도를 실천함에 있으니, 말을 믿을 수 있고 정치를 시행할 수 있다. 그러나 삼효에게 막혀 그 효과가 아직 드러나지 않으므로 "내 마음이 유쾌하지 않다"고 하였다. 리괘(☲)·태괘(☱)·간괘(☶)가 마음이 유쾌하지 않음이 되니, 삼효에게 막혀서 유쾌하지 않게 되는 것으로 자사가 위나라에 있었고, 맹자가 제나라에 벼슬한 것과 같다.

오치기(吳致箕) 「주역경전증해(周易經傳增解)」

九四在旅之時, 剛失中正, 故雖有所處, 而未得其當居之位矣. 下應於初, 上比於五, 故雖得資斧之助, 而居失其正, 故未得援引之力, 不能伸其剛明之才, 是以其心不快也.
구사가 나그네의 때에 굳셈이 중정함을 잃었으므로 처하는 곳은 있지만 마땅히 있어야 하는 지위를 얻지 못한다. 아래로 초효와 호응하고 위로 오효에 가깝기 때문에 물자와 도끼의 도움을 얻지만 거처함에 그 바름을 잃었으므로 도와주는 힘을 아직 얻지 못하고 그 굳세고 밝은 재주를 아직 펼 수 없어서 그 마음이 유쾌하지 않다.

○ 處, 謂旅之所處, 而取於爻變之艮. 資斧, 漢書作齊斧, 而齊言利也, 亦通. 斧, 謂防身之物, 而離爲戈兵, 互巽爲木, 互兌爲毁折, 折木之器爲斧也. 心取於離也, 不快取於變之互坎.
'거처함'은 나그네가 거처하는 곳으로 효가 바뀐 간괘(☶)에서 취하였다. '물자와 도끼'는 『한서(漢書)』에서는 '재부(齊斧)'라고 하였는데 '재(齊)'는 이로움을 말하니, 또한 통한다. '도끼'는 몸을 지키는 물건을 말하는데, 리괘(☲)가 창과 무기이고, 호괘인 손괘(☴)가 나무이며 호괘인 태괘(☱)가 해지고 끊어짐이 되어 나무를 자르는 기구가 도끼이다. 마음은 리괘(☲)에서 취하였고, 유쾌하지 않음은 바뀐 호괘인 감괘(☵)에서 취하였다.

이진상(李震相) 『역학관규(易學管窺)』

得其資斧.
물자와 도끼를 얻으나.

註中朱子說, 齎當作齊見, 見雙湖說.
소주에서 주자가 '재(齎)'는 '재(齊)"로 보아야 한다는 견해를 말하였는데, 쌍호호씨의 설명에도 보인다.

이병헌(李炳憲) 『역경금문고통론(易經今文考通論)』

得其齊斧.
물자와 도끼를 얻으나.

應劭云, 齊利也. 張晏曰, 齊整也, 張軌云, 蓋黃鉞斧也. 〈皆從三家誼.〉
응소는 "'재(齊)'는 이로움"이라고 하였고, 장안은 "'재(齊)'는 가지런함"이라고 하였고, 장궤는 "대개 황색 도끼"라고 하였다. 〈모두 삼가(三家)[52]를 따라서 논의한 것이다.〉

虞曰, 離爲齊斧.
우번이 말하였다: 리괘(☲)가 물자와 도끼[齊斧]가 된다.

姚曰, 斧者, 征伐之權, 得而未快, 其文王爲西伯, 專征伐而見讒之象與.
요신이 말하였다: '도끼'는 정벌의 권력인데 얻었지만 유쾌하지 않은 것이니, 문왕이 서백이 되어 오로지 정벌하였지만 참소를 당한 상이로다.

52) 삼가(三家): '삼가역(三家易)'은 역학사에서는 주로 시수(施讐)·맹희(孟喜)·양구하(梁丘賀)의 역을 말한다.

象曰, 旅于處, 未得位也, 得其資斧, 心未快也.

「상전」에서 말하였다: "나그네가 거처함"은 지위를 얻지 못함이니, 물자(物資)와 도끼를 얻으나 마음이 유쾌하지 않다.

中國大全

傳

四以近君爲當位, 在旅, 五不取君義, 故四爲未得位也. 曰, 然則以九居四, 不正, 爲有咎矣, 曰, 以剛居柔, 旅之宜也. 九以剛明之才, 欲得時而行其志, 故雖得資斧, 於旅爲善, 其心志未快也.

사효는 임금에 가까우므로 지위를 감당함이 되지만 려괘(旅卦䷷)에 있어서는 오효가 임금의 뜻을 취하지 않으므로 사효가 지위를 얻지 못함이 된다.
물었다: 그렇다면 구(九)로서 사효 자리에 있음은 바르지 못하니, 허물이 있는 것이 됩니다.
답하였다. 굳센 양으로 부드러운 음의 자리에 있음은 나그네의 마땅함입니다. 구(九)가 굳세고 밝은 재질로 때를 얻어 그 뜻을 행하고자 하므로 비록 물자(物資)와 도끼를 얻어 나그네의 처지에는 좋음이 되나, 그 심지(心志)는 유쾌하지 않은 것입니다.

小註

中溪張氏曰, 九四, 雖在近君之地, 而處于羈旅之中, 此其所以未得位也. 縱得其資斧之利, 而以剛居柔, 未得盡行其志, 故我心未快也.
중계장씨가 말하였다: 구사가 비록 임금과 가까운 곳에 있으나 떠도는 나그네의 처지에 있으니, 이는 그가 아직 지위를 얻지 못한 이유이다. 비록 그 물자와 도끼의 이로움을 얻었으나 굳센 양으로 부드러운 음의 자리에 있어 아직 그 뜻을 다 행할 수 없으므로 내 마음이 아직 유쾌하지 않은 것이다.

韓國大全

김상악(金相岳) 『산천역설(山天易說)』

未得位, 故雖得資斧, 而心未快也.
지위를 얻지 못하였기 때문에 물자와 도끼를 얻더라도 마음이 유쾌하지 않다.

서유신(徐有臣) 『역의의언(易義擬言)』

旅于處者, 以剛居柔之謂也. 斧鈍不快, 亦由於未得位之故也.
"나그네가 거처하고"는 굳셈으로 부드러움에 있음을 말한다. 도끼가 무디어 마음에 들지 않음은 또한 "지위를 얻지 못했기 때문이다.

오치기(吳致箕) 「주역경전증해(周易經傳增解)」

以剛明之才, 在旅而未得其位, 故雖得資斧, 而心有不快也.
굳세고 밝은 재주로 나그네로서 그 자리를 얻지 못하였기 때문에 물자와 도끼를 얻었더라도 마음에 유쾌하지 않음이 있다.

六五, 射雉一矢亡. 終以譽命.

정전 육오는 꿩을 쏘아 화살 하나에 잡는 것이다. 끝내 명성과 복록으로써 한다.

六五, 射雉, 一矢亡, 終以譽命.

본의 육오는 꿩을 쏘니, 화살 하나를 잃어도 끝내 명성과 복록으로써 한다.

中國大全

傳

六五有文明柔順之德, 處得中道而上下與之, 處旅之至善者也. 人之處旅, 能合文明之道, 可謂善矣. 羈旅之人, 動而或失, 則困辱隨之, 動而无失, 然後爲善. 離爲雉, 文明之物. 射雉, 謂取則於文明之道而必合. 如射雉, 一矢而亡之, 發无不中, 則終能致譽命也. 譽, 令聞也, 命, 福祿也. 五居文明之位, 有文明之德, 故動必中文明之道也. 五, 君位, 人君, 无旅. 旅則失位, 故不取君義.

육오는 문명하고 유순한 덕이 있으며 처신함에 알맞은 도를 얻어 위아래가 함께 하니, 나그네로 처신하기를 지극히 잘한 자이다. 사람이 나그네의 처지가 되어 문명의 도에 합할 수 있으면 선하다고 말할 만하다. 나그네로 떠도는 사람은 움직여 혹 잘못하면 곤욕이 뒤따르니, 움직여 잘못이 없는 뒤라야 선하게 된다. 리괘(☲)는 꿩이 되니, 문명한 물건이다. "꿩을 쏜다"는 것은 문명한 도에서 법(法)을 취하여 반드시 합함을 말한다. 꿩을 쏘아 한 화살에 잡듯이 발사하여 맞히지 않음이 없으면 마침내 명성[譽]과 복록[命]을 이룰 수 있다. '예(譽)'는 훌륭한 명성(名聲)이고 '명(命)'은 복록(福祿)이다. 오효는 문명한 자리에 있어 문명한 덕이 있으므로 움직임이 반드시 문명한 도에 맞는다. 오효는 임금의 자리이지만 임금은 나그네가 됨이 없다. 나그네가 되면 지위를 잃는 것이므로 임금의 뜻을 취하지 않았다.

本義

雉, 文明之物, 離之象也. 六五柔順文明, 又得中道, 爲離之主. 故得此爻者, 爲射雉之象, 雖不无亡矢之費, 而所喪不多, 終有譽命也.

'꿩'은 문명한 동물이니, 리괘(☲)의 상이다. 육오는 유순하고 문명하며, 또 알맞은 도를 얻어 리괘의 주인이 된다. 그러므로 이 효를 얻은 자는 꿩을 쏘는 상이 되니, 비록 화살을 잃어버림이 없지 않으나 상실하는 바가 많지 않아 끝내 명예와 복록이 있다.

小註

朱子曰, 亡字, 正如秦无亡矢遺鏃之亡, 不是如伊川之說. 易中凡言終吉者, 皆是初不甚好也, 而今只如這小小文義, 亦无人去解析得他.
주자가 말하였다: '망(亡)'자는 바로 진나라가 화살과 화살촉을 잃지 않았다고 할 때의 잃는다는 망(亡)과 같으니, 이천의 설명과 같지 않다. 『주역』에서 "끝내 길하다"고 말하는 것은 모두 애초에 매우 좋아한 것도 아니고 이제는 단지 이와 같이 소소한 뜻이어서, 또한 그것을 해석하는 사람도 없다.

○ 雲峯胡氏曰, 人君无旅, 旅則失位, 故五不取君位. 終以譽命. 本義謂雖不无亡矢之費, 而所喪不多者, 爲旅人言也. 爲旅者, 不免計得喪, 故下卦曰得曰喪, 上卦曰得曰亡, 六五則所亡者少, 而有所得者也.
운봉호씨가 말하였다: 임금은 나그네가 됨이 없으니, 나그네가 되면 지위를 잃은 것이기 때문에 오효에서 임금의 지위를 취하지 않았다. "끝내 명예와 복록으로써 한다"에 대해 『본의』에서 "비록 화살을 잃어버림이 없지 않으나 상실하는 바가 많지 않다"고 말한 것은 나그네가 된 사람을 위한 말이다. 나그네가 된 자는 계획한 것이 상실됨을 면할 수 없으므로 하괘에서 "얻는다"고 하고 "상실된다"고 하였으며, 상괘에서 "얻는다"고 하고 "잃어버린다"고 하였는데, 육오에서는 곧 잃어버리는 것이 적고 얻는 것이 있다.

韓國大全

권근(權近) 『주역천견록(周易淺見錄)』

程傳, 射雉一矢而亡之, 本義, 不无亡矢之費而所喪不多, 此於終字之意爲恊所用也. 五在於旅失其君位, 無以用其文明, 是射雉而矢亡, 失其用也. 然柔順得中, 以致譽命, 初雖有失, 而終以有得也. 象言上逮者, 以明五之不取君義也. 譽命者, 臣之得於君者也. 五居君位, 而反得譽命於上, 以在旅, 故不可以言君道也. 然在覊旅之時, 能以中順之德, 上達於君, 而得其譽命, 處旅之善, 而已爲非旅, 覊旅之臣, 見用於君者也. 若曰一矢而亡之, 則發無不中, 是得行文明之道, 德與位稱, 非在旅者, 又自其始而已善, 非至終而後譽命也. 或曰, 五在於旅, 失其君位, 所喪大矣. 一矢之亡, 爲喪不多, 何也. 曰失者, 本有而今失之也. 在旅者, 君位非其所本有也, 此只就在旅之時, 射雉之用而言之也. 射雉者, 在旅之所爲, 一矢者, 射雉之所用也. 傳謂失位, 但明五之不取君義爾.
『정전』에서는 "꿩을 쏘아 화살 하나에 잡는 것이다"라고 하였는데, 『본의』에서는 "화살을 잃어버림이 없지 않으나 상실하는 바가 많지 않아"라고 하였으니, 이 '망(亡)'자는 '종(終)'자의 의미와 어울려 쓰인 것 같다. 오효는 나그네로서 임금의 지위를 잃고 자신의 문명(文明)을 쓸 수 없으니, "꿩을 쏘아 화살을 잃는다"는 것으로 그 쓰임을 잃는다는 것이다. 그러나 유순하고 가운데를 얻어 명성과 복록을 얻게 되니, 처음에는 잃는 것이 있지만 끝내는 얻는 것이 있다. 「상전」에 '위로 미치기 때문이다'라고 한 것은 오효가 임금의 뜻을 취하지 않았음을 밝힌 것이다. '명성와 복록'은 신하가 군주에게서 얻는 것이다. 오효가 임금의 지위에 있지만 도리어 위로부터 명성와 복록을 얻고, 나그네로 있으므로 임금의 도리를 말할 수 없다. 그러나 떠도는 나그네의 때에 알맞고 유순한 덕으로 위로 임금에게 통하여 명성와 복록을 얻으니, 나그네로 잘 처신하여 이미 나그네가 아니게 된 것으로, 나그네로 떠돌던 신하가 임금에게 등용된 자이다. "한 화살에 잡듯이 발사하여 맞히지 않음이 없으면"이라고 한 것은 문명한 도를 행할 수 있고 덕과 지위가 걸맞은 것이니, 나그네로 있는 자가 아니고 또한 처음부터 이미 선해서 끝에 이른 이후에 명성와 복록이 있는 것이 아니다. 어떤 이는 "오효는 려괘에 있어서 임금의 지위를 잃어 잃은 것이 크다. 그런데도 화살 하나를 잃었는데 잃은 것이 많지 않다고 여기는 것은 무엇 때문인가?"라고 물었다. 다음과 같이 대답하였다. "잃는다는 것은 본래 가지고 있었는데 지금 그것을 잃은 것이다. 나그네로 있는 자는 임금의 지위가 그가 본래 가지고 있던 것이 아니니, 이는 단지 나그네의 때에 꿩을 쏜 쓰임에 나아가 말한 것일 뿐이다." '꿩을 쏘아'는 나그네로 있을 때 한 일이고, '화살 하나'는 꿩을 쏘기 위해 사용하는 것이다. 『정전』에서 '지위를 잃었다'고 한 것은 다만 오효에 대하여 임금의 뜻을 취하지 않음을 분명히 한 것일 뿐이다.

송시열(宋時烈) 『역설(易說)』

射之者, 人也. 離爲雉象, 一爲坎數. 矢爲坎, 而剛爻, 亦曰矢, 類多如此, 言得離之時, 失坎之象. 五之才居中得正, 一發必中之象. 中藏文明, 下與二應, 無陽剛之爻, 故曰一失亡, 終以譽命者, 言以慶譽終有正應之合也. 譽者, 光彩之被於身者, 以離言也. 命者, 命令之及於身者, 巽爲命也. 或曰, 以上逮之象言之, 若受命于上六也. 此說如何以下之互巽, 上及於五者, 亦上逮也.
활쏘는 자는 사람이다. 리괘(☲)는 꿩의 상이고, 일(一)은 감괘(☵)의 수이다. 화살은 감괘(☵)인데 굳센 효도 화살의 종류라고 말한 것은 부류가 대부분 이와 같으니, 리괘(☲)를 얻는 때에 감괘(☵)를 잃는 상이라는 말이다. 오효의 자질로 가운데 있으면서 바름을 얻어 한 발 쏘아서 반드시 적중하는 상이다. 가운데에서 문명을 감추고 아래로 이효와 호응하지만 굳센 양의 효가 없으므로 "화살 하나를 잃어도 끝내 명성와 복록으로써 한다"는 경사와 명성으로써 끝내 정응의 합함이 있다는 말이다. '명성'은 광채가 몸에 미치는 것으로 리괘(☲)로 말한 것이고, '복록'은 명령이 몸에 미친 것으로 손괘(☴)가 명령이 된다. 어떤 이가 "위로 미치는 상으로 말하면 상육에게서 복록을 받는 것과 같다"라고 하였다. 이 설명은 어떻게 하든지 아래의 호괘인 손괘(☴)가 위로 오효에 미치는 것이 또한 위로 미치는 것이다.

석지형(石之珩) 『오위귀감(五位龜鑑)』

臣謹按, 旅之六五, 雉是文明之物, 離之象也. 五在離體之中, 爲主於離, 故取射雉之象. 夫射雉細事, 无當於君道. 而猶取其義者, 蓋以人君无旅, 旅則失位, 故不取君義, 而只取卦象, 亦春秋所謂天子無出之義也. 雖然旣已失位, 則惡有德合文明, 終致令譽者乎. 无已則有一焉, 人君遭去邠之厄者, 能用此道, 則雖有亡矢之費, 猶不失於譽命也. 斯雖五位之不幸, 而亂代之, 不可不知者也. 伏願殿下, 念文明之可以危光焉.
신이 삼가 살펴보았습니다: 려괘의 육오에서 '꿩'은 문명의 물건으로 리괘(☲)의 상입니다. 오효는 리괘(☲)의 몸체 가운데에서 리괘의 주인이 되므로 꿩을 쏘는 상을 취하였습니다. 꿩을 쏘는 작은 일은 임금의 도에 해당하지 않습니다. 그런데 그 뜻을 취할 경우 임금은 나그네가 아니고, 나그네가 되면 지위를 잃게 되므로 임금의 뜻을 취하지 않고 다만 괘상을 취할 뿐이니, 또한 『춘추』에서 말한 "천자는 자기 나라를 나가지 않는다"[53]는 뜻입니다. 비록 그렇지만 이미 지위를 잃었다면 어찌 덕이 문명에 합치되어 끝내 명령과 명성을 이루겠습니까? 그만두지 말라고 하시면 어떤 한 사람이 있으니, 임금이 빈 땅을 떠나는 재앙을 만나 이 도를 사용하면 화살을 잃어버리는 비용이 있겠지만 오히려 명예와 복록은 잃어버리지 않습니다. 이것이 오효의 지위가 불행하여 혼란이 대신할지라도 알지 않으면 안 되는 것입니다. 엎드려 바라건대 전하께서는 문명이 위태롭게 빛난다는 것을 유념하십시오.

53) 『春秋』「僖公」24년조.

이현석(李玄錫) 「역의규반(易義窺斑)

程傳曰, 五, 君位, 人君無旅, 旅則失位, 故不取君位云, 而第旅者, 非必失所之謂也. 不處乎家, 而出外則爲旅矣. 人君之不居其國, 出外以行者, 惟軍旅之事. 黃帝之涿鹿, 夏啓之戰甘, 湯之十一征, 武之會孟津, 皆旅于行也. 旅之五爻, 正是人君之旅, 而離卦又有甲胄戈兵之象, 故爻辭言射雉, 以象戎事也. 軍旅之道, 明於兵機, 順於人情. 且能止戈不黷, 然後方爲王者之師, 可以一擧成功. 此卦離明而順, 艮又能止, 故有一矢亡之譽, 卽書所稱一戎衣大定者也.

『정전』에서 "오효는 임금의 자리이지만 임금은 나그네가 됨이 없으니, 나그네가 되면 지위를 잃는 것이므로 임금의 뜻을 취하지 않았다"고 하였다. 그런데 나그네가 거처를 반드시 잃는다는 것은 아니다. 집에서 거처하지 않고 밖으로 나오면 나그네가 되기 때문이다. 임금이 그 나라에 있지 않고 밖으로 나와 가는 것은 오직 군대의 일이다. 황제의 탁록 전투, 하나라 계의 감 땅 전투, 탕임금이 열 한 나라를 정벌한 일, 무왕이 맹진에서 회합한 일은 모두 전쟁에 나간 것이다. 려괘의 오효는 바로 임금의 군대로 리괘(☲)에 또한 갑옷과 투구, 창과 무기의 상이 있으므로 효사에서 꿩을 쏘는 것을 말하여 전쟁의 일을 형상하였다. 군대의 도는 전쟁의 전략에 밝고 인정에 순응해야 한다. 또한 전쟁을 멈춰 속이지 않은 이후에 천자의 군대가 되어 한 번 시행함에 공을 이룰 수 있다. 여기의 괘에서 리괘(☲)는 밝아 순종하고 간괘(☶)는 멈출 수 있기 때문에 화살 하나를 잃는 명예가 있으니, 『서경(書經)』에서 말한 "한 번 갑옷을 입음에 천하가 크게 안정되었다"[54]는 것이다.

이익(李瀷) 『역경질서(易經疾書)』

師旅無事, 則用於田獵. 六五位尊而體柔, 未有征討之象, 故以田獵爲言. 周禮大司馬, 教振旅, 如戰之陳是也. 易中言獲, 必并言得矢, 矢不虛發, 與禽俱得, 如噬嗑之金矢, 解之黃矢是也. 古人以射爲重, 若非此而或格殺詭獲, 君子不貴也. 解云田獲三狐得黃矢, 則矢亦得三矣, 所以明射必有獲也, 不然何以言得矢. 意者古制, 必有如此也. 六五只云射雉, 而獲足矣, 又何云一矢亡. 以三狐得矢之例推之, 蓋三射而一亡二獲也. 五以一陰居二陽之間, 陽實而陰虛, 故只云一虛則二實可知. 一矢亡亦猶是也. 所以明獲多而亡少也. 按禮, 夏行腒鱐, 腒者雉也, 可以共乾豆充庖之用也. 終以譽命, 得君之寵許也. 承亡字說, 故更加終字.

군대가 일이 없으면 사냥에서 쓴다. 육오는 자리는 높지만 몸체는 부드러워 정벌하는 상이 없기 때문에 사냥으로써 말한 것이다. 『주례·대사마』에 "군대를 조련하기를 전쟁 때의 진

---

54) 『書經』「武成」.

법과 같이 한다"는 것이다. 『주역』에서 잡음[獲]을 말할 때 반드시 화살을 얻음을 함께 말하니, 화살을 헛되게 쏘지 않아 짐승을 모두 잡음은 서합괘에서 금과 화살[55]을 얻는 경우와 해괘에서 누런 화살[56]을 얻는 경우이다. 옛 사람들은 활 쏘는 것을 중요하게 여겼으니, 만약 이것이 아니고 혹 맨손으로 잡거나 속여서 잡는 것은 군자가 귀하게 여기지 않았다. 해괘에서 "사냥하여 세 마리 여우를 잡아 누런 화살을 얻으니"라고 한 것은 화살도 세 개를 얻었기 때문에 쏘면 반드시 잡음을 밝힌 것이다. 그렇지 않으면 어떻게 화살을 얻었다고 하겠는가? 어쩌면 옛 제도에 반드시 이와 같은 것이 있었을 것이다. 육오에서 "꿩을 쏘니"라고만 하면 얻음이 확실한데 어찌 "화살 하나를 잃어도"라고 하였는가? 세 마리 여우를 잡아 누른 화살을 얻는 예로 미루어 보면, 세 번 쏘아 하나는 잃고 둘은 잡은 것이다. 오효가 하나의 음으로 두 양의 사이에 있어 양은 차 있지만 음은 비었으므로 단지 하나가 비었다고 하면 둘이 차 있음을 알 수 있다. 화살 하나를 잃음도 이와 같기 때문에 잡은 것이 많고 잃은 것이 적음을 밝힌 것이다. 『예기(禮記)』「내칙(內則)」을 살펴보면 "여름에는 말린 꿩고기 포와 말린 물고기 포가 좋다"고 하였으니, '말린 꿩고기 포[腒]는 꿩으로 만든 포이니, 마른 두부에 사용하고 임금의 푸주간을 채우는데 쓸 수 있다.[57] "끝내 명성과 복록으로써 한다"는 임금의 총애를 얻은 것이다. '잃어도[亡]'를 이어서 설명하였기 때문에 다시 '끝내[終]'를 더하였다.

심조(沈潮) 「역상차론(易象箚論)」

六五, 射雉, 一矢亡.
육오는 꿩을 쏘니, 화살 하나를 잃어도.

兌金貫卻离而得中, 此非射雉之象乎. 但不正, 容有亡矢之患. 亡亦虛象. 一象一陽在虛外, 故取之. 一陰麗于兩陽之間, 此亦一象也. 在雜體乾之中, 乾亦一也, 在位天, 亦一大也.
태괘(☱)인 쇠가 리괘(☲)를 꿰뚫어 물리쳐 가운데를 얻었으니, 이것이 꿩을 쏘는 상이 아니겠는가? 다만 바르지 못하면 혹 화살을 잃는 근심이 있다. 잃음도 비어 있는 상이다. 하나는 하나의 양이 비어 있는 것의 밖에 있는 것을 상징하기 때문에 그것을 취하였다. 하나의 음이 두 양의 사이에 걸려 있으니, 이것도 하나의 상이다. 뒤섞인 몸체인 건괘의 가운데에서 건괘도 하나이고, 자리에 있는 하늘도 하나의 큰 것이다.

---

55) 『周易 · 噬嗑』: 九四, 噬乾胏, 得金矢, 利艱貞, 吉.
56) 『周易 · 解卦』: 九二, 田獲三狐, 得黃矢, 貞, 吉.
57) 『周易 · 巽卦』: 六四, 悔亡, 田獲三品. 『本義』: 陰柔无應, 承乘皆剛, 宜有悔也, 而以陰居陰, 處上之下. 故得悔亡而又爲卜田之吉占也. 三品者, 一爲乾豆. 一爲賓客, 一以充庖.

유정원(柳正源)『역해참고(易解參攷)』

縉雲馮氏曰, 諸家以旅不取君象, 非也. 卦六爻旡理不備. 厲王居彘, 平王之遷, 天王居鄭, 黎矦寓衛, 衛矦如曹邑, 此類每每見之. 不幸至此, 苟能以中正之道自處, 所依得人, 能反其國邑, 復其世祚, 聖人之憂 可謂至矣.
진운풍씨가 말하였다: 여러 학자가 나그네는 임금의 상을 취하지 않는다고 하였는데 이것은 잘못이다. 괘의 여섯 효에는 이치가 갖추지 않은 경우가 없다. 려왕(厲王)이 체(彘) 땅에 머물렀고, 평왕이 천도하여 천왕이 정(鄭)나라에 머물렀고, 여(黎)나라 제후가 위나라에 머물렀고, 위나라 제후가 조나라 읍으로 갔으니, 이러한 종류를 번번이 볼 수 있다. 불행하게도 이러한 경우에 이르면 중정의 도로 자처하고 의지할 사람을 얻어서 나라의 도읍을 되돌리고 나라의 복을 회복시켜야 하니, 성인의 근심이 지극하다고 할 수 있다.

○ 誠齋楊氏曰, 少康逃虞思之國, 宣王匿召公之家, 是旅也.
성재양씨가 말하였다: 하나라 소강(少康)[58]은 우사의 나라로 도망갔고, 주나라 선왕(宣王)[59]은 소공의 집에 숨었다는 것이 나그네이다.

○ 案, 雉在山, 而非家畜之物, 亦旅之象也, 矢者, 行旅備禦之具, 與資斧同. 有得有喪, 旅者之常也. 少失多得, 旅道之善也. 諸爻皆言旅, 而五獨不言者, 程傳所謂人君旡旅是也. 諸儒所論人君之旅, 只是推說.
내가 살펴보았다: 꿩은 산에 있는 것으로 집에서 기르는 가축이 아니니, 또한 나그네의 상이다. '화살'은 떠나는 나그네가 갖추는 도구로 '물자와 도끼'와 같은 것이다. 얻을 때도 있고 잃을 때도 있는 것이 나그네의 일상이다. 적게 잃고 많이 얻는 것이 나그네의 좋은 방법이다. 모든 효에서 나그네를 말하였는데 오효에서만 말하지 않은 것은『정전』에서 "임금은 나그네가 됨이 없으니"가 이것이다. 여러 유학자들이 논한 임금이 나그네로 가는 것은 단지 미루어 설명한 것일 뿐이다.

김상악(金相岳)『산천역설(山天易說)』

六五變剛爲柔, 得離體之中, 有射雉矢亡之象. 雖失其剛, 爲文明之主, 與四相比, 四互兌巽, 故終以譽命也.

---

58) 소강(少康): 하나라의 6대 왕으로 제위를 찬탈했던 한착을 죽이고 하나라를 부흥시킨 인물. 젊은 시절 우사(虞思)의 나라로 도망가서 힘을 길렀다.
59) 선왕(宣王): 주나라의 11대 왕으로, 폭군 려왕의 아들로서 소공의 집에 숨어서 목숨을 구했다.

육오는 굳셈이 바뀌어 부드러움이 되었는데, 리괘(☲) 몸체의 가운데를 얻었으니, 꿩을 쏘아 화살을 잃은 상이 있다. 그 굳셈을 잃었지만 문명의 주인이 되어 사효와 서로 가까이 지내고 사효의 호괘가 태괘(☱)와 손괘(☴)이므로 끝내 명성과 복록으로써 한다는 것이다.

○ 雉者, 離之文明也 離之互坎 射雉之象. 離麗坎陷, 皆有矢象. 故解之射隼, 井之射鮒, 取象相似. 矢亡, 謂卦變而失剛也. 噬嗑九四曰, 得金矢, 解九二曰, 得黃矢, 亦以變而言也. 譽者, 兌之口, 命者, 巽之象, 互體爲鼎, 譽命卽鼎凝命之命. 能凝命, 則終必正位而有譽也.
'꿩'은 리괘(☲)의 문명이고, 리괘의 호괘인 감괘(☵)는 꿩을 쏘는 상이다. 리괘는 걸리고 감괘는 빠지므로 모두 화살의 상이 있다. 그러므로 해괘에서 "새매를 쏘아"[60]와 정괘에서 "두꺼비에게 흘러가고"[61]는 상을 취함이 서로 비슷하다. '화살을 잃음'은 괘가 바뀌어 굳셈을 잃음을 말한다. 서합괘 구사에서 "금과 화살을 얻는다"[62]고 하고, 해괘 구이에서 "누런 화살을 얻는다"[63]라고 하였으니, 또한 바뀐 것으로 말한 것이다. '명성'은 태괘(☱)의 입이고, '복록'은 손괘(☴)의 상으로 몸체를 바꾸면 정괘(鼎卦䷱)가 되니, '명성과 복록'은 정괘의 "중후하게 명한다"[64]의 명(命)이다. 중후하게 명령하면 끝내 반드시 자리를 바로 하여 명성이 있을 것이다.

김규오(金奎五) 「독역기의(讀易記疑)」

疑已與二皆陰, 已又介於二剛之間, 能順乎二剛而不能自主, 所以卦小亨而不能大亨也.
아마 오효와 이효가 모두 음이고, 오효 또한 두 굳센 양 사이에 끼어 있어 두 굳센 양을 좇아 스스로 주인이 될 수 없기 때문에 괘가 조금 형통하고 크게 형통할 수 없는 것이다.

조유선(趙有善) 「경의-주역본의(經義-周易本義」)

六五射雉.
육오는 꿩을 쏘니.

---

60) 『周易 · 解卦』: 上六, 公用射隼於高墉之上, 獲之, 无不利.
61) 『周易 · 井卦』: 九二, 井谷, 射鮒, 甕敝漏.
62) 『周易 · 噬嗑』: 九四, 噬乾胏, 得金矢, 利艱貞, 吉.
63) 『周易 · 解卦』: 九二, 田獲三狐, 得黃矢, 貞, 吉.
64) 『周易 · 鼎卦』: 象曰, 木上有火, 鼎, 君子以, 正位凝命.

爲旅者, 有得有失, 離有雉象. 故以射雉言之, 卽其所得也, 亡矢, 卽其所失也. 爻自有此象, 而本義以得此爻者言之, 未詳其義.
나그네가 된 자는 얻고 잃음이 있으며, 리괘(☲)에 꿩의 상이 있다. 그러므로 "꿩을 쏘니"로써 말한 것은 곧 얻은 것이고, 화살을 잃음은 곧 잃은 것이다. 효에 본래 이러한 상이 있는데 『본의』에서 "이 효를 얻은 자"로써 말하였으니, 그 뜻이 자세하지 않다.

○ 射雉, 傳謂取則於文明之道, 本義謂得其爻者, 爲射雉之象, 恐皆可疑. 竊謂此爻文明之主, 又得中道, 故雖在旅而必有所得之物. 其曰射雉者, 離有雉象故也.
"꿩을 쏘니"는 『정전』에서 "문명한 도에서 법을 취하여"라고 하였고, 『본의』에서는 "이 효를 얻은 자는 꿩을 쏘는 상이 되니"라고 하였으니, 아마도 모두 의심할 만하다. 내가 생각해보면, 이 효는 문명의 주인이고, 또 중도를 얻었으므로 나그네이지만 반드시 얻은 것이 있다. "꿩을 쏘니"는 리괘(☲)에 꿩의 상이 있기 때문이다.

박제가(朴齊家) 『주역(周易)』

六五射雉一矢亡.
육오는 꿩을 쏘니, 화살 하나를 잃어도.

當从本義. 朱子曰, 亡, 如秦无亡矢遺鏃之亡. 易中凡言終吉者, 皆是初不甚好也, 而今只如這小小文義, 亦无人去解析得他, 大賢苦心用力如此, 百世之下, 如聞其歎咤之聲矣.
『본의』를 따라야만 한다. 주자가 "'망(亡)'은 진나라가 화살과 화살촉을 잃지 않았다고 할 때의 잃는다는 망(亡)과 같다. 『주역』에서 '끝내 길하다'고 말하는 것은 모두 애초에 매우 좋아한 것도 아니고 이제는 단지 이와 같이 소소한 뜻이어서, 또한 그것을 해석하는 사람도 없다"고 하였으니, 대현이 마음과 힘을 다한 것이 이와 같아서 오랜 이후에도 탄식하고 꾸짖는 소리가 들리는 듯하다.

서유신(徐有臣) 『역의의언(易義擬言)』

此, 卽柔得位乎外者也. 雉喩五之位, 矢喩五之德, 皆離象也. 在旅, 故曰一矢亡, 蹔失之矣, 再矢而中也. 譽, 艮象, 命, 巽象. 譽命行於下, 而尊位定於上也, 所以爲再矢則中也.
오효는 부드러운 음이 밖에서 자리를 얻은 것이다. '꿩'은 오효의 자리에 비유한 것이고, '화살'은 오효의 덕에 비유한 것이니, 모두 리괘(☲)의 상이다. 나그네로 있기 때문에 "화살 하나를 잃어도"라고 하였으니, 잠시 잃었지만 다시 쏘면 명중한다. '명성'은 간괘(☲)의 상이고, '복록'은 손괘(☴)의 상이다. '명성와 복록'은 아래에서 행해지고, 높은 지위는 위에서 정해지니, 다시 쏘면 명중하는 이유이다.

강엄(康儼) 『주역(周易)』

按, 六五獨不言旅者, 以六五正當旅人之身. 彖傳所謂柔得中乎外, 而順乎剛, 正指此爻, 不必言旅而可知也. 雲峯曰, 人君无旅, 故五不取君位. 然卦題註吳氏曰, 天子有天子之旅, 天王出居於鄭, 是也. 諸侯有諸侯之旅, 公在楚, 是也. 以此言之, 天子諸侯, 亦皆有旅, 恐未得爲无旅也. 且聖人作易, 本不局定一處, 自天子至於庶人, 皆可用之, 則此爻雖爲旅人設, 而人君亦可以用得也. 若使人君之爲旅者, 能有此爻之德, 則諸侯之譽命, 可聞於天矣.

내가 살펴보았다: 육오에서만 나그네를 말하지 않은 것은 육오가 바로 나그네의 신분에 해당하기 때문이다. 「단전」에서 말한 "부드러운 음이 밖에서 알맞음을 얻고 굳센 양을 따르며"가 바로 이 효를 가리키니, 나그네를 굳이 말할 필요가 없음을 알 수 있다. 운봉호씨가 "임금은 나그네가 됨이 없으므로 오효가 임금의 지위를 취하지 않았다"고 하였다. 그러나 괘 표제 주에 오씨가 "천자에게는 천자로서 나그네 됨이 있으니 천자가 나와 정(鄭)나라에 머무름이 이것이다. 제후에게는 제후로서 나그네 됨이 있으니 공이 초(楚)나라에 있는 것이 이것이다"라고 하였다. 이것으로 말하면 천자와 제후도 나그네가 되니, 아마 나그네가 되지 않는 경우는 없는 것 같다. 또한 성인이 역(易)을 만들 때 본래 한 곳을 국한하지 않아 천자에서 서인까지 모두 사용할 수 있었으니, 이 효에서 나그네를 위하여 말하였지만 임금도 사용할 수 있다. 만약 임금으로 나그네가 된 자는 이 효의 덕이 있게 되면 제후의 명성과 복록을 하늘에서 듣게 될 것이다.

이지연(李止淵) 『주역차의(周易箚疑)』

毋論陰陽, 旅是在外之人, 而爻則在中者也. 此所謂卻望并州是故鄕, 言雖作客, 而其身世之安閒, 无異於在家者也. 終以譽命, 如唐陸宣公居謫, 天子聞而奇之.

음과 양을 막론하고 나그네는 밖에 있는 사람이고, 효로는 가운데 있는 것이다. 이것이 이른바 가도(賈島)의 시에서 "고향인 병주를 멀리 바라본다"[65]는 것으로 나그네가 되어 그 신세가 편안하고 한가하여 집에 있는 것과 다름이 없다는 말이다. "끝내 명성과 복록으로써 함"은 당나라 육선공[66]이 귀양 가 있을 때 천자가 그것을 듣고 기이하게 여긴 것과 같다.

---

65) 賈島, 「渡桑乾」: 客舍并州三十霜, 歸心日夜憶咸陽. 無端更渡桑乾水, 卻望并州是故鄕.

이항로(李恒老) 「주역전의동이석의(周易傳義同異釋義)」

傳, 如一矢而亡之, 發旡不中.
『정전』에서 말하였다: 한 화살에 잡듯이 발사하여 맞히지 않음이 없다.

本義, 不旡亡矢之費, 而所喪不多.
『본의』에서 말하였다: 화살을 잃어버림이 없지 않으나 상실하는 바가 많지 않다.

按, 朱子曰, 亡字, 正如秦无亡矢遺鏃之亡, 不是如伊川之說. 易中凡言終吉者, 皆是初不甚好也, 而今只如這小小文義, 亦无人去解析得他. 觀此, 則其辨已盡.
내가 살펴보았다: 주자가 "'망(亡)'자는 바로 진나라가 화살과 화살촉을 잃지 않았다고 할 때의 잃는다는 망(亡)과 같으니, 이천의 설명과 같지 않다. 『주역』에서 '끝내 길하다'고 말하는 것은 모두 애초에 매우 좋아한 것도 아니고 이제는 단지 이와 같이 소소한 뜻이어서, 또한 그것을 해석하는 사람도 없다"고 하였으니, 이것을 보면 변론함이 이미 지극하다.

김기례(金箕澧) 「역요선의강목(易要選義綱目)」

離爲雉, 故曰射雉.
리괘(☲)가 꿩이 되므로 "꿩을 쏘니"라고 하였다.

○ 五不取君位者, 蓋君无旅義. 五以文明柔中, 得旅之中道. 一矢得雉, 所亡小而所得多, 故譽聞于上, 非君位, 故有譽命. 卦中上下爻, 取得喪者, 旅者不无計得失之意.
오효가 임금의 지위를 취하지 않는 것은 임금에게는 나그네의 뜻이 없기 때문이다. 오효가 문명하면서 부드럽고 가운데에 있어 나그네의 알맞은 도를 얻었다. 화살 하나로 꿩을 얻음은 잃은 것은 적고 얻은 것은 많으므로, 명성이 위로 들리고, 임금의 지위가 아니므로 명성과 복록이 있다. 괘 가운데 위와 아래 효에서 얻음과 잃음을 취한 것은 나그네는 얻고 잃음을 생각하지 아니할 수 없다는 뜻이다.

---

66) 육지(陸贄): 당나라 덕종(德宗) 때의 한림학사(翰林學士)로, 가흥(嘉興) 사람으로 이름은 지(贄), 자는 경여(敬輿), 선공(宣公)은 그의 시호(謚號)이다. 그가 건의한 글을 모아 놓은 『육선공주의(陸宣公奏議)』는 당 태종(唐太宗)의 『정관정요(貞觀政要)』와 함께 정치가의 필독서(必讀書)로 꼽혀 왔다. 우리나라에서도 『육주약선(陸奏略選)』이란 책이 간행되어 많이 읽혀졌다. 『新唐書 卷157 陸贄列傳』

심대윤(沈大允) 『주역상의점법(周易象義占法)』

旅之遯䷠, 舍舊從新也. 六五居剛以行, 而以柔中舍四而從上. 射雉, 言得其明信也. 射雉一矢亡, 言舍四也. 离爲雉, 謂上也. 坎爲一, 互离爲矢, 謂四也. 兌爲亡, 离顯巽命, 曰譽命, 言於此雖有小喪, 而終有大得於彼也. 六五舍舊之不快, 而從其新得其譽命, 而巽連于艮, 有邑位之象, 故獨不言旅也. 六二得其食貨者也, 六五得其祿位者也.
려괘가 돈괘(遯卦䷠)로 바뀌었으니, 옛 것을 버리고 새 것을 따르는 것이다. 육오가 굳센 양에 있으면서 가는데 가운데 있는 부드러움으로 사효를 버리고 위를 따른다. "꿩을 쏘니"는 그 밝음과 믿음을 얻는다는 말이다. "꿩을 쏘니, 화살 하나를 잃어도"는 사효를 버린다는 말이다. 리괘(☲)가 꿩이니, 상구를 말한다. 감괘(☵)는 하나이고, 호괘인 리괘(☲)는 화살이니, 사효를 말한다. 태괘(☱)가 잃음이고, 리괘(☲)는 드러남이며, 손괘(☴)는 명령이어서 "명성과 복록"이라고 하였으니, 여기에서는 적게 잃지만 끝내 저기에서는 크게 얻음이 있다는 말이다. 육오가 이전의 불쾌함을 버리고 새로 얻은 명성과 복록을 따르고 간괘(☶)와 공손하게 연합하여 읍의 지위의 상이 있으므로 유독 나그네를 말하지 않았다. 육이는 그 음식과 재화를 얻는 것이고, 육오는 복록과 지위를 얻는 것이다.

오치기(吳致箕) 「주역경전증해(周易經傳增解)」

六五柔得中於外, 而順乎剛, 卽旅之取善者也. 其賢乃爲君上所知, 以文明之才, 一擧而見用於文明之世. 有一矢射雉之象, 故言終以有譽命也.
육오는 부드러운 음으로 밖에서 알맞음을 얻어 굳센 양을 따르니, 곧 나그네가 선함을 취한 것이다. 그 어짊이 임금에게 알려지고 문명한 재주로 한 번에 등용되어 문명한 세상에서 쓰이게 된다. 화살 하나로 꿩을 쏘는 상이 있으므로 "끝내 명성과 복록으로써 한다"라고 하였다.
○ 對坎爲弓, 故言射, 離爲雉象, 而雉者, 文明之物, 故取喩也. 取爻變之乾, 而乾之數一, 故言一也. 矢, 取剛之直, 而離一柔在乾剛之中, 故爲一矢之亡也. 言亡一矢, 而獲雉也. 譽, 謂稱譽, 而取於互兌. 命謂寵命, 而取於互巽也. 此爻之不取君象, 已有程傳之訓.
리괘(☲)와 음양이 바뀐 괘인 감괘(☵)가 활이므로 '쏘다'라고 하였고, 리괘(☲)가 꿩의 상이고, 꿩은 문명한 동물이므로 비유로 취한 것이다. 이 효가 바뀐 건괘(☰)를 취하였는데, 건괘(☰)의 숫자가 하나이므로 '하나'라고 하였다. '화살'은 굳센 양의 곧음을 취하였고, 리괘(☲)의 부드러운 한 음이 건괘(☰)의 굳센 양의 가운데 있으므로 화살 하나를 잃음이 되었으니, 화살 하나를 잃고 꿩을 잡았다는 말이다. '명성'은 명예로움을 칭찬하는 것으로 호괘인 태괘(☱)에서 취하였다. '복록'은 총애하는 명령을 말하는데 호괘인 손괘(☴)에서 취하였다. 이효가 임금의 상을 취하지 않음은 이미 『정전』의 설명에 있다.

이진상(李震相) 『역학관규(易學管窺)』

六五射雉.
육오는 꿩을 쏘니.

五君位, 故不言旅. 然人君亦自有旅, 可以通看. 雉在山而射之, 矢在手而亡之, 皆旅象也, 而得中, 故終譽.
오효는 임금의 지위이므로 나그네를 말하지 않았다. 그러나 임금도 본래 나그네가 될 수 있으니, 통틀어 보아야 한다. 꿩은 산에 있어 쏠 수 있고, 화살은 손에 있어 잃어버릴 수 있으니, 모두 나그네의 상인데 맞힐 수 있으므로 끝내 명예롭다.

박문호(朴文鎬) 「경설(經說)·주역(周易)」

一矢而亡之, 亡之言殺之也. 如此則勢有所未便, 故小註朱子說, 特引无亡矢遺鏃之亡, 以證程傳之不然.
『정전』에서 말한 "한 화살에 잡는다"에서 '잡는다'는 죽인다는 말이다. 그런데 이와 같다면 문장의 형세로는 좋지 않은 점이 있기 때문에 소주에서 주자가 "화살과 화살촉을 잃지 않았다고 할 때의 잃는다는 '망(亡)'"을 인용하여 『정전』의 설명이 옳지 않다는 증거로 설명하였다.

象曰, 終以譽命, 上逮也.

「상전」에서 말하였다: "끝내 명성과 복록으로써 함"은 위로 미치기 때문이다.

中國大全

傳

有文明柔順之德, 則上下與之. 逮, 與也. 能順承於上而上與之, 爲上所逮也, 在上而得乎下, 爲下所上逮也. 在旅而上下與之, 所以致譽命也. 旅者, 困而未得所安之時也, 終以譽命, 終當致譽命也. 已譽命則非旅也. 困而親寡則爲旅, 不必在外也.

문명하고 유순한 덕이 있으면 위아래가 함께 한다. '미친다[逮]'는 함께 함이다. 윗사람에게 순종하고 받들어 윗사람이 함께 하여 윗사람이 미치는 바가 되며, 위에 있으면서 아랫사람을 얻어 아랫사람이 위로 미치는 바가 된다. 나그네로 있으면서 위아래가 함께 하니, 이 때문에 명성과 복록을 이룬다. 나그네는 곤궁하고 아직 편안함을 얻지 못한 때인데, "끝내 명성과 복록으로써 한다"는 것은 끝내 명성과 복록을 이루는 것이다. 이미 명성과 복록이 있으면 나그네가 아니다. 곤궁하고 친한 사람이 적으면 나그네가 되니, 반드시 밖에 있는 것만은 아니다.

本義

上逮, 言其譽命聞於上也.

"위로 미치기 때문이다[上逮]"는 그 명성과 복록이 윗사람에게 알려짐을 말한다.

小註

朱子曰, 上逮, 也不得如伊川說.

주자가 말하였다: "위로 미치기 때문이다[上逮]"는 것이 또한 이천의 설명과 같을 수 없다.

○ 雲峯胡氏曰, 五, 君位, 在上者也. 爻曰上逮, 而本義以其譽命聞於上者, 何哉. 不以君位處五者, 人君无旅故也.
운봉호씨가 말하였다: 오효는 임금의 자리이니, 위에 있는 자이다. 효사에서 "위로 미치기 때문이다"고 하였는데, 『본의』에서는 "그 명성과 복록이 윗사람에게 알려진다"고 한 까닭은 어째서인가? 임금의 지위로 오효의 자리에 있지 않은 것은 임금은 나그네 됨이 없기 때문이다.

韓國大全

김상악(金相岳) 『산천역설(山天易說)』

上逮, 猶上行也.
"위로 미치기 때문이다"는 위로 가는 것과 같다.

서유신(徐有臣) 『역의의언(易義擬言)』

得於下, 而達於上也.
아래에서 얻어 위로 통하는 것이다.

이항로(李恒老) 「주역전의동이석의(周易傳義同異釋義)」

傳, 有文明柔順之德, 則上下與之. 逮, 與也云云.
『정전』에서 말하였다: 문명하고 유순한 덕이 있으면 위아래가 함께 한다. '미친다[逮]'는 함께 함이다.

本義, 上逮, 言其譽命聞於上也.
『본의』에서 말하였다: "위로 미치기 때문이다"는 그 명성과 복록이 윗사람에게 알려짐을 말한다.

按, 上逮, 竝言上逮下逮未安. 蓋六五爲君位, 而非旅之所當, 故以譽命上逮言之, 謂旅貞而譽命上逮於六五也.
내가 살펴보았다: "위로 미치기 때문이다"는 위로 미치고 아래로 미친다고 말해서는 적절하지 않다. 육오는 임금의 자리여서 나그네가 감당할 수 있는 것이 아니므로 명성과 복록으로써 위로 미친다고 말하였는데 나그네가 곧아서 명성과 복록이 위로 육오에게 미친다는 말이다.

심대윤(沈大允) 『주역상의점법(周易象義占法)』

言從上也.
위를 따른다는 말이다.

박문호(朴文鎬) 「경설(經說) · 주역(周易)」

上逮, 程傳作兩義, 本義只作一意者, 恐當爲定論.
"위로 미치기 때문이다"는 『정전』에서는 두 가지 뜻으로 보고 『본의』에서는 한 가지 뜻으로만 본 것은 아마 정론이 되어야 할 것 같다.

困而親寡則爲旅, 不必在外, 蓋諸爻皆言旅字, 而五獨不言, 故於此特明此義.
『정전』에서 말한 "곤궁하고 친한 사람이 적으면 나그네가 되니, 반드시 밖에 있는 것만은 아니다"는 려괘의 모든 효에서 나그네를 말하였지만 오효에서만 말하지 않았기 때문에 여기에서 특히 이 뜻을 밝힌 것이다.

이병헌(李炳憲) 『역경금문고통론(易經今文考通論)』

干曰, 离爲雉爲矢.
간보가 말하였다. 리괘(☲)가 꿩이 되고, 화살이 된다.

正義曰, 逮, 及也. 能承及於上, 故得終以譽命也.
『주역정의』에서 말하였다: '미침[逮]'은 미치는 것이다. 받들어 위에 미치므로 "끝내 명성과 복록으로써 함"을 얻는 것이다.

上九, 鳥焚其巢, 旅人, 先笑後號咷. 喪牛于易, 凶.

상구는 새가 둥지를 불태우니, 나그네[旅人]가 먼저는 웃고 뒤에는 울부짖는다. 쉽게 하는 데에서 소를 잃으니, 흉하다.

中國大全

傳

鳥, 飛騰處高者也. 上九剛不中而處最高, 又離體, 其亢可知. 故取鳥象. 在旅之時, 謙降柔和, 乃可自保, 而過剛自高, 失其所宜安矣. 巢, 鳥所安止, 焚其巢, 失其所安, 无所止也. 在離上, 爲焚象. 陽剛, 自處於至高, 始快其意, 故先笑, 旣而失安莫與, 故號咷. 輕易以喪其順德, 所以凶也. 牛, 順物, 喪牛于易, 謂忽易以失其順也. 離火性上, 爲躁易之象. 上承鳥焚其巢, 故更加旅人字. 不云旅人, 則是鳥笑哭也.

새는 날아올라 높은데 있는 것이다. 상구가 굳세지만 가운데 있지 못하고 가장 높은 데에 있으며 또 리괘(☲)의 몸체이니, 그 지나치게 높음을 알 수 있다. 그러므로 새의 상을 취하였다. 나그네의 때에 있어서는 겸손하고 낮추며 부드럽고 온화하여야 자신을 보존할 수 있는데 지나치게 굳세고 자신을 높게 여기니, 마땅하고 편안한 곳을 잃는다. '둥지'는 새가 편안히 머무는 곳인데 '둥지를 불태움'은 편안한 곳을 잃어서 머물 곳이 없는 것이다. 리괘의 맨 위에 있어 불태우는 상이 된다. 굳센 양이 스스로 지극히 높은 곳에 처하여 처음에는 그 뜻에 유쾌하므로 먼저는 웃으나 이미 편안함을 잃고 함께 함이 없으므로 울부짖는 것이다. 가볍고 쉽게 하여 순한 덕을 상실하니, 이 때문에 흉하다. '소'는 순한 동물인데, "쉽게 하는 소를 데에서 잃는다"는 것은 소홀히 하고 쉽게 하여 그 순함을 잃는 것을 말한다. 리괘인 불[火]은 성질이 올라가니, 조급하고 쉽게 하는 상이 된다. "새가 둥지를 불태운다"는 말을 앞으로 이었기 때문에 다시 '나그네[旅人]'라는 글자를 더하였다. '나그네'라고 말하지 않았으면 이는 새가 웃고 우는 것이다.

本義

上九過剛, 處旅之上, 離之極, 驕而不順, 凶之道也. 故其象占如此.

상구는 지나치게 굳세고 려괘(旅卦䷷)의 맨 위와 리괘(☲)의 끝에 있어서 교만하고 유순하지 못하니, 흉한 도이다. 그러므로 그 상과 점이 이와 같다.

小註

節初齊氏曰, 離爲科, 上槁有巢象, 而火又附焉, 故曰焚.
절초제씨가 말하였다: 리괘(☲)는 웅덩이가 되니, 위의 마른 가지에 둥지가 있는 상인데 불이 또 붙어있기 때문에 "불사른다"고 하였다.

○ 莆陽張氏曰, 火有聲有笑號之象. 離爲飛鳥爲牝牛.
포양장씨가 말하였다: 불은 소리가 있어 울부짖는 상이 있다. 리괘(☲)는 나는 새가 되기도 하고 암소가 되기도 한다.

○ 雙湖胡氏曰, 旅人, 恐指占者, 只就上說爲有情. 本義驕謂先笑, 不順謂喪牛, 皆致凶之道也.
쌍호호씨가 말하였다: '나그네[旅人]'는 점치는 자가 오직 상효에 나아가 말한 것에 실정이 있음을 가리킨 듯하다. 『본의』에서의 '교만함'은 먼저는 웃는 것을 말하고, '순하지 못함'은 소를 잃는 것을 말하니, 모두 흉함에 이르는 도이다.

○ 林氏栗曰, 三與上應, 皆以剛居上, 无相與之情, 故三焚其次上焚其巢. 三承九四之離, 爲他人所焚也, 上焚其巢, 自焚也. 三焚其次, 則巢尚在也, 喪其童僕, 則牛尙存也. 巢在則有可歸之理, 牛存則有可行之資. 今也巢焚牛喪, 欲歸則无其所, 欲行則无其資, 凶斯致矣.
임율이 말하였다: 삼효와 상효가 호응하니, 모두 굳센 양으로 위아래 괘의 꼭대기에 있고 서로 함께하는 정이 없으므로 삼효에서는 그 머무는 곳을 불태우고 상효에서는 둥지를 불태운다. 삼효는 구사가 속한 리괘를 받드니, 다른 사람에게 불살라지게 되지만, 상효에서 '둥지를 불태움'은 자신이 불태우는 것이다. 삼효에서 '머무는 곳을 불태움'은 둥지가 오히려 있고, '동복(童僕)을 잃음'은 소가 오히려 있는 것이다. 둥지가 있으면 돌아갈 수 있는 이치가 있고, 소가 있으면 갈 수 있는 물자가 있는 것이다. 이제는 둥지가 불태워지고 소도 잃었으니, 돌아가고자 하더라도 그 돌아갈 곳이 없고 가고자 하더라도 갈수 있는 물자가 없으니,

흉함이 이에 이르게 된다.

○ 雲峯胡氏曰, 同人, 親也, 故先號咷後笑, 親寡, 旅也, 故先笑後號咷. 旅之時, 不宜用剛, 故三陽皆不利. 六二柔順中正, 六五柔順文明, 皆得於道. 上九剛亢, 失其柔順而不自知, 故有喪牛于易之象. 以內卦論, 初六不及乎中, 故有瑣瑣之災, 三過乎中, 故有焚次之危. 以外卦論, 四不及乎中, 故不快, 上過乎中, 故號咷. 不及則弱不自持, 過則剛必自折, 在內在外皆然.
운봉호씨가 말하였다: 동인괘는 친하므로 먼저는 울부짖고 뒤에는 웃으며, 친한 사람이 적으면 나그네이므로 먼저는 웃고 뒤에는 울부짖는다. 나그네의 때에는 굳셈을 쓰는 것이 마땅하지 않으므로 세 양이 모두 이롭지 않다. 육이는 유순하고 중정하며 육오는 유순하고 문명하니, 모두 도를 얻었다. 상구는 굳셈이 지나쳐 그 유순함을 잃었는데도 스스로 알지 못하므로 쉽게 하는 데에서 소를 잃는 상이 있다. 내괘로 논하면 초육은 가운데에 미치지 못했기 때문에 자잘한 재앙이 있으며, 삼효는 가운데를 지나쳤기 때문에 머무는 곳을 불태우는 위태로움이 있다. 외괘로 논하면 사효는 가운데 미치지 못했기 때문에 유쾌하지 않으며, 상효는 가운데를 지났기 때문에 울부짖는다. 미치지 못하면 약하여 자신을 지키지 못하고, 지나치면 굳세어 반드시 스스로 꺾이니, 안에 있던 밖에 있던 모두 그러하다.

韓國大全

송시열(宋時烈) 『역설(易說)』

離爲飛鳥爲科上槁, 巢象. 離爲火, 巽爲風爲木, 而上九在上, 此焚其巢之象. 兌悅故笑, 又震爲笑, 下艮綜震爲號, 與同人之五略同. 而此則先[67]言震後言巽, 同人先言巽後言震, 蓋先凶後吉, 先吉後凶者也. 喪牛于易, 同大壯五喪羊之易. 處上九則牛, 離牛之象. 易者, 皆震大塗象, 艮之綜也, 見大壯註. 小象終莫之聞者, 下有坎象, 而坎爲耳痛, 爲九四所隔, 無陰陽相遇之義故也. 離變亦爲坎. 蓋見有此象, 故言雖終莫聞也.
리괘(☲)가 나는 새가 되고 속이 비어 위가 마름이 되니, 둥지의 상이다. 리괘는 불이 되고,

67) 先: 경학자료집성DB와 영인본에는 '兌'로 되어 있으나, 문맥을 살펴 '先'으로 바로 잡았다.

손괘(☴)는 바람과 나무가 되는데 상구가 위에 있으므로 이것은 "둥지를 불태우는" 상이다. 태괘(☱)가 기쁨이므로 웃고, 또 진괘(☳)가 웃음이고, 아래의 간괘(☶)의 거꾸로 된 진괘(☳)가 '부름'이 되니, 동인괘(同人卦䷌) 오효[68]와 대략 비슷하다. 여기에서는 진괘(☳)를 먼저 말하고 손괘(☴)를 뒤에 말했고, 동인괘에서는 손괘를 먼저 말하고 진괘를 뒤에 말했는데, 먼저 흉한 뒤에 길하고, 먼저 길한 뒤에 흉하다는 것이다. "쉽게 하는 데에서 소를 잃으니"는 대장괘(大壯卦䷡) 오효의 "양을 쉽게 잃지만"[69]과 같다. 상구에 처하면 소는 떠나는 소의 상이다. '쉽게[易]'는 모두 진괘(☳)의 큰 길의 상이니, 간괘(☶)가 거꾸로 된 괘로 대장괘 주석[70]에 보인다. 「소상전」에 "끝내 들어 알지 못하는 것이다"는 아래에 감괘(☵)의 상이 있지만 감괘는 귀앓이가 되어 구사에 의해 막히니, 음양이 서로 만나는 뜻이 없는 까닭이다. 리괘(☲)가 음양이 바뀌면 또한 감괘(☵)가 된다. 이러한 상이 있음을 알기 때문에 "끝내 들어 알지 못하는 것"이라고 하였다.

이익(李瀷) 『역경질서(易經疾書)』

鳥之巢林, 未有定居, 如師旅之随, 便移軍, 而當離之上, 故其義必焚也. 先笑後號咷, 謂始得便利終至喪敗也, 此以後號咷言也. 喪牛于易, 與大壯六五辭相照, 由慢易而至此也. 先笑故慢易, 後號咷, 則凶, 牛亦師旅之所用也. 鳥象火騰, 牛象火色也. 終莫之聞, 言不得也.

새가 둥지를 숲에서 틂에 정해진 거처가 있지 않은 것은 군대를 따라 진을 옮기는 것과 같은데, 리괘(☲)의 끝에 있으므로 의리상 반드시 불타는 것이다. "먼저 웃고 뒤에는 울부짖는다"는 처음에는 편리함을 얻고 끝에는 잃음에 이른다는 말이니, 이것은 뒤에는 울부짖는다는 말이다. "쉽게 하는 데에서 소를 잃으니"는 대장괘(大壯卦䷡) 오효의 말[71]과 서로 대조되니, 게으르고 쉽게 하려다가 이 지경에 이르는 것이다. 먼저 웃었기 때문에 게으르고 쉽게 하는 것이고, 뒤에 울부짖은 것은 흉한 것이다. 소는 또한 군대가 사용하는 것이다. '새'는 불이 위로 오르는 것을 상징하고, '소'는 불의 색깔을 상징한다. "끝내 들어 알지 못함"은 얻지 못함을 말한다.

---

68) 『周易 · 同人卦』: 九五, 同人, 先號咷而後笑, 大師克, 相遇.

69) 『周易 · 大壯卦』: 六五, 喪羊于易, 无悔.

70) 『周易 · 大壯卦』: "六五, 喪羊于易, 无悔."에 대한 소주: 程子曰, 喪羊于易, 羊群行而觸物, 大壯衆陽竝進, 六五以陰居位, 惟和易然後可以喪羊. 易非難易之易, 乃和易樂易之易.

71) 『周易 · 大壯卦』: 六五, 喪羊于易, 无悔.

윤동규(尹東奎) 「경설-역(經說-易)」

旅上九居旅, 而在極高之上, 還以旅而尊高自處也. 以旅而如是, 其義宜自焚也.
려괘의 상구는 나그네이면서 가장 높은 곳에 있으니, 도리어 나그네로서 높음을 자처하는 것이다. 나그네로서 이와 같으니, 의리상 스스로 불태우는 것이다.

유정원(柳正源) 『역해참고(易解參攷)』

正義, 最居於上, 如鳥之巢, 以旅處上, 必見傾奪, 如鳥之巢被焚, 故曰鳥焚其巢也. 客得上位, 所以先笑, 凶害必至, 故後號咷. 衆所同疾, 喪其稼穡之資, 理在不難, 故曰喪牛于易.
『주역정의』에서 말하였다: 상구는 새의 둥지 같이 가장 위에 있으니, 나그네로 가장 위에 처하여 새의 둥지가 불태워지듯이 반드시 기울어지거나 빼앗기게 되기 때문에 "새가 둥지를 불태우니"라고 하였다. 나그네가 윗자리를 얻어서 먼저는 웃지만 흉함과 피해가 반드시 이르므로 뒤에 울부짖는다. 무리들이 함께 미워하고 농사짓는 밑천을 잃어버림이 이치상 어려움에 있지 않으므로 "쉽게 하는 데에서 소를 잃으니"라고 하였다.

○ 合沙鄭氏曰, 上九得勢, 寄一身於炎炎之上, 不知有焚巢之禍. 九三趨炎而躁進, 不知有焚次之災.
합사정씨가 말하였다: 상구가 세력을 얻어 자신을 불타는 것에 맡긴 것은 둥지가 불타는 화를 알지 못하는 것이다. 구삼이 불타는 곳으로 성급하게 나아가는 것은 머무는 곳을 불태우는 재앙이 있을 줄 알지 못하는 것이다.

○ 厚齋馮氏曰, 六五約象兌爲口舌, 號笑之象. 焚其巢者, 上九也, 旅人, 六五也. 見上焚巢, 故先笑之, 與之同體, 故後號咷.
후재풍씨가 말하였다: 육오는 대략 호괘의 상인 태괘(☱)가 입과 혀가 되니, 부르고 웃는 상이다. "둥지를 불태우니"는 상구이고, 나그네는 육오이다. 상구가 둥지를 불태우므로 먼저 웃지만 그것과 몸을 함께 하므로 뒤에는 울부짖는다.

○ 平庵項氏曰, 旅離在上, 故後號, 同人離在下, 故先號. 離性炎, 故多怒也. 同人之五, 得二而後成兌, 故後笑, 旅之五, 先已成兌, 故先笑. 兌性說, 故多喜也.
평암항씨가 말하였다: 려괘(䷷)에는 리괘(☲)가 위에 있기 때문에 뒤에는 울부짖고, 동인괘(䷌)는 리괘가 아래에 있기 때문에 먼저는 울부짖는다. 리괘는 성질이 불타오르므로 화냄이

많다. 동인괘의 오효는 이효를 얻은 이후에 태괘(☱)를 이루기 때문에 뒤에는 웃고, 려괘의 오효는 먼저 이미 태괘를 이루었기 때문에 먼저는 웃는다. 태괘의 성질은 기뻐하는 것이므로 기쁨이 많다.

○ 梁山來氏曰, 離其爲木也科上槁, 巢之象也. 離爲鳥爲火, 中爻巽爲木爲風, 鳥居風木之上, 而遇火燃風烈 焚巢之象也. 旅人者, 九三也, 乃上九之正應也, 三爲人位, 得稱旅人. 離爲牛, 牛之象也, 與大壯喪羊于易同. 易, 卽場, 田畔也, 震爲大塗, 有此象.
양산래씨가 말하였다: 리괘(☲)는 나무가 속이 비어 위가 마름이 되니, 둥지의 상이다. 리괘는 새와 불이 되고, 가운데 효가 손괘(☴)로 나무와 바람이 되는데 새가 바람 부는 나무 위에 있으면서 불이 타고 바람이 세차게 부는 것을 만나니, 둥지를 불태우는 상이다. 나그네는 구삼으로 상구의 정응이고, 삼효가 사람의 자리이므로 나그네라고 부른다. 리괘가 소라서 소의 상이니, 대장괘(大壯卦䷡) 오효의 "양을 쉽게 잃지만"[72]과 같다. '평지[易]'는 마당이고 밭가인데 진괘(☳)가 큰 길이 되므로 이러한 상이 있다.

김상악(金相岳)『산천역설(山天易說)』

上九處離之終, 與三无應, 而三互巽體, 故有鳥焚其巢之象. 比五不交, 而五互兌坎, 又爲先笑後號咷之象. 以剛居極, 失其順德, 故喪牛于易而凶也.
상구는 리괘(☲)의 끝에 있고 삼효와 호응이 없으나 삼효의 호괘가 손괘(☴)의 몸체이므로 "새가 둥지를 불태우는" 상이 있다. 오효에 가까이 있지만 사귀지 않고, 오효의 호괘는 태괘(☱)와 감괘(☵)이어서 또한 "먼저는 웃고 뒤에는 울부짖는" 상이 된다. 굳센 양으로 끝에 있으면서 유순한 덕을 잃었기 때문에 쉽게 하는 데에서 소를 잃으니, 흉한 것이다.

○ 離爲科上槁, 巢之象. 離之鳥, 居巽木之上, 風火相遇, 故曰鳥焚其巢. 旅小過爭上一爻, 旅鳥焚巢, 故過鳥離之而凶也. 兌說坎憂, 遇巽進退, 先笑後號咷之象. 喜怒哀樂, 人情之所固有, 故家人之三言嗃嗃嘻嘻, 同人之五曰, 先號咷後笑, 故旅人之笑號, 與同人相似. 蓋先笑者, 驕於處高也, 後號咷者, 憂其失所也. 牛, 離象, 易, 忽易也. 上之過剛, 自失其順德于易, 故凶也, 又見大壯六五.
리괘(☲)는 나무에 속이 비어 위가 마름이 되니, 둥지의 상이다. 리괘의 새가 손괘(☴)의 나무 위에 살면서 바람과 불이 서로 만나므로 "새가 둥지를 불태우니"라고 하였다. 려괘(䷷)와 소과괘(䷽)는 상효 한 효를 다투는데, 려괘에서는 새가 둥지를 불태우므로 소과괘에서는

72)『周易 · 大壯卦』: 六五, 喪羊于易, 无悔.

새가 멀리 떠나는지라 흉하다.[73] 태괘(☱)의 기쁨과 감괘(☵)의 근심이 손괘(☴)를 만나 나아가고 물러남이 "먼저는 웃고 뒤에는 울부짖는" 상이다. 기쁨 · 노여움 · 슬픔 · 즐거움은 인정이 본래 가지고 있는 것으므로 가인괘(家人卦䷤)에서 원망하고 희희덕거림을 세 번 말하였고, 동인괘(同人卦䷌) 오효에서 "먼저는 울부짖고 뒤에는 웃으니"[74]라고 하였으므로 나그네가 웃고 울부짖음은 동인괘와 서로 비슷하다. "먼저는 웃고"는 높은데 있는 것을 교만하게 여기는 것이다. "뒤에는 울부짖는다"는 처소를 잃음을 걱정하는 것이다. '소'는 리괘(☲)의 상이고, '쉬움'은 소홀히 하는 것이다. 상효가 지나치게 굳세어서 쉽게 하는 데에서 스스로 유순한 덕을 잃어버리기 때문에 흉하니, 또한 대장괘(大壯卦䷡) 육오[75]에 보인다.

박제가(朴齊家) 『주역(周易)』

上九喪牛于易.
상구는 쉽게 하는 데에서 소를 잃으니.

易作疆埸之易.
'역(易)'은 경계[疆埸]의 '역(易)'이다.

案, 此爲失火之象. 喪牛者, 失火也. 埸者, 山之限也. 火不出於山之限, 所以爲山上有火. 蓋山火亦有風, 木磨戞而自生者, 大抵皆樵童故縱之致, 乃人火也, 故大象必言愼. 失火者始, 則茫然不覺, 故曰先笑, 終亦莫知歸咎, 故曰終莫之聞也. 旣紛若矣, 安用此占.
내가 살펴보았다: 이것은 실수로 불을 낸 상이다. "소를 잃음"은 실수로 불을 냈기 때문이다. '경계[埸]'는 산의 끝인 경계이다. 불은 산의 경계를 벗어날 수 없으므로 산 위에 불이 있게 된다. 산의 불은 또한 바람으로 나무가 서로 마찰해 저절로 나는 경우가 있으나, 대체로 모두 나무하는 아이들이 고의로 저지른 것들은 바로 사람이 불은 낸 것이기 때문에 「대상전」에서 반드시 삼감을 말하였다. 실수로 불은 낸 사람은 처음에는 아무 생각 없이 모르기 때문에 "먼저는 웃고"라고 하였고, 끝내 또한 잘못을 돌릴 곳을 알지 못하기 때문에 "끝내 들어 알지 못하는 것이다"고 하였다. 이미 어지러우니, 어찌 이 점을 쓰겠는가?

---

73) 『周易 · 小過卦』: 上六, 弗遇, 過之, 飛鳥離之, 凶, 是謂災眚.
74) 『周易 · 同人卦』: 九五, 同人, 先號咷而後笑, 大師克, 相遇.
75) 『周易 · 大壯卦』: 六五, 喪羊于易, 无悔.

서유신(徐有臣) 『역의의언(易義擬言)』

棲息之高, 莫高於鳥, 故以鳥焚其巢, 喩剛亢而失其居也. 焚巢之鳥, 旅宿木杪, 是旅鳥也, 故稱旅人, 明其爲旅也. 始以九三爲應, 故先笑也, 終以不相與, 故後號咷也. 喪牛者, 失其柔也, 何以失之, 以剛易之也. 上九剛亢, 不爲三之所與, 如離牛不順, 不爲艮手所執也.
깃들어 쉬는 곳이 높기로는 새보다 높은 것이 없기 때문에 새가 그 둥지를 불태우는 것을 굳센 양이 높아 그 거처를 잃는 데에 비유하였다. 둥지를 불태우는 새는 나무 끝에 머무는 나그네로 나그네 새이다. 그러므로 나그네라고 하였으니, 나그네임이 분명하다. 처음에는 구삼이 호응하므로 "먼저는 웃고," 끝내 서로 함께 하지 않으므로 "뒤에는 울부짖는다." "소를 잃음"은 그 부드러움을 잃은 것이다. 어떻게 잃었는가? 굳세어서 쉽게 여긴 때문이다. 상구는 지나치게 높지만 삼효와 함께 하지 못하니, 리괘(☲)의 소가 유순하지 않아 간괘(☶)의 손이 잡을 수 없는 것과 같다.

이지연(李止淵) 『주역차의(周易箚疑)』

四顧无親之地, 以高亢自處, 安得不失所乎. 无順德而狂易之人, 无以譽自終之理也.
사효는 돌아봐도 친한 곳이 없어 아주 높은 것으로 자처하니, 어찌 거처를 잃지 않겠는가? 유순한 덕이 없는 미치광이는 명예롭게 스스로 마치는 이치가 없다.

윤종섭(尹鍾燮) 『경(經)·역(易)』

旅之上, 以坎變, 故傳曰莫聞, 與噬嗑之聰不明同.
려괘의 상효는 감괘(☵)가 음양이 바뀐 것이므로 「소상전」에서 "들어 알지 못하는 것이다"라고 하였으니, 서합괘(噬嗑卦䷔)의 "귀가 밝지 못하기 때문이다"[76]와 같다.

김기례(金箕澧) 「역요선의강목(易要選義綱目)」

上九鳥焚其巢.
상구는 새가 둥지를 불태우니.
離火故曰焚, 離爲科上槁, 則有鵲巢之象.
리괘(☲)가 불이므로 "불태우니"라고 하였고, 리괘가 나무에 속이 비어 위가 마름이 되니,

---

76) 『周易·噬嗑卦』: 上九, 何校, 滅耳, 凶. 象曰, 何校滅耳, 聰不明也.

까치 둥지의 상이 있다.
○ 張莆陽曰, 離有飛鳥象, 卦有互兌, 故曰旅人, 先笑後號咷.
장포양이 말하였다: 리괘(☲)에 나는 새의 상이 있고, 괘에 호괘인 태괘(☱)가 있으므로 "나그네가 먼저는 웃고 뒤에는 울부짖는다"고 하였다.

喪牛于易凶.
쉽게 하는 데에서 소를 잃으니, 흉하다.
離爲牝牛, 言忽易而失順道也. 剛居旅極, 亢而失順, 自取其凶. 蓋自高而失巢, 因快而生憂, 不柔而夫順上, 非不凶. 六五承之, 故謂譽命, 易義多般.
리괘(☲)가 암소가 되니, 소홀히 하고 쉽게 하여 유순한 도를 잃었다는 말이다. 굳센 양이 려괘의 끝에 있어 너무 높아 유순함을 잃고 스스로 그 흉함을 취한다. 자신이 높은데도 둥지를 잃고, 유쾌함으로 말미암았는데도 근심이 생기며, 부드럽지 않으면서도 위를 따르니, 흉하지 않음이 없다. 육오가 받들기 때문에 "명성과 복록"이라고 하였으니, 역의 뜻이 대부분 비슷하다.

贊曰, 弱爲人助, 爲旅之道. 以柔以順, 不忮不求. 强必見政, 何不自恭. 无至於凶, 理有相逢.
찬미하여 말하였다: 약하여 남의 도움을 받는 것이 나그네의 도이지. 부드럽게 유순하게 하며 거스르지도 않고 책망하지도 않네. 억지로 굳이 정견을 드러내게 되면 어찌 스스로 공손하지 않겠는가? 흉함에 이르지 않으면 이치상 상봉함이 있으리라.

심대윤(沈大允) 『주역상의점법(周易象義占法)』

旅之小過䷽, 過而无形也. 旅之將歸而少滯也. 上九以剛實居旅之極, 旣得其所, 欲斯速歸矣. 乃復居柔以止, 而下從于五, 是其過爲卑恭, 屈下而淹滯, 以更有求望者也. 旅之義, 火在山上, 下就則爲焚爲喪, 故三上下從, 皆言焚言喪也. 上以离居高, 而在巽木之上, 有巢之象. 對巽爲鳥, 离爲巢, 鳥焚其巢, 言自毁其高, 而過爲卑巽, 以取侮也. 九三見人之侮, 而巽以去之也, 上九自爲卑巽, 而取侮也. 得其欲, 故曰先笑, 有焚喪, 故曰後號咷. 坎先离後, 离互兌爲笑, 兌爲號咷. 喪牛于易, 言失其順也. 离爲牛, 指五也. 震爲埸, 言喪五於四也. 旅者, 非安居也, 旣得其所欲, 則如速歸. 若又徘徊顧望而宿留, 則其屈辱卑鄙, 而取侮甚矣. 其爲主人之所厭苦極矣, 多得嘲笑詈罵, 而莫有令聞也. 上九之過, 小而未大, 然亦不免於凶, 況久留泥露者乎. 以其可歸而不卽歸, 有安旅之意, 故特言旅人以終成其名而賤之也. 九下從于五, 則爲乾, 乾爲人.

려괘가 소과괘(小過卦䷽)로 바뀌었으니, 지나치지만 아직 드러나지 않은 것이다. 나그네가 장차 돌아가려는데 조금 막힌 것이다. 상구는 굳센 양으로 실로 려괘의 끝에 있으면서 이미 그 처소를 얻어 빨리 돌아가려고 한다. 다시 부드러움에 있으면서 그쳐서 아래로 오효를 따르니, 지나치게 낮추고 공손하여 아랫사람에게 굽히어 오래 머물면서 다시 구하고 바라는 자이다. 려괘의 뜻은 불이 산 위에 있는 것인데, 아래로 나가면 불태우고 잃게 되기 때문에 삼효가 위아래로 따라오는 것은 모두 '불태우고' '잃으니'라고 하였다. 상효는 리괘(☲)의 끝에 있고, 손괘(☴)의 나무 위에 있어서 둥지의 상이 있다. 음양이 바뀐 손괘(☴)가 새가 되고, 리괘가 둥지가 되어 "새가 둥지를 불태우니," 스스로 자신의 높음을 훼손하여 지나치게 낮추고 공손하게 하여 업신여김을 취한다는 말이다. 구삼은 다른 사람의 업신여김을 당하여 공손히 떠나고, 상구는 스스로 낮추고 공손하게 하여 업신여김을 취한다. 하고자 함을 얻기 때문에 "먼저는 웃고"라고 하였고, 태워 없어짐이 있기 때문에 "뒤에는 울부짖는다"고 하였다. 감괘(☵)가 먼저이고 리괘(☲)가 뒤이며, 리괘의 호괘인 태괘(☱)가 웃음이고, 태괘(☱)는 울부짖음이다. "쉽게 하는 데에서 소를 잃으니"는 그 유순함을 잃음을 말한다. 리괘(☲)가 소이니, 오효를 가리킨다. 진괘(☳)은 경계이니 사효에게 오효를 잃음을 말한다. 나그네는 편안히 거처하지 못하니, 이미 자신이 하고자 함을 얻었으면 빨리 돌아가야 한다. 만약 또 배회하면서 돌아보길 원해 머물면 굽혀서 욕되고 낮추어 천하게 되어 업신여김을 취함이 심할 것이다. 주인이 싫어함이 매우 심하면 비웃음과 꾸지람만 많아지고 좋은 명성은 전혀 없게 될 것이다. 상구의 잘못이 적고 아직 크지는 않았지만 또한 흉함을 면할 수 없으니, 하물며 오래 머물러 은혜를 흐리는 자이겠는가? 돌아갈 수 있는데 즉시 돌아가지 않음은 나그네 생활을 편안하게 여기는 생각이 있으므로 다만 나그네는 끝내 그 이름을 이루지만 그것을 천하게 여긴다고 말하였다. 상구가 아래로 오효를 따르면 건괘(☰)가 되니, 건괘는 사람이 된다.

오치기(吳致箕) 「주역경전증해(周易經傳增解)」

上九以剛失正, 而亢高居極, 卽旅之過剛不順者也, 故旡棲身之所, 而有鳥焚其巢之象. 始以處高, 自得而快其意, 故悅笑, 及其後而變笑爲咷, 是乃過剛之災也. 剛而失柔, 亦有喪牛于易之象, 故言凶.

상구는 굳센 양으로 바름을 잃었고, 지나치게 높이 끝에 있으니, 나그네로서 지나치게 굳세어 유순하지 않은 자이므로 자신의 거처에 살 수 없어서 "새가 둥지를 불태우는" 상이 있다. 처음에는 높은 곳에 있어 스스로 얻어서 자신의 생각을 즐거워하기 때문에 기뻐서 웃지만 뒤에는 웃음이 바뀌어 울부짖음이 되니, 지나치게 굳센 양의 재앙이다. 굳세기만 하고 부드러움을 잃으니, 또한 "쉽게 하는 데에서 소를 잃는" 상이 있으므로 '흉하다'고 하였다.

○ 爻變則卦有飛鳥之象, 故言鳥, 離中虛而在巽木之上, 爲鳥巢之象. 焚取於離. 此言旅人者, 不云旅人, 則疑爲鳥之笑咷也. 笑與號咷, 取於互兌, 牛取於離, 易謂交易也, 位易而以剛居柔, 故言喪牛, 而謂失其柔順也.
효가 바뀌면 괘에 나는 새의 상이 있으므로 '새'라고 하였고, 리괘(☲)의 가운데가 비어 있고 손괘(☴)의 나무 위에 있으므로 새 둥지의 상이 된다. '불탐'은 리괘(☲)에서 취하였다. 여기에서 나그네[旅人]를 말한 것은 그것을 말하지 않는다면 아마 새울음 소리가 되기 때문이다. '웃음'과 '울부짖음'은 호괘인 태괘(☱)에서 취하였고, '소'는 리괘에서 취하였고, '역[易]'은 바꿈이니, 자리가 바뀌어 굳센 양이 부드러운 음에 있으므로 "소를 잃었다"고 하였으니, 그 유순함을 잃었다는 말이다.

이진상(李震相) 『역학관규(易學管窺)』

上九象.
상구의 상.
離爲鳥爲火, 而巽爲風爲木, 鳥居風木[77]之上, 而火來風烈, 延燒科上之槁也. 旅人指九三, 三爲人位, 且居互兌, 有先笑後咷之象.
리괘(☲)는 새와 불이 되고, 손괘(☴)는 바람과 나무가 되니, 새가 바람 부는 나무 위에 있는데, 불이 오고 바람이 거세어 속이 비고 위가 마른 나무를 불태우는 것이다. '나그네[旅人]'는 구삼은 가리키는데 삼효는 사람의 자리가 되고, 또 호괘인 태괘(☱)에 있어 먼저는 웃고 뒤에는 울부짖는 상이 있다.

喪牛于易.
쉽게 하는 데에서 소를 잃으니.
大壯喪羊于易, 本義引漢書疆易之易謂之亦通. 此言于易, 當一例看. 艮反爲震, 故取大塗之象, 亦坦易之地. 離爲牝牛, 故以喪牛言.
대장괘(大壯卦䷡) 오효의 "양을 쉽게 잃지만"[78]은 『본의』에서 한서(漢書)의 '경계[疆易]'의 '역[易]'을 인용하여 말했는데, 또한 통한다. 여기에서 말한 '우이(于易)'는 하나의 예로 보아야 한다. 간괘(☶)가 뒤집힌 괘가 진괘(☳)이므로 큰 길의 상을 취였으니, 또한 평탄하고 쉬운 땅이다. 리괘(☲)가 암소이므로 "소를 잃음"으로 말하였다.

---

77) 木: 경학자료집성DB에는 '水'로 되어 있으나, 경학자료집성 영인본을 참조하여 '木'으로 바로 잡았다.
78) 『周易 · 大壯卦』: 六五, 喪羊于易, 无悔.

박문호(朴文鎬) 「경설(經說)·주역(周易)」

本義之不順二字, 所以釋喪牛于易也. 然則諺釋當作喪牛之易, 易卽平順也, 更詳之.
『본의』의 '유순하지 못하니[不順]'라는 두 글자는 "쉽게 하는 데에서 소를 잃으니"를 해석한 것이다. 그렇다면 언해의 해석이 마땅히 "소를 잃는 쉬움"이 되어야 하니, 쉬움은 곧 평이하고 유순함이니, 더욱 상세하다.

이병헌(李炳憲) 『역경금문고통론(易經今文考通論)』

〈按, 易晁氏, 以爲與大壯同.
내가 살펴보았다: '이(易)'는 조씨가 대장괘에서와 같다고 생각하였다.〉

程傳曰, 處高故先笑, 失安故號咷.
『정전』에서 말하였다: 높은데 처하였으므로 먼저는 웃고, 편안함을 잃었으므로 울부짖는다.

按, 離爲牝, 牛喪于易, 上則凶何如也. 易, 與喪羊于易之易同.
내가 살펴보았다: 리괘(☲)는 암소로 쉽게 하는 데에서 소를 잃으니, 상효가 흉함을 어찌하겠는가? '쉽게[易]'는 대장괘(大壯卦☳☰) 오효의 "양을 쉽게 잃지만"[79]의 '쉽게[易]'와 같다.

---

79) 『周易·大壯卦』: 六五, 喪羊于易, 无悔.

象曰，以旅在上，其義焚也，喪牛于易，終莫之聞也.

「상전」에서 말하였다: 나그네로서 위에 있으니 의리상 불타는 것이고, "쉽게 하는 데서 소를 잃음"은 끝내 들어 알지 못하는 것이다.

中國大全

傳

以旅在上而以尊高自處，豈能保其居．其義當有焚巢之事．方以極剛自高，爲得志而笑，不知喪其順德於躁易，是終莫之聞，謂終不自聞知也．使自覺知，則不至於極而號咷矣．陽剛不中而處極，固有高亢躁動之象，而火復炎上，則又甚焉．

나그네가 위에 있으면서 존귀하고 높음으로 자처하니, 어찌 그 거처를 보존할 수 있겠는가? 의리상 마땅히 둥지를 불태우는 일이 있다. 바야흐로 지극히 굳세고 자신을 높이는 것으로 뜻을 얻은 것으로 여겨 웃지만, 조급하게 하고 쉽게 하는 데에서 순한 덕을 잃을 줄을 모르니, 이는 끝내 듣지 못하는 것으로 끝내 들어 알지 못한다는 말이다. 스스로 깨달아 알게 된다면 끝에 가서 울부짖는 데에까지는 이르지 않는다. 굳센 양으로 가운데 있지 못하고 끝에 있으니, 진실로 지나치게 높고 조급하게 움직이는 상이 있으며, 불이 더욱 타오르니 또한 심한 것이다.

小註

潘氏曰，羇旅之極，居高用剛，始意甚快，其如終何．焚巢喪牛，終凶而泣也．于易者，禍生於所忽而莫之察也.

반씨가 말하였다: 나그네로 떠도는 끝이 높은데 있고 굳셈을 쓰니, 처음엔 뜻이 매우 유쾌하지만 그 끝이 어떠하겠는가? 둥지를 불태우고 소를 잃어 끝내는 흉하여 운다. '쉽게 하는 데서'란 화가 소홀한 데서 생겨나는데 살피지 못하는 것이다.

○ 東谷鄭氏曰，以易而喪其順，是罔聞知也.

동곡정씨가 말하였다: 쉽게 하여 순한 덕을 상실하는 것은 들어서 앎이 없는 것이다.

○ 建安丘氏曰, 雜卦云, 親寡, 旅也, 人之窮者也, 故處旅之道, 以得中爲善. 卑則取辱, 高則召禍, 初處最下, 旅之卑者也, 故以瑣瑣而取災. 三在下之上, 上在上之上, 旅之高者也, 故三焚次喪僕, 上焚巢喪牛也. 四處上之下, 雖無太高太卑之失, 亦未得中, 故雖得資斧而心未快也. 惟二五得二體之中, 故二卽次懷資而得僕, 五亦終有譽命之榮也. 然二當位而五不當位, 故五不免射雉亡矢之患. 然則居旅道之善者, 其唯六二乎.
건안구씨가 말하였다: 「잡괘전」에서 "친한 사람이 적은 것이 나그네이다"고 하였으니, 사람이 궁핍한 것이므로 나그네에 처한 도는 알맞음을 얻는 것으로 선을 삼는다. 자신을 낮추면 욕됨을 얻고 높이면 화를 부르니, 초효가 가장 아래에 처함은 나그네가 자신을 낮추는 것이므로 자잘한 것으로 재앙을 얻는다. 삼효는 하괘의 맨 위에 있고 상효는 상괘의 맨 위에 있어 나그네가 자신을 높이는 것이므로 삼효에서는 머무는 곳을 불태우고 동복을 잃으며, 상효에서는 둥지를 불태우고 소를 잃는다. 사효는 상괘의 맨 아래에 있으니, 비록 너무 높거나 너무 낮은 실수는 없으나 또한 알맞음을 얻지 못하였으므로 비록 물자와 도끼를 얻었지만 마음이 유쾌하지 못하다. 이효와 오효만이 두 몸체의 가운데를 얻었기 때문에 이효는 머무는 곳에 나아가고 물자를 간직하여 동복을 얻으며, 오효도 끝내 명성과 복록의 영광이 있다. 그러나 이효는 자리에 합당하지만 오효는 자리에 합당하지 않으므로 오효는 꿩을 쏘아 화살을 잃는 근심을 면치 못한다. 그렇다면 나그네의 도에 잘 대처해 있는 자는 오직 이효뿐이다.

韓國大全

유정원(柳正源) 『역해참고(易解參攷)』

其義[至]聞也.
의리상 불타는 것이고, "쉽게 하는 데에서 소를 잃음"은 끝내 들어 알지 못하는 것이다.

正義, 終莫之聞也者, 衆所同嫉, 危而不扶, 至于喪牛于易, 終旡以一言告之, 使聞而悟也.
『주역정의』에서 말하였다: "끝내 들어 알지 못하는 것이다"는 무리들이 함께 미워하여 위태롭지만 도와주지 않아서 "쉽게 하는 데에서 소를 잃음"에 이르러 끝내 한 마디 말로써 고하여 들어서 깨닫게 하지 않는다.

김상악(金相岳) 『산천역설(山天易說)』

處旅之極, 用剛自高, 義當焚也. 喪牛而莫之聞之者, 義失畜牝, 故不免於凶也.
려괘의 끝에 처하여 굳셈을 쓰면서 자신을 높게 여기니, 의리상 불타야 한다. 소를 잃고도 끝내 들어 알지 못함은 의리상 기르는 암소를 잃었기 때문에 흉함을 면할 수 없는 것이다.

서유신(徐有臣) 『역의의언(易義擬言)』

處旅有道, 曰柔中也, 曰順剛也. 乃上九剛亢, 一反其道, 宜其爲焚巢之鳥也. 號呼而不應, 故曰莫之聞也. 巽塞坎耳, 聽若不聞也, 詩云叔兮伯兮, 褎如充耳.
나그네로 처함에는 도가 있으면 "부드럽고 알맞다"고 하고, "유순하고 굳세다"고 한다. 상구는 지나치게 높아 한 번 그 도에 어긋나면 당연히 둥지를 불태우는 새가 된다. 울부짖어도 호응하지 않으므로 "들어 알지 못하는 것이다"라고 하였다. 손괘(☴)가 감괘(☵)인 귀를 막아 들으려도 듣지 못하는 것과 같으니, 『시경』에서 "여러 신하들이여, 옷소매로 귀를 막는구나"[80]라고 한 것이다.

심대윤(沈大允) 『주역상의점법(周易象義占法)』

得而歸, 旅之順道也, 失其順道, 則莫之譽也, 聞, 名譽也. 莫, 猶言人无也, 非自无之辭也. 終者, 取乾, 對坤以上之卑屈, 而受人之譏, 故取乾而又取對也. 旅之時, 初旅而有求謀也, 二止而有得於資財也, 三不容而去也, 四見待而不見用也, 五見用而得其願也, 六將歸不歸而取侮也. 旅非君道, 故不取君位也, 旅非吉道也, 故不言吉.
얻어서 돌아옴이 나그네의 유순한 도이니, 그 유순한 도를 잃으면 명예롭지 못한 것이다. '들림[聞]'은 명성이다. '못함[莫]'은 다른 사람이 없다는 말과 같으니, 자신이 없다는 말은 아니다. '끝내[終]'는 건괘(☰)에서 취하였으니, 음양이 바뀐 괘인 곤괘(☷)가 위의 비굴함으로 인하여 다른 사람의 비난을 받으므로 건괘를 취하고 또한 음양이 바뀐 괘를 취하였다. 나그네의 때에 초효의 나그네는 도모함을 구하고, 이효는 멈추어서 물자와 재화를 얻음이 있고, 삼효는 용납되지 않아서 떠나고, 사효는 대우받으려고 하지만 등용되지 못하고, 오효는 등용되어 원하는 것을 얻고, 육효는 장차 돌아가던 돌아가지 않던 업신여김을 취한다. 나그네는 임금의 도가 아니므로 임금의 지위를 취하지 않았고, 나그네는 길한 도가 아니므로 길하다고 말하지 않았다.

---

80) 『詩經 · 邶風』: 瑣兮尾兮, 流離之子. 叔兮伯兮, 褎如充耳.

오치기(吳致箕) 「주역경전증해(周易經傳增解)」

旅窮而過高且剛, 故有焚巢喪牛之凶, 下无應, 故終不能聞其過也.
나그네가 끝에서는 지나치게 높고 또 굳세므로 둥지를 불태우고 소를 잃는 흉함이 있고, 아래로 호응이 없으므로 끝내 그 잘못을 들을 수 없다.

이병헌(李炳憲) 『역경금문고통론(易經今文考通論)』

虞曰, 離爲鳥爲火, 離火焚巢, 故其義焚也.
우번이 말하였다: 리괘(☲)는 새와 불이 되니, 리괘의 불이 둥지를 불태우므로 의리상 불타는 것이다.

馬曰, 義宜也.
마융이 말하였다: '의리상[義]'은 마땅함이다.

57

손괘

巽卦䷸

中國大全

傳

巽, 序卦, 旅而无所容, 故受之以巽, 巽者, 入也. 羈旅親寡, 非巽順, 何所取容. 苟能巽順, 雖旅困之中, 何往而不能入. 巽所以次旅也. 爲卦一陰, 在二陽之下, 巽順於陽, 所以爲巽也.

손괘(巽卦)는 「서괘전」에서 "나그네가 되어 받아들일 곳이 없기 때문에 손괘로 받았고 손(巽)이란 들어감이다"라고 하였다. 나그네가 되어 친한 사람이 적으니 공손하고 유순하지 않으면 어디에서 받아들여질 수 있겠는가? 진실로 공손하고 유순할 수 있다면 비록 곤궁한 나그네 일지라도 어디를 간들 들어갈 수 없겠는가? 손괘가 여괘(旅卦) 다음에 오는 까닭이다. 괘는 하나의 음이 두 양의 아래에 있어서 양에게 공손하고 유순하니, 이 때문에 손괘가 되었다.

韓國大全

송시열(宋時烈) 『역설(易說)』

小亨, 見象利攸往. 利見大人者, 中有難, 故曰見, 二五皆陽爻, 故曰大人, 與乾略同. 申命者, 竝爲風命令象. 申者, 疊意也, 大象亦然. 象小亨下, 當連看利有之文.

조금 형통한 것에 대해서는 「단전」의 "가는 것이 이롭다"에 나온다. "대인을 보는 것이 이롭다"라고 했는데 중간에 어려움이 있기 때문에 '본다'고 했고, 이효와 오효는 모두 양효이기 때문에 '대인'이라고 했으니 건괘(乾卦)와 대략적으로 동일하다. "명령을 거듭하다"고 했는데 모두 바람이 되어 명령을 내리는 상이다. 신(申)은 중첩된다는 의미로 「대상전」 또한 이러하다. 「단전」의 소형(小亨) 뒤에는 마땅히 리유(利有)로 시작되는 문장을 연결해서 보아야 한다.

이만부(李萬敷) 「역통(易統)·역대상편람(易大象便覽)·잡서변(雜書辨)」

一陰順陽之象.

하나의 음이 양에게 순종하는 상이다.

一陰伏於二陽之下, 巽而入. 其象爲風, 亦取入義, 所以爲巽. 巽, 順也.
하나의 음이 두 양 아래에 숨어 있으니 공손히 들어가는 것이다. 그 상은 바람이 되니 또한 들어간다는 뜻을 취하여 손괘가 된다. 손(巽)은 순종한다는 뜻이다.

김상악(金相岳) 『산천역설(山天易說)』

序卦, 旅而无所容, 故受之以巽.
「서괘전」에서 말하였다: 나그네가 되어 받아들여지는 곳이 없기 때문에 손괘로 받았다.

○ 巽, 入也. 一陰伏於二陽之下, 其性能巽以入也. 其象爲風, 亦取入義也.
손(巽)은 들어감이다. 하나의 음이 두 양의 아래에 숨어 있어서 그 성질은 공손하게 들어갈 수 있다. 그 상은 바람이 되니 또한 들어간다는 뜻을 취했다.

서유신(徐有臣) 『역의의언(易義擬言)』

巽彖曰, 申命,
손괘 「단전」에서 말하였다: 명령을 거듭하니,
重巽象.
중복된 손괘(巽卦☴)의 상이다.

初六曰, 進退,
초효에서 말하였다: 나아가고 물러나니,
巽爲進退.
손괘는 나아가고 물러남이 된다.

武人,
초효에서 말하였다: 무인의
六四互兌象.
육사의 호괘인 태괘의 상이다.

九二曰, 床下,
구이에서 말하였다: 상 아래에,
九五巽木, 有床象. 二在下也.
구오의 손괘인 나무에는 침상의 상이 있다. 이효는 아래에 있다.

史巫,
구이에서 말하였다: 사관과 무당을
互兌爲巫.
호괘인 태괘는 무당이 된다.

紛若,
구이에서 말하였다: 많이 하면,
鼓舞之象.
북치고 춤추는 상이다.

六四曰, 田獲三品.
육사에서 말하였다: 사냥을 하여 삼품(三品)의 짐승을 얻는다.
田獵, 武事, 兌象. 爻得巽離兌三象, 故曰獲三品.
사냥은 무력을 사용하는 일이니 태괘의 상이다. 효는 손괘·리괘·태괘의 세 상을 얻었기 때문에 "삼품의 짐승을 얻는다"고 했다.

九五曰, 先庚三日, 後庚三日,
구오에서 말하였다: 경(庚)으로 삼일을 먼저 하고 경(庚)으로 삼일을 뒤에 하면,
庚, 互兌, 秋日也. 先三夏, 其日丙丁也. 後三冬, 其日壬癸也.
경(庚)은 호괘인 태괘로 가을의 날을 뜻한다. 삼일을 먼저 함은 여름으로 그 날은 병일과 정일이다. 삼일을 뒤로 함은 겨울로 그 날은 임일과 계일이다.

上九曰, 床下,
상구에서 말하였다: 상 아래에,
卦外爲床外也.
괘 밖은 침상의 밖이 된다.

資斧,
상구에서 말하였다: 물자와 도끼를
巽兌爲斧柯象.
손괘와 태괘는 도끼 자루의 상이 된다.

하우현(河友賢) 『역의의(易疑義)』

卦利有攸往, 利見大人. 利有攸往, 傳汎言柔順之道, 無往不能入, 本義作以陰從陽. 利見大人, 傳言能巽順於陽剛中正之大人, 則爲利, 本義則以爲雖旣利有所往, 然又必知所從之義, 然後乃得其正, 故曰利見大人. 二說不同.
괘사에서는 "가는 것이 이로우며 대인을 보는 것이 이롭다"고 했다. "가는 것이 이롭다"에 대해 『정전』에서는 범범하게 유순한 도는 가는 곳마다 들어갈 수 없는 곳이 없다고 했고, 『본의』에서는 음이 양을 따르는 것이라고 했다. "대인을 보는 것이 이롭다"에 대해서 『정전』에서는 "굳센 양이면서 중정한 대인에게 공손하면서 따를 수 있으면 이롭다"고 했고, 『본의』에서는 비록 이미 가는 곳이 이롭다고 하더라도 또한 반드시 따라야 할 뜻을 안 뒤에야 바름을 얻기 때문에 "대인을 보는 것이 이롭다"고 했다. 두 주장이 이처럼 다르다.

심대윤(沈大允) 『주역상의점법(周易象義占法)』

巽, 風也水也. 風水之爲物, 柔而巽, 故爲恭巽之義, 爲文德, 爲感入, 爲命令, 爲方位, 爲等級, 爲改易, 爲須布, 爲周徧, 爲行事, 爲交互, 爲曲直, 爲威儀, 爲繁多, 爲華麗, 爲柔軟, 爲奔走, 爲驅馳, 爲通達, 爲財物, 爲繫纆, 爲仆伏, 爲市廛, 爲奴僕, 爲臣僚. 凡取諸象, 不止于是也. 一陰承二陽, 卑下恭遜, 以趨眠焉. 二陽在上, 爲不獨尊貴, 而擧賢同事之義. 二陽在下, 爲俯伏承命之象. 重巽者, 上巽以行令, 下巽以承命也, 先後天之義也. 子曰, 遜以出之, 夫上能遜以出之, 下必遜以入之. 苟以躁暴傲慢而命之, 安能有感入之效乎. 互卦爲睽, 睽, 異而同也. 巽, 上下同事也. 巽與順不同, 順坤德, 順而不洋也, 巽遜而不傲也, 先儒一之, 非矣.
손괘는 바람이며 물이다. 바람과 물이라는 사물은 유순하면서도 공손하기 때문에 공손의 뜻이 되고, 느껴서 들어감이 되며 명령이 되고 방위가 되며 등급이 되고 개역이 되며 펼침이 되고 두루함이 되며 일을 시행함이 되고 서로 사귐이 되며 곡직이 되고 위의가 되며 번다가 되고 화려함이 되며 유연함이 되며 도망감이 되고 빨리 달림이 되며 통달이 되고 재물이 되며 얽매임이 되고 숙임이 되며 시장이 되고 노비가 되며 신하가 된다. 상을 취한 것은 여기에 그치지 않는다. 하나의 음이 두 양을 받드니 낮추고 공손하게 처신하여 뒤따라가 엎드린다. 두 양이 위에 있으면 홀로 존귀하지 않고 현명한 자를 등용하여 일을 함께 하는 뜻이 된다. 두 양이 아래에 있으면 숙여서 명령을 받드는 상이 된다. 거듭된 손은 위의 손괘는 명령을 시행하고 아래의 손괘는 명령을 받드니 선천과 후천의 뜻이다. 공자는 "겸손함으로 그것을 낸다"[1]고 했으니, 위에 있는 것이 겸손하게 나온다면 아래에 있는 것은 반드시 겸손하게 들어간다. 만약 난폭하고 거만하게 명령을 내린다면 어찌 느껴서 들어가는 효과가 있을 수 있겠는가? 호괘는 규괘(睽卦)가 되는데 규괘는 다르면서도 같은 것이다. 반면 손괘는 상하가 일을 함께 한다. 공손함과 순종함은 다르니 순종함은 곤괘의 덕으로 순종하면서 넘치지 않는 것이고 손괘는 겸손하면서 거만하지 않은 것이므로, 선대 학자들이 동일하다고 한 말은 잘못되었다.

이정규(李正奎) 「독역기(讀易記)」

巽順, 雖是德之美者, 過中失當, 則凶吝隨之. 如初六進退, 利武人貞, 以陰柔居下賤地, 過於卑巽, 恐畏不安, 故利武剛也. 九三頻巽吝, 以剛居剛, 心不巽而勉爲巽, 故累失而累巽, 不成貌樣也. 上九以陽剛居崇高, 宜有體統, 而若患失於富貴權勢, 極其巽順以自保, 則必至阿諛苟容, 故曰巽在床下, 是以高就下也. 又曰, 喪斧凶, 是失其本分而取辱致灾也. 九二巽在床下, 用史巫紛若吉, 巽得中而有誠也. 六四悔亡田獲三品, 巽得正不失本分也. 九五无不利, 先庚三日, 後庚三日吉, 以剛健中正之德, 巽順出令, 事有變更, 先致丁寧之意, 後繼揆度之審故也.
공손과 순종은 비록 덕 중에서도 아름다운 것이지만 알맞음을 지나치고 마땅함을 잃게 된다면 흉함과 부끄러움이 뒤따른다. 예를 들어 초육은 "나아가고 물러나니 무인의 곧음이 이롭다"고 했는데 부드러운 음으로 낮고 천한 곳에 있어서 낮추고 공손하게 처신함을 지나치게 하니, 두려워하고 불안하기 때문에 무인의 굳셈을 이롭게 여긴다. 구삼은 "자주 겸손하니 부끄럽다"라고 했는데 굳센 양으로 양의 자리에 있어서 마음이 공손하지 않고 억지로 공손하게 처신하기 때문에 자주 잘못을 저지르고 자주 공손한 태도를 지어서 제대로 된 모양을 갖추지 못한다. 상구는 굳센 양으로 높은 자리에 있어서 마땅히 체통이 있어야 하지만 만약 부귀와 권세를 잃을까 염려하여 공손함과 순종함을 지극히 하여 스스로를 보호한다면 반드시 아첨하고 비굴하게 구는 지경에 이르게 되기 때문에 "겸손함이 상(牀) 아래에 있다"고 했으니 높은 자가 낮은 곳으로 나아간다.
또 말하였다: 도끼를 잃어버린 것은 흉하니, 이것은 본분을 잃고 치욕과 재앙을 불러들인 것이다. 구이는 "겸손함이 상(牀) 아래에 있으니, 사관(史官)과 무당을 쓰기를 많이 하면 길하다"라고 했는데 겸손함이 알맞음을 얻어 진실됨이 있는 것이다. 육사는 "후회가 없어지니, 사냥을 하여 삼품(三品)의 짐승을 얻는다"라고 했는데 겸손함이 바름을 얻어 본분을 잃지 않은 것이다. 구오는 "이롭지 않음이 없으니, 경(庚)으로 삼일을 먼저 하고 경(庚)으로 삼일을 뒤에 하면 길하리라"라고 했는데 굳세고 중정한 덕으로 겸손하게 명령을 내리고 일에 변화됨이 있더라도 먼저 간곡하게 하는 뜻을 다하고 이후에 자세히 헤아리기 때문이다.

---

1) 『論語 · 衛靈公』: 子曰, "君子義以爲質, 禮以行之, 孫以出之, 信以成之. 君子哉!"

이용구(李容九) 「역주해선(易註解選)」

巽平庵項氏曰, 小畜之懿文德, 蠱之振民育德, 觀之觀民設教, 姤之施入命誥四方, 漸之居賢德善俗, 鼎之正位疑命, 此巽多言文教風俗之事.

손괘에 대해 평암항씨가 말하였다: 소축괘(小畜卦)에서는 "문덕(文德)을 아름답게 한다"[2]고 하였으며, 고괘(蠱卦)에서는 "백성들을 구제하며 덕을 기른다"[3]라고 하였고, 관괘(觀卦)에서는 "백성을 관찰하여 가르침을 베푼다"[4]고 하였으며, 구괘(姤卦)에서는 "명령을 베풀어 사방에 알린다"[5]고 하였고, 점괘(漸卦)에서는 "현명한 덕에 머물러 풍속을 선하게 했다"[6]고 하였으며, 정괘(鼎卦)에서는 "자리를 바르게 하여 중후하게 명한다"[7]고 하였으며, 이곳 손괘에서는 대부분 문덕으로 풍속을 교화하는 일을 언급하였다.

---

2) 『周易 · 小畜卦』: 象曰, 風行天上, 小畜, 君子以, 懿文德.
3) 『周易 · 蠱卦』: 象曰, 山下有風, 蠱, 君子以, 振民, 育德.
4) 『周易 · 觀卦』: 象曰, 風行地上, 觀, 先王以, 省方觀民, 設教.
5) 『周易 · 姤卦』: 象曰, 天下有風, 姤, 后以, 施命誥四方.
6) 『周易 · 漸卦』: 象曰, 山上有木, 漸, 君子以, 居賢德, 善俗.
7) 『周易 · 鼎卦』: 象曰, 木上有火, 鼎, 君子以, 正位凝命.

巽, 小亨, 利有攸往, 利見大人.

손(巽)은 조금 형통하니, 가는 것이 이로우며 대인을 보는 것이 이롭다.

中國大全

傳

卦之才可以小亨, 利有攸往, 利見大人也. 巽與兌, 皆剛中正, 巽說義亦相類, 而兌則亨, 巽乃小亨者, 兌, 陽之爲也, 巽, 陰之爲也, 兌, 柔在外, 用柔也, 巽, 柔在內, 性柔也, 巽之亨, 所以小也.

괘의 재질이 조금 형통할 수 있으니, 가는 것이 이로우며 대인을 보는 것이 이롭게 된다. 손괘와 태괘(兌卦)는 모두 굳센 양이 중정하고, 공손하고 기뻐하는 뜻이 또한 서로 비슷하지만, 태괘는 형통하고 손괘는 조금 형통한 것은 태괘는 양이 하는 것이고 손괘는 음이 하는 것이며, 태괘는 부드러운 음이 밖에 있으므로 부드러움을 쓰는 것이고 손괘는 부드러운 음이 안에 있으므로 성질이 부드럽기 때문이니, 손괘의 형통함이 적은 까닭이다.

本義

巽, 入也. 一陰, 伏於二陽之下, 其性, 能巽以入也, 其象, 爲風, 亦取入義. 陰爲主, 故其占爲小亨, 以陰從陽, 故又利有所往. 然必知所從, 乃得其正, 故又曰利見大人也.

손괘(巽卦)는 들어감이다. 하나의 음이 두 양의 아래에 엎드려 있으니 그 성질이 공손하여서 들어가는 것이며, 그 상은 바람이 되니 또한 들어가는 뜻을 취한다. 음이 주인이 되기 때문에 그 점이 조금 형통하게 되고, 음으로 양을 따르기 때문에 또한 가는 것이 이롭다. 그러나 반드시 따르는 바를 알아야 바름을 얻기 때문에 또 "대인을 보는 것이 이롭다"고 하였다.

小註

朱子曰, 巽有入之義, 巽爲風, 如風之入物. 只爲巽, 便能入義理之中, 无細不入.
주자가 말하였다: 손괘(巽卦)에는 들어간다는 뜻이 있는 것은 손괘가 바람이 되기 때문이니, 바람이 사물에 들어감과 같다. 다만 공손하게 되어야 의리 가운데로 들어 갈 수 있고, 세세한 데에도 들어가지 않음이 없다.

○ 厚齋馮氏曰, 巽一陰在二陽下取義, 卑也, 順也, 伏也, 入也. 卑, 以其下於陽, 順, 以其承於陽, 伏, 以其藏於下, 入, 以其進於下. 其象爲風, 亦以其委曲而入於物, 无所不順也.
후재풍씨가 말하였다: 손괘는 하나의 음이 두 양의 아래에 있는 데에서 뜻을 취하였으니, 낮고 유순하며 엎드리고 들어오는 것이다. 낮다는 것은 양보다 아래에 있기 때문이며, 유순하다는 것은 양을 받들기 때문이며, 엎드린다는 것은 아래에 숨어 있기 때문이며, 들어온다는 것은 아래로 나아가기 때문이다. 그 상이 바람이 되니, 또한 구불구불 어떤 사물에 들어가 부드럽지 않는 바가 없다.

○ 中溪張氏曰, 小, 謂初四二陰也. 順則能亨, 故曰小亨, 而利有攸往者, 剛得中也. 大人者, 二五也. 利見之者, 則初四也.
중계장씨가 말하였다: '조금'이란 초효와 사효인 두 음을 말한다. 유순하면 형통할 수 있기 때문에 "조금 형통하다"고 하였으며, 가는 것이 이롭다란 굳센 양이 알맞음을 얻은 것이다. '대인'이란 이효와 오효이다. 그를 보는 것이 이로운 자란 초효와 사효이다.

○ 雲峯胡氏曰, 上經自乾坤後震坎艮三男, 皆用事, 至小畜履巽兌, 方用事. 小畜者, 小巽之一陰也. 下經震艮旣重之後, 至此方見巽兌之重, 巽之繇曰, 小亨, 亦小巽之一陰也. 一陰之萌, 聖人每抑之如此. 八卦之重, 上經乾先而坤次之, 坎先而離次之, 下經震艮先而巽兌次之, 皆崇陽也. 巽次旅, 旅曰小亨, 離之一陰也, 此小亨, 巽之一陰也. 利有攸往, 利見大人, 二陰上從二五之陽也. 從陽爲陰之利, 不從陽不利矣.
운봉호씨가 말하였다: 상경에서 건괘(乾卦)와 곤괘(坤卦)로부터 뒤에 나오는 진괘(震卦)와 감괘(坎卦)와 간괘(艮卦)인 세 아들은 모두 일할 바가 있고, 소축괘(小畜卦)와 리괘(履卦)와 손괘(巽卦)와 태괘(兌卦)에 이르러서 막 일할 바가 있게 된다. '소축'이라고 한 것은 소성괘인 손괘(巽卦☴)의 한 음 때문이다. 하경에서 진괘와 간괘가 이미 중첩한 뒤에 여기에 이르러 이제 손괘와 태괘의 중첩이 보이며, 손괘의 점사에서 "조금 형통하다"라고 하였으니, 또한 소성괘인 손괘의 한 음 때문이다. 한 음의 싹을 성인이 매번 억제함이 이와 같다. 팔괘의 중첩은 상경에서는 건괘를 먼저하고 곤괘를 다음에 두었으며 감괘를 먼저하고 리괘를

다음에 두었으며, 하경에서는 진괘와 간괘를 먼저하고 손괘와 태괘를 다음에 두었으니, 모두 양을 숭상한 것이다. 손괘를 려괘(旅卦) 다음에 두었고, 려괘에서 "조금 형통하다"고 한 것은 리괘(離卦)의 한 음 때문이고, 여기서 "조금 형통하다"고 한 것은 손괘의 한 음 때문이다. "가는 것이 이로우며 대인을 보는 것이 이롭다"란 두 음이 위로 이효와 오효인 양을 따르기 때문이다. 양을 좇으면 음의 이로움이 되고, 양을 좇지 않으면 이롭지 않다.

韓國大全

이현익(李顯益) 「주역설(周易說)」

雲峯胡氏謂利有攸往, 利見大人, 二陰上從二五之陽, 是本義之旨. 建安丘氏以二五言利有攸往, 初四言利見大人, 殊不知利有攸往者, 亦只是初四之往也.
운봉호씨는 "가는 것이 이로우며 대인을 보는 것이 이롭다"는 것은 두 음이 위로 이효와 오효의 양을 따른다고 했는데 이것은 『본의』의 뜻에 해당한다. 건안구씨는 이효와 오효로 "가는 것이 이롭다"는 것을 풀이했고, 초효와 사효로 "대인을 보는 것이 이롭다"라고 했는데, "가는 것이 이롭다"는 것 또한 초효와 사효의 감이 됨을 알지 못한 것이다.

雲峯胡氏以頻復爲復在失後, 頻巽爲失在巽後. 然頻復頻巽文義似, 無異同. 特復則無咎, 巽則吝者, 以復則爲陽剛, 而巽則爲陰柔故也. 〈朱子曰, 復是好事, 所以頻復爲無咎, 巽不是甚好底事.〉
운봉호씨는 "돌아오기를 자주 한다"[8]는 것은 회복함이 잃은 것 뒤에 있다고 여겼고, "자주 겸손하다"는 것은 잃은 것이 겸손함 뒤에 있다고 여겼다. 그러나 "돌아오기를 자주 한다"는 것과 "자주 겸손하다"는 것은 문장의 뜻이 유사하여 차이점이 없다. 다만 회복한다면 허물이 없고 겸손하다면 부끄러운 것은 회복하면 굳센 양이 되지만 겸손하면 부드러운 음이 되기 때문이다. 〈주자는 "돌아온다는 것은 좋은 일이니 자주 돌아옴은 허물이 없게 된다"고 했으니, 겸손함은 그다지 좋은 일은 아니다.〉

8) 『周易 · 復卦』: 六三, 頻復, 厲无咎.

이익(李瀷) 『역경질서(易經疾書)』

巽象有重巽申命之象, 如所謂三令五申也. 二之紛三之頻, 皆此意. 命令之當申, 莫如用武, 故初之武, 四之田, 六之斧, 皆帖用武說. 易擧正申命下脫命乃行也一句.
손괘의 「단전」에는 거듭된 손(巽)으로 명령을 거듭하는 상이 있으니 마치 "세 번 명령을 내리고 다섯 번 반복 한다"[9]와 같다. 이효의 많이 함과 삼효의 자주함도 모두 이러한 뜻이다. 명령을 내려서 거듭할 때에는 무력을 사용하는 것만한 것이 없기 때문에 초효의 무인, 사효의 사냥, 상효의 도끼에서는 모두 무력의 뜻으로 설명하였다. 『주역거정』에서는 신명(申命)이라는 글자 뒤에 명내행야(命乃行也)라는 한 구문이 누락되어 있다.

유정원(柳正源) 『역해참고(易解參攷)』

正義, 巽之爲義, 以卑順爲體, 以容入爲用, 故受巽名矣. 上下皆巽, 不爲違逆, 君唱臣和, 敎令乃行, 故於重巽之卦, 以明申命之理. 雖上下皆巽, 命令可行, 然全用卑巽, 則所通非大, 故曰小亨. 用巽, 皆无往不利, 然大人用巽, 其道愈隆, 故曰利見大人.
『주역정의』에서 말하였다: 손괘의 뜻은 낮추고 순종함을 본체로 삼고 수용하고 들어가는 것을 작용으로 삼기 때문에 받고 겸손한 것을 괘명으로 삼았다. 위아래가 모두 겸손하여 위배하지 않고 임금이 선창하면 신하가 화답하여 교화와 정령이 시행되기 때문에 거듭된 손괘에 대해서 명령을 거듭하는 뜻을 나타내었다. 비록 위아래가 모두 겸손하더라도 명령을 시행할 수 있지만, 전반적으로 낮추고 겸손함만 사용한다면 소통되는 것이 크지 않기 때문에 "조금 형통하다"고 했다. 겸손함을 사용하면 모든 경우 가서 이롭지 않은 것이 없지만 대인이 겸손함을 사용하면 그 도가 더욱 융성해지기 때문에 "대인을 보는 것이 이롭다"고 했다.

○ 厚齋馮氏曰, 此卦二陰在下, 則二當爲六成遯卦. 今六自二升四, 九乃自四降二, 則成巽而不爲遯, 所謂小者六也. 自下達上, 近君位, 亨也. 利有攸往, 亦言六自二往四, 則不爲遯也. 利見大人者, 是六居四, 親密九五, 而陰陽之情相得也. 初於二, 亦有利見大人象, 而專主一卦之本者, 當在六四一爻.
후재풍씨가 말하였다: 이 괘는 두 음이 아래에 있으니 두 효가 육(六)이 된다면 돈괘(遯卦)가 된다. 현재는 육(六)이 이효에서 사효로 올라갔고 구(九)는 사효에서 이효로 내려갔으니 손괘(巽卦)를 이루고 달아나지 않으므로 소(小)라고 하는 것은 육(六)을 가리킨다. 아래로부터 위로 통하여 임금의 자리와 가까우니 형통[亨]하다. "가는 것이 이롭다"도 육(六)이 이

9) 『사기 · 손자오기열전』.

효에서 사효로 가니 달아나지 않는다는 말이다. "대인을 보는 것이 이롭다"는 육(六)이 사효에 있어서 구오와 친밀하고 음양의 정을 서로 얻는다는 뜻이다. 초효가 이효에 대해서도 대인을 보는 것이 이로운 상이 있으나 한 괘를 전적으로 주관하는 근본은 마땅히 육사 한 효에 달려 있다.

○ 雙湖胡氏曰, 六往居四, 互離, 離爲目. 又近九五, 故有利見大人之象.
쌍호호씨가 말하였다: 육(六)이 가서 사효에 있으면 호괘가 리괘이니 리괘는 눈이 된다. 또 구오와 가깝기 때문에 대인을 보면 이로운 상이 있다.

김상악(金相岳) 『산천역설(山天易說)』

巽之爲卦, 二五之剛巽乎中正, 故小亨. 初四二柔, 皆順乎剛, 故利有攸往, 利見大人.
손괘는 이효와 오효의 굳센 양이 중정함에서 겸손하기 때문에 조금 형통하다. 초효와 사효의 두 부드러운 음은 모두 굳센 양에게 순종하기 때문에 가는 것이 이로우며 대인을 보는 것이 이롭다.

○ 陰在下而成巽, 故陽小亨. 陽在上而主巽, 故陰利往而利見. 蓋陰之在下者, 不能自主, 所以利往者, 掖而進之也, 利見者, 必知所從也. 大人, 謂五也. 初之利見, 亦在五, 不在二. 凡言利見者, 皆指五也, 故升下卦巽而五應乎二, 則曰用見大人.
음이 아래에 있어서 손괘를 이루기 때문에 양은 조금 형통하다. 양이 위에 있어서 손괘를 주관하기 때문에 음은 가는 것이 이롭고 보는 것이 이롭다. 음이 아래에 있는 것은 스스로 주관할 수 없으니 가는 것이 이로운 것은 부축해서 나아가는 것이며, 보는 것이 이로운 것은 반드시 따라야 할 대상을 아는 것이다. '대인(大人)'은 오효를 뜻한다. 초효의 보는 것이 이로움 또한 오효에 있고 이효에 있지 않다. 보는 것이 이롭다고 하는 것들은 모두 오효를 가리키기 때문에 승괘(升卦)의 하괘는 손괘가 되고 오효는 이효와 호응하니 "이것으로 대인을 본다"[10]고 했다.

서유신(徐有臣) 『역의의언(易義擬言)』

重巽, 少陰之卦, 故小亨也. 利有攸往, 二五也. 利見大人, 初四也.
거듭된 손괘는 소음의 괘이기 때문에 조금 형통하다. "가는 것이 이롭다"는 이효와 오효를 가리킨다. "대인을 보는 것이 이롭다"는 초효와 사효를 가리킨다.

---

10) 『周易 · 升卦』: 升, 元亨, 用見大人, 勿恤, 南征, 吉.

김기례(金箕澧) 「역요선의강목(易要選義綱目)」

巽,

손은,

旅道能巽, 何往不入. 一陰下二陽而巽順.

려괘(旅卦)의 도에서 겸손할 수 있다면 어디를 간들 들어가지 못하겠는가? 하나의 음이 두 양의 아래에 있어서 겸손하고 순종하는 것이다.

小亨,

조금 형통하니,

初四二陰在二體之內而順, 故小亨. 順則雖不大亨, 亦可小[11]亨.

초효와 사효의 두 음은 두 몸체의 안에 있고 순종하기 때문에 조금 형통하다. 순종한다면 비록 크게 형통하지 않더라도 조금 형통할 수 있다.

利有攸往,

가는 것이 이로우며,

指二五, 陽志上行.

이효와 오효를 가리키니, 양의 뜻은 위로 가려고 한다.

利見大人.

대인을 보는 것이 이롭다.

指初四, 利見二五而順.

초효와 사효를 가리키니, 이효와 오효를 보고서 순종하는 것이 이롭다.

심대윤(沈大允) 『주역상의점법(周易象義占法)』

巽之道, 在於恭遜卑下. 上以頒誥施令感通下情, 下以承命共職遵行上志, 上下交接而庶事治. 其道可大而无剛健嚴威果行執守之德, 不足以成其大而卑其功, 故曰小亨, 而不言利貞也. 上下之情志交通, 可以作爲, 故曰利有攸往. 上巽乎賢, 下巽乎德, 然後有利. 若上巽乎奸, 下巽乎暴, 則其害大矣, 故曰利見大人. 巽以坤之主爻入乾而成巽, 又坤之變巽而遇乾, 互本卦坎离爲見大人.

손괘의 도는 공손하게 자신을 낮추는데 있다. 윗사람이 정령을 반포하여 아랫사람의 정을

11) 小: 경학자료집성DB와 영인본에는 '山'으로 되어 있으나, 문맥을 살펴 '小'로 바로잡았다.

느끼고 소통하며, 아랫사람이 명령을 받들고 직무를 시행하여 윗사람의 뜻을 준수하니, 상하가 서로 접하여 여러 일들이 다스려진다. 그 도가 크다고 할 만하나 강건함과 엄격함으로 과감히 시행함과 굳게 지키는 덕이 없으니 큼을 이루기에 부족하지만 그 공을 낮추기 때문에 "조금 형통하다"고 했고 곧음이 이롭다고 하지 않았다. 상하의 정과 뜻이 서로 통하여 일을 시행할 수 있기 때문에 "가는 것이 이롭다"고 했다. 윗사람이 현명한 자에 대해서 겸손하고 아랫사람이 덕을 갖춘 자에 대해서 겸손하게 된 뒤에야 이로움이 있다. 만약 윗사람이 간악한 자에게 겸손하고 아랫사람이 포악한 자에게 겸손하다면, 그 해악이 매우 크기 때문에 "대인을 보는 것이 이롭다"라고 했다. 손괘는 곤괘의 주효로 건괘로 들어가 손괘를 이루고, 또 곤괘가 변화한 손괘는 건괘를 만나며, 본괘의 호괘인 감괘와 리괘는 대인을 봄이 된다.

오치기(吳致箕) 「주역경전증해(周易經傳增解)」

巽, 入也. 以風隨風觸處, 皆入爲巽之象. 虛柔伏於二剛之下, 亦爲巽順之象. 風行則吹噓萬物, 有命令之象, 而以其重巽, 故彖傳言申命. 而有命則必有事, 故亦以行事爲義也. 順乎剛而柔爲主, 故曰小亨. 巽順而能入, 故曰利有攸往. 剛得位於中正, 故曰利見大人.
손(巽)은 들어감이다. 바람으로 바람을 따르고 장소에 도달하는 것은 모두 들어가서 겸손하게 되는 상이다. 비어 있고 부드러운 음이 두 굳센 양 아래에 숨어 있으니 또한 겸손하고 순종하는 상이 된다. 바람이 불면 만물에게 숨을 내뿜으니 명령의 상이 있고, 거듭된 손이기 때문에 「단전」에서는 "명령을 거듭하다"고 했다. 명령이 있으면 반드시 해당하는 정사가 있기 때문에 또한 정사를 시행하는 것을 뜻으로 삼는다. 굳센 양에게 순종하고 부드러운 음이 주인이 되기 때문에 "조금 형통하다"고 했다. 겸손하고 순종하며 들어갈 수 있기 때문에 "가는 것이 이롭다"고 했다. 굳센 양이 중정한 곳에서 자리를 얻기 때문에 "대인을 보는 것이 이롭다"고 했다.

○ 下巽失位, 故不言貞.
아래의 손괘는 자리를 잃었기 때문에 곧음을 말하지 않았다.

이진상(李震相) 『역학관규(易學管窺)』

利見大人.
대인을 보는 것이 이롭다.

以卦體則互離爲目, 利見. 繼明之大人, 以爻象則六往居四, 又近九五之大人. 二未必便是大人, 本義中正志行, 獨指九五.
괘의 몸체로 본다면 호괘인 리괘가 눈이 되어 보는 것이 이롭다. 덕이 높은 대인은 효의 상으로 본다면 육(六)이 사효에 있고 또 구오의 대인과 가깝다. 이효는 반드시 대인일 필요가 없으니, 『본의』에서는 중정하고 뜻이 행해지는 것은 오직 오효만을 가리킨다고 했다.

彖曰, 重巽, 以申命,

「단전」에서 말하였다: 중복된 손(巽)으로 명령을 거듭하니,

中國大全

傳

重巽者, 上下皆巽也. 上順道以出命, 下奉命而順從, 上下皆順, 重巽之象也, 又重爲重複之義. 君子體重巽之義, 以申復其命令, 申, 重復也, 丁寧之謂也.

'중복된 손(巽)'이란 상체와 하체가 모두 손괘(巽卦☴)이라는 것이다. 위는 도를 따르면서[順] 명령을 내고 아래에서는 명령을 받들어 순종하여 위와 아래가 모두 유순하니 거듭 공손한 상이며, 또 '중(重)'은 중복의 뜻이 된다. 군자는 "중복된 손"의 뜻을 체득하여 명령을 거듭 반복하니, '신(申)'은 중복함으로 간곡히 당부한다는 말이다.

本義

釋卦義也. 巽順而入, 必究乎下, 命令之象, 重巽, 故爲申命也.

괘의 뜻을 풀이하였다. 공손하고 유순하여 들어가서 반드시 아래에까지 이르니 명령의 상이고, '중복된 손'이기 때문에 거듭 명령함이 된다.

小註

朱子曰, 巽卦是於重巽上取義. 重巽, 所以爲申命.

주자가 말하였다: 손괘(巽卦☴)는 '중복된 손'에서 뜻을 취하였다. '중복된 손'이 "명령을 거듭하는" 까닭이다.

○ 問, 重字之義. 曰, 只是重卦. 八卦之象, 皆是如此.
물었다: ‘중(重)’의 뜻은 무엇입니까?
답하였다: 단지 중복된 괘라는 뜻입니다. 팔괘의 상이 모두 이와 같습니다.

○ 問, 申字是兩番降命令否. 曰, 非也. 只是丁寧反覆說, 便是申命. 巽, 風也. 風之吹物, 无處不入, 无物不鼓鼓動. 詔令之入人, 淪肌浹髓, 亦如風之動物也.
물었다: ‘신(申)’자는 두 번 명령을 내리는 것입니까?
답하였다: 아닙니다. 단지 간곡하게 당부하여 반복해서 말하는 것이 “명령을 거듭 한다”는 것입니다. 손괘(巽卦☴)는 바람입니다. 바람이 사물에 부는 것은 처하는 곳마다 들어가지 않음이 없고 사물마다 흔들지 않음이 없습니다. 조령(詔令)이 사람들에게 들어감은 살 속과 뼛속에 스며드니, 또한 바람이 사물을 움직임과 같습니다.

○ 申字是丁寧反覆之意. 風无所不入, 如命令之丁寧告戒, 无所不至, 故象以之.
‘신(申)’자는 간곡하게 당부하여 반복한다는 뜻이다. 바람은 들어가지 않음이 없으니, 명령을 간곡하게 당부하고 훈계함이 이르지 않음이 없는 것과 같기 때문에 이것으로써 상징하였다.

○ 建安丘氏曰, 重巽, 上下皆巽也. 巽之德順而善入, 而於象爲風. 風者, 天之號令, 故有命令之象. 內巽者, 命之始, 外巽者, 申前之命也. 君子於命令重復而丁寧之, 則柔順而入人也. 易故曰, 重巽以申命.
건안구씨가 말하였다: ‘중복된 손(巽)’이니 위와 아래가 모두 공손하다. 손괘(巽卦☴)의 덕은 유순하면서 들어가기를 잘하므로 상에서 바람으로 삼았다. 바람이란 하늘의 호령(號令)이기 때문에 명령의 상이 있다. 내괘가 손괘(巽卦)인 것은 명령의 시작이며, 외괘가 손괘(巽卦)인 것은 이전의 명령을 거듭하는 것이다. 군자가 명령에 대하여 거듭 반복[重復]하고 간곡하게 당부한다면, 유순하면서 사람들에게 들어간다. 『주역』에서는 그러므로 “중복된 손(巽)으로 명령을 거듭 한다”고 하였다.

○ 蛟峯方氏曰, 人君之巽, 莫大於順人心以行事. 發號施令, 最不可以不順, 我以爲順, 人不以爲順, 未可也, 上順下, 下不順於上, 未可也. 必三令五申, 使人心具孚而後行之, 此人君重巽之事.
교봉방씨가 말하였다: 임금의 공손함은 사람의 마음을 따르면서 일을 행하는 것보다 큰 것이 없다. 명령을 내려 시행하는 것은 가장 따르지 않을 수가 없으므로, 내가 순종하게 되면서도 다른 사람은 순종하게 되지 않는 것은 안 되며, 위에서 아래에게 순종하면서도 아래가

위에게 순종하지 않는 것도 안 된다. 반드시 세 번 명령을 내리고 다섯 번 반복하여[12] 사람의 마음이 믿음을 갖추도록 한 후에 시행해야 하니, 이것이 임금이 중복된 손(巽)으로 하는 일이다.

‖韓國大全‖

권만(權萬) 「역설(易說)」

巽小亨, 上下二陰爲巽之主, 陰小者也, 故小亨. 解曰젹기者, 就成卦而言之, 非文王本義. 先天, 坤在北而交乾位於南, 是陰得陽而往於南, 故曰利有攸往. 以陰從二五二大人, 故曰利見大人.
"손(巽)은 조금 형통하다"는 위아래의 두 음은 손괘의 주인이 되는데 음은 작기 때문에 조금 형통한 것이다. 언해에서 '젹기'라고 한 말은 이루어진 괘에 대해 말한 것이니 문왕의 본래 뜻이 아니다. 「선천도」에서 곤괘는 북쪽에 있으며 건괘와 사귀며 남쪽에 자리하니, 이것은 음이 양을 얻어 남쪽으로 가는 것이기 때문에 "가는 것이 이롭다"고 했다. 음으로 이효와 오효의 두 대인을 따르기 때문에 "대인을 보는 것이 이롭다"고 했다.

○ 上下皆巽, 故曰重巽. 申命, 丁寧致意之謂也. 必下申字者, 先天巽居申地故也. 上卦旅於天, 天受亨, 而申命以報之也. 風爲天之號令, 上巽天命一申之象, 下巽其再申之象也. 易之本旨如此, 而聖人取巽之象, 作聖王申命之義爲言. 讀易者, 先以卦體作天地觀, 然後旁推作人事上事看, 則羲文之指可得矣.
위아래가 모두 손괘이기 때문에 '거듭된 손(巽)'이라고 했다. '명령을 거듭함'은 간곡하게 뜻을 전달한다는 의미이다. 굳이 신(申)자를 쓴 것은 「선천도」에서 손괘는 신(申)의 자리에 있기 때문이다. 상괘는 하늘에서 함께 하여 하늘이 형통함을 내려주었고, 명령을 거듭하여 보답을 한다. 바람은 하늘의 호령이 되니 위의 손괘는 천명이 한 차례 거듭되는 상이며, 아래의 손괘는 두 차례 거듭되는 상이다. 역의 본지가 이와 같고 성인이 손괘의 상을 취하여 성왕이 명령을 거듭하는 뜻으로 말을 했다. 역을 읽는 자가 우선 괘의 몸체를 통해 천지를

12) 『사기 · 손자오기열전』.

살펴본 뒤에 이것을 미루어 인사상에서 살펴본다면 복희와 문왕의 뜻을 터득할 수 있을 것이다.

유정원(柳正源) 『역해참고(易解參攷)』

王氏曰, 命乃行也. 未有不巽而命行也.
왕필이 말하였다: 명령을 하면 시행한다. 겸손하지 않은데도 명령이 시행되는 경우는 없다.

○ 正義, 上巽能接於下, 下巽能奉於上, 上下皆巽, 命乃得行, 故曰重巽以申命.
『주역정의』에서 말하였다: 위가 겸손하여 아래와 접할 수 있고 아래가 겸손하여 위를 받들 수 있으니 위아래가 모두 겸손하면 명령이 시행될 수 있기 때문에 "거듭된 손(巽)으로 명령을 거듭 한다"고 했다.

김상악(金相岳) 『산천역설(山天易說)』

釋卦名. 重巽者, 上下皆巽也. 巽順而入, 必究于下, 命令之象. 申命, 謂旣命而又申之也.
괘명을 풀이한 것이다. '거듭된 손(巽)'은 위아래가 모두 손괘이기 때문이다. 겸손하고 순종하며 들어가면 반드시 아래에서 다하게 되니 명령하는 상이다. "명령을 거듭 한다"는 이미 명령을 하고도 또 거듭 명령을 내리는 것이다.

김기례(金箕澧) 「역요선의강목(易要選義綱目)」

巽爲風. 風者, 天之號令, 猶命令. 巽爲入, 內外順德而入, 如命令之入人也.
손괘는 바람이 된다. 바람은 하늘의 호령이니 명령과 같다. 손괘는 들어감이 되고 내외가 덕에 순종하여 들어가니 명령이 사람들에게 들어가는 것과 같다.

剛, 巽乎中正而志行, 柔皆順乎剛. 是以小亨,

굳센 양이 중정한 데에서 공손하여 뜻이 행하여지고, 부드러운 음이 모두 굳센 양에게 따른다. 이 때문에 조금 형통하니,

中國大全

傳

以卦才言也. 陽剛居巽而得中正, 巽順於中正之道也, 陽性上, 其志在以中正之道上行也, 又上下之柔, 皆巽順於剛, 其才如是. 雖內柔, 可以小亨也.

괘의 재질로 말하였다. 굳센 양이 공손한 데에 있으면서 중정을 얻었으니 중정한 도에 공손하면서 따르는 것이며, 양의 성질이 위로 올라가니 그 뜻이 중정한 도로써 위로 가는 데에 있고, 또 위와 아래의 부드러운 음이 모두 굳센 양에게 공손하면서 따르니 그 재질이 이와 같다. 비록 안으로 유순하다고 하더라도 조금 형통할만하다.

小註

鄭氏剛中曰, 九二, 巽乎中者也, 重巽, 則兼五言之, 故曰巽乎中正而志行. 初六, 順乎剛者也, 重巽, 則兼四言之, 故曰柔皆順乎剛.
정강중이 말하였다: 구이는 내괘의 가운데에서 공손한 자인데, '중복된 손(巽)'이라면 오효를 겸하여 말하였기 때문에 "중정한 데에서 공손하여 뜻이 행하여진다"고 하였다. 초육은 굳센 양에게 따르는 자인데, '중복된 손(巽)'이라면 사효를 겸하여 말하였기 때문에 "부드러운 음이 모두 굳센 양에게 따른다"고 하였다.

○ 隆山李氏曰, 若剛不順乎中正, 則將褊隘而爲邪, 若柔不順乎陽剛, 則將柔媚而爲諂, 故柔順乎剛, 剛順乎中正者, 所以爲巽之體也. 若徒以一陰潛伏謂之爲巽, 而不究乎陰畫在二陽之下, 有順乎陽剛之象, 陽畫在二五之位, 有順乎中正之德, 則巽之所以致亨者, 不可得而見矣.

융산이씨가 말하였다: 만약 굳센 양이 중정한 데에서 유순하지 못하다면 장차 편벽되고 좁아져 사특하게 되며, 만약 부드러운 음이 굳센 양에게 따르지 못한다면 장차 온순해져 아첨하게 되기 때문에 부드러운 음이 굳센 양에게 따르고 굳센 양이 중정한 데에서 유순한 것은 손괘(巽卦☴)의 몸이 된다. 만약 단지 하나의 음이 엎드려 숨어 있는 것을 손괘가 된다고 하고, 음획이 두 양 아래에 있어서 부드러운 음이 굳센 양에게 따르는 상이 있고 양획이 이효와 오효의 자리에 있어서 중정한 데에서 유순한 덕이 있음을 헤아리지 않는다면, 손괘가 형통함에 이르는 것을 볼 수가 없다.

韓國大全

권만(權萬) 「역설(易說)」

卦得巽名, 以初六六四也, 而曰剛巽乎中正者, 可疑. 意者成卦爲巽, 則一卦中四陽皆帶得巽味, 故云歟. 以一卦論之, 則九二九五, 皆以巽順之道居中正之位, 雖謂之剛巽可也. 巽順則人皆說服, 故志行, 此指二五兩爻而言. 柔皆順乎剛, 指初四二爻而言.
괘가 손괘라는 명칭을 얻은 것은 초육과 육사 때문인데 "굳센 양이 중정한 데에서 겸손하다"고 한 말은 의문스럽다. 내 생각에 괘가 이루어져 손괘가 된다면 한 괘 안에 있는 네 양은 모두 손괘의 의미를 가지기 때문에 이처럼 말했을 것이다. 한 괘를 기준으로 논의한다면 구이와 구오는 모두 겸손함과 순종함의 도로 중정한 자리에 있으니 비록 굳센 양이 겸손하다고 해도 괜찮다. 겸손하고 공손하다면 사람들은 모두 기쁜 마음으로 복종하기 때문에 뜻이 행해지니 이것은 이효와 오효를 가리켜서 한 말이다. "유순한 음이 모두 굳센 양에게 따른다"는 초효와 사효를 가리켜서 한 말이다.

○ 他卦之二五不言巽乎中正, 而此卦上下皆巽也, 故曰巽中正. 以巽順之德而居中正之位, 人誰不悅服, 故申命則皆從而志得以行也. 巽則自然明快, 明快故能申命而志行. 巽之四爻, 介於二陽之間, 有离明之象.
다른 괘에서는 이효와 오효에서 중정한 데에서 겸손하다고 말하지 않았는데 이 괘는 위아래가 모두 손괘이기 때문에 "중정한 데에서 겸손하다"고 했다. 겸손하고 순종하는 덕으로 중정의 자리에 있으면 그 누가 기뻐하며 복종하지 않겠는가? 그러므로 명령을 거듭하면 모두 따르고 뜻은 행할 수 있다. 겸손하다면 자연히 명쾌해지고 명쾌하기 때문에 명령을 거듭하여 뜻이 행해질 수 있다. 손괘의 사효는 두 양 사이에 끼어 있으니 리괘의 밝은 상이 있다.

서유신(徐有臣) 『역의의언(易義擬言)』

重巽, 以申命, 剛, 巽乎中正而志行, 柔, 皆順乎剛.
거듭된 손(巽)으로 명령을 거듭하니, 굳센 양이 중정한 데에서 공손하여 뜻이 행하여지고, 부드러운 음이 모두 굳센 양에게 따른다.

重巽以申命, 如觀彖中正以觀天下. 卦像下巽命上巽命, 爲重巽以申命也, 此所以小亨也. 剛巽, 剛且巽也. 中正, 中且正也. 九五剛巽乎中正, 九二剛巽乎中, 相巽相入, 故志行也, 此所以利有攸往也. 初六順乎九二, 六四順乎九五, 此所以利見大人也.
"거듭된 손(巽)으로 명령을 거듭한다"는 관괘(觀卦) 「단전」에서 "중정(中正)으로 천하에 보여 준다"[13]고 한 말과 같다. 괘상은 하괘의 손괘가 명령을 내리고 상괘의 손괘가 명령을 내리니 거듭된 손으로 명령을 거듭함이 되며, 이것이 조금 형통한 이유이다. '강손(剛巽)'은 굳세고 또 겸손하다는 뜻이다. '중정(中正)'은 알맞고 또 바르다는 뜻이다. 구오는 알맞고 바름에서 굳세고 겸손하며 구이는 알맞음에서 굳세고 겸손하니, 서로 겸손하고 서로 들어가기 때문에 뜻이 행해지니, 이것이 가면 이로움이 있는 이유이다. 초육은 구이에 대해 순종하고 육사는 구오에 대해 순종하니, 이것이 대인을 보는 것이 이로운 이유이다.

김기례(金箕澧) 「역요선의강목(易要選義綱目)」

剛巽乎中正而志行,
중정한 데에서 굳세고 겸손하여 뜻이 행하여지고,
指二五剛中而能巽順. 陽性上行, 故志行, 卽卦利有攸往之意也.
이효와 오효가 굳세고 가운데 있으며 겸손하고 순종할 수 있는 것을 가리킨다. 양의 성질은 위로 가기 때문에 뜻이 행해지니 괘사에서 "가는 것이 이롭다"고 한 뜻이다.

柔皆順乎剛.
유순한 음이 모두 굳센 양에게 따른다.
指初四.
초효와 사효를 가리킨다.

---

13) 『周易·觀卦』: 彖曰, 大觀在上, 順而巽, 中正以觀天下.

是以小亨,
이 때문에 조금 형통하니,
釋卦辭.
괘사를 풀이한 말이다.

최세학(崔世鶴) 주역단전괘변설(周易彖傳卦變說)」

巽, 乾之二體變也. 初與四二爻爲主, 故彖以柔皆順剛言之. 坤初來居於下體之下, 坤四往居於上體之下, 柔不能自振, 故順乎二五中正之剛, 得助而行, 故小亨.
손괘는 건괘의 두 몸체가 변한 것이다. 초효와 사효가 주인이 되기 때문에 「단전」에서는 "부드러운 음이 모두 굳센 양에게 따른다"고 설명했다. 곤괘의 초효가 와서 하괘의 아래에 있고 곤괘의 사효가 가서 상괘의 아래에 있으니, 부드러운 음이 스스로 펼칠 수 없으니, 이효와 오효처럼 중정한 양효에게 순종하면 도움을 얻어 시행되기 때문에 조금 형통하다.

利有攸往, 利見大人.

가는 것이 이로우며, 대인을 보는 것이 이롭다.

中國大全

傳

巽順之道, 无往不能入, 故利有攸往. 巽順雖善道, 必知所從, 能巽順於陽剛中正之大人, 則爲利, 故利見大人也. 如五二之陽剛中正, 大人也, 巽順, 不於大人, 未必不爲過也.

공손하면서 따르는 도는 가는 곳마다 들어가지 못함이 없기 때문에 "가는 것이 이롭다." 공손하면서 따름은 비록 좋은 도이지만, 반드시 따라가야 할 바를 알아서 굳센 양이면서 중정한 대인에게 공손하면서 따를 수 있으면 이롭게 되기 때문에 "대인을 보는 것이 이롭다." 오효와 이효 같이 굳센 양이면서 중정한 자가 대인이니, 공손하면서 따르기를 대인에게 하지 않는다면, 반드시 허물이 되지 않는 것은 아니다.

本義

以卦體, 釋卦辭. 剛巽乎中正而志行, 指九五, 柔, 謂初四.

괘의 몸체로써 괘사를 풀이하였다. "굳센 양이 중정한 데에서 공손하여 뜻이 행하여진다"란 구오를 가리키고, '부드러운 음'이란 초효와 사효를 말한다.

小註

建安丘氏曰, 巽二五, 剛也. 巽雖主於柔, 而二五之剛得中, 故論成卦, 則以初四之柔爲主, 論六爻, 則以二五之剛爲重. 惟二五之剛, 能巽乎中正, 則剛不過而志得行矣. 故曰剛巽乎中正而志行, 此以二五兩爻, 釋利有攸往之義. 柔, 謂初四, 剛, 謂二五也. 皆順, 謂初順二, 四順五也. 柔者, 多不能自振, 故必順乎剛, 則柔得剛助而後可行. 故曰柔皆順乎剛, 此以初四兩爻, 釋利見大人之義.
건안구씨가 말하였다: 손괘(巽卦☴)의 이효와 오효는 굳센 양이다. 손괘(巽卦)가 비록 부드러운 음을 위주로 하지만 굳센 이효와 오효가 알맞음을 얻었기 때문에, 하나의 괘로 논하자면 초효와 사효의 부드러운 음을 위주로 하고, 여섯 효로 논하자면 굳센 양인 이효와 오효를 중요하게 여긴다. 오직 굳센 양인 이효와 오효는 중정한 데에서 공손할 수 있으니, 굳셈이 지나치지 않아 뜻이 행해질 수 있다. 그러므로 "굳센 양이 중정한 데에서 공손하여 뜻이 행하여진다"고 하였으니, 이것이 이효와 오효인 두 효를 가지고서 "가는 것이 이롭다"는 뜻을 풀이한 것이다. '부드러운 음'은 초효와 사효를 말하고, '굳센 양'은 이효와 오효를 말한다. "모두 따른다"란 초효가 이효에게 따르고 사효와 오효에게 따름을 말한다. 부드러운 음이란 대부분 스스로 떨쳐 일어날 수 없기 때문에 반드시 굳센 양에게 따라야 하니, 곧 부드러운 음은 굳센 양의 도움을 얻은 후에 행할 수 있다. 그러므로 "부드러운 음이 모두 굳센 양에게 따른다"고 하였으니, 이것은 초효와 사효인 두 효를 가지고서 "대인을 보는 것이 이롭다"는 뜻을 풀이한 것이다.

○ 隆山李氏曰, 利見大人者, 蓋指二五. 以陽剛之畫, 處中正之位, 而初四二陰出, 而順從之, 乃所以爲利也.
융산이씨가 말하였다: "대인을 보는 것이 이롭다"란 이효와 오효를 가리킨다. 굳센 양의 획이 중정한 자리에 있고 초효와 사효인 두 음이 나와 이들에게 순종하기 때문에 이에 이롭게 된다.

韓國大全

권만(權萬) 「역설(易說)」

以陰從陽, 女必從夫. 女之從夫, 必往而其衝者, 故曰利有攸往. 而必依陽而行, 不爲妄動, 故曰利見.
음이 양을 따르니 여자는 남편을 따라야만 한다. 여자가 남편을 따르면 반드시 가서 만나기 때문에 "가는 것이 이롭다"고 했다. 반드시 양에 의지하여 가고 망령스럽게 움직이지 않기 때문에 "보는 것이 이롭다"고 했다.

○ 大人, 指四也. 志行, 亦指四而言. 四爻當心, 心屬火, 又大臣位, 故曰志行也.
대인은 사효를 가리킨다. 뜻이 행해짐 또한 사효를 가리켜서 한 말이다. 사효는 심장에 해당하고 심장은 불에 속하며 또 대신의 자리이기 때문에 "뜻이 행하여진다"고 했다.

심조(沈潮) 「역상차론(易象箚論)」

九五中正, 而又適有互離, 故曰利見大人, 利有攸往, 兩股特立也. 且互離在上, 目足俱到之象也.
구오는 중정하고 또 마침 호괘인 리괘에 있기 때문에 "대인을 보는 것이 이롭고 가는 것이 이롭다"고 했으니, 두 다리로 우뚝 서 있는 것이다. 또 호괘인 리괘가 위에 있으니 눈과 다리가 모두 거꾸로 된 상이다.

유정원(柳正源) 『역해참고(易解參攷)』

案, 小亨, 利有攸往, 利見大人, 象辭也. 似不當分爲兩節, 觀是以二字可見.
내가 살펴보았다: "조금 형통하니, 가는 것이 이로우며 대인을 보는 것이 이롭다"는 괘사의 말이다. 두 구절로 구분해서는 안 될 것 같으니, 시이(是以)라는 두 글자를 살펴보면 이러한 사실을 알 수 있다.

김상악(金相岳) 『산천역설(山天易說)』

以卦體釋卦辭. 剛, 指二五. 柔, 謂初四也. 小亨, 利往利見, 皆柔之巽剛也.
괘의 몸체로 괘사를 풀이하였다. 굳센 양은 이효와 오효를 가리킨다. 부드러운 음은 초효와 사효를 뜻한다. "조금 형통하니, 가는 것이 이롭다"는 모두 부드러운 음이 굳센 양에게 겸손하게 하기 때문이다.

○ 剛中正志行, 與小畜相似, 而重巽以陰爲主, 故曰小亨. 小畜則以乾遇巽, 故曰乃亨. 然小畜之小, 亦巽之一陰也.
굳센 양이 중정하고 뜻이 행해지는 것은 소축괘(小畜卦䷈)와 유사한데 거듭된 손괘는 음을 위주로 하기 때문에 "조금 형통하다"고 했다. 반면 소축괘는 건괘가 손괘를 만났기 때문에 "이에 형통하다"고 했다. 그러므로 소축괘의 소(小)는 손괘의 한 음효를 가리킨다.

서유신(徐有臣) 『역의의언(易義擬言)』

是以小亨, 利有攸往, 利見大人.
이 때문에 조금 형통하니, 가는 것이 이로우며 대인을 보는 것이 이롭다.

彖辭雖各有所屬之爻象, 然亦互相爲用, 故揔而言之, 曰是以小亨, 利有攸往, 利見大人也.
「단전」은 비록 각각 해당하는 효의 상이 있지만 또한 상호 쓰임이 되기 때문에 총괄적으로 말하여 "이 때문에 조금 형통하니, 가는 것이 이로우며 대인을 보는 것이 이롭다"고 했다.

하우현(河友賢) 『역의의(易疑義)』

彖剛巽乎中正而志行, 諸家皆併以二五目之, 傳亦曰如二五之陽剛中正大人, 而惟本義獨言指九五. 蓋巽之二五, 皆陽剛, 然二則雖中而不正, 獨五爲中正, 故但指九五而言也. 夫剛巽乎中正而志行, 惟九五當之. 柔皆順乎剛, 初四皆是也, 故於柔下則著一皆字.
「단전」에서 "굳센 양이 중정한 데에서 겸손하여 뜻이 행하여진다"고 했는데 여러 학자들은 모두 이효와 오효를 대입시켰고 『정전』에서도 또한 이효와 오효의 굳센 양효와 같은 것이 중정한 대인이라고 했는데 오직 『본의』에서만 홀로 구오를 가리킨다고 했다. 손괘의 이효와 오효는 모두 굳센 양이지만 이효는 비록 가운데 있더라도 바르지 않고 오직 오효만 중정하기 때문에 단지 구오만 가리켜 말한 것이다. "굳센 양이 중정한 데에서 겸손하여 뜻이 행하여진다"는 것은 오직 구오만 해당한다. "부드러운 음이 모두 굳센 양에게 따른다"는 초효와 사효가 모두 이와 같기 때문에 유(柔)자 뒤에 개(皆)자를 붙인 것이다.

심대윤(沈大允) 『주역상의점법(周易象義占法)』

上反復申命, 以喩志於下, 下反復申請, 以承事于上. 上下交巽之中, 又有申重之義, 故特曰重巽. 剛, 五也. 中正, 二也. 剛巽乎中正而志行, 言上巽下而行其志. 凡言志行, 多非正應也. 柔皆順乎剛, 言下巽上而成其功也. 初四二陰在陽之下是也. 以坤主爻, 故曰順.
윗사람이 반복적으로 명령을 거듭하여 아랫사람에게 뜻을 깨닫게 하고, 아랫사람은 반복적으로 청을 거듭하여 윗사람을 받들어 섬긴다. 위아래가 서로 공손한 가운데 또한 거듭되는 뜻이 있기 때문에 '거듭된 손'이라고 특별히 말했다. 굳셈은 오효를 뜻한다. 중정은 이효를 뜻한다. "굳센 양이 중정한 데에서 겸손하여 뜻이 행하여진다"는 것은 윗사람이 아랫사람에게 겸손하여 뜻을 시행한다는 의미이다. 뜻이 시행된다고 말한 것들은 대부분 정응이 아니다. "유순한 음이 모두 굳센 양에게 따른다"는 아랫사람이 윗사람에게 겸손하여 공을 이룬다는 뜻이다. 초효와 사효의 두 음이 양 아래에 있는 것이 여기에 해당한다. 곤괘의 주된 효이기 때문에 "따른다"고 했다.

오치기(吳致箕) 「주역경전증해(周易經傳增解)」

此以卦體及象, 釋卦名義及卦辭也. 巽爲風, 而風者天之號令, 故以命令爲象, 而重巽, 故爲申命也. 上以陽剛之德, 能巽順於中正之道, 而申命其下, 以行其志. 爲下者, 能柔順, 而皆從上之剛, 是乃小者之亨也. 巽順之道, 无往不能入, 故利有往, 而柔能順從於陽剛中正之大人, 則爲利也. 餘見象解.
이것은 괘의 몸체와 상으로 괘의 이름 및 괘사를 풀이한 것이다. 손괘는 바람이고 바람은 하늘의 호령이기 때문에 명령을 상으로 삼았고, 손괘가 거듭되었기 때문에 명령을 거듭함이 된다. 윗사람은 굳센 양의 덕으로 중정의 도에 대해서 겸손하고 순종하여, 아랫사람에게 명령을 거듭하여 뜻을 시행할 수 있다. 아랫사람은 유순하여 모두 굳센 윗사람을 따르니, 이것은 작은 형통함이 된다. 겸손하고 순종하는 도는 어디에 간들 들어가지 못하는 곳이 없기 때문에 가는 것이 이롭고, 부드러운 음이 굳센 양이자 중정한 대인에 대해 순종할 수 있다면 이로움이 된다. 나머지 설명은 단사에 나온다.

이진상(李震相) 『역학관규(易學管窺)』

是以小亨.
이 때문에 조금 형통하니.

此下當連言利有攸往, 利見大人. 蓋志行, 故利有往, 順乎剛, 故見大人. 志行, 志之行也, 恐非謂志於上行. 不曰大亨而曰小亨者, 以陰爲小抑之也.
이 구문 뒤에는 마땅히 "가는 것이 이로우며 대인을 보는 것이 이롭다"고 한 말을 연결해야 한다. 뜻이 행해지기 때문에 가는 것이 이롭고 굳센 양을 따르기 때문에 대인을 본다. 지행(志行)은 뜻이 행해지는 것이니 아마도 위로 가는 데 뜻을 둔다는 뜻이 아니다. "크게 형통하다"고 말하지 않고 "조금 형통하다"고 한 것은 음이 조금 억누르기 때문이다.

박문호(朴文鎬) 「경설(經說) · 주역(周易)」

重巽申命, 此如他卦大象之例, 故至大象復取申命爲說, 而五爲卦主, 故又言先後庚,命令之說.
‘중손신명(重巽申命)’은 다른 괘의 「대상전」 용례와 같기 때문에, 「대상전」에서는 재차 ‘신명(申命)’이라는 의미를 취하여 설명했고, 오효는 괘의 주인이 되기 때문에 또한 선경(先庚)과 후경(後庚)이라고 했으니, 명령을 설명한 것이다.

巽順而入, 謂入於人心也.
“공손하고 유순하여 들어간다”는 인심으로 들어간다는 뜻이다.

中正, 程傳竝指五與二, 當以本義單指五者爲正.
중(中)과 정(正)에 대해 『정전』에서는 모두 오효와 이효를 가리킨다고 했는데, 마땅히 『본의』에서 단지 오효만을 가리킨다고 한 설명을 바른 주장으로 삼아야 한다.

이병헌(李炳憲) 『역경금문고통론(易經今文考通論)』

巽亦八純卦. 柔在初四之位, 而順乎剛, 故小亨.
손괘 또한 팔순괘이다. 부드러운 음이 초효와 사효의 자리에 있고 굳센 양에게 순종하기 때문에 조금 형통하다.

陸曰, 巽爲命令. 二得中, 五得正, 體兩巽, 故剛巽乎中正也. 據陰, 故志行也.
육적이 말하였다: 손괘는 명령이 된다. 이효는 가운데 자리를 얻었고 오효는 바름을 얻었는데 몸체는 두 개의 손괘이기 때문에 굳센 양이 중정한 데에서 공손하다. 음에 기준을 두었기 때문에 뜻이 행해진다.

象曰, 隨風, 巽, 君子以, 申命行事.

「상전」에서 말하였다: 따르는 바람이 손(巽)이니, 군자가 그것을 본받아 명령을 거듭 내려 정사를 행한다.

中國大全

傳

兩風相重, 隨風也, 隨, 相繼之義. 君子觀重巽相繼以順之象, 而以申命令, 行政事. 隨與重, 上下皆順也. 上順下而出之, 下順上而從之, 上下皆順, 重巽之義也. 命令政事順理, 則合民心而民順從矣.

두 바람이 서로 거듭함이 '따르는 바람'이니, '따른다[隨]'는 서로 잇는다는 뜻이다. 군자는 '거듭된 손(巽)'이 서로 이어서 따르는 상을 보고 명령을 거듭 내려 정사를 행한다. '따름'과 '거듭함'은 위와 아래가 모두 따르는 것이다. 위는 아래를 따라 나오고 아래는 위를 따라 좇으니, 위와 아래가 모두 따르므로 '거듭된 손(巽)'의 뜻이다. 명령과 정사가 이치에 따르면 민심이 합하고 백성들이 순종하게 된다.

本義

隨, 相繼之義.

'따른다[隨]'는 서로 잇는다는 뜻이다.

小註

或問, 巽順以入於物, 必極乎下, 有命令之象. 而風之爲物, 又能鼓舞萬類, 所以君子觀其象而申命令. 朱子曰, 風, 便也是會入物事.

어떤 이가 물었다: 공손하면서 따르므로 다른 사람에게 들어가 반드시 아래에 대하여 지극

히 하니, 명령의 상이 있습니다. 그런데 바람의 성질도 또한 온갖 종류를 고무시킬 수 있어서 군자가 그 상을 살펴보고 명령을 거듭 내리게 됩니까?
주자가 답하였다: 바람은 또한 사물에 들어갈 수 있습니다.

○ 李氏曰, 天下有風, 姤, 所以施命. 若風相隨而至, 則是申命不一之象. 古之出命者, 必反復申戒之然後, 其事可行於天下.
이씨가 말하였다: "하늘 아래에 바람이 있는 것이 구(姤)이니"[14] 명령을 베푸는 까닭이다. 만약 바람이 서로를 좇아서 이른다면, 거듭 명령을 내려 한 번이 아닌 상이다. 옛날에 명령을 내는 자가 반드시 반복하여 거듭 훈계한 후에 그 일이 천하에 행하여질 수 있었다.

○ 建安丘氏曰, 巽爲風, 而風者所以發揚天之號令, 風隨風而不逆, 此重巽之象也. 在上之君子, 體隨風之巽, 出而發號施令, 凡事必申復詳審, 一再命之然後, 見之行事, 則四方風動, 順而易入. 申命者, 所以致其戒於行事之先, 行事者, 所以踐其言於申命之後.
건안구씨가 말하였다: 손괘는 바람이 되니, 바람이란 하늘의 호령(號令)을 일으켜 떨치는 것이고, 바람이 바름을 따르면서 어긋나지 않으므로 이것이 '거듭된 손(巽)'의 상이다. 위에 있는 군자가 따르는 바람인 손(巽)이 나감을 체득하여 명령을 내려 시행하니, 모든 일에 반드시 상세히 살피기를 거듭 반복하여 한 번 재차 명령을 내린 후에 행사(行事)에 드러나므로, 사방으로 바람이 움직임과 같이 따르면서 쉽게 들어온다. '거듭 명령을 내림'이란 일을 행하기에 앞서 그 훈계하기를 지극히 하는 바이고, "정사를 행한다"란 거듭 명령을 내린 후에 그 말을 실천하는 바이다.

○ 雲峯胡氏曰, 命, 風象, 申命, 隨風象.
운봉호씨가 말하였다: '명령'은 바람의 상이고, '거듭 명령을 내림'은 '따르는 바람'의 상이다.

○ 平庵項氏曰, 巽主命令, 重巽, 故以申命行事. 凡卦之有巽者, 多言文教風俗之事, 小畜之懿文德, 蠱之振民育德, 觀之觀民設教, 姤之施命誥四方, 漸之居賢德善俗, 鼎之正位凝命, 皆此意也.
평암항씨가 말하였다: 손괘(巽卦)는 명령을 위주로 하고 '거듭된 손(巽)'이기 때문에 거듭 명령을 내림으로써 일을 행한다. 일반적으로 괘 중에서 손괘(巽卦☴)가 있는 괘에는 풍속을 문명화시키고 교화시키는 일을 말한 경우가 많으니, 소축괘(小畜卦)에서는 "문덕(文德)을 아름답게 한다"[15]고 하였으며, 고괘(蠱卦)에서는 "백성들을 구제하며 덕을 기른다"[16]라고

---

14)『周易·姤卦』: 象曰, 天下有風, 姤, 后以, 施命誥四方.

하였고, 관괘(觀卦)에서는 "백성을 관찰하여 가르침을 베푼다"[17]고 하였으며, 구괘(姤卦)에서는 "명령을 베풀어 사방에 알린다"[18]고 하였고, 점괘(漸卦)에서는 "현명한 덕에 머물러 풍속을 선하게 했다"[19]고 하였으며, 정괘(鼎卦)에서는 "자리를 바르게 하여 중후하게 명한다"[20]고 한 것이 모두 이러한 뜻이다.

韓國大全

심조(沈潮) 「역상차론(易象箚論)」

象, 申命,

「대상전」에서 말하였다: 명령을 거듭 내려,

申命, 非但巽象, 亦互兌象.

명령을 거듭 내리는 것은 단지 손괘의 상일뿐만 아니라 또한 호괘인 태괘의 상도 된다.

유정원(柳正源) 『역해참고(易解參攷)』

楊氏曰, 申命, 須用事, 命申而事不行, 與州縣文之徒掛牆壁, 何以異哉.

양씨가 말하였다: 명령을 거듭하면 일을 시행해야만 하니, 명령만 거듭하고 일을 시행하지 않는다면 주와 현의 관리들이 담벼락에 게시를 해두는 것과 무슨 차이가 있겠는가?

○ 節齋蔡氏曰, 申命, 重巽象. 行事, 風象.

절재채씨가 말하였다: '명령을 거듭함'은 거듭된 손의 상이다. '정사를 행함'은 바람의 상이다.

---

15) 『周易 · 小畜卦』: 象曰, 風行天上, 小畜, 君子以, 懿文德.
16) 『周易 · 蠱卦』: 象曰, 山下有風, 蠱, 君子以, 振民, 育德.
17) 『周易 · 觀卦』: 象曰, 風行地上, 觀, 先王以, 省方觀民, 設教.
18) 『周易 · 姤卦』: 象曰, 天下有風, 姤, 后以, 施命誥四方.
19) 『周易 · 漸卦』: 象曰, 山上有木, 漸, 君子以, 居賢德, 善俗.
20) 『周易 · 鼎卦』: 象曰, 木上有火, 鼎, 君子以, 正位凝命.

○ 梁山來氏曰, 申命者, 所以曉喩于行事之先, 行事者, 所以踐言于申命之後. 商之盤庚, 周之洛誥, 諄諄于言語之間者, 欲民曉知君上之心事, 所以申命行事也.
양산래씨가 말하였다: '명령을 거듭함'은 정사를 행하기에 앞서 타이르는 것이고 '정사를 행함'은 명령을 거듭한 이후에 말을 실천하는 것이다. 은나라의 「반경」과 주나라의 「낙고」가 말을 통해 간곡히 전해진 것은 백성들로 하여금 임금의 마음과 정사를 알게끔 하려고 했던 것이니 명령을 거듭 내려 정사를 행한 것이다.

김상악(金相岳) 『산천역설(山天易說)』

隨, 相繼之義也. 命, 巽象. 上下重巽, 故曰申命行事.
수(隨)는 서로 잇는다는 뜻이다. 명령은 손괘의 상이다. 위아래가 모두 손괘이기 때문에 "명령을 거듭 내려 정사를 행한다"고 했다.

서유신(徐有臣) 『역의의언(易義擬言)』

相隨則見其重再也. 申, 亦重再也. 旣申命, 又行事. 命令政事, 必相隨也. 命, 巽象. 竊疑事亦巽象. 蠱有巽體, 而蠱爲事也.
서로 따른다면 거듭됨을 볼 수 있다. 신(申) 또한 거듭한다는 뜻이다. 이미 명령을 거듭했는데 또 정사를 행한다. 명령과 정사는 반드시 서로 따르게 된다. 명령은 손괘의 상이다. 내 생각에 아마도 정사 또한 손괘의 상일 것이다. 고괘(蠱卦䷑)에는 손괘의 몸체가 있고 고괘는 정사가 되기 때문이다.

윤행임(尹行恁) 『신호수필(薪湖隨筆) · 역(易)』

風者, 自上而下, 無遠不居, 故草尙之風, 風動四方, 皆以德化取譬. 隨風巽, 則風之專者, 故以申命行事取象焉. 詩之大序曰, 上以風化下, 下以風刺上, 曰風. 王荊公以爲有巽入之道, 故曰風. 爲人上者, 觀隨風之象, 其可自忽於發號施令之際. 書有官刑, 三風居先.
바람은 위에서 아래로 부니 먼 곳이라도 머물지 않는 곳이 없기 때문에 '풀 위로 부는 바람'과 '바람이 사방으로 불어가는 것'은 모두 덕에 따른 교화로 비유한다. 바람을 따라 손(巽)한 것은 바람이 마음대로 하는 것이기 때문에 "명령을 거듭 내려 정사를 행 한다"로 상을 취했다. 『시경 · 대서』에서는 "위는 바람으로 아래를 교화하고 아래는 바람으로 위를 비판하는 것을 바람이라고 한다"[21]고 했다. 왕안석은 겸손히 들어가는 도가 있기 때문에 바람이라고 했다고 여겼다. 위정자는 바람을 따르는 상을 살펴보아야 하니, 명령을 내릴 때 스스로 소홀

히 할 수 있겠는가? 그래서 『서경』에는 관부의 형벌에 기록되어 있고 삼풍이 앞에 있는 것이다.[22]

강엄(康儼) 『주역(周易)』

按, 姤之施命鼎之凝命, 皆以有單巽也. 此曰申命, 以有重[23]巽也.

내가 살펴보았다: 구괘(姤卦)의 "명령을 베풀다"[24]와 정괘(鼎卦)의 "중후하게 명한다"[25]는 모두 하나의 손괘만 가지고 있기 때문이다. 이곳에서 "명령을 거듭한다"고 한 이유는 거듭된 손괘를 가지고 있기 때문이다.

이지연(李止淵) 『주역차의(周易箚疑)』

以風隨風, 如出命, 而又三令五申之意也.

바람으로 바람을 따르니 명령을 내리는 것과 같고, 또 세 번 명령을 내리고 다섯 번 반복하는 뜻이다.[26]

김기례(金箕澧) 「역요선의강목(易要選義綱目)」

君子以, 申命行事.

군자가 그것을 본받아 명령을 거듭 내려 정사를 행한다.

凡卦有巽處, 多取文教風俗之施行.

손괘가 포함된 괘에서는 대부분 문덕의 교화와 풍속을 바로잡는 시행에서 의미를 취한다.

○ 重巽, 故曰申.

거듭된 손이기 때문에 '거듭'이라고 했다.

---

21) 『詩經 · 大序』: 上以風化下, 下以風刺上, 主文而譎諫, 言之者無罪, 聞之者足以戒.

22) 『書經 · 伊訓』: 制官刑, 儆于有位. 曰, 敢有恒舞于宮, 酣歌于室, 時謂巫風. 敢有殉于貨色, 恒于遊畋, 時謂淫風. 敢有侮聖言, 逆忠直, 遠耆德, 比頑童, 時謂亂風. 惟玆三風十愆. 卿士有一于身, 家必喪. 邦君有一于身, 國必亡. 臣下不匡, 其刑墨, 具訓于蒙士.

23) 重: 경학자료집서DB와 영인본에는 '□'로 되어 있으나, 문맥을 살펴 '重'으로 바로잡았다.

24) 『周易 · 姤卦』: 象曰, 天下有風, 姤, 后以, 施命誥四方.

25) 『周易 · 鼎卦』: 象曰, 木上有火, 鼎, 君子以, 正位凝命.

26) 『사기 · 손자오기열전』.

심대윤(沈大允) 『주역상의점법(周易象義占法)』

隨風者, 陣陣隨行而同其隧也. 申命行事, 君令而臣恭也.
'따르는 바람'은 간간이 따라 가서 길을 함께 한다는 뜻이다. "명령을 거듭 내려 정사를 행한다"는 임금이 명령을 내리고 신하가 공손히 따른다는 뜻이다.

오치기(吳致箕) 「주역경전증해(周易經傳增解)」

兩風相繼爲隨風, 而君子觀其象, 以申命令行政事. 上順下而出之, 下順上而從之, 上下皆順, 亦爲重巽之義也. 風有發散皷噓之象, 故爲命令, 而相重以繼, 故言申也.
두 바람이 서로 이어지는 것이 수풍(隨風)이 되고 군자는 그 상을 관찰하여 명령을 거듭하여 정사를 시행한다. 윗사람은 아랫사람의 뜻을 따라서 명령을 내리고 아랫사람은 윗사람의 뜻을 따라서 그에 따르니 상하가 모두 따르게 되며, 이 또한 거듭된 손의 뜻이 된다. 바람에는 발산하고 불어내는 상이 있기 때문에 명령이 되고 서로 중첩되어 있기 때문에 '거듭[申]'이라고 말했다.

이진상(李震相) 『역학관규(易學管窺)』

巽次乾, 乾之命, 天命也, 巽之命, 君命也. 申[27]命, 重巽象. 行事, 風象.
손괘는 건괘 다음이니 건괘의 명령은 천명이고 손괘의 명령은 임금의 명령이다. "명령을 거듭 내리다"는 거듭된 손괘의 상이다. "정사를 행 한다"는 바람의 상이다.

이병헌(李炳憲) 『역경금문고통론(易經今文考通論)』

荀曰, 兩巽相隨, 故申命也. 令貴必行, 故曰行事也.
순상이 말하였다: 두 손괘가 서로 따르기 때문에 "명령을 거듭 내린다"고 했다. 명령이 존귀하여 반드시 시행되므로 "정사를 행 한다"고 했다.

---

27) 申: 경학자료집성DB에는 '中'으로 되어 있으나, 경학자료집성 영인본을 참조하여 '申'으로 바로잡았다.

初六, 進退, 利武人之貞.

초육은 나아가고 물러나니, 무인(武人)의 곧음이 이롭다.

中國大全

傳

六, 以陰柔, 居卑巽而不中, 處最下而承剛, 過於卑巽者也. 陰柔之人, 卑巽太過, 則志意恐畏而不安, 或進或退, 不知所從. 其所利在武人之貞, 若能用武人剛貞之志, 則爲宜也, 勉爲剛貞, 則无過卑恐畏之失矣.

육(六)이 부드러운 음으로 낮고 겸손한 데에 있으면서 알맞지 않으며, 가장 낮은 곳에 있으면서 굳센 양을 받드니, 지나치게 낮고 겸손한 자이다. 부드러운 음의 사람이 낮추고 겸손하기가 너무 지나치면 마음이 두려워 편하지 못하여 혹 나아가기도 하고 혹 물러나기도 하여 따라야 할 바를 알지 못한다. 이로운 바는 무인(武人)의 곧음에 있으니, 만약 무인의 굳세고 곧은 뜻을 쓸 수 있다면 마땅하게 되므로, 굳세고 곧게 되기를 힘쓴다면 지나치게 낮추고 두려워하는 잘못이 없게 된다.

本義

初以陰居下, 爲巽之主, 卑巽之過, 故爲進退不果之象. 若以武人之貞, 處之, 則有以濟其所不及而得所宜矣.

초효가 음으로 아래에 있으면서 손괘의 주인이 되니 낮추고 겸손함이 지나치기 때문에 나아가고 물러나기를 과감하게 하지 못하는 상이 된다. 만약 무인(武人)의 곧음으로써 처한다면 미치지 못한 바를 구제하여 마땅한 바를 얻게 된다.

小註

節齋蔡氏曰, 進退, 巽柔不決也. 利武人之貞, 斷決也. 位剛, 故有此象.

절재채씨가 말하였다: '나아가고 물러남'은 겸손하고 유순하여 결단하지 못하는 것이다. "무인(武人)의 곧음이 이롭다"란 결단하는 것이다. 자리가 굳센 양이기 때문에 이러한 상이 있다.

○ 雲峯胡氏曰, 巽爲進退, 爲不果. 初處重巽之下, 性柔, 進退不能決, 唯臨事如武人之貞, 斯无進退之疑矣. 此與履六三, 皆以陰居陽, 故皆稱武人. 此以陰居下卦之下, 武人之貞, 勉之之辭也, 履之三, 以陰居下卦之上, 武人爲于大君, 危之之辭也. 故小象於此曰志治, 於彼曰志剛.
운봉호씨가 말하였다: 손괘(巽卦)는 나아가고 물러남이 되며 과감하게 하지 못함이 된다. 초효는 거듭된 손괘(巽卦☴)의 아래에 있어서 성질이 유순하여 나아가고 물러남을 결단하지 못하니, 오직 무인(武人)의 곧음과 같이 일에 임하여야 나아가고 물러남에 대한 의심이 없게 된다. 이것은 리괘(履卦)의 육삼과 더불어 모두 음이 양의 자리에 있기 때문에 모두 무인을 말하였다. 여기서는 음으로 하괘의 맨 아래에 있어서 "무인의 곧음"이라고 하였으니, 힘쓰라는 말이고, 리괘(履卦)의 육삼에서는 음으로 하괘의 맨 위에 있어서 "무인이 대군(大君)이 되었다"[28]고 하였으니, 위태롭게 여긴 말이다. 그러므로 「소상」에서 여기에서는 "뜻이 다스려졌기 때문이다"고 하였고, 저기 리괘(履卦)의 육삼에서는 "뜻이 강하기 때문이다"[29]라고 하였다.

韓國大全

송시열(宋時烈) 『역설(易說)』

初以陰柔居巽順之下, 巽爲進退不果, 象以巽風進退不能自主. 當如剛武之人, 貞正固守, 然後利矣, 如履之六三武人也. 此戒勸之辭, 必若指的, 則二五爲武人. 小象志疑者, 不能主張, 或致疑慮也. 志治, 亦不能自治, 但有願治之心而依附於陽爻之象也. 初與四爻間有坎象, 故云疑也.
초효는 부드러운 음으로 겸손하고 순종하는 몸체의 아래에 있고, 손괘는 나아가고 물러남에

---

28) 『周易·履卦』: 六三, 眇能視, 跛能履. 履虎尾, 咥人, 凶, 武人, 爲于大君.
29) 『周易·履卦』: 六三, 象曰, 眇能視, 不足以有明也, 跛能履, 不足以與行也, 咥人之凶, 位不當也, 武人爲于大君, 志剛也.

과감하지 않으니 손괘의 바람이 나아가고 물러남에 자기 마음대로 할 수 없음을 상징하였다. 마땅히 굳센 무인처럼 곧고 바름을 고수한 뒤에야 이롭게 되니 리괘(履卦)의 삼육에 나오는 무인과 같다.[30] 이것은 경계하고 권면하는 말인데 굳이 지적한다면 이효와 오효는 무인이 된다. 「소상전」에서 "뜻이 의심스럽기 때문이다"고 한 말은 주장할 수 없어서 간혹 의심을 불러일으키기 때문이다. "뜻이 다스려졌기 때문이다"라고 한 말 또한 스스로 다스릴 수 없고, 단지 다스려지기를 원하는 마음은 있지만 양효에 의지해야만 하는 상이다. 초효와 사효 사이에는 감괘의 상이 있기 때문에 의심스럽다고 했다.

이익(李瀷) 『역경질서(易經疾書)』

初六雖陰柔, 而卦以申命爲義. 申命則惕改, 故有剛武得貞之義.
초육은 비록 부드러운 음이지만 괘는 명령을 거듭하는 것을 뜻으로 삼는다. 명령을 거듭한다면 고치기를 두려워하기 때문에 굳센 무인이 곧음을 얻는 뜻이 있다.

심조(沈潮) 「역상차론(易象箚論)」

初六, 武人進退.
초육는 무인이 나아가고 물러난다.

陽進陰退, 進初象, 退六象也. 武人, 陰主殺伐也, 與履三同.
양은 나아가고 음은 물러나니 나아가는 것은 초효의 상이고 물러나는 것은 육(六)의 상이다. 무인은 음이 주살하고 정벌함을 위주로 하는 것으로, 리괘(履卦)의 삼효와 동일하다.[31]

유정원(柳正源) 『역해참고(易解參攷)』

正義, 初六, 處令之初. 雖未宣, 著體於柔巽, 不能自決, 心懷進退, 未能從令者也.
『주역정의』에서 말하였다: 초육은 명령하는 처음에 있다. 비록 드러나지 않았지만 부드럽고 겸손한 곳에 몸체를 붙이고 있어서, 스스로 결단할 수 없고 마음에는 나아가고 물러나는 생각을 품어서 아직 명령에 따를 수 있는 자가 아니다.

○ 厚齋馮氏曰, 巽爲進退, 於初六遽言之, 何也. 進退者, 在三畫之巽, 則主一陰前遇

---

30) 『周易·履卦』: 六三, 眇能視, 跛能履. 履虎尾, 咥人, 凶, 武人爲于大君.
31) 『周易·履卦』: 六三, 眇能視, 跛能履. 履虎尾, 咥人, 凶, 武人爲于大君.

二陽之象, 在重陰之巽, 則主下一爻矣.
후재풍씨가 말하였다: 손괘는 나아가고 물러남이 되는데 초육에 대해서 갑자기 말한 것은 어째서인가? 나아가고 물러남은 삼획괘인 손괘(巽卦☴)에 있다면 하나의 음이 두 음을 앞에서 만나는 상을 위주로 하지만, 중첩된 음의 손괘(巽卦)에 있다면 아래의 한 효를 위주로 한다.

○ 雙湖胡氏曰, 履六三, 亦武人象. 履自三至四, 互巽, 六三正互巽之初爻也. 初六不正而云正者, 戒之以正則利也.
쌍호호씨가 말하였다: 리괘(履卦)의 육삼 또한 무인의 상이다. 리괘는 삼효로부터 사효까지 호괘는 손괘이고, 육삼은 바로 호괘인 손괘의 초효가 된다. 초육은 바르지 않은데 바르다고 한 것은 바르게 하면 이롭다고 경계한 것이다.

○ 梁山來氏曰, 變乾純剛, 故曰武人, 履六三, 變乾, 亦曰武人, 皆陰居陽位, 變陽得稱武人也.
양산래씨가 말하였다: 변하여 건괘가 되니 순전한 양이 되기 때문에 무인이라고 했고, 리괘(履卦)의 육삼도 변하여 건괘가 되기 때문에 또한 무인이라고 했는데, 둘 모두 음이 양의 자리에 있으니 변하여 양이 되면 무인이라고 부를 수 있다.

김상악(金相岳) 『산천역설(山天易說)』

初六以陰居下, 過於卑巽, 有進退之象. 比二之剛, 二互兌體, 故利武人之貞.
초육은 음으로 아래에 있어서 낮추고 겸손함에 지나치니 나아가고 물러나는 상이 있다. 굳센 이효와 가까운데 이효는 호괘가 태괘의 몸체이기 때문에 무인의 곧음이 이롭다.

○ 巽爲進退. 進則變而爲漸, 得漸進之義而吉, 不進則退. 利武人之貞者, 人之卑巽太過, 則志意疑畏, 不知所從, 故以剛果之氣, 矯其巽懦之志, 濟其所不及, 而兌於象爲金斷制之性, 无有屈撓, 故象人之剛武. 蓋兌者, 西方之卦也. 西方之獸爲虎. 巽之象爲風, 風之從虎, 氣類相得, 故利武人之貞. 所以履六三言履虎尾, 又言武人. 然勉戒不同, 故象傳於彼曰志剛也, 此曰志治也. 所以聖人之敎人, 兼人則退之, 退則進之, 以救其失, 爲其心之莫同也. 或曰歸妹下卦兌, 而九二曰利幽人之貞, 何也. 兌本性說, 又爲掩剛, 而二得中而自守, 故戒以幽人之貞, 各隨其卦象則變焉.
손괘는 나아가고 물러남이 된다. 나아가면 변하여 점괘(漸卦)가 되어 점진적으로 나아가는 뜻을 얻어 길하지만, 나아가지 않으면 물러난다. "무인의 곧음이 이롭다"는 말은 사람이 지나치게 낮추고 겸손하다면 뜻에 의심과 두려움이 있어서 따라야 할 바를 모르기 때문에 굳세고 과감한 기운으로 나약한 뜻을 바로잡고 미치지 못하는 점을 구제해야 하고, 태괘는 상에 있어서 쇠의 재단하는 성질이 되고 굽힘이 없기 때문에 사람의 굳센 무력을 상징한다. 태괘는 서방의 괘이다. 서방에 해당하는 짐승은 호랑이이다. 손괘의 상은 바람이 되고 바람이 호랑이를 따르는 것은 동질의 기운이 서로를 얻은 것이므로 무인의 곧음이 이롭다. 그래서 리괘(履卦)의 육삼에서는 "호랑이 꼬리를 밟는다"고 말하고 또 '무인'이라고 말한 것이다.[32] 그러나 권면하고 경계하는 점이 다르기 때문에 리괘의 「상전」에서는 "뜻이 강하기 때문이다"[33]라고 한 것이고, 이곳에서는 "뜻이 다스려졌기 때문이다"라고 했다. 그래서 성인이 사람을 가르칠 때 일반인보다 나으면 물러나게 했고 물러나면 나아가게 하여[34] 잘못을 구제하였으니, 사람의 마음이 각각 다르기 때문이다.[35] 어떤 이는 "귀매괘(歸妹卦)의 하괘는 태괘인데, 구이에서 '그윽하고 조용한 자의 곧음이 이롭다'[36]고 한 것은 어째서인가?"라고 했다. 태괘는 본래 기뻐하는 성질이고 또 굳셈을 가리게 되는데 이효는 가운데 자리를 얻어서 스스로를 지키기 때문에 그윽하고 조용한 자의 곧음으로 경계를 하였다. 각각 괘상에 따라서 바뀌게 된다.

서유신(徐有臣) 『역의의언(易義擬言)』

巽爲進退. 初六, 重巽之初, 進退不果者也. 武人, 兌象. 六四互兌得正, 爲武人之貞者也. 初巽於四, 資其果決, 乃其利也.

손괘는 나아가고 물러남이 된다. 초육은 거듭된 손괘의 처음에 있어서 나아가고 물러남에 과감하지 못한 자이다. 무인은 태괘의 상이다. 육사는 호괘가 태괘이고 바름을 얻어서 무인 중에서도 곧은 자가 된다. 초효는 사효에게 공손하여 과감히 결정하는 것을 돕는다면 이롭다.

강엄(康儼) 『주역(周易)』

按, 初六以陰柔居下, 爲巽之主. 過於卑巽而上无正應, 但承二陽, 莫知所從, 故其象爲進退. 而象曰志疑, 若因其所居之陽位, 而濟以剛正之道, 則志必无所疑, 而可以修治矣.

내가 살펴보았다: 초육은 부드러운 음으로 아래에 있고 손괘의 주인이 된다. 낮추고 겸손함에 지나치고 위로 정응이 없고 단지 두 양을 받들어 따라야 할 대상을 모르기 때문에 상은

---

32) 『周易·履卦』: 六三, 眇能視, 跛能履. 履虎尾, 咥人, 凶, 武人爲于大君.

33) 『周易·履卦』: 咥人之凶, 位不當也, 武人爲于大君, 志剛也.

34) 『論語·先進』: 子曰, "求也退, 故進之, 由也兼人, 故退之."

35) 『禮記·學記』: 學者有四失, 敎者必知之. 人之學也, 或失則多, 或失則寡, 或失則易, 或失則止. 此四者, 心之莫同也. 知其心, 然後能救其失也. 敎也者, 長善而救其失者也.

36) 『周易·歸妹卦』: 九二, 眇能視, 利幽人之貞.

나아가고 물러남이 된다. 「상전」에서 "뜻이 의심스럽기 때문이다"고 했는데, 만약 머물러 있는 양의 자리에 따라 굳세고 바른 도로 구제한다면 뜻에는 반드시 의심된 바가 없게 되고 다스릴 수 있게 된다.

이지연(李止淵) 『주역차의(周易箚疑)』

武人者, 勇往直前者也, 猶豫勿[37]疑. 優游不斷, 不如勇往直前之決也. 雖以武人之貞治之, 而卦終是巽也, 必无剛果之弊.
무인은 용맹하게 나아가며 앞으로 직진하는 자이니 예괘(豫卦)의 "의심하지 않는다"[38]와 같다. 우유부단한 것은 용맹하게 나아가며 앞으로 직진하는 결단만 못하다. 비록 무인의 곧음으로 다스리더라도 괘는 끝내 손괘에 해당하므로 반드시 굳세고 과감한 폐단이 없게 된다.

김기례(金箕澧) 「역요선의강목(易要選義綱目)」

巽爲進退, 謂柔不決也.
손괘는 나아가고 물러남이 되니 부드러워 결단하지 못한다는 뜻이다.

○ 初在下不決, 則臨事斷[39]如武人而得貞, 則无疑.
초효는 아래에 있어서 결단하지 못하니, 일에 임해 결단하길 무인처럼 하여 곧음을 얻는다면 의심이 없게 된다.

○ 他卦皆以初順爲貴, 而巽則本性好順而不果. 況初爲巽主, 在下而大巽, 則不能立, 懦故取武人.
다른 괘에서는 모두 초효가 순종하는 것을 귀하게 여기지만 손괘의 경우라면 본래부터 성질이 순종하길 좋아하고 과감하지 않다. 하물며 초효는 손괘의 주인이 되는데도 아래에 있고 지나치게 겸손하다면 설 수 없고, 나약하기 때문에 무인에서 뜻을 취했다.

심대윤(沈大允) 『주역상의점법(周易象義占法)』

巽之義, 通于上下者也, 故六爻皆兼上下之道焉. 雖同物而亦取應也. 巽之爻位居剛, 志在承順也, 居柔, 有所可否也.

---

37) 勿: 경학자료집성DB와 영인본에는 '狐'로 기록되어 있으나, 『주역』 경문에 따라 '勿'로 바로잡았다.
38) 『周易 · 豫卦』: 九四, 由豫, 大有得. 勿疑, 朋盍簪.
39) 斷: 경학자료집성DB에는 '□'로 되어 있으나, 경학자료집성 영인본을 참조하여 '斷'으로 바로잡았다.

손괘의 뜻은 위아래에 두루 통하는 것이기 때문에 여섯 효에서는 모두 상하의 도를 함께 말하고 있다. 비록 같은 사물이지만 또한 호응을 취했다. 손괘의 효 자리가 굳센 양의 자리에 있다면 뜻은 받들고 순종하는데 있고, 부드러운 음의 자리에 있다면 가부를 헤아릴 바가 있다.

巽之小畜☰, 无形之畜也. 在命令之前, 審度可否, 而乃發也. 上巽乎賢, 而下巽乎德, 上不巽乎奸, 而下不巽乎暴, 上下審度而乃行, 巽於其當巽而不巽於不當巽也. 初六居剛承順, 而不從四之應, 從於二之賢. 進者, 審度而自主也. 退者, 旣有所從, 承順而不自用也. 坎离爲進退之義, 巽亦爲進退. 离乾爲武人. 拘束法於律節制, 唯將所令而不得自用. 履之六三, 拘束於禮律, 亦云武人. 上以禮法使下, 而不得以暴怵, 下以恭寅承上, 而不得違逆, 故曰利武人之貞. 初六木之相地而下種也.
손괘가 소축괘(小畜卦☰)로 바뀌었으니, 무형의 쌓임이다. 명령을 하기 이전에 가부를 자세히 살피고서 내린다. 윗사람은 현명한 자에게 겸손하고 아랫사람은 덕이 있는 자에게 겸손하며, 윗사람은 간사한 자에게 겸손하지 않고 아랫사람은 난폭한 자에게 겸손하지 않아서, 상하계층이 자세히 살피고서야 행하여, 마땅히 겸손해야 할 대상에게 겸손하고 겸손하게 대하지 말아야 할 대상에게는 겸손하지 않다. 초육은 굳센 양의 자리에 있으면서 받들고 순종하지만 호응하는 사효를 따르지 않고 현명한 이효를 따른다. '나아감'은 자세히 살피고서 스스로 주도하는 것이다. '물러남'은 이미 따르는 대상이 있으니 받들고 순종해서 자기 마음대로 할 수 없는 것이다. 감괘와 리괘는 나아가고 물러나는 뜻이 되고 손괘 또한 나아가고 물러남이 된다. 리괘와 건괘는 무인이 된다. 단속하고 법도를 본받아 절제하며 오직 명령한 것만 시행하되 자기 마음대로 할 수 없다. 리괘(履卦)의 육삼도 예법과 법률에 따라 단속을 하고 또한 무인이라고 했다. 윗사람이 예법과 법률에 따라 아랫사람을 부리고 난폭하게 할 수 없고, 아랫사람은 공손하게 윗사람을 받들며 거역할 수 없기 때문에 "무인의 곧음이 이롭다"고 했다. 초육은 나무가 땅을 살펴서 뿌리를 내리는 것과 같다.

오치기(吳致箕) 「주역경전증해(周易經傳增解)」

初六柔在下, 而失其正, 上无應而比乎剛. 在巽之初, 以其質柔, 故不能進, 以其居剛, 故不能退, 有進退不果之象. 卽過巽而不得其正者也, 故戒言若如武人剛果之志, 而用貞固之道, 則可以濟其過巽而爲行事之利也.
초육은 부드러운 음으로 아래에 있고 바름을 잃었으며, 위로 호응함이 없고 굳센 양과 가깝다. 손괘의 초효에 있으니 바탕이 유순하기 때문에 나아갈 수 없고 굳센 양의 자리에 있기 때문에 물러날 수 없으니, 나아가고 물러남에 과감하지 못한 상이 있다. 지나치게 겸손하고 바름을 얻지 못한 자이기 때문에, 만약 무인처럼 굳세고 과감한 뜻을 가지고 곧은 도를 사용한다면 지나치게 겸손한 것을 구제하여 정사를 시행하는 이로움이 된다고 말한 것이다.

○ 巽爲進退之象. 才弱而志剛者, 曰武人, 而已見履三.
손괘는 나아가고 물러나는 상이다. 재질은 유약하여도 뜻은 굳센 자를 무인이라고 부르는데 이미 리괘(履卦)의 삼효에 그 설명이 나온다.

이진상(李震相) 『역학관규(易學管窺)』

利武人貞.
무인의 곧음이 이롭다.

初六變則純乾也. 以陰化剛, 武人之象也. 履六三變乾, 亦曰武人.
초육이 변하면 양으로만 된 건괘가 된다. 음이 굳센 양으로 변화하는 것은 무인의 상이다. 리괘(履卦)의 육삼은 건괘로 변하기 때문에 또한 무인이라고 했다.

박문호(朴文鎬) 「경설(經說) · 주역(周易)」

利武人之貞, 卽洪範沈潛剛克之意, 蓋八卦九疇相爲表裏, 故易與範中文多同意者矣.
"무인의 곧음이 이롭다"는 『서경 · 홍범』에서 "침잠한 자는 강으로 다스린다"[40]고 한 뜻에 해당하니, 팔괘와 구주는 서로 표리관계가 되기 때문에 『주역』과 「홍범」의 문장 중에는 뜻이 같은 것이 많다.

이병헌(李炳憲) 『역경금문고통론(易經今文考通論)』

風性好反復, 故或進而或退, 似人之有所懷疑也.
바람의 성질은 반복하기를 좋아하기 때문에 어떤 때는 나아가고 또 어떤 때는 물러나니, 사람이 의심을 품은 것과 유사하다.

姚曰, 疑者決之, 故利武人之貞, 謂剛斷也.
요신이 말하였다: 의심스러운 것을 결단하기 때문에 무인의 곧음이 이로우니, 굳세게 결단함을 뜻한다.

---

40) 『書經 · 洪範』: 六, 三德, 一曰正直, 二曰剛克, 三曰柔克, 平康正直, 彊弗友剛克, 燮友柔克, 沈潛剛克, 高明柔克.

象曰, 進退, 志疑也, 利武人之貞, 志治也.

「상전」에서 말하였다: "나아가고 물러남"은 뜻이 의심스럽기 때문이고, "무인의 곧음이 이로움"은 뜻이 다스려졌기 때문이다.

中國大全

傳

進退不知所安者, 其志疑懼也, 利用武人之剛貞, 以立其志, 則其志治也. 治, 謂修立也.

나아가고 물러나서 편안한 바를 알지 못하는 것은 뜻에 의심스럽고 두려워하기 때문이니, 무인(武人)의 굳셈과 곧음을 써서 그 뜻을 세우면 그 뜻이 다스려진다. '다스려진다'란 닦아서 세움을 말한다.

小註

臨川吳氏曰, 進退者, 志之疑, 能如武人之剛强, 則志治矣.
임천오씨가 말하였다: 나아가고 물러남은 뜻이 의심스럽기 때문이니, 만약 무인(武人)의 굳셈과 강함과 같이 한다면 뜻이 다스려진다.

○ 建安丘氏曰, 初六不武甚矣. 能以其剛烈不屈之氣, 而矯其巽懦不立之志然後, 得其正, 而向之志疑者, 轉而志治也. 苟過於强悍不得其正, 則其志亂矣, 何治之有.
건안구씨가 말하였다: 초육은 무력을 쓰지 않음이 심하다. 강렬한 불굴의 기운을 가지고서 겸손하고 유약하여 세우지 못하는 뜻을 바로 잡은 후에 그 바름을 얻어 옛날의 뜻에 의심스러워하는 것이 바뀌어 뜻이 다스려진다. 만약 지나치게 강하고 사나와 그 바름을 얻지 못한다면, 그 뜻이 어지럽게 되니 어찌 다스림이 있겠는가?

韓國大全

유정원(柳正源) 『역해참고(易解參攷)』

志疑也.
뜻이 의심스럽기 때문이다.

王氏曰, 巽順之志, 進退疑懼.
왕필이 말하였다: 겸손하고 순종하는 뜻에서 나아가고 물러남에 의심하고 두려워한다.

○ 正義, 欲從之, 則未明其命, 欲不從, 則懼罪及己, 志意懷疑, 所以進退也.
『주역정의』에서 말하였다: 따르고자 한다면 명령에 대해서 밝지 못하고 따르지 않고자 한다면 죄가 자신에게 미칠까 염려하니, 뜻에 의심을 품는 것이 나아가고 물러남이다.

김상악(金相岳) 『산천역설(山天易說)』

治, 謂修立也. 志疑, 據其過巽而言. 志治, 據其用剛而言. 以一爻言, 爻柔善疑, 位剛能治.
치(治)는 다스려서 세운다는 뜻이다. "뜻이 의심스럽기 때문이다"는 지나치게 겸손함을 기준으로 한 말이다. "뜻이 다스려졌기 때문이다"는 굳셈을 사용하는 것을 기준으로 한 말이다. 한 효로 말을 하면 효는 부드러운 음이어서 의심하길 잘하고, 자리는 굳센 양의 자리에서 잘 다스린다.

서유신(徐有臣) 『역의의언(易義擬言)』

疑者, 不決也. 治者, 能斷也. 履之武人, 志剛而凶, 巽之武人, 志治而貞. 履懼其決, 巽病其疑也.
의(疑)는 결단하지 못하는 것이다. 치(治)는 결단할 수 있음이다. 리괘(履卦)의 무인은 뜻이 굳세서 흉하고, 손괘의 무인은 뜻이 다스려져서 곧다. 리괘의 두려워할 점은 너무 빨리 결단함에 있고, 손괘의 병폐는 의심함에 있다.

심대윤(沈大允) 『주역상의점법(周易象義占法)』

志疑, 言審擇也. 志治, 言巽於其所當巽也.
"뜻이 의심스럽기 때문이다"는 살펴서 가린다는 뜻이다. "뜻이 다스려졌기 때문이다"는 마땅히 겸손히 대해야 할 대상에게 겸손하게 대한다는 뜻이다.

오치기(吳致箕) 「주역경전증해(周易經傳增解)」

居下而進退未定, 志之疑也. 才弱而能用剛果, 志之治也.
아래에 있고 나아가고 물러나길 확정하지 않은 것이 뜻이 의심스러운 것이다. 재질이 유약하지만 굳셈과 과감함을 사용할 수 있는 것이 뜻이 다스려진 것이다.

九二, 巽在牀下, 用史巫紛若, 吉, 无咎.

구이는 겸손함이 상(牀) 아래에 있으니, 사관(史官)과 무당을 쓰기를 많이 하면 길하고 허물이 없을 것이다.

中國大全

傳

二居巽時, 以陽處陰而在下, 過於巽者也. 牀, 人之所安, 巽在牀下, 是過於巽, 過所安矣. 人之過於卑巽, 非恐怯則諂說, 皆非正也. 二實剛中, 雖巽體而居柔, 爲過於巽, 非有邪心也. 恭巽之過, 雖非正禮, 可以遠恥辱絶怨咎, 亦吉道也. 史巫者, 通誠意於神明者也. 紛若, 多也, 苟至誠安於謙巽, 能使通其誠意者多, 則吉而无咎, 謂其誠足以動人也. 人不察其誠意, 則以過巽爲諂矣.

이효가 손(巽)의 때에 있으면서 양으로 음의 자리에 있고 아래에 있으니, 지나치게 겸손한 자이다. '상(牀)'이란 사람의 편안한 곳이므로, 공손함이 상 아래에 있음은 지나치게 겸손한 것이니 편안한 바를 지나친다. 사람이 낮추고 겸손한 데에 지나침은 두려워하거나 무서워하는 것이 아니라면 아첨하거나 기쁘게 하려는 것이니, 모두 바르지 않다. 이효는 실제로 굳세고 알맞아 비록 손괘(巽卦)의 몸체로 부드러운 음의 자리에 거하여 겸손함에 지나치지만 사사로운 마음을 가진 것은 아니다. 공손함이 지나침은 비록 바른 예(禮)는 아니지만 치욕을 멀리하고 원망과 허물을 끊어낼 수 있으니, 또한 길한 도이다. 사관(史官)과 무당이란 성의(誠意)가 신명에게 통하는 자이다. '분약(紛若)'은 많음이다. 만약 지성(至誠)으로 겸손함에 편안히 하여 그 성의를 통하는 자들을 많도록 한다면 길하고 허물이 없을 것이니, 그 성의가 사람들을 움직일 수 있다는 말이다. 사람들이 그 성의를 살피지 못한다면 지나치게 겸손함을 아첨한다고 여긴다.

本義

二, 以陽處陰而居下, 有不安之意, 然當巽之時, 不厭其卑, 而二又居中, 不至已甚, 故其占爲能過於巽而丁寧煩悉其辭, 以自道達, 則可以吉而无咎, 亦竭誠意以祭祀之吉占也.

이효가 양으로 음의 자리에 있으면서 아래에 있으므로 편안하지 못한 뜻이 있지만, 손(巽)의 시기를 맞아서 그 낮춤을 싫어하지 않고 이효가 또 가운데 자리에 있어서 너무 심한 데에 이르지 않기 때문에, 그 점(占)은 지나치게 겸손하여 그 말을 간곡하게 당부하고 번거롭게 다하여 스스로 도달할 수 있다면 길하고 허물이 없을 수 있게 되며, 또한 성의를 다하여 제사를 지내는 길한 점이다.

小註

朱子曰, 九二得中, 所以過於巽爲善. 用史巫紛若, 吉, 看來是個盡誠以祭祀之吉占.
주자가 말하였다: 구이는 알맞음을 얻었으니, 이 때문에 지나치게 겸손함을 선하게 여긴다. "사관(史官)과 무당을 쓰기를 많이 하면 길하다"에서 성의를 다하여 제사를 지내는 길한 점(占)이 됨을 알 수 있다.

○ 建安丘氏曰, 牀下, 初也. 古者, 尊上坐於牀, 卑者, 拜跪於牀下, 牀下, 卑者之所處也. 二以陽居陰失位不安, 乃欲巽柔而處卑巽, 在牀下之象也.
건안구씨가 말하였다: "상(牀) 아래"는 초효이다. 옛날에는 존귀한 윗사람이 상(牀)에 앉고, 낮은 사람은 상 아래에서 꿇어 앉아 절을 하였으니, "상 아래"는 낮은 자가 있는 곳이다. 이효는 양으로 음의 자리에 있어서 제자리를 잃어 불안해 하니, 겸손하면서 유순하고자 하면서 낮고 겸손한 곳에 있으므로 "상 아래에 있는" 상(象)이다.

○ 厚齋馮氏曰, 周官, 史掌卜筮, 巫掌祓禳. 卜筮, 所以占其吉凶, 祓禳, 所以除其裁害.
후재풍씨가 말하였다: 『주례』에서 '사(史)'는 복서(卜筮)[41]를 담당하고, '무(巫)'는 불양(祓禳)[42]을 담당한다고 하였다. 복서는 길흉을 점치는 것이고, 불양은 재해를 없애려는 것이다.

○ 潘氏曰, 以陽處陰, 過於巽也, 故九二上九, 皆有牀下之象. 然上九喪其資斧, 九二可用於史巫, 二得中而上失中也.
반씨가 말하였다: 양으로써 음의 자리에 있으니 지나치게 겸손하기 때문에 구이와 상구는 모두 '상(牀) 아래'인 상이 있다. 그러나 상구는 "물자와 도끼를 잃고"[43] 구이는 사관과 무당

41) 복서(卜筮): 복(卜)이란 귀갑(龜甲)이나 수골(獸骨)을 불에 태워서 그것이 갈라지는 금의 모양을 보고 점을 치던 방법을 말하고, 서(筮)는 산가지의 조작에 의해서 얻어진 수(數)로 길흉의 점을 치는 방법으로 주대(周代)에 복을 대신하여 유행하였다.
42) 불양(祓禳): 액을 막기 위(爲)하여 귀신(鬼神)에게 비는 굿이나 푸닥거리.

을 쓸 수 있으니, 이효는 알맞음을 얻고 상효는 알맞음을 잃었기 때문이다.

○ 雲峯胡氏曰, 牀, 所安也. 剝牀在陰爻言之, 是以陰剝陽, 使陽不能安, 巽在牀下在陰爻言之, 是以陽處陰, 陽不能自安. 巽之過者, 每失之不誠. 史職卜筮, 巫職禱祠, 丁寧煩悉其辭, 以自道達於鬼神, 雖巽之過而誠者也. 如是, 則吉无咎.
운봉호씨가 말하였다: '평상(牀)'은 편안한 곳이다. 박괘(剝卦☶)에서 "평상을 깎다"란 음효를 두고서 말하였으니 이는 음으로 양을 깎아 양을 편안할 수 없도록 하는 것이고, 손괘(巽卦)에서 "상(牀) 아래에 있다"도 음효를 두고서 말하였으니 이는 양으로 음의 자리에 있어서 양이 스스로 편안해 할 수 없는 것이다. 겸손함이 지나친 자는 매번 성의(誠意)를 다하지 못하는 잘못을 한다. '사(史)'는 복서(卜筮)를 맡고 '무(巫)'는 불양(祓禳)을 맡아 그 말을 간곡하게 당부하고 번거롭게 다하여 스스로 귀신에게 도달할 수 있으니, 비록 겸손함이 지나치지만 성의를 다하는 자이다. 이와 같다면 길하고 허물이 없다.

‖韓國大全‖

김장생(金長生)『경서변의(經書辨疑)-주역(周易)』

巽九二, 用史巫,
손괘 구이에서 말하였다: 사관(史官)과 무당을 쓰기를,

眞氏禮記之所謂史, 乃記事之史官也. 馮氏所謂掌卜筮之史, 乃掌筮之官, 史記所言太史占之曰之類也. 二史不同. 史掌卜筮, 巫掌祓禳. 眞氏史掌三皇五代之事, 禮記云史, 書言動之事.
진씨는『예기』에서 말하는 사(史)는 역사를 기록하는 사관이라고 했다. 풍씨가 거북점과 시초점을 담당하는 사(史)라고 한 자는 시초점을 담당하는 관리로『사기』에서 "태사가 점을 쳐서 말했다"고 했을 때의 부류이다. 두 사(史)는 동일하지 않다. 사(史)는 거북점과 시초점을 담당하고 무(巫)는 악귀를 좇는 일을 담당한다. 진씨는 사(史)가 삼황과 오대 때의 역사 기록을 담당한다고 했고,『예기』에서 말한 사(史)는 임금의 말과 행동 등을 기록한다.

---

43)『周易·巽卦』: 上九, 巽在牀下, 喪其資斧, 貞, 凶.

송시열(宋時烈) 『역설(易說)』

說卦諸易艮爲牀[44], 而此爻言牀[45], 以下坼爲足, 亦有牀[46]象故耶. 二爻將變, 變則爲艮故耶. 史主卜筮, 巫主祈禳. 卜筮以巽草離龜, 祈禳以巽潔兌口, 用以紛若也. 吉而无咎者, 二得中正之位. 以剛陽之才, 擇其史巫, 從吉舍凶. 又與九二合德, 不爲過巽, 無有邪心者也. 上九亦言牀[47], 此等象誠未曉. 蓋巽順伏入底意.

『역』에서 괘를 설명할 때 간괘가 상(牀)이 된다고 했는데, 이 효에서 상을 말한 것은 아래가 갈라져 다리가 되니 또한 상의 상이 있기 때문일 것이다. 또한 이효가 변하려고 하는데 변하면 간괘가 되기 때문일 것이다. 사관은 거북점과 시초점을 주관하고 무당은 악귀를 쫓는 일을 주관한다. 거북점과 시초점으로는 손괘의 풀과 리괘의 거북껍질로 하고 악귀를 쫓는 것으로는 손괘의 청결함과 태괘의 입으로 하니 많이 사용한다. 길하고 허물이 없는 것은 이효가 중정의 자리를 얻었기 때문이다. 굳센 양의 자질로 사관과 무당을 택하니 길함을 따르고 흉함을 버린 것이다. 또 구이와 덕을 합하여 지나치게 겸손하지 않으니, 사사로운 마음이 없는 자이다. 상구에서도 또한 상을 말했는데, 이러한 상에 대해서는 진실로 잘 모르겠다. 아마도 겸손하고 순종하여 숨고 들어간다는 뜻인 것 같다.

이익(李瀷) 『역경질서(易經疾書)』

巽一陰在下, 有牀象, 與六畫之剝相類. 牀下, 如剝之牀足, 而此則指人言, 故曰牀下, 謂牀下之武人也. 八純卦, 皆無上下相應之義, 而下巽兩陽, 二失位, 上巽兩陽, 上失位, 故皆有巽於牀木之象. 二雖失位, 上無正應, 與初剛柔相比, 則巽順於牀下之武人, 可以相濟而得吉. 史者, 掌達命令於四方, 巫者, 掌達人意於鬼神, 皆帖在中命之義也. 古人重鬼神, 凡有事不獨申告于國中, 亦必遍告于鬼神, 使幽明人鬼無不曉然, 然後方是無愧無怍. 紛若者, 謂遍告也. 風者, 天之號令, 其於物無幽不入, 故有此象.

손괘(巽卦☴)는 하나의 음이 아래에 있어서 상의 상이 있으니, 육획괘인 박괘(剝卦䷖)와 서로 유사하다. '상 아래'는 박괘의 상 다리와 같은데,[48] 이곳에서는 사람을 가리켜서 말했기 때문에 상 아래라고 했으니, 상 아래에 있는 무인을 의미한다. 팔순괘는 모두 위아래에 서로 호응하는 뜻이 없지만 아래의 손괘에 있는 두 양 중 이 효는 제자리를 잃었고 위의 손괘에

---

44) 牀: 경학자료집성DB에는 '牀'로 되어 있으나, 경학자료집성 영인본을 참조하여 '牀'으로 바로잡았다.
45) 牀: 경학자료집성DB에는 '牀'로 되어 있으나, 경학자료집성 영인본을 참조하여 '牀'으로 바로잡았다.
46) 牀: 경학자료집성DB에는 '牀'로 되어 있으나, 경학자료집성 영인본을 참조하여 '牀'으로 바로잡았다.
47) 牀: 경학자료집성DB에는 '牀'로 되어 있으나, 경학자료집성 영인본을 참조하여 '牀'으로 바로잡았다.
48) 『周易·剝卦』: 初六, 剝牀以足, 蔑貞. 凶.

있는 두 양 중 상효는 제자리를 잃었기 때문에 상의 나무에 대해 겸손해 하는 상이 있다. 이효는 비록 제자리를 잃었고 위로 정응함이 없지만 초효와 함께 하여 굳셈과 부드러움이 서로 가까우니, 상 아래에 있는 무인에게 겸손하고 순종하면 서로 구제하여 길함을 얻을 수 있다. 사(史)는 사방에 명령을 전달하는 일을 담당하고 무(巫)는 귀신에게 사람의 뜻을 전달하는 일을 담당하니 모두 명령을 거듭한다는 뜻에 해당한다. 옛 사람들은 귀신을 중시하여, 어떤 사안이 생겼을 때에는 나라 사람들에게만 거듭 알리지 않았고 또한 반드시 귀신에게도 두루 알려, 저세상의 귀신과 이세상의 사람들로 하여금 알지 못함이 없도록 했고, 그런 뒤에야 부끄러울 일이 없게 된다. 분약(紛若)은 두루 알린다는 뜻이다. 바람은 하늘의 호령이니 사물에 대해서 그윽하여 들어가지 못하는 일이 없기 때문에 이러한 상이 있다.

심조(沈潮) 「역상차론(易象箚論)」

九二, 牀下, 史巫.
구이는 상 아래의 사와 무당.

牀以木爲之, 巽也. 互有兌, 兌爲巫, 故稱史巫.
상은 나무로 만드니 손괘에 해당한다. 호괘에는 태괘가 있고 태괘는 무당이 되기 때문에 사관과 무당이라고 했다.

유정원(柳正源) 『역해참고(易解參攷)』

漢上朱氏曰, 祝史達人之意, 以告鬼神. 巫師導鬼神之意, 以告人. 蓋以口舌往來二五之間者也, 故曰紛若.
한상주씨가 말하였다: 축사는 사람의 뜻을 두루 알려 귀신에게 알린다. 무사는 귀신의 뜻을 이끌어서 사람에게 알린다. 입과 혀가 이효와 오효 사이를 왕래하는 자이기 때문에 "많이 한다"고 했다.

○ 潼川毛氏曰, 巽初, 民之象. 牀者, 二也, 長民者也. 古者席地而坐, 唯長民者坐於牀, 亦不抗也. 巽而在牀之下, 近民之義也. 夫近民, 則必深知其疾苦矣, 故祝史爲之延福, 巫醫爲之除病. 凡爲民除害者, 紛擧而行之, 所以吉也. 民之所喜, 誰能咎之.
동천모씨가 말하였다: 손괘의 초효는 백성의 상이다. 상은 이효이니 백성들의 수장이다. 옛날에 땅에 자리를 깔고 앉을 때에는 오직 백성들의 수장만이 상에 앉았고 또한 다른 자들과 마주하지 않았다. 겸손하면서 상 아래에 있는 것은 백성들을 가까이 하는 뜻이다. 백성들을 가까이 한다면 반드시 그들의 고충을 분명히 알게 되기 때문에 축사가 그들을 위해 장수와

복을 기원하고 무의가 그들을 위해 병을 제거한다. 백성들을 위해서 해악을 제거하는 자가 분주히 시행하는 것이 길하게 되는 이유이다. 백성들이 기뻐하는데 그 누가 허물하겠는가?

○ 魯齋許氏曰, 兌之中, 以剛爲說, 巽之中, 以剛爲入, 皆有才通用之臣也. 然兌務於上, 巽務於下, 其勢有所不同.
노재허씨가 말하였다: 태괘의 가운데는 굳센 양을 기쁨으로 삼고 손괘의 가운데는 굳셈을 들어감으로 삼으니, 모두 재주가 있고 두루 쓰이는 신하이다. 그러나 태괘는 위에 대해 힘쓰고 손괘는 아래에 대해 힘쓰니 기세에 다른 점이 있다.

○ 雙湖胡氏曰, 牀處全體, 巽木象.
쌍호호씨가 말하였다: 상은 전체 괘에 처하니, 손괘는 나무의 상이다.

○ 案, 以陽居中, 得巽之中, 而謂之過巽, 何也. 蓋以全卦言, 則重巽也. 以陽處陰, 已是巽也, 而居巽之下, 又是巽也.
내가 살펴보았다: 양으로 가운데 자리에 있어서 겸손함의 알맞음을 얻었는데, 이것을 두고 겸손함이 지나치다고 하는 것은 어째서인가? 전체 괘로 말한다면 거듭된 손괘이다. 양으로 음의 자리에 있으니 이미 겸손한 것인데 손괘의 아래에 있으니 더욱 겸손한 것이다.

김상악(金相岳) 『산천역설(山天易說)』

九二以陽居陰, 无應於上, 比初而入, 有巽在牀下之象. 居中而不至已甚, 與三五互爲兌離, 故用史巫紛若, 道達其誠意, 則吉而无咎也. 朱子曰, 是箇盡誠以祭祀之吉占, 是也.
구이는 양으로 음의 자리에 있고 위로 호응함이 없으며 초효와 가까워서 들어가니 겸손하여 상 아래에 있는 상이 있다. 가운데 자리에 있지만 지극하지 못함이 이미 심하고, 삼효 및 오효와 호괘가 태괘와 리괘가 되기 때문에 사관과 무당을 쓰기를 많이 하여, 진실된 뜻을 두루 말하여 통하게 한다면 길하여 허물이 없다. 주자가 "이것은 성의를 다하여 제사를 지내는 길한 점이다"라고 한 말이 이러한 뜻이다.

○ 古易巽作顨, 說文云, 具也, 庶物皆具, 丌以薦之, 是也. 巽之爲卦, 二陽覆上, 而横牀之象. 一陰承上, 而對峙牀足之象也. 剝則全體有牀之象, 而初二二爻居下, 而變剛爲柔, 故曰剝牀以足, 以辨. 史掌卜筮, 巫掌祓禳, 能通誠意於神明者也. 離之文, 又爲龜, 兌爲巫, 史巫之象. 兌之口舌, 爲毁爲附, 紛若之象. 男曰覡, 女曰巫. 三女同卦, 故曰紛若. 二之與上, 皆巽在牀下, 而得其中者, 用史巫而吉, 窮於上者, 喪資斧而凶也.

巽之究爲震, 震巽之合, 其卦爲益. 益之二曰, 王用享于帝, 故此取祭祀之象也. 凡言祭享, 皆在巽體之卦, 見渙大象.
고대의 『주역』에서 손(巽)자는 손(顨)자로 기록했는데, 『설문』에서는 "갖춘다는 뜻으로, 여러 사물이 모두 갖춰져 있어서 상으로 받쳐서 바친다"고 한 말이 이러한 뜻을 나타낸다. 손괘는 두 양이 위에서 덮고 있으니 가로로 놓인 상의 상이 된다. 하나의 음이 위를 받들고 있고 서로 마주하는 상의 다리 상이 된다. 박괘(剝卦☶)는 전체 괘에 상의 상이 있는데, 초효와 이효는 아래에 있고 굳센 양을 변하여 부드러운 음이 되기 때문에 "평상을 다리에서 깎는다"고 하여 구별하였다. 사(史)는 거북점과 시초점을 담당하고 무(巫)는 악귀 쫓는 일을 담당하니, 신명에게 진실된 뜻을 통하게 할 수 있는 자이다. 리괘의 무늬는 또한 거북이 되고, 태괘는 무당이 되니, 사와 무의 상이 된다. 태괘의 입과 혀는 무너짐과 붙음이 되니 많이 하는 상이다. 남자 무당을 격(覡)이라고 부르고 여자 무당을 무(巫)라고 부른다. 세 여자가 괘를 같이 하기 때문에 많이 함이라고 했다. 이효와 상효는 모두 겸손히 상 아래에 있는데 가운데 자리를 얻은 자는 사관과 무당을 써서 길하며, 위에서 다하는 자는 물자와 도끼를 잃어서 흉하다. 손괘가 다하면 진괘가 되고 진괘와 손괘가 합하면 익괘(益卦☴)가 된다. 익괘의 이효에서는 "임금이 상제께 제사 지낸다"[49]라고 했기 때문에 이 효도 제사의 상을 취한 것이다. 제사라고 했다면 모두 손괘의 몸체에 해당하니, 그 설명은 환괘(渙卦☴)의 「대상전」에 나온다.

서유신(徐有臣) 『역의의언(易義擬言)』

牀, 巽象. 古人尊者處於牀, 卑者侍牀下. 二巽乎中, 而在九五之下, 故曰巽在牀下也. 二五得中相巽而志行, 故曰用史巫紛若. 以卑下交尊上者, 史巫爲可取喩也. 用史巫者, 用其誠信感通也. 紛若者, 交神鼓舞之際, 其狀繽紛然也. 上下相與, 吉且无咎也.
상은 손괘의 상이다. 옛날에 존귀한 자는 상에 위치했고 미천한 자는 상 아래에서 시중을 들었다. 이효는 가운데에서 겸손하지만 구오의 아래에 있기 때문에 "겸손함이 상(牀) 아래에 있다"고 했다. 이효와 오효는 가운데 자리를 얻고 서로 겸손하여 뜻을 행해지기 때문에 "사관과 무당을 쓰기를 많이 한다"고 했다. 미천한 자가 존귀한 자를 사귀는 것은 사관과 무당으로 비유를 들 수 있다. 사관과 무당을 쓰는 것은 성실한 뜻으로 느껴서 통하게 하기 때문이다. 많이 함은 신과 교감하며 북을 울리고 춤을 출 때 그 모습이 분주하기 때문이다. 위아래가 서로 함께 하니 길하고 또 허물이 없다.

---

49) 『周易 · 益卦』: 六二, 或益之, 十朋之. 龜弗克違, 永貞, 吉, 王用享于帝, 吉.

박제가(朴齊家) 『주역(周易)』

本義, 丁寧煩悉其辭, 以自道達, 則可以吉而无咎, 亦竭誠意以祭祀之吉占也.
『본의』에서 말하였다: 그 말을 간곡하게 당부하고 번거롭게 다하여 스스로 도달할 수 있다면 길하고 허물이 없을 수 있게 되며, 또한 성의를 다하여 제사를 지내는 길한 점이다.

案, 卜祭之吉, 未祭之先也. 此紛若之吉, 已驗之吉也. 於象爲倒錯, 旣祭矣, 安用此吉. 若曰因此爻之占, 而知其祭者之必能竭誠, 故曰竭誠之吉占, 則卜祭者, 固未有卜其誠意之厚薄者也. 恐當曰竭誠以祭之象, 占者得之則吉. 然祭自有禮, 此之紛若亦已褻矣, 豈有煩悉其辭以求鬼神, 而謂之竭誠祭耶. 故爻辭乃禱也, 非祭也. 上九之巽在牀下, 象傳以爲上窮. 以此推之, 此之牀乃指三也. 迫於三剛, 故謂之牀下, 以剛爲病祟[50], 故多方以禱之耳. 此所以爲得中也.
내가 살펴보았다: 제사에 대해 점을 쳐서 길하다는 것은 아직 제사를 지내기 이전에 해당한다. 이곳에서 '많이 하면 길함'은 이미 증험을 한 길함이다. 「상전」에 대해 전토를 시켜서 이미 제사를 지냈다고 한다면 어떻게 이것을 사용하여 길함이 되겠는가? 만약 이러한 효사의 점으로 인해 제사를 지낼 때에는 반드시 성심을 다해야 함을 알아야 하기 때문에 성심을 다하는 길한 점이라고 했다면, 제사에 대해 점치는 것은 제사를 지내는 자의 성심의 두텁고 엷은 차이에 대해서 점을 치지 않는다. 아마도 마땅히 성심을 다하여 제사를 지내는 상이라고 해야 하니 점치는 자가 이것을 얻으면 길하다. 그러나 제사에는 그 자체에 정해진 예법이 있고, 이곳에서 많이 한다고 한 것은 또한 이미 너무 무람된 것인데 어찌 그 말을 번거롭게 다하여 신을 구하는 것을 성심을 다하여 제사를 지낸다 하겠는가? 그러므로 효사는 곧 기원을 하는 내용에 해당하지 제사를 지내는 내용이 아니다. 상구의 "겸손함이 상 아래에 있다"에 대해 「상전」에서는 "위의 끝이기 때문이다"라고 했다. 이를 통해 미루어보면, 이곳의 상은 곧 삼효를 가리킨다. 삼효의 굳센 양에게 가까이 있기 때문에 상 아래라고 했고, 굳셈을 병의 원흉이라고 여겼기 때문에 다방면으로 기도를 한 것일 뿐이다. 이것이 바로 중을 얻음이 된다.

윤행임(尹行恁) 『신호수필(薪湖隨筆) · 역(易)』

九二紛若, 非謂信用史巫, 以覬僥倖也. 積得誠意以見孚於人, 有如史巫之通誠意於神明也.
구이의 많이 함은 사관과 무당을 진실 되게 사용하여 요행을 바라는 것이 아니다. 성의를 쌓아서 사람들에게 믿음을 줄 수 있는 것에는 사관과 무당이 신명에게 성의를 통하게 하는

50) 祟: 경학자료집성DB에는 '崇'으로 되어 있으나, 경학자료집성 영인본을 참조하여 '祟'로 바로잡았다.

것과 같은 점이 있다.

이지연(李止淵) 『주역차의(周易箚疑)』

史巫者, 通誠意於神明者也. 其禮數之紛紜, 近於過恭, 然而其志, 則非諂而誠也. 九二之過恭, 在於床下, 其升降進退之際, 禮數之紛紜, 雖近於史巫之風, 而志則誠也, 故吉耳.
사관과 무당은 신명에게 성의를 통하게 하는 자이다. 관련 예제는 복잡하고 많아서 지나치게 겸손한 것과 가깝지만 뜻에 있어서는 아첨이 아니라 진실하다. 구이의 지나치게 겸손함은 상 아래에 있고, 오르고 내리며 나아가고 물러날 때 관련 예제가 복잡하고 많으니, 비록 사관과 무당의 행위와 가깝지만 뜻은 진실하기 때문에 길할 따름이다.

김기례(金箕澧) 「역요선의강목(易要選義綱目)」

陽居陰位, 過巽自卑, 故曰床下.
양이 음의 자리에 있어서 지나치게 겸손하고 스스로를 낮추기 때문에 상 아래라고 했다.

○ 史掌卜, 巫掌祝. 二得中, 故雖過巽用誠, 如卜祝之告達神明, 雖煩而不諂, 故吉无咎. 初剛位, 故取武人, 二柔位, 故取史巫.
사관은 점치는 일을 담당하고 무당은 축문을 담당한다. 이효는 가운데 자리를 얻었기 때문에 비록 지나치게 겸손하더라도 진실됨을 사용하니, 점과 축문을 통해 신명에게 뜻을 전달하는 일이 비록 번거롭지만 아첨하지 않기 때문에 길하고 허물이 없는 것과 같다. 초효는 굳센 양의 자리이기 때문에 무인의 상을 취했고, 이효는 부드러운 음의 자리이기 때문에 사관과 무당의 상을 취했다.

심대윤(沈大允) 『주역상의점법(周易象義占法)』

巽之漸䷴, 漸進也. 命令之發, 有次序而不驟也. 上之命下, 有漸次, 而下之服上者, 亦漸衆也. 九二以剛中居柔, 得位而應五, 上之得賢而命之, 下之歸德而承之者也. 上不偏溺, 下不諂從, 有所可否而得中. 應五而阻三, 有其象. 五居艮體, 剛爻之下而爲巽, 艮爲床, 有床下之象. 巽在床下, 言從五也. 史巫, 程子曰, 通誠意於神明者也. 紛若, 多也. 巽爲感通, 坎爲鬼, 艮爲言, 故以史巫言也. 巽爲繁多, 兌爲史巫. 反復丁寧, 上申諭而下申請, 以通其志意也. 九二之可否, 非有剛愎争執也. 巽以達其誠意, 故吉无咎也. 二之時上下未孚, 故多誥費辭也. 九二, 木之漸長也.

손괘가 점괘(漸卦䷴)로 바뀌었으니, 점진적으로 나아가는 것이다. 명령을 내릴 때에는 순서가 있어서 급작스럽게 하지 않는다. 윗사람이 아랫사람에게 명령을 내림에 점진적인 순서가 있어서 아랫사람이 윗사람을 섬기는 것 또한 점진적으로 늘어난다. 구이는 굳센 양과 알맞음으로 음의 자리에 있고, 자리를 얻었고 오효와 호응하니 윗사람은 현명함을 얻어 명령을 내리고 아랫사람은 덕에 회귀하여 받드는 것이다. 윗사람이 편애하지 않고 아랫사람이 아첨하며 따르지 않으니 가부를 가릴 점이 있는데 알맞음을 얻은 것이다. 오효와 호응하는데 삼효에게 막혀 있어서 이러한 상이 있다. 오효는 간괘의 몸체에 있는데 굳센 양효의 아래에 있어서 겸손하게 되고, 간괘는 상이 되니 상 아래의 상이 있다. “겸손함이 상 아래에 있다”는 오효를 따른다는 뜻이다. 사관과 무당에 대해서 정자는 “성의가 신명에게 통하는 자이다”라고 했다. 분약(紛若)은 많음이다. 손괘는 느껴서 통함이 되고 감괘는 귀신이 되며 간괘는 말이 되기 때문에 사관과 무당으로 말을 한다. 손괘는 번다함이 되고 태괘는 사관과 무당이 된다. 반복하고 간절히 하여 윗사람이 거듭 설명하고 아랫사람이 거듭 청원을 하여 그 뜻을 통하게 하는 것이다. 구이의 가부는 억지로 하고 다투며 고집하는 것이 아니다. 겸손함으로 진실한 뜻을 소통시키기 때문에 길하고 허물이 없다. 이효의 때에는 위아래가 아직 믿지 않기 때문에 여러 차례 알리고 말하게 된다. 구이는 나무가 점진적으로 자라남이다.

오치기(吳致箕) 「주역경전증해(周易經傳增解)」

九二剛雖得中, 而居于柔位, 性旣巽順而下比陰柔, 乃過於卑巽, 有巽在牀下之象. 而過巽, 則近於媚悅謟諛, 誠實不足. 故戒言當以剛中之德孚信于人, 如史巫之以誠感神而紛若, 則可以得吉而无過巽之咎也.

이효의 굳센 양은 비록 가운데 자리를 얻었지만 음의 자리에 있고 성질은 이미 겸손하고 순종적인데 아래로 부드러운 음과 가까우니 낮추고 겸손함에 지나쳐서 겸손함이 상 아래에 있는 상이 있다. 그런데 겸손함이 지나치다면 아첨하는 것에 가까워서 성실함이 부족하다. 그러므로 마땅히 굳세고 알맞은 덕으로 사람들에게 믿음을 줘야 하니, 마치 사관과 무당의 행위를 통해 신을 성신으로 감동시켜 자주하는 것처럼 한다면 길함을 얻고 지나치게 겸손한 허물이 없을 수 있다고 경계해서 말한 것이다.

○ 二之奇爲牀體, 初之耦爲牀足, 乃牀之象. 亦以爻變則爲艮, 而剝卦亦言牀也. 巽性伏而以剛居柔, 故言在牀下也. 史掌卜筮而問以言, 巫掌祓禳而禳以言, 故皆取於互兌也. 紛者, 盛多也. 若, 語辭. 蓋史巫, 皆以巽順通其誠意於神明, 故取喻也. 初與二俱爲過巽, 而初則柔而過巽, 故戒以武人之貞, 二則剛而過巽, 故戒以史巫之誠者, 各有攸當也.

이효는 양효로 상의 몸체가 되고 초효는 음효로 상의 다리가 되니 상의 상이다. 또 효가 변하면 간괘가 되어 박괘(剝卦)에서도 또한 상을 말했다. 손괘의 성질은 숨는 것인데 굳센 양으로 부드러운 음의 자리에 있기 때문에 상 아래에 있다고 했다. 사관은 점치는 일을 담당하여 말을 통해 뜻을 묻고, 무당은 악귀를 쫓는 일을 담당하며 말을 통해 악귀를 쫓으므로, 모두 호괘인 태괘에서 상을 취했다. 분(紛)자는 융성하고 많다는 뜻이다. 약(若)자는 어조사이다. 사관과 무당은 모두 겸손하고 유순함으로 성의를 신명에게 소통하기 때문에 비유로 삼았다. 초효와 이효는 모두 겸손함이 지나친데 초효는 부드러운 음으로 겸손함이 지나치기 때문에 무인의 곧음으로 경계를 했고, 이효는 굳센 양으로 겸손함이 지나치기 때문에 사관과 무당의 성의로 경계를 했으니, 각각 마땅한 점이 있다.

이진상(李震相) 『역학관규(易學管窺)』

用史巫.
사관과 무당을 쓰기를.

牀, 巽木象. 史, 互離象. 巫, 互兌象. 史巫并以口舌, 交於二五之間者也.
상은 손괘인 나무의 상이다. 사관은 호괘인 리괘의 상이다. 무당은 호괘인 태괘의 상이다. 사관과 무당은 모두 말을 통해 이효와 오효 사이에서 사귀게 하는 자이다.

박문호(朴文鎬) 「경설(經說) · 주역(周易)」

史, 卽祝史也.
'사(史)'는 축사(祝史)이다.

이병헌(李炳憲) 『역경금문고통론(易經今文考通論)』

宋曰, 二无應據初, 故巽在牀下也.
송충이 말하였다: 이효는 호응함이 없고 초효에 의지하기 때문에 겸손함이 상 아래에 있다.

荀曰, 二以陽應陽, 軍帥之象.
순상이 말하였다: 이효는 양으로 양과 호응하니 장수의 상이 있다.

程傳曰, 史巫, 通誠意於神明者, 紛若, 多也.
『정전』에서 말하였다: 사관과 무당이란 성의가 신명에게 통하는 자이다. '분약(紛若)'은 많음이다.

象曰, 紛若之吉, 得中也.

「상전」에서 말하였다: "많이 하면 길함"은 중(中)을 얻었기 때문이다.

中國大全

傳

二以居柔在下, 爲過巽之象, 而能使通其誠意者, 衆多紛然, 由得中也. 陽居中爲中實之象, 中旣誠實, 則人自當信之. 以誠意則非諂畏也, 所以吉而无咎.

이효가 부드러운 음의 자리에 있으면서 아래에 있으므로 지나치게 겸손한 상이 되지만, 그 성의를 통하는 자들을 분분(紛紛)하게 많도록 할 수 있음은 알맞음을 얻었기 때문이다. 양이 가운데 자리에 있음은 가운데가 꽉 찬 상이 되니, 가운데가 이미 성실하면 사람들은 스스로 마땅히 믿게 된다. 성의로써 하면 아첨하거나 두려워함이 아니니, 길하고 허물이 없는 까닭이다.

小註

中溪張氏曰, 他事, 過巽非所宜, 唯用史巫紛然其多, 則可以導達其誠意於神明. 人能以事神之禮而事上, 則吉而无咎. 蓋以九二得乎中道故也.

중계장씨가 말하였다: 다른 일에서 지나치게 겸손함은 마땅한 바가 아니지만, 오직 사관과 무당을 많이 쓸 때만은 그 성의를 신명에게 도달하도록 할 수 있다. 사람들이 귀신을 섬기는 예(禮)로써 윗사람을 섬긴다면 길하고 허물이 없을 것이니, 아마도 구이가 중도를 얻었기 때문인 듯하다.

‖ 韓國大全 ‖

김상악(金相岳) 『산천역설(山天易說)』

得中則不過于卑巽也.
가운데 자리를 얻었으니 낮추고 겸손한 것에 지나치지 않는다.

서유신(徐有臣) 『역의의언(易義擬言)』

用史巫, 求其交也. 繽紛鼓舞, 則得其交也, 故必曰紛若之吉也. 得中也者, 所謂剛巽乎中正而志行也. 九二, 故但稱中也.
사관과 무당을 쓰는 것은 사귀기를 구하는 것이다. 분주하고 고무시킨다면 사귐을 얻기 때문에 기어코 '많이 하면 길함'이라고 했다. "중(中)을 얻었기 때문이다"는 이른바 "굳센 양이 중정한 데에서 겸손하여 뜻이 행하여진다"는 뜻이다. 구이이기 때문에 단지 중(中)이라고만 했다.

심대윤(沈大允) 『주역상의점법(周易象義占法)』

明其不得已也, 非好爲多言也.
부득이함을 드러낸 것이지 좋아서 많은 말을 하는 것이 아니다.

오치기(吳致箕) 「주역경전증해(周易經傳增解)」

性卑巽而居柔, 雖過於巽而以其處得其中, 故可用其紛若之誠而爲吉也.
성질은 낮추고 겸손하며 부드러운 음의 자리에 있으니, 비록 겸손함이 지나치더라도 처한 곳이 알맞음을 얻었기 때문에 많이 함의 성실함을 사용하면 길하게 될 수 있다.

九三, 頻巽, 吝.

구삼은 자주 겸손하니 부끄럽다.

中國大全

傳

三, 以陽處剛, 不得其中, 又在下體之上, 以剛亢之質, 而居巽順之時, 非能巽者, 勉而爲之, 故屢失也, 居巽之時, 處下而上臨之以巽, 又四以柔巽相親, 所乘者剛而上復有重剛, 雖欲不巽, 得乎. 故頻失而頻巽, 是可吝也.

삼효는 양으로 굳센 양의 자리에 있으면서 그 알맞음을 얻지 못하고 또 하체의 맨 위에 있으니, 굳셈이 지나친 자질을 가지고 겸손하면서 따르는 시절에 있으므로 겸손할 수 있는 자가 아닌데도, 억지로 힘써서 그렇게 하기 때문에 자주 잃는다. 손(巽)의 시절에 있으면서 아래에 있고 위로는 겸손함으로써 임하며, 또 사효가 유순하고 겸손함으로써 서로 친하고, 타고 있는 바가 굳센 양이고 위로는 다시 거듭된 굳센 양이 있으니, 비록 겸손하지 않고자 하지만 그럴 수가 있겠는가? 그러므로 자주 잃고 자주 겸손하니, 이는 부끄러울 만하다.

本義

過剛不中, 居下之上, 非能巽者, 勉爲屢失, 吝之道也. 故其象占, 如此.

지나치게 굳세고 알맞지 않으면서 하체의 맨 위에 있으니 겸손할 수 있는 자가 아니며, 억지로 해서 자주 잃으니 부끄러운 도이다. 그러므로 그 상과 점이 이와 같다.

小註

朱子曰, 九三頻巽, 不比頻復. 復是好事, 所以頻復爲无咎, 巽不是甚好底事. 九三別无伎倆, 只管今日巽了明日又巽, 自是可吝.

주자가 말하였다: 구삼에서의 "자주 겸손하다"는 복괘(復卦)의 육삼에서 말하는 "돌아오기를 자주한다"[51]와 견줄 수 없다. 복괘(復卦)에서의 '돌아온다'란 좋은 일이니, 자주 돌아옴은 허물이 없게 되지만, 손괘에서의 '겸손함'이란 매우 좋은 일이 아니다. 구삼은 특별히 기량이 없어 오직 오늘 겸손하고 내일 또 겸손할 뿐이니, 저절로 부끄러울 만하다.

○ 童溪王氏曰, 九三居兩巽之間, 一巽旣盡, 一巽復來, 故曰頻巽. 夫謂之頻巽, 則頻失可知. 蓋九三以剛處剛, 卑巽之志, 不出於自然而勉爲之, 是可吝也.
동계왕씨가 말하였다: 구삼은 두 손괘(巽卦☴)의 사이에 있으니, 하나의 손괘(巽卦)는 이미 다하였고 다른 하나의 손괘(巽卦)는 돌아오기 때문에 "자주 겸손하다"고 하였다. "자주 겸손하다"고 한다면 자주 잃음을 알 수가 있다. 구삼은 굳센 양으로 굳센 양의 자리에 있어서 낮추고 겸손한 뜻이 자연스럽게 나오지 않고 억지로 그렇게 하니, 이것이 부끄러울 만한 이유다.

○ 雲峯胡氏曰, 復六三頻復厲, 巽九三頻巽吝. 聖人不重无過重改過, 屢失屢復, 復在失後, 故无咎. 三之剛非能巽者, 屢巽屢失, 失在巽後, 故吝.
운봉호씨가 말하였다: 복괘(復卦)의 육삼에서는 "돌아오기를 자주하니 위태롭다"고 하였고, 손괘 구삼에서는 "자주 겸손하니 부끄럽다"고 하였다. 성인은 허물이 없는 것을 중요하게 여기지 않고 허물을 고치는 것을 중요하게 여기므로, 자주 잃더라도 자주 회복[復]하면 잃은 뒤에 회복하기 때문에 허물이 없다. 삼효는 굳센 양으로 겸손할 수 있는 자가 아니라서, 자주 겸손하더라도 자주 잃으니 겸손한 후에 잃게 되기 때문에 부끄럽다.

韓國大全

김장생(金長生) 『경서변의(經書辨疑)-주역(周易)』

九三象, 傳上臨之以巽.
구삼의 「상전」에 대해 『정전』에서는 "위는 겸손함으로 임한다"고 했다.

上, 非謂上爻, 謂上卦也. 重巽, 故上臨之以巽也.

---

51) 『周易 · 復卦』: 六三, 頻復, 厲无咎.

상(上)은 상효를 이르는 것이 아니라 상괘를 이른다. 거듭된 손괘이기 때문에 위가 겸손함으로 임한다.

송시열(宋時烈) 『역설(易說)』

既巽而又巽, 故曰頻巽. 此則過巽, 非道也. 上九既窮, 無有相援之義. 此爻亦居巽之下體, 而極其志已窮, 其占亦吝.
이미 겸손한데도 또 겸손하기 때문에 "자주 겸손하다"고 했다. 이것은 지나치게 겸손한 것으로 도가 아니다. 상구는 이미 끝이어서 서로 구원해주는 뜻이 없다. 이 효 또한 손괘의 하체에 있고 그 뜻을 지극히 하여 이미 궁하게 되었으니 그 점도 부끄러움이 된다.

이익(李瀷) 『역경질서(易經疾書)』

頻巽, 則時有不巽者間之也, 與初之進退相似. 兌之商[52]兌, 亦如此. 申命則可頻巽, 宜吝. 大抵此卦義, 與兌相類.
자주 겸손하다면 때에 따라 겸손하지 않은 것도 끼어드는 것이니, 초효의 나아가고 물러남과 유사하다. 태괘(兌卦)의 "기뻐함을 헤아리다"[53]라는 말 또한 이와 같다. 명령을 거듭하면 자주 겸손할 수 있으니 마땅히 부끄럽게 된다. 대체로 이 괘의 뜻은 태괘와 서로 유사하다.

유정원(柳正源) 『역해참고(易解參攷)』

王氏曰, 頻, 頻蹙不樂而窮不得已之謂也. 以其剛正而爲四所乘, 志窮而巽, 是以吝也.
왕필이 말하였다: 빈(頻)은 빈번하고 재촉하여 즐겁지 않고 계속해서 어렵다는 뜻이다. 굳세고 바름이 되지만 사효가 타고 있으니 뜻이 궁한데도 겸손하여 부끄럽게 된다.

○ 案, 九三重剛之位, 故其巽也, 不由自然而多出於作爲, 或巽而或失. 累失而累巽, 吝之道也.
내가 살펴보았다: 구삼은 굳셈이 거듭되는 자리이기 때문에 그의 겸손함은 자연스러움에서 나온 것이 아니며 대부분 인위적인 데에서 나오니 어떤 때에는 겸손하다가도 또 어떤 때에는 잘못을 저지른다. 잘못이 연발하고 여러 차례 겸손하게 꾸미려고 하는 것은 부끄러움의 도이다.

---

52) 商: 경학자료집성DB에는 '商'으로 되어 있으나, 경학자료집성 영인본을 참조하여 '商'으로 바로잡았다.
53) 『周易 · 兌卦』: 九四, 商兌未寧, 介疾, 有喜.

김상악(金相岳) 『산천역설(山天易說)』

九三剛而不中, 居下之上, 比四而巽, 故有頻巽之象. 以陽巽陰, 終于不巽, 故吝也.
구삼은 굳센 양이지만 알맞지 않고 하괘의 위에 있으며 사효와 가깝고 겸손하기 때문에 자주 겸손한 상이 있다. 양이 음에게 겸손하면 겸손하지 않음으로 끝이 나기 때문에 부끄럽다.

○ 巽性進退, 而三在兩巽之交, 故曰頻巽. 以過剛之才, 勉爲巽順, 而頻失, 與復之頻復不同, 所以吝无咎異占.
손괘의 성질은 나아가고 물러남인데 삼효는 두 손괘의 사이에 있기 때문에 "자주 겸손하다"고 했다. 지나치게 굳센 자질로 억지로 겸손하고 순종하려고 하여 빈번하고 잘못을 저지르는데, 복괘(復卦)의 "돌아오기를 자주하다"와는 다르므로, 부끄럽고 허물이 없으니 점을 달리한다.[54]

서유신(徐有臣) 『역의의언(易義擬言)』

頻巽者, 頻入也. 頻入則頻出可知也. 三與上九敵剛, 而巽性務入, 相持不合, 故頻出. 頻入爲可羞吝也.
빈손(頻巽)은 빈번하게 들어간다는 뜻이다. 빈번하게 들어가면 빈번하게 나온다는 사실도 알 수 있다. 삼효는 상구와 굳셈이 필적하는데 손괘의 성질은 들어가는데 힘써서, 서로 고집을 부리며 합하지 않기 때문에 빈번하게 나온다. 따라서 빈번하게 들어가는 것은 부끄러워할 만한 일이 된다.

강엄(康儼) 『주역(周易)』

按, 本義於九二曰不厭其卑, 是出於誠心者也. 於九三曰勉爲屢失, 是非誠心而勉强爲之者也. 出於誠心, 故吉, 勉强爲之, 故吝. 誠僞之驗, 豈不明著, 而本義立言之精, 亦可見矣.
내가 살펴보았다: 『본의』에서는 구이에 대해 "낮춤을 싫어하지 않는다"고 했으니, 이것은 성심에서 나온 것이다. 또 구삼에 대해서는 "억지로 해서 자주 잃는다"고 했으니, 이것은 성심이 아니며 억지로 한 것이다. 성심에서 나왔기 때문에 길하고 억지로 한 것이기 때문에 부끄럽다. 진실과 거짓의 증험이 어찌 명확히 드러나지 않겠는가? 『본의』에서 한 말이 정밀하다는 것 또한 확인할 수 있다.

---

54) 『周易 · 復卦』: 六三, 頻復, 厲无咎.

이지연(李止淵) 『주역차의(周易箚疑)』

語曰, 恭而安. 此九三, 則恭而不安者也.
『논어』에서는 "공손하면서도 편안하셨다"[55]라고 했다. 구삼은 공손하지만 편안하지 않은 것이다.

김기례(金箕澧) 「역요선의강목(易要選義綱目)」

過剛而居兩巽間. 下巽已盡, 上巽將來, 欲巽而頻失, 故吝.
굳셈이 지나치며 두 손괘의 몸체 사이에 있다. 아래의 손괘는 이미 다하였고 위의 손괘는 앞으로 오려고 하니, 겸손하려고 하지만 자주 잃기 때문에 부끄럽다.

○ 巽志, 不出於自然而勉彊, 則與頻復[56]无咎六異.
겸손함의 뜻이 자연스러움에서 나오지 않고 억지로 한다면 "돌아오기를 자주하여 허물이 없다"[57]는 육(六)과는 차이가 있다.

심대윤(沈大允) 『주역상의점법(周易象義占法)』

巽之渙䷺, 發散也. 上之命令達于遠, 而下之服從者益衆也. 九三以剛居剛, 能以强貴勉爲承順應於上, 而從於四, 其彊貴侔於四, 而勉承之事, 无敢可否, 而專以承順爲主, 故曰頻巽吝. 以其彊貴, 故頻有不可巽之事, 以其居剛, 故頻自勉於巽也. 上之勉從于賢也, 侯牧之勉從于大臣也. 復之明夷, 過大而復, 亦曰頻復. 坎离互震爲頻. 二不從于初, 而三從于四, 何也. 巽之道, 以從上而不從下, 巽于賢德, 是也.
손괘가 환괘(渙卦䷺)로 바뀌었으니, 발산하는 것이다. 윗사람의 명령이 멀리까지 두루 통하고, 아랫사람의 복종함이 더욱 많아진다. 구삼은 굳센 양으로 양의 자리에 있어서 억지로 노력하여 위에 대해 받들고 순응할 수 있어 사효를 따르는데, 굳세고 귀한데도 사효를 따르고, 억지로 받드는 일에 있어서 감히 가부를 따지지 않고 오로지 받들고 순종하는 것만을 위주로 삼으므로, "자주 겸손하니 부끄럽다"고 했다. 굳세고 귀하기 때문에 빈번하게 겸손하지 못한 일이 발생하고 굳센 양의 자리에 있기 때문에 겸손하게 하려고 빈번하게 스스로 노력한다. 윗사람이 현명한 자를 따르려고 노력하는 것은 제후들이 대신을 따르려고 노력하

---

55) 『論語 · 述而』: 子溫而厲, 威而不猛, 恭而安.
56) 復: 경학자료집성DB와 영인본에는 '履'로 되어 있으나, 문맥을 살펴 '復'으로 바로잡았다.
57) 『周易 · 復卦』: 六三, 頻復, 厲无咎.

는 것이다. 복괘(復卦)가 명이괘(明夷卦)로 바뀌었으니 큼이 지나쳐서 되돌아오기 때문에 "돌아오기를 자주한다"[58]고 했다. 감괘와 리괘의 호괘인 진괘는 자주함이 된다. 이효는 초효를 따르지 않는데 삼효가 사효를 따르는 것은 어째서인가? 손괘의 도는 윗사람을 따르고 아랫사람을 따르지 않으니, 현명한 덕을 가진 자에게 겸손하게 대하기 때문이다.

오치기(吳致箕) 「주역경전증해(周易經傳增解)」

九三過剛不中, 雖居巽柔之體, 而以剛乘剛, 本不能巽者也. 勉强爲巽, 屢失屢巽, 故言吝.
구삼은 굳셈이 지나치고 알맞지 않으니 비록 손괘의 부드러운 몸체에 있더라도 굳센 양으로 양을 타고 있어서 본래부터 겸손할 수 없는 자이다. 억지로 겸손하게 하면 자주 잃고 또 자주 겸손하려고 하기 때문에 부끄럽다고 했다.

○ 頻者, 數也, 與頻復同象. 而復之三, 則在剛反之時, 以柔居剛, 故雖頻失, 而終必得復, 是以言无咎. 巽之三, 則在柔巽之時, 以剛居剛, 故雖頻巽, 而終必不巽, 是以言吝. 此所以時義不同, 而占決有異也.
빈(頻)은 자주함이니, "돌아오기를 자주한다"[59]고 한 것과 상이 같다. 그러나 복괘(復卦☷)의 삼효는 굳세고 되돌아가려는 때에 있고, 부드러운 음으로 굳센 양의 자리에 있기 때문에 비록 자주 잃더라도 끝내 반드시 돌아갈 수 있으므로 허물이 없다고 했다. 반면 손괘의 삼효는 유순하고 겸손한 때에 있고, 굳센 양으로 양의 자리에 있기 때문에 비록 자주 겸손하더라도 끝내 반드시 겸손하지 않기 때문에 부끄럽다고 했다. 이것이 바로 때와 뜻이 달라서 점괘가 결국 달라지게 된 것이다.

이진상(李震相) 『역학관규(易學管窺)』

重剛不中, 强爲巽而屢失, 故曰頻巽, 猶復之曰頻復也.
거듭된 굳셈이고 알맞지 않아서 억지로 겸손하려고 하지만 자주 잃기 때문에 "자주 겸손하다"고 했으니, 복괘(復卦)에서 "돌아오기를 자주 한다"[60]라고 한 말과 같다.

---

58) 『周易·復卦』: 六三, 頻復, 厲无咎.
59) 『周易·復卦』: 六三, 頻復, 厲无咎.
60) 『周易·復卦』: 六三, 頻復, 厲无咎.

박문호(朴文鎬) 「경설(經說) · 주역(周易)」

所乘者剛以下, 又主三而言也.

"타고 있는 바가 굳센 양이다"라는 구문으로부터 그 이하는 삼효를 위주로 한 말이다.

象曰, 頻巽之吝, 志窮也.

「상전」에서 말하였다: "자주 겸손하니 부끄러움"은 뜻이 궁한 것이다.

中國大全

傳

三之才質, 本非能巽, 而上臨之以巽, 承重剛而履剛, 勢不得行其志, 故頻失而頻巽, 是其志窮困, 可吝之甚也.

삼효의 재질이 본래 겸손할 수가 있는 것이 아니지만, 위에는 겸손함으로 임하고 거듭된 굳센 양을 받들고 굳센 양을 밟아서 형세가 그 뜻을 행할 수 없기 때문에 자주 잃고 자주 겸손하니 이는 그 뜻이 곤궁하므로 부끄러워할 만함이 심하다.

小註

童溪王氏曰, 前倨後恭, 動而易窮, 豈其志歟. 故曰志窮也.

동계왕씨가 말하였다: 앞에서는 거만하고 뒤에서는 공손하여 움직이면서 궁하기 쉬우니, 어찌 그 뜻이라고 하겠는가? 그러므로 "뜻이 궁하다"고 하였다.

❙韓國大全❙

김상악(金相岳) 『산천역설(山天易說)』

三之過剛居下之上, 非能巽者, 而勉爲屢失, 志窮而吝也.
삼효는 지나친 굳셈으로 하괘의 맨 위에 있어 순종할 수 없는 자이며, 억지로 하여 자주 실수를 저질러 뜻이 궁하여 부끄럽게 된다.

서유신(徐有臣) 『역의의언(易義擬言)』

頻入而不相合應之志, 見窮也.
빈번하게 들어오지만 서로 합하고 호응하려는 뜻이 아니니 궁함을 드러낸다.

심대윤(沈大允) 『주역상의점법(周易象義占法)』

欲巽而不可常, 故曰志窮. 九三, 木之條達也.
겸손하려고 하지만 일정하게 유지할 수 없기 때문에 "뜻이 궁한 것이다"고 했다. 구삼은 나무의 가지가 뻗은 것이다.

오치기(吳致箕) 「주역경전증해(周易經傳增解)」

始雖有巽順之志, 而終不能行其志. 頻得頻失, 乃志之窮也.
처음에는 비록 겸손하고 순종하려는 뜻이 있었지만, 끝내 그 뜻을 시행할 수 없다. 자주 얻고 자주 잃는다면 뜻이 궁한 것이다.

이병헌(李炳憲) 『역경금문고통론(易經今文考通論)』

荀曰, 乘陽无據, 爲陰所乘, 號令不行, 故志窮也.
순상이 말하였다: 양을 타고 있지만 의지할 곳이 없고 음이 타고 있어서 호령이 시행되지 않기 때문에 뜻이 궁하게 된다.

六四，悔亡，田獲三品.

육사는 후회가 없어지니, 사냥을 하여 삼품(三品)의 짐승을 얻는다.

中國大全

傳

陰柔无援, 而承乘皆剛, 宜有悔也, 而四以陰居陰, 得巽之正, 在上體之下, 居上而能下也. 居上之下, 巽於上也, 以巽臨下, 巽於下也. 善處如此, 故得悔亡, 所以得悔亡, 以如田之獲三品也. 田獲三品, 及於上下也. 田獵之獲, 分三品, 一爲乾豆, 一供賓客與充庖, 一頒徒御, 四能巽於上下之陽, 如田之獲三品, 謂遍及上下也. 四之地本有悔, 以處之至善, 故悔亡而復有功, 天下之事, 苟善處, 則悔或可以爲功也.

부드러운 음으로 응원하는 바가 없고 받들고 탄 것이 모두 굳센 양이니 마땅히 후회가 있지만, 사효가 음으로 음의 자리에 있어서 겸손의 바름을 얻어 상체의 맨 아래에 있으니, 위에 있으면서도 낮출 수 있다. 상괘의 맨 아래에 있으니, 위에서 겸손하며 겸손함으로써 아래에 임하니 아래에게 겸손하다. 처신하기를 잘하기가 이와 같기 때문에 "후회가 없어지니", "후회가 없어짐"을 얻은 까닭은 사냥을 나가 삼품을 얻은 것과 같기 때문이다. "사냥을 하여 삼품(三品)의 짐승을 얻는다"란 위와 아래에 미친다는 것이다. 사냥을 하여 얻은 것을 세 품급으로 나눠 하나는 건두(乾豆)를 만들며 하나는 손님에게 주고 푸줏간에 채우며 하나는 몰이꾼에게 나누어 하사하니, 사효는 위와 아래의 양에게 겸손할 수 있어서 사냥에서 삼품을 얻은 것과 같으므로 위와 아래에 두루 미친다는 말이다. 사효의 자리는 본래 후회가 있지만, 처신하기를 지극히 잘하기 때문에 후회가 없어지고 다시 공이 있는 것이니, 천하의 일을 잘 처리하면 후회가 혹 공이 될 수 있다.

本義

陰柔无應, 承乘皆剛, 宜有悔也. 而以陰居陰, 處上之下, 故得悔亡而又爲卜田之吉占也. 三品者, 一爲乾豆, 一爲賓客, 一以充庖.

부드러운 음으로 호응함이 없고 받들고 타는 것이 모두 굳센 양이라서 마땅히 후회가 있다. 그러나 음으로 음의 자리에 있고 상괘의 맨 아래에 있기 때문에 후회가 없어질 수 있고 또 사냥에 대해 점을 칠 때의 길한 점이 된다. "삼품(三品)"이란 하나는 건두(乾豆)를 만들고, 다른 하나는 손님을 접대하며, 다른 하나는 푸줏간을 채우는 것이다.

小註

朱子曰, 田獲三品, 伊川主張作巽於上下說, 說得較牽强.

주자가 말하였다: "사냥을 하여 삼품(三品)의 짐승을 얻는다"에 대하여 정이천은 "위와 아래에 겸손하다"는 말로 주장하였으나, 그 말이 약간 억지스럽다고 할 수 있다.

○ 卜田之吉占, 特於巽之六四言之, 此等處, 有可解者, 有不可解者, 只得虛心玩味, 闕其所疑, 不可强穿鑿也.

"사냥에 대해 점을 칠 때의 길한 점"이란 다만 손괘의 육사에서만 말하였으니, 이러한 곳에서는 이해할 수 있는 것도 있고 이해할 수 없는 것도 있으므로 다만 마음을 비우고 완미(玩味)하고 의심나는 바를 빼버려야 하며 억지로 천착해서는 안 된다.

○ 雙湖胡氏曰, 王制天子諸侯无事, 則歲三田. 一爲乾豆, 二爲賓客, 三爲充君之庖. 穀梁傳註, 乾豆, 謂腊之以爲祭祀豆實也.

쌍호호씨가 말하였다. 『예기』「왕제」에서 "천자와 제후가 특별한 일이 없다면, 한 해에 세 번 사냥을 한다. 한 번은 건두(乾豆)를 만들고 한 번은 손님을 대접하며 한 번은 임금의 푸줏간을 채운다"고 하였다. 『춘주곡량전』의 주(註)에서 "건두는 포를 만들어 제사 때 쓰이는 제기에 채우는 것이다"라고 하였다.

○ 廬陵李氏曰, 詩車攻註, 自左膘達右䯚爲上殺, 達右耳本爲中殺, 左髀達右䯒爲下殺, 此又三品也. 面傷剪毛不成禽, 皆不獻 一擧而獲三品, 此又田狩最吉之占.

여릉이씨가 말하였다: 『시경 · 거공(車攻)』에 대한 주(註)에서 "왼쪽 갈비뼈 아래로부터 오른쪽 어깨 앞쪽을 관통하는 것이 짐승을 죽이는 최상의 방법이고, 오른쪽 귀를 관통하는 것이 중간의 방법이며, 왼쪽 넓적다리로부터 오른쪽 갈비뼈를 관통하는 것이 최하의 방법이다"라고 하였으니, 이것이 또한 삼품이다. 면상을 다치거나, 털이 벗겨지거나 어린 짐승은 모두 바치지 않았다.[61] 일거에 삼품을 얻는 것 이것이 또한 사냥을 하는 데에 가장 길한 점이다.

○ 雲峯胡氏曰, 三得陽之正而吝, 四得陰之正而悔亡, 何也. 三剛而不中, 非能巽以入者, 四得陰柔之正, 且以巽而入於二陽之中, 故非特悔亡, 且用有獲焉. 田, 武事也. 初利武人之貞, 四之田獲, 田武而有功者也. 下三爻有貴賤之等, 故曰三品. 或曰, 三陽剛在下體之上, 乾豆象, 初與己配, 賓客象, 二應五, 充君庖之象.
운봉호씨가 말하였다: 삼효는 양의 바름을 얻었지만 부끄럽고, 사효는 음의 바름을 얻어 후회가 없어지는 것은 어째서인가? 삼효는 굳센 양이면서 알맞지 않아 겸손하면서 들어갈 수 있는 자가 아니며, 사효는 부드러운 음의 바름을 얻었고 또 겸손하면서 두 양의 가운데로 들어가기 때문에 단지 후회가 없을 뿐만 아니라 또한 이로써 얻음이 있게 된다. 사냥[田]은 군사에 관한 일이다. 초효는 "무인(武人)의 곧음이 이롭고", 사효의 사냥에서 얻음은 사냥을 하면서 무공(武功)이 있는 것이다. 하괘의 세 효에는 귀천의 등급이 있기 때문에 '삼품'이라고 하였다. 어떤 이가 말하기를 "삼효는 굳센 양이 하체의 맨 위에 있으니 건두(乾豆)의 상이고, 초효는 자신[사효]과 짝하였으니 손님을 대접하는 상이며, 이효는 오효와 호응하니 임금의 푸줏간을 채우는 상이다"라고 하였다.

韓國大全

송시열(宋時烈) 『역설(易說)』

以陰居陰, 似有悔吝, 而亦能順乎剛而依附, 非如初爻之進退疑慮故也. 田獲三品, 與解之田獲三狐略同. 蓋田者在遠外低下之地, 畋之田亦有此意. 三品, 傳義皆以乾頭賓客庖廚頒徒御言之. 來易以巽鷄兌羊離雉言之. 鷄羊, 亦田之所獲者耶. 孔子曰, 巽德之制也. 制, 非品節制度耶. 品字, 以品節看, 則巽爲品. 四爻居兩巽之中, 有互綜之巽, 此非三巽之謂耶. 田以在下而言, 則四亦可謂田三才之位地, 則居下也. 處巽之時, 以得巽爲功, 小象亦以此意耶. 如此處臆說甚悚, 只當藏之.
음으로 음의 자리에 있으니 후회가 있을 것 같지만 또한 굳센 양에 순종할 수 있고 의지하니, 초효의 나아가고 물러남에 의심하고 따져보는 것과는 같지 않다. "삼품(三品)의 짐승을 얻는다"라고 했는데 해괘(解卦䷧)의 "사냥하여 세 마리 여우를 잡는다"[62]와 대략적으로 동

---

61) 『詩經 · 車攻』: 註) 蓋古者田獵獲禽, 面傷, 不獻, 踐毛, 不獻, 不成禽, 不獻, 擇取三等, 自左膘而射之, 達于右腢爲上殺, 以爲乾豆奉宗廟, 達右耳本者次之, 以爲賓客, 射左髀, 達于右髃下殺, 以充君庖.

일하다. 전(田)은 멀리 떨어지고 낮은 지대에 있는 것으로 사냥[畋]에서의 전(田)자에도 이러한 뜻이 있다. 삼품(三品)에 대해서 『정전』과 『본의』에서는 모두 건두(乾豆)를 만드는 것, 손님에게 주고 푸줏간을 채우는 것, 몰이꾼에게 나누어 하사하는 것으로 설명했다. 래지덕의 『주역집주』에서는 손괘의 닭, 태괘의 양, 리괘의 꿩으로 설명했으나 닭과 양도 사냥을 통해서 포획한 것이겠는가? 공자는 "손괘는 덕의 마름질이다"[63]라고 했다. 따라서 제(制)는 제도를 마름질한다는 뜻이 아니겠는가? 품(品)자를 마름질한다는 뜻으로 본다면 손괘는 마름질이 된다. 사효는 두 손괘의 중간에 있고 호괘의 거꾸로 된 괘에 손괘가 있으니, 이것은 삼손(三巽)을 뜻하는 것이 아니겠는가? 전(田)이 아래에 있다는 것으로 말했다면, 사효 또한 삼재를 사냥하는 땅이라 할 수 있으니 아래에 있다. 손괘의 때에 공손함을 얻는 것을 공으로 삼으니 「소상전」의 내용 또한 이러한 뜻이 아니겠는가? 이와 같은 것에 대해 내가 억설을 해서 매우 송구하여 단지 기록만 해둔다.

이익(李瀷) 『역경질서(易經疾書)』

申命, 莫若用武, 用武, 先試田獵, 故有田獲三品之功. 三品者, 乾豆賓客充庖也. 上九失位, 故所巽在四, 如下卦九二之巽初. 彼有喪而此有獲, 獲非資斧而何. 然則三品之功, 蓋有賴於上九之資斧. 資斧者, 所資用之斧鉞, 主將之所仗也. 上九失位, 故巽與六四而有功, 可以互參.

명령을 거듭할 때에는 무력을 사용하는 것만 한 것이 없고 무력을 사용할 때에는 우선적으로 사냥을 통해 시험하기 때문에 사냥을 하여 삼품의 짐승을 얻는 공이 있다. 삼품(三品)은 건두(乾豆)를 만드는 것, 손님에게 주는 것, 푸줏간을 채우는 것이다. 상구는 제자리를 잃었기 때문에 겸손히 대하는 것이 사효에 있으니, 하괘의 구이가 초효에게 겸손하게 대하는 것과 같다. 그러나 상구는 잃음이 있고 이 효는 얻음이 있는데, 얻음은 물자와 도끼가 아니라면 무엇이겠는가? 그렇다면 삼품의 공은 아마도 상구의 물자와 도끼에 힘입음이 있을 것이다. 물자와 도끼는 재화로 사용하는 도끼이며 장수가 의지하는 것이다. 상구는 제자리를 잃었기 때문에 겸손히 육사와 함께 하여 공이 있으니, 함께 참고해야 한다.

심조(沈潮) 「역상차론(易象箚論)」

六四, 田獲三品.

---

62) 『周易 · 解卦』: 九二, 田獲三狐, 得黃矢, 貞吉.

63) 『周易 · 繫辭下』: 是故履, 德之基也, 謙, 德之柄也, 復, 德之本也, 恒, 德之固也, 損, 德之修也, 益, 德之裕也, 困, 德之辨也, 井, 德之地也, 巽, 德之制也.

육사는 사냥을 하여 삼품(三品)의 짐승을 얻는다.

互離有罟目象, 故稱田. 三, 離數, 從口, 兌也.
호괘인 리괘는 그물코의 상이 있기 때문에 사냥이라고 했다. 삼(三)은 리괘의 수이며, 품(品)자는 구(口)자를 부수로 하니 태괘에 해당한다.

유정원(柳正源) 『역해참고(易解参攷)』

厚齋馮氏曰, 以巽接下, 故下皆赴之. 九三以剛居陽, 又在下體之上, 乾豆之象也. 初六與己配應, 賓主之象. 九二上應九五之君, 充君庖厨之象. 六陰爲武事之象, 故取於田.
후재풍씨가 말하였다: 겸손함으로 아래를 접하기 때문에 아래는 모두 그를 향하게 된다. 구삼은 굳센 양으로 양의 자리에 있고 또 하체의 위에 있으니 건두의 상이다. 초육은 본효와 짝이 되어 호응하니 빈객과 주인의 상이다. 구이는 위로 구오의 임금과 호응하니, 임금의 푸줏간을 채우는 상이다. 육(六)의 음은 무력의 상이 되기 때문에 사냥에서 상을 취했다.

○ 雙湖胡氏曰, 互離戈兵. 上古網罟田漁, 取離也.
쌍호호씨가 말하였다: 호괘인 리괘는 창과 병장기가 된다. 상고시대에는 그물질을 하여 짐승과 물고기를 잡았으니 리괘에서 취했다.

○ 梁山來氏曰, 離居三, 三品之象也. 三品者, 初巽爲雞, 二兌爲羊, 三離爲雉也.
양산래씨가 말하였다: 리괘는 삼에 있으니 삼품의 상이다. 삼품(三品)은 처음의 손괘가 닭이 되고 두 번째의 태괘가 양이 되며 세 번째의 리괘가 꿩이 되는 것이다.

○ 案, 此亦古者田獵之占, 如田禽三狐之類也. 田獵之事, 巽順爲貴, 如不合圍失前禽, 皆巽順之道也.
내가 살펴보았다: 이 또한 옛날에 사냥을 했을 때의 점괘이니 "사냥하여 세 마리 여우를 잡는다"[64]는 부류와 같다. 사냥을 할 때에는 겸손함과 순종함이 귀하게 되니 모든 면을 포위하지 않고[65] 앞의 새를 잃는 것[66] 등과 같으니, 이 모두는 겸손하고 순종하는 도이다.

64) 『周易 · 解卦』: 九二, 田獲三狐, 得黃矢, 貞吉.
65) 『禮記 · 王制』: 天子不合圍, 諸侯不掩群.
66) 『周易 · 比卦』: 九五, 顯比, 王用三驅, 失前禽, 邑人不誡, 吉.

傳, 乾豆.
『정전』에서 말하였다: 건두(乾豆).
鄭氏曰, 作醢及臡, 先乾其肉, 故曰乾豆.
정씨가 말하였다: 육장과 젓갈을 담글 때에는 먼저 고기를 말리기 때문에 '건두(乾豆)'라고 부른다.

김상악(金相岳) 『산천역설(山天易說)』

居巽之時, 陰之无應, 宜有悔者. 然比五與三得其正, 而互離坎, 故不惟悔凶, 且有田獲三品之象. 三品, 一爲乾豆, 一爲賓客, 一爲充庖也.
손괘의 때에 있어 음은 호응함이 없으니 마땅히 후회가 있는 자이다. 그러나 오효·삼효와 가깝고 바름을 얻었으며 호괘는 리괘와 감괘가 되기 때문에 후회와 흉함이 없을 뿐 아니라 또한 사냥을 하여 삼품의 짐승을 얻는 상이 있다. 삼품(三品)은 하나는 건두이고 하나는 빈객을 대접하는 것이며 하나는 푸줏간을 채우는 것이다.

○ 田, 猶狩也, 坎離之象, 見解九二. 離雉, 坎豕, 巽鷄, 三品之象. 卦凡四陽, 而除五君位, 則爲三也, 三爲巽木生數. 上下皆巽, 故五言先三後三. 乾豆者, 腊之爲祭祀豆實也. 巽對震, 震長子主祭, 故取乾豆之象. 四變則爲姤, 姤之二曰不利賓, 而至巽則卦爻已變, 故取及賓客之象. 中爻離互鼎體, 鼎以亨飪, 故取充庖之象也. 田獲三品, 與解同象. 不得其吉者, 以其不中也. 然居上而得正, 故小象曰有功也.
전(田)자는 사냥한다는 뜻이니 감괘와 리괘의 상으로 자세한 설명은 해괘(解卦䷧) 구이에 나온다. 리괘의 꿩, 감괘의 돼지, 손괘의 닭은 삼품의 상이다. 괘에는 모두 네 개의 양이 있지만 오효인 군주의 자리를 제외하면 세 개가 되며, 삼은 손괘인 나무의 생수이다. 위아래가 모두 손괘이기 때문에 오효에서 "삼을 먼저 하고 삼을 뒤에 한다"고 했다. 건두(乾豆)는 마른 육포로 제사를 지낼 때 두(豆)에 담아내는 음식이다. 손괘의 음양이 바뀐 괘는 진괘이고 진괘의 맏아들은 제사를 주관하기 때문에 건두의 상을 취했다. 사효가 변하면 구괘(姤卦䷫)가 되고, 구괘의 이효에서는 "손님에게 이롭지 않다"[67]고 했지만, 손괘에 이르게 되면 괘의 효들이 이미 변하기 때문에 빈객에게 대접하는 상을 취했다. 가운데 효는 리괘이고 호괘는 정괘(鼎卦䷱)의 몸체가 되는데 솥으로 고기를 삶기 때문에 푸줏간을 채우는 상에서 취했다. "사냥을 하여 삼품의 짐승을 얻는다"는 해괘와 상이 같다. 길함을 얻을 수 없는 것은 알맞지 않기 때문이다. 그러나 위에 있으면서 바름을 얻었기 때문에 「소상전」에서 "공이

---

67) 『周易·姤卦』: 九二, 包有魚, 无咎, 不利賓.

있는 것이다"라고 했다.

서유신(徐有臣) 『역의의언(易義擬言)』

重巽之間, 以柔居柔, 柔巽太過, 是宜有悔. 而初六所謂武人, 故悔亡也. 田獵, 亦武事也. 四得巽離兌三象, 故曰獲三品也. 品者, 中殺之品也. 所獲者, 乾豆賓客充庖之三品. 其不中品者, 須之徒御而不取也.

거듭된 손괘 사이에 부드러운 음으로 음의 자리에 있으니 유순함과 겸손함이 너무 지나치기 때문에 마땅히 후회가 있어야 한다. 그러나 초육에서 말한 무인이기 때문에 후회가 없어진다. 사냥 또한 무력을 사용하는 일이다. 사효는 손괘 · 리괘 · 태괘의 세 상을 얻기 때문에 "삼품의 짐승을 얻는다"고 했다. 품(品)자는 알맞게 사냥한 짐승이다. 포획한 것은 건두에 채우는 것, 빈객에게 대접하는 것, 푸줏간을 채우는 것 등 세 종류이다. 알맞지 않게 사냥한 짐승은 몰이꾼들에게 나눠주고 취하지 않는다.

이지연(李止淵) 『주역차의(周易箚疑)』

大象曰, 申命行事. 初六曰, 利武人之貞. 此曰, 田獲三品. 田獵, 亦武人之事. 重巽一卦, 專爲武人而發也. 大抵武人者, 剛猛有餘, 而巽順不足者也. 武者, 殺伐之具也. 殺伐之道, 專以剛猛, 則有玉石俱焚, 暴殄天物之弊也. 以巽順之道, 用武而田獵, 則此所謂神武而不殺者夫. 初六之貞, 乃獨屛大樹之馮異也. 六四之獲, 乃解其三面之成湯也.

「대상전」에서는 "명령을 거듭 내려 정사를 행한다"라고 했다. 초육에서는 "무인의 곧음이 이롭다"고 했다. 이 효에서는 "사냥을 하여 삼품의 짐승을 얻는다"고 했다. 사냥 또한 무인의 일이다. 거듭된 손괘는 전적으로 무인을 통해 설명하였다. 대체로 무인이라는 자들은 지나치게 굳세고 용맹하여 겸손함과 순종함이 부족한 자들이다. 무(武)는 죽이고 벌하는 도구이다. 죽이고 벌하는 도에 있어서 오로지 굳세고 용맹함으로만 한다면 옥석을 가리지 않고 모두 없애서 하늘이 낳아준 사물을 해치는 폐해가 발생한다. 그러나 겸손과 순종의 도리로 무력을 사용하고 사냥을 한다면, 이것은 바로 "무력이 신묘하고도 죽이지 아니하던 자일 것이다"[68]는 뜻에 해당한다. 초육의 곧음은 곧 홀로 큰 나무 아래에 있었던 풍이에 해당한다. 육사의 얻음은 세 방면을 터 주었던 성탕에 해당한다.

---

68) 『周易 · 繫辭上』: 是故, 蓍之德, 圓而神, 卦之德, 方以知, 六爻之義, 易以貢, 聖人, 以此洗心, 退藏於密, 吉凶, 與民同患, 神以知來, 知以藏往, 其孰能與於此哉. 古之聰明叡知神武而不殺者夫.

김기례(金箕澧) 「역요선의강목(易要選義綱目)」

陰柔无應, 承剛乘剛, 當有悔, 而但陰居陰位, 爲上體之下, 故悔亡. 田, 獵也. 三品, 一爲乾豆, 腊以實豆, 以接三剛. 二爲賓客, 接賓之需, 指初. 三爲充君之庖, 承五. 多取禽獸爲功. 天下惠及上下, 悔反爲功.
부드러운 음은 호응함이 없고 굳센 양을 받들고 타니 마땅히 후회가 있어야 하지만, 음으로 음의 자리에 있고 상체의 아래가 되기 때문에 후회가 없어진다. 전(田)자는 사냥한다는 뜻이다. 삼품(三品)은 첫 번째는 건두로, 육포를 두에 담아서 세 굳센 양을 대접하는 것이다. 두 번째는 빈객을 위한 것으로, 빈객을 대접할 때 사용하는 음식이니 초효를 가리킨다. 세 번째는 임금의 푸줏간을 채우는 것으로 오효를 받드는 것이다. 짐승을 많이 취한 것이 공이 된다. 천하의 은혜가 상하 계층에 골고루 미치게 되면 후회가 반대로 공이 된다.

이항로(李恒老) 「주역전의동이석의(周易傳義同異釋義)」

傳, 三品, 一爲乾豆, 一供賓客與充庖, 一頒徒御.
『정전』에서 말하였다: 삼품은 하나는 건두(乾豆)를 만들며 하나는 손님에게 주고 푸줏간에 채우며 하나는 몰이꾼에게 나누어 하사하는 것이다.

本義, 三品者, 一爲乾豆, 一爲賓客, 一以充庖.
『본의』에서 말하였다: 삼품은 하나는 건두(乾豆)를 만들고, 다른 하나는 손님을 접대하며, 다른 하나는 푸줏간을 채우는 것이다.

按, 本義三品之釋, 本出王制. 而程傳以賓客充庖合爲一品, 而攙入頒徒御爲一品者, 主張巽於上下說故也. 故朱子謂, 他說得牽强者此也. 然則田取何象. 三品取何象也. 巽爲陰生之始, 震爲陽生之始, 陽主文德, 陰主武功, 而巽之初四爲卦之主, 故初云利武人之貞, 四云田獲三品. 巽在先天爲三陰儀坎艮坤之首, 在後天爲三女卦离坤兌之首, 故爲獲三品之象也歟.
내가 살펴보았다: 『본의』에서 삼품에 대해 해석한 말은 본래 『예기 · 왕제』에서 도출된 것이다. 그런데 『정전』에서 빈객을 대접하고 푸줏간 채우는 것을 하나로 보고 몰이꾼에게 하사하는 것을 별도의 하나로 편입시킨 것은 위아래에 대해 모두 겸손히 한다는 것을 위주로 설명했기 때문이다. 그래서 주자도 그 주장이 이처럼 다소 억지스럽다고 했다. 그렇다면 사냥이란 어떤 상에서 취한 것인가? 또 삼품이란 어떤 상에서 취한 것 이가? 손괘는 음이 생겨나는 시작이 되고 진괘는 양이 생겨나는 시작이 되며, 양은 문덕을 위주로 하고 음은 무공을 위주로 하는데 손괘의 초효와 사효는 괘의 주인이 되기 때문에 초효에서는 “무인의

곤음이 이롭다"고 했고, 사효에서는 "사냥을 하여 삼품의 짐승을 얻는다"고 했다. 손괘는 「선천도」에 있어서 세 음의 모양이 되어 감괘 · 간괘 · 곤괘의 처음이 되고 「후천도」에서는 세 여자의 괘가 되어 리괘 · 곤괘 · 태괘의 처음이 되기 때문에 삼품을 얻는 상이 될 것이다.

심대윤(沈大允) 『주역상의점법(周易象義占法)』

巽之姤䷫, 遇而不進也. 上之專命于賢, 而无反汗更代變改遞易之事, 使得卑其功也. 大臣之盡忠專精, 而无貳意也. 坎离爲一心, 巽爲專爲方, 有其象也. 六四以柔居柔, 有獻可替否之志, 而亦不違逆, 而自由上承九五剛中之君, 可以施行而底績, 向之卑巽, 今焉榮貴, 故曰悔亡. 田獲三品, 本對艮變對坤互坎爲田, 艮离爲獲. 四之卑巽而變榮貴, 故俱取本變之對也. 巽爲三爲品, 初應三比, 上從九五, 皆居巽體, 故曰三品. 六四, 木之成材而不復長也.

손괘가 구괘(姤卦)䷫로 바뀌었으니, 짝을 만나 나아가지 않는 것이다. 위에서 전적으로 현명한 자에게 명령을 하고, 취소하거나 고치고 바꾸며 급작스럽게 변경하는 일이 없어서 공을 얻도록 한다. 대신이 충심과 정성을 다하고 두 마음을 품지 않는다. 감괘와 리괘는 한결 같은 마음이 되고 손괘는 오로지함이 되고 반듯함이 되어 이러한 상이 있다. 육사는 부드러운 음으로 음의 자리에 있어서 잘못을 교정하려는 뜻이 있고 또한 어기지 않으며, 스스로 위로 구오의 굳세고 알맞은 임금을 받드는 것에 따르니 시행하여 공적을 이루고, 이전에는 낮추고 겸손하였는데, 지금에 이르러서는 영화롭고 존귀하기 때문에 "후회가 없어진다"고 했다. "사냥을 하여 삼품의 짐승을 얻는다"는 본괘의 음양이 바뀐 괘는 간괘이고 변화하여 음양이 바뀐 괘는 곤괘이며 호괘인 감괘는 사냥이 되고 간괘와 리괘는 얻음이 된다. 사효는 낮추고 겸손하여 바꾸어 영화롭고 존귀하기 때문에 모두 본괘의 변화된 괘에서 음양이 바뀐 괘를 취했다. 손괘는 삼이 되고 마름질이 되는데, 사효는 초효와 호응하고 삼효와 가까우며 상효는 구오를 따르는데 모두 손괘의 몸체에 있기 때문에 삼품이라고 했다. 육사는 나무가 재목을 이루어서 다시 성장하지 않는 것이다.

오치기(吳致箕) 「주역경전증해(周易經傳增解)」

六四柔得其正, 而居近君之位, 卽所謂順乎剛者也. 以柔乘剛而无應與, 宜若有悔. 然以其得正而上承中正之君, 故先言其悔亡也. 以巽順得正之才, 任大臣之責, 行事而有功, 故有田獲三品之象. 是以其辭如此.

육사는 부드러운 음으로 바름을 얻었고 임금과 가까운 자리에 있으니 "굳센 양에게 따른다"는 경우이다. 부드러운 음이 굳센 양을 타고 있고 호응하여 함께 하는 자가 없으니 마땅히 후회가 있을 것 같다. 그러나 바름을 얻었고 위로 중정한 임금을 받들기 때문에 먼저 "후회가 없어진다"고 했다. 겸손하고 유순하여 바름을 얻은 재질로 대신의 책무를 맡고 정사를 시행하여 공을 이루기 때문에 사냥을 하여 삼품의 짐승을 얻는 상이 있다. 이러한 까닭으로 그 말이 이와 같다.

○ 互離爲戈兵爲網罟, 田獵之象也. 對體互坎爲豕, 互兌爲羊, 互離爲雉, 故曰三品, 而言獲功之多也.
호괘인 리괘는 창과 병장기가 되며 그물이 되니 사냥의 상이다. 음양이 바뀐 몸체에서 호괘인 감괘는 돼지가 되고 호괘인 태괘는 양이 되며 호괘인 리괘는 꿩이 되기 때문에 삼품(三品)이라고 했으니, 공을 얻음이 많다는 뜻이다.

이진상(李震相) 『역학관규(易學管窺)』

田獲三品.
사냥을 하여 삼품의 짐승을 얻는다.

四得互離之中, 故有畋象. 雲峰所擧成說出於馮厚齋. 上殺中殺下殺之爲三品. 較襯然上殺當爲乾豆, 中殺當爲君庖, 下殺當以供賓. 正應下三爻之象.
사효는 호괘인 리괘의 가운데를 얻었기 때문에 사냥하는 상이 있다. 운봉이 한 설명은 풍후재로부터 비롯된 것이다. 상살 · 중살 · 하살이 삼품이 된다. 비유를 하자면 상살은 건두가 되고 중살은 임금의 푸줏간을 채우는 것이 되며 하살은 빈객에게 대접하는 것이 된다. 이것이 바로 아래 세 효와 호응하는 상이다.

박문호(朴文鎬) 「경설(經說) · 주역(周易)」

易者, 變易也. 本義凡言某事之吉占者, 只發其一義, 非謂止其一事也. 田獲三品, 固爲卜田之吉占, 而若筮仕者得之, 則豈亦非吉占乎. 如此則田當爲田祿也.
'역(易)'은 변역을 뜻한다. 『본의』에서 어떤 사안의 길한 점괘를 말한 것들은 단지 한 가지 뜻을 나타낸 것이지, 한 사안에만 그치는 것이 아니다. '전획삼품(田獲三品)'이라고 했는데, 이것은 진실로 사냥에 대해 점을 쳐서 나온 길한 점괘이지만, 만약 벼슬할 자에 대해 시초점을 쳐서 얻은 점괘라면 어찌 또한 길한 점괘가 아니겠는가? 이와 같은 경우라면 전(田)자는 마땅히 채읍(采邑)을 뜻하게 된다.

이병헌(李炳憲) 『역경금문고통론(易經今文考通論)』

無應, 似悔, 有功故亡.
호응함이 없어서 후회할 것 같지만, 공이 있기 때문에 없어진다.

王曰, 三品, 一乾豆, 二賓客, 三充庖.
왕필이 말하였다. 삼품(三品)은 첫 번째는 건두이고, 두 번째는 빈객을 대접하는 것이며, 세 번째는 푸줏간을 채우는 것이다.

象曰, 田獲三品, 有功也.

「상전」에서 말하였다: "사냥을 하여 삼품(三品)의 짐승을 얻음"은 공이 있는 것이다.

中國大全

傳

巽於上下, 如田之獲三品而遍及上下, 成巽之功也.

위와 아래에 겸손하므로 사냥을 하여 삼품을 얻어 위와 아래에 두루 미침과 같이 하면 겸손의 공이 이루어진다.

小註

中溪張氏曰, 蒐田而獲其三品, 獲禽之多, 故曰有功.

중계장씨가 말하였다: 봄 중 농한기에 사냥을 하여[蒐田][69] 삼품을 얻어 많은 짐승을 얻었기 때문에 "공이 있다"고 하였다.

韓國大全

유정원(柳正源) 『역해참고(易解參攷)』

有功也.

공이 있는 것이다.

69) 『春秋左氏傳 · 隱公』 5년: 故春蒐夏苗秋獮冬狩, 皆於農隙, 以講事也.

案, 田獵而獲禽之多, 何足爲功也. 巽而得正, 居上能下, 乃所以有功也.
내가 살펴보았다: 사냥을 하여 짐승을 많이 포획하는 것이 어찌 공이 된다 할 수 있겠는가? 겸손하면서도 바름을 얻고 위에 있으면서도 낮출 수 있는 것이 바로 공이 있는 것이다.

김상악(金相岳) 『산천역설(山天易說)』

功, 田獲之功也. 初四主巽於上下, 而初過於卑巽, 故利武人之貞而已. 四得巽之正, 故能武而有功也.
공(功)은 사냥을 통해 얻은 공이다. 초효와 사효는 위아래에서 손괘의 주인이 되는데, 초효는 낮추고 겸손함이 지나치기 때문에 무인의 곧음이 이로울 따름이다. 반면 사효는 겸손함의 바름을 얻었기 때문에 무력을 사용하여 공이 있을 수 있다.

서유신(徐有臣) 『역의의언(易義擬言)』

多獲爲功也.
많이 포획한 것이 공이 된다.

심대윤(沈大允) 『주역상의점법(周易象義占法)』

上下一心專精, 其所命令, 可必其施行而有功也.
위아래가 마음을 한결같이 하고 전념하면 명령을 내린 것이 반드시 시행되어 공이 생길 수 있다.

오치기(吳致箕) 「주역경전증해(周易經傳增解)」

得正而近君, 行事而有功, 是乃所獲之多也.
바름을 얻고 임금과 가까우며 정사를 시행하고 공을 세우니, 이처럼 하면 얻는 것이 많게 된다.

九五, 貞, 吉, 悔亡, 无不利, 无初有終. 先庚三日, 後庚三日, 吉.

정전 구오는 곧게 하면 길하여 후회가 없어서 이롭지 않음이 없으니, 처음은 없고 끝은 있다. 경(庚)에서 삼일을 먼저 하고 경(庚)에서 삼일을 뒤에 하면 길하리라.

본의 구오는 곧게 하여 길하니, 후회가 없어서 이롭지 않음이 없으니, 처음은 없고 끝은 있다. 경(庚)에서 삼일을 먼저 하고 경(庚)에서 삼일을 뒤에 하면 길하리라.

中國大全

傳

五居尊位, 爲巽之主, 命令之所出也. 處得中正, 盡巽之善, 然巽者, 柔順之道, 所利在貞, 非五之不足, 在巽當戒也. 旣貞則吉而悔亡, 无所不利. 貞, 正中也, 處巽出令, 皆以中正爲吉, 柔巽而不貞, 則有悔. 安能无所不利也. 命令之出, 有所變更也, 无初, 始未善也, 有終, 更之使善也, 若已善則何用命也, 何用更也. 先庚三日後庚三日吉, 出命更改之道, 當如是也. 甲者, 事之端也, 庚者, 變更之始也. 十干, 戊己爲中, 過中則變, 故謂之庚. 事之改更, 當原始要終, 如先甲後甲之義, 如是則吉也. 解在蠱卦.

오효가 존귀한 자리에 있어서 손괘(巽卦)의 주인이 되니, 명령이 나오는 곳이다. 거처함에 중정을 얻어서 겸손함의 선(善)을 다하지만, 겸손함이란 유순한 도이니 이로운 바가 곧음에 있으므로 오효가 부족한 것이 아니라 손괘에 있어서 당연한 경계이다. 이미 곧으면 길하고 후회가 없어져 이롭지 않은 바가 없다. '곧게 하다[貞]'란 중정한 것이다. 손괘(巽卦)에 있으면서 명령을 내는 것은 모두 중정을 길하게 여기니, 유순하면서 겸손한데도 곧지 않으면 후회가 있다. 어찌 이롭지 않은 바가 없을 수 있겠는가? 명령을 냄은 변경할 바가 있는 것이니, "처음은 없다"란 처음에는 아직 선하지 않음이며, "끝은 있다"란 고쳐서 선하게 한다는 것이므로, 만약 이미 선하다면 어찌 명령을 쓰겠으며 어찌 고치겠는가? "경(庚)에서 삼일을 먼저 하고 경(庚)에서 삼일을 뒤에 하면 길하다"란 명령을 내고 고치는 도가 마땅히 이와 같아야 한다는 것이다. 갑(甲)은 일의 시작이며, 경(庚)은 변경(變更)의 시작이다. 십간(十干)은 무(戊)와 기(己)가 중간이 되니, 중간을 지나면 변하기 때문에 '경(庚)'이라고 하였다. 일을 고칠 때에는 마땅히 처음을 연구하고 끝을 잘 살피기를 "갑(甲)에서 먼저하고 갑(甲)에서 뒤에 한다"[70]는 뜻과 같이 하여야 하니, 이와 같이 하면 길하다. 풀이가 고괘(蠱卦䷑)에 있다.

本義

九五, 剛健中正, 而居巽體, 故有悔, 以有貞而吉也. 故得亡其悔而无不利, 有悔, 是无初也, 亡之, 是有終也. 庚, 更也, 事之變也. 先庚三日, 丁也, 後庚三日, 癸也, 丁, 所以丁寧於其變之前, 癸, 所以揆度於其變之後, 有所變更而得此占者, 如是則吉也.

구오는 강건하고 중정하면서 손괘의 몸체에 있기 때문에 후회가 있지만 곧음이 있어서 길하다. 그러므로 후회는 없어지고 이롭지 않음이 없으니, 후회가 있음은 "처음이 없다"는 뜻이고 후회가 없어짐은 "끝이 있다"는 뜻이다. '경(庚)'은 고침이니 일을 변하게 한다. "경(庚)에서 삼일을 먼저 한다"란 정(丁)이며 "경(庚)에서 삼일을 뒤에 한다"란 계(癸)이니, 정(丁)은 변하기 전에 간곡하게 당부하는 것이며 계(癸)는 변한 후에 헤아리는 것이므로, 변경할 바가 있으면서 이러한 점을 얻은 자는 이와 같이 하면 길하다.

小註

朱子曰, 九五, 先庚三日, 後庚三日, 不知是如何. 看來又似說此爲卜日之占模樣. 蠱之先甲三日是辛, 後甲三日是丁. 此卦先庚三日亦是丁, 後庚三日是癸. 據丁與辛, 皆是古人祭祀之日. 但癸日不見用處.

주자가 말하였다: 구오에서 말하는 "경(庚)에서 삼일을 먼저 하고 경(庚)에서 삼일을 뒤에 한다"란 어떠한 것인지 모르겠다. 또 이것은 점을 쳐서 좋은 날을 가릴 때의 점과 같다고 말하는 것과 유사해 보인다. 고괘(蠱卦)에서 "갑에서 삼일을 먼저 한다"고 한 것은 신(辛)이며 "갑에서 삼일을 뒤에 한다"[71]고 한 것은 정(丁)이다. 손괘에서 "경(庚)에서 삼일을 먼저 한다"고 한 것은 정(丁)이고 "경(庚)에서 삼일을 뒤에 한다"고 한 것은 계(癸)이다. 정(丁)과 신(辛)[72]에 대한 근거를 살펴보면 모두 옛 사람들이 제사를 지낸 날이다. 다만 계(癸)인 날은 쓰였던 곳이 보이지 않는다.

○ 无初有終, 也彷彿是伊川說. 始未善是无初, 更之而善是有終. 自貞吉悔亡以下, 都是這一個意思. 一如坤卦先迷後得以下, 都只是一個意思.

"처음은 없고 끝은 있다"란 또한 정이천의 말을 방불케 한다. 처음에 아직 선하지 않음이 "처음은 없다"는 것이고 고쳐서 선하게 됨이 "끝은 있다"는 것이다. "곧게 하여 길하니, 후회

70) 『周易 · 蠱卦』: 蠱는 元亨, 利涉大川, 先甲三日, 後甲三日.

71) 『周易 · 蠱卦』: 蠱, 元亨, 利涉大川, 先甲三日, 後甲三日.

72) 『禮記 · 郊特牲』: 於郊, 故謂之郊, 牲用騂, 尙赤也, 用犢, 貴誠也, 郊之用辛也, 周之始郊, 日以至.

가 없다"고 한 이하는 모두 이와 같은 뜻이다. 마치 곤괘(坤卦)에서 "먼저 하면 혼미하고 뒤에 하면 얻게 된다"[73]고 한 이하가 모두 단지 같은 뜻인 것과 똑같다.
○ 先庚後庚, 是說那後更變了底一截.
경(庚)에서 먼저 함과 경에서 뒤에 함은 저 뒤에 변하였다는 한 부분을 말한 것이다.

○ 建安丘氏曰, 九五以剛健居中正之位, 出令之主也. 夫命出於上, 則下无不從, 能貞而吉, 則其悔可亡, 且无所往而不利矣. 申命以後, 巽爲用, 故曰无初有終.
건안구씨가 말하였다: 구오는 강건함으로 중정한 자리에 있으니, 명령을 내는 주인이다. 명령이 위에서 나오면 아래에서는 따르지 않음이 없고, 곧아서 길할 수 있으면 후회가 없어질 수 있으니 가는 곳마다 이롭지 않음이 없다. 명령을 거듭한 이후에 겸손함이 쓰여 지기 때문에 "처음은 없고 끝은 있다"고 하였다.

○ 中溪張氏曰, 蠱言先後甲, 而曰終則有始, 巽言先後庚, 而曰无初有終, 何耶. 蓋甲者, 十干之首, 事之端也, 故謂之終則有始. 庚者, 十干之過中, 事之當更者也, 故謂之无初有終. 況巽九五, 乃蠱六五之變. 蠱者, 事之壞也, 以造事言之, 故取諸甲. 巽者, 事之權也, 以更事言之, 故取諸庚. 易於甲庚, 皆曰先後三日者, 蓋聖人謹其始終之意也.
중계장씨가 말하였다: 고괘(蠱卦)에서는 갑에서 먼저하고 나중에 한다고 말하고서 "마치면 시작이 있다"고 하였으며, 손괘(巽卦)에서는 경에서 먼저하고 나중에 한다고 말하고서 "처음은 없고 끝은 있다"고 한 것은 어째서인가? '갑(甲)'이란 십간 중에서 가장 먼저이니, 일의 시작이기 때문에 "마치면 시작이 있다"고 하였다. '경(庚)'이란 십간에서 중간을 지난 것이니, 일이 마땅히 변경되는 것이기 때문에 "처음은 없고 끝은 있다"고 하였다. 하물며 손괘(巽卦)의 구오는 고괘(蠱卦)의 육오가 변한 것인 데에 있어 서랴! 고(蠱)란 일이 무너짐이니, 일을 시작하는 것으로 말하기 때문에 갑(甲)에게서 취하였다. 손(巽)이란 일의 권도이니, 일을 고치는 것으로 말하기 때문에 경(庚)에게서 취하였다. 『주역』이 갑(甲)과 경(庚)에 대하여 모두 삼일을 먼저하고 나중에 한다고 말한 것은 성인이 그 시작과 끝을 삼갔던 뜻인 듯하다.

○ 雲峯胡氏曰, 文王發先天於彖, 故取先天艮巽前後三卦其方爲甲. 周公發後天於爻, 故取後天艮巽前後三卦其方爲庚. 巽體本无艮, 九五變則爲巽下艮上之蠱, 故特於此爻發之先庚後庚, 申命以防蠱也, 與先甲後甲, 又自相貫.
운봉호씨가 말하였다: 문왕은 「단전」에서 선천(先天)을 드러냈기 때문에 「선천도」에서 간

73) 『周易・坤卦』: 坤, 元, 亨, 利, 牝馬之貞. 君子有攸往. 先迷, 後得, 主利. 西南得朋, 東北喪朋, 安貞, 吉.

괘(艮卦☶)와 손괘(巽卦☴)의 앞뒤에 있는 세 괘의 방위가 갑(甲)이 되는 것을 취하였다. 주공은 효에서 후천(後天)을 드러냈기 때문에 「후천도」에서 간괘(艮卦☶)와 손괘(巽卦☴)의 앞뒤에 있는 세 괘의 방위가 경(庚)이 되는 것을 취하였다. 손괘(巽卦)의 몸체에는 본래 간괘(艮卦)가 없지만, 구오가 변하면 손괘(巽卦☴)가 아래에 있고 간괘(艮卦☶)가 위에 있는 고괘(蠱卦)가 되기 때문에 다만 이 효에서 경에서 먼저하고 경에서 나중에 함을 드러내어 명령을 거듭하여서 고(蠱)를 막은 것이니, 갑에서 먼저하고 갑에서 나중에 함과 또한 저절로 서로가 통한다.

韓國大全

송시열(宋時烈) 『역설(易說)』

以陽剛能貞固, 則吉悔亡, 此處臆說占辭. 處巽, 故无初. 得位, 故有終. 集註, 先庚, 丁也, 後庚, 癸也, 然未詳. 見蠱註, 此爻變則爲山風蠱. 當與蠱先後甲參看.

양의 굳셈으로 곧을 수 있다면 길하여 후회가 없으니, 이것은 내 생각에 점사인 것 같다. 손괘에 있기 때문에 처음이 없다. 자리를 얻었기 때문에 끝이 있다. 『집주』에서는 선경(先庚)을 정(丁)이라고 했고 후경(後庚)을 계(癸)라고 했는데 자세하지 않다. 고괘(蠱卦)의 주를 보면, 이 효가 변하면 산과 풍의 고괘가 된다. 마땅히 고괘에 나오는 선갑(先甲) · 후갑(後甲)[74]과 함께 살펴보아야 한다.

석지형(石之珩) 『오위귀감(五位龜鑑)』

臣謹按, 巽之九五曰, 先庚三日, 後庚三日, 何謂也. 蓋巽是飜轉底兌, 兌爲庚方, 下兌爲先庚, 上兌爲後庚. 先庚三日, 是丁日, 後庚三日, 是癸日. 庚有變更之義, 丁有丁寧之義, 癸有揆度之義, 欲人君於更變庶事之時, 丁寧揆度於先後, 而不致有悔也. 大抵此爻與蠱之象, 相爲表裡. 甲爲十干之首, 故蠱象言先後甲. 曰終則有始. 庚爲十干之過中, 故此爻言先後庚, 曰无初有終. 造事之端, 更事之權, 可見於始終二字也. 且以先天卦位觀之, 則艮自西向南, 歷三卦至兌, 自北向東, 歷三卦亦至兌. 巽自南向東, 歷三

74) 『周易 · 蠱卦』: 先甲三日, 後甲三日, 終則有始, 天行也.

卦至震, 自西向北, 歷三卦亦至震. 震兌在東屬甲乙, 故文王於蠱彖, 發先後甲之訓. 以後天卦位觀之, 則艮自東向南, 歷三卦至坤, 自北向西, 歷三卦亦至坤. 巽自南向西, 歷三卦至乾, 自東向北, 歷三卦亦至乾. 乾坤在西屬庚辛, 故周公於此爻, 發先後庚之訓. 巽卦本无艮, 而九五變, 則爲巽下艮上之蠱, 故特於此爻明之. 伏願殿下, 叅究兩卦之旨, 難愼於始事更事之際焉.

신이 삼가 살펴보았습니다: 손괘의 구오에서는 "경(庚)에서 삼일을 먼저 하고 경(庚)에서 삼일을 뒤에 한다"고 했는데 무엇을 뜻하는 말이겠습니까? 손괘는 태괘(兌卦)가 뒤집어진 것인데 태괘는 경의 방위가 되므로 아래의 태괘는 선경(先庚)이 되고 위의 태괘는 후경(後庚)이 됩니다. 경에서 삼일을 먼저 하는 것은 정일이고 경에서 삼일을 뒤에 하는 것은 계일입니다. 경(庚)에는 변경한다는 뜻이 있고 정(丁)에는 간곡하다는 뜻이 있으며 계(癸)에는 헤아린다는 뜻이 있으니, 임금께서 여러 사안들을 고쳐야 할 때 선후를 간곡하게 헤아려서 후회가 있는 지경에 이르지 않기를 바란 것입니다. 이 효는 고괘(蠱卦䷑)의 「단전」과 서로 표리관계가 됩니다. 갑(甲)은 십간의 처음이기 때문에 고괘의 「단전」에서는 선갑(先甲)과 후갑(後甲)이라고 말하며, "마치면 시작이 있는 것이다"라고 했습니다. 경(庚)은 십간 중 중간을 넘어간 것이기 때문에 이 효에서는 선경과 후경을 말하며, "처음은 없고 끝은 있다"고 했습니다. 일을 시작하는 단서와 일을 고치는 권도는 시(始)와 종(終)이라는 두 글자를 통해서 확인할 수 있습니다. 또 「선천도」의 괘 위치로 살펴본다면 간괘는 서쪽에서 남쪽으로 향하여 세 괘를 지나서 태괘에 이르며, 북쪽에서 동쪽으로 향하여 세 괘를 지나면 또한 태괘에 이르게 됩니다. 손괘는 남쪽에서 동쪽을 향하여 세 괘를 지나면 진괘에 이르며, 서쪽에서 북쪽으로 향하여 세 괘를 지나면 또한 진괘에 이르게 됩니다. 진괘와 태괘는 동쪽에 해당하며 갑과 을에 해당하기 때문에 문왕은 고괘의 「단전」에서 선갑과 후갑의 가르침을 말한 것입니다. 한편 「후천도」의 괘 위치로 살펴본다면 간괘는 동쪽에서 남쪽으로 향하여 세 괘를 지나면 곤괘에 이르며, 북쪽에서 서쪽으로 향하여 세 괘를 지나면 또한 곤괘에 이르게 됩니다. 손괘는 남쪽에서 서쪽으로 향하여 세 괘를 지나면 건괘에 이르며, 동쪽에서 북쪽으로 향하여 세 괘를 지나면 또한 건괘에 이르게 됩니다. 건괘와 곤괘는 서쪽에 해당하며 경과 신에 해당하기 때문에 주공은 이 효에서 선경과 후경의 가르침을 말한 것입니다. 손괘에는 본래 간괘가 없는데 구오가 변하면 손괘가 아래에 있고 간괘가 위에 있는 고괘가 되기 때문에 특별히 이 효에서 말한 것입니다. 전하께 엎드려 바라옵건대 두 괘의 뜻을 깊이 살피셔서 일을 시작하고 일을 고칠 때 신중을 기하십시오.

이현석(李玄錫) 「역의규반(易義窺斑)」

繫辭曰, 巽以行權. 九五以陽居尊, 爲巽之主. 處得中正, 盡巽之善, 執中而達權者也.

權者, 濟經之所不及, 而易流於變詐. 變詐而成事者, 雖利於目前, 而後必有悔, 故行權者, 必以貞, 然後得吉而无悔也. 事之經常而能濟者, 無假於行權, 必其初有不利, 然後以權救之而反乎正也, 故曰无初有終. 先庚後庚, 丁寧揆度之謂也. 行權之要, 盡於是矣.
「계사전」에서는 "손(巽)으로 권도(權道)를 행 한다"[75]고 했다. 구오는 양으로 존귀한 자리에 있어서 손괘의 주인이 된다. 처한 곳이 중정함을 얻었고 손괘의 선함을 다하여 알맞음을 잡고 권도에 통달한 자이다. 권도라는 것은 경도(經道)가 미치지 못하는 것들을 구제하는 것이지만 바꾸고 속이는 지경에 빠지기 쉽다. 바꾸고 속여서 일을 완성하는 것은 비록 눈앞에서는 이롭겠지만 뒤에는 반드시 후회가 생기기 때문에 권도를 시행할 때에는 반드시 곧음을 사용한 뒤에야 길하고 후회가 없을 수 있다. 일이 일상적이어서 이룰 수 있는 것은 권도를 시행할 필요가 없는데 반드시 처음에 이로울 것이 없게 된 뒤에야 권도로 구제하여 바름을 회복하기 때문에 "처음은 없고 끝은 있다"고 했다. 선경(先庚)과 후경(後庚)은 간곡하게 헤아린다는 뜻이다. 권도를 행하는 요점은 여기에 달려 있다.

이익(李瀷) 『역경질서(易經疾書)』

先後庚三日, 詳在蠱彖. 其占主於無初有終, 始於乙, 終於癸, 謂無甲有癸也, 有終爲吉.
"경(庚)에서 삼일을 먼저 하고 경(庚)에서 삼일을 뒤에 한다"는 말에 대한 자세한 설명은 고괘(蠱卦)의 「단전」에 나온다. 점은 "처음은 없고 끝은 있다"는 것을 위주로 하여, 을에 시작을 하고 계에 끝이 나니, 갑은 없고 계는 있어서 끝이 있어 길함이 된다는 뜻이다.

심조(沈潮) 「역상차론(易象箚論)」

九五, 先後庚三日.
구오에서 말하였다: 경(庚)에서 삼일을 먼저 하고 경(庚)에서 삼일을 뒤에 한다.

前有圖說.
앞에 도설이 있다.

---

75) 『周易·繫辭下』: 履以和行, 謙以制禮, 復以自知, 恒以一德, 損以遠害, 益以興利, 困以寡怨, 井以辨義, 巽以行權.

유정원(柳正源) 『역해참고(易解參攷)』

涑水司馬氏曰, 巽爲風, 風爲號令. 九五之君, 爲號令之主. 得位以行其令, 不失其中正, 故貞吉悔亾而无不利也. 民可與樂成, 難與慮始, 故无初有終. 庚屬西方金, 金主斷制, 號令不嚴則不行, 故先後三日吉.
속수사마씨가 말하였다: 손괘는 바람이 되고 바람은 호령이 된다. 구오의 임금은 호령을 하는 주인이다. 제자리를 얻어 명령을 시행하며 중정함을 잃지 않았기 때문에 곧게 하면 길하여 후회가 없고 이롭지 않음이 없다. 백성들은 함께 이룬 것을 즐거워 할 수 있지만 함께 처음을 고려하기는 어렵기 때문에 "처음은 없고 끝은 있다"고 했다. 경(庚)은 서방의 금에 속하고 금은 결정하고 제재하길 위주로 하니 호령이 위엄을 갖추지 못하면 시행되지 않기 때문에 경(庚)에서 삼일을 먼저 하고 경(庚)에서 삼일을 뒤에 하면 길하다.

○ 厚齋馮氏曰, 此爻蠱之變, 故蠱之象言先後三甲, 而此爻乃言先後三庚也.
후재풍씨가 말하였다: 이 효는 고괘(蠱卦)가 변한 것이기 때문에 고괘의 「단전」에서는 "갑(甲)보다 앞으로 삼일 동안 하고, 갑보다 뒤로 삼일 동안 한다"[76]고 말했고, 이 효에서는 "경(庚)으로 삼일을 먼저 하고 경(庚)으로 삼일을 뒤에 한다"고 했다.

○ 融堂錢氏曰, 先儒謂戊己爲中. 過中則變, 故謂之庚先三日丁也. 无初, 故不言十干之首. 後三日癸也. 有終, 故必盡十干而後止.
융당전씨가 말하였다: 선대 학자들은 무(戊)와 기(己)가 중간이 된다고 했다. 중간을 넘어가게 되면 변하기 때문에 경(庚)에서 삼일을 먼저 하는 것을 정일(丁日)이라고 한다. 처음이 없기 때문에 십간의 처음을 말하지 않았다. 그리고 경(庚)에서 삼일을 뒤에 하는 것은 계일(癸日)이라고 한다. 끝이 있기 때문에 반드시 십간을 다한 뒤에야 그친다.

○ 節初齊氏曰, 推馬融先甲後甲之說, 曰八卦震東爲甲, 兌西爲庚. 蠱互震而四居震中, 故言甲. 巽互兌而五在兌上, 故言庚. 十干, 戊己土, 餘八日爲萬物始終. 甲者, 始之始, 庚者, 終之始. 蠱言始而稱甲, 巽言終而稱庚, 語固各有當也.
절초제씨가 말하였다: 마융이 선갑(先甲)과 후갑(後甲)에 대해 설명하며, "팔괘 중 진괘의 동쪽은 갑(甲)이 되고 태괘의 서쪽은 경(庚)이 된다"고 했는데, 이 말을 미루어보면 고괘(蠱卦䷑)의 호괘는 진괘이고 사효는 진괘의 가운데 있기 때문에 갑을 말했다. 손괘의 호괘는 태괘이고 오효는 태괘의 위에 있기 때문에 경을 말했다. 십간 중 무(戊)와 기(己)는 토(土)

---

76) 『周易 · 蠱卦』: 先甲三日, 後甲三日, 終則有始, 天行也.

이고, 나머지 팔일은 만물의 시작과 끝이 된다. 갑은 시작의 시작이고, 경은 끝남의 시작이다. 고괘에서는 시작을 말하여 갑을 지칭했고 손괘는 끝을 말하여 경을 지칭했으니, 그 말에 각각 마땅한 바가 있다.

○ 案, 五之剛健, 居中出令, 二之剛中, 奉令行之. 先五三畫是二也, 後五三畫亦二也. 故曰先庚三日, 後庚三日.
내가 살펴보았다: 오효는 강건함은 가운데에 있어서 명령을 내리고 이효는 강중함은 명령을 받들어 시행한다. 오효보다 세 효가 앞선 것이 이효이며, 오효보다 세 효 뒤에 있는 것 또한 이효이다. 그러므로 "경(庚)에서 삼일을 먼저 하고 경(庚)에서 삼일을 뒤에 한다"고 했다.

本義, 先庚 [至] 癸也.
『본의』에서 말하였다: 선경(先庚)은 … 계(癸)이다.
本鄭康成說.
정현의 주장에 근본한 말이다.

김상악(金相岳) 『산천역설(山天易說)』

九五以陽居巽體, 故有悔. 然以有貞而吉, 所以悔亡而无不利也. 无初, 始未善也. 有終, 更之使善也. 先庚後庚, 卽巽以申命也. 有所變更而能如是則吉也.
구오는 양으로 손괘의 몸체에 있기 때문에 후회가 있다. 그러나 곧음을 지녀서 길하니 후회가 없어서 이롭지 않음이 없는 것이다. 처음이 없음은 애초에는 선하지 않았다는 뜻이다. 끝이 있음은 고쳐서 선하게 했다는 뜻이다. 선경(先庚)과 후경(後庚)은 손으로 명령을 거듭한다는 뜻으로, 변경하는 점이 있을 때 이처럼 할 수 있다면 길하다.

○ 凡言貞吉悔亡[77], 皆在六[78]四者戒之之辭, 而此獨於九五言之者, 以其中正也. 雖與四相比, 而无巽在牀下之失, 故又許以无不利也. 无初有終, 巽之進退也. 先庚三日, 後庚三日, 見蠱卦, 五變則爲蠱也. 蠱之言甲者, 事之始也, 故終則有始. 巽之言庚者, 事之變也, 故无初有終. 巽木生於兌水, 又生離火. 離兌之合, 其卦爲革. 申命行事, 在變革之後, 故先言貞吉悔亡.[79] 先庚三日, 所以已日乃孚, 後庚三日, 所以已日乃革之.

77) 亡: 경학자료집성DB에는 '凶'으로 되어 있으나, 경학자료집성 영인본을 참조하여 '亡'으로 바로잡았다.
78) 六: 경학자료집성DB와 영인본에는 '九'로 되어 있으나, 문맥을 살펴 '六'으로 바로잡았다.
79) 亡: 경학자료집성DB에는 '凶'으로 되어 있으나, 경학자료집성 영인본을 참조하여 '亡'으로 바로잡았다.

"곧게 하면 길하여 후회가 없다"고 한 말은 모두 육사에 대해 경계하는 말인데, 이곳에서 유독 구오에 대해 말한 것은 중정하기 때문이다. 비록 사효와 서로 가깝지만 겸손함이 상 아래에 있는 잘못이 없기 때문에 또한 "이롭지 않음이 없다"는 말로 허용했다. "처음은 없고 끝은 있다"는 손괘의 나아가고 물러남이다. "경(庚)에서 삼일을 먼저 하고 경(庚)에서 삼일을 뒤에 한다"에 대해서는 고괘(蠱卦)에 그 설명이 나오는데, 오효가 변하면 고괘가 된다. 고괘에서 갑(甲)을 말한 것은 일의 시작이기 때문에 "마치면 시작이 있는 것이다"[80]고 했다. 손괘에서 경(庚)을 말한 것은 일의 변화이기 때문에 "처음은 없고 끝은 있다"고 했다. 손괘의 나무는 태괘의 물에서 생겨나고 또 리괘의 불을 낳는다. 리괘와 태괘가 합한 것은 혁괘(革卦)이다. "명령을 거듭 내려 정사를 행한다"는 변혁을 한 이후에 해당하기 때문에 앞서 곧게 하면 길하여 후회가 없다"고 했다. "경에서 삼일을 먼저 한다"는 것은 "시일이 지나야 믿는다"[81]는 것이고, "경에서 삼일을 뒤에 한다"는 "시일이 지나서야 변혁할 수 있다"[82]는 것이다.

서유신(徐有臣)『역의의언(易義擬言)』

巽以行權, 故貞吉悔亡. 非貞則不得爲權矣. 無悔則不必行權矣. 行權而中正, 故悔亡也. 剛巽乎中正而志行, 故五與二俱无不利也. 无初, 悔也, 有終, 悔亡也. 卦互睽, 故辭與睽三同也. 先庚後庚, 申命之義也. 月令夏其日丙丁, 先庚三日也. 冬其日壬癸, 後庚三日也. 庚則互兌秋日也.

손(巽)으로 권도(權道)를 행하기 때문에[83] 곧게 하면 길하여 후회가 없다. 곧지 않다면 권도를 행할 수 없다. 후회가 없다면 반드시 권도를 행할 필요가 없다. 권도를 행하고도 중정하기 때문에 후회가 없다. 굳센 양이 중정한 데에서 겸손하여 뜻이 행해지기 때문에 오효와 이효는 모두 이롭지 않음이 없다. 처음이 없음은 후회가 있는 것이고 끝이 있음은 후회가 없어진 것이다. 괘의 호괘는 규괘(睽卦)이기 때문에 그 말이 규괘의 삼효[84]와 같다. 선경(先庚)과 후경(後庚)은 명령을 거듭한다는 뜻이다. 『예기·월령』에서 여름에 해당하는 날은 병(丙)과 정(丁)이라고 했으니[85] 경(庚)에서 삼일을 먼저 한다는 뜻이다. 또 겨울에 해당

---

80)『周易·蠱卦』: 先甲三日, 後甲三日, 終則有始, 天行也.

81)『周易·革卦』: 革, 已日乃孚, 元亨利貞, 悔亡.

82)『周易·革卦』: 六二, 已日, 乃革之, 征吉, 无咎.

83)『周易·繫辭下』: 履以和行, 謙以制禮, 復以自知, 恒以一德, 損以遠害, 益以興利, 困以寡怨, 井以辨義, 巽以行權.

84)『周易·睽卦』: 六三, 見輿曳, 其牛掣, 其人天且劓, 无初有終.

85)『禮記·月令』: 孟夏之月, 日在畢, 昏翼中, 旦婺女中. 其日丙丁, 其帝炎帝, 其神祝融, 其蟲羽, 其音徵, 律中中呂, 其數七, 其味苦, 其臭焦.

하는 날은 임(壬)과 계(癸)라고 했으니[86] 경(庚)에서 삼일을 뒤에 한다는 뜻이다. 경(庚)은 호괘인 태괘로 가을에 해당하는 날이다.

이지연(李止淵) 『주역차의(周易箚疑)』

庚者, 更也. 解在蠱卦.
경(庚)은 고친다는 뜻이다. 그 설명은 고괘(蠱卦䷑)에 나온다.

김기례(金箕澧) 「역요선의강목(易要選義綱目)」

九五, 貞, 吉, 悔亡, 无不利,
구오는 곧게 하면 길하여 후회가 없어서 이롭지 않음이 없으니,
五陽非不貞, 而在巽體, 故戒以貞則吉, 无悔而利也.
오효의 양은 곧지 않음이 아니지만 손괘의 몸체에 있기 때문에 곧게 하면 길하고 후회가 없어서 길하다고 경계했다.

无初有終. 先庚三日, 後庚三日, 吉.
처음은 없고 끝은 있다. 경(庚)에서 삼일을 먼저 하고 경(庚)에서 삼일을 뒤에 하면 길하리라.
五爲出令之主, 統上下二巽. 若先令而未[87]善, 則當更令而得善, 故曰无初有終.
오효는 명령을 내리는 주인이고 위아래 두 손괘를 통솔한다. 만약 먼저 명령을 내리는데 아직 선하지 않다면 마땅히 다시 명령을 내려서 선하게 해야 하므로, "처음은 없고 끝은 있다"고 했다.

○ 令出而不得丁寧, 則當揆度而變更之, 故曰先庚三日, 後庚三日. 先庚三日爲丁, 丁寧之意, 後庚三日爲癸, 揆度之意. 甲爲干之始, 故蠱曰先甲後甲, 言終則有始也. 庚爲干之過半, 故巽曰先庚後庚, 言无初有終也.
명령을 내렸는데 간곡하지 않다면 살펴서 변경해야 하기 때문에 "경(庚)에서 삼일을 먼저 하고 경(庚)에서 삼일을 뒤에 한다"고 했다. 경에서 삼일을 먼저 하면 정(丁)이 되니 간곡하다는 뜻이고, 경에서 삼일을 뒤에 하면 계(癸)가 되니 헤아린다는 뜻이다. 갑(甲)은 십간의

---

86) 『禮記 · 月令』: 孟冬之月, 日在尾, 昏危中, 且七星中, 其日壬癸, 其帝顓頊, 其神玄冥, 其蟲介, 其音羽, 律中應鍾, 其數六, 其味鹹, 其臭朽.
87) 未: 경학자료집성DB에는 '朱'로 기록되어 있으나, 경학자료집성 영인본을 참조하여 '未'로 바로잡았다.

시작이기 때문에 고괘(蠱卦)에서는 선갑(先甲)과 후갑(後甲)을 말했으니 마치면 시작이 있다는 뜻이다.[88] 반면 경(庚)은 십간 중 절반을 지난 것이기 때문에 손괘에서는 선경(先庚)과 후경(後庚)을 말했으니 처음은 없고 끝은 있다는 뜻이다.

○ 蓋令行過半而不善行, 則當變更而善行, 故无初有終.
명령이 절반을 지나쳤지만 선하게 시행되지 않는다면 마땅히 고쳐서 선하게 시행해야 하기 때문에 처음은 없고 끝은 있다.

이항로(李恒老) 「주역전의동이석의(周易傳義同異釋義)」

傳, 云云.
『정전』에서 말하였다: 운운.

本義, 云云.
『본의』에서 말하였다: 운운.

按, 說見蠱卦. 巽爲陰生之始, 而統三陰之卦. 陽主始事, 陰主終事, 故此乃據庚而言. 庚, 陰干之首也. 或曰, 蠱之下卦, 亦巽也, 而蠱則言甲而此獨言庚, 何也. 蠱則蠱極改始之象也, 巽則申命終事之象也. 曰悔亡, 曰无初, 何也. 曰, 自震至乾主貞, 由巽至坤主悔. 陽大陰小, 故陰用半數而无初有終. 觀於坤先迷後得, 可知矣.
내가 살펴보았다: 자세한 설명은 고괘(蠱卦)에 나온다. 손괘는 음이 생겨나는 시작이고 세 음을 통괄하는 괘이다. 양은 일의 시작을 주관하고 음은 일의 마침을 주관하기 때문에 이곳에서는 경(庚)을 의거해서 말했다. 경(庚)은 십간 중 음간의 처음이다.
어떤 이가 물었다: 고괘의 하괘 또한 손괘인데, 고괘에서는 갑(甲)을 말하고 이곳에서는 유독 경(庚)을 말한 것은 어째서입니까?
답하였다: 고괘는 폐해가 극에 달해 고치고 시작하는 상이고 손괘는 명령을 거듭하여 일을 마치는 상이기 때문입니다.
물었다: 후회가 없다고 했고 처음이 없다고 한 것은 어째서입니까?
답하였다: 진괘로부터 건괘에 이르기까지 정(貞)을 위주로 하고 손괘로부터 곤괘에 이르기까지 회(悔)를 위주로 합니다. 양이 크고 음이 작기 때문에 음은 절반의 수를 사용하여 처음은 없고 끝은 있습니다. 곤괘(坤卦)에서 "먼저 하면 혼미하고 뒤에 하면 얻을 것이다"[89]라고

---

88) 『周易·蠱卦』: 先甲三日, 後甲三日, 終則有始, 天行也.
89) 『周易·坤卦』: 先迷, 後得, 主利.

한 말을 살펴보면 이러한 사실을 알 수 있습니다.

심대윤(沈大允) 『주역상의점법(周易象義占法)』

巽之蠱䷑, 多事也. 命令之施行, 而奔走執事也. 九五以剛居剛, 勉爲承順而得中. 君之任賢, 其作事之始, 雖或有疑惑而未達者, 當堅任之. 以觀成終, 不可從中牽制, 以亂其謀. 任人而不專, 專任而不堅, 功之所以不成也. 下之任事者, 或有未達上之意者, 亦當順其所命而効力焉. 以觀成終, 不可輒以己意私自擅行也. 唯九五則无是過也, 故曰貞吉. 始有未達而終能成功, 故曰悔亡无不利. 恭巽以申命爲无初, 施行而成功爲有終. 兌坎爲无初, 巽之對震, 震逢坤曰有終. 庚, 先儒云更也. 申命已行事, 行事已申命, 交相更變相因而成功. 先庚後庚, 前之命令, 旣已施行, 而後之命令又出也. 坎先离後兌爲庚. 离坎互震, 有晝夜遷動之象. 巽爲三命令施行而成功, 故重言吉也. 九五, 木之爲材用也.

손괘가 고괘(蠱卦䷑)로 바뀌었으니, 일이 많은 것이다. 명령을 시행하여 분주하게 일을 맡아보는 것이다. 구오는 굳센 양으로 양의 자리에 있고 받들고 순종하도록 힘써서 알맞음을 얻는다. 임금이 현명한 자에게 임무를 맡길 때 일을 시작할 때 비록 의혹이 있어서 두루 통하지 않더라도 마땅히 굳건하게 맡겨야 한다. 이를 통해 끝을 이룸을 살펴야 하며 중도에 견제를 하여 계획한 것을 혼란스럽게 해서는 안 된다. 남에게 임무를 맡겼는데 마음대로 하지 못하게 하고, 임무를 마음대로 처리하도록 했는데 굳건하게 지켜주지 않는 것은 공이 이루어지지 않게 된다. 일을 맡은 아랫사람이 간혹 윗사람의 뜻을 깨닫지 못한 점이 있더라도 또한 마땅히 명령한 것에 따라서 힘을 발휘해야 한다. 이를 통해 끝을 이룸을 살펴야 하며 갑작스럽게 자기의 사사로운 뜻에 따라 제멋대로 시행해서는 안 된다. 오직 구오만이 이러한 잘못이 없기 때문에 "곧게 하면 길하다"고 했다. 처음에는 아직 두루 깨닫지 못한 점이 있지만 끝에는 공을 이룰 수 있기 때문에 "후회가 없어서 이롭지 않음이 없다"고 했다. 겸손히 명령을 거듭함이 처음이 없는 것이고 시행하여 공을 이룸이 끝이 있는 것이다. 태괘와 감괘는 처음이 없는 것이 되고 손괘의 음양이 바뀐 괘는 진괘인데 진괘가 곤괘를 만나서 "끝은 있다"고 했다. 경(庚)에 대해서 이전의 학자들은 고친다고 했다. 명령을 거듭하여 이미 정사를 시행하였고 정사를 시행하며 이미 명령을 거듭하였으니 상호 변경하고 따라서 공을 이룬다. 선경(先庚)과 후경(後庚)은 이전의 명령을 이미 시행하였고 이후에 명령을 다시 내리는 것이다. 감괘가 앞이고 리괘가 뒤이며 태괘는 경(庚)이다. 리괘와 감괘의 호괘인 진괘에는 밤낮이 바뀌는 상이 있다. 손괘는 세 차례 명령을 시행하여 공을 이루기 때문에 길하다고 거듭 말했다. 구오는 나무를 재목으로 사용하는 것이다.

오치기(吳致箕) 「주역경전증해(周易經傳增解)」

九五陽剛中正而居尊, 卽巽之主也. 巽主於行事, 故言以其中正而得吉. 雖无正應而其悔乃亡, 剛中而居正, 雖比柔而不爲過巽, 故无所不利於事. 下无當應之柔, 故爲无初. 切比六四而成功, 故有終. 而乃得先庚後庚之吉也.
구오는 굳센 양이고 중정하며 존귀한 자리에 있으니 손괘의 주인이다. 손괘는 정사를 시행하는 것을 위주로 하기 때문에 중정함으로써 길함을 얻는다고 했다. 비록 정응함이 없지만 후회가 없어지고, 굳세고 알맞으며 바른 자리에 있어서 비록 부드러운 음과 가깝지만 지나치게 겸손하지 않기 때문에 일에 있어서 이롭지 않은 것이 없다. 아래에는 마땅히 호응해야 하는 음이 없기 때문에 처음이 없다. 육사와 매우 가깝지만 공을 이루기 때문에 끝은 있다. 이것은 곧 선경(先庚)과 후경(後庚)의 길함을 얻은 것이다.

○ 文王卦位, 庚在兌方, 而自兌方先三爲艮, 後三爲巽. 合艮巽則爲蠱, 而蠱者, 治事也. 必言于九五者, 五變則爲艮, 合艮巽, 亦爲蠱. 而五居尊位, 爲行事之主, 卽彖傳所言巽乎中正而志行者也, 故其辭如此. 而上云吉, 以德言, 下云吉, 以功言也.
문왕의 괘 위치에 있어서 경(庚)은 태괘의 방위가 되고 태괘의 방위로부터 앞으로 셋을 가면 간괘가 되며 뒤로 셋을 가면 손괘가 되다. 간괘와 손괘를 합하면 고괘(蠱卦)가 되고 고괘는 일을 다스리는 것이다. 굳이 구오에서 말한 것은 오효가 변하면 간괘가 되고 간괘와 손괘를 합한 것 또한 고괘가 되기 때문이다. 그리고 오효는 존귀한 자리에 있어서 일을 시행하는 주인이 되니, 「단전」에서 "중정한 데에서 겸손하여 뜻이 행하여진다"는 것에 해당하기 때문에 그 말이 이와 같다. 앞에서 길하다고 한 것은 덕을 기준으로 한 말이며, 뒤에서 길하다고 한 것은 공을 기준으로 한 말이다.

이진상(李震相) 『역학관규(易學管窺)』

先庚三日.
경(庚)에서 삼일을 먼저 한다.

先天方位, 巽居庚方, 巽又變更. 卦序之位, 蓋起乾而歷兌離震, 更從而南角, 起巽而數艮坎坤, 此卽更始之象也. 九五又爲變更之主, 故特言之. 而變更之道, 必須丁寧於其先, 而揆度於其後, 故以先後三日言之. 丁居十干之中, 無初之象也. 癸居十干[90]之終, 有終之象也. 若蠱則亂極將治, 終而復始, 故數以甲當之. 而又須自新於其先, 丁寧於

90) 干: 경학자료집성DB에는 '于'로 되어 있으나, 경학자료집성 영인본을 참조하여 '干'으로 바로잡았다.

其後, 故亦言其先後三日也. 蓋以十干配八卦, 而不用戊己, 則震當甲, 離當乙, 兌當丙, 乾當丁, 巽當庚, 坎當辛, 艮當壬, 坤當癸, 亦有其理. 雲峰謂, 先天離當甲, 離當甲, 則兌乙乾丙巽丁坎庚艮辛坤壬震癸, 與今二十四位之法略似. 然震之居癸, 旣欠始物之象, 而兌不從乾, 艮不從坤, 反類失位,[91] 未見其可也. 先儒謂兌西爲庚, 而巽互兌. 然不取本卦方位, 而徑取互卦, 亦恐逕庭. 大抵巽有變更之象, 故以庚言. 蠱有復始之道, 故以甲言. 不須論先後三日之爲何卦也. 况先庚須用戊己, 而卦中戊己無定位者耶.

「선천도」의 방위에서 손괘는 경(庚)의 방위에 있고 손괘는 또한 변경함이 된다. 괘 순서의 위치에 있어서 건괘에서 일어나 태괘 · 리괘 · 진괘를 거치면 따름을 바꿔서 남쪽 끝이 되고, 손괘에서 일어나 간괘 · 감괘 · 곤괘를 거치면 이것은 다시 시작하는 상이 된다. 구오는 또한 변경하는 주인이 되기 때문에 특별히 언급하였다. 그런데 변경의 도는 반드시 앞서서 간곡해야 하고 뒤에서는 자세히 살펴야 하기 때문에 삼일을 앞에 한다거나 뒤에 한다고 말했다. 정(丁)은 십간 중 가운데 있어서 처음이 없는 상이다. 계(癸)는 십간의 끝이니 끝이 있는 상이다. 고괘(蠱卦)는 혼란함이 지극해져서 앞으로 다스리게 되니, 마치면 다시 시작하기 때문에 수차례 갑(甲)으로 그에 해당시켰다. 또 앞서서 스스로 새롭게 하고 뒤에서는 간곡해야 하기 때문에 또한 삼일을 앞에 한다거나 뒤에 한다고 했다. 십간을 팔괘에 배열하면 무(戊)와 기(己)는 사용하지 않으니 진괘는 갑(甲)에 해당하고 리괘는 을(乙)에 해당하며 태괘는 병(丙)에 해당하고 건괘는 정(丁)에 해당하며 손괘는 경(庚)에 해당하고 감괘는 신(辛)에 해당하며 간괘는 임(壬)에 해당하고 곤괘는 계(癸)에 해당하니 또한 각각에 이치가 있다. 운봉은 "「선천도」에서 리괘는 갑(甲)에 해당한다"고 했는데, 리괘가 갑에 해당한다면 태괘는 을이 되고 건괘는 병이 되며 손괘는 정이 되고 감괘는 경이 되며 간괘는 신이 되고 곤괘는 임이 되며 진괘는 계가 되어 현재의 이십사위의 법칙과 대략적으로 유사하다. 그러나 진괘가 계에 있다면 이미 사물을 시작하는 상을 이지러트리고, 태괘는 건괘를 따르지 않고 간괘는 곤괘를 따르지 않으니 부류를 반대로 하여 자리를 잃게 되므로 이러한 설명이 가능한지 알 수 없다. 이전의 학자들은 태괘인 서쪽은 경이 되고 손괘의 호괘는 태괘라고 했다. 그러나 본괘의 방위에서 취하지 않고 갑자기 호괘에서 취한 것 또한 큰 차이가 있는 것 같다. 손괘에는 변경하는 상이 있기 때문에 경으로 말한 것이다. 고괘에는 다시 시작하는 도가 있기 때문에 갑으로 말한 것이다. 삼일을 앞서 한다거나 뒤에 한다는 것이 어떤 괘에 해당하는지를 따질 필요가 없다. 하물며 선경(先庚)에서는 무와 기를 사용해야 하는데 괘 중에 무와 기에 확정된 자리가 없음에 있어 서랴.

---

91) 位: 경학자료집성DB에는 '伍'로 되어 있으나, 경학자료집성 영인본을 참조하여 '位'로 바로잡았다.

박문호(朴文鎬) 「경설(經說)·주역(周易)」

丁, 所以丁寧, 癸, 所以揆度.
『본의』에서 말하였다: 정(丁)은 간곡하게 당부하는 것이며 계(癸)는 헤아리는 것이다.

按, 蠱卦註亦以自新丁寧釋辛丁二字, 但彼略而此詳耳.
내가 살펴보았다: 고괘(蠱卦䷑)의 주에서도 스스로 새롭게 하는 것과 간곡하게 당부하는 것으로 신(辛)과 정(丁)이라는 두 글자를 풀이했는데, 고괘의 주는 간략하고 이곳 주는 상세할 따름이다.

正中, 卽中正, 而取叶韻, 故文倒. 程傳所云正得其中, 恐在更詳耳.
'정중(正中)'은 중정에 해당하니 협운에 따른 것이기 때문에 글자를 뒤바꾸었다. 『정전』에서 "바르게 그 알맞음을 얻는다"고 한 말은 아마도 너무 천착한 해석인 것 같다.

이병헌(李炳憲) 『역경금문고통론(易經今文考通論)』

本義曰, 有悔, 是无初, 亡之, 是有終. 庚, 更也, 事之變也. 先庚三日, 丁, 丁寧也. 後庚三日, 癸揆, 度也.
『본의』에서 말하였다: 후회가 있음은 "처음이 없다"는 뜻이고 후회가 없어짐은 "끝이 있다"는 뜻이다. '경(庚)'은 고침이니 일을 변하게 한다. "경(庚)에서 삼일을 먼저 한다"란 정(丁)이며 간곡하다는 뜻이다. "경(庚)에서 삼일을 뒤에 한다"란 계(癸)이며 헤아린다는 뜻이다.

虞曰, 居中得正, 故吉也.
우번이 말하였다: 가운데 자리에 있고 바름을 얻었기 때문에 길하다.

按, 無初有終, 謂無用而有癸.
내가 살펴보았다: "처음은 없고 끝은 있다"는 쓰임은 없고 헤아림은 있다는 뜻이다.

象曰, 九五之吉, 位正中也.

「상전」에서 말하였다: "구오의 길함"은 자리가 바르고 알맞기 때문이다.

中國大全

傳

九五之吉, 以處正中也, 得正中之道, 則吉而其悔亡也. 正中, 謂不過无不及, 正得其中也. 處柔巽與出命令, 唯得中, 爲善, 失中則悔也.

구오의 길함은 바르고 알맞은 자리에 있기 때문이니, 바르고 알맞은 도를 얻는다면 길하고 후회가 없어진다. "바르고 알맞음"은 지나치지도 않고 미치지 못함도 없어서 바르게 그 알맞음을 얻는다는 말이다. 유순하고 겸손한 데에 있음과 명령을 냄은 오직 알맞음을 얻음이 선이 되니, 알맞음을 잃으면 후회하게 된다.

韓國大全

김상악(金相岳) 『산천역설(山天易說)』

位正中, 卽剛巽乎中正而志行也.

"자리가 바르고 알맞기 때문이다"는 "굳센 양이 중정한 데에서 겸손하여 뜻이 행하여진다"는 뜻이다.

서유신(徐有臣) 『역의의언(易義擬言)』

正中, 所以應二而志行也.

바르고 알맞음은 이효에 호응하여 뜻이 행하여진 것이다.

오치기(吳致箕) 「주역경전증해(周易經傳增解)」

得正中之道, 故悔亡而无不利. 无初而有終, 乃獲其吉也.

중정한 도를 얻었기 때문에 후회가 없고 이롭지 않은 것이 없다. 처음이 없지만 끝이 있다면 길함을 얻는다.

上九, 巽在牀下, 喪其資斧, 貞, 凶.

정전 상구는 겸손함이 상(牀) 아래에 있어서 물자와 도끼를 잃으니, 곧음에 흉하다.
본의 상구는 겸손함이 상(牀) 아래에 있어서 물자와 도끼를 잃으니, 곧더라도 흉하다.

中國大全

傳

牀, 人所安也, 在牀下, 過所安之義也. 九居巽之極, 過於巽者也. 資, 所有也, 斧, 以斷也, 陽剛本有斷, 以過巽而失其剛斷, 失其所有, 喪資斧也. 居上而過巽, 至於自失, 在正道爲凶也.

'상(牀)'은 사람이 편안하게 여기는 곳이니, 상 아래에 있음은 편안하게 여기는 곳을 지나쳤다는 뜻이다. 구(九)가 손괘(巽卦)의 끝에 있으니, 지나치게 겸손한 자이다. '자(資)'는 가지고 있는 바이며 '부(斧)'는 결단하는 것이니 굳센 양은 본래 결단함이 있지만, 지나치게 겸손하여 굳세게 결단함을 잃고 가지고 있는 바를 잃으니 "물자와 도끼를 잃는" 것이다. 위에 있으면서 지나치게 겸손하여 스스로를 잃는 데에 이르니, 바른 도에 있어서 흉함이 된다.

本義

巽在牀下, 過於巽者也, 喪其資斧, 失所以斷也, 如是則雖貞, 亦凶矣. 居巽之極, 失其陽剛之德, 故其象占如此.

"겸손함이 상(牀) 아래에 있다"란 지나치게 겸손한 자이며, "물자와 도끼를 잃는다"란 결단함을 잃은 것이니, 이와 같다면 비록 곧더라도 또한 흉하다. 손괘의 끝에 있어서 굳센 양의 덕을 잃기 때문에 그 상과 점이 이와 같다.

小註

誠齋楊氏曰, 上九位極人臣, 身極崇高, 愛其富貴權勢而患失之心生. 故必極其巽順阿諛, 以保其所有, 不知順愈過身愈危, 小則喪資用, 大則喪權勢, 雖正亦凶, 況不正乎.
성재양씨가 말하였다: 상구는 자리가 지극히 높은 신하이고 몸은 지극히 숭고하여 그 부귀와 권세를 사랑하여 얻은 것을 잃을까하는 마음이[92] 생겨난다. 그러므로 반드시 겸손하면서 따르기를 지극히 하여 아첨을 하여서 가지고 있는 바를 보존하므로, 따르기가 지나칠수록 자신은 더욱 위태롭게 됨을 알지 못하여 작게는 재용을 잃게 되고 크게는 권세를 잃게 되어 비록 바르더라도 또한 흉하게 되니, 하물며 바르지 못한 데에 있어 서랴!

○ 白雲郭氏曰, 九二, 有爲之臣也, 以巽用剛者也. 上者, 巽之極也, 巽極不知變, 而欲同九二之道, 則其過也, 甚矣.
백운곽씨가 말하였다: 구이는 신하가 됨이 있는데, 또 겸손함으로써 굳센 양을 쓰는 자이다. 상효란 손괘(巽卦)의 끝이므로, 겸손하기가 지나쳐 변할 줄을 모르고 구이의 도와 같이 하고자 하니 잘못됨이 심하다.

○ 雲峯胡氏曰, 牀下, 亦以陽居陰, 不安之象. 旅九四, 以剛居柔曰, 得其資斧, 巽上九, 以剛居柔, 而反喪其資斧, 何也. 旅貴於用柔, 故以剛居柔者得之, 巽戒乎過柔, 故巽極以剛居柔者失之. 或曰, 離爲戈兵, 旅九四本離, 故得資斧, 巽上九在互離之外, 故喪資斧.
운봉호씨가 말하였다: '상 아래'는 또한 양으로 음의 자리에 있는 것이니, 편안하지 않는 상이다. 여괘(旅卦)의 구사는 굳센 양으로 부드러운 음의 자리에 있어서 "물자와 도끼를 얻는다"[93]고 하였고, 손괘(巽卦)의 상구는 굳센 양으로 부드러운 음의 자리에 있는데도 도리어 "물자와 도끼를 잃는다"고 한 것은 어째서인가? 여괘에서는 부드러움을 쓰는 것을 귀하게 여기기 때문에 굳센 양이 부드러운 음의 자리에 있는 경우는 얻고, 손괘에서는 지나치게 부드러운 것을 경계하기 때문에 손괘의 끝이면서 굳센 양으로 부드러운 음의 자리에 있는 경우는 잃는다. 어떤 이가 말하기를 "리괘(離卦☲)는 병기가 되고 여괘의 구사는 리괘(離卦☲)에 근본하기 때문에 물자와 도끼를 얻으며, 손괘의 상구는 호괘인 리괘(離卦☲)의 밖에 있기 때문에 물자와 도끼를 잃는다"고 하였다.

---

92) 『論語 · 陽貨』: 子曰, 鄙夫, 可與事君也與哉. 其未得之也, 患得之, 既得之, 患失之, 苟患失之, 無所不至矣.
93) 『周易 · 旅卦』: 九四, 旅于處, 得其資斧, 我心不快.

韓國大全

송시열(宋時烈) 『역설(易說)』

此爻處高, 欲比乎四, 如二之欲比乎初. 又有窮極反下之義, 故亦言巽在牀[94]下. 資斧, 見旅四註. 旅之四, 四在巽兌之中, 而渠旣得之. 此則在上將變, 變爲坎, 則爲盜失之象. 以應言之, 則三在坎象之中, 任其資斧, 上九則有失之之象. 貞凶者, 以剛陽貞固則凶, 言當變於柔也. 小象上窮者, 窮於上則反於下也. 說卦曰易窮則變, 此類之謂也. 正乎者, 言志之貞固, 利之正大乎之謂也. 旣失之, 其凶可知. 正字, 釋貞字也.
이 효는 높은 곳에 있으며 사효와 친하려고 하니 이효가 초효와 친하려고 하는 것과 같다. 또 끝을 다하게 되면 아래로 되돌아오는 뜻이 있기 때문에 또한 "겸손함이 상 아래에 있다"고 했다. 물자와 도끼에 대해서는 그 설명이 려괘(旅卦) 사효의 주에 나온다. 려괘의 사효는 사효가 손괘와 태괘 가운데 있어서 크게 이미 얻었다. 이 효는 위에 있어서 변하려고 하는데 변하면 감괘가 되니 잃는 상이 된다. 호응함으로 말한다면 삼효는 감괘 상의 가운데 있어서 물자와 도끼를 맡고 상구는 잃어버리는 상이 있다. "곧음에 흉하다"는 굳센 양으로 곧게만 한다면 흉하다는 뜻으로, 부드럽게 변해야만 한다는 의미이다. 「소상전」에서 "위의 끝이기 때문이다"라고 한 말은 위에서 다하게 되어 아래로 되돌아간다는 뜻이다. 「설괘전」에서 "역이 궁하면 변 한다"[95]고 한 말도 이러한 뜻이다. "바르겠는가"는 뜻의 곧음이 이로움을 바르고 크게 하겠느냐 라고 말함을 뜻한다. 이미 잃었으니 흉함을 알 수 있다. 정(正)자는 정(貞)자를 풀이한 말이다.

이익(李瀷) 『역경질서(易經疾書)』

上卦二陽, 上爻失位, 有巽於牀下之象. 卦以巽爲義, 而重巽無上下相應之象, 故只得巽於六四也. 居上有臨下之義, 用武疑若自主, 旣不中失正, 在巽之極, 有巽與他人之象, 故凶.
상괘의 두 양 중 상효는 제자리를 잃었으니 겸손함이 상 아래에 있는 상이 있다. 괘는 겸손함을 뜻으로 삼는데 거듭된 손괘에는 상하에 서로 호응하는 상이 없기 때문에 단지 육사에 대해서 겸손하기만 할 수 있다. 위에 있으면서 아래를 임하는 뜻이 있는데 무력을 사용함에

---

94) 牀: 경학자료집성DB에는 '牀'로 되어 있으나, 경학자료집성 영인본을 참조하여 '牀'으로 바로잡았다.
95) 『周易 · 說卦傳』: 神農氏沒, 黃帝堯舜氏作, 通其變, 使民不倦, 神而化之, 使民宜之, 易窮則變, 變則通, 通則久. 是以自天祐之, 吉无不利, 黃帝堯舜, 垂衣裳而天下治, 蓋取諸乾坤.

스스로 주관할 수 있는 것처럼 생각하여 이미 알맞지 않고 바름도 잃었으며, 손괘의 끝에 있어서 다른 사람에게 겸손히 하는 상이 있기 때문에 흉하다.

심조(沈潮) 「역상차론(易象箚論)」

上九, 牀下.
상구에서 말하였다: 상 아래.

二與上, 皆言牀, 牀非但巽木, 卦有牀象. 陰畫偶而峙, 牀之足也. 陽畫平而廣, 牀之安身處也. 兩巽相重疊, 牀之象, 故上下體皆言牀下, 妙哉. 大抵以卦之全體觀, 則巽體似牀, 而二上之牀, 只以陽畫之亘上, 似牀形, 故取之. 必欲以全體求之, 而致疑於二亦牀下, 上亦牀下之有異, 則泥而不通矣.
이효와 상효에서는 모두 상을 말했는데 상은 단지 손괘인 나무일 뿐 아니라 괘에도 상의 상이 있다. 음효는 짝으로 되어 있고 솟아 있으니 상의 다리이다. 양효는 평평하고 넓으니 상의 몸을 눕히는 곳이다. 두 손괘가 서로 중첩되어 있는 것은 상의 상이기 때문에 상체와 하체에서 모두 상 아래라고 말한 것이니 오묘하구나. 괘의 전체 모습으로 본다면 손괘의 몸체는 상과 유사하고 이효와 상효의 상은 단지 양효가 평평하게 이어져 있고 위에 있어서 상의 형태와 유사한 점이 있기 때문에 취했다. 반드시 전체 모습으로 구하고자 하여 이효도 상 아래 있고 상효도 상 아래에 있는 것에 차이가 있다고 의심을 품는다면 천착하여 뜻이 통하지 않게 된다.

유정원(柳正源) 『역해참고(易解參攷)』

正義, 斧能斬決, 以喩威斷也, 過巽則不能行威命. 命之不行, 是喪其所用之斧, 故曰喪其資斧. 貞凶者, 失其威斷, 是貞之凶, 故曰貞凶.
『주역정의』에서 말하였다: 도끼는 벨 수 있으니 이를 통해 위엄 있는 결단을 비유하였으나 겸손함이 지나치다면 위엄이 있는 명령을 시행할 수 없다. 명령이 시행되지 않는 것은 사용하는 도끼를 잃은 것이기 때문에 "물자와 도끼를 잃었다"고 했다. "곧음에 흉하다"는 위엄 있는 결단을 잃었으니 곧기만 한 흉함이기 때문에 "곧음에 흉하다"고 했다.

○ 西溪李氏曰, 二處下體, 巽在牀下, 未害也. 九處上體, 巽在牀下, 則反失威重. 周之夷王下堂而見諸侯, 似未害其爲巽而諸侯反不至也.
서계이씨가 말하였다: 이효는 하체에 있어서 겸손함이 상 아래에 있어도 아직 해가 되지

않으나 구(九)는 상체에 있으니 겸손함이 상 아래에 있다면, 도리어 위엄을 잃는다. 주나라 이왕(夷王)이 당하로 내려가서 제후를 보는 것은 겸손함에 대해서는 해가 되지 않더라도 제후가 도리어 이르지 않은 것과 유사하다.

○ 平庵項氏曰, 巽上九, 與旅九四, 同稱資斧者, 旅之四卽互巽之上也, 巽爲近利市三倍, 故同稱資斧.
평암항씨가 말하였다: 손괘의 상구와 려괘(旅卦☶)의 구사에서는 동일하게 물자와 도끼라고 지칭했는데[96] 려괘의 사효는 호괘인 손괘의 위가 되고 손괘는 이익을 가까이 하여 세 배의 폭리를 남김이 되기 때문에[97] 동일하게 물자와 도끼라고 지칭했다.

○ 案, 居上位而反在牀下, 過巽也. 過於巽, 故失其剛明. 失剛明, 卽所以喪資斧也. 居巽而行巽, 雖欲勿喪得乎.
내가 살펴보았다: 상효의 자리에 있으면서 반대로 상 아래에 있으니 겸손함이 지나친 것이다. 겸손함이 지나치기 때문에 굳셈과 밝음을 잃는다. 굳셈과 밝음을 잃는 것은 물자와 도끼를 잃는 것이다. 손괘에 있으면서 겸손함을 시행하니 비록 잃지 않고자 하더라도 되겠는가?

김상악(金相岳)『산천역설(山天易說)』

上九以剛居終, 而巽性入, 故巽在牀下, 與二同象. 三五互兌離, 而居其外, 又爲喪資斧之象. 无位失剛, 雖正亦凶, 況不正乎.
상구는 굳센 양으로 끝의 자리에 있고 손괘의 성질은 들어감이기 때문에 겸손함이 상 아래에 있는 것이니, 이효와 상이 같다. 삼효와 오효는 호괘가 태괘와 리괘이고 밖에 있으니, 또한 물자와 도끼를 잃는 상이 된다. 자리가 없고 굳셈을 잃었으니 비록 바르더라도 흉한데 하물며 바르지 않음에 있어 서랴!

○ 資斧, 兌離二象, 見旅九四. 又巽在牀下, 與震六二曰, 躋于九陵相反, 震動而巽入也. 所以震又曰喪貝, 復得, 五曰无喪有事, 得上下之中也. 巽則過於巽而失其剛斷, 故獨窮於上也. 蓋巽之陰在下, 故陽皆下行, 兌則陰在上, 故陽皆上行.
물자와 도끼는 태괘와 리괘의 상으로 설명은 려괘(旅卦)의 구사에 나온다. 또 겸손함이 상

96)『周易 · 旅卦』: 九四, 旅于處, 得其資斧, 我心不快.
97)『周易 · 說卦傳』: 巽, 爲木, 爲風, 爲長女, 爲繩直, 爲工, 爲白, 爲長, 爲高, 爲進退, 爲不果, 爲臭, 其於人也, 爲寡髮, 爲廣顙, 爲多白眼, 爲近利市三倍, 其究, 爲躁卦.

아래에 있는 것은 진괘(震卦) 육이에서 "아홉 언덕에 오른다"[98]고 한 말과 상반되니 진괘는 움직이고 손괘는 들어가기 때문이다. 진괘에서 또한 "재물을 잃는다"고 한 것은 다시 얻음이며 오효에서 "있는 일을 잃음이 없게 할 것이다"[99]는 상하의 알맞음을 얻은 것이다. 손괘는 겸손함이 지나치고 굳센 결단을 잃었기 때문에 홀로 위에서 다한다. 손괘의 음은 아래에 있기 때문에 양은 모두 아래에서 행하고 태괘는 음이 위에 있기 때문에 양이 모두 위에서 행한다.

서유신(徐有臣) 『역의의언(易義擬言)』

卦外爲床外, 床外卽床下也. 不曰外而曰下, 言其巽極而卑屈也. 或曰資斧, 古本作齊斧. 竊疑, 資當作賫, 古本之齊當作齎, 齎與賫同也. 九三互兌爲斧, 上九不相應, 失其所賫之斧也. 巽弱太過, 又失其防身之物, 必凶之道也.
괘 밖은 상 밖이 되고 상 밖은 상 아래이다. 밖이라고 말하지 않고 아래라고 한 것은 겸손함이 지극하여 비굴하다는 뜻이다. 어떤 자는 "자부(資斧)를 『고본』에서는 제부(齊斧)로 기록했다"고 했다. 내가 생각하기에 자(資)자는 마땅히 재(賫)자가 되어야 하며, 『고본』의 제(齊)자는 마땅히 재(齎)자가 되어야 하니, 재(齎)자와 재(賫)자는 동일하다. 구삼의 호괘인 태괘는 도끼가 되고 상구가 서로 호응하지 않으니 방비할 수 있는 도끼를 잃은 것이다. 겸손함과 나약함이 너무 지나치고 또 자신을 방어하는 사물을 잃었으니 반드시 흉하게 되는 도이다.

이지연(李止淵) 『주역차의(周易箚疑)』

語曰, 恭而无禮則葸. 上九貞凶, 卽其葸者乎.
『논어』에서는 "공손하되 예가 없다면 두렵다"[100]고 했다. 상구의 "곧음에 흉하다"는 두렵다는 뜻일 것이다.

김기례(金箕澧) 「역요선의강목(易要選義綱目)」

巽極而不如變, 居上過巽則諂, 故曰牀下. 在上過巽, 不能斷, 故曰喪斧. 上居互離外,

98) 『周易·震卦』: 六二, 震來厲, 億喪貝, 躋于九陵, 勿逐, 七日得.
99) 『周易·震卦』: 六五, 震往來, 厲, 億无喪有事.
100) 『論語·泰伯』: 子曰, "恭而無禮則勞, 愼而無禮則葸, 勇而無禮則亂, 直而無禮則絞. 君子篤於親, 則民興於仁, 故舊不遺, 則民不偸."

故曰喪斧, 言不能外剛. 過巽失正, 故象曰上窮, 曰正乎凶.
겸손함이 지극하면 변하는 것만 못하고 위에 있으며 겸손함이 지나치면 아첨이기 때문에 '상 아래'라고 했다. 맨 위에 있으면서 겸손함이 지나치면 결단을 할 수 없기 때문에 "도끼를 잃는다"고 했다. 상효는 호괘인 리괘 밖에 있기 때문에 "도끼를 잃는다"고 했으니 밖으로 굳셀 수 없다는 뜻이다. 겸손함이 지나쳐서 바름을 잃었기 때문에 「상전」에서 "위의 끝이기 때문이다"라고 했고 "바로 흉한 것이다"고 했다.

贊曰, 陰伏陽下, 巽以得亨. 二五得志, 中剛上行. 從風而入, 命令分明. 无過於巽, 諂則不貞.
찬미하여 말하였다: 음은 엎드리고 양은 위에 있으니 겸손하여 형통하도다. 이효와 오효는 뜻을 얻었고 알맞고 굳세어 위로 행하도다. 바람을 따라 들어가니 명령이 분명하구나. 겸손함에 지나침이 없는데 아첨하면 곧지 않으리라.

윤종섭(尹鍾燮) 『경(經)-역(易)』

巽旅之資斧, 巽爲近市, 离爲戈兵也.
손괘와 려괘(旅卦)에 나온 물자와 도끼에 있어서, 손괘는 이익을 가까이 함이 되고 리괘는 창과 병장기가 된다.

심대윤(沈大允) 『주역상의점법(周易象義占法)』

巽之井䷯, 居其所而進也. 上九以剛居柔, 志在可否而居巽之極. 上之使下, 下之事上, 施及於其子孫. 君之子孫, 不可不事焉, 賢臣之子孫, 不可不任焉, 由其悅好而有係着焉. 上不能擇乎賢, 下不能擇乎德, 有井之義. 巽兌爲子孫. 上九上无可從, 而下從于五, 故曰巽在牀下. 失巽之從上而巽于賢德之道, 故曰喪其資斧, 言從五而舍三也. 离巽兌爲資斧, 兌爲喪. 巽之道, 從上不從下, 故舍三而從五也. 上九之道, 雖正而凶也. 〈上九之失巽于賢德之道, 亦所以巽于賢德也, 致一也.〉
손괘가 정괘(井卦䷯)로 바뀌었으니, 제자리에 있다가 나아가는 것이다. 상구는 굳센 양으로 부드러운 음에 있고, 뜻은 가부를 헤아리는데 있지만 손괘의 끝에 있다. 윗사람이 아랫사람을 부리고 아랫사람이 윗사람을 섬기어 그들의 자손까지 이어진다. 따라서 임금의 자손에 대해서는 섬기지 않을 수가 없고, 현명한 신하의 자손에 대해서는 임무를 맡기지 않을 수가 없으니, 기뻐함과 좋아함으로 말미암아 서로 마음에 두고 잊지 않는 것이다. 윗사람이 현명한 자를 가릴 수 없고 아랫사람이 덕이 있는 자를 가릴 수 없는 것은 정괘의 뜻이 있다.

손괘와 태괘는 자손이 된다. 상구는 위로 따를 수 있는 자가 없어서 아래로 오효를 따르기 때문에 "겸손함이 상 아래에 있다"고 했다. 겸손히 위를 따르고 현명하고 덕이 있는 자에게 겸손히 대하는 도를 잃었기 때문에 "물자와 도끼를 잃는다"고 한 것으로, 오효를 따르고 삼효를 버린다는 의미이다. 리괘 · 손괘 · 태괘는 물자와 도끼가 되고 태괘는 잃음이 된다. 손괘의 도는 위를 따르고 아래를 따르지 않기 때문에 삼효를 버리고 오효를 따른다. 상구의 도는 비록 바르지만 흉하다. 〈상구는 현명하고 덕이 있는 자에게 겸손히 하는 도를 잃음도 현명하고 덕이 있는 자에게 겸손히 하는 것이니 동일하게 된다.〉

오치기(吳致箕) 「주역경전증해(周易經傳增解)」

上九在巽之極, 而亦以剛居柔, 卽過於巽者也, 故有巽在牀下之象. 以其過巽而无應, 故有喪其資斧之象. 是以占言正乎凶也.

상구는 손괘의 끝에 있고 또한 굳센 양으로 부드러운 음의 자리에 있으니 겸손함이 지나친 자이기 때문에 겸손함이 상 아래에 있는 상이 있다. 겸손함이 지나치고 호응함이 없기 때문에 물자와 도끼를 잃는 상이 있다. 이러한 까닭으로 점사에서는 "바로 흉한 것이다"라고 했다.

○ 牀之取象, 與二同. 資斧象義, 與旅四同, 而但旅之斧, 所以防身者, 而以其有應, 故言得斧. 巽之斧, 所以斷物者, 而以其无應, 故言喪斧也. 巽在牀下, 則過於柔巽也. 喪其資斧, 則不能斷事也. 此所以爲凶.

상(牀)을 상(象)으로 취한 것은 이효와 동일하다. 물자와 도끼에 대한 상과 뜻은 려괘(旅卦)의 사효와 동일하지만, 려괘의 도끼는 자신을 방비하는 것이고 호응함이 있기 때문에 도끼를 얻는다고 했다. 반면 손괘의 도끼는 사물을 자르는 것이고 호응함이 없기 때문에 도끼를 잃는다고 했다. 겸손함이 상 아래에 있다면 유순하고 겸손함이 지나친 것이다. 물자와 도끼를 잃는다면 사안을 결단할 수 없다. 이것이 흉하게 되는 이유이다.

박문호(朴文鎬) 「경설(經說) · 주역(周易)」

資斧, 與旅卦之資斧不同, 蓋隨卦取義也.

'자부(資斧)'는 려괘(旅卦)에 나오는 자부(資斧)[101]와는 뜻이 다르니, 괘에 따라서 뜻을 취했기 때문이다.

貞, 正也. 貞凶, 若以象傳正乎凶程傳之意讀之, 似亦通耳.

---

101) 『周易 · 旅卦』: 九四, 旅于處, 得其資斧, 我心不快.

'정(貞)'자는 바르다는 뜻이다. '정흉(貞凶)'에 대해 「상전」의 '정호흉(正乎凶)'을 『정전』의 뜻에 따라 풀이를 하더라도 또한 통할 것 같다.

이병헌(李炳憲) 『역경금문고통론(易經今文考通論)』

王曰, 處巽之極, 過巽失正, 喪所以斷, 故曰貞凶也.
왕필이 말하였다: 손괘의 끝에 있어서 겸손함이 지나치고 바름을 잃었으니 결단할 수단을 잃은 것이기 때문에 "곧음에 흉하다"고 했다.

按, 謙之上六, 則利於征邑, 巽之上九, 則凶於喪斧, 當參觀.
내가 살펴보았다: 겸괘(謙卦)의 상육은 국읍을 정벌하는 데에서 이롭다고 했고[102] 손괘의 상구는 도끼를 잃어버리는 데에서 흉하다고 했으니, 마땅히 함께 살펴보아야 한다.

---

102) 『周易·謙卦』: 上六, 鳴謙, 利用行師征邑國.

象曰, 巽在牀下, 上窮也, 喪其資斧, 正乎, 凶也.

정전 「상전」에서 말하였다: "겸손함이 상(牀) 아래에 있음"은 위의 끝이기 때문이며, "물자와 도끼를 잃음"은 바르겠는가? 흉하다.

象曰, 巽在牀下, 上窮也, 喪其資斧, 正乎凶也.

본의 「상전」에서 말하였다: "겸손함이 상(牀) 아래에 있음"은 위의 끝이기 때문이며, "물자와 도끼를 잃음"은 바로 흉한 것이다.

中國大全

傳

巽在牀下, 過於巽也. 處卦之上, 巽至於窮極也, 居上而過極於巽, 至於自失, 得爲正乎. 乃凶道也. 巽本善行, 故疑之曰得爲正乎, 復斷之曰乃凶也.

"겸손함이 상(牀) 아래에 있음"은 지나치게 겸손한 것이다. 괘의 맨 위에 있으니, 겸손함이 궁극에 이른 것이며, 위에 있으면서 겸손함에 지나치게 지극하여 스스로를 잃는 데에 이른다면 바르다고 할 수 있겠는가? 이는 흉한 도이다. 겸손함은 본래 선한 행동이기 때문에 의심하여 "바르다고 할 수 있겠는가?"라고 하고 다시 결단하여 "이는 흉하다"라고 하였다.

本義

正乎凶, 言必凶.

"정호흉(正乎凶)"은 반드시 흉하게 됨을 말한다.

小註

雲峯胡氏曰, 程傳謂正乎, 疑辭, 凶也, 必辭. 本義以爲必凶. 蓋大壯之初曰, 其孚窮, 言必窮, 此曰正乎凶, 言必凶.
운봉호씨가 말하였다: 『정전』에서 "바르겠는가?"라고 한 말은 의심하는 말이며, "흉하다"라고 한 말은 반드시 그렇다는 말이다. 『본의』에서는 반드시 흉하다고 여겼다. 대장괘(大壯卦)의 초효에서 "반드시 궁하게 된다"[103]고 한 말은 반드시 궁하게 됨을 말하고, 여기서 "바로 흉한 것이다"라고 한 말은 반드시 흉하게 됨을 말한다.

○ 黃氏曰, 巽以初與四爲主, 初進退, 四有獲, 何也. 初在下卦, 伏亦甚焉. 四在上卦, 巽其揚揚矣. 凡巽不欲過, 二中吉, 五中正吉, 三過中, 故吝. 上窮巽, 故凶也.
황씨가 말하였다: 손괘(巽卦)는 초효와 사효를 주인으로 삼는데, 초효는 나아가고 물러나며 사효는 얻음이 있으니 어째서인가? 초효는 하괘에 있어서 엎드려 있음이 또한 심하다. 사효는 상괘에 있어서 겸손함이 잘 드러난다. 겸손함은 지나치지 않고자 하므로, 이효는 알맞아 길하고, 오효는 바르고 알맞아서 길하지만, 삼효는 알맞음을 지나쳤기 때문에 부끄럽다. 상효는 겸손함이 지나치기 때문에 흉하다.

○ 建安丘氏曰, 巽, 順也, 以一陰而順乎上之二陽也. 在卦以二柔爲巽主. 初柔居剛, 未安於巽, 故有進退之疑. 四柔居柔, 巽其安矣, 故有功. 三與五, 皆以剛居剛, 而五得中, 故五吉而三吝. 二與上, 皆以剛居柔, 而二得中, 故二吉而上凶. 大抵巽之爲卦, 以居中得位爲善. 二得中而失位, 三四得位而失中, 初上則位與中俱失, 皆不能盡巽之道也. 唯以九居五, 位乎中正, 此所以貞吉而爲申命之主歟.
건안구씨가 말하였다: 손(巽)은 따름이니, 하나의 음으로 위의 두 양을 따르는 것이다. 괘에서는 두 부드러운 음이 손괘(巽卦)의 주인이 된다. 초효는 부드러운 음이 굳센 양의 자리에 있어서 겸손함에 편안하지 못하기 때문에 나아가고 물러나는 의심이 있다. 사효는 부드러운 음이 부드러운 음의 자리에 있어서 겸손함에 편안하기 때문에 공이 있다. 삼효와 오효는 모두 굳센 양으로 굳센 양의 자리에 있지만, 오효가 알맞음을 얻었기 때문에 오효는 길하고 삼효는 부끄럽다. 이효와 상효는 모두 굳센 양으로 부드러운 음의 자리에 있지만, 이효는 알맞음을 얻었기 때문에 이효는 길하고 상효는 흉하다. 대체로 손괘(巽卦)는 가운데 자리에 있고 제자리를 얻는 것을 선(善)으로 여긴다. 이효는 알맞음을 얻었지만 제자리를 잃었고, 삼효와 사효는 제자리를 얻었지만 알맞음을 잃었으며, 초효와 상효는 제자리와

103) 『周易 · 大壯卦』: 初九, 象曰, 壯于趾, 其孚窮也.

알맞음을 모두 잃었으니, 모두 겸손한 도를 다할 수가 없다. 오직 구(九)로서 다섯 번째 효에 있는 것이 중정한 자리에 있으니, 이것이 곧아서 길하고 거듭 명령을 내리는 주인이 되는 까닭이다.

韓國大全

유정원(柳正源) 『역해참고(易解參攷)』

正乎凶.
바로 흉한 것이다.

正義, 正理須當威斷, 而喪之, 是正乎凶也.
『주역정의』에서 말하였다. 바른 이치는 마땅히 위엄 있게 결단을 해야 하지만 잃었으므로 바로 흉한 것이다.

김상악(金相岳) 『산천역설(山天易說)』

正乎凶, 言必凶也.
"바로 흉한 것이다"는 반드시 흉하게 된다는 뜻이다.

서유신(徐有臣) 『역의의언(易義擬言)』

上窮而反, 爲床下之象也. 正乎凶, 不可强解.
위에서 다하면 돌아오니 상 아래의 상이 된다. '정호흉(正乎凶)'에 대해서는 억지로 풀이해서는 안 된다.

박제가(朴齊家) 『주역(周易)』

上九象傳, 喪其資斧, 正乎凶也.
상구의 상전에서 말하였다: "물자와 도끼를 잃음"은 바로 흉한 것이다.

是釋爻辭貞凶二字. 傳作問答解, 本義曰必凶, 則釋貞爲凶矣.
이것은 효사에 나오는 정흉(貞凶)이라는 두 글자를 풀이한 말이다. 『정전』에서는 문답으로 풀이를 했고, 『본의』에서는 "반드시 흉하다"고 했으니 곧음이 흉함이 된다고 풀이한 것이다.

이항로(李恒老) 「주역전의동이석의(周易傳義同異釋義)」

傳, 巽本善行, 故疑之曰得爲正乎, 復斷之曰乃凶也.
『정전』에서 말하였다: 겸손함은 본래 선한 행동이기 때문에 의심하여 "바르다고 할 수 있겠는가?"라고 하고 다시 결단하여 "이는 흉하다"라고 하였다.

本義, 正乎凶, 言必凶.
『본의』에서 말하였다: '정호흉(正乎凶)'은 반드시 흉하게 됨을 말한다.

按, 過巽失斷, 取凶无疑. 恐不必設問答之辭.
내가 살펴보았다: 겸손함이 지나치고 결단을 잃어버리면 흉하게 됨에 의문될 것이 없다. 아마도 문답 형식의 말을 세울 필요는 없을 듯 같다.

심대윤(沈大允) 『주역상의점법(周易象義占法)』

上窮, 上无可從也. 正乎凶, 得正乎凶之道也. 上九, 木之有實復種也. 初六未及命, 四五施之行事, 皆不言巽也.
"위의 끝이기 때문이다"는 위로 따를 수 있는 자가 없다는 뜻이다. "바로 흉한 것이다"는 바로 흉하게 되는 도를 얻는다는 뜻이다. 상구는 나무의 씨앗을 다시 파종하는 것이다. 초육은 아직 명령에 미치지 않았고 사효와 오효는 베풀어 정사를 시행하니 모두 겸손하다고 말하지 않았다.

오치기(吳致箕) 「주역경전증해(周易經傳增解)」

在上而過巽, 乃上之窮也. 過巽而喪斧, 則必爲凶也. 本義, 正乎凶, 言必凶.
위에 있으며 겸손함이 지나치다면 위의 끝이 된다. 겸손함이 지나치고 도끼를 잃는다면 반드시 흉하게 된다. 『본의』에서는 "'정호흉(正乎凶)'은 반드시 흉하게 됨을 말한다"고 했다.

58

태괘

兌卦䷹

中國大全

傳

兌, 序卦, 巽者, 入也, 入而後說之, 故受之以兌, 兌者, 說也. 物相入則相說, 相說則相入, 兌所以次巽也.

태괘(兌卦☱)는 「서괘전」에 "손괘(巽卦☴)는 들어감이니, 들어간 뒤에 기뻐하기 때문에 태괘(兌卦☱)로 받았다"고 하였으니, 태(兌)란 기뻐함이다. 물건이 서로 들어가면 서로 기뻐하고, 서로 기뻐하면 서로 들어가니, 태괘(兌卦☱)가 이 때문에 손괘(巽卦☴)의 다음이 되었다.

韓國大全

이만부(李萬敷) 「역통(易統)·역대상편람(易大象便覽)·잡서변(雜書辨)」

一陰說陽之象.

하나의 음이 양을 기뻐하는 상이다.

一陰進乎二陽之上, 喜之見乎外也. 其象, 爲澤, 取其說萬物, 故爲兌. 兌說也.

하나의 음이 두 양의 위로 나아가니 기쁨이 밖으로 드러나는 것이다. 그 상은 못[澤]이 되니 만물을 기쁘게 함을 취하였기 때문에 '태(兌)'가 된다. '태(兌)'는 기뻐함이다.

김상악(金相岳) 『산천역설(山天易說)』

序卦, 巽者, 入也, 入而後, 說之, 故受之以兌.

「서괘전」에서 말하였다: 손(巽)은 들어감이니, 들어간 뒤에 기뻐하므로 태괘(兌卦☱)로써 받았다.

○ 兌, 說也. 一陰進乎二陽之上, 喜之見乎外也. 其象, 爲澤, 取其說萬物也. 又坎水, 塞其下流, 故兌爲止水也.

'태(兌)'는 기뻐함이다. 하나의 음이 두 양의 위로 나아가니 기쁨이 밖으로 드러나는 것이다.

그 상은 못[澤]이 되니, 만물을 기쁘게 함을 취하였다. 또 감괘(坎卦☵)인 물이 되는데, 그 물이 아래로 흐르는 것을 막기 때문에 태(兌)는 고인 물이 된다.

서유신(徐有臣) 『역의의언(易義擬言)』

兌, 彖曰, 說以先民.
태괘(兌卦䷹) 「단전」에서 말하였다: 기뻐함으로써 백성들보다 수고로운 일을 먼저 한다.
兌之說, 由於上畫, 而下畫亦爲說, 是上先說而下從說也.
태괘(兌卦䷹)의 기뻐함은 위의 획에서 말미암아 아래 획 또한 기뻐하게 되니, 이는 위에서 먼저 기뻐하여 아래가 따라서 기뻐하는 것이다.

民忘其勞.
백성들은 수고로움을 잊는다.
坎爲勞卦, 而兌下塞坎, 民忘勞之象.
감괘(坎卦☵)는 수고로움이 되는 괘이지만 태괘(兌卦☱)는 아래가 양으로 막힌 감괘(坎卦☵)이니, 백성들이 수로고움을 잊는 상이다.

說以犯難.
기뻐함으로써 어려움을 무릅쓴다.
重兌兩體相犯, 而爲互離, 又互睽互革, 有兵革象, 故曰說以犯難.
거듭된 태괘(兌卦☱)인 두 몸체가 서로 범하여 호괘인 리괘(離卦☲)가 되고, 호괘인 규괘(睽卦䷥)와 혁괘(革卦䷰)에는 병기(兵器)의 상이 있기 때문에 "기뻐함으로써 어려움을 무릅쓴다"고 하였다.

民忘其死.
백성들은 죽음을 잊는다.
亦塞坎之象. 死謂死亡之憂, 坎爲加憂也.
또한 막힌 감괘(坎卦☵)의 상이다. '죽음[死]'은 사망하는 데에 대한 걱정을 말하며, 감괘(坎卦☵)는 걱정을 더하는 것이 된다.

九四曰, 商兌.
구사에서 말하였다: 기뻐함을 헤아린다.
處兩兌之間, 有商量象也.

두 태괘(兌卦☱)의 사이에 있으니, 헤아리는 상이 있다.

九五曰, 于剝.
구오에서 말하였다: 사그라지게 하는 것을.
兌, 說也, 秋也, 說之甚, 秋之極, 則剝至矣.
'태(兌)'는 기뻐함이고 가을이니, 기뻐함이 심해지고 가을이 지극해지면 사그라짐이 이른다.

上六曰, 引兌.
상육에서 말하였다: 이끌어서 기뻐함이다.
六三互巽爲繩也.
육삼의 호괘인 손괘(巽卦☴)는 끈으로 묶는 것이 된다.

이정규(李正奎)「독역기(讀易記)」

兌之爲卦, 語其德, 則陽剛實於中, 柔喜見於外, 是說而正也. 語其象, 則閉合坎下一畫, 雍水爲澤, 是和而不流也. 以之應天順人, 何往而不說哉. 然說道多端, 而惟使民自勸於說應, 役而忘其勞, 犯難而忘其死者, 說道之大也, 此不在義理乎. 義理者, 民生所稟倫常之重也, 故曰義理之說心, 如芻豢之說口. 若不知此, 而或私施干譽, 以取一時之說, 或邪媚諛佞, 以求人之苟說, 則豈能爲說哉. 且大象所謂朋友講習, 實說道之大而正也. 從容講習, 互相滋益, 心與理相涵, 而无枯燥生澁之慮, 身與事相安, 而无危殆杌隉[1]之患, 則天下之說, 孰有加於此乎.

태괘(兌卦䷹)는 덕으로 말하면 굳센 양이 가운데에 꽉 차있고 부드러운 음의 기쁨이 밖으로 드러나니 이는 기뻐하면서 바른 것이다. 상으로 말하면 감괘(坎卦☵)의 아래에 있는 한 획을 닫아 연결하여 물을 막아 못[澤]이 되니 이는 화합하면서 휩쓸려가지 않는[2] 것이다. 이를 본받아서 하늘에 호응하고 사람을 따르니, 어디를 간들 기쁘지 않겠는가? 그러나 기뻐하는 도는 다양하지만 오직 백성들이 기쁘게 호응하는 데에서 스스로 힘쓰도록 하여 노역하여도 그 수고로움을 잊고 어려움을 무릅쓰더라도 죽음을 잊는 것이 기뻐하는 도에서 큰 것이니, 여기에 의(義)와 리(理)가 있지 않겠는가? 의(義)와 리(理)란 백성이 태어나면서 품수 받은 떳떳한 도리에서 중요한 것이기 때문에 "리(理)와 의(義)가 내 마음을 기쁘게 하는 것은

---

1) 隉: 경학자료집성 영인본에는 '(木+〇)'로 되어 있고, 경학자료집성DB에는 무슨 글자인지 알 수 없다고 표시되어 있으니, 문맥을 살펴 '隉'로 고쳤다.
2) 『中庸』: 故君子, 和而不流, 强哉矯. 中立而不倚, 强哉矯.

고기가 내 입을 기쁘게 하는 것과 같다"[3]고 하였다. 만약 이를 알지 못하고 혹 사사롭게 베풀어 명예를 구하여 한 때의 기쁨을 취하거나 혹 사특하여 아첨하고 간사하여 다른 사람들에게 구차한 기쁨을 구한다면, 어찌 기쁨이 될 수 있겠는가? 또 「대상전」에서 이른바 "벗들과 강습한다"[4]란 실제로 기뻐하는 도에서 크고 바른 것이다. 침착하게 강습하여서 서로 불어나고 유익하게 하여 마음은 이치와 서로 젖어들어 무미건조하거나 어색하게 될까하는 근심이 없게 되고, 몸은 일과 서로 편안하여 위태롭게 될까하는 걱정이 없게 된다면, 천하의 기쁨 중에서 무엇이 이보다 더하겠는가?

이용구(李容九) 「역주해선(易註解選)」

兌, 彖, 張氏曰, 禹之隨山濬川, 非說而忘勞乎. 湯之東征西怨, 非說而忘死乎.

태괘(兌卦䷹) 「단전」에 대하여 중계장씨가 말하였다: 우임금이 산을 따라 하천을 깊이 파서 쳐낸[5] 것이 기뻐하여 수고로움을 잊은 것이 아니겠는가? 탕왕이 동쪽으로 정벌을 할 때에 서쪽에서 원망함[6]이 기뻐하여 죽음을 잊은 것이 아니겠는가?

3) 『孟子 · 告子』: 聖人, 先得我心之所同然耳, 故理義之悅我心, 猶芻豢之悅我口.
4) 『周易 · 兌卦』: 象曰, 麗澤, 兌, 君子以, 朋友講習.
5) 이러한 내용은 『서경(書經) · 우공(禹貢)』에 보인다.
6) 『書經 · 仲虺之誥』: 乃葛伯, 仇餉, 初征自葛, 東征, 西夷怨, 南征, 北狄怨, 曰 奚獨後予, 攸徂之民, 室家相慶, 曰 徯予后, 后來, 其蘇, 民之戴商, 厥惟舊哉.

兌, 亨, 利貞.

태(兌)는 형통하니, 곧게 함이 이롭다.

中國大全

傳

兌, 說也, 說, 致亨之道也. 能說於物, 物莫不說而與之, 足以致亨. 然爲說之道, 利於貞正, 非道求說, 則爲邪諂而有悔咎. 故戒利貞也.

'태(兌)'는 기뻐함이니, 기뻐함은 형통함을 이루는 길이다. 남을 기쁘게 하여 남이 기뻐해서 함께하지 않는 이가 없으면 충분히 형통함을 이룰 수 있다. 그러나 기뻐하는 도는 곧고 바름에서 이로우니 도(道)가 아닌데도 기뻐함을 구한다면, 사특하고 아첨함이 되어 후회와 허물이 있게 된다. 그러므로 "곧게 함이 이롭다[利貞]"고 경계하였다.

本義

兌, 說也. 一陰, 進乎二陽之上, 喜之見乎外也. 其象, 爲澤, 取其說萬物, 又取坎水而塞其下流之象. 卦體剛中而柔外, 剛中故說而亨, 柔外故利於貞. 蓋說有亨道而其妄說, 不可以不戒. 故其占, 如此. 又柔外故爲說亨, 剛中故利於貞, 亦一義也.

'태(兌)'는 기뻐함이다. 하나의 음이 두 양 위로 나아가니, 기쁨이 밖으로 드러나는 것이다. 그 상은 못[澤]이 되니 만물을 기쁘게 함을 취하였고, 또 감괘(坎卦☵)인 물이 되는데, 그 물이 아래로 흐르는 것을 막는 상을 취하였다. 괘의 몸체는 굳센 양이 가운데에 있고 부드러운 음이 밖에 있으니, 굳센 양이 가운데에 있기 때문에 기뻐하여 형통하고 부드러운 음이 밖에 있기 때문에 곧게 함에서 이롭다. 기뻐함에는 형통한 도가 있으나, 망령되게 기뻐함은 경계하지 않을 수 없다. 그러므로 그 점이 이와 같다. 또는 부드러운 음이 밖에 있기 때문에 기뻐하여 형통하고 굳센 양이 가운데에 있기 때문에 곧게 함이 이로우니, 또한 한 가지 뜻이다.

小註

朱子曰, 川壅爲澤, 坎爲川, 兌爲澤. 澤是水不流底. 坎下一畫閉合時, 便成兌卦, 便是川壅爲澤之象.
주자가 말하였다: 하천이 막힌 것이 못[澤]이 되니, 감괘(坎卦☵)는 하천이 되고 태괘(兌卦☱)는 못[澤]이 된다. 못[澤]은 물이 흐르지 않는 곳이다. 감괘(坎卦☵)의 맨 아래에 있는 한 획이 닫혀 연결될 때에 태괘(兌卦☱)를 이루니, 하천이 막혀서 못[澤]이 되는 상이다.

○ 隆山李氏曰, 以陽下陰, 陰陽相說. 故曰兌亨, 亦猶咸之所以爲亨也.
융산이씨가 말하였다: 양으로 음보다 아래에 있어서 음양이 서로 기뻐한다. 그러므로 기뻐서 형통하니, 또한 함괘(咸卦䷞)가 형통하게 되는 까닭과 같다.

○ 漢上朱氏曰, 二五剛中, 而五又正, 乃戒以利貞. 在二三四不正, 則陷於邪諂, 悔吝將生.
한상주씨가 말하였다: 이효와 오효는 굳센 양으로 가운데 자리에 있고 오효는 또 바르니, 곧게 함이 이롭다고 경계하였다. 이효와 삼효와 사효에서는 바르지 않으니, 사특하고 아첨하는 데에 빠져 후회와 허물이 장차 생긴다.

○ 建安丘氏曰, 嘗攷三女之卦, 聖人多以貞戒之. 離曰利貞亨, 巽曰利貞, 兌曰亨利貞, 皆以正言也. 三男之卦, 則不言貞. 震曰亨, 坎曰心亨, 艮曰艮其背而已. 蓋陰柔之質多病於不正, 而陽剛之體爲能有立也.
건안구씨가 말하였다: 일찍이 막내딸[☱]이 들어간 괘들을 살펴보니, 성인(聖人)은 대체로 '곧음[貞]'으로써 경계하였다. 리괘(離卦䷝)에서는 "곧음이 이로우니 형통하다"[7]고 하였고, 손괘(巽卦䷸)에서는 "곧게 함이 이롭다"[8]고 하였으며, 태괘(兌卦䷹)에서는 "곧게 함이 이롭다"고 하였으니, 모두 바름으로써 말하였다. 막내아들인 괘를 살펴보면, '곧음[貞]'을 말하지 않았다. 진괘(震卦䷲)에서는 "형통하다"[9]고 하였고, 감괘(坎卦䷜)에서는 "마음 때문에 형통하다"[10]라고 하였으며, 간괘(艮卦䷳)에서는 "등에 그친다"[11]고 하였을 뿐이다. 음의 부드러운 자질은 대체로 바르지 않은 데에 병통이 있고, 양의 굳센 몸체는 지위를 가질 수 있게 되기 때문인 듯하다.

---

7) 『周易 · 離卦』: 離, 利貞, 亨. 畜牝牛, 吉.
8) 손괘(巽卦☴)에는 "곧게 함이 이롭다[利貞]"라는 구절이 없다.
9) 『周易 · 震卦』: 震, 亨, 震來虩虩, 笑言啞啞, 震驚百里, 不喪匕鬯.
10) 『周易 · 坎卦』: 習坎, 有孚, 維心亨, 行有尙.
11) 『周易 · 艮卦』: 艮其背, 不獲其身, 行其庭, 不見其人, 无咎.

○ 雲峯胡氏曰, 卦辭與咸同. 咸以艮陽下兌陰, 則相感, 感則亨矣, 而相感易失於不正. 兌以二陽下一陰, 則相說, 說則亨矣, 而相說亦易流於不正. 利貞者, 戒辭也. 三男之卦, 不言利貞, 剛固貞也. 故咸取无心之感, 兌取不言之說.
운봉호씨가 말하였다: 괘사는 함괘(咸卦䷞)와 같다[12]. 함괘(咸卦䷞)는 간괘(艮卦☶)의 양이 태괘(兌卦☱)의 음 아래에 있으니 서로 느끼고 느끼면 형통하지만, 서로 느끼면 쉽게 바르지 못한 데에서 잘못을 한다. 태괘(兌卦䷹)는 두 양이 한 음 아래에 있으니 서로 기뻐하고 기뻐하면 형통하지만, 서로 기뻐하면 또한 쉽게 바르지 못한 데로 흐르게 된다. "곧게 함이 이롭다"란 경계하는 말이다. 막내아들의 괘에서 "곧게 함이 이롭다"고 하지 않은 것은 굳셈은 진실로 곧기 때문이다. 그러므로 함괘(咸卦䷞)에서는 무심한 느낌을 취하였고, 태괘(兌卦䷹)에서는 말하지 않는 기쁨을 취하였다.

韓國大全

송시열(宋時烈) 『역설(易說)』[13]

亨者, 剛中而柔外故也. 剛中, 故利貞.
'형통하다'란 굳센 양이 가운데에 있고 부드러운 음이 밖에 있기 때문이다. 굳센 양이 가운데에 있기 때문에 곧게 함이 이롭다.

이익(李瀷) 『역경질서(易經疾書)』

君子之悅, 莫悅乎與衆同樂, 同樂之道, 必須先得於己, 後施於民, 先得之功, 存乎講習, 講習之方, 存乎師友, 故兪玉吾云, 孔子以學之不講爲憂, 學而時習爲悅, 朋自遠來爲樂, 其說甚叶. 然其所以講習也, 不專于己而在乎天下, 故彖傳以悅之大爲言.
군자의 기쁨은 여러 사람들과 함께 즐거워하는 것보다 기쁜 것이 없고, 함께 즐거워하는 도는 반드시 먼저 자기에게서 얻고 뒤에 백성들에게 베풀 수 있어야 하며, 먼저 얻는 공은 강습에 있고, 강습하는 방법은 스승과 벗에게 있기 때문에 유염(兪琰)은 "공자가 학문이 강습되지 못함을 걱정으로 삼아, 배우고 때로 익힘을 기쁨으로 삼았으며, 친구가 먼 곳으로

12) 『周易 · 咸卦』: 咸, 亨, 利貞, 取女, 吉.
13) 경학자료집성DB에 누락되었으나 영인본을 참조하여 보완했다.

부터 오는 것을 즐거움으로 삼았다"[14]고 하였으니, 그 설명이 매우 잘 들어맞는다. 그러나 강습하는 까닭은 오로지 자기에게 있지 않고 천하 사람들에게 있기 때문에 「단전」에서는 "기뻐함이 크다"[15]라고 말하였다.

권만(權萬) 「역설(易說)」[16]

兌澤物者故亨, 又少女也, 故人悅之. 人悅則己亦悅, 皆亨通也. 然少女開口, 每人悅之, 則非貞道也, 故曰兌亨利貞.
'태(兌)'는 사물을 윤택하게 하는 것이기 때문에 형통하고, 또 막내딸이기 때문에 사람들이 기뻐한다. 사람들이 기뻐하면 자기도 또한 기쁘니, 모두 형통하다. 그러나 막내딸이 입을 열어 매번 사람들이 그를 기뻐하면, 곧게 하는 도가 아니기 때문에 "태(兌)는 형통하니, 곧게 함이 이롭다"고 하였다.

유정원(柳正源) 『역해참고(易解參攷)』

正義, 澤以潤生萬物, 皆說, 猶人君以恩惠養民, 民莫不說也[17]. 惠施民說, 所以爲亨.
『주역정의』에서 말하였다: 못[澤]은 윤택함으로 만물을 낳아 모두 기뻐하니, 임금이 은혜로 백성을 길러 백성들 중에 기뻐하지 않은 자가 없음과 같다. 은혜를 베풀어 백성들이 기뻐하므로 형통하게 된다.

○ 案, 陰爲陽說, 亨之道也, 內剛外柔, 亨之實也. 六居陰位正也, 而居陽位不正也, 九居陽位正也, 而居陰位不正也, 故戒以利貞.
내가 살펴보았다: 음이 양의 기쁨이 됨은 형통한 도이고, 안으로 굳세고 밖으로 부드러움은 형통함의 실제이다. 육(六)은 음의 자리에 있으면 바르고 양의 자리에 있으면 바르지 않으며, 구(九)는 양의 자리에 있으면 바르고 음의 자리에 있으면 바르지 않기 때문에 "곧게 함이 이롭다"고 경계하였다.

---

14) 이러한 내용은 『주역집설(周易集說)』에 보이며 공자의 말은 『논어(論語)·술이(述而)』의 "子曰, 德之不修, 學之不講, 聞義不能徙, 不善不能改, 是吾憂也."와 『논어(論語)·학이(學而)』에 "子曰, 學而時習之, 不亦說乎. 有朋, 自遠方來, 不亦樂乎."에 보인다.

15) 『周易·兌卦』: 彖曰, 兌, 說也, 剛中而柔外, 說以利貞. 是以順乎天而應乎人, 說以先民, 民忘其勞, 說以犯難, 民忘其死, 說之大, 民勸矣哉.

16) 경학자료집성DB에서는 태괘 「단전」에 해당하는 것으로 분류했으나, 내용에 살펴 이 자리로 옮겨 바로잡았다.

17) 『주역정의(周易正義)』에는 "澤以潤生萬物, 皆說"은 "澤以潤生萬物, 所以萬物皆說"로 되어 있고, "猶人君以恩惠養民, 民莫不說也"은 "施於人事, 猶人君以恩惠養民, 民无不說也"로 되어 있다.

김상악(金相岳)『산천역설(山天易說)』

兌之義, 陰陽相說, 陽之說, 以剛得中故亨, 陰之說, 以柔居外故利貞. 本義柔外故爲亨, 剛中故利於貞, 是一義也, 蓋說則亨矣. 但相說易流於不正, 故必利於貞也. 四德乾之卦辭, 而兌之變在上, 故失元字.
'태(兌)'의 뜻은 음과 양이 서로 기뻐함이니, 양의 기쁨은 굳센 양으로 알맞음을 얻었기 때문에 형통하고, 음의 기쁨은 부드러운 음으로 밖에 있기 때문에 곧게 함이 이롭다. 『본의』에서는 "부드러운 음이 밖에 있기 때문에 형통하고 굳센 양이 가운데에 있기 때문에 곧게 함이 이로우니, 또한 한 가지 뜻이다"라고 하였으니, 아마도 기쁘면 형통한 듯하다. 다만 서로 기뻐함이 쉽게 바르지 못한 데로 흐르기 때문에 반드시 곧게 함에서 이롭게 해야 한다. 사덕(四德)은 건괘(乾卦☰)의 괘사이지만[18], 태괘(兌卦☱)의 변화는 위의 효에 있기 때문에 '원(元)'자를 뺐다.

서유신(徐有臣)『역의의언(易義擬言)』

說必亨, 亨必利貞, 二三利也, 五上貞也.
기뻐하면 반드시 형통하고 형통하면 반드시 곧게 함이 이로우니, 이효와 삼효가 이로움이고 오효와 상효가 곧게 함이다.

강엄(康儼)『주역(周易)』

本義, 剛中故說而亨.
『본의』에서 말하였다: 굳센 양이 가운데에 있기 때문에 기뻐하여 형통하다.

按, 本義於巽曰陰爲主, 故其占爲小亨, 以此例之, 則兌之一陰亦當爲主, 而本義必以剛中爲言者, 何也. 蓋巽一陰在內, 而二陽在外, 則固當以陰爲主, 故卦辭曰小亨, 而本義亦如此. 兌則二陽在內, 而一陰在外, 故卦辭只曰亨而不加小字, 彖傳亦以剛中柔外釋之, 則本義亦安得不依此爲說乎. 然本義又以柔外爲說亨, 此則又似主陰而言亨. 然不是經文之正意, 故又以一義處之.
내가 살펴보았다: 『본의』는 손괘(巽卦☴)의 괘사에 대하여 "음이 주인이 되기 때문에 그 점이 조금 형통하게 된다"고 하였으니, 이러한 사례로 본다면 태괘(兌卦☱)의 한 음도 또한 마땅히 주인이 되어야 하는데도 『본의』에서는 반드시 굳센 양이 가운데 자리에 있는 것으로

---

18)『周易·乾卦』: 乾, 元, 亨, 利, 貞.

말한 것은 어째서인가? 손괘(巽卦☴)는 한 음이 안에 있고 두 양이 밖에 있으니, 진실로 마땅히 음을 주인으로 삼기 때문에 괘사에서 "조금 형통하다"[19]고 하여 『본의』도 또한 이와 같았다. 태괘(兌卦☱)는 두 양이 안에 있고 한 음이 밖에 있기 때문에 괘사에서는 다만 '형통하다'고 하였지 '소(小)'자를 더하지 않았고, 「단전」에서도 또한 "굳센 양이 가운데 자리에 있고 부드러운 음이 밖에 있다"고 풀이하였으니, 『본의』 또한 어찌 이에 의거하여 풀이를 하지 않을 수 있었겠는가? 그러나 『본의』는 또한 부드러운 음이 밖에 있음을 기뻐하여 형통함으로 여겼으니, 이는 또 음을 주인으로 삼아 형통하다고 말한 듯하다. 그러나 경문의 바른 뜻이 아니기 때문에 "한 가지 뜻이다"라고 처리하였다.

○ 小註, 丘氏說, 三女之卦, 多以貞戒之, 離曰利貞亨, 巽彖无利貞之辭, 而初六曰利武人之貞, 丘說无或謂此耶. 然以此求之, 則三男之卦, 如艮之初六利永貞, 亦可謂艮言利貞矣, 安得爲三男之卦不言貞乎. 故雲峯只言, 三男之卦, 不言利貞, 而三女之卦, 初不對擧, 似以丘說爲不通矣.
소주에서 건안구씨는 막내딸[☱]이 있는 괘에서는 대체로 곧음으로서 경계하였으므로 리괘(離卦☲)의 괘사에서는 "곧음이 이로우니 형통하다"[20]고 하였다고 설명하였는데[21], 손괘(巽卦☴)의 괘사에는 "곧게 함이 이롭다"라는 말이 없고 초육에서 "무인(武人)의 곧음이 이롭다"[22]고 하였으니, 건안구씨의 설명은 혹 이를 말하는 것이 아닌가? 그러나 이를 가지고 살펴본다면, 막내아들[☶]이 있는 괘에서 예를 들어 간괘(艮卦☶) 초육의 "길이 곧게 함이 이롭다"[23]와 같은 경우에는 또한 간괘(艮卦☶)에서도 "곧음이 이롭다"를 말하고 있다고 할 수 있으니, 어찌 막내아들이 있는 괘가 되어서는 '곧음'을 말하지 않는다고 할 수 있겠는가? 그러므로 운봉호씨는 다만 "막내아들이 있는 괘에서 '곧게 함이 이롭다'고 하지 않는다"고 하여 막내딸이 있는 괘와 처음부터 상대하여 거론하지 않았으니, 아마도 건안구씨의 설을 통하지 않는다고 여긴 듯하다.

김기례(金箕澧) 「역요선의강목(易要選義綱目)」

兌.
태(兌)는.

19) 『周易 · 巽卦』: 巽, 小亨, 利有攸往, 利見大人.
20) 『周易 · 離卦』: 離, 利貞, 亨. 畜牝牛, 吉.
21) 『周易傳義大全 · 兌卦』: 建安丘氏曰, 嘗攷三女之卦, 聖人多以貞戒之.
22) 『周易 · 巽卦』: 初六, 進退, 利武人之貞.
23) 『周易 · 艮卦』: 初六, 艮其趾. 无咎, 利永貞.

物相入, 則相悅.
사물이 서로 들어오니, 서로 기뻐한다.

亨.
형통하다.
指二五剛中而得亨道.
이효와 오효가 굳센 양으로 가운데 자리에 있어서 형통한 도를 얻음을 가리킨다.
○ 猶咸之所以亨.
함괘(咸卦䷞)가 형통한 까닭과 같다.

利貞.
곧게 함이 이롭다.
二五剛中, 五最得正, 故戒二三四, 說而不正, 則陷於邪, 故曰利正.
이효와 오효가 굳센 양으로 가운데 자리에 있고 오효가 가장 바름을 얻었기 때문에 이효·삼효·사효가 기뻐하면서 바르지 못하니 사특한 데에 빠짐을 경계하였기 때문에 "바르게 함이 이롭다"고 하였다.

심대윤(沈大允) 『주역상의점법(周易象義占法)』

以和說使民, 而民說服. 則可大故亨. 和說之道, 不以正, 則違道謟佞, 苟取一時耳. 唯以正然後, 乃可長久而无窮, 故曰利貞.
화합하면서 기쁘게 함으로 백성을 부려 백성들이 기뻐하면서 복종한다면 크다고 할 만하기 때문에 형통하다. 화합하면서 기쁘게 하는 도는 바르지 않게 한다면 도에 어긋나 아첨하여 구차스럽게 한 때의 기쁨을 취할 뿐이다. 오직 바르게 한 후에 오래하여 다함이 없을 수 있기 때문에 "곧게 함이 이롭다"고 하였다.

오치기(吳致箕) 「주역경전증해(周易經傳增解)」

兌, 說也. 一柔居二剛之上, 而順達于外, 二剛居一柔之下, 而實存乎中, 爲說之象. 膏澤之施, 濡潤萬物, 亦爲說之義也. 卦體則剛皆得中, 卦義則上下皆說, 故曰亨. 陰柔乘剛, 故戒以利貞.
'태(兌)'는 기뻐함이다. 하나의 부드러운 음은 두 굳센 양의 위에 있어 순종하면서 밖에 이르고, 두 굳센 양은 하나의 부드러운 음의 아래에 있어 가운데 자리에 차 있으니, 기뻐하는 상이 된다. 은혜와 덕을 베풂이 만물을 윤택하게 적시니, 기뻐하는 뜻이 된다. 괘의 몸체로 보면 굳센 양이 모두 알맞음을 얻었고, 괘의 뜻으로 보면 위와 아래가 모두 기뻐하기 때문에 '형통하다'라고 하였다. 부드러운 음이 굳센 양을 타고 있기 때문에 '곧게 함이 이롭다'로 경계하였다.

○ 二五不相應, 故不言大亨.
이효와 오효가 서로 호응하지 않기 때문에 '크게 형통하다'라고 말하지 않았다.

이진상(李震相) 『역학관규(易學管窺)』

卦體, 巽之反也. 聖人尊陽而抑陰, 故八卦之序, 乾在坤前, 坎在離上, 震艮先而巽兌後. 若兌則陰居陽上, 不正之甚, 故序在最後.
괘의 몸체는 손괘(巽卦☴)가 거꾸로 된 것이다. 성인(聖人)은 양을 존중하고 음을 억제하기 때문에 64괘 중에서 순수한 팔괘(八卦)의 순서는 건괘(乾卦☰)가 곤괘(坤卦☷) 앞에 있고, 감괘(坎卦☵)는 리괘(離卦☲) 위에 있으며, 진괘(震卦☳)와 간괘(艮卦☶)가 앞에 있고 손괘(巽卦☴)와 태괘(兌卦☱)가 뒤에 있다. 태괘(兌卦☱)의 경우는 음이 양 위에 있어서 바르지 못함이 심하기 때문에 순서가 가장 뒤에 있다.

彖曰, 兌, 說也,

「단전」에서 말하였다: 태(兌)는 기뻐함이니,

中國大全

本義

釋卦名義.

괘의 이름을 풀이하였다.

韓國大全

김상악(金相岳) 『산천역설(山天易說)』

釋卦名義. 兌, 說也, 與咸感也同. 咸取无心之感, 兌取不言之說.

괘 이름을 풀이하였다. '태(兌)'는 기뻐함이니, '함(咸)'이 느낌인 것과 같다. '함(咸)'은 무심(無心)한 느낌을 취하였고, '태(兌)'는 말하지 않는 기쁨을 취하였다.

김기례(金箕澧) 「역요선의강목(易要選義綱目)」

兌, 說也.

「단전」에서 말하였다: 태(兌)는 기뻐함이니.

一陰居二陽之上, 喜見乎外.

하나의 음이 두 양의 위에 있으니, 기쁨이 밖으로 드러난다.

○ 咸謂感, 感取无心之感, 兌謂說, 說取不言之說, 聖人之名卦, 意在其中.
'함(咸)'은 느낌을 말하며 느낌은 무심한 느낌에서 취하였고, '태(兌)'는 기쁨을 말하며 기쁨은 말하지 않는 기쁨을 취하였으니, 성인(聖人)이 괘의 이름을 지을 때는 뜻이 그 가운데에 있다.

剛中而柔外, 說以利貞. 是以順乎天而應乎人, 說以先民, 民忘其勞, 說以犯難, 民忘其死, 說之大, 民勸矣哉.

굳센 양이 가운데 자리에 있고 부드러운 음이 밖에 있어서, 기뻐하여 곧게 함이 이롭다. 이 때문에 하늘에 따르고 사람에게 호응하여, 기뻐함으로써 백성들보다 수고로운 일을 먼저 하면 백성들은 수고로움을 잊고, 기뻐함으로써 어려움을 무릅쓰면 백성들은 죽음을 잊으니, 기뻐함이 커서 백성들이 권면하게 된다.

中國大全

傳

兌之義, 說也. 一陰, 居二陽之上, 陰說於陽而爲陽所說也. 陽剛居中, 中心誠實之象, 柔爻在外, 接物和柔之象. 故爲說而能貞也. 利貞, 說之道宜正也. 卦有剛中之德, 能貞者也, 說而能貞. 是以上順天理, 下應人心, 說道之至正至善者也. 若夫違道以干百姓之譽者, 苟說之道. 違道, 不順天, 干譽, 非應人, 苟取一時之說耳, 非君子之正道. 君子之道, 其說於民如天地之施, 感於其心而說服无斁. 故以之先民, 則民心說隨而忘其勞, 率之以犯難, 則民心說服於義而不恤其死. 說道之大, 民莫不知勸, 勸, 謂信之而勉力順從. 人君之道, 以人心說服爲本, 故聖人贊其大.

'태(兌)'의 뜻은 기뻐함이다. 하나의 음이 두 양의 위에 있으니, 음이 양에 대하여 기뻐하여 양이 기뻐하는 바가 된다. 굳센 양이 가운데 자리에 있으니 중심(中心)이 성실한 상이며, 부드러운 음인 효가 밖에 있으니 다른 사람을 대하기를 온화하고 부드럽게 하는 상이다. 그러므로 기뻐하면서 곧게 할 수 있게 된다. "곧게 함이 이롭다"란 기뻐하는 도는 마땅히 바르게 해야 한다는 것이다. 괘는 굳세고 알맞은 덕이 있어서 곧게 할 수 있는 것이니, 기뻐하면서도 곧게 할 수 있다. 이 때문에 위로는 천리에 순응하고 아래로는 사람들의 마음에 호응하니, 기뻐하는 도가 지극히 바르고 지극히 선한 것이다. 만약 도를 위반하면서 백성들의 칭찬을 구하는 경우라면 구차하게 기뻐하는 방도이다. 도를 위반함은 하늘에 순응하지 않는 것이며 칭찬을 구함은 다른 사람들에게 호응함이 아니니, 구차하게 한 때의 기쁨을 취할 뿐이지 군자의 바른 도가 아니다. 군자의 도는 백성들을 기쁘게 함이 천지가 베풂과 같아서, 백성들이 마음에서 감동하여 기뻐하면서 복종하고 싫어함이 없다. 그러므로 이로써 백성들보다 먼저 하면 백성들의 마음은 기뻐하면서 따라 그 수고로움을 잊고, 백성들을 이끌다가 어려움을 만나면 백성들은 마음으로 기뻐하면서 의(義)에 복종하여 자신의 죽음을 돌보지 않는다. 기뻐하는 도가 큼에 백성들은 권면할 줄 모르는 이가 없으니, 권면함이란 믿으면서 힘써 순종함을 말한다. 임금의 도는 사람들의 마음이 기뻐하면서 복종함을 근본으로 삼기 때문에 성인이 그 큼을 찬미하였다.

本義

以卦體, 釋卦辭而極言之.

괘의 몸체로 괘사를 풀이하면서 극찬한 것이다.

小註

朱子曰, 兌, 說. 若不是剛中, 便成邪媚. 下面許多道理, 都從這個剛中柔外來. 說以先民, 如利之而不庸. 順天應人, 革卦就革命上說, 兌卦就說上說, 後人都做應天順人說了. 到了順天應人, 是言順天理, 應人心. 又曰, 說若不剛中, 便是違道干譽.

주자가 말하였다: '태(兌)'는 기뻐함이다. 만약 굳센 양이 가운데 자리에 있지 않는다면 곧 사특하고 아첨하게 된다. 아래에 나오는 허다한 도리는 모두 굳센 양이 가운데 자리에 있고 부드러운 음이 밖에 있는 데에서 나왔다. "기뻐함으로써 수고로운 일을 먼저 함"은 "이롭게 하여도 공(功)으로 여기지 않음"[24]과 같다. "하늘에 따르고 사람에게 호응함"은 혁괘(革卦☱)에서는 '혁명(革命)'이라는 측면에서 설명하였고 태괘(兌卦☱)에서는 '기뻐함'이라는 측면에서 설명하였는데도, 후세의 사람들은 모두 하늘에 호응하고 다른 사람들을 따른다는 뜻으로 여기면서 설명하였다. "하늘에 따르고 사람에게 호응함"이라고 하는 데에 이르러서는 천리를 따르고 사람들의 마음에 호응함을 말하는 것이다.

주자가 또 말하였다: 기뻐함에 만약 굳세고 알맞지 않다면, 이는 곧 도를 위배하면서 백성들의 칭찬을 구하는 것이다.

○ 隆山李氏曰, 柔外故能說, 剛中故能利貞. 內剛而利貞者, 說之以道也. 若柔見乎外而內不剛, 是乃使以爲佞說之說, 非和說之說也. 要必剛實在中, 外雖和而中有守, 是

24) 『孟子 · 盡心』: 殺之而不怨, 利之而不庸, 民日遷善而不知爲之者.

以和而不流, 此說之出于貞而與天人合也.
융산이씨가 말하였다: 부드러운 음이 밖에 있기 때문에 기뻐할 수 있고, 굳센 양이 가운데 자리에 있기 때문에 곧게 함이 이로울 수 있다. 안으로 굳세서 곧게 함이 이로운 것은 도(道)로써 기뻐하는 것이다. 만약 부드러움이 밖에 드러나면서 안으로 굳세지 않으면, 이는 곧 재주를 부려 기쁘게 하는 기쁨이 되도록 하는 것이지 화합하면서 기쁘게 하는 기쁨이 아니다. 요컨대 반드시 굳센 실체가 가운데에 있어서 밖이 비록 온화하더라도 가운데에 지키는 바가 있어야 하니, 이 때문에 "화합하지만 무리에 휩쓸리지 않으므로"25) 이것이 기쁨이 곧음에서 나와 하늘과 사람이 화합하는 것이다.

○ 建安丘氏曰, 兌之義說也. 剛中, 指二五, 柔外, 指三上. 外雖柔說, 中實剛介, 故兌亨利在貞正, 是以上順天理, 下應人心. 革兌二彖, 皆有順天應人之說, 革之順應, 以湯武革命而言也, 兌之順應, 以剛中柔外說以利貞而言也. 兌上爲君, 兌下爲民. 夫逸與生, 人之所好, 勞與死, 人之所惡, 此常情也. 今乃忘勞忘死, 豈人之情也哉. 殊不知說以先民, 則勞之者正所以逸之也, 說以犯難, 則生之所以爲仁, 殺之亦所以爲仁也.
건안구씨가 말하였다: '태(兌)'의 뜻은 기뻐함이다. "굳센 양이 가운데 자리에 있음"은 이효와 오효를 가리키고, "부드러운 음이 밖에 있음"은 삼효와 상효를 가리킨다. 밖이 비록 부드럽게 기뻐하지만 가운데가 굳센 절개로 꽉 차있기 때문에 기뻐하여 형통하고 이로움이 곧고 바른 데에 있으니, 이 때문에 위로는 천리를 따르고 아래로는 사람들의 마음에 호응한다. 혁괘(革卦䷰)와 태괘(兌卦䷹)괘의 두 「단전」에는 모두 "하늘에 따르고 사람에게 호응한다"는 말이 있는데, 혁괘(革卦䷰)에서의 "따르고 호응함"은 탕왕(湯王)과 무왕(武王)의 혁명을 가지고 말한 것이고, 태괘(兌卦䷹)에서의 "따르고 호응함"은 굳센 양이 가운데 자리에 있고 부드러운 음이 밖에 있어서 기뻐하여 곧게 함이 이로움을 가지고 말한 것이다. 위에 있는 태괘(兌卦☱)는 임금이 되고 아래에 있는 태괘(兌卦☱)는 백성이 된다. 편안함과 삶은 사람이 좋아하는 바이고, 수고로움과 죽음은 사람들이 싫어하는 바이니, 이것이 일상적인 감정이다. 이제 수고로움과 죽음을 잊는 것이 어찌 사람의 감정이라고 하겠는가? 기뻐함으로써 백성들보다 수고로운 일을 먼저 하면 수고롭게 하는 것이 바로 편안하게 하는 방법이며, 기뻐함으로써 어려움을 무릅쓰면 백성을 살리는 것도 인(仁)을 행하는 것이고 백성을 죽이는 것도 또한 인(仁)을 행하는 것임을 전혀 알지 못하는 것이다.

○ 誠齋楊氏曰, 天人俱說, 是惟无事无難也. 有事而與民趨之, 則勞而忘勞, 有難而與民犯之, 則死而忘死. 忘死忘勞, 非人之情也, 而忘之者, 說而不自知其勞且死也. 曷爲

25)『中庸』: 故君子, 和而不流, 强哉矯. 中立而不倚, 强哉矯.

而說也. 知聖人勞我以逸我, 死我以生我也, 是以說而自勸也. 夫勸民與民自勸, 相去遠矣, 是以聖人大之曰, 說之大民勸矣哉.
성재양씨가 말하였다: 하늘과 사람이 모두 기뻐하는 것은 오직 일이 없고 어려움이 없는 것이다. 일이 있어서 백성들과 함께 추구하면 수고롭더라도 수고로움을 잊고, 어려움이 있어서 백성들과 함께 무릅쓰면 죽게 되어도 죽음을 잊는다. 죽음과 수고로움을 잊음은 사람의 일상적인 감정이 아닌데도 이를 잊는다는 것은 기뻐하여 스스로 그 수고로움과 죽음을 알지 못하는 것이다. 무엇 때문에 기쁘겠는가? 성인(聖人)이란 자신을 수고롭게 하여 자신을 안일하게 하고 자신을 죽여서 자신을 살리려고 하는 자임을 알아서, 이 때문에 기뻐하면서 스스로를 권면한다는 것이다. 백성들을 권면함과 백성들이 스스로를 권면함은 서로의 차이가 크니, 이 때문에 성인(聖人)은 이를 크게 여겨 말하기를 "기뻐함이 커서 백성들이 권면하게 된다"고 하였다.

○ 中溪張氏曰, 禹之隨山濬川, 非說而忘勞者乎. 湯之東征西怨, 非說而忘死者乎.
중계장씨가 말하였다: 우(禹)임금이 산을 따라 물길을 낸[26] 것이 기뻐하여 수고로움을 잊은 것이 아니겠는가? 탕왕(湯王)이 동쪽으로 정벌을 할 때에 서쪽에서 원망함[27]이 기뻐하여 죽음을 잊은 것이 아니겠는가?

○ 雲峯胡氏曰, 說易於不正, 必剛中而後說也. 正說之正, 則能順乎天而應乎人. 以先民, 則民忘其勞, 以犯難, 則民忘其死, 皆所以爲說之大也. 然不正則不大矣.
운봉호씨가 말하였다: 기뻐함은 바르지 않기가 쉬우니, 반드시 굳셈이 마음에 있은 후에야 기뻐할 수 있다. 바름이란 기뻐함의 바름이니, 하늘에 따르고 사람에게 호응함이다. 이로써 백성들보다 먼저 한다면 백성들은 자신의 수고로움을 잊고, 이로써 어려움을 무릅쓴다면 백성들은 자신의 죽음을 잊으니, 모두 기쁨의 큰 것이 된다. 그러나 바르지 않으면 크지 않다.

---

26) 이러한 내용은 『서경(書經)·우공(禹貢)』에 보인다.

27) 『書經·仲虺之誥』: 乃葛伯, 仇餉, 初征自葛, 東征, 西夷怨, 南征, 北狄怨, 曰 奚獨後予, 攸徂之民, 室家相慶, 曰 徯予后, 后來, 其蘇, 民之戴商, 厥惟舊哉.

▌韓國大全▐

송시열(宋時烈) 『역설(易說)』[28]

象順乎天者, 綜兌爲竝順, 而上六爲天, 應乎人, 與三爲應, 而三爲人位也. 上有坎勞之象, 而當兌之時, 民悅而服, 故曰民忘其勞, 當坎難之時, 兌悅相孚, 故曰忘其死. 象有如此義理亦然, 信矣哉

「단전」에서 "하늘에 따른다"란 상괘와 하괘인 기쁨[兌]을 모으면 아울러 따름이 되는데 상육은 하늘이 되기 때문이고, "사람에게 호응한다"란 상효가 삼효와 호응이 되는데 삼효는 사람의 자리가 되기 때문이다. 위에는 감괘(坎卦☵)인 수고로운 상이 있지만 태괘(兌卦☱)의 때를 맞아 백성들이 기뻐하면서 복종하기 때문에 "백성들은 수고로움을 잊는다"고 하였고, 감괘(坎卦☵)의 어려운 때를 맞아 태괘(兌卦☱)의 기뻐함은 서로 믿기 때문에 "백성들은 죽음을 잊는다"고 하였다. 상에도 이와 같음이 있어서 의리가 또한 그러하니, 믿을 수 있구나.

권만(權萬) 「역설(易說)」

兌二五兩爻皆陽爻, 故曰剛中. 上下二陰, 皆在卦終, 故曰柔外.

태괘(兌卦䷹)는 이효와 오효인 두 효가 모두 양효이기 때문에 "굳센 양이 가운데 자리에 있다"고 하였다. 위와 아래에 있는 두 음은 모두 괘의 끝에 있기 때문에 "부드러운 음이 밖에 있다"고 하였다.

○ 說以利貞, 貞指二五之陽也. 順乎天, 女以陽爲所天, 應乎人, 卽二大人也. 天與人實一義, 然兌本乾體, 而得坤一畫爲少女, 女亦人也. 更思之, 上兌順天, 下兌應人.

"기뻐하여 곧게 함이 이롭다"에서 '곧게 함'은 양인 이효와 오효를 가리킨다. "하늘에 따르다"는 여자가 양을 남편으로 여긴다는 것이고, "사람에게 호응한다"에서 '사람[人]'은 즉 이효인 대인이다. 하늘과 사람은 실제로 한 뜻이지만, 태괘(兌卦䷹)는 본래 건괘(乾卦☰)의 몸체인데 곤괘(坤卦☷)의 한 획을 얻어 막내딸이 되니, 딸도 또한 사람이다. 다시 생각해 보면, 위에 있는 태괘(兌卦☱)는 하늘에 따르는 것이고, 아래에 있는 태괘(兌卦☱)는 사람에 호응하는 것이다.

---

28) 경학자료집성DB에 누락되었으나 영인본을 타이핑하여 보완했다.

○ 說以先民, 言九五以中正之剛德居上, 而以說道先於下體, 下體卽民也.
"기뻐함으로써 백성들보다 수고로운 일을 먼저 한다"는 구오가 중정한 굳센 양의 덕으로 위에 있어 기뻐하는 도로써 하체(下體)보다 먼저 함을 말하니, 하체(下體)란 백성이다.

○ 說以犯難, 指下體而言. 六三上六之間, 有坎象, 坎險難也. 下兌蒙犯坎難而上進, 有衛上之象故云. 然易之彖象, 未嘗懸空作說, 必取象於隱晦之中, 此亦宜致念看也.
"기뻐함으로써 어려움을 무릅쓴다"란 하체(下體)를 가키려 말하였다. 육삼과 상육 사이에는 감괘(坎卦☵)의 상이 있으니, 감괘(坎卦☵)는 험난함이다. 아래에 있는 태괘(兌卦☱)는 험난함을 무릅쓰고 위로 나아가니, 윗사람을 지키는 상이 있기 때문에 말하였다. 그러나 『주역(周易)』의 「단전」과 「상전」은 일찍이 공허하게 말한 적이 없어 반드시 은밀한 가운데에서 상을 취하였으니, 여기서도 또한 마땅히 지극하게 생각해 보아야 한다.

○ 說之大, 指九五, 九爲大故云. 上下體之間, 有離明之象, 故民不迷所從而勸也.
'기뻐함이 크다'는 구오를 가리키니, 구(九)가 크기 때문에 말하였다. 상체(上體)와 하체(下體) 사이에 리괘(離卦☲)의 밝은 상이 있기 때문에 백성들이 따르는 바에 대하여 미혹(迷惑)되지 않아 권면하게 된다.

유정원(柳正源) 『역해참고(易解參攷)』[29]

王氏曰, 說而違剛則諂, 剛而違說則暴. 剛中而柔外, 所以說以利貞也. 剛中故利貞, 柔外故說亨.
왕필이 말하였다: 기뻐하면서 굳셈에서 멀어지면 아첨하는 것이고, 굳세면서 기뻐함에서 멀어지면 포악해진다. 굳센 양이 가운데에 자리에 있고 부드러운 음이 밖에 있으므로 기뻐하여 곧게 함이 이롭다. 굳센 양이 가운데 자리에 있기 때문에 곧게 함이 이롭고 부드러운 음이 밖에 있기 때문에 기뻐서 형통하다.

○ 正義, 天爲健[30]德而有柔克, 是剛而不失其說也. 說以利貞, 上順乎天也. 惠澤說人, 下應乎人也.
『주역정의』에서 말하였다: 하늘은 강건한 덕이 되지만 부드러움으로 다스리니[31], 이는 굳세

---

29) 경학자료집성DB에서는 태괘 괘사에 해당하는 것으로 분류했으나, 내용에 살펴 이 자리로 옮겨 바로잡았다.
30) 健: 경학자료집성DB와 영인본에 모두 '健'으로 되어 있으나, 『주역정의(周易正義)』에는 '剛'으로 되어 있다.
31) 『書經 · 洪範』: 六三德, 一曰正直, 二曰剛克, 三曰柔克, 平康, 正直, 彊弗友, 剛克, 燮友, 柔克, 沉潛,

면서도 기뻐함을 잃지 않은 것이다. "기뻐하여 곧게 함이 이롭다"란 위로 하늘에 따름이다. 은택을 내려 다른 사람을 기쁘게 함이, 아래로 사람에게 호응함이다.

○ 厚齋馮氏曰, 所謂民勸者, 蓋父詔其子, 兄語其弟, 妻勉其夫, 朋友亦以是相責也.
후재풍씨가 말하였다: 이른바 "백성들이 권면하게 된다"란 아버지가 아들에게 알려주고 형이 동생에게 말해주며 아내가 남편에게 권하고 친구 또한 옳음으로써 서로에게 꾸짖는 것이다.

○ 進齋徐氏曰, 剛中, 二五也, 柔外, 三上也. 剛中而柔外, 則立己者正, 而說人者非邪矣.
진재서씨가 말하였다: "굳센 양이 가운데 자리에 있다"는 이효와 오효를 말하고, "부드러운 음이 밖에 있다"는 삼효와 상효를 말한다. 굳센 양이 가운데 자리에 있고 부드러운 음이 밖에 있으면, 자기를 세움이 바르고 다른 사람을 기쁘게 하는 것이 사특하지 않다.

○ 平庵項氏曰, 革與兌, 皆言順天應人者, 兌二至上互革.
평암항씨가 말하였다: 혁괘(革卦䷰)와 태괘(兌卦䷹)에서 모두 "하늘에 따르고 사람에게 호응한다"[32]고 한 것은 태괘(兌卦䷹)의 이효에서 상효에 이르기까지가 두 호괘가 혁괘(革卦䷰)가 되기 때문이다.

○ 雙湖胡氏曰, 上六天位, 順乎天之象, 六三人位, 應乎人之象. 說以先民, 亦三也, 三在人位, 下有民象. 自三至上似坎, 有犯難象.
쌍호호씨가 말하였다: 상육은 하늘의 자리여서 하늘에 따르는 상이고, 육삼은 사람의 자리여서 사람에게 호응하는 상이다. "기뻐함으로써 백성들보다 수고로운 일을 먼저 하는" 자도 삼효이니, 삼효는 사람의 자리에 있고 아래로 백성의 상이 있다. 삼효로부터 상효에 이르기까지가 감괘(坎卦☵)와 비슷하니 "어려움을 무릅쓰는" 상이 있다.

○ 案, 春耕秋穫之類, 順乎天也, 制田薄賦之類, 應乎人也. 七月詩之稼穡艱難, 民忘其勞也, 東山詩之曲盡人情, 民忘其死也.
내가 살펴보았다: 봄에 밭을 갈고 가을에 추수하는 부류가 하늘에 따르는 것이고, 토지를 마련해주고 세금을 가볍게 하는[33] 부류가 사람에게 호응하는 것이다. 『시경집전(詩經集

剛克, 高明, 柔克.

32) 『周易 · 革卦』: 彖曰, … 天地革, 而四時成, 湯武革命, 順乎天而應乎人, 革之時, 大矣哉.

傳)·칠월(七月)』에 나오는 '농사를 하는 어려움'[34]이 백성들은 수고로움을 잊는다는 것이고, 『시경집전(詩經集傳)·동산(東山)』에 나오는 '인정(人情)을 곡진히 다함'[35]이 백성들은 자신의 죽음을 잊는다는 것이다.

小註, 朱子說, 到了[36].
소주(小註)에서 주자가 말하였다: 이르다.
案, 到恐倒字, 革彖小註朱子, 以後來盡說應天順人爲非. 據此則爲倒字, 益明矣.
내가 살펴보았다: '도(到)'자는 아마도 '도(倒)'자인 듯하니, 혁괘(革卦☱)「단전」에 대한 소주에서 주자는 후대에서 모두 '하늘에 부응하고 사람들에게 순응한다[應天順人]'로 설명하는 것을 잘못이라고 여겼다[37]. 이에 의거한다면 '도(倒)'자가 됨이 더욱 분명하다.

김상악(金相岳)『산천역설(山天易說)』

以卦體釋卦辭, 而極言之. 陽剛居中, 中心誠實之象, 柔順在外, 接物和柔之象. 說而利於貞, 故上順天理下應人心也.
괘의 몸체로 괘사를 풀이하여 극찬하였다. 굳센 양이 가운데 자리에 있으니 중심(中心)이 성실한 상이며, 부드러운 음인 효가 밖에 있으니 다른 사람을 대하기를 온화하고 부드럽게 하는 상이다. 기뻐하면서도 곧게 하는 데에 이롭기 때문에 위로는 천리에 따르고 아래로는 사람의 마음에 호응한다.

○ 兌卦陰爲主, 上居天位, 故曰順乎天, 三居人位, 故曰應乎人. 三與上互爲坎體, 勞者, 坎之勞卦也, 難者, 坎爲險陷也, 死者, 坎爲陰之魄也. 然兌口向上, 說及其君, 故忘勞忘死, 孟子曰, 以佚道使民, 雖勞不怨, 以生道殺民, 雖死不怨殺者, 是也.
태괘(兌卦☱)는 음이 주인이 되니, 상효는 하늘의 자리에 있기 때문에 "하늘에 따른다"고 하였고, 삼효는 사람의 자리에 있기 때문에 "사람에 호응한다"고 하였다. 삼효와 상효는 호괘가 감괘(坎卦☵)의 몸체가 되니, '수고로움'은 감괘(坎卦☵)가 수고로운 괘이기 때문이며,

---

33)『論語集註·子路』: 庶而不富, 則民生不遂, 故, 制田里, 薄賦斂以富之.
34)『詩經集傳·七月』: 周公以成王未知稼穡之艱難, 故陳后稷公劉風化之所由, 使瞽矇朝夕諷誦以教之.
35)『詩經集傳·東山』: 君子之於人, 序其情而閔其勞, 所以說也. 說以使民, 民忘其死, 其唯東山乎. '곡진인정(曲盡人情)'가 '민망기사(民忘其死)'와 연결되어 같이 나오는 곳은『시경집전(詩經集傳)·체두(杕杜)』에 다음과 같이 보인다. "先王以己之心爲人之心, 故能曲盡其情, 使民忘其死, 以忠於上也."
36)『周易傳義大全·兌卦·小註』: 順天應人, 革卦就革命上說, 兌卦就說上說, 後人都做應天順人說了. 到了順天應人, 是言順天理, 應人心.
37)『周易傳義大全·革卦』: 易言順天應人, 後來盡說應天順人, 非也.

'어려움'은 감괘(坎卦☵)가 험함에 빠짐이 되기 때문이며, '죽음'은 감괘(坎卦☵)가 음인 백(魄)이 되기 때문이다. 그러나 태괘(兌卦☱)의 입이 위로 향하여 기쁨이 임금에게 미치기 때문에 수고로움을 잊고 죽음을 잊으니, 맹자가 말한 "편안하게 해주는 도로 백성을 부리면 비록 수고롭더라도 원망하지 않고, 살리는 도로써 백성을 죽이면 비록 죽더라도 죽인 자를 원망하지 않는다"[38]가 이것이다.

서유신(徐有臣) 『역의의언(易義擬言)』

兌, 說也. 剛中而柔外, 說而利貞.

「단전」에서 말하였다: 태(兌)는 기뻐함이니, 굳센 양이 가운데 자리에 있고 부드러운 음이 밖에 있어서, 기뻐하여 이롭고 곧다.

此所以爲說也. 剛中柔外, 以三畫言也. 說以利貞, 以重卦言也. 剛中, 二五也, 柔外, 三上也. 說以利貞, 則亨在其中矣. 彖每以一正字釋利貞, 而獨於兌中孚稱利貞者, 謂其利且貞也, 故繼之曰, 順乎天也.

이는 기쁨이 되는 까닭이다. "굳센 양이 가운데 자리에 있고 부드러운 음이 밖에 있음"은 삼획괘로 말한 것이다. "기뻐하여 이롭고 곧다"는 중첩된 괘로 말한 것이다. "굳센 양이 가운데 자리에 있음"은 이효와 오효이다. "부드러운 음이 밖에 있음"은 삼효와 상효이다. 기뻐하여 이롭고 곧다면, 형통함은 그 가운데에 있다. 「단전」에서는 매번 하나의 '정(正)'자로 "리정(利貞)"이라는 말을 풀이하였는데, 유독 태괘(兌卦䷹)와 중부괘(中孚卦䷼)에서 "리정(利貞)"라고 칭한 것은 이롭고 또 곧음을 말하기 때문에 이어서 "하늘에 따른다"고 하였다.

是以順乎天而應乎人, 說以先民, 民忘其勞, 說以犯難, 民忘其死, 說之大, 民勸矣哉.

「단전」에서 말하였다: 이 때문에 하늘에 따르고 사람에게 호응하여, 기뻐함으로써 백성들보다 수고로운 일을 먼저 하면 백성들은 수고로움을 잊고, 기뻐함으로써 어려움을 무릅쓰면 백성들은 죽음을 잊으니, 기뻐함이 커서 백성들이 권면하게 된다.

順天應人, 亨也, 民忘其勞, 利也, 民忘其死, 貞也. 上兌順天也, 下兌應人也. 說以先民, 說以犯難, 再言說者, 亦重兌也. 兌之爲說, 由於上畫而下二畫從以爲說, 上先說而民亦說之象, 故曰說以先民也. 坎爲勞卦, 而兌下塞坎, 故曰民忘其勞也. 兩體相犯而互離, 離兌爲兵革象, 故曰說以犯難也. 死非便死, 謂有死亡之憂. 坎爲加憂而塞坎, 故忘憂也. 說之大, 則勞可忘死可忘也.

하늘에 따르고 사람에게 호응함은 형통함이고, 백성들이 수고로움을 잊음은 이로움이며, 백

38) 『孟子·盡心』: 孟子曰, 以佚道使民, 雖勞不怨, 以生道殺民, 雖死不怨殺者.

성들이 죽음을 잊음은 곧음이다. 상괘인 태괘(兌卦☱)는 하늘에 따르고, 하괘인 태괘(兌卦☱)는 사람에게 호응한다. "기뻐함으로써 백성들보다 수고로운 일을 먼저 함"과 "기뻐함으로써 어려움을 무릅씀"에서 '기뻐함'을 거듭 말한 것은 또한 태괘(兌卦☱)가 거듭 되었기 때문이다. 태괘(兌卦☱)가 기뻐함이 되는 것은 맨 위의 획을 말미암아 아래의 두 획이 따라서 기쁨으로 삼기 때문이니, 윗사람이 먼저 기뻐하여 백성들도 또한 기뻐하는 상이기 때문에 "기뻐함으로써 백성들보다 수고로운 일을 먼저 한다"고 하였다. 감괘(坎卦☵)는 수고하는 괘가 되지만 태괘(兌卦☱)는 아래 획이 양으로 막힌 감괘(坎卦☵)이기 때문에 "백성들은 수고로움을 잊는다"고 하였다. 두 몸체가 서로 범하고 걸리며 리괘(離卦☲)와 태괘(兌卦☱)가 병기(兵器)의 상이 되기 때문에 "기뻐함으로써 어려움을 무릅쓴다"고 하였다. '죽음[死]'은 곧바로 죽는다는 것이 아니니, 죽음에 대한 걱정이 있음을 말한다. 감괘(坎卦☵)는 걱정을 더하지만 아래 획이 양으로 막힌 감괘(坎卦☵)이기 때문에 걱정을 잊는다. 기뻐함이 크다면, 수고로움도 잊을 수 있고, 죽음도 잊을 수 있다.

하우현(河友賢) 『역의의(易疑義)』

彖, 剛中而柔外, 說以利貞.
「단전」에서 말하였다: 굳센 양이 가운데 자리에 있고 부드러운 음이 밖에 있어서, 기뻐하여 곧게 함이 이롭다.

夫[39]君子之道, 其說於民如此. 若不說以利貞, 安能順乎天而應乎人如是哉. 傳曰, 違道以干百姓之譽, 苟說之道, 非君子之正道, 然則上之所以說民者, 亦必有邪正公私之分. 觀於三代所以說民, 五霸漢唐所以說民之事, 則可知其不同矣.
군자의 도는 백성들에 대해서 기쁘게 함이 이와 같다. 만약 기뻐하여 곧게 함이 이롭지 않다면, 어찌 하늘에 따르고 사람에게 호응하기를 이와 같이 할 수 있겠는가? 『정전』에서 도를 위배하여 백성들에게 명예를 구함은 구차하게 기뻐하는 도이지 군자의 바른 도가 아니라고 하였으니, 그렇다면 윗사람이 백성들을 기쁘게 하는 것은 또한 반드시 사특함과 바름, 공정함과 사사로움의 구분이 있다. 삼대(三代)에서 백성들을 기쁘게 한 바와 오패(五霸) 및 한(漢)나라와 당(唐)나라에서 백성들을 기쁘게 했던 일을 비교하여 살펴본다면, 서로 같지 않았음을 알 수가 있다.

---

39) 夫: 경학자료집성 영인본에서는 여기에 해당하는 글자가 무슨 글자인지 알 수가 없고, 경학자료집성DB에는 '大'로 되어 있으나, 문맥을 살펴 '夫'로 바로 잡았다.

심대윤(沈大允) 『주역상의점법(周易象義占法)』

兌說之, 有亨義, 不言可知, 故不釋以示訓也. 剛中, 謂二五也, 柔外, 謂三六也. 內剛中而外和說, 兌之得正也, 和而不流者也. 順天而得民和, 以之先民而趨事, 則民悅隨而忘其勞, 以之先民而犯難, 則民悅服而忘其死. 和悅之道, 出於情而裁之以義, 不可曰說之義, 故曰說之大也. 上之恩澤施予, 不失其則, 而萬民自勸矣. 兌者, 義也, 利也, 和也, 說也.

"태(兌)는 기뻐함이다"에 형통한 뜻이 있음은 말하지 않아도 알 수가 있기 때문에 풀어서 뜻을 드러내지 않았다. "굳센 양이 가운데 자리에 있음"은 이효와 오효를 말하고, "부드러운 음이 밖에 있음"은 삼효와 육효를 말한다. 안으로 굳세고 알맞으며 밖으로 화합하고 기뻐함이 '태(兌)'가 올바름을 얻음이며, "화합하지만 무리에 휩쓸리지 않는"[40] 것이다. 하늘에 따라 백성들의 화합을 얻어, 이로써 백성들보다 먼저 달려가 일을 하면 백성들은 기쁘게 따라서 수고로움을 잊고, 이로써 백성들보다 먼저 어려움을 무릅쓰면 백성들이 기쁘게 복종하여 죽음을 잊는다. 화합하면서 기뻐하는 도는 감정에서 나 의로움[義]으로 제재하므로 "기뻐함이 의롭다[義]"라고 말해서는 안 되기 때문에 "기뻐함이 크다"라고 하였다. 윗사람의 은택(恩澤)이 베풀어 질 때에 법칙을 잃지 않아 만백성들이 스스로 권면하게 된다. '태(兌)'란 의로움[義]이고, 이로움이며, 화합함이고, 기뻐함이다.

오치기(吳致箕) 「주역경전증해(周易經傳增解)」

彖曰, 兌, 說也, 剛中而柔外〈卦體〉, 說以利貞, 是以順乎天而應乎人, 說以先民, 民忘其勞, 說以犯難, 民忘其死, 說之大, 民勸矣哉.

「단전」에서 말하였다: 태(兌)는 기뻐함이니, 굳센 양이 가운데 자리에 있고 부드러운 음이 밖에 있어서〈괘의 몸체이다〉, 기뻐하여 곧게 함이 이롭다. 이 때문에 하늘에 따르고 사람에게 호응하여, 기뻐함으로써 백성들보다 수고로운 일을 먼저 하면 백성들은 수고로움을 잊고, 기뻐함으로써 어려움을 무릅쓰면 백성들은 죽음을 잊으니, 기뻐함이 커서 백성들이 권면하게 된다.

此以卦德卦體, 釋卦名義及卦辭, 而終又極言說道之大也. 陽剛在中而積以誠實, 陰柔在外而著以和順, 故應事接物, 皆得其說, 而說有邪正. 若以正道爲說, 則上順天理下應人心, 无往非至善者也. 故利於正而以之先民, 則民心說隨而忘其勞, 率之以犯難, 則民心說服於義, 而不恤其死, 是乃說道之所以爲大而贊之者也.〈此傳不釋亨, 可疑.〉

40) 『中庸』: 故君子, 和而不流, 强哉矯. 中立而不倚, 强哉矯.

이것은 괘의 덕과 괘의 몸체로 괘 이름 및 괘사를 풀이하면서 끝에 또한 기뻐하는 도가 큼을 찬미하였다. 굳센 양은 가운데 자리에 있어서 성실하게 쌓고 부드러운 음은 밖에 있어서 화합하고 유순하게 드러나기 때문에 일에 응하고 다른 사람을 만남이 모두 기쁨을 얻지만 기뻐함에는 사특함과 바름이 있다. 만약 바른 도로써 기뻐하게 되면 위로는 천리(天理)에 따르고 아래로는 사람의 마음에 호응하여 가는 곳마다 지극히 선하지 않음이 없는 것이다. 그러므로 바름에서 이로워 이로써 백성보다 먼저 하면, 백성들은 마음으로 기뻐하면서 따라서 자신의 수고로움을 잊고, 솔선수범하여 어려움을 무릅쓰면 백성들은 마음으로 기뻐하면서 의로움[義]에 복종하여 자신의 죽음을 구휼하지 않으니, 이는 기쁨의 도가 커서 찬미하게 되는 까닭이다.〈여기 「단전」에서 '형통하다[亨]'에 대하여 풀이하지 않았으니, 의심스럽다.〉

이진상(李震相) 『역학관규(易學管窺)』

順天應人.
하늘에 따르고 사람에게 호응한다.

兌二至上[41]有革體, 故因言順天應人. 小註, 說了, 到了, 到當作倒.
태괘(兌卦☱)에서 이효로부터 상효까지의 호괘를 보면 혁괘(革卦☱)의 몸체가 있기 때문에 인하여 "하늘에 따르고 사람에게 호응한다"고 하였다. 소주(小註)에서 주자가 말한 "설료(說了), 도료(到了)"[42]에서의 '도(到)'자는 마땅히 '도(倒)'자가 되어야 한다.

최세학(崔世鶴) 주역단전괘변설(周易彖傳卦變說)」

兌, 彖曰, 兌, 說也, 剛中而柔外, 說而利貞, 是以順乎天而應乎人.
태괘(兌卦☱) 「단전」에서 말하였다: 태(兌)는 기뻐함이니, 굳센 양이 가운데 자리에 있고 부드러운 음이 밖에 있어서, 기뻐하여 곧게 함이 이롭다. 이 때문에 하늘에 따르고 사람에게 호응한다.

兌, 乾之二體變也. 三與上二爻爲主, 故彖以柔外言之. 坤三居下體之上, 坤上居上體

---

41) 上: 경학자료집성 영인본에서는 여기에 해당하는 글자가 무슨 글자인지 알 수가 없고, 경학자료집성DB에는 '小'로 되어 있으나, 문맥을 살펴 '上'으로 바로 잡았다.

42) 『周易傳義大全 · 兌卦』: 說以先民, 如利之而不庸, 順天應人, 革卦就革命上說, 兌卦就說上說, 後人都做應天順人說了. 到了順天應人, 是言順天理, 應人心.

之上, 皆以柔居外 而上說天心, 下說人情.

태괘(兌卦☱)는 건괘(乾卦☰)의 두 몸체가 변한 것이다. 삼효와 상효인 두 효는 주인이 되기 때문에 「단전」에서는 "부드러운 음이 밖에 있다"고 말하였다. 곤괘(坤卦☷)의 삼효가 하체의 맨 위에 있고 곤괘(坤卦☷)의 상효가 상체의 맨 위에 있으니, 모두 부드러운 음으로 밖에 있어서 위로는 하늘의 마음을 기쁘게 하고 아래로는 사람의 감정을 기쁘게 한다.

이병헌(李炳憲) 『역경금문고통론(易經今文考通論)』

此一對亦以八純卦, 而取一轉相成之象焉. 兌口爲外, 外爲民. 彖主說, 象主澤, 皆拈出卦辭以外之指. 策準家人睽.

이러한 하나의 짝은 또한 여덟 순괘(純卦)[43]를 가지고 한 번 바뀌어 서로를 이루어주는 상을 취하였다. 태괘(兌卦☱)의 입은 밖이 되고, 밖은 백성이 된다. 「단전」에서는 '기쁨[說]'을 위주로 하였고 「상전」에서는 '못[澤]'을 위주로 하였으니, 모두 괘사 이외의 뜻을 드러낸 것이다. 책수는 가인괘(家人卦) 및 규괘(睽卦)에 준한다.

---

43) 팔순괘(八純卦): 팔괘 중 같은 괘로 상괘와 하괘가 이루어져 중복된 여덟 괘를 말한다.

象曰, 麗澤, 兌, 君子以, 朋友講習.

「상전」에서 말하였다: 붙어 있는 못[澤]이 태(兌)이니, 군자가 그것을 본받아 벗들과 강습한다.

中國大全

傳

麗澤, 二澤, 相附麗也. 兩澤相麗, 交相浸潤, 互有滋益之象. 故君子觀其象而以朋友講習, 朋友講習, 互相益也. 先儒謂天下之可說, 莫若朋友講習, 朋友講習, 固可說之大者, 然當明相益之象.

'붙어 있는 못[麗澤]'은 두 못[澤]이 서로 붙어 걸려 있는 것이다. 두 못이 서로 붙어서 번갈아 서로 점점 적셔 서로 불어나고 유익하게 하는 상이 있다. 그러므로 군자가 그 상을 관찰하여 벗들과 강습하니, "벗들과 강습함"은 서로에게 유익하다. 이전의 학자들은 "천하의 기뻐할 만한 것 중에 벗들과 강습하는 것 만한 것이 없다"고 하였으니 벗들과 강습함은 진실로 기뻐할 만한 것 중에 큰 것이지만, 마땅히 서로에게 유익한 상임을 밝혀야 한다.

小註

程子曰, 天下之悅不可極, 惟朋友講習, 雖過悅无害. 兌澤有相滋益處. 朋友講習, 更莫如相觀而善工夫多.

정자가 말하였다: 천하의 기쁨은 다해서는 안 되지만, 오직 벗들과 강습하는 것은 비록 지나치게 기뻐하더라도 해로움이 없다. 태괘(兌卦☱)의 못[澤]에는 서로 불어나고 유익하게 하는 곳이 있으니, "벗들과 강습함"에는 서로 살펴보아 선(善)을 공부하는 것이 많은 것 만한 것이 없다.

本義

兩澤相麗, 互相滋益, 朋友講習, 其象如此.

두 못[澤]이 서로 붙어 있어서 서로 불어나고 유익하게 하니, "벗들과 강습함"은 그 상이 이와 같다.

小註

節齋蔡氏曰, 講兌象, 習重兌象.

절재채씨가 말하였다: '강론함[講]'은 태괘(兌卦☱)의 상이고, '익힘[習]'은 거듭된 태괘(兌卦䷹)의 상이다.

○ 進齋徐氏曰, 天下之至可說者, 无如朋友講習. 講而不習, 則言語徒詳, 紬繹无得. 雖曰爲學, 亦將枯燥生澀而无可嗜之味, 危殆杌隉[44]而无可即之安矣, 豈能終悅懌於心乎. 故必從容論說以講之於先, 又必切實體驗以習之於後, 則心與理相涵, 而所知者益精, 身與事相安, 而所能者益固, 麗澤之益, 庶乎其有相資之實而眞說在我矣.

진재서씨가 말하였다: 천하의 지극히 기뻐할만한 것은 벗들과 강습하는 것 만한 것이 없다. 강론하고 익히지 않으면 말만 장황해질 뿐, 실마리를 찾는 데에 얻음이 없다. 비록 배운다고 하더라도 또한 장차 무미건조하고 어색하여 좋아할만한 맛이 없고 위태로워서 가까이할만한 편안함은 없으니, 어찌 끝내 마음에서 기뻐할 수 있겠는가? 그러므로 반드시 먼저 침착하게 논설하여 강론하고 또 반드시 이렇게 한 뒤에 절실하게 체험하여 익힌다면, 마음은 이치와 서로 젖어들어 아는 바는 더욱 정밀해지고, 몸은 일과 서로 편안해져 능한 바가 더욱 견고해지니, 붙어 있는 못[澤]의 유익함은 거의 서로 의지하는 실제가 있어서 진실한 기쁨이 내게 달려 있다.

韓國大全

송시열(宋時烈) 『역설(易說)』[45]

兩口相對, 同類和悅, 上下兌口之象.

---

44) 隉: 『주역전의대전(周易傳義大全)』에는 '(木+○)'로 되어 있으나, 문맥을 살펴 '隉'로 고쳤다.

45) 경학자료집성DB에 누락되었으나 영인본을 타이핑하여 보완했다.

두 개의 입이 서로 상대하면서 같은 부류가 화합하고 기뻐하니, 위와 아래가 태괘(兌卦☱)인 입의 상이다.

이만부(李萬敷) 「역통(易統)·역대상편람(易大象便覽)·잡서변(雜書辨)」

侍講.
시강(侍講)이다.

傳曰, 麗澤, 二澤. 相附麗也 兩澤相麗, 交相浸潤, 互有滋益之象. 故君子觀其象而以朋友講習, 朋友講習, 互相益也.
『정전』에서 말하였다: '붙어 있는 못[麗澤]'은 두 못이 서로 붙어 걸려 있는 것이다. 두 못이 서로 붙어서 번갈아 서로 점점 적셔 서로 불어나고 유익하게 하는 상이 있다. 그러므로 군자가 그 상을 관찰하여 벗들과 강습하니, "벗들과 강습함"은 서로에게 유익하다.

本義曰, 兩澤相麗, 互相滋益, 朋友講習, 其象如此.
『본의』에서 말하였다: 두 못[澤]이 서로 붙어 있어서 서로 불어나고 유익하게 하니, "벗들과 강습함"은 그 상이 이와 같다.

臣謹按, 以事勢言之, 豈有以匹夫之賤敢爲萬乘之友者. 然古之賢君, 與良佐相遇也, 有與友之者, 而非但友之, 亦有以師事之者, 何也. 誠以道之所尊者爲師, 而學之相講者, 无非友故也. 大抵君臣之間, 名分嚴絶, 禮數繁縟, 苟不假以色辭, 難疑答問, 受責納誨, 如朋友之爲, 則下不無有懷未盡之恨, 而上未有聚善竝聽之美, 是以臣敢以兌之一象, 當侍講之義焉.
신이 삼가 살펴보았습니다: 일의 형세로 말하면, 어찌 미천한 필부로 감히 만승(萬乘)인 나라의 군주에게 벗이 될 수 있겠습니까? 하지만 옛 현군(賢君)들은 자신을 보필하는 충성스러운 신하와 서로 만나 벗으로 사귐이 있었고, 벗으로 사귀었을 뿐만이 아니라 또한 스승으로 섬김이 있었던 것은 어째서입니까? 참으로 도가 높은 자로 스승을 삼아 배운 것을 서로 강론하는 것은 벗이 아님이 없기 때문입니다. 대체로 임금과 신하 사이에는 명분이 엄격하게 나뉘어져 있고 예수(禮數)가 번다하니, 진실로 얼굴 표정과 말을 부드럽게 하여 어렵고 의심나는 부분을 묻고 답하며 책망과 가르침을 받아 벗들이 하는 것과 같이 하지 않는다면, 아래에서는 다하지 못하였다는 한을 품는 일이 있을 것이고 위에서는 선을 모으고 아울러 들어주는 아름다움이 있지 않을 것이니, 이 때문에 신(臣)은 감히 태괘(兌卦☱)의 한 상으로 시강(侍講)의 뜻에 해당시킵니다.

심조(沈潮) 「역상차론(易象箚論)」

象, 朋友講習.

「상전」에서 말하였다: 벗들과 강습한다.

兩口會, 則有言說, 非講習而何. 夫兌, 說也. 天下之可說者何限, 而必曰朋友講習者, 蓋可說之大者, 莫如此也. 聖人所謂有朋自遠方來, 不亦樂乎者, 亦此意也. 講則明, 故有互離, 志同道合, 則無所違悖, 故有互巽,

두 입이 모이면 말로 설명함이 있게 되니, 강습(講習)이 아니라면 무엇이겠는가? '태(兌)'는 기쁨이다. 천하의 기뻐할만한 것이 어찌 한정함이 있겠는가만은 반드시 "벗들과 강습한다"고 한 것은 기뻐할만한 것 중에서 큰 것이 이와 같은 것이 없기 때문이다. 성인(聖人)이 이른바 "벗이 먼 곳으로부터 찾아온다면 또한 즐겁지 않겠는가?"[46]라고 한 것도 또한 이 뜻이다. 강론하면[講] 밝아지기 때문에 호괘인 리괘(離卦☲)가 있다. 뜻이 같고 도가 부합하면 위배되고 어그러지는 바가 없기 때문에 호괘인 손괘(巽卦☴)가 있다.

유정원(柳正源) 『역해참고(易解參攷)』[47]

正義, 同門曰朋, 同志曰友, 朋友聚居, 講習道義, 相說之盛, 莫過於此也.

『주역정의』에서 말하였다: 동문(同門)을 '붕(朋)'이라고 하고, 동지(同志)를 '우(友)'라고 하니, 붕우가 모여서 거처하여 도의(道義)를 강습하면 서로 기뻐함의 성대함이 이보다 나은 것이 없다.

傳, 先儒.

『정전』에서 말하였다: 이전의 학자들.

案, 指王弼, 孔穎達.

내가 살펴보았다: 왕필(王弼)과 공영달(孔穎達)을 가리킨다.

김상악(金相岳) 『산천역설(山天易說)』

朋與講取下兌, 友與習取上兌. 兌之性能說人, 而附二四互離體, 故云麗. 同門爲朋, 同志爲友. 初與二, 四與五, 陽剛相比, 朋友之象, 兩口相對, 講之象, 上下皆兌, 習之象.

---

46) 『論語 · 學而』: 子曰, 學而時習之, 不亦說乎. 有朋, 自遠方來, 不亦樂乎.

47) 경학자료집성DB에서는 태괘 괘사에 해당하는 것으로 분류했으나, 내용에 살펴 이 자리로 옮겨 바로잡았다.

兌爲止水, 坎爲流水, 水之流者, 陽之動也, 故習其敎事, 水之止者, 陰之靜也, 故講而習之. 子曰學而時習之, 不亦說乎, 有朋自遠方來, 不亦樂乎, 蓋人之說樂, 莫大於朋友講習.

'벗들[朋]'과 '강론하다[講]'는 하괘인 태괘(兌卦☱)에서 취하였고, '벗들[友]'과 '익히다[習]'는 상괘인 태괘(兌卦☱)에서 취하였다. '태(兌)'의 성질은 사람을 기쁘게 할 수 있고 이효로부터 사효까지의 호괘인 리괘(離卦☲)의 몸체에 붙어 있기 때문에 '붙어 있다[麗]'라고 하였다. 동문(同門)은 '벗들[朋]'이 되고 동지(同志)는 '벗들[友]'이 된다. 초효와 이효 및 사효와 오효는 굳센 양이 서로 가까이 있으니 '벗들[朋友]'의 상이고, 두 입이 서로 상대하니 '강론함[講]'의 상이며, 상괘와 하괘가 모두 태괘(兌卦☱)이니 '익힘[習]'의 상이다. 태괘(兌卦☱)는 흐르지 않고 고여 있는 물이 되고 감괘(坎卦☵)는 흐르는 물이 되는데, 물이 흐르는 것은 양의 움직임이기 때문에 가르침을 익히는 일이고, 물이 흐르지 않고 고여 있는 것은 음의 고요함이기 때문에 강론하고 익힌다. 공자가 말하기를 "배우고 때때로 이것을 익히면 기쁘지 않겠는가? 벗이 먼 곳으로부터 찾아온다면 또한 즐겁지 않겠는가?"[48]라고 하였으니, 사람이 기뻐하고 즐거워하는 것 중에서 벗들과 강습하는 것보다 큰 것이 없기 때문인 듯하다.

서유신(徐有臣) 『역의의언(易義擬言)』

相麗, 則非一澤也, 朋友, 則非一人也, 講習, 則非一番也. 朋友可說, 講習可說也. 麗澤之象, 虞氏以爲兩口相對象亦玅, 謂之麗者, 中間爲互離也.

서로 붙어 있으니 하나의 못[澤]이 아니며, '벗들[朋友]'이니 한 사람이 아니며, '강습(講習)'을 하니 한 번이 아니다. 벗들을 기뻐할 수 있고, 강습도 기뻐할 수 있다. '붙어 있는 못[澤]'이라는 상에 대하여 우씨(虞氏)가 두 입이 상대하는 상이라고 한 것이 절묘한데, '리(麗)'라고 한 것은 중간이 호괘인 리괘(離卦☲)이기 때문이다.

박제가(朴齊家) 『주역(周易)』

大象, 朋友講習.

「대상전」에서 말하였다: 벗들과 강습한다.

節齋蔡氏曰, 講兌象, 習重兌象. 煞有未精, 不如胡雲峯之說巽曰, 命, 風象, 申命, 隨風象也. 蓋講者, 與人討論, 而非自言之謂, 則講已爲重象, 習者, 飛而又飛, 乃自己之

48) 『論語·學而』: 子曰, 學而時習之, 不亦說乎. 有朋, 自遠方來, 不亦樂乎.

積, 故亦爲重象. 但講屬相麗之義, 習屬自積之象, 故必重澤而爲兌也.
절재채씨가 말하기를 "'강론함[講]'은 태괘(兌卦☱)의 상이고, '익힘[習]'은 거듭된 태괘(兌卦䷹)의 상이다"라고 하였는데 매우 정밀하지 못한 바가 있으니, 호운봉이 손괘(巽卦☴)를 설명하면서 "명령[命]은 바람의 상이고, 명령을 거듭함[申命]은 바람을 따르는 상이다"[49]라고 한 것만 못하다. '강(講)'이란 다른 사람과 토론하는 것이지 스스로 말한다는 뜻이 아니니 '강(講)'은 이미 중첩된 상이 되고, '습(習)'이란 날고 또 날아 이에 자기가 쌓은 것이기 때문에 또한 중첩된 상이 된다. 다만 '강론함[講]'은 서로 붙어 있다는 뜻과 연관되며, '익힘[習]'은 스스로 쌓는다는 상과 연관되기 때문에 반드시 중첩된 못[澤]이어야 기쁨이 된다.

윤행임(尹行恁) 『신호수필(新湖隨筆)·역(易)』

麗澤講習, 卽說而繹之之謂也. 若顔曾之時, 兌之和孚者也, 上有自昭明德之賢師, 下有果行育德之良朋, 聞學而時習之訓, 同鏗而捨瑟之樂, 可謂盛哉. 曾子子夏之徒, 猶以與友不信爲憂, 則其獲乎之道, 勤勤懇懇, 千載之下, 有足以想像而感慕者. 及夫世降俗薄, 朝膠漆而暮冰炭, 昔親戚而今讎寇, 蓋爲勢利所撓奪, 而不知朋友之居五典也. 不信乎朋友, 何以忠於君而孝於親耶.
못[澤]이 붙어 있어 강습함이란 기뻐하면서 풀어 감을 말한다. 만약 안연과 증자가 살던 '태(兌)'의 화합하고 믿는 때라면, 위에는 "밝은 덕을 스스로 밝히는"[50] 어진 스승이 있고 아래로는 "과감하게 행하며 덕을 기르는"[51] 좋은 벗들이 있어서, "배우고 때때로 그것을 익힌다"[52]는 가르침을 듣고 "땅하고 소리를 내며 비파를 내려놓다"[53]고 하는 즐거움을 함께 하니, 성대하다고 할만하다. 증자와 자하 등의 제자들은 오히려 벗과 신뢰하지 못함을 걱정으로 삼았으니, 벗에게서 믿음을 얻는 방법[54]을 부지런하고 정성을 다하였으므로 천년 뒤에도 충분히 이를 상상하여 마음으로 느껴 사모하는 자가 있었다. 세상이 나빠지고 풍속이 박해져서 아침에는 아주 친밀하다가 저녁에는 얼음과 숯처럼 서로 대립하며 예전에는 친척이었다가 이제는 원수가 되어 권세의 유리함에 의하여 강제로 빼앗기게 되니, '벗[朋友]'이 오전(五典)[55]에 있음을 알지 못한다. 벗들에게서 믿음을 받지 못한다면 어찌 임금에게 충성하고

49) 이러한 내용은 『주역본의통석(周易本義通釋)』에 나온다.
50) 『周易·晉卦』: 象曰, 明出地上, 晉, 君子以, 自昭明德.
51) 『周易·蒙卦』: 象曰, 山下出泉, 蒙, 君子以, 果行育德.
52) 『論語·學而』: 子曰, 學而時習之, 不亦說乎. 有朋, 自遠方來, 不亦樂乎.
53) 『論語·先進』: 點, 爾, 何如. 鼓瑟希, 鏗爾舍瑟而作, 對曰, 異乎三子者之撰.
54) 『中庸』: 獲乎上, 有道, 不信乎朋友, 不獲乎上矣. 信乎朋友, 有道, 不順乎親, 不信乎朋友矣.
55) 오전(五典): 유학에서 이르는 다섯 가지 인륜으로, 군신유의(君臣有義), 부자유친(父子有親), 부부유별(夫婦有別), 장유유서(長幼有序), 붕우유신(朋友有信)을 말한다.

부모님에게 효를 하겠는가?

이지연(李止淵) 『주역차의(周易箚疑)』

大象之義, 我說而彼說, 說於道義之味也.
「대상전」의 뜻은 내가 기뻐하여 저들도 기뻐하니, 도의(道義)의 맛[味]에 대하여 기뻐한다는 것이다.

김기례(金箕澧) 「역요선의강목(易要選義綱目)」

麗澤, 兌.
「상전」에서 말하였다: 걸려 있는 못[澤]이 태(兌)이니.
二澤相附. 坎之下畫連, 則水不流而爲[56]澤. 二澤相滋, 相不厭, 則說在其中. 卦辭戒利貞者, 恐溺悅也.
두 못[澤]이 서로 붙어있다. 감괘(坎卦☵)의 아래 획이 이어져 있으면 물은 흐르지 않아 못[澤]이 된다. 두 못[澤]이 서로를 불어나게 하면서 서로 싫어하지 않으니, 기뻐함이 그 가운데에 있다. 괘사에서 "곧게 함이 이롭다"[57]고 경계한 것은 기뻐하는 데에 빠질까 두려워해서이다.
○ 震坎艮三男卦, 不言利貞, 陽性本貞固.
진괘(震卦☳)·감괘(坎卦☵)·간괘(艮卦☶) 인 세 아들 괘에서는 "곧게 함이 이롭다"고 말하지 않았으니, 양의 성질이 본래 곧고 굳세기 때문이다. [58]

君子以, 朋友講習.
「상전」에서 말하였다: 군자가 그것을 본받아 벗들과 강습한다.
問難質疑, 相益之道, 如兩澤相滋.
어렵고 의심이 나는 것을 질문함은 서로에게 유익한 도이니, 마치 두 못[澤]이 서로를 불어나게 하는 것과 같다.
○ 朋友講習, 雖過悅而无害.

---

56) 爲: 경학자료집성 영인본에서는 여기에 해당하는 글자가 무슨 글자인지 알 수가 없고, 경학자료집성DB에는 알 수 없는 글자로 표시되어 있으나, 문맥을 살펴 '爲'로 바로 잡았다.
57) 『周易·兌卦』: 兌, 亨, 利貞.
58) 여기까지의 내용은 경학자료집성DB에서는 태괘 「단전」에 해당하는 것으로 분류했으나, 내용에 살펴 이 자리로 옮겨 바로잡았다.

벗들과 강습함은 비록 지나치게 기쁘더라도 해로움이 없다.

윤종섭(尹鍾燮) 『경(經)-역(易)』

兌之取象於講習, 以衆口也.
태괘(兌卦☱)가 '강습하다[講習]'에서 상을 취한 것은 여러 입이기 때문이다.

박종영(朴宗永) 「경지몽해(經旨蒙解) · 주역(周易)」

程傳曰, 兩澤相麗, 交相浸潤, 互相滋益之象. 故君子觀其象而以朋友講習, 互相益也. 先儒謂天下之可說, 莫若朋友講習.
『정전』에서 말하였다: 두 못이 서로 붙어서 번갈아 서로 점점 적셔 서로 불어나고 유익하게 하는 상이 있다. 그러므로 군자가 그 상을 관찰하여 벗들과 강습하니, 서로에게 유익하다. 이전의 학자들은 "천하의 기뻐할 만한 것 중에 벗들과 강습하는 것 만한 것이 없다"고 하였다.

蓋天下之是非無窮, 經義之同異難辨, 己所不知者, 人或知之, 人所不明者, 己或明之, 故必學以聚之, 與朋友往復討論. 若至有得焉, 則其夬爽悅樂, 容有旣乎. 中庸曰, 博學之, 審問之, 愼思之, 明辨之. 學問思辨之工, 非朋友, 莫能相資而有益也. 然若講而不習, 徒以言語而不能紬繹, 則共爲學, 亦將不久枯竭, 旋卽生澁, 無可悅之味必也. 從容論說, 切實體驗, 然後心與理相涵, 而所知者益精, 言與行相顧, 而所能者益固, 朋友講習之樂, 孰有加於此者乎. 雖然此志同道合之友, 可以語此, 不然而若所講非其人, 則無益而有損. 繫辭曰, 二人同心, 其利斷金, 同心之言, 其臭如蘭, 然則人之擇[59]交, 不可以不審. 比卦曰, 比之匪人, 不亦傷乎, 此宜深戒也夫.
천하의 옳고 그름은 무궁하고 경전의 뜻이 같고 다름은 구별하기가 어려워, 내가 알지 못하는 것을 다른 사람은 혹 알고 다른 사람이 밝히지 못한 것을 내가 혹 밝힐 수 있기 때문에 반드시 "배워서 지식을 모으고"[60] 벗들과 반복하면서 토론해야 한다. 만약 터득함이 있게 되면 탁 트여 시원하고 기쁘고 즐거움에 어찌 다함이 있겠는가? 『중용』에서 말하기를 "널리 배우고 자세하게 물으며 신중하게 생각하고 밝게 분변하여야 한다"고 하였다. 배우고 묻고 생각하고 분변하는 공부는 벗이 아니라면 서로 도움이 되어서 유익하게 할 수 없다. 그러나

59) 擇: 경학자료집성 영인본에서는 여기에 해당하는 글자가 무슨 글자인지 알 수가 없고, 경학자료집성DB에는 '釋'으로 되어 있으나, 문맥을 살펴 '擇'으로 바로 잡았다.
60) 『周易 · 乾卦』: 君子, 學以聚之, 問以辨之, 寬以居之, 仁以行之, 易曰, 見龍在田利見大人, 君德也.

만약 강론하면서 익히지 않아 다만 말만 할 뿐 실마리를 찾아낼 수 없다면, 함께 배우더라도 또한 장차 오래지 않아 없어지고 뒤이어 어색해져서 반드시 기뻐할만한 맛이 없게 된다. 침착하게 의견을 논하고 절실하게 체험한 후에 마음은 이치와 서로 젖어들어 아는 바는 더욱 정밀해지며 말과 행동은 서로 돌아보아 능한 바는 더욱 견고해지니, 벗들과 강습함의 즐거움은 무엇이 이 보다 더할 것이 있겠는가? 비록 그렇다고 하더라도 이러한 뜻이 같고 도가 부합하는 벗이라면 이렇게 말할 수 있지만, 그렇지 않아 만약 강론하는 사람이 이에 딱 맞는 사람이 아니라면 무익하고 손해가 있다. 「계사전」에서 말하기를 "두 사람이 마음을 함께 하니, 그 날카로움이 쇠[金]를 절단한다. 마음을 함께 하는 말은 그 향기로움이 난초와 같다"[61]고 하였으니, 그렇다면 사람이 사람을 가려서 사귐은 신중하게 살피지 않을 수 없다. 비괘(比卦☷)의 육삼 「소상전」에서 말하기를 "'사람이 아닌데 도우니' 또한 상하지 않겠는가?"[62]라고 하였으니, 이는 마땅히 깊게 경계한 것이구나.

심대윤(沈大允) 『주역상의점법(周易象義占法)』

先儒云, 兩澤相麗, 互有滋益, 上下物我, 皆有其道, 而彖辭言之詳矣, 故象取朋友講習之義. 兌爲講, 坎爲習. 兌之下二陽居, 則同學而交修, 上二陽出, 則同道而相濟, 有朋友之象焉. 互相滋潤, 有講習之義也.

이전의 학자들이 말하기를 "두 못[澤]이 서로 붙어서 서로 불어나고 유익하게 하다"[63]고 하였으니, 위와 아래 및 대상과 나 모두 도를 가지고 있어서 「단전」에서 상세하게 말하였기 때문에 「대상전」에서는 벗들과 강습하는 뜻을 취하였다. 태괘(兌卦☱)는 '강론함[講]'이 되고, 삼효부터 상효까지의 호괘인 감괘(坎卦☵)는 '거듭함[習]'이 된다. 태괘(兌卦☱)의 하괘에 두 양이 있음은 배움을 함께하고 번갈아 서로 닦아주며, 위의 두 양이 나가면 도를 함께 하여 서로를 이루어 주니, 벗들의 상이 있다. 서로 적셔주어 윤택하게 하니, 강습하는 뜻이 있다.

오치기(吳致箕) 「주역경전증해(周易經傳增解)」

上下二澤, 相附麗爲麗澤, 而君子觀其象, 以之朋友相與講習, 互有浸潤滋益之功, 而天下之說, 莫過於是也. 水就濕而以類相從, 故爲朋友之象. 兌爲口, 講論之象. 習之

61) 『周易·繫辭傳』: 同人, 先號咷而後笑, 子曰, 君子之道, 或出或處或黙或語, 二人同心, 其利斷金. 同心之言, 其臭如蘭.

62) 『周易·比卦』: 象曰, 比之匪人, 不亦傷乎.

63) 『周易傳義大全·兌卦·程傳』: 麗澤, 二澤, 相附麗也. 兩澤相麗, 交相浸潤, 互有滋益之象.

義, 取於鳥數飛, 而兌自坎變, 故亦言習也. 坎爲習, 已見坤坎二卦.
위와 아래에 있는 두 못[澤]이 서로 붙어 걸려 '붙어 있는 못[澤]'이 되었고, 군자가 그 상을 살펴보고 본받아 벗들이 함께 강습하니 서로 점점 적셔 서로 불어나고 유익하게 하는 공이 있는데, 천하의 기쁨에는 이보다 지나친 것이 없다. 물은 습한 곳으로 나아가 같은 부류로 서로 따르기 때문에 '벗들[朋友]'의 상이 된다. 태괘(兌卦☱)는 입이 되니 강론하는 상이다. '익힘[習]'의 뜻은 새가 여러 번 날개 짓을 하는[64] 데에서 취하였고, 태괘(兌卦☱)는 감괘(坎卦☵)로부터 변하였기 때문에 또한 '익힘[習]'이라고 하였다. 감괘(坎卦☵)는 '익힘[習]'이 되니, 이미 곤괘(坤卦䷁)[65]와 감괘(坎卦䷜)[66]인 두 괘에 보인다.

이진상(李震相) 『역학관규(易學管窺)』

陽以陽爲朋, 二五爲朋, 初四爲友. 上三皆陰, 口開於上, 講習之象. 同德相說, 莫如朋友, 同志相資, 莫如講習.
양은 양으로 벗을 삼으니, 이효와 오효가 벗[朋]이 되고 초효와 사효가 벗[友]이 된다. 상효와 삼효는 모두 음으로 위에서 입을 여니, 강습하는 상이다. 덕을 함께하여 서로 기뻐함에는 벗들만 한 자들이 없고, 뜻을 함께하여 서로 도와줌에는 강습만한 것이 없다.

박문호(朴文鎬) 「경설(經說)·주역(周易)」

習, 重習也. 講習取重澤之象.
'익힘[習]'은 거듭 익힘이다. '강습함'은 중첩된 못[澤]상에서 취하였다.

이병헌(李炳憲) 『역경금문고통론(易經今文考通論)』

程傳曰, 二澤, 附麗. 交相浸潤, 天下之可說, 莫若朋友講習.
『정전』에서 말하였다: 두 못[澤]이 붙어 걸려 있는 것이다. 번갈아 서로 점점 적시니, 천하의 기뻐할 만한 것 중에 벗들과 강습하는 것 만한 것이 없다.

---

64) 『論語集註·學而』: 習一 鳥數飛也, 學之不已, 如鳥數飛也.
65) 『周易·坤卦』: 六二, 直方大. 不習, 无不利.
66) 『周易·坎卦』: 習坎, 有孚, 維心亨, 行有尙.

初九, 和兌, 吉.

초구는 화합하여 기뻐함이니, 길하다.

中國大全

傳

初雖陽爻, 居說體而在最下, 无所係應, 是能卑下和順, 以爲說而无所偏私者也. 以和爲說而无所偏私, 說之正也. 陽剛則不卑, 居下則能巽, 處說則能和, 无應則不偏, 處說如是, 所以吉也.

초효가 비록 양효이나, 기뻐하는 몸체에 있으면서 가장 아래에 있고 얽매여 호응하는 바가 없으니, 이는 자신을 낮추고 온순하여 기뻐하지만 편협하고 사사로운 바가 없는 자가 된다. 화합함으로써 기뻐하여 편협하고 사사로운 바가 없음은 기뻐함의 바름이다. 굳센 양이니 비굴하지 않고 가장 아래에 있으니 공손할 수 있으며 기쁨에 처해 있으니 화합할 수 있고 호응이 없으니 편협하지 않아서, 기뻐함에 처함이 이와 같기 때문에 길하다.

本義

以陽爻, 居說體而處最下, 又无係應. 故其象占如此.

양효로서 기뻐하는 몸체에 있으면서 가장 아래에 있고, 또 얽매여 호응하는 바가 없다. 그러므로 그 상과 점이 이와 같다.

小註

節齋蔡氏曰, 爻位皆剛, 不比於柔, 得說之正, 和而不流於邪者也. 故吉.

절재채씨가 말하였다: 효와 자리는 모두 굳센 양이고 부드러운 음과 비(比)의 관계가 아니지만 기뻐함의 바름을 얻어, 화합하면서도 사특한 곳으로 휩쓸리지 않는 자이다. 그러므로 길하다.

○ 雙湖胡氏曰, 兌自有和義, 和獨於初言者, 以其得陽剛之正, 具和說之體, 故首言之. 且爲吉占也.
쌍호호씨가 말하였다: 태괘(兌卦☱)에는 본래 화합하는 뜻이 있는데, '화합하다[和]'를 유독 초효에서만 말한 것은 굳센 양의 바름을 얻어 화합하여 기뻐하는 몸체를 갖추었기 때문에 처음에 그와 같이 말하였다. 또 길한 점이 된다.

○ 縉雲馮氏曰, 初以陽德處下, 无欲於三, 无嫌於二, 是樂易君子謙退溫恭, 以待物之象也.
진운풍씨가 말하였다: 초효는 양의 덕으로 맨 아래에 있고 삼효에 대하여 욕심이 없으며 이효에 대하여 혐의가 없으니, 이는 『주역』을 좋아하는 군자가 겸손하게 사양하고 온화하고 공손하여 남을 대하는 상이다.

○ 雲峯胡氏曰, 君子和而不同, 同與和異. 處說體之下, 得陽剛之正, 是說而不流於邪. 故其象爲和, 其占爲吉.
운봉호씨가 말하였다: "군자는 화합하지만 아첨하여 함께 하지 않으니"[67], '아첨하여 함께 함[同]'과 '화합함[和]'은 다르다. 태괘(兌卦☱)의 몸체에서 가장 아래에 있으면서 굳센 양의 바름을 얻었으니, 이는 기뻐하면서도 사특한 데로 휩쓸리지 않는 것이다. 그러므로 그 상은 '화합함'이 되고 그 점은 '길함'이 된다.

韓國大全

어유봉(魚有鳳)[68] 『독서산록-역(讀書散錄-易)』[69]

兌初九爻辭傳之意, 謂是初陽爻, 似非和順者, 而以其居說體在最下, 而無所係應. 故

---

67) 『論語 · 子路』: 子曰, 君子, 和而不同, 小人, 同而不和.

68) 어유봉(魚有鳳, 1672~1744) : 저자의 본관은 함종(咸從), 자는 순서(舜瑞), 호는 기원(杞園)이다. 서울에서 출생하였으며, 농암(農巖) 김창협(金昌協)에게 수학하였다. 사마시에 합격하고, 1699년 28세 때 문과에 응시하였으나 과거제도의 문란함을 보고 과거를 단념하였다. 그 뒤 내시교관(內侍教官)에 제수되었으며, 이후로 내 · 외직을 두루 역임하였다. 1722년 신임사화(辛壬士禍)로 스승인 김창협이 화를 당하게 되자, 유생을 이끌고 신원하는 소를 올리기도 하였다. 그는 성리학에 잠심하여 깊은 연구를 하였는데, 문집 이외에도 『경설어록(經說語錄)』, 『오자수언(五子粹言)』, 『어류요략(語類要略)』 등 많은 책을 편찬하였다.

69) 『독서산록-역(讀書散錄-易)』 : 책을 읽으면서 필요한 부분을 기록하고 자신의 견해를 덧붙여 놓은 책 가운데 『주역』에 관한 부분이다.

爲和兌也. 本義則謂若以陰而居說處下, 則必有卑諂之失, 而此乃以陽爻而所處如是, 故能和兌而無所失也.
태괘 초구 효사에 대한 『정전』의 뜻은 다음과 같다. 초효는 양효로서 화합하고 따르는 자가 아닌 것 같지만, 기쁨을 상징하는 괘의 몸체에 있으면서 가장 낮은 자리에 있고, 위의 효와 얽혀 호응하는 바가 없다. 그러므로 화합하여 기뻐함이 된다. 『본의』의 뜻은 다음과 같다. 만약 음효로서 기쁨을 상징하는 괘의 아래에 있다면 반드시 자신을 낮추고 아첨하는 잘못이 있겠지만, 이 초효는 양효로서 이와 같이 대처하기 때문에 화합하여 기뻐할 수 있고 잘못하는 바가 없는 것이다.

이익(李瀷) 『역경질서(易經疾書)』

和兌, 與乾初九文言之辭, 相近. 和卽喜怒中節之和也. 初九得正居最下, 未有悅慕乎上, 進退自裕, 所謂樂則行之, 憂則違之, 卽無往而非和兌也.
조화하여 기뻐한다는 것은 건괘(乾卦☰)의 초구 「문언전(文言傳)」의 말과 서로 비슷하다. '조화[和]'는 기쁨과 노여움이 절도에 맞는 조화이다. 초구가 바름을 얻고 맨 아래에 있어서 아직 윗자리를 기뻐하여 사모하지 않고, 나아가고 물러남에 저절로 넉넉하니, 이른바 "즐거우면 행하고 근심스러우면 떠난다"[70]는 것이니, 가는 곳마다 화합하여 기쁘지 않음이 없다.

유정원(柳正源) 『역해참고(易解參攷)』

縉雲馮氏曰, 與二相比, 和同无間. 故曰和兌. 心懷疑阻而面相說者, 誠小人也.
진운풍씨가 말하였다: 초효는 이효와 서로 가깝고 화합해서 함께하여 틈이 없다. 그러므로 "화합하여 기뻐함이다"고 말하였다. 마음속으로 의심하여 멀리하려고 하면서도 얼굴로만 서로 기뻐하는 사람은 참으로 소인이다.

○ 梁山來氏曰, 和與中庸發皆中節之和同, 謂其所悅者, 无乖戾之私, 皆情性之正, 道義之公也.
양산래씨가 말하였다: 조화란 『중용』에서 희로애락이 발로되어 모두 절도에 맞는 조화[71]라고 할 때의 조화와 같으니, 기뻐하는 바가 도리에 어긋나는 사사로움이 없어서 모두 성정(性情)의 바름이고 도의의 공정함이라는 말이다.

---

70) 『周易 · 文言傳』: 初九曰, 潛龍勿用, 何謂也. 子曰龍德而隱者也, 不易乎世, 不成乎名, 遯世无悶, 不見是而无悶, 樂則行之, 憂則違之, 確乎其不可拔, 潛龍也.
71) 『中庸』: 喜怒哀樂之未發, 謂之中, 發而皆中節, 謂之和.

○ 案, 以陽居陽, 所處正, 以剛居卑, 其志正. 一於正而无所乖戾者, 說之和者也.
내가 살펴보았다: 양으로서 양의 자리에 있으니 있는 자리가 바르고, 강건함으로 낮은 곳에 있으니 그 뜻이 바르다. 한결같이 바르게 하여 도리에 어긋남이 없는 것이 기쁨의 조화로운 것이다.

김상악(金相岳)『산천역설(山天易說)』

和者, 和而不流之和也. 初居兌體, 剛而得正, 无比應之私, 故能和而吉也.
'화합[和]'이란 "화합하면서도 휩쓸리지 않는다"[72]고 할 때의 '화합'이다. 초효가 태괘(兌卦☱)의 몸체에 있으면서 강건하고 바름을 얻고, 사사롭게 가까이 하거나 호응함이 없기 때문에 화합하여 길할 수 있다.

○ 和者, 兌之德. 兌爲止水, 而初得其正, 不流於私, 和兌之象. 說體不當陰陽相比, 故諸爻皆有戒意. 而獨初爻无比, 所以和兌吉, 最得處兌之道也. 晏子曰, 和兌, 以不說爲說, 是也.
화합이란 태괘(兌卦☱)의 덕이다. 태괘(兌卦☱)는 흐르지 않고 고인 물을 상징하는데, 초효는 그 바름을 얻고 사사로운 데로 휩쓸리지 않아서 화합하여 기뻐하는 상이다. 기쁨을 상징하는 태괘(兌卦☱)의 몸체에서는 음과 양이 서로 가까이 하는 것이 마땅하지 않기 때문에, 여러 효에 모두 경계하는 뜻이 있다. 그런데 초효만은 비(比)의 관계가 없기 때문에 화합하여 기뻐함이니 길하여, 기쁨에 대처하는 도리를 가장 잘 얻었다. 안영(晏嬰)이 "화합하여 기뻐한다는 것은 기뻐하지 않은 것으로 기뻐함을 삼는 것이다"[73]라고 한 것이 이것이다.

홍양호(洪良浩)[74]『역상익전(易象翼傳)』[75]

初九, 和兌.

---

72)『中庸』: 衽金革, 死而不厭, 北方之强也, 而强者居之. 故君子, 和而不流, 强哉矯. 中立而不倚, 强哉矯.

73) 이러한 내용은 원(元)나라 호진(胡震)이 지은『주역연의(周易衍義)』에 나온다.

74) 홍양호(洪良浩, 1724~1802): 저자의 본관은 풍산(豊山), 자는 한사(漢師), 호는 이계(耳溪)이다. 1752년 정시 문과에 급제, 사헌부 지평, 홍문관 수찬과 교리를 거쳐 1799년에는 홍문관과 예문관의 대제학을 겸임하는 영예를 누렸다. 두 차례에 걸쳐 연경에 다녀오면서 고증학을 수용 · 보급하는 데 기여하였다. 글씨도 진체(晉體)와 당체(唐體)에 뛰어나 많은 작품을 남겼다. 저서로는『이계집(耳溪集)』외에『육서경위(六書經緯)』,『군서발비(群書發悱)』,『격물해(格物解)』,『칠정변(七情辨)』등이 있다.

75)『역상익전(易象翼傳)』:『주역』의「상전」과「서괘전」,「설괘전」등에 대한 설명, 그리고 하도, 낙서 등에 대한 도설, 육십사괘에 대한 간단한 설명을 덧붙인 책이다. 도설에서는 하도(河圖), 낙서(洛書), 선천팔괘도(先天八卦圖), 후천팔괘도(後天八卦圖), 복희팔괘소성지도(伏羲八卦小成之圖), 잡괘반대지도(雜卦反對之圖) 10도를 각기 설명하고 있다. 다음으로 중괘(重卦), 서괘(序卦), 상경(上經) 30괘, 하경(下經) 34괘를 차례로 설명하고, 대상해(大象解), 십삼괘상해(十三卦象解), 설괘전(說卦傳), 제가증해(諸家證解)를 덧붙였다.

초구는 화합하여 기뻐함이니.

以陽居正, 无比无應, 和而不流者. 故象曰, 行未疑也.
양효로서 바른 자리에 있으며 비(比)의 관계에 있는 것도 없고 호응하는 것도 없어 화합하면서도 휩쓸리지 않는 자이다. 그러므로 「상전」에 "행동에 의심스러울 데가 없기 때문이다"라고 하였다.

서유신(徐有臣) 『역의의언(易義擬言)』

和者, 合當之稱. 故相合亦謂之和也. 我和而彼和之, 彼和而我和之. 相和則相說, 是爲和兌. 兩兌相重, 彼此相說之象也. 初九得正, 故爲和兌而吉也 旣云和兌, 則九四之相和, 在其中也.
'화합'이란 합당하다는 말이다. 그러므로 서로 부합하는 것도 '화합'이라고 한다. 내가 화합하여 상대방도 화합하고, 상대방이 화합하여 나도 화합한다. 서로 화합하면 서로 기뻐하니, 이는 화합하여 기뻐함이 된다. 두 태괘(兌卦☱)가 서로 겹쳐 있어, 피차간에 서로 기뻐하는 상이다. 초구는 바름을 얻었기 때문에 화합하여 기뻐함이 되어 길하다. 이미 화합하여 기뻐한다고 말했으니, 구사가 초효와 서로 화합하는 것은 그 가운데 있다.

이지연(李止淵) 『주역차의(周易箚疑)』

初九, 剛而得正, 而外无系戀, 此非說之不以其道者也.
초구는 강건하면서도 바름을 얻었고 밖으로 얽매여 연연하는 것이 없으니, 이는 기뻐하기를 바른 도로써 하지 않는 자가 아니다.

김기례(金箕澧) 「역요선의강목(易要選義綱目)」

陽德處下, 无嫌於二, 无欲於三, 和說而不流於邪, 故曰吉.
양의 덕으로 아래에 있으면서 이효에 대한 혐의를 받지 않고, 삼효에 대한 욕심이 없으며, 화합하여 기뻐하고 사악함에 휩쓸리지 않으므로 길하다고 하였다.

심대윤(沈大允) 『주역상의점법(周易象義占法)』

兌之世, 取近而不取應也. 兌之爻位, 居剛務爲悅也, 居柔不務悅也.
태괘(兌卦䷹)의 세상에서는 가까운 것을 취하고 호응하는 것을 취하지 않는다. 태괘(兌卦

☱)의 효의 자리는 굳센 양의 자리에 있으면 힘써 기쁘게 하고, 부드러운 음의 자리에 있으면 기쁘게 하는 데에 힘쓰지 않는다.

兌之困䷮, 不通也. 初九在下而居初, 人无悅服者. 以剛才居剛, 務爲可悅之道, 而獨遠於陰, 近於九二, 和而不同, 悅而不諂, 故曰和兌吉. 初九, 澤之无水也.
태괘가 곤괘(困卦䷮)로 바뀌었으니, 통하지 않는 것이다. 초구는 하괘에 있고 처음 자리에 있어서 기쁘게 복종하는 사람이 없다. 굳센 양의 자질로 굳센 양의 자리에 있어서 기뻐할만한 도를 행하기에 힘쓰고, 홀로 음과 멀리 떨어져 있고 구이와 가까이 있어서 화합하면서도 아첨하여 부합하지 않으며[76], 기쁘게 하기는 하지만 아첨하지 않기 때문에 "화합하여 기뻐함이니 길하다"고 하였다. 초구는 못[澤]에 물이 없는 것이다.

오치기(吳致箕) 「주역경전증해(周易經傳增解)」

初九, 陽剛得正而居下, 在說之初, 无應无比, 得本性之剛正, 而无私心之偏係, 故有和說之象, 而占言其吉.
초구는 굳센 양으로 바름을 얻어 아래에 있고, 기뻐함의 처음에 있으면서 호응하거나 비(比)의 관계에 있는 대상이 없으며, 굳세고 바른 본성을 얻고 한 쪽에 치우쳐 얽매이는 사사로운 마음이 없기 때문에 화합하여 기뻐하는 상이 있어서 점에서 길함을 말하였다.

○ 說之得正而无私心者, 曰和也.
기쁨이 바름을 얻어 사사로운 마음이 없는 것을 '화합[和]'이라고 한다.

이진상(李震相) 『역학관규(易學管窺)』

無應而相資, 故取和象. 爻動成坎, 故象言未疑.
호응함이 없는데도 서로 의지하기 때문에 화합하는 상을 취하였다. 이 효가 움직여 감괘(坎卦☵)가 되기 때문에 「소상전」에서는 "의심스러울 데가 없기 때문이다"라고 하였다.

---

76) 『論語 · 子路』: 子曰, 君子, 和而不同, 小人, 同而不和.

象曰, 和兌之吉, 行未疑也.

「상전」에서 말하였다: 화합하여 기뻐함의 길함은 행함에 의심스러울 데가 없기 때문이다.

中國大全

傳

有求而和則涉於邪諂, 初隨時順處, 心无所係, 无所爲也, 以和而已. 是以吉也. 象, 又以其處說在下而非中正, 故云行未疑也. 其行未有可疑, 謂未見其有失也, 若得中正, 則无是言也. 說以中正爲本, 爻, 直陳其義, 象則推而盡之.

구함이 있어서 화합하면 사특하고 아첨하는 데에 이르는데, 초효는 때에 따라 순리대로 처신하여 마음에는 얽매임이 없으니 의도적으로 하려는 바가 없고, 화합함으로써 할 뿐이다. 이 때문에 길하다. 「상전」에서 또 기뻐하는 데에 처하면서 가장 아래에 있고 중정함이 아니기 때문에 "행함에 의심스러울 데가 없기 때문이다"라고 하였다. 그 행함에 의심스러울만한 것이 없다는 것은 잘못을 한 것을 보지 못했다는 말이니, 만약 중정을 얻었다면 이러한 말이 없을 것이다. 기뻐함은 중정을 근본으로 삼으니, 효에서는 다만 그 뜻을 진술하였고 「상전」에서는 미루어 다 말한 것이다.

本義

居卦之初, 其說也正, 未有所疑也.

괘의 처음에 있어서 그 기뻐함이 바르니, 의심할 바가 없다.

小註

雲峯胡氏曰, 四比三之陰, 有商兌之疑. 初剛正去三遠, 故未有疑.

운봉호씨가 말하였다: 사효는 음인 삼효와 비(比)의 관계에 있어서, "기뻐함을 헤아린다"77)

고 하는 의심을 가지고 있다. 초효는 굳센 양으로 바르고 삼효와의 거리가 멀기 때문에 의심할 바가 없다.

○ 進齋徐氏曰, 疑謂疑於陰也. 卦四陽, 惟初與陰无係, 故未疑. 若二則疑於三, 五則疑於上矣.
진재서씨가 말하였다: '의심스럽다[疑]'란 음에 대해 의심스러워함을 말한다. 괘의 네 양 중에 오직 초효만이 음과 관계가 없기 때문에 의심스럽지 않다. 만약 이효인 경우에는 삼효를 대함에 의심스럽고, 오효인 경우에는 상효를 대함에 의심스럽다.

韓國大全

권근(權近) 『주역천견록(周易淺見錄)』

初居卑下而和說, 疑其易流而無節. 然陽剛則不流, 無應則無私, 其行未有可疑. 故象曰, 行未疑也. 九二[78]孚兌吉悔亡, 九二有剛中孚誠之德, 而無初九卑說之嫌, 其志可信也. 故象曰, 信志也. 初之行猶有可疑, 二之志本無可疑, 以其自有孚信而人亦信之也. 爻之孚, 自信也, 象之信, 人信之也, 與革九四象同. 渙象曰, 風行水上渙, 先王以享于帝立廟, 風行於水上, 渙散之象, 而有感通之意. 風起則水涌, 風恬則浪靜, 是二物之相感也. 而又風之在天, 無處不至, 水之在地, 無處不在, 渙散於天地而充塞無間者也, 猶鬼神之體物而不可遺也. 風之觸物, 無物不入, 水之着物, 亦無物不入, 是二物多有感通之意也. 鑿牖則風必入, 掘井則水必生. 雖甚渙散之中, 而感通亦遠, 猶人以誠心而感鬼神, 則鬼神亦享之也. 吳氏註此象曰, 天大無涯, 而神氣無不在, 東坡作韓文公廟碑曰, 公之精神在天地, 猶水之在地, 皆是也. 先王觀風水之象, 以享帝而立廟, 天神之氣, 人鬼之魂, 無不在, 無不之, 渙散之至, 而感通之速者也. 享帝則合其散於一壇之上, 立廟則合其散於一室之中, 以在我之誠心, 感在彼之實理, 猶鑿牖而引風, 掘井而得水也, 感而能通, 必矣.
초효는 낮은 아래 자리에 있고 화합하여 기뻐하지만, 쉽게 휩쓸려서 절도가 없을까 의심을

---

77) 『周易 · 兌卦』: 九四, 商兌未寧, 介疾, 有喜.
78) 二: 경학자료집성DB와 영인본에 모두 '三'으로 되어 있으나, 경문(經文)을 살펴 '二'로 바로 잡았다.

산다. 그러나 굳센 양이니 휩쓸리지 않고, 호응하는 것이 없으니 사사로움이 없어서, 그 행동에 의심을 살만한 것이 없다. 그러므로 「상전」에서 "행함에 의심스러울 데가 없기 때문이다"고 했다. 구이의 "믿어서 기뻐함이니 길하고 후회가 없어진다"[79]는 구이가 강건하고 알맞으며 미덥고 성실한 덕이 있어서 초구와 같이 자신을 낮추어 기쁘게 한다는 혐의가 없으니, 그 뜻을 믿을 만하다. 그러므로 「소상전」에서 "뜻이 믿음을 주기 때문이다"[80]라고 하였다. 초효의 행동은 오히려 의심을 살만한 것이 있지만, 이효의 뜻은 본래 의심을 살만한 것이 없으니, 스스로 미더움을 갖고 있고 다른 사람도 또한 믿기 때문이다. 효사에서의 '믿음[孚]'은 스스로를 믿는 것이고, 「소상전」에서의 '믿음[信]'은 다른 사람이 믿는 것이니, 혁괘(革卦☱) 구사의 「소상전」과 같다.[81] 환괘(渙卦☴)의 「상전」에서 "바람이 물 위에서 부는 것이 환(渙)이니, 선왕이 이것을 본받아 상제에게 제향하고 사당을 세운다"[82]고 하였으니, 바람이 물 위에 부는 것은 흩어지는 상이고 느껴서 통하는 뜻이 있다. 바람이 일어나면 물결은 일렁이고, 바람이 자면 물결은 고요해지니, 이는 두 가지가 서로 느끼는 것이다. 또한 바람이 하늘에 있으면 이르지 않는 곳이 없고, 물이 땅에 있으면 있지 않은 곳이 없어서, 천지에 흩어져 꽉 차서 틈이 없으니, 마치 귀신이 "사물의 체(體)가 되어 빠뜨릴 수 없는"[83] 것과 같다. 바람이 사물에 닿으면 들어가지 못하는 곳이 없고, 물이 사물에 닿으면 스며들지 못하는 곳이 없으니, 이 때문에 바람과 물에는 느껴서 통하는 뜻이 많다. 창문을 뚫으면 바람은 반드시 들어가고, 우물을 파면 물은 반드시 솟는다. 비록 아주 심하게 흩어져 버리는 가운데라도 느껴서 통하는 것 또한 멀리 미치니, 사람이 성실한 마음으로 귀신을 감동시킨다면 귀신 또한 제사를 받아주는 것과 같다. 오징(吳澄)이 이 「소상전」에 주를 달아서 말하기를, "하늘은 커서 끝이 없고, 신령스러운 기는 없는 곳이 없다"[84]고 하였고, 소식(蘇軾)이 한유(韓愈)의 사당 비석에 쓰기를 "공의 정신이 천지에 있는 것이 물이 땅에 있는 것과 같다"고 한 것이 모두 이러한 말들이다. 선왕은 바람과 물의 상을 보고서 상제에게 제사를 지내고 사당을 세웠으니, 천신(天神)의 기와 인귀(人鬼)의 혼은 없는 데가 없고 가지 않는 곳이 없어서, 완전히 흩어졌더라도 빨리 느껴서 통하는 것이기 때문이다. 상제에게 제사를 지내면 흩어진 것을 한 제단의 위에 모으고, 사당을 세우면 흩어진 것을 한 방의 가운데에서 모아서 나에게 있는 성실한 마음을 가지고 저기에 있는 실제의 이치를 느끼는 것이 창문을 뚫어 바람을 끌어들이고 우물을 파서 물을 얻는 것과 같으니, 반드시 느껴서 통할 수 있다.

---

79) 『周易 · 兌卦』: 九二, 孚兌, 吉, 悔亡.
80) 『周易 · 兌卦』: 九二, 象曰, 孚兌之吉, 信志也.
81) 『周易 · 革卦』: 九四, 象曰, 改命之吉, 信志也.
82) 『周易 · 渙卦』: 象曰, 風行水上, 渙, 先王, 以, 享于帝, 立廟.
83) 『中庸』: 視之而弗見, 聽之而弗聞, 體物而不可遺.
84) 이러한 내용은 『역찬언(易纂言)』에 나온다.

송시열(宋時烈) 『역설(易說)』

初與四應, 有離明而無坎疑之象. 同德相應, 同說相和, 所以吉. 中庸, 發皆中節之和同意. 其同悅之道, 無乖戾偏私之失, 故小象行未疑者, 上雖有坎象而其行不爲疑慮也. 與巽初志疑, 相反.

초효는 사효와 호응하여 리괘(離卦☲)의 밝음은 있고 감괘(坎卦☵)의 의심을 살만한 일은 없는 상이다. 덕을 같이하여 서로 호응하고 기쁨을 같이하여 서로 화합하기 때문에 길하다. 『중용』에서 희로애락이 발로되어 모두 절도에 맞는 조화[85]라고 할 때의 조화와 뜻이 같다. 기쁨을 같이하는 도리는 어긋나거나 편협하게 사사로운 잘못이 없기 때문에 「소상전」에서의 "행함에 의심스러울 데가 없기 때문이다"는 것은 위에 비록 감괘(坎卦☵)의 상이 있지만 그 행동이 의심스럽거나 염려되지 않는다는 것이다. 손괘(巽卦䷸) 초효 「소상전」에서의 "뜻이 의심스럽기 때문이다"[86]와는 서로 상반된다.

어유봉(魚有鳳) 『독서산록-역(讀書散錄-易)』

象傳, 行未疑也.

「상전」에서 말하였다: 행함에 의심스러울 데가 없기 때문이다.

程傳則以爻言, 謂其非中正而未有失, 故行未疑也. 本義則以占言, 謂其不疑所行之意也. 雲峯所謂去三遠, 故未有疑, 雖巧而失之牽合.

『정전』은 효사로 말하였는데, 중정은 아니지만 아직 잘못이 없기 때문에 행함에 의심스러울 데가 없다고 풀이하였다. 『본의』는 점으로 말하였는데, 행하려는 뜻을 의심할 것이 없다고 풀이하였다. 운봉호씨가 "삼효와의 거리가 멀기 때문에 의심할 바가 없다"고 한 것은 비록 교묘하기는 하지만 견강부회한 잘못이 있다.

이익(李瀷) 『역경질서(易經疾書)』

傳云, 行未疑也, 亦如坤文言, 不疑其所行也.

「소상전」에서 "행함에 의심스러울 데가 없기 때문이다"고 말한 것은 또한 곤괘(坤卦䷁) 「문언전(文言傳)」에서 "그 행하는 바를 의심하지 않는 것이다"[87]라고 한 것과 같다.

---

85) 『中庸』: 喜怒哀樂之未發, 謂之中, 發而皆中節, 謂之和.

86) 『周易 · 巽卦』: 初六, 象曰, 進退, 志疑也, 利武人之貞, 志治也.

87) 『周易 · 坤卦 · 文言傳』: 直, 其正也, 方, 其義也. 君子敬以直內, 義以方外. 敬義立而德不孤, 直方大, 不習, 无不利, 則不疑其所行也.

김상악(金相岳)『산천역설(山天易說)』

初以剛居下, 與三相遠, 故行未有疑也.
초효는 굳센 양으로 아래에 있고 삼효와 멀리 떨어져 있기 때문에 행함에 의심스러울 데가 없다.

서유신(徐有臣)『역의의언(易義擬言)』

以和而行, 孰不相說. 行之無疑也. 四雖敵剛, 亦無可疑也.
화합으로써 행하면 누군들 서로 기뻐하지 않겠는가? 이것이 행함에 의심스러울 데가 없다는 것이다. 사효가 비록 초효와 맞설만한 굳센 양이지만, 또한 의심스러울만한 데가 없다.

하우현(河友賢)『역의의(易疑義)』

初九和兌, 是君子和而不同, 周而不比之象. 象曰, 行未疑也, 亦无所私繫故也.
초구는 화합하여 기뻐함이니, 이는 군자가 화합하면서도 맹목적으로 아첨하면서 함께 하지 않으며[88], 두루 친하면서도 편당을 만들지 않는[89] 상이다. 「소상전」에 "행함에 의심스러울 데가 없기 때문이다"고 한 것도 또한 사사로운 얽매이는 바가 없기 때문이다.

김기례(金箕澧)「역요선의강목(易要選義綱目)」

行未疑.
「상전」에서 말하였다: 행함에 의심스러울 데가 없기 때문이다

卦中二疑於三, 五疑於上, 而初獨[90]遠三, 故无疑.
괘 가운데 이효는 삼효를 가까이 할까 의심을 사고, 오효는 상효를 가까이 할까 의심을 사지만, 초효만은 삼효로부터 멀리 떨어져 있기 때문에 의심을 살만한 것이 없다.

심대윤(沈大允)『주역상의점법(周易象義占法)』

未有甘悅諂陷之疑也.

---

88)『論語 · 子路』: 子曰, 君子, 和而不同, 小人, 同而不和.
89)『論語 · 爲政』: 子曰, 君子, 周而不比, 小人, 比而不周.
90) 獨: 경학자료집성DB와 영인본에 모두 '燭'으로 되어 있으나, 문맥을 살펴 '燭'으로 바로 잡았다.

달콤하게 기쁘게 하고 아첨하여 함정에 빠뜨린다는 의심이 없다.

이병헌(李炳憲) 『역경금문고통론(易經今文考通論)』

賈子〈名誼漢人〉曰, 剛柔得適, 謂之和.
가의(賈誼)〈이름은 의(誼)이며, 한나라 사람이다〉가 말하였다: 굳셈과 부드러움이 균등할 수 있음을 '화합함[和]'이라고 한다."

按, 兌之和, 乃同氣而和.
내가 살펴보았다: 태괘(兌卦䷹)의 화합은 기질이 같아서 화합한 것이다.[91]

오치기(吳致箕) 「주역경전증해(周易經傳增解)」

得本性之正, 而无私心之係, 故行未有疑, 而得和說之吉也.
본성의 바름을 얻어 사사롭게 마음이 얽매이는 바가 없기 때문에 행함에 의심스러울 데가 없어 화합하여 기뻐하는 길함을 얻었다.

박문호(朴文鎬) 「경설(經說)・주역(周易)」

初九, 雖非中, 乃正也, 而程傳云, 非中正, 故本義復取正字釋之, 所以示程傳之不然也.
초구는 비록 알맞음[中]은 아니지만 바른[正]데도, 『정전』에서 "중정(中正)이 아니다"라고 말했기 때문에 『본의』에서 다시 '정(正)'자를 가지고 풀이하였으니, 이로써 『정전』의 풀이가 옳지 않음을 보여준 것이다.

---

91) 초효와 사효, 이효와 오효는 양기끼리 화합하고, 삼효와 상효는 음기끼리 화합함을 말한다.

九二, 孚兌, 吉, 悔亡.

구이는 믿어서 기뻐함이니, 길하고 후회가 없어진다.

中國大全

傳

二承比陰柔, 陰柔, 小人也, 說之則當有悔. 二剛中之德, 孚信內充, 雖比小人, 自守不失, 君子, 和而不同, 說而不失剛中. 故吉而悔亡. 非二之剛中, 則有悔矣, 以自守而亡也.

이효는 부드러운 음을 받들고 비(比)의 관계에 있으며, 부드러운 음은 소인이니 그를 기뻐하면 마땅히 후회가 있다. 이효는 굳세고 알맞은 덕으로 믿음이 안으로 충만하니, 비록 소인과 가깝더라도 스스로를 지켜서 잘못을 하지 않으므로, "군자는 화합하지만 아첨하여 함께 하지 않아서"[92] 기뻐하더라도 굳세고 알맞은 덕을 잃지 않는다. 그러므로 길하여 후회가 없어진다. 이효의 굳세고 알맞은 덕이 아니라면 후회가 있겠지만, 스스로를 지켜서 후회가 없어진다.

本義

剛中爲孚, 居陰爲悔, 占者以孚而說, 則吉而悔亡矣.

굳세고 알맞음은 믿음이 되고 음의 자리에 있음은 후회가 되니, 점을 치는 자가 믿음으로 기뻐한다면 길하여 후회가 없어진다.

---

92) 『論語 · 子路』: 子曰, 君子, 和而不同, 小人, 同而不和.

小註

張氏曰, 私係於近, 悔也. 誠於接物, 信而不妄, 吉自悔亡.
장씨가 말하였다: 사사롭게 가까운 이에게 얽매이면 후회한다. 남을 대함에 성실하여 믿고서 망령되게 하지 않으면 길하여 후회가 저절로 없어진다.

○ 融堂錢氏曰, 中實爲孚, 二五剛中, 故皆曰孚.
융당전씨가 말하였다: 가운데가 꽉 찬 것이 믿음[孚]이 되니, 이효와 오효는 굳세며 가운데에 있기 때문에 모두 '믿음[孚]'을 말하였다.

○ 西溪李氏曰, 二應五, 君臣同德而相說, 孚兌之吉也.
서계이씨가 말하였다: 이효는 오효와 호응하여, 임금과 신하가 덕을 함께하고 서로 기뻐하니, 믿어서 기뻐하는 길함이다.

○ 雲峯胡氏曰, 二孚, 孚五也. 以陽居陰, 本有悔, 孚五則吉而悔亡. 然以九二則悔亡, 以九五則有厲, 何也. 六三爲兌主, 說猶未極, 上六成兌之主, 而居兌之極. 二比三, 能不孚乎三而孚五, 故吉, 五兌之君也, 而比上, 不孚乎二而孚上, 有厲矣.
운봉호씨가 말하였다: 이효의 믿음[孚]은 오효에 대한 믿음이다. 양으로 음의 자리에 있어서 본래 후회가 있지만, 오효를 믿으니 길하여 후회가 없다. 그러나 구이라면 후회가 없지만 구오라면 위태로움이 있는 것은 어째서인가? 육삼은 태괘(兌卦☱)의 주인이 되지만 기쁨은 오히려 아직 지극하지 않고 상육은 태괘(兌卦䷹)를 이루는 주인이고 태괘(兌卦䷹)의 끝에 있다. 이효는 삼효와 비(比)의 관계에 있지만 삼효를 믿을 수가 없어 오효를 믿기 때문에 길하고, 오효는 태괘(兌卦䷹)에서 임금인데 상효와 비(比)의 관계에 있으므로 이효를 믿지 않고 상효를 믿기 때문에 위태로움이 있다.

‖韓國大全‖

송시열(宋時烈) 『역설(易說)』

孚者, 上有坎象, 又二五同德相孚. 故吉而无悔.

'믿는다[孚]'란 위에 감괘(坎卦☵)의 상(☵:䷹)이 있고, 또한 이효와 오효가 덕을 같이 하여 서로 믿기 때문이다. 그러므로 길하고 후회가 없다.

이익(李瀷) 『역경질서(易經疾書)』

兌與巽反對, 巽之入, 究乎下, 兌之說, 通乎上. 然無上下相應之義. 下卦兩陽而二失位, 上卦兩陽而四失位. 故二說乎三, 而四說乎上, 則與巽同例也. 孚兌者, 信乎說三也. 三與二, 上與四, 皆交相說也. 二孚而三來之, 四商而上引之. 三與上皆陰, 而三失位, 上[93]得位. 故以陰說陽, 均爲不善, 而三之凶, 甚於上也. 所謂來兌, 指二之來也.

태괘(兌卦䷹)는 손괘(巽卦䷸)와 거꾸로 된 괘가 되는데, 손괘(巽卦☴)의 들어감은 아래에 파고들고 태괘(兌卦☱)의 기쁨은 위에 통한다. 그러나 위아래가 서로 호응하는 뜻은 없다. 하괘에는 양이 둘인데 이효가 제자리를 잃었고, 상괘는 양이 둘인데 사효가 제자리를 잃었다. 그러므로 이효가 삼효에 대해 기뻐하고 사효가 상효에 대해 기뻐하는 것은 손괘(巽卦☴)와 동일한 예이다. "믿어서 기뻐하다"란 삼효에 대하여 기뻐함을 믿는 것이다. 삼효와 이효, 상효와 사효는 모두 사귀어 서로 기뻐한다. 이효가 믿어 삼효가 오고, 사효가 헤아려 상효가 이끈다. 삼효와 상효는 모두 음효인데, 삼효는 제자리를 잃고 있고 상효는 제자리를 얻었다. 그러므로 음으로서 양을 기쁘게 하여 똑같이 선하지는 않지만, 삼효의 흉함이 상효보다 심하다. 이른바 "와서 기뻐함이다"[94]란 이효가 온 것을 가리킨다.

유정원(柳正源) 『역해참고(易解參攷)』

正義, 九二說不失中, 有信者也. 說而有信, 則吉從之. 故曰, 孚兌吉也. 然履失其位, 有信而吉, 乃得无悔.

『주역정의』에서 말하였다: 구이는 기뻐하면서도 알맞음을 잃지 않아서 믿음이 있는 자이다. 기뻐하면서도 믿음을 가지면 길함이 따른다. 그러므로 "믿어서 기뻐함이니, 길하다"고 하였

---

93) 上: 경학자료집성DB와 영인본에 모두 '止'로 되어 있으나, 문맥을 살펴 '上'으로 바로 잡았다.

94) 『周易·兌卦』: 六三, 來兌, 凶.

다. 그러나 밟고 서 있는 곳이 제자리를 잃었으니, 믿음이 있어 길하므로 이에 후회가 없을 수 있다.

○ 案, 女子與小人難養也, 近之則不遜, 遠之則怨. 如九二之孚兌, 庶无悔矣.
내가 살펴보았다: 여자와 소인은 기르기 어려우니, 가까이 하면 불손하고 멀리 하면 원망한다.[95] 구이의 '믿어서 기뻐함'과 같이 하면 거의 후회가 없을 것이다.

김상악(金相岳) 『산천역설(山天易說)』

九二雖比三而交, 剛中之德, 能自守不失, 從應於五, 故得孚兌之吉, 亡說陰之悔也.
구이는 비록 삼효와 비(比)의 관계에 있어서 사귀기는 하지만, 굳세고 알맞은 덕으로 자신을 지켜 잘못을 하지 않을 수 있으며, 오효를 따라 호응하기 때문에 믿어서 기뻐하는 길함을 얻고, 음을 기뻐하여 생기는 후회가 없다.

○ 孚, 卽中孚之孚也. 中孚二五亦同德爲應, 故曰有孚攣如. 二曰孚兌悔亡, 五曰孚于剝有厲, 專由於比爻之來引不同也. 三與上皆陰之說陽者, 而三猶未極, 上居極也.
'믿음[孚]'은 중부괘(中孚卦☴)에서의 '믿음[孚]'과 같다. 중부괘(中孚卦)의 이효와 오효 또한 덕을 같이 하여 호응이 되기 때문에 "미더움이 있는 것이 잡아당기듯 한다"[96]고 했다. 이효에서는 "믿어서 기뻐함이니, 후회가 없어진다"고 하고, 오효에서는 "양(陽)을 사그라지게 하는 것을 믿으면, 위태로움이 있으리라"[97]고 하였으니, 오직 비(比)의 관계에 있는 효들이 오거나 끌어당김이 같지 않음에 말미암기 때문이다. 삼효와 상효는 모두 음으로서 양을 기쁘게 하는 자들이지만, 삼효는 아직 끝에 이르지 않았고 상효는 끝에 있다.

홍양호(洪良浩) 『역상익전(易象翼傳)』

九二, 孚兌.
구이는 믿어서 기뻐함이니.

以陽居中, 內有誠於己, 外有孚於人. 所以吉而悔亡.
양효로서 가운데 자리에 있으니, 안으로는 자기에게 성실하고 밖으로는 다른 사람들에게

95) 『論語 · 陽貨』: 子曰, 唯女子與小人, 爲難養也, 近之則不孫, 遠之則怨.
96) 『周易 · 中孚卦』: 九五, 有孚攣如, 无咎.
97) 『周易 · 兌卦』: 九五, 孚于剝, 有厲.

믿음을 받고 있다. 그러므로 길하여 후회가 없다.

서유신(徐有臣) 『역의의언(易義擬言)』

孚者, 中信之稱. 故相信亦謂之孚也. 相信則相說, 是爲孚兌也. 兩兌相合而爲中孚, 亦以此也. 九二得兌之中, 故爲孚兌而吉也. 既云孚兌, 則九五之相孚, 可知也. 近於三, 故可悔, 孚於五, 故悔亡也.

'믿음[孚]'이란 마음에서 믿음을 일컫는다. 그러므로 서로 믿는 것도 또한 '믿음[孚]'이라고 말한다. 서로 믿으면 서로 기뻐하니, 이는 믿어서 기뻐함이 된다. 두 태괘(兌卦☱)가 서로 합하여 중부괘(中孚卦䷼)가 되는 것도 또한 이 때문이다.[98] 구이는 태괘(兌卦☱)의 가운데 자리를 얻었기 때문에 믿어서 기뻐하여 길하게 된다. 이미 "믿어서 기뻐함이다"고 말했으니, 구오와 서로 믿는 것을 알 수 있다. 삼효에 가깝기 때문에 후회할 수 있지만, 오효를 믿기 때문에 후회가 없게 된다.

이지연(李止淵) 『주역차의(周易箚疑)』

孚者, 中虛之象. 信以相說, 則何悔之有.

믿음[孚]이란 마음이 비어 있는 상이다. 믿음[信]으로 서로 기뻐한다면 무슨 후회가 있겠는가?

김기례(金箕澧) 「역요선의강목(易要選義綱目)」

二比三, 則當悔. 然應五, 則君臣同德, 中實相孚, 故吉无悔. 若比三而不應五, 則當悔矣.

이효는 삼효와 비(比)의 관계에 있으니, 마땅히 후회한다. 그러나 오효에 호응하니, 임금과 신하가 덕을 같이 하고 마음이 충실하여 서로 믿기 때문에 길하고 후회가 없다. 삼효와 비(比)의 관계에 있으면서 오효와 호응하지 않으면 후회하기 마련이다.

이항로(李恒老) 「주역전의동이석의(周易傳義同異釋義)」

傳, 二承比陰柔, 陰柔, 小人也, 說之則當有悔[99].

『정전』에서 말하였다: 이효는 부드러운 음을 받들고 비(比)의 관계에 있으며, 부드러운 음

98) 태괘의 상괘를 거꾸로 하면 중부괘가 되기 때문에 이렇게 말한 것이다.
99) 悔: 경학자료집성DB와 영인본에 모두 이 '悔'자가 없으나, 『정전』과 문맥을 살펴 '悔'자를 보충하였다.

은 소인이니 그를 기뻐하면 마땅히 후회가 있다.

本義, 剛中爲孚, 居陰爲悔.
『본의』에서 말하였다: 굳세고 알맞음은 믿음이 되고 음의 자리에 있음은 후회가 된다.

按, 傳釋儘好. 但大壯九二, 亦爲悔亡, 以其居不正也. 此類甚多, 故本義只云, 居陰爲悔.
내가 살펴보았다: 『정전』의 해석이 매우 좋다. 다만 대장괘(大壯卦䷡)의 구이에서도 후회가 없게 되는[100] 것이 자리가 바르지 않기 때문이라고 하였다[101]. 이러한 종류는 매우 많기 때문에 『본의』에서는 다만 "음의 자리에 있음은 후회가 된다"고 말하였다.

심대윤(沈大允) 『주역상의점법(周易象義占法)』

兌之随䷐. 九二位卑而随人, 居柔以不務悅於上下. 以其剛中, 能自盡其道, 終得初與三之孚信, 而悅懌焉. 離爲信. 人臣不可詭曲以求媚于上下也. 唯遵奉上令而自盡其道, 則上下終以信悅矣. 故曰孚兌吉悔亡, 言其不求悅而得悅也. 九二澤之随地成隄而畜水也.
태괘가 수괘(随卦䷐)로 바뀌었다. 구이는 지위가 낮아서 다른 사람을 따르지만, 부드러운 음의 자리에 있어서 위와 아래 사람들을 기쁘게 하는데 힘쓰지 않는다. 굳세고 알맞음으로 스스로 도리를 다 할 수 있어서, 결국 초효와 삼효의 믿음을 얻어 기뻐한다. 리괘(離卦☲))가 믿음이 된다. 남의 신하가 된 사람은 속이고 굽혀서 위와 아래 사람들에게 아첨하려고 해서는 안 된다. 오직 윗사람의 명령을 따라 받들어 스스로 도리를 다하면, 위와 아래 사람들이 결국 믿어서 기뻐할 것이다. 그러므로 "믿어서 기뻐함이니, 길하고 후회가 없어진다"고 했으니, 다른 사람을 기쁘게 하기를 구하지 않아도 기쁘게 할 수 있다는 말이다. 구이는 못[澤]이 지형에 의해 제방이 되어 물을 저장하는 것이다.

오치기(吳致箕) 「주역경전증해(周易經傳增解)」

九二, 陽剛得中, 而在說之時, 內積孚信, 發以爲說, 故有孚兌之象而言吉. 然以剛居柔, 而上比不正之柔, 雖若有悔, 以其剛中之德, 自守其信, 故言能亡其悔也.

---

100) 『周易・大壯卦』: 九四, 貞吉, 悔亡, 藩決不羸, 壯于大輿之輹.
101) 『周易傳義大全・大壯卦・程傳』: 然居四, 爲不正, 方君子道長之時, 豈可有不正也. 故戒以貞則吉而悔亡.

구이는 굳센 양으로 알맞음을 얻었고 기쁨의 때에 있으면서 안으로 믿음을 쌓다가 드러나 기쁨이 되기 때문에 믿어서 기뻐하는 상이 있어 '길하다'고 하였다. 그러나 굳센 양으로 부드러운 음의 자리에 있고 위로 바르지 않은 부드러운 음과 비(比)의 관계에 있어서 비록 후회가 있는 듯하지만, 굳세고 알맞은 덕으로 스스로 믿음을 지키기 때문에 후회가 없어질 수 있다고 말하였다.

○ 孚, 取於互離.
'믿음[孚]'은 호괘인 리괘(離卦☲))에서 취하였다.

이진상(李震相) 『역학관규(易學管窺)』

居陰應五, 外有厚坎, 故取孚象. 以陽居陰悔, 而應五同德, 悔可亡也. 或謂, 陰志趨下, 孚於初九, 於理可通, 而但無孚象.
음의 자리에 있으면서 오효와 호응하고 밖으로는 두터운 감괘(坎卦☵)가 있기 때문에 '믿는다[孚]'의 상을 취하였다. 양으로 음의 자리에 있어서 후회하지만 오효와 호응하여 덕을 같이 하니, 후회가 없어질 수 있다. 어떤 이가 말하기를 "음의 뜻은 아래로 향하여 달려가 초구에 대하여 믿는 것이다"라고 하였는데, 이치로 보면 통할 수 있지만 다만 '믿는다[孚]'의 상이 없다.

이병헌(李炳憲) 『역경금문고통론(易經今文考通論)』

王曰, 說不失中, 有孚者也. 失位而說, 孚吉, 乃悔亡也.
왕필이 말하였다: 기뻐하면서도 알맞음을 잃지 않았으니, 믿음이 있는 자이다. 제자리를 잃고 기뻐하더라도 믿음이 있어 길하니, 후회가 없어진다.

象曰, 孚兌之吉, 信志也.

「상전」에서 말하였다: "믿어서 기뻐함"의 길함은 뜻이 믿음을 주기 때문이다.

中國大全

傳

心之所存, 爲志. 二剛實居中, 孚信, 存於中也. 志存誠信, 豈至說小人而自失乎. 是以吉也.

마음에 보존하고 있는 바가 뜻이 된다. 이효는 굳세고 꽉 차있는 것이 가운데 자리에 있어서 믿음[孚信]이 마음에 보존되어 있다. 뜻이 성실함과 믿음을 보존하니, 어찌 소인을 기뻐하여 스스로를 잃는 데에 이르겠는가? 이 때문에 길하다.

小註

中溪張氏曰, 二處大臣之位, 當兌說之世, 而天下視其所說以爲趨向者也. 苟非孚信出於剛中之志, 鮮不爲六三說媚之所惑矣.

중계장씨가 말하였다: 이효는 대신의 자리에 있어서, 태괘(兌卦☱)의 기뻐하는 세상을 맞아 천하의 사람들이 그가 기뻐하면서 추구하는 바를 주시한다. 만약 굳세고 알맞은 뜻에서 나온 믿음[孚信]이 아니라면 삼효의 기뻐하면서 아첨함에 의하여 미혹되지 않는 경우가 드물다.

韓國大全

송시열(宋時烈) 『역설(易說)』

小象, 信志, 如豊二, 有孚發若, 信以發志, 同意, 言其志相信也.
「소상전」에서 "뜻이 믿음을 주기 때문이다"고 한 말은 풍괘(豊卦䷶)의 이효 「소상전」에서 "'믿음을 갖고 감발함'은 믿음으로 뜻을 감발시키는 것이다"라고 한 말과 같은 뜻이니, 뜻으로 서로 믿는다는 말이다.

김상악(金相岳) 『산천역설(山天易說)』

雖與三相比, 无所係累者, 惟自信其志也. 初之行, 行其志也, 二之志, 志欲行也.
비록 삼효와 서로 비(比)의 관계에 있지만 얽매임이 없는 것은 오직 자기의 뜻을 스스로 믿기 때문이다. 초효의 행함은 자기의 뜻을 행하는 것이고, 이효의 뜻은 행하고자 하는 데에 뜻을 두는 것이다.

○ 革上卦亦兌, 故九四曰, 有孚, 改命, 而象辭同. 革則承五而改命, 故爲人所信, 兌則五非正應而相孚, 故己自信之也.
혁괘(革卦䷰)의 상괘도 또한 태괘(兌卦☱)이기 때문에 혁괘(革卦)의 구사에서 "믿음이 있으면 명(命)을 고쳐 길할 것이다"[102]고 했고, 「소상전」의 말[103]은 본 괘 이효의 「소상전」의 말과 동일하다. 혁괘(革卦)는 구사가 오효를 받들어 명을 고치기 때문에 다른 사람들이 믿어주지만, 태괘(兌卦䷹)의 경우는 오효가 정응이 아닌데도 서로 믿기 때문에 구이는 지나치게 자기 자신을 믿는 것이다.

서유신(徐有臣) 『역의의언(易義擬言)』

信志亦未疑也. 九五之志, 亦相信矣, 是之謂孚也.
뜻을 믿으니, 또한 의심하지 않는다. 구오의 뜻을 또한 서로 믿으니, 이것을 '믿음[孚]'이라고 한다.

---

102) 『周易 · 革卦』: 九四, 悔亡, 有孚, 改命吉.
103) 『周易 · 革卦』: 九四, 象曰, 改命之吉, 信志也.

박제가(朴齊家) 『주역(周易)』

九二, 象傳, 信志也.
구이 「상전」에서 말하였다: 뜻이 덥기 때문이다.

傳, 心之所存爲志.
『정전』에서 말하였다: 마음에 보존하고 있는 바가 뜻이 된다.

案, 心之所之, 謂之志, 造字之本義也. 慮其爲向外, 故必曰存. 然如志于學, 雖是向學, 志卻在中. 之可通存而存不可通之. 所存者, 只是不忘而已, 不忘, 非志也. 古人以其有向而作字, 後人乃以有守而說字, 故一轉而已差, 訓詁之難如此.
내가 살펴보았다: 마음이 가는 것을 뜻이라고 하니, 글자를 만들 때의 본래 뜻이다. 마음이 밖을 향할까 염려하기 때문에 반드시 "보존하고 있다"고 말했다. 그러나 배움에 뜻을 두는 것과 같이 비록 배움을 지향하더라도 뜻은 도리어 마음속에 있다. '가다[之]'는 '보존하다[存]'와 통할 수 있지만, '보존하다'는 '가다'와 통할 수 없다. 보존하고 있는 것은 단지 잊지 않는 것일 뿐이지만, 잊지 않는 것이 뜻은 아니다. 옛 사람들은 지향한다는 의미로 글자를 만들었는데, 후세 사람들은 지킨다는 의미로 글자를 설명했기 때문에 한 번 바뀌자 이미 어긋났으니, 훈고의 어려움이 이와 같다.

심대윤(沈大允) 『주역상의점법(周易象義占法)』

和兌, 同心者, 自然相說也. 孚兌, 見信於人, 而得其悅也. 兌悅之道, 惟此二者爲吉也.
'화합하여 기뻐함'[104]은 마음을 같이하는 사람들이 자연히 서로 기뻐하는 것이다. '믿어서 기뻐함'은 남이 믿어주어 그 기쁨을 얻는 것이다. 기뻐하는 도리는 오직 이 두 가지만이 길하다.

오치기(吳致箕) 「주역경전증해(周易經傳增解)」

志存誠信, 中德自守, 而不爲小人之所媚說, 吉之道也.
뜻이 성실함과 믿음을 보존하여 알맞은 덕을 스스로를 지켜 소인에게 아첨을 받으면서 기뻐하지 않으니, 길한 도이다.

---

104) 『周易 · 兌卦』: 初九, 和兌, 吉.

박문호(朴文鎬) 「경설(經說)·주역(周易)」

孚信存於中, 此正釋也. 志存誠信, 此其餘意也. 若主言志存誠信, 則本文當曰志信, 不當曰信志. 抑或爲叶韻而文倒歟.

믿음이 마음에 보존되어 있다는 것이 바른 해석이다. 뜻이 성실과 믿음을 보존하고 있다는 것은 부차적인 뜻이다. 뜻이 성실과 믿음을 보존하고 있다는 것을 위주로 해서 말한다면 본문에서 "믿음에 뜻을 둔다"고 말하여야 할 것이고, "뜻이 믿음을 주기 때문이다"라고 말해서는 안 될 것이다. 아니면 아마도 운을 맞추기 위해서 문장을 거꾸로 쓴 것인가?

이병헌(李炳憲) 『역경금문고통론(易經今文考通論)』

其志信也.

왕필이 말하였다: 그 뜻이 미덥다.

程傳曰, 剛實居中, 志存誠信, 是以吉也.

『정전』에서 말하였다: 굳세고 꽉 차있는 것이 가운데 자리에 있고, 뜻이 성실함과 믿음을 보존하니, 이 때문에 길하다.

六三, 來兌, 凶.

육삼은 와서 기뻐함이니, 흉하다.

中國大全

傳

六三, 陰柔不中正之人, 說不以道者也. 來兌, 就之以求說也. 比於在下之陽, 枉己非道, 就以求說, 所以凶也. 之內爲來, 上下俱陽, 而獨之內者, 以同體而陰性下也, 失道下行也.

육삼은 부드러운 음으로 중정하지 못한 사람이니, 기뻐하기를 도로서 하지 못하는 자이다. '와서 기뻐함'이란 나아가 기쁨을 구하는 것이다. 아래에 있는 양과 가까워서 자신을 굽히고 도가 아닌데도 나아가 기쁨을 구하니 이 때문에 흉하게 된다. 안으로 가는 것을 '온다[來]'고 하니, 위와 아래가 모두 양인데도 유독 안으로 가는 것은 같은 몸체이고 음의 성질은 아래로 가기 때문이므로 도를 잃고 아래로 내려가는 것이다.

本義

陰柔不中正, 爲兌之主, 上无所應而反來就二陽, 以求說, 凶之道也.

부드러운 음이 중정하지 않지만 태괘(兌卦☱)의 주인이 되어, 위로는 호응하는 바가 없어 도리어 양인 이효에게 다가와서 기쁨을 구하니, 흉한 도이다.

小註

雲峯胡氏曰, 六三陰柔不中不正, 而來求說於剛. 初剛而正, 二剛而中, 必不從也, 凶可知矣.

운봉호씨가 말하였다: 육삼은 부드러운 음으로 알맞지도 않고 바르지도 않으면서 굳센 양에게 와서 기쁨을 구한다. 초효는 굳센 양이면서 바르고, 이효는 굳센 양이면서 알맞아 반드시 따르지 않으니, 흉함을 알 수가 있다.

韓國大全

김장생(金長生) 『경서변의(經書辨疑)-주역(周易)』105)

傳, 同體而陰性.
『정전』에서 말하였다: 같은 몸체이고 음의 성질이다.

同體云者, 非以陰陽同體也. 陰性下, 三亦陰, 故曰同體也, 謂三與二同在下體也.
'같은 몸체'라고 한 것은 음과 양이 같은 몸체라는 것이 아니다. 음의 성질은 아래로 내려가는데 삼효도 또한 음이기 때문에 '같은 몸체'라고 하였으니, 삼효와 이효가 함께 하괘의 몸체에 있다는 말이다.

송시열(宋時烈) 『역설(易說)』

來者, 上兌復來, 與巽之頻略似. 且三居下卦之上, 九二近比昵狎, 三亦无應於上, 而有媚悅之意. 傳所謂弘霸嘗元忠之糞, 彭孫濯李憲之足, 丁謂拂萊公鬚之類, 皆非其道而媚於近之意者, 蓋三爻之陰, 求九二之陽而說之也. 其凶可知.
'오다[來]'란 위의 태괘(兌卦☱)가 다시 옴이니, 손괘(巽卦☴) 구삼에서의 '자주[頻]'106)와 대략 비슷하다. 또 삼효는 하괘의 맨 위에 있고, 구이는 매우 가까워 허물이 없으며, 삼효는 또한 상효와 호응함이 없어서 아첨하면서 기쁘게 하는 뜻이 있다. 『신당서(新唐書)·곽홍패전(郭弘霸傳)』에서 이른바 홍패(弘霸)가 원충(元忠)의 변을 맛보고, 팽손(彭孫)이 이헌(李憲)의 발을 씻겨 주고, 정위(丁謂)가 수공(萊公)의 수염을 치켜 세워주었던 부류107)는

105) 경학자료집성DB에서는 태괘 상육에 해당하는 것으로 분류했으나, 내용에 살펴 이 자리로 옮겨 바로잡았다.
106) 『周易·巽卦』: 九三, 頻巽, 吝.
107) 이러한 내용은 래지덕(來知德)이 지은 『周易集註』에 보인다.

모두 도가 아닌데도 가깝게 하려는 뜻에서 아첨한 것이니, 삼효의 음이 구이의 양을 구하여 그를 기쁘게 하는 것인 듯하다. 그 흉함을 알 수가 있다.

심조(沈潮) 「역상차론(易象箚論)」

六三, 來兌.
육삼은 와서 기뻐함이니.

來, 陰之退也.
'옴[來]'은 음이 물러남이다.

유정원(柳正源) 『역해참고(易解參攷)』

正義, 三爲陽位, 陰來居之, 是進來求說, 故言來兌.
『주역정의』에서 말하였다: 삼효는 양의 자리가 되는데 음이 와서 있으니, 이는 들어와서 기쁨을 구하기 때문에 "와서 기뻐함이다"라고 하였다.

○ 童溪王氏曰, 六三居兩兌之間, 一兌既盡, 一兌復來, 故曰來兌. 夫上下四剛, 皆君子也. 三以小人厠乎其間而位, 則不當左右逢迎, 唯以容說爲事. 此小人之失正者, 故於兌爲凶.
동계왕씨가 말하였다: 육삼은 두 태괘(兌卦☱) 사이에 있는데, 한 태괘(兌卦☱)는 이미 다하였고, 다른 한 태괘(兌卦☱)는 다시 오기 때문에 "와서 기뻐함이다"라고 하였다. 위와 아래로 네 굳센 양은 모두 군자이다. 삼효는 소인으로 그 사이에 섞여 자리하고 있으니, 마땅히 좌우에 있는 자에게 아첨하여 비위를 맞추지 말아야 하는데도 오직 남에게 마음에 들도록 아첨하여 기쁜 얼굴을 함을 일삼는다. 이는 소인이 바름을 잃은 것이기 때문에 기쁜 데에서 흉하게 된다.

○ 梁山來氏曰, 自內至外爲往, 自外至內爲來. 凶者, 非唯不足以得人之與, 且有以取人之惡, 所以凶也.
양산래씨가 말하였다: 안으로부터 밖에 이름은 '감[往]'이 되고 밖으로부터 안으로 이름은 '옴[來]'이 된다. '흉하다'란 사람들이 함께할 수 있기에 충분하지 못할 뿐만이 아니라 사람들의 악을 취함도 있으므로 흉하다.

○ 案, 邪媚諂說, 枉道從人, 小人之情狀也. 往就於四五, 而四五既不受, 來求於初二,而初二豈容之乎. 旣失於彼, 又求於此, 不度理之所在, 而以說爲道, 凶可知矣.
내가 살펴보았다: 사특하고 아첨하여 기쁘게 하며, 도를 굽혀 다른 사람을 좇음은 소인의 실상이다. 사효와 오효에게 나아가지만 사효와 오효가 이미 받아주지 않아 초효와 이효에게 와서 구하니, 초효와 이효가 어찌 받아들이겠는가? 이미 저들에게서 실패하였는데도 이들에게 다시 구하여, 이치가 있음을 헤아리지 않고 기쁨으로써 도를 삼으니, 흉함을 알 수가 있다.

김상악(金相岳) 『산천역설(山天易說)』

之內爲來. 陰性下而比四與二, 二則相交, 故有來兌之象. 以不正之陰來就二陽, 以求說, 凶之道也. 初之剛正, 二之剛中, 皆君子之難說者, 故求親而反疏也.
안으로 가는 것이 '옴[來]'이 된다. 음의 성질은 아래로 내려가고 사효 및 이효와 비(比)의 관계에 있는데, 이효는 서로 교류하기 때문에 와서 기뻐하는 상이 있다. 바르지 못한 음으로 두 양에게 오거나 나아가 기쁨을 구하니 흉한 도이다. 초효의 굳센 양이면서 바름과 이효의 굳센 양이면서 알맞음은 모두 군자를 기쁘게 하기가 어렵도록 하는 것이기 때문에 친하기를 구하지만 도리어 소원해진다.

서유신(徐有臣) 『역의의언(易義擬言)』

居重兌之間, 極我之說而致上下之說, 故曰來兌也. 三陰柔不正, 其所以來之者, 必邪媚之道, 故凶也. 君子處世, 不免有不說者, 理勢當然, 每人而說者, 必小人也.
거듭된 태괘(兌卦☱)의 사이에 있고 자신의 기쁨을 지극하게 하여 위와 아래 사람의 기쁨을 이루기 때문에 "와서 기뻐함이다"라고 하였다. 삼효는 부드러운 음으로 바르지 않아 그가 오는 것은 반드시 사특하고 아첨하는 도이기 때문에 흉하다. 군자가 세상에 사는데도 기뻐하지 않자가 있는 데에서 벗어나지 못하는 것은 이치의 형세에서 당연하니, 사람들마다 기쁘게 하는 자는 반드시 소인이다.

하우현(河友賢) 『역의의(易疑義)』

六三來兌, 見小人妖媚求說之情, 九四介疾, 見君子剛特絶惡之象.
육삼의 '와서 기뻐함'은 소인이 요염하게 아첨하면서 기쁨을 구하는 실정을 보인 것이고, 구사의 "절개를 지켜 사악함을 미워함"은 군자가 굳세게 특별히 악을 끊는 상을 보인 것이다.

이지연(李止淵) 『주역차의(周易箚疑)』

六三與見金夫, 不有其身, 无幾.
육삼은 몽괘(蒙卦䷃) 육삼의 "돈이 많은 사내를 보고 몸을 지키지 못한다"108)와 별 차이가 없다.

김기례(金箕澧) 「역요선의강목(易要選義綱目)」

柔居剛, 則位不當, 而況爲悅之主, 不中正. 故來求109)悅於二, 二中正不應, 故凶.
부드러운 음이 굳센 양의 자리에 있으면 자리가 마땅하지 않은데, 하물며 태괘(兌卦☱)인 기쁨의 주인이면서 중정하지 못한 데에 있어서랴. 그러므로 이효에게 와서 영원히 기뻐하고자 하지만 이효는 중정하여 호응하지 않기 때문에 흉하다.

심대윤(沈大允) 『주역상의점법(周易象義占法)』

兌之夬䷪, 明決也. 六三居剛, 以求說于人, 位在侯牧, 其和悅歸服者, 止于其所統之內, 以外則分辨而決去也. 下有二陽之來從, 而六三以之從于四, 侯牧得其民之悅附, 以服事上, 其悅附非己有也, 故曰凶. 對艮有震, 六三澤之得泉之決而注之, 而澤小不能容而決去, 其量之過者也.
태괘가 쾌괘(夬卦䷪)로 바뀌었으니, 분명하고 결단성이 있는 것이다. 육삼은 굳센 양의 자리에 있어서 다른 사람에게 기쁨을 구하고 지위는 후목(侯牧)에 있어서, 화합하여 기뻐하며 돌아와 복종하게 하는 자는 그가 통솔하는 범위 안에 머물지만, 밖에 있는 자들은 분별하여 결단코 떠나버린다. 아래에 있는 두 양이 와서 따르고 육삼은 이로써 사효를 따르니, 후목(侯牧)은 백성들이 기뻐하면서 돌아와 붙음을 얻어 윗사람을 복종하면서 섬기지만, 기뻐하면서 돌아와 붙음은 자기에게 있는 것이 아니기 때문에 '흉하다'고 하였다. 음양이 바뀐 괘인 간괘(艮卦䷳)는 진괘(震卦☳)를 가지고 있고, 육삼은 못[澤]에서 샘[泉]이 솟아 흐르게 되는데, 못[澤]이 작아서 받아들이지 못하고 터져 버리니, 양(量)이 지나친 것이다.

오치기(吳致箕) 「주역경전증해(周易經傳增解)」

六三, 陰柔不得中正, 而乘九二之上, 旣无正應, 而切比同體之剛, 自來而求說, 有來兌

---

108) 『周易 · 蒙卦』: 六三, 勿用取女, 見金夫, 不有躬, 无攸利.
109) 求: 경학자료집성DB에 '永'으로 되어 있으나, 경학자료집성 영인본을 참조하고 문맥을 살펴 '求'로 바로 잡았다.

之象, 卽說之不正者也, 故占言凶.
육삼은 부드러운 음으로 중정할 수가 없으면서 구이의 위를 타고 이미 정응이 없어서 같은 몸체의 굳센 양과 매우 친하여, 스스로 와서 기쁨을 구하므로 "와서 기뻐하는" 상이 있으니 바르지 않게 기쁨으로 나아가는 자이기 때문에 점사에서 '흉하다'고 하였다.

○ 之內曰來, 而言來就九二之剛也.
안으로 가는 것을 '온다[來]'라고 하니, 굳센 양인 구이에게 다가옴을 말한다.

이진상(李震相) 『역학관규(易學管窺)』

說於二, 故曰來. 當巽而變健, 當往而變來, 故凶[110].
이효에게 기뻐하기 때문에 '온다[來]'고 하였다. 마땅히 겸손해야 하는데도 변하여 굳세고, 마땅히 가야하는데도 변하여 오기 때문에 흉하다.

110) 凶: 경학자료집성DB와 영인본에 모두 '匈'으로 되어 있으나, 문맥을 살펴 '凶'으로 바로 잡았다.

象曰, 來兌之凶, 位不當也.

「상전」에서 말하였다: "와서 기뻐함"의 흉함은 자리가 마땅하지 않기 때문이다.

‖中國大全‖

傳

自處不中正, 无與而妄求說, 所以凶也.

스스로 중정하지 못한 데에 있고 함께 하는 자가 없는데도 망령되게 기쁨을 구하니, 이 때문에 흉하다.

小註

建安丘氏曰, 六三柔而不中, 故來就在下之陽而有妄說之凶. 无他, 以柔居剛, 位不當故也. 來者, 反而之內也.

건안구씨가 말하였다: 육삼은 부드러운 음이면서 알맞지 않기 때문에 아래에 있는 양에게 다가와서 망령되게 기뻐하는 흉함이 있다. 이는 다름이 아니라 부드러운 음으로 굳센 양의 자리에 있어서 자리가 마땅하지 않기 때문이다. '오다[來]'란 되돌아 안으로 감이다.

‖韓國大全‖

송시열(宋時烈) 『역설(易說)』

小象位不當者, 言非其位而來兌, 不當媚而和說也. 然傳義所云, 於兌之復來之意, 似抵捂.

「소상전」에서 말한 "자리가 마땅하지 않기 때문이다"란 제자리가 아닌데도 와서 기뻐하니, 마땅히 아첨하면서 화합하여 기뻐해서는 안 됨을 말한다. 그러나 『정전』과 『본의』에서 '기쁨[兌]'이 되돌아온다는 뜻에서 말한 바는 아마도 어긋나는 듯하다.

김상악(金相岳) 『산천역설(山天易說)』

與臨六三同辭.
림괘(臨卦☷) 육삼의 「소상전」[111]과 말이 같다.

서유신(徐有臣) 『역의의언(易義擬言)』

說極而不正, 所以來兌也, 不正而來兌, 所以爲凶也.
기쁨이 지극하지만 바르지 않으므로 와서 기뻐하고, 바르지 않으면서 와서 기뻐하므로 흉하게 된다.

심대윤(沈大允) 『주역상의점법(周易象義占法)』

其說附己者, 非己有也, 故曰位不當也.
기쁨이 자기에게 붙는 것은 자기가 소유한 것이 아니기 때문에 "자리가 마땅하지 않기 때문이다"라고 하였다.

오치기(吳致箕) 「주역경전증해(周易經傳增解)」

處不中正非正應, 而妄求私說, 凶之道也.
중정하지 못하고 정응이 아닌 곳에 있으면서 망령되게 사사로운 기쁨을 구하니, 흉한 도이다.

이병헌(李炳憲) 『역경금문고통론(易經今文考通論)』

王曰, 來求說者也. 陰柔非正.[112]
왕필이 말하였다: 와서 기쁨을 구하는 자이다. 부드러운 음이며 바름이 아니다.

---

111) 『周易 · 臨卦』: 六三, 象曰, 甘臨, 位不當也, 旣憂之, 咎不長也.
112) 『주역정의(周易正義) · 태괘(兌卦☱)』에는 "以陰柔之質, 履非其位. 來求說者也. 非正而求說, 邪佞者也."라고 되어 있어 여기와는 다소 다르다.

九四, 商兌未寧, 介疾, 有喜.

정전 구사는 기뻐함을 헤아려 편안하지 못하니, 절개를 지켜 사악함을 미워하면, 기쁨이 있으리라.

九四, 商兌, 未寧, 介疾, 有喜.

본의 구사는 기뻐함을 헤아려 편안하지 못하지만, 절개를 지켜 사악함을 미워하니, 기쁨이 있으리라.

中國大全

傳

四上承中正之五, 而下比柔邪之三, 雖剛陽而處非正. 三, 陰柔, 陽所說也, 故不能決而商度未寧, 謂擬議所從而未決, 未能有定也. 兩間, 謂之介, 分限也. 地之界則加田, 義乃同也. 故人有節守, 謂之介, 若介然守正而疾遠邪惡則有喜也. 從五, 正也, 說三, 邪也. 四近君之位, 若剛介守正, 疾遠邪惡, 將得君以行道, 福慶及物, 爲有喜也. 若四者, 得失未有定, 繫所從耳.

사효는 위로 중정한 오효를 받들고 아래로는 부드럽고 사특한 삼효와 비(比)의 관계에 있으며, 비록 굳센 양이지만 있는 곳이 바르지 않다. 삼효는 부드러운 음으로 양이 기뻐하는 바이기 때문에 결단하지 못하고 헤아려서 편안하지 못하니, 따라갈 바를 헤아리고 의논하지만 결정하지 못하여 정함이 있을 수 없음을 말한다. 둘 사이를 '계(介)'라고 하니, 나눈 한계이다. 땅의 경계[界]에서는 '전(田)' 자를 더하였으니, 뜻이 같다. 그러므로 사람이 절개와 지킴을 가지고 있는 것을 '개(介)'라고 하니, 만약 굳게 바름을 지켜 사특하고 악함을 미워하고 멀리하면 기쁨이 있게 된다. 오효를 따름이 바름이며, 삼효를 기뻐함은 사특함이다. 사효가 임금의 자리와 가까우므로, 만약 굳세고 절개 있게 바름을 지켜 사특하고 악함을 미워하고 멀리 한다면 장차 임금의 신임을 얻어 도를 행하여 복과 경사가 만물에 미칠 것이니, 기쁨이 있게 된다. 사효와 같은 자는 얻고 잃음에 정해진 것이 없으니, 자신이 따르는 바에 매어 있을 뿐이다.

本義

四上承九五之中正, 而下比六三之柔邪, 故不能決而商度所說, 未能有定. 然質本陽剛, 故能介然守正而疾惡柔邪也, 如此則有喜矣. 象占如此, 爲戒深矣.

사효는 위로 중정한 구오를 받들고 아래로는 부드럽고 사악한 육삼과 비(比)의 관계에 있기 때문에 결단할 수 없고 기뻐할 바를 헤아려서 정함이 있을 수 없다. 하지만 자질이 본래 굳센 양이기 때문에 굳게 바름을 지키고 부드럽고 사악함을 미워하니, 이와 같이 하면 기쁨이 있다. 상과 점이 이와 같으니, 경계함이 깊다.

小註

朱子曰, 兌巽卦爻辭, 皆不端的, 可以移上移下, 如剝卦之類, 皆確定移不得, 不知是如何. 如和兌商兌之類, 皆不甚親切.

주자가 말하였다: 태괘(兌卦☱)와 손괘(巽卦☴)의 효사는 모두 명확하지 않아 위로 옮겨질 수도 있고 아래로 옮겨질 수도 있으며, 박괘(剝卦☶)와 같은 부류는 모두 확정적이어서 옮길 수 없으니, 이는 어째서인지 알지 못하겠다. "화합하여 기뻐함"과 "기뻐함을 헤아림"과 같은 부류는 모두 매우 친절하지 않다.

○ 進齋徐氏曰, 天下之理, 是非不兩立, 公私不竝行, 好善則疾惡, 從正則遠邪, 此君子小人之分也. 然邪念未易去也, 自非介然剛特有守之君子, 鮮不爲邪柔之所移奪, 一牽於柔, 則將淪胥而爲小人之歸矣, 豈不可畏哉. 況夫以陽剛之才處近君之位, 詔王以八柄馭臣者也. 所以奔走服役於其下而求說於我者, 无所不至, 況又與之親比者乎. 商兌未寧, 正天理人欲公私界限處, 不可不審所從也. 聖人以介疾有喜言之, 所以開示正道, 隄防邪心, 其意切矣.

진재서씨가 말하였다: 천하의 이치는 옳고 그름이 양립하지 않고 공(公)과 사(私)가 같이 행해질 수 없어서, 선을 좋아하면 악을 미워하고 바름을 좇으면 사악함을 멀리하니, 이는 군자와 소인이 나뉘는 이유이다. 그러나 사악한 생각은 쉽게 없어지지 않아, 스스로 의지가 굳게 굳세고 바르게 지키는 바를 가지고 있는 군자가 아니라면 사악하고 부드러움에 의하여 옮겨지거나 빼앗기지 않는 경우가 드물어, 한 번이라도 부드러움에 이끌린다면 장차 서로 빠져서 소인이 돌아가는 바가 되니, 어찌 두려워하지 않을 수 있겠는가? 하물며 굳센 양의 자질로 임금과 가까운 자리에 있어서 팔병(八柄)[113]을 가지고 왕에게 아뢰고 신하들을 통제

113) 팔병(八柄): 『주례(周禮)・대재(大宰)』에 의하면, 벼슬・녹봉・하사한 것・감옥・삶・빼는 것・폐하는 것・견책 등이다.

하는 자[114]에 있어서랴! 그 아래에서 분주하게 복역하여 나에게 기쁨을 구하는 자는 이르지 않는 곳이 없으니, 하물며 또한 그와 가까운 자에 있어서랴! “기뻐함을 헤아려 편안하지 못하다”란 바로 천리와 인욕, 공과 사의 경계에서 따를 바를 살피지 않을 수 없다는 것이다. 성인(聖人)은 “절개를 지켜 사악함을 미워하니, 기쁨이 있으리라”라고 말하여 이로써 바른 도를 열어 보이고 사악한 마음을 막았으니, 그 뜻이 절실하다.

○ 雲峯胡氏曰, 九四介乎三五之間, 商兌而未寧, 必舍三從五, 截然有限, 介然有守, 疾邪如此, 有喜矣. 蓋位柔有商兌之象, 質剛又有介疾之象. 或能如此, 則三雖欲爲之疾, 可有喜矣. 疾與喜相反, 无妄之疾, 損其疾, 皆以有喜言.
운봉호씨가 말하였다: 구사는 삼효와 오효 사이에 끼어서 기뻐함을 헤아려 편안하지 못하니, 반드시 삼효를 버리고 오효를 따라서 확실하게 한정함을 두고 굳게 지키는 바를 두어 사악함을 미워하기를 이와 같이 하여야 기쁨이 있게 된다. 자리가 부드러운 음이어서 “기뻐함을 헤아리는” 상이 있고, 자질이 굳세서 또한 “절개를 지켜 사악함을 미워하는” 상이 있다. 혹 이와 같이 할 수 있다면, 삼효가 비록 이 때문에 그를 미워하고자 하더라도 기쁨이 있을 수 있다. 미워함과 기쁨은 서로 반대가 되니, ‘무망의 병’[115]과 “그 병을 덜어냄”[116]은 모두 기쁨이 있다는 것으로 말하였다.

韓國大全

송시열(宋時烈) 『역설(易說)』

商者, 商量不決也. 兌爲決, 則似當決而不決[117]者, 商量故也. 有坎勞之象, 故曰未寧曰疾. 蓋商量而至於勞心, 若分別其坎疾, 不以坎疾亂其中, 則終必有兌悅之道, 故曰介疾. 有喜言悅之極而至於慶, 故小象云有慶也.

114) 『周禮 · 大宰』: 以八柄, 詔王馭群臣.
115) 『周易 · 兌卦』: 九五, 无妄之疾, 勿藥, 有喜.
116) 『周易 · 損卦』: 六四, 損其疾, 使遄, 有喜, 无咎.
117) 決: 경학자료집성 영인본에는 ‘抉’로 되어 있고, 경학자료집성DB에는 ‘快’로 되어 있으나, 문맥을 살펴 ‘決’로 바로 잡았다.

'헤아리다[商]'란 헤아려 생각하느라 결단하지 못함이다. 태괘(兌卦☱)는 결단함이 되니 마땅히 결단할 듯하지만 결단하지 못하는 것은 헤아리기 때문이다. 어려움 속에서 애를 쓰는 상이 있기 때문에 "편안하지 못하다"고 하였고, '질병[疾]'이라고 하였다. 헤아려 생각하느라 마음을 수고롭게 하는 데에 이르니, 만약 어려움과 질병을 분별하여 어려움과 질병이 마음을 어지럽히지 못하게 한다면, 끝내 기뻐하는 도가 반드시 있게 되기 때문에 "질병을 분별하다"라고 하였다. "기쁨이 있으리라"는 기쁨이 지극하여 경사에 이름을 말하기 때문에 「소상전」에서 "경사가 있기 때문이다"라고 하였다.

홍여하(洪汝河) 「책제(策題): 문역(問易) · 독서차기(讀書箚記)-주역(周易)」[118]

兌, 九四, 介疾, 有喜.
태괘(兌卦䷹) 구사에서 말하였다: 절개를 지켜 사악함을 미워하니, 기쁨이 있으리라.

兌, 有交鬼神之義, 疾病行禱而得瘳也. 損之六[119]四曰, 損疾有喜, 詩曰以介景福.
태괘(兌卦☱)에는 귀신과 교류하는 뜻이 있으니, 병이 들었을 때에 기도를 행하여 나을 수 있다. 손괘(損卦䷨) 구사에서 "그 병을 덜어내는데 기쁨이 있다"[120]고 하였고, 『시경(詩經)』에서는 "큰 복을 크게 한다"[121]라고 하였다.

이익(李瀷) 『역경질서(易經疾書)』

商兌, 商量未定之說也. 雖說乎上六之陰, 陰在事外, 非比非應, 故商量未定. 未寧者, 志不安也, 與九二信志相反, 上六之引, 亦爲此故也. 疾, 病也. 易中多於巽言疾, 无妄 · 遯 · 豊 · 鼎可證. 九四亦互巽也. 此云者, 欲進未進, 憂虞成疾. 介疾者, 分別而知其當否也. 大傳云, 憂悔吝者, 存乎介, 謂悔吝將萌, 分別其當否也. 四居兩卦之間, 故有此象. 喜者, 疾之瘳, 无妄之五, 損之四, 皆可證也. 始焉商量, 畢竟分介而疾瘳, 豈非有慶乎.
'기뻐함을 헤아리다[商兌]'는 헤아려 결정하지 못한다는 말이다. 비록 상육의 음에 대해 기뻐하지만 음이 일 밖에 있고 비(比)의 관계도 아니며 호응도 아니기 때문에 기뻐함을 헤아려

---

118) 경학자료집성DB에서는 태괘 「단전」에 해당하는 것으로 분류했으나, 내용에 살펴 이 자리로 옮겨 바로잡았다.
119) 六: 경학자료집성DB와 영인본에 모두 '九'로 되어 있으나, 문맥을 살펴 '六'으로 바로 잡았다.
120) 『周易 · 損卦』: 六四, 損其疾, 使遄, 有喜, 无咎.
121) 『詩經 · 楚茨』: 楚楚者茨, 言抽其棘. 自昔何爲, 我藝黍稷. 我黍與與, 我稷翼翼. 我倉旣盈, 我庾維億. 以爲酒食, 以饗以祀, 以妥以侑, 以介景福. '이개경복(以介景福)'은 이 곳 이외에도 4곳에 더 보인다.

서 생각을 하느라 결정하지 못한다. '편안하지 못함'이란 뜻이 불안한 것이니, 구이 「소상전」의 "믿음을 주기 때문이다"[122]와 상반되며 상육이 끌어당김도 또한 이 때문이다. '질(疾)'은 질병이다. 『주역』 가운데에는 손괘(巽卦☴)에서 '질(疾)'을 말하는 경우가 많으니, 무망괘(无妄卦䷘)[123] · 돈괘(遯卦䷠)[124] · 풍괘(豊卦䷶)[125] · 정괘(鼎卦䷱)[126]에서 증명할 수 있다. 구사도 또한 호괘가 손괘(巽卦☴)이다. 여기서 말하는 것은 나아가고자 하지만 나아가지 못하여 근심하고 걱정하여 병이 됨을 말한다. '개질(介疾)'이란 분별하여 마땅하고 마땅하지 않음을 아는 것이다. 「계사전」에서 "뉘우치고 인색함을 근심함은 변별[介]에 있다"[127]라고 하였으니, 뉘우침과 인색함이 장차 싹틀 때에 마땅하고 마땅하지 않음을 분별한다는 말이다. 사효는 두 괘의 사이에 있기 때문에 이러한 상이 있다. '기쁨'이란 질병이 치료됨이니, 무망괘(无妄卦)의 오효[128]와 손괘(損卦)의 사효[129]가 모두 증명할 수 있다. 처음에는 헤아리다가 끝에서는 분별하여 질병이 나으니, 어찌 경사가 있음이 아니겠는가?

심조(沈潮) 「역상차론(易象箚論)」

商兌未寧, 志柔也, 介疾有喜, 質剛也. 下兌盡, 上兌繼, 故喜字中口字重疊, 此亦麗澤之象也.

"기뻐함을 헤아려 편안하지 못함"은 뜻이 유약한 것이고, "절개를 지켜 사악함을 미워하면 기쁨이 있음"은 바탕이 굳센 것이다. 하괘인 태괘(兌卦☱)는 다하였지만 상괘인 태괘(兌卦☱)가 이었기 때문에 '희(喜)'자는 가운데에 '입[口]'이 중첩되었으니, 이 또한 걸려 있는 못[澤]의 상이다.

유정원(柳正源) 『역해참고(易解參攷)』

厚齋馮氏曰, 兌正秋, 中二爻當八月之氣, 故因取商象.

후재풍씨가 말하였다: 태괘(兌卦☱)는 중추(仲秋)이니, 가운데 두 효는 팔월의 기(氣)에 해당하기 때문에 인하여 '가을[商]'의 상을 취하였다.

---

122) 『周易 · 兌卦』: 九二, 象曰, 孚兌之吉, 信志也.
123) 『周易 · 无妄卦』: 九五, 无妄之疾, 勿藥, 有喜.
124) 『周易 · 遯卦』: 九三, 係遯. 有疾, 厲, 畜臣妾, 吉.
125) 『周易 · 遯卦』: 九三, 係遯. 有疾, 厲, 畜臣妾, 吉.
126) 『周易 · 鼎卦』: 九二, 鼎有實, 我仇有疾, 不我能卽, 吉.
127) 『周易 · 繫辭傳』: 憂悔吝者, 存乎介, 震无咎者, 存乎悔, 是故, 卦有小大, 辭有險易, 辭也者, 各指其所之.
128) 『周易 · 无妄卦』: 九五, 无妄之疾, 勿藥, 有喜.
129) 『周易 · 損卦』: 六四, 損其疾, 使遄, 有喜, 无咎.

○ 平庵項氏曰, 介, 人守以爲限別. 豫六二自別, 故爲介石, 晉六二守中正, 以俟上之明, 卒受其福, 故爲介福, 此爻守不正之位不動, 故爲介疾.
평암항씨가 말하였다: '개(介)'는 사람이 지켜서 한계를 지은 구별로 삼는 것이다. 예괘(豫卦䷏) 육이는 스스로를 분별하기 때문에 절개가 돌이 되었고[130], 진괘(晉卦䷢) 육이는 중정함을 잘 지켜 상효의 밝음을 기다려 끝내 복을 받기 때문에 큰 복[介福]이 되었으며[131], 여기서는 효가 바르지 않은 자리를 지켜 움직이지 않기 때문에 절개의 질병[介疾]이 되었다.

○ 案, 商度未寧, 陰柔猶豫之象, 介正疾惡, 陽剛夬斷之象.
내가 살펴보았다: 헤아려서 편안하지 못함은 부드러운 음이어서 망설이며 결행하지 못하는 상이고, 바름을 지켜 악을 미워함은 굳센 양이어서 결단하는 상이다.

小註, 進齋說, 八柄.
소주에서 진재서씨가 말하였다: 팔병(八柄)
〈周禮, 爵·祿·予·置·生·奪·廢·誅.
『주례(周禮)·대재(大宰)』에서 벼슬·녹봉·하사한 것·지위를 올려줌·봉양·몰수·추방·견책이라고 하였다.[132]〉

김상악(金相岳) 『산천역설(山天易說)』

九四, 以陽居陰, 承五而比三, 互爲巽坎, 故有商度所說, 未能自安之象. 然異體不交, 故雖介疾, 與五相合而有喜, 憂悔吝者存乎介, 是也.
구사는 양으로 음의 자리에 있으며, 오효를 받들고 삼효와 비(比)의 관계에 있고, 호괘가 손괘(巽卦☴)와 감괘(坎卦☵)가 되기 때문에 기뻐하는 바를 헤아리느라 스스로 편안해질 수 없는 상이 있다. 그러나 다른 몸체와 교류하지 않기 때문에 비록 병을 구분하여 경계를 짓지만 오효와 서로 부합하여 기쁨이 있게 되니, "뉘우치고 인색함을 근심함은 경계[介]에 있다"[133]는 것이 이것이다.

○ 巽爲進退不果商之象, 坎心病未寧之象. 四居三五之間, 是天理人欲之界, 而自審其所從者, 故曰商兌未寧. 疾陰柔之疾, 四之與三異體相比, 故曰介疾, 喜者, 兌之說

130) 『周易·豫卦』: 六二, 介于石. 不終日, 貞吉.
131) 『周易·晉卦』: 六二, 晉如愁如, 貞, 吉, 受玆介福于其王母.
132) 『周禮·大宰』以八柄詔王馭群臣, 一曰爵, 以馭其貴, 二曰祿, 以馭其富, 三曰予, 以馭其幸, 四曰置, 以馭其行, 五曰生, 以馭其福, 六曰奪, 以馭其貧, 七曰廢, 以馭其罪, 八曰誅, 以馭其過.
133) 『周易·繫辭傳』: 憂悔吝者, 存乎介, 震无咎者, 存乎悔, 是故, 卦有小大, 辭有險易, 辭也者, 各指其所之.

也, 有喜與无妄九五, 損六四同, 皆疾瘳之辭也. 四變爲節, 節之四曰安節亨, 雖商兌未寧, 能承上之道, 則雖介疾而有喜, 有喜則安而亨矣. 此爻之象, 與鼎之二曰我仇有疾, 不我能卽, 吉, 互見其象.
손괘(巽卦☴)는 나아가고 물러남에 결단하지 못하여 헤아리는[商] 상이 되고, 감괘(坎卦☵)는 마음의 병이 있어서 편안하지 못한 상이다. 사효는 삼효와 오효의 사이에 있으니, 이는 천리(天理)와 인욕(人欲)의 경계에서 스스로 따를 바를 살피는 것이기 때문에 "기뻐함을 헤아려서 편안하지 못하다"라고 하였다. '질병[疾]'은 부드러운 음의 질병이니, 사효가 삼효와 다른 몸체지만 서로 비(比)의 관계에 있기 때문에 '병을 구분하여 경계를 짓는다[介疾]'라고 하였다. '기쁨[喜]'이란 태괘(兌卦☱)의 기쁨이고, "기쁨이 있다[有喜]"는 무망괘(无妄卦䷘)의 구오[134]와 손괘(損卦䷨)의 육사[135]와 같으니, 모두 질병이 낫는다는 말이다. 사효가 변하면 절괘(節卦䷻)가 되고, 절괘(節卦)의 사효에서 "편안하게 절제하니 형통하다"[136]고 하였으니, 비록 헤아려서 편안하지 못하더라도 위를 받드는 도를 잘 할 수 있다면 비록 병을 구분하여 경계를 짓더라도 기쁨이 있고, 기쁨이 있으면 편안하여 형통하게 된다. 이 효의 상은 정괘(鼎卦䷱)의 이효에서 "나의 상대가 병이 있으니, 나에게 오지 못하게 하면 길할 것이다"[137]라고 한 것과 서로 그 상을 찾아 볼 수 있다.

서유신(徐有臣) 『역의의언(易義擬言)』

處兩兌之間, 有商量所說之象也. 居不當位, 商量未定, 故未寧也. 介者, 判而二之, 辨別分明之謂也. 在上下之際, 辨別之象也. 疾, 謂三之邪害, 左傳曰, 天去其疾也. 商量旣定, 介疾而不與說矣, 初爻[138]和兌, 有相與之喜也.
두 태괘(兌卦☱)의 사이에 있으니, 기뻐하는 바를 헤아리는 상이 있다. 마땅하지 않은 자리에 있어 헤아려서 아직 정하지 않기 때문에 아직 편안하지 않다. '개(介)'란 판별하여 둘로 나누는 것이니, 변별함이 분명함을 말한다. 상괘와 하괘의 사이에 있으니, 변별하는 상이다. '질(疾)'이란 삼효의 사악하고 해로움을 말하니, 『춘추좌씨전』에서 "하늘이 해로움을 제거하였다"[139]라고 하였다. 헤아림이 이미 정해지면 사악하고 해로움을 분별하여 함께 기뻐하지 않고, 초효에서 말하는 "화합하여 기뻐함이다"[140]에는 서로 함께하는 기쁨이 있다.

---

134) 『周易 · 无妄卦』: 九五, 无妄之疾, 勿藥, 有喜.
135) 『周易 · 損卦』: 六四, 損其疾, 使遄, 有喜, 无咎.
136) 『周易 · 節卦』: 六四, 安節, 亨.
137) 『周易 · 鼎卦』: 九二, 鼎有實, 我仇有疾, 不我能卽, 吉.
138) 爻: 경학자료집성DB와 영인본에 모두 '六'으로 되어 있으나, 문맥을 살펴 '爻'로 바로 잡았다.
139) 『春秋左氏傳 · 桓公』 8년: 鬪伯比曰, 天去其疾矣, 隨未可克也.

박제가(朴齊家) 『주역(周易)』

如損之損其疾, 无妄之疾, 皆病也. 此之介疾, 亦病也, 介, 大也, 言大病而有瘳也, 所以曰未寧. 進齋徐氏曰, 商兌未寧, 正天理人欲公私界限處, 不可不審所從也, 其論甚正, 於爻義亦當. 但不必以介爲介然有守, 而疾爲疾惡柔邪也. 單著商字說亦好, 然此商之未寧, 非商之於幾之先者也, 乃商之於事之後者, 故曰介疾而後有喜.
손괘(損卦☶)에서의 "그 병을 덜어내다"[141]에서의 '질(疾)'과 무망괘(无妄卦☰)에서의 '무망(无妄)의 병'[142]에서의 '질(疾)'은 모두 병(病)이다. 여기서의 '개질(介疾)'에서 '질(疾)'도 또한 병이고 '개(介)'는 큼이니, 병이 크지만 낫게 됨을 말하기 때문에 "아직 편안하지 않다"라고 하였다. 진재서씨가 말하기를 "'기뻐함을 헤아려 편안하지 못함'은 바로 천리와 인욕, 공과 사의 경계에서 따를 바를 살피지 않을 수 없다는 것이다"라고 하였는데 그 논의가 매우 바르고, 효의 뜻에서도 또한 마땅하다. 단지 반드시 '개(介)'를 굳게 바름을 지킨다는 뜻으로 삼고, '질(疾)'을 부드럽고 사악함을 미워한다는 뜻[143]으로 삼을 필요는 없다. 단지 '상(商)'자만을 드러내는 설명도 또한 좋지만, 여기서 헤아림이 아직 편안하지 않은 것은 기미에 앞서서 헤아리는 것이 아니라, 일의 뒤에서 헤아리는 것이기 때문이므로 큰 병이지만 뒤에 기쁨이 있다고 말하였다.

윤행임(尹行恁) 『신호수필(薪湖隨筆) · 역(易)』

九四, 易事而難說者, 上六, 易說而難事者. 說之易者, 怒之亦易.
구사는 섬기기는 쉬워도 기쁘게 하기는 어려운 자이고, 상육은 기쁘게 하기는 쉬워도 섬기기는 어려운 자이다. 기쁘게 하기가 쉬운 자는 화를 내도록 하기도 또한 쉽다.

강엄(康儼) 『주역(周易)』

按, 豫樂, 兌說, 其義相近. 然豫之六二, 柔中得正, 處衆樂之中, 而能介然自守, 其固如石, 故不待終日而能見幾, 兌之九四, 上承九五下比六三, 而質本陽剛, 故能介然守正, 而疾惡柔邪. 聖人於豫兌二卦必言介者, 以豫說人之所易失正者 故特戒之, 而柳下惠之和而能介, 所以見稱於孟子者也.

---

140) 『周易 · 兌卦』: 初九, 和兌, 吉.

141) 『周易 · 損卦』: 六四, 損其疾, 使遄, 有喜, 无咎.

142) 『周易 · 无妄卦』: 九五, 无妄之疾, 勿藥, 有喜.

143) 『周易傳義大全 · 兌卦 · 本義』: 四上承九五之中正, 而下比六三之柔邪, 故不能決而商度所說, 未能有定. 然質本陽剛, 故能介然守正而疾惡柔邪也, 如此則有喜矣. 象占如此, 爲戒深矣.

내가 살펴보았다: '예(豫)'는 즐거움이고 '태(兌)'는 기쁨이니, 그 뜻이 서로 가깝다. 그러나 예괘(豫卦☳☷)의 육이는 부드러운 음이 알맞고 바름을 얻어 여러 즐거움 가운데에 있어서 굳게 스스로를 지킬 수 있음이 그 굳기가 돌과 같기 때문에 날이 저물도록 기다리지 않고도 기미를 볼 수가 있다[144]. 태괘(兌卦☱☱)의 구사는 위로 구오를 받들고 아래로 육삼과 비(比)의 관계에 있으며 바탕이 본래 굳센 양이기 때문에 굳게 바름을 지켜 부드럽고 사악함을 미워할 수 있다. 성인(聖人)이 예괘(豫卦☳☷)와 태괘(兌卦☱☱)인 두 괘에서 반드시 '절개[介]'를 말한 것은 즐거워함[豫]과 기뻐함[說]이 사람들이 쉽게 바름을 잃게 하는 것이기 때문에 특별히 경계시킨 것이어서, 유하혜(柳下惠)는 화합하면서도[145] 절개를 지킬 수 있었기[146] 때문에 맹자(孟子)에게서 칭찬을 받았다.

이지연(李止淵)『주역차의(周易箚疑)』

九四, 以豫六二之心, 行随六三之事者也.

구사는 예괘(豫卦☳☷) 육이의 마음[147]으로 수괘(隨卦☱☳) 육삼의 일[148]을 행하는 자이다.

김기례(金箕澧)「역요선의강목(易要選義綱目)」

四近剛中之君, 下比三陰, 則商度其悅道, 而未分邪正, 故未寧. 當以耿介之心, 忌三而就五, 則吉.

사효는 굳세고 알맞은 임금과 가깝고 아래로 삼효인 음과 비(比)의 관계에 있으니, 기뻐하는 도를 헤아리느라 아직 사악함과 바름을 분별하지 않았기 때문에 편안하지 않다. 마땅히 바르고 곧은 마음으로 삼효를 꺼리고 오효로 나아간다면 길하다.

○ 介, 間也, 猶界也. 當分間於邪正, 疾惡而就善, 非君子乎豈有慶.

'개(介)'는 사이이니, '경계[界]'와 같다. 마땅히 사악함과 바름을 분간하여 악을 미워하고 선으로 나아가야 하니, 군자가 아니라면 어찌 경사가 있겠는가?

---

144)『周易·豫卦』: 六二, 介于石. 不終日, 貞吉.

145)『孟子·萬章』: 孟子曰, 伯夷, 聖之淸者也, 伊尹, 聖之任者也, 柳下惠, 聖之和者也, 孔子, 聖之時者也.

146)『孟子·盡心』: 孟子曰, 柳下惠, 不以三公易其介.

147)『周易·豫卦』: 六二, 介于石. 不終日, 貞吉.

148)『周易·随卦』: 六三, 係丈夫, 失小子, 随有求得, 利居貞.

심대윤(沈大允)『주역상의점법(周易象義占法)』

兌之節䷻, 限節也. 九四居大臣位, 上逼於五, 而下有三之附從. 居柔而不務求悅于上下, 唯量度可否而行之, 故曰商兌. 兌震坎離有次且變遷之義, 曰商. 不敢以下之悅附而自安也. 唯格君之心, 致之中和, 解民之慍, 躋之康樂, 然後爲能盡善矣, 故曰未寧, 兌艮爲未寧. 四逼于五, 而同物情不交通, 故曰介疾. 介逼居而不變其守也. 離爲介, 坎爲疾. 九四以道事君, 不以疑逼不通而諂媚求悅, 能自限節介然守正, 終得九五之誠悅信任, 故曰有喜, 坎兌爲喜. 九四澤之有堤堰而不決也.

태괘가 절괘(節卦䷻)로 바뀌었으니, 한정하여 절제하는 것이다. 구사는 대신(大臣)의 자리에 있는데 위로는 오효와 아주 가깝고 아래로는 삼효가 가까이 붙어서 따라 다닌다. 부드러운 음의 자리에 있으면서 위와 아래에서 기뻐함을 구하는 데에 힘쓰지 않고 오직 가부(可否)를 헤아려 행동하기 때문에 "기뻐함을 헤아린다"라고 하였다. 태괘(兌卦䷹)와 진괘(震卦䷲)와 감괘(坎卦䷜)와 리괘(離卦䷝)에는 바뀌고 옮기기를 머뭇거리는 뜻이 있으니, '헤아리다[商]'라고 하였다. 감히 아래가 기뻐하면서 가까이 붙어서 따라 다님을 가지고 스스로 편안해하지 않는다. 오직 임금의 마음을 바로잡아 중화(中和)한 데에 이르도록 하고, 백성의 분노를 풀어주어 편안하고 즐거운 데에 오르도록 한 후에 선(善)을 다할 수 있게 되기 때문에 "아직 편안하지 않다[未寧]"고 하였으니, 태괘(兌卦☱)와 간괘(艮卦☶)가 '아직 편안하지 않음'이 된다. 사효는 오효와 아주 가깝고 같은 양인데도, 정(情)이 서로 통하지 않기 때문에 "절개를 지켜 사악함을 미워한다"라고 하였다. '개(介)'는 아주 가깝게 거처하고 있으면서도 자신이 지키는 바를 바꾸지 않는 것이다. 리괘(離卦☲)는 '절개[介]'가 되고 감괘(坎卦☵)는 '미워함[疾]'이 된다. 구사는 도로써 임금을 섬겨, 가깝게 있다고 의심을 받거나 통하지 않는다는 이유로 아첨하여 기뻐함을 구하지 않고, 스스로 한정하고 절제하여 굳게 바름을 지킬 수 있어서 끝내 구오가 진심으로 기뻐함과 신임을 얻게 되기 때문에 "기쁨이 있으리라"라고 하였으니, 감괘(坎卦☵)와 태괘(兌卦☱)가 기쁨이 된다. 구사는 못[澤]에 제방이 있는 것이어서 터지지 않는다.

오치기(吳致箕)「주역경전증해(周易經傳增解)」

九四, 以剛居柔, 而處上下之間, 上承九五之中正, 下比六三之柔邪, 雖有陽剛之才, 而居不得正, 故未能決其所說而商度, 乃至其心不寧. 然從正則遠邪, 好善則疾惡, 卽君子小人之分, 故戒言若能介然自守而疾遠陰邪, 從君行道而福慶及物, 則當有喜也.

구사는 굳센 양으로 부드러운 음의 자리에 있으면서 상괘와 하괘의 사이에 있으며, 위로는 중정한 구오를 받들고 아래로는 부드럽고 사악한 육삼과 비(比)의 관계에 있어서, 비록 굳센 양의 자질을 가지고 있지만 거처가 바른 자리를 얻지 못하기 때문에 기뻐하는 바를 결단할 수 없어서 헤아리느라 곧 그 마음이 편안하지 않는 데에 이른다. 그러나 바름을 좇으면 사악함을 멀리하고 선을 좋아하면 악을 미워하는 것은 군자와 소인의 구분되는 이유이기 때문에, 만약 굳게 스스로를 지켜 음의 사악함을 미워하고 멀리하며 임금을 좇아 도를 행하여 복과 경사가 다른 사람들에게 미치게 할 수 있다면 마땅히 기쁨이 있게 된다고 경계하여 말하였다.

○ 商謂商度, 而互巽爲不果, 故言商度也. 未寧謂不安, 而變坎爲加憂, 故言未寧也. 居于兩間謂之介, 而有介然自守之義也. 疾者, 憎惡之心, 取於互離, 喜取於兌.
'상(商)'은 헤아려 생각함[商度]을 말하니, 호괘인 손괘(巽卦☴)는 과단하지 못함이 되기 때문에 헤아려 생각함을 말하였다. '편안하지 못함'은 불안함을 말하니, 호괘가 변한 감괘(坎卦☵)는 걱정을 더함이 되기 때문에 '편안하지 못함'을 말하였다. 둘 사이에 있음을 '개(介)'라고 하니, 굳게 스스로를 지키는 뜻이 있다. '질(疾)'이란 증오하는 마음이니 호괘인 리괘(離卦☲)에서 취하였고, '기쁨'은 태괘(兌卦☱)에서 취하였다.

이진상(李震相) 『역학관규(易學管窺)』

商兌.
기쁨을 헤아리다.
先儒以商兌之商, 擬之於秋令律中之商, 此尤可駭. 若爾則姤其角, 當言於震之九四, 漸之羽, 當言於坎之六四耶.
이전의 학자들은 '상태(商兌)'에서의 '상(商)'을 가을철 율(律)에 맞는 '상(商)'[149]에 견주었으니, 이는 더욱 놀랄만하다. 만약 이와 같다면 구괘(姤卦䷫)의 '그 뿔[其角]'[150]은 마땅히 진괘(震卦䷲)의 구사[151]에 대해서 말한 것이고, 점괘(漸卦䷴)에서의 '날개[羽]'[152]는 마땅히 감괘(坎卦䷜)의 육사[153]에 대해서 말한 것인가?

○ 介疾有喜.
절개를 지켜 사악함을 미워하면, 기쁨이 있으리라.
雲峰以損其疾, 无妄之疾, 比擬於介疾, 甚牽强. 此是疾邪之疾, 彼是疾病之疾, 苟如其

149) 이러한 내용은 『예기(禮記)·월령(月令)』에 보인다.
150) 『周易·姤卦』: 上九, 姤其角, 吝, 无咎.
151) 『周易·震卦』: 九四, 震, 遂泥.
152) 『周易·漸卦』: 上九, 鴻漸于陸, 其羽可用爲儀, 吉.
153) 『周易·坎卦』: 六四, 樽酒簋貳, 用缶, 納約自牖, 終无咎.

說, 則君人疾惡之, 正反做病痛耶.
운봉호씨는 "그 병을 덜어냄"[154]과 '무망의 병'[155]을 '개질(介疾)'에 견주었으니, 더욱 견강부회하였다. 여기서는 '사악함을 미워하다[疾邪]'의 '미워함[疾]'이 되고 저기서는 '질병(疾病)'의 '질(疾)'이 되니, 만약 그 설명과 같다면 임금과 사람들이 미워하는 것이 도리어 바로 병통이 되는가?

박문호(朴文鎬) 「경설(經說)・주역(周易)」

地之分限爲界, 其爲字, 加田於介上.
땅을 나누어 한정하는 것을 '계(界)'라고 하니, 이 글자는 '개(介)'자 위에 '전(田)'자를 더한 것이다.

154) 『周易・損卦』: 六四, 損其疾, 使遄, 有喜, 无咎.
155) 『周易・兌卦』: 九五, 无妄之疾, 勿藥, 有喜.

象曰, 九四之喜, 有慶也.

「상전」에서 말하였다: 구사의 기쁨은 경사가 있기 때문이다.

中國大全

傳

所謂喜者, 若守正而君說之, 則得行其剛陽之道而福慶及物也.

이른바 '기쁘다'란 만약 바름을 지켜 임금이 기뻐하면 굳센 양의 도를 행하여 복과 경사가 만물에 미칠 수 있다는 것이다.

小註

中溪張氏曰, 九四之質本剛, 苟能介然自守而釋其疑疾, 使說媚之小人不能爲我之病, 則上承九五之中正而得君臣相說之道, 豈不有喜而有慶乎.

중계장씨가 말하였다: 구사의 자질은 본래 굳세므로, 진실로 굳게 스스로를 지켜 그 '의심과 미움'[156]을 풀어낼 수 있어서 기뻐하면서 아첨하는 소인이 나의 병이 될 수 없도록 한다면, 위로 중정한 구오를 받들어 임금과 신하가 서로 기뻐하는 도를 얻게 되니, 어찌 기쁨과 경사가 없을 수 있겠는가?

○ 誠齋楊氏曰, 六三者, 君心之膏肓也. 九四者, 膏肓之鍼艾也. 故九四者, 六三之所甚不喜也. 六三不喜, 則九四有喜矣, 非九四之私喜也, 天下國家之大慶也.

성재양씨가 말하였다: 육삼이란 임금의 심장에 병이 나면 가장 고치기 어려운 곳[膏肓][157]

156) 『周易 · 豊卦』: 六二, 豊其蔀, 日中見斗, 往得疑疾, 有孚發若, 吉.

157) 고황(膏肓): 심장과 횡격막 사이의 부분. 고(膏)는 가슴 밑의 작은 비계, 황(肓)은 가슴 위의 얇은 막(膜)을 가리킴. ①이곳에 병이 침입하면 쉽게 낫기 어렵다고 하여 잘 낫지 않는 고질병을 가리킴. ②오래되어 고치기 어려운 고질적인 병폐를 의미하기도 함. ③사물의 중요한 부분이나 관건(關鍵)을 말하기도 함.(『한국고전용어사전』, 2001. 세종대왕기념사업회.)

이다. 구사란 '고황(膏肓)'을 치료하는 것이다. 그러므로 구사란 육삼이 매우 기뻐하지 않는 바이다. 육삼이 기뻐하지 않으면 구사는 기쁨이 있게 되니, 구사의 사사로운 기쁨이 아니라 천하 국가의 큰 경사이다.

韓國大全

유정원(柳正源) 『역해참고(易解參攷)』

有慶也.
경사가 있기 때문이다.

案, 疾惡而從正, 人情之所好也. 守正而行道, 君子之所樂也. 又况君臣相說, 利澤及物, 則豈獨一己之私喜哉. 天下之福慶也.
내가 살펴보았다: 악을 미워하고 바름을 좇음은 인정(人情)이 좋아하는 바이고, 바름을 지키고 도를 행함은 군자가 즐거워하는 바이다. 또한 하물며 임금과 신하가 서로 기뻐하여 이로움과 은택이 다른 사람에게 미친다면 어찌 홀로 자기 한 사람의 사사로운 기쁨이겠는가? 천하의 복과 경사이다.

김상악(金相岳) 『산천역설(山天易說)』

雖介于陰邪之疾, 能商度而絶去之, 承助其陽剛之君, 不但爲一身之喜, 乃天下國家之慶也. 爻曰有喜, 象曰有慶, 與大畜四五, 相似.
비록 사특한 음이라는 병에 끼어있더라도 헤아려서 끊어버릴 수 있어서 굳센 양인 임금을 받들어 돕는다면, 자신의 기쁨이 될 뿐만이 아니라 곧 천하와 국가의 경사가 된다. 효사에서는 "기쁨이 있으리라"고 하였고 「소상전」에서는 "경사가 있기 때문이다"라고 하였으니, 대축괘(大畜卦☶)의 사효[158] 및 오효와[159] 서로 유사하다.

158) 『周易 · 大畜卦』: 六四, 童牛之牿, 元吉. ; 象曰, 六四元吉, 有喜也.
159) 『周易 · 大畜卦』: 六五, 豶豕之牙, 吉. ; 象曰, 六五之吉, 有慶也.

서유신(徐有臣) 『역의의언(易義擬言)』

爻言有與初之喜, 象言又有比五之慶, 商量旣定, 而比應陽剛, 同德相說也.
효사에서는 초효와 함께하는 기쁨이 있음을 말하였고 「소상전」에서는 또 오효와 비(比)의 관계에 있는 경사가 있음을 말하였다. 헤아림이 이미 정해져서 굳센 양과 비(比)의 관계에 있고 호응하면 덕을 같이 하고 서로 기뻐한다.

오치기(吳致箕) 「주역경전증해(周易經傳增解)」

若能守正而上從九五之中正, 得君臣相說之道, 則將有福慶及物之喜也.
만약 바름을 지켜 위로 중정한 구오를 따라 임금과 신하가 서로 기뻐하는 도를 얻을 수 있다면, 장차 복과 경사가 다른 사람들에게 미치는 기쁨이 있게 된다.

이병헌(李炳憲) 『역경금문고통론(易經今文考通論)』

鄭曰, 商, 隱度也.
정현(鄭玄)이 말하였다: '상(商)'은 속으로 은근하게 헤아림이다.

王曰, 介, 隔也.
왕필이 말하였다: '개(介)'는 막음[隔]이다.

程傳曰, 介然守正疾遠柔邪, 則有喜.
『정전』에서 말하였다: 만약 굳세게 바름을 지켜 사특하고 악함을 미워하고 멀리 한다면 기쁨이 있게 된다.

按, 先儒或以三爲疾, 亦當考.
내가 살펴보았다: 이전의 학자들은 혹 삼효를 '병[疾]'으로 여긴 듯하니, 또한 마땅히 살펴보아야 한다.

九五, 孚于剝, 有厲.

구오는 양(陽)을 사그라지게 하는 것을 믿으면, 위태로움이 있으리라.

中國大全

傳

九五得尊位而處中正, 盡說道之善矣, 而聖人復設有厲之戒, 蓋堯舜之盛, 未嘗无戒也, 戒所當戒而已. 雖聖賢在上, 天下未嘗无小人. 然不敢肆其惡也, 聖人亦說其能勉而革面也. 彼小人者, 未嘗不知聖賢之可說也, 如四凶, 處堯朝, 隱惡而順命, 是也. 聖人非不知其終惡也, 取其畏罪而强仁耳. 五若誠心信小人之假善爲實善, 而不知其包藏, 則危道也. 小人者, 備之不至, 則害於善, 聖人爲戒之意, 深矣. 剝者, 消陽之名, 陰, 消陽者也, 蓋指上六, 故孚于剝則危也. 以五在說之時而密比於上六, 故爲之戒. 雖舜之聖, 且畏巧言令色, 安得不戒也. 說之惑人, 易入而可懼也如此.

구오는 존귀한 자리를 얻고 중정한 자리에 있으므로 기뻐하는 도의 선(善)함을 다하는 자인데도 성인(聖人)이 다시 "위태로움이 있다"는 경계를 세우니, 요임금과 순임금의 덕이 융성한 때에도 일찍이 경계가 없지 않았으므로, 마땅히 경계할 바를 경계했을 뿐이다. 비록 성현(聖賢)이 위에 있을지라도 천하에 일찍이 소인이 없지 않았다. 그러나 감히 그 악을 방자하게 할 수 없었으니, 성인이 또한 소인이 억지로 힘써 얼굴을 고치는 것을 기뻐하기 때문이다. 저 소인이란 일찍이 성현의 기뻐할만한 것을 알지 못한 것은 아니니, 예를 들어 '네 흉한 씨족[四凶]'[160]이 요임금의 조정에 있으면서 악을 숨기고 명령에 순종했던 것이 이것이다. 성인이 그들이 끝내 악할 것임을 알지 못한 것은 아니지만, 그들이 죄를 두려워하여 억지로라도 인(仁)을 행한 것을 취하였을 뿐이다. 오효가 만약 진심으로 소인의 거짓된 선을 진실한 선이라고 믿어서 그 숨기고 있음을 모른다면, 위태로운 도이다. 소인이란 대비하기를 지극하게 하지 않으면 선(善)에 해를 끼치니, 성인이 경계로 삼는 뜻이 깊다. '사그라지게 함[剝]'이란 양을 없앤다는 것에 대한 이름이며, 음은 양을 없애는 것으로 상육을 가리키기 때문

160) 사흉(四凶): 요임금의 시대에 있었다고 전해지는 사악한 네 개의 씨족으로, 『춘추좌씨전(春秋左氏傳)문공(文公)』 18년에 보인다.

에 양(陽)을 사그라지게 하는 것을 믿으면 위태롭다. 오효가 기뻐하는 시절에 있으면서 상육과 밀접하게 가깝기 때문에 경계를 하였다. 비록 순임금과 같은 성인이라도 또한 상대방을 위해 좋은 말을 하고 얼굴빛을 좋게 하는 자[161]를 두려워하였으니, 어찌 경계하지 않을 수 있겠는가? 기쁘게 하여 사람들을 현혹함은 들어가기가 쉬워 두려워할 만함이 이와 같다.

本義

剝, 謂陰能剝陽者也. 九五陽剛中正, 然當說之時而居尊位, 密近上六, 上六陰柔, 爲說之主, 處說之極, 能妄說以剝陽者也, 故其占, 但戒以信于上六則有危也.

'사그라지게 함[剝]'은 음이 양을 사그라지게 할 수 있는 것을 말한다. 구오는 굳센 양으로 중정하지만 기뻐하는 때를 맞아 존귀한 자리에 있으면서 상육과 밀접하게 가깝고, 상육은 부드러운 음으로 기쁨의 주인이 되고 기쁨의 지극한 곳에 있으므로 망령되게 기뻐하여 양을 사그라지게 할 수 있는 자이기 때문에 그 점이 단지 상육을 믿으면 위태로움이 있다고 경계하였다.

小註

朱子曰, 九五只是上比於陰, 故有此戒.
주자가 말하였다: 구오는 단지 위로 음과 비(比)의 관계에 있기 때문에 이러한 경계가 있다.

○ 進齋徐氏曰, 上柔處說之極, 无他係應, 惟附五以求說也. 五位雖當, 上柔親附, 說而信之, 必至剝剛, 故曰孚于剝.
진재서씨가 말하였다: 상효는 부드러운 음으로 기쁨의 끝에 있고, 달리 얽매여 호응함이 없이 오직 오효에 붙어서 기쁨을 구한다. 오효는 자리가 비록 마땅하지만, 상효가 부드러운 음으로 친밀하게 붙으니, 기뻐하면서 그를 믿으면 반드시 양을 사그라지게 하는 데에 이르게 되므로 "양(陽)을 사그라지게 하는 것을 믿는다"고 하였다.

○ 建安丘氏曰, 九五剛中當位, 說將極而密與上比, 陽方有說陰之意, 而上復引之以爲說. 五若不虞其害己而妄信之, 則將見剝於陰矣, 故曰孚于剝. 柔剝剛則剛危, 故有厲, 五位雖正, 而所說不正故也.
건안구씨가 말하였다: 구오는 굳센 양으로 알맞고 자리에 마땅하지만, 기뻐함이 장차 지극

161) 『論語 · 學而』: 子曰, 巧言令色, 鮮矣仁.

해지고 밀접하게 상효와 가까워지는데, 양에는 곧 음을 기뻐하는 뜻을 가지고 있는데다가 상효가 또 다시 그를 끌어당겨 기쁨으로 삼는다. 오효가 만약 상효가 자신을 해롭게 함을 헤아리지 않고 망령되게 그를 믿는다면 장차 음에게 사그라지게 될 것이기 때문에 "양(陽)을 사그라지게 하는 것을 믿는다"라고 하였다. 부드러운 음이 굳센 양을 사그라지게 하면 굳센 양은 위험하게 되기 때문에 위태로움이 있으니, 오효는 자리가 비록 바르지만 기뻐하는 바가 바르지 않기 때문이다.

○ 雲峯胡氏曰, 說之感人, 最爲可懼, 感之者將以剝之也. 況爲君者, 易狃於所說. 故雖聖人且畏巧言令色, 而況凡爲君子者乎. 兌秋之終, 九月爲剝. 他爻皆稱兌, 五不稱兌而稱剝, 深爲君子戒也.
운봉호씨가 말하였다: 기쁘게 하여 사람들을 현혹함은 가장 두려워할 만한 것이 되니, 현혹하는 자가 장차 그를 사그라지게 하기 때문이다. 하물며 임금이 된 자가 기뻐하는 바에 쉽게 친하게 되는 경우에 있어서랴! 그러므로 비록 성인(聖人)일지라도 또한 상대방을 위해 좋은 말을 하고 얼굴빛을 좋게 하는 자[162]를 두려워하였으니, 하물며 군자가 된 자에 있어서랴! 태괘(兌卦☱)는 가을의 끝이고 구월은 박괘(剝卦䷖)가 된다. 다른 효에서는 모두 '기쁨[兌]'을 말하였는데도 오효에서는 '기쁨[兌]'을 말하지 않고 '사그라진다[剝]'고 말하였으니, 군자를 위하여 경계함이 깊다.

韓國大全

송시열(宋時烈) 『역설(易說)』

上六, 以陰極之爻也, 故曰剝也. 若五之志與上六相孚, 則有危厲之道, 言當與九二之正應相孚也.
상육은 음이 지극한 효이기 때문에 '사그라지게 한다'고 하였다. 만약 오효가 상육과 서로 믿는 데에 뜻을 둔다면 위태로운 도가 있게 되므로, 마땅히 정응이 되는 구이와 서로 믿어야 한다고 말한 것이다.

162) 『論語 · 學而』: 子曰, 巧言令色, 鮮矣仁.

석지형(石之珩) 『오위귀감(五位龜鑑)』

臣謹按, 兌之九五, 以信于上六爲孚于剝, 何也. 蓋卦爲說體, 戒在妄說, 上六卽剝陽之小人也. 小人情態, 甚是難辨. 隱惡著善, 順非而澤, 君子信其諛說, 則爲危厲之道, 故不曰上六而直稱剝, 以深戒之也. 噫, 堯舜之盛, 亦有四凶, 君子之失, 常在過信. 要未可以世治主明, 而不戒陰道之暗長也. 矧乎陰有似陽之陰. 始若與陽同波, 而終必相剝爲龍而與乾戰者亦有之, 此不可不痛察者也. 伏願殿下, 勿察陰中之陰, 而必察陽中之陰焉.

신이 삼가 살펴보았습니다: 태괘(兌卦䷹)의 구오에서 상육에 대한 믿음을 '사그라지게 하는 것을 믿는다'라고 여긴 것은 어째서이겠습니까? 괘가 기쁨의 몸체가 되어 경계함이 망령되게 기뻐하는 데에 있고, 상육은 양을 사그라지게 하는 소인이기 때문입니다. 소인의 실정과 상태는 매우 변별하기 어렵습니다. 악을 숨기고 선을 드러내어 그릇 것을 따르면서도 윤택하여, 군자가 그 아첨하면서 기쁘게 하는 것을 믿는다면 위태로운 도가 되기 때문에 상육을 말하지 않았더라도 곧바로 '사그라지게 한다'고 칭하였으니, 깊이 경계시키기 위함입니다. 아! 요순(堯舜)의 덕이 융성하였던 때에도 또한 '네 흉한 씨족[四凶]'이 있었으니, 군자의 잘못은 항상 지나치게 믿는 데에 있습니다. 요컨대 세상이 다스려지고 군주가 밝다고 하여 음의 도가 은연중에 자람을 경계하지 않을 수 없습니다. 하물며 음 중에 양과 유사함을 가지고 있는 음에 있어서이겠습니까? 처음에는 마치 양과 흐름을 함께하는 듯하다가 끝내 반드시 서로 용이 되는 것을 사그라지게 하여 건(乾)과 다투는 자가 또한 있으니, 이는 통찰하지 않을 수 없는 자입니다. 전하께 엎드려 바라옵건대, 음 가운데의 음을 살피시지 마시고 반드시 양 가운데의 음을 살피시옵소서.

이익(李瀷) 『역경질서(易經疾書)』163)

惟九五不言兌, 三與上爲說主, 而五爲卦主故也, 卽彖辭亨利貞, 是也. 此雖不言猶言也. 孚于剝有厲, 又因以爲戒, 兩陽逼一陰, 與艮之剝陽同象. 位旣正當, 故信志以上剝, 然大剛易折, 故戒其厲.

오직 구오에서만 '기쁨[兌]'을 말하지 않은 것은 삼효와 상효가 태괘(兌卦☱)의 주인이 되고 오효는 대성괘인 태괘(兌卦䷹)의 주인이 되기 때문이니, 괘사에서 "형통하니, 곧게 함이 이롭다"164)라고 한 것이 오효이다. 여기서 비록 말하지 않았더라도 말한 것과 같다. "양(陽)을 사그라지게 하는 것을 믿으면 위태로움이 있으리라"는 이로써 인하여 경계로 삼았으니, 두

163) 경학자료집성DB에서는 태괘 구사에 해당하는 것으로 분류했으나, 내용에 살펴 이 자리로 옮겨 바로잡았다.
164) 『周易·兌卦』: 兌, 亨, 利貞.

양이 한 음을 핍박함은 간괘(艮卦☶)에서 양을 깎아내는 것과 상이 같다. 자리가 이미 정당하기 때문에 상효가 사그라지게 하는 데에 뜻을 두고 믿지만, 크게 굳세면 쉽게 부러지기 때문에 위태로움을 경계하였다.

유정원(柳正源) 『역해참고(易解參攷)』

魯齋許氏曰, 九五, 下履不正之强輔, 上比柔邪之小人, 非君道之善者也. 然以其中正也, 故下有忌而可勝, 上有說而可決, 大哉, 中正之爲德乎.
노재허씨가 말하였다: 구오는 아래로 부정하면서 강력하게 도와주는 자를 밟고 있고 위로는 부드럽고 사악한 소인과 비(比)의 관계에 있으니, 임금의 도를 잘 실행하는 자가 아니다. 그러나 그가 중정하기 때문에 아래로 꺼리는 자가 있지만 이겨낼 수 있고 위로는 기쁘게 하는 자가 있지만 결단할 수 있으니, 크구나! 중정의 덕이여!

○ 梁山來氏曰, 剝卽剝卦消陽之名. 兌之九五, 正當剝之六五, 故言剝. 以人事論, 如明皇之李林甫, 德宗之盧杞, 皆以陰柔容說, 剝乎陽者也. 孚者, 憑國家之承平, 恃一己之聰明, 以小人不足畏而孚信之, 則內而蠱惑其心志, 外而壅蔽其政令, 國事日爲之紊亂矣, 所以有厲. 不然九五中正, 安得有厲.
양산래씨가 말하였다: '박(剝)'은 박괘(剝卦☶)에서 양을 깎아내는 것에 대한 이름이다[165]. 태괘(兌卦☱)의 구오는 바로 박괘(剝卦)의 육오에 해당하기 때문에 '사그라지게 한다[剝]'라고 하였다. 사람의 일로 논의하면, 당(唐)나라 현종(玄宗) 때의 이림보(李林甫)[166]와 당(唐)나라 덕종(德宗) 때의 노기(盧杞)[167]와 같은 자가 모두 부드러운 음으로 아첨하면서 기쁘게 하여 양을 사그라지게 하는 자이다. '믿음[孚]'이란 국가의 태평함을 의지하고 자신의

165) 『周易傳義大全·剝卦·程傳』: 剝者, 消陽之名.

166) 이림보(李林甫): 현종 때의 재상이다. 어릴 때 이름은 가노(哥奴)고, 호는 월당(月堂)이다. 음률을 잘 했다. 국자사업(國子司業)을 거쳐 어사중승(御史中丞)에 올랐고, 형부와 이부의 시랑(侍郎)을 역임했다. 예부상서와 동중서문하삼품(同中書門下三品)을 지냈다. 사람 됨됨이가 겉과 속이 달라 친한 듯이 보이지만 갖은 음모와 중상모략을 일삼아 '구밀복검(口蜜腹劍)'이라 불렸다. 교활하고 권술(權術)에 능했다. 환관이나 비빈들과 친해 황제의 동정을 일일이 살피고 주대(奏對)에 응해 유능하다는 평을 들었다. 조정에 있는 19년 동안 권력을 장악해 멋대로 정책을 시행해 사람들이 눈을 흘기며 꺼렸다.(『중국역대인명사전』, 2010, 이회문화사.)

167) 노기(盧杞): 당나라 활주(滑州) 영창(靈昌) 사람. 자는 자량(子良)이다. 말재주가 좋았다. 음보로 괵주자사(虢州刺史)에 올랐다. 성격이 음험하여 국정을 담당할 때 권력을 멋대로 휘둘러 많은 사람을 죽였다. 덕종(德宗)이 그 재주를 아껴 문하시랑(門下侍郎)에 발탁하고 동중서문하평장사(同中書門下平章事)에 올랐다. 시기심이 많아 현능(賢能)한 사람을 미워해 자기와 어긋나는 사람이면 사지로 몰아넣었다. 건중(建中) 4년(783) 경원(涇原)의 병사들이 들고일어나 경사(京師)가 함락되자 삭방절도사(朔方節度使) 이회광(李懷光)이 여러 차례 글을 올려 그의 죄를 성토하니 신주사마(新州司馬)로 폄적되었다.(『중국역대인명사전』, 2010, 이회문화사.)

총명함을 믿어서, 소인을 두려워할만 하지 않다고 여기고 믿어버리니, 안으로는 자신의 마음과 뜻을 현혹시키고 밖으로는 명령을 막아서 가려 나라의 일이 날로 문란해지기 때문에 위태로움이 있게 된다. 그렇지 않다면 구오의 중정함에 어찌 위태로움이 있을 수 있겠는가?

김상악(金相岳) 『산천역설(山天易說)』

剝, 謂陰能消陽也. 九五說體居尊, 无應於下, 比上而交, 故有孚于剝之象. 若說陰而信之, 則必見剝而有危也.

'박(剝)'은 음이 양을 사그라지게 할 수 있음을 말한다. 구오는 기쁨의 몸체에서 존귀한 자리에 있으면서 아래에는 호응이 없고 상효와 비(比)의 관계에 있어서 사귀기 때문에 양(陽)을 사그라지게 하는 것을 믿는 상이 있다. 만약 음에 대해 기뻐하여 믿는다면 반드시 사그라짐을 당하게 되어 위태로움이 있다.

○ 剝, 九月卦之名. 兌於時爲秋, 而上居終, 故以剝言之. 陰之剝陽, 自下而上, 而兌則陰在上而曰孚于剝, 亦爲陰所剝也. 卦以陽說陰爲亨, 爻以陰剝陽爲厲, 所以亨則盡而受之以剝也. 隨上卦亦兌, 而九五曰孚于嘉者, 卦變而位正中也, 此曰孚于剝者, 不變而位正當也, 此所謂信君子者, 治之源, 信小人者, 亂之機也. 彖傳曰, 順乎天而應乎人, 謂五之剛中, 而爻辭相反, 何也. 五雖居尊位, 密比上六, 爲其所引, 故有厲. 程傳, 雖舜之聖, 且畏巧言令色, 安得无戒說之. 惑人易入, 而可懼也, 如此.

'박(剝)'은 구월 괘의 이름이다. 태괘(兌卦☱)는 때로 보면 가을이 되는데, 상효는 끝에 있기 때문에 '사그라지게 함'으로 말하였다. 음이 양을 깎음은 아래로부터 위로 올라가지만, 태괘(兌卦䷹)는 음이 맨 위에 있는데 "양(陽)을 사그라지게 하는 것을 믿는다"고 하였으니, 또한 음에 의하여 사그라지게 된다. 괘사에서는 양이 음에 대해 기뻐함으로써 형통하다고 하였고 효사에서는 음이 양을 사그라지게 함으로써 위태롭다고 하였으니, 형통함이 다하여 '사그라지게 함[剝]'으로 받은 까닭이다. 수괘(隨卦䷐)의 상괘 또한 태괘(兌卦☱)인데, 구오에서 "선에 대해 믿다"[168]라고 한 것은 괘가 변하여 자리가 바르고 알맞기 때문이며, 여기 태괘(兌卦䷹)의 구오에서 "양(陽)을 사그라지게 하는 것을 믿는다"라고 한 것은 변하지 않아도 자리가 바로 그런 자리에 해당되기 때문이니, 이것이 이른바 "군자를 믿는 것은 다스림의 근원이며 소인을 믿는 것은 난리의 기틀이다"[169]라는 것이다. 「단전」에서 "하늘에 따르고 사람에게 호응한다"고 한 것은 굳센 양인 오효의 알맞음을 말하는데 효사는 상반되니 어째

168) 『周易·隨卦』: 九五, 孚于嘉, 吉.
169) 이러한 내용은 송(宋)나라 왕응린(王應麟)이 지은 『곤학기문(困學紀聞)』에 나온다.

서인가? 오효가 비록 존귀한 자리에 있지만 상육과 매우 가까워 그에게 끌리게 되기 때문에 위태로움이 있다. 『정전』에서 "비록 순임금과 같은 성인이라도 또한 상대방을 위해 좋은 말을 하고 얼굴빛을 좋게 하는 자[170]를 두려워하였다"고 하였으니, 어찌 기쁘게 함을 경계함이 없을 수 있겠는가? 유혹하는 자는 들어오기가 쉬워서 두려워할만 함이 이와 같다.

서유신(徐有臣) 『역의의언(易義擬言)』

九二, 孚兌而吉, 九五, 孚于剝而有厲, 其爲孚則同, 其所孚則不同, 何也. 五爲尊位故也. 兌者, 說也, 決也. 說之過爲豫, 決之過爲快, 存乎心而發於政, 而剛方者日踈, 柔佞者日近, 所與說者小人, 而剝至矣. 兌正秋, 秋之深爲剝也. 將剝而先憂, 故曰孚于剝而有厲也.

구이는 믿어서 기뻐하여 길하고, 구오는 사그라지게 하는 것을 믿어서 위태로움이 있으니, 믿게 됨은 같지만 믿는 대상이 같지 않음은 어째서인가? 오효는 존귀한 자리가 되기 때문이다. '태(兌)'란 기뻐함이고 결단함이다. 기뻐함이 지나침은 안일함[豫]이 되고 결단함이 지나침은 제멋대로 함[快]이 되는데, 마음에 보존되어 있다가 정사(政事)에서 드러나 굳세고 방정한 자는 날로 소원해지고 부드럽고 아첨하는 자는 날로 가까워지니, 더불어 기뻐하는 자는 소인들만 있게 되어 사그라지게 함이 지극해진다. 태괘(兌卦☱)는 중추(仲秋)이며, 가을이 깊어지면 사그라지게 된다. 장차 사그라지려 하자 먼저 걱정하기 때문에 "양(陽)을 사그라지게 하는 것을 믿어서 위태로움이 있으리라"라고 하였다.

이지연(李止淵) 『주역차의(周易箚疑)』

下應六二, 上比上六, 與其孚于承應, 寧孚於乘, 此所以有有厲之戒也.

아래로는 육이와 호응하고 위로는 상육과 비(比)의 관계에 있지만, 받들고 호응하는 것을 믿기보다는 차라리 자신이 다스리는 바를 믿는 것이 나으니, 이것이 위태로움이 있다는 경계가 있는 까닭이다.

김기례(金箕澧) 「역요선의강목(易要選義綱目)」

剝, 謂陰剝陽.

'박(剝)'은 음이 양을 사그라지게 함을 말한다.

---

170) 『論語 · 學而』: 子曰, 巧言令色, 鮮矣仁.

○ 五以中實過孚, 比上而信悅, 則有見剝之害.
오효는 가운데가 꽉 차 지나치게 믿으니, 상효와 비(比)의 관계에 있어서 기쁘게 함을 믿는다면 사그라지게 됨을 당하는 해로움이 있다.

○ 當位无忌, 專信而悅, 則易見剝.
자리가 거리낌이 없는 데에 해당하여 오로지 믿기만 하여 기뻐하면 쉽게 사그라짐을 당한다.

심대윤(沈大允) 『주역상의점법(周易象義占法)』

兌之歸妹䷵, 有所歸也. 九五, 以剛居剛, 務悅于下而得中, 天下之所歸服也. 上六, 居師傅之位, 而處兌革變之上, 能剝變天下者, 而九五以誠從之, 能行其道, 使前之未說者, 剝變而喜悅焉, 故曰孚于剝. 坎爲孚, 兌爲剝. 凶頑之徒, 雖已剝變喜悅, 而亦不可保其終无事, 故曰有厲. 以凶頑之喜悅, 非出於初心, 故不言兌也. 九五, 澤之并畜涓流而防其潰決也.
태괘가 귀매괘(歸妹卦䷵)로 바뀌었으니, 돌아갈 곳이 있는 것이다. 구오는 굳센 양으로 굳센 양의 자리에 있어서 아래에 대하여 기쁘게 하는 데에 힘쓰고 알맞음을 얻으니, 천하 사람들이 돌아가 복종하는 자이다. 상육은 스승의 자리에 있고 태괘(兌卦☱)가 변혁하는 맨 위에 있어서 천하를 사그라지게 하여 변하게 할 수 있는 자이며, 구오는 정성껏 그를 따라서 도를 행할 수 있으니, 전에 기뻐하지 않던 자가 사그라져서 변하여 기뻐하고 즐거워하도록 하기 때문에 "사그라지게 하는 것을 믿는다"고 하였다. 감괘(坎卦☵)는 '믿음[孚]'이 되고 태괘(兌卦☱)는 '사그라지게 함[剝]'이 된다. 흉악하고 완강한 무리가 비록 이미 사그라져서 변하여 기뻐하고 즐거워하더라도 또한 끝내 일이 없음을 보장할 수가 없기 때문에 "위태로움이 있으리라"라고 하였다. 흉악하고 완강한 자가 기뻐하고 즐거워함은 초효[171]와 같은 초심에서 나온 것이 아니기 때문에 '기뻐함[兌]'을 말하지 않았다. 구오는 못[澤]이 미세하게 흐르는 물을 둘러막아 무너져 터짐을 방비하는 것이다.

오치기(吳致箕) 「주역경전증해(周易經傳增解)」

九五, 陽剛中正而居尊. 在說之時, 旣无正應, 而比上六之柔, 自恃其位德, 不畏小人而密近之, 則上六之陰柔, 處說之極, 而相引爲說, 必見其害. 故戒言妄信剝陽之陰而相說, 則有危也.

171) 『周易·兌卦』: 初九, 和兌, 吉.

구오는 굳센 양으로 중정하면서 존귀한 자리에 있다. 기뻐하는 때에 있으면서 이미 정응이 없고 부드러운 음인 상육과 비(比)의 관계에 있어서, 스스로 지위와 덕을 믿고서 소인을 두려워하지 않고 매우 가깝게 한다면, 부드러운 음인 상육이 기쁨의 지극한 곳에 있어서 서로를 이끌어 기쁘게 하여 반드시 해로움을 당할 것이다. 그러므로 망령되게 양을 사그라지게 하는 음을 믿어서 서로 기뻐하면 위태로움이 있게 된다고 경계하여 말하였다.

○ 孚, 取於爻變互坎, 剝, 謂剝陽也.
'믿음[孚]'은 이 효가 변한 호괘인 감괘(坎卦☵)에서 취하였고, '사그라지게 함[剝]'은 양을 사그라지게 함을 말한다.

이진상(李震相) 『역학관규(易學管窺)』

孚于剝.
양(陽)을 사그라지게 하는 것을 믿다.
上六, 陰邪不正, 說體之極, 足以剝陽者也. 五乃比之, 故以孚于剝爲戒, 非以兌爲正秋, 將之九月, 故以剝爲象也. 若爾則小畜之言牽復, 當爲冬月之卦, 而履之夬履, 頤之觀頤, 亦爲三月八月之象耶.
상육은 부드러운 음으로 사악하고 부정하면서 기쁨인 몸체의 끝이니, 양을 사그라지게 하기에 충분한 자이다. 오효는 이 상육과 비(比)의 관계에 있기 때문에 "양(陽)을 사그라지게 하는 것을 믿음"을 경계로 삼았지, 태괘(兌卦☱)가 중추(仲秋)가 되어 장차 구월이 되기 때문에 박괘(剝卦䷖)로 상을 삼은 것이 아니다. 만약 이와 같다면 소축괘(小畜卦☰)에서 말한 "이끌어 회복하다[牽復]"[172]는 마땅히 십일월의 괘가 되어야 하고, 리괘(履卦☰)에서 말한 "과감하게 결단하여 실천한다[夬履]"[173]와 이괘(頤卦)에서 말한 "길러주는 바를 살펴본다[觀頤]"[174]도 또한 삼월과 팔월의 상이 되는가?

박문호(朴文鎬) 「경설(經說)·주역(周易)」

小人者, 備之不至, 言防備小人之道, 不周至也.
『정전』에서 말한 "소인이란 대비하기를 지극하게 하지 않으면"이란 소인을 방비하는 도가 주도면밀하지 못함을 말한다.

---

172) 『周易·小畜卦』: 九二, 牽復, 吉.
173) 『周易·履卦』: 九五, 夬履, 貞厲.
174) 『周易·頤卦』: 頤, 貞吉, 觀頤自求口實.

象曰, 孚于剝, 位正當也.

「상전」에서 말하였다: "양을 사그라지게 하는 것을 믿음"은 자리가 바로 그런 자리에 해당되기 때문이다.

中國大全

傳

戒孚于剝者, 以五所處之位正當戒也. 密比陰柔, 有相說之道. 故戒在信之也.

"양(陽)을 사그라지게 하는 것을 믿음"을 경계한 것은 오효가 있는 자리가 바로 마땅히 경계해야할 자리이기 때문이다. 부드러운 음과 밀접하게 가까워 서로 기뻐하는 도가 있다. 그러므로 경계함이 믿음에 있다.

本義

與履九五同.

리괘(履卦䷉) 구오[175]와 같다.

小註

沙隨程氏曰, 二五同爲陰所乘而所孚不同者, 二陰位不過剛, 故孚于五, 五以剛居陽, 故孚于剝. 孔子謂位正當者如此.

사수정씨가 말하였다: 이효와 오효는 똑같이 음이 위에서 타고 있다는 데에서는 같지만 믿는 대상이 같지 않은 것은 이효는 음의 자리에 있어서 지나치게 굳세지 않기 때문에 오효에 대하여 믿고, 오효는 굳센 양으로 양의 자리에 있기 때문에 양을 사그라지게 하는 것을 믿기

175) 『周易 · 履卦』: 九五, 象曰, 夬履貞厲, 位正當也.

때문이다. 공자가 말한 "자리가 바로 그런 자리에 해당되기 때문이다"는 이와 같다.

○ 雲峯胡氏曰, 履否兌中孚九五皆曰位正當, 而此獨與履同何也. 否中孚九五位正當而能稱其居, 履兌不能稱其位者也. 兼履兌皆有厲之辭, 履五當君位而凡事決之以己見, 雖正且危, 兌五當君位而密比於小人, 不正之危, 又何如也.
운봉호씨가 말하였다: 리괘(履卦䷉)[176]·비괘(否卦䷋)[177]·태괘(兌卦䷹)·중부괘(中孚卦䷼)[178]의 구오에서는 모두 "자리가 바로 그런 자리에 해당되기 때문이다[位正當]"라고 하였는데, 여기서는 유독 리괘(履卦)와 같다고만 한 것은 어째서인가? 비괘(否卦)와 중부괘(中孚卦)의 구오는 자리가 정당하고 그가 있는 자리와 걸맞게 할 수 있지만, 리괘(履卦)와 태괘(兌卦䷹)는 그 자리와 걸맞게 할 수 없기 때문이다. 리괘(履卦)와 태괘(兌卦䷹)를 아울러 모두 '위태롭다[厲]'는 말이 있는데, 리괘(履卦) 오효는 임금의 자리에 해당하여 모든 일을 자신의 견해대로 결정하니 비록 바르더라도 또한 위험하고, 태괘(兌卦☱)의 오효는 임금의 자리에 해당하면서도 소인과 밀접하게 가까우니, 바르지 못한 위험함은 또한 어떠하겠는가?

韓國大全

송시열(宋時烈) 『역설(易說)』

小象位正當者, 五既居中正, 當說之時, 主說之道. 若以近比, 欲合志於六, 則其位甚厲[179]矣, 言外有含蓄意.
「소상전」에서 "위정당(位正當)"이라고 한 것은 오효가 이미 중정한 곳에 있어서 기뻐하는 때를 맞아 기뻐하는 도를 주관하기 때문이다. 만약 가깝다고 해서 상육과 뜻을 부합시키고자 한다면 그 자리가 매우 위태롭게 되니, 말 밖에 함축적인 뜻이 있다.

이현익(李顯益) 「주역설(周易說)」[180]

176) 『周易·履卦』: 九五, 象曰, 夬履貞厲, 位正當也.
177) 『周易·否卦』: 九五, 象曰, 大人之吉, 位正當也.
178) 『周易·中孚卦』: 九五, 象曰, 有孚攣如, 位正當也.
179) 厲: 경학자료집성DB와 영인본에 모두 '甚'으로 되어 있으나, 문맥을 살펴 '甚' 다음에 '厲'를 더하여 바로 잡았다.

傳, 釋履九五位正當曰, 正當尊位, 而此位正當, 則曰所處之位正當戒, 二釋不同. 然以正當爲正當戒, 文義恐未叶.
『정전』에서는 리괘(履卦䷉) 구오 「소상전」에 나오는 "자리가 정당하기 때문이다[位正當]"에 대하여 "바로 존귀한 자리에 해당하기 때문이다"라고 하였고, 여기서의 "자리가 바로 그런 자리에 해당되기 때문이다[位正當]"에 대해서는 "있는 자리가 바로 마땅히 경계해야할 자리이기 때문이다"라고 하여 두 해석이 같지 않다. 그러나 '바로 그런 자리에 해당하다[正當]'를 바로 마땅히 경계해야할 자리에 해당한다[正當戒]라고 여긴다면, 문장의 뜻이 아마도 잘 들어맞지는 않은 듯하다.

김상악(金相岳) 『산천역설(山天易說)』

與六相比, 正當陰剝陽之位也.
상육과 서로 비(比)의 관계에 있어서 바로 음이 양을 사그라지게 하는 자리에 해당한다.

○ 履否兌中孚, 皆言位正當, 而本義於兌獨曰, 與履九五同, 何也. 彼有說媚之應, 故夬履而貞厲, 此有引兌之比, 故孚剝而有厲. 若因其時而惕, 雖危无咎. 兌一變則爲乾也.
리괘(履卦䷉)·비괘(否卦䷋)·태괘(兌卦䷹)·중부괘(中孚卦䷼)에서는 「소상전」에서 모두 "위정당(位正當)"이라고 하였는데, 『본의』에서는 태괘(兌卦䷹)에 대해서만 유독 "리괘(履卦䷉) 구오[181]와 같다"고 한 것은 어째서인가? 저 괘에서는 기쁘게 하여 아첨하는 호응이 있기 때문에 과감하게 결단하고 실천하여 곧게 하더라도 위태롭고[182], 이 괘에서는 이끌어서 기뻐하는 비(比)의 관계에 있는 자가 있기 때문에 양(陽)을 사그라지게 하는 것을 믿어서 위태로움이 있다. 그러나 만약 알맞은 때를 따르고 두려워하면 비록 위태로우나 허물이 없다[183]. 태괘(兌卦☱)가 한 번 변하면 건괘(乾卦☰)가 된다.

서유신(徐有臣) 『역의의언(易義擬言)』

正當, 可戒之位也. 五陽爲夬, 五陰爲剝. 故履稱夬, 兌稱剝, 皆於五而危之, 爲其五位

---

180) 경학자료집성DB에서는 태괘 상육에 해당하는 것으로 분류하였고, 영인본에서도 태괘 상육에 들어 있으나, 내용에 살펴 이 자리로 옮겨 바로잡았다.
181) 『周易·履卦』: 九五, 象曰, 夬履貞厲, 位正當也.
182) 『周易·履卦』: 九五, 夬履, 貞厲.
183) 『周易·乾卦·文言傳』: 知至至之, 可與幾也, 知終終之, 可與存義也. 是故居上位而不驕, 在下位而不憂. 故乾乾, 因其時而惕, 雖危无咎矣.

之可戒也.
"바로 그런 자리에 해당된다[正當]"에서 자리란 경계할만한 자리이다. 다섯 효가 양이면 쾌괘(夬卦䷪)가 되고 다섯 효가 음이면 박괘(剝卦䷖)가 된다. 그러므로 리괘(履卦䷉)에서는 '쾌(夬)'를 칭하였고[184] 태괘(兌卦䷹)에서는 '박(剝)'을 칭하여 모두 오효에 대하여 위태롭게 여겼으니, 오효의 자리가 경계할만하기 때문이다.

강엄(康儼) 『주역(周易)』

本義, 與履九五同.
『본의』에서 말하였다: 리괘(履卦䷉) 구오[185]와 같다.

按, 聖人於兌九五, 直指上六爲剝[186]. 他卦九五之比上六者多矣, 而此獨云爾者, 以上六爲兌之主, 而居重兌之極, 是乃小人之媚悅, 无所不至者也. 爲人君者, 當知其媚悅非愛我也, 將欲剝我也, 必如惡惡臭, 而不得有一毫傾信之心, 然後乃可以保其剛陽中正之德, 而不至於危厲, 故直以剝字戒之. 其意甚切, 而東坡所謂憂治世而危明主者, 亦謂此也.
내가 살펴보았다: 성인(聖人)이 태괘(兌卦䷹) 구오에서 곧바로 상육이 '양(陽)을 사그라지게 하는 것[剝]'이 됨을 가리켰다. 다른 괘에서도 구오가 상육과 비(比)의 관계에 있는 경우가 많은데도 여기서만 유독 이와 같이 말한 것은 상육이 태괘(兌卦☱)의 주인이 되면서 거듭된 태괘(兌卦☱)의 끝에 있으니, 이는 곧 소인이 아첨하면서 기쁘게 함이 이르지 못하는 곳이 없는 것이기 때문이다. 임금이 된 자는 아첨하면서 기쁘게 하는 것이 나를 사랑해서가 아니라 장차 나를 사그라지게 하고자 하는 것임을 마땅히 알아, 반드시 나쁜 냄새를 싫어하는 것과 같이 하여 털끝만큼이라도 치우쳐서 그대로 믿는 마음을 가질 수 없도록 한 후에 굳센 양이면서 중정한 덕을 보존하여 위태로운 데에 이르지 않을 수 있기 때문에 곧바로 '사그라지게 한다[剝]'라는 글자로 경계하였다. 그 뜻이 매우 간절하니 소식(蘇軾)이 이른바 "잘 다스려진 세상을 걱정하고 현명한 군주를 위태롭게 여긴다"[187]라고 한 것이 또한 이를 말한다.

---

184) 『周易 · 履卦』: 九五, 夬履, 貞厲.
185) 『周易 · 履卦』: 九五, 象曰, 夬履貞厲, 位正當也.
186) 剝: 경학자료집성 영인본에서는 여기에 해당하는 글자가 무슨 글자인지 알 수가 없고, 경학자료집성DB에는 '則'으로 되어 있으나, 문맥을 살펴 '剝'으로 바로 잡았다.
187) 『古文眞寶 · 田表聖奏議序』: 古之君子, 必憂治世而危明主.

오치기(吳致箕)「주역경전증해(周易經傳增解)」

正當君位, 故恃其位德, 以小人爲不足畏而信之, 則危厲也.
바로 임금의 자리에 해당하기 때문에 자신의 지위와 덕을 믿고서, 소인은 충분히 두려워할 만 하다고 여기지 않아 그를 믿으니 위태롭다.

이진상(李震相)『역학관규(易學管窺)』

位正當也.
자리가 바로 그런 자리에 해당되기 때문이다.

處中正之位, 而有暱比之象者, 戒慮尤切. 非他不正當之比, 故夫子特言之.
중정한 자리에 있으면서 비(比)의 관계에 있는 자와 친한 상이 있는 경우는 경계하고 걱정함이 더욱 간절하다. 다른 경우처럼 바로 그런 자리에서의 비(比)의 관계는 아니기 때문에 공자가 특별히 말하였다.

박문호(朴文鎬)「경설(經說)·주역(周易)」

位正當, 以位正當戒釋之者, 始見於此. 本義引履九五以證之, 所以明程傳之非是.
"위정당(位正當)"에 대하여 "자리가 바로 경계하는 자리에 해당한다"라고 풀이한 것은 비로소 여기에 보인다. 『본의』에서 리괘(履卦䷉) 구오[188]를 인용하여 증명한 것은 『정전』의 옳지 않음을 밝힌 것이다.

이병헌(李炳憲)『역경금문고통론(易經今文考通論)』

剝, 盡也, 謂上六之陰. 經中位正當者, 皆當戒.
'박(剝)'은 다함이니, 상육의 음을 말한다. 경문(經文) 중에 "위정당(位正當)"이라고 한 것은 모두 경계하는 말에 해당한다.

---

188)『周易·履卦』: 九五, 象曰, 夬履貞厲, 位正當也.

上六, 引兌.

상육은 이끌어서 기뻐함이다.

中國大全

傳

他卦, 至極則變, 兌爲說, 極則愈說. 上六, 成說之主, 居說之極, 說不知已者也. 故說旣極矣, 又引而長之. 然而不至悔咎, 何也. 曰方言其說不知已, 未見其所說善惡也, 又下乘九五之中正, 无所施其邪說. 六三則承乘, 皆非正, 是以有凶.

다른 괘는 끝에 이르면 변하지만 태괘(兌卦☱)에서는 기뻐함이 되니, 지극하면 더욱 기뻐한다. 상육은 기쁨을 이루는 주인이고 기쁨의 지극한 곳에 있으니, 기뻐함을 그칠 줄 모르는 자이다. 그러므로 기뻐함이 이미 지극한데도 또 이끌어 길게 한다. 하지만 후회와 허물에 이르지 않는 것은 어째서인가? 막 기뻐함을 그칠 줄 모른다고 말했을 뿐이고, 아직 그 기뻐하는 바가 선한지 악한지를 알지 못하며, 또 아래로 중정한 구오를 타고 있어서 사특한 기쁨을 베풀 곳이 없기 때문이다. 육삼은 받들고 타는 것이 모두 바르지 않으니, 이 때문에 흉함이 있다.

小註

臨川吳氏曰, 說至於上, 可以已矣, 樂不可極也. 陰柔但知以說爲事, 於說之終, 又引而長之, 豈君子之說哉.

임천오씨가 말하였다: 기뻐함은 상효에 이르면 그칠 수 있지만, 즐거움을 다할 수 없다. 부드러운 음은 단지 기쁨을 일삼을 줄만 알아 기쁨의 끝에서 다시 이끌어 길게 하였으니, 어찌 군자의 기뻐함이겠는가?

本義

上六, 成說之主, 以陰居說之極, 引下二陽, 相與爲說, 而不能必其從也. 故九五當戒, 而此爻不言其吉凶.

상육은 기쁨을 이루는 주인이고 음으로 기쁨의 끝에 있어서 아래의 두 양을 이끌어 서로 기쁨이 되려고 하지만 자신을 반드시 따르게 할 수는 없다. 그러므로 구오에서는 마땅히 경계하였고 이 효에서는 길함과 흉함을 말하지 않았다.

小註

雲峯胡氏曰, 凡陰爻稱引, 萃六二引吉, 引下而升也, 故吉. 兌上六引二陽而說, 引之者, 將以剝之也, 五言有厲, 上不言凶, 可知矣. 或曰, 兌爲口舌, 六爻之辭簡, 抑以滕口說爲戒歟.

운봉호씨가 말하였다: 음효에서 '이끌다[引]'를 말한 것 중, 취괘(萃卦䷬)의 육이에서는 "끌어당기면 길하다"[189]라고 하였으니, 아래를 끌어당겨 올라가기 때문에 길하다. 태괘(兌卦☱)의 상육은 두 양을 이끌어 기뻐하는데 그들을 이끄는 것이 장차 그들을 사그라지게 하는 것이니, 오효에서는 "위태로움이 있으리라"[190]라고 하였고 상효에서는 '흉함'을 말하지 않았음을 알 수가 있다. 어떤 이가 말하기를 "태괘(兌卦☱)는 입과 혀[口舌]가 된다"라고 하였으니, 육효의 효사가 간단한 것은 오히려 '입과 말로만 올려주는 것'[191]으로 경계를 삼았기 때문이구나!

韓國大全

송시열(宋時烈) 『역설(易說)』

引者, 不於近而援於遠之意, 言與六三之來兌, 相說引而爲正應也.

189) 『周易 · 萃卦』: 六二, 引吉无咎, 孚乃利用禴.
190) 『周易 · 兌卦』: 九五, 孚于剝, 有厲.
191) 『周易 · 咸卦』: 上六, 象曰, 咸其輔頰舌, 滕口說也.

'이끌다[引]'란 가까운 데서가 아니라 먼 데에서 끌어당긴다는 뜻이니, 와서 기뻐하는 육삼과 서로 기뻐하면서 이끌어 정응이 됨을 말한다.

유정원(柳正源) 『역해참고(易解參攷)』

潼川毛氏曰, 所以爲兌者, 三與上也. 三爲內卦, 故曰來, 上爲外卦, 故曰引.
동천모씨가 말하였다: 기쁨이 되는 까닭은 삼효와 상효에 있다. 삼효는 내괘가 되기 때문에 '와서'라고 하였고, 상효는 외괘가 되기 때문에 '이끌어서'라고 하였다.

○ 雙湖胡氏曰, 如毛氏說, 則三之來兌, 是欲來上六以爲說, 上之引兌, 是欲引六三以爲說也. 橫渠漢上誠齋, 皆作六三之小人, 以爲各從其類, 亦通.
쌍호호씨가 말하였다: 모씨의 설과 같다면, 삼효에서 '와서 기뻐함'이란 상육에게 와서 기쁨으로 삼고자 하는 것이며, 상효에서 '이끌어서 기뻐함'이란 육삼을 이끌어서 기쁨으로 삼고자 하는 것이다. 장재(張載) · 한상주씨(漢上朱氏) · 성재양씨(誠齋楊氏)는 모두 '육삼이라는 소인'이라고 하여 각각 그 부류를 따른다고 여겼으니, 또한 통한다.

○ 案, 引兌之不言吉凶, 何也. 引之不以其道, 則在下二陽, 必无從己之理, 引之以其道, 則下來應上, 而有可與爲善之機, 下之從違, 一視上之所引之, 如何. 此吉凶未判之時, 所以不言也歟.
내가 살펴보았다: "이끌어서 기뻐한다"에서 길흉(吉凶)을 말하지 않은 것은 어째서인가? 이끌기를 도로써 하지 않으면 아래에 있는 두 양은 반드시 자신을 따를 이치가 없게 되고, 이끌기를 도로써 한다면 아랫사람이 와 윗사람에게 호응하여 함께 선을 행할 수 있는 기틀이 있게 되므로, 아랫사람이 따르거나 위반함은 한결같이 윗사람이 그를 이끄는 바가 어떠한가와 일치된다. 이는 길흉이 아직 판별되지 않았을 때라서 말하지 않은 것인가?

김상악(金相岳) 『산천역설(山天易說)』

以陰柔爲說之主, 比五而交, 爲引兌之象. 然五之中正, 未必相從, 故止有危厲之戒, 而此不言凶也.
부드러운 음으로 기쁨의 주인이 되고 오효와 비(比)의 관계에 있어서 사귀니, 이끌어서 기뻐하는 상이 된다. 그러나 중정한 오효는 반드시 서로 따르지는 않기 때문에 다만 위태롭다는 경계가 있고 여기 상육에서는 '흉하다'고 말하지 않았다.

○ 引兌者, 引陽以爲說也. 臨六三曰甘臨, 咸上六曰滕口說, 皆引字義也. 蓋其誘說之跡, 隱而未見, 所以致人之昵就于己而不自知也. 上之引兌, 不是引君當道之義, 何能有光也.
"이끌어서 기뻐한다"란 양을 이끌어서 기쁨으로 삼는다는 것이다. 림괘(臨卦☷☱) 육삼에서 말한 "달콤함으로 임하다"[192]와 함괘(咸卦☱☶) 상육 「소상전」에서 말한 "입과 말로만 올려주는 것이다"[193]는 모두 '이끌다[引]'라는 글자의 뜻이다. 달콤한 말로 유혹하는 자취는 은근하여 보이지 않으니, 다른 사람이 자기에게 친근하게 다가오더라도 스스로 알지 못하게 되는 까닭이다. 상육의 '이끌어서 기뻐함'은 임금을 이끌어서 도에 합당하게 하는 뜻이 아니니, 어찌 빛남이 있을 수 있겠는가?

서유신(徐有臣) 『역의의언(易義擬言)』

引者, 爲六三之所引也. 上下皆兌, 彼此俱說也. 我苟不說, 物安得以引之. 凡爲物所引者, 皆因我自說之也. 互巽爲繩, 有相引之象也.
'이끌다[引]'란 육삼에 의하여 이끌리게 된다는 것이다. 상괘와 하괘가 모두 태괘(兌卦☱)라서 피차가 함께 기뻐한다. 내가 진실로 기뻐하지 않으면 다른 사람이 어찌 이끌 수 있겠는가? 다른 사람에 의해 이끌리게 되는 것은 모두 내가 스스로 그를 기뻐하는 데에 기인한다. 호괘인 손괘(巽卦☴)는 끈이 되니, 서로 이끄는 상이 있다.

박제가(朴齊家) 『주역(周易)』

正與萃六二引吉之引同. 非上能自引也, 爲人所引者耳, 故於九五戒之者, 以有可引之說故也.
바로 취괘(萃卦☱☷)의 육이에서 말한 "끌어당기면 길하다[引吉]"에서의 '끌어당김[引]'과 같다. 상효가 스스로 이끌 수 있는 것이 아니라 다른 사람에 의하여 이끌리게 되는 것일 뿐이기 때문에 구오에서 경계를 한 것은 이끌 수 있는 기쁨이 있기 때문이다.

김기례(金箕澧) 「역요선의강목(易要選義綱目)」

三曰來兌凶者, 陰居剛, 故來求二而妄動, 則二易知其惡而不比, 故凶在三.
삼효에서 "와서 기뻐함이니, 흉하다"라고 한 것은 음이 굳센 양의 자리에 있기 때문에 이효

192) 『周易 · 臨卦』: 六三, 甘臨, 无攸利, 旣憂之, 无咎.
193) 『周易 · 咸卦』: 上六, 象曰, 咸其輔頰舌, 滕口說也.

에게 와서 구하여 망령되기 움직이면, 이효가 그 악함을 쉽게 알아 가까이 하지 않으므로 흉함이 삼효에게 있기 때문이다.

○ 上曰引兌, 不言凶者, 陰居陰, 故靜而求悅, 則五孚而過悅, 有見剝, 故戒在五.
상효에서 "이끌어서 기뻐함이다"라고 하고 흉함을 말하지 않은 것은 음이 음의 자리에 있기 때문에 고요하면서 기쁨을 구하면, 오효가 믿고서 지나치게 기뻐하여 사그라지게 됨이 있으므로 경계함이 오효에게 있기 때문이다.

○ 陰居悅極, 以柔媚之態愈悅而不知變, 下引五而欲悅, 則五恐見剝不信, 故未光其牽引之意.
음이 기뻐함의 끝에 있고 부드럽고 아리따운 태도로 더욱 기뻐하여 변할 줄을 모르고 아래로 오효를 이끌어 기쁘게 하고자 하니, 오효가 사그라지게 될까 두려워하여 믿지 않기 때문에 이끈다는 뜻을 아직 빛내지 못한다.

贊曰, 剛中而悅, 其道得亨. 相說之道, 戒在利貞. 不亦悅乎, 講習朋情. 用和則吉, 用孚則誠.
찬미하여 말한다: 굳세고 알맞으면서 기뻐하니, 그 도가 형통함을 얻는구나. 서로 기뻐하는 도는 경계함이 곧게 함이 이로운 데에 있다. 또한 기쁘지 않겠는가? 벗들과 강습하는 정이여! 화합함을 쓰면 길하고 믿음을 쓰면 성실하구나.

심대윤(沈大允)『주역상의점법(周易象義占法)』

兌之履䷉, 禮也. 上六, 以柔居柔, 不務求說, 而處兌之極, 遠近親踈相引, 而次次漸悅, 有履之義, 故曰引兌. 上六, 以陰居陽上, 有不實之義, 又居无位无事之地, 乃无實德感人之效者也. 兌說之道, 本在於其黨類情意相合者, 而九五能變其不悅者, 而上六引以及遠焉, 兌道雖極, 而終未若情意之所合, 故皆不言吉也. 唯初二, 時淺位卑, 而得於相合者, 爲吉[194]也必也. 以功德施于天下, 使民日遷于善, 然後上下之情意始合, 而成益之民說, 无彊也. 徒以恩澤說人, 或有時而窮矣. 上六澤之浸潤發泄而及于□[195]也. 〈澤者, 浸潤之謂也, 非如水泉之灌注也. 澤生於水而異於水也.〉

194) 吉: 경학자료집성DB에 '言'으로 되어 있으나, 경학자료집성 영인본을 참조하여 '吉'로 바로 잡았다.
195) □: 경학자료집성 영인본에서는 여기에 해당하는 글자가 무슨 글자인지 알 수가 없고, 경학자료집성DB에는 '邃'로 되어 있으나 뜻이 통하지 않으므로 '□'로 처리 하였다.

태괘가 리괘(履卦☰)로 바뀌었으니, 예(禮)이다. 상육은 부드러운 음으로 부드러운 음의 자리에 있어서 기쁨을 구하는 데에 힘쓰지 않고, 기뻐하는 끝에 있어서 멀거나 가깝고 친하거나 소원한 자들이 서로 이끌어 차차 점진적으로 기쁘게 하니, 밟아 간다는 뜻이 있기 때문에 "이끌어서 기뻐한다"고 하였다. 상육은 음으로 양의 위에 있어서 꽉 차 있지 않다는 뜻이 있고, 또 지위도 없고 일함도 없는 곳에 있으므로, 꽉 찬 덕으로 다른 사람을 감화시키는 효과가 없는 자이다. 태괘(兌卦)의 기뻐하는 도는 본래 같은 무리가 정(情)과 뜻이 서로 합하는 데에 있으니, 구오가 기뻐하지 않는 자를 변하게 할 수 있고 상육이 이끌어서 먼 곳에 있는 자에게까지 미치게 하여 기뻐하는 도가 비록 지극해지더라도 끝내 아직 정과 뜻이 합하는 바보다는 못하기 때문에 모두 '길하다'고 말하지 않았다. 오직 초효와 이효가 때는 미천하고 지위가 낮지만, 서로 부합함을 얻은 자이니, 길하게 됨은 당연하다. 공덕(功德)이 천하 사람들에게 베풀어져 백성들이 날마다 선으로 옮겨갈 수 있도록 한 후에 윗사람과 아랫사람의 정과 뜻이 비로소 합하게 되어, 익괘(益卦☰)에서 말하는 "백성들의 기쁨이 끝이 없다"[196]가 된다. 단지 은택으로 사람들을 기쁘게 함은 혹 때에 따라 궁해 질 수도 있다. 상육은 못[澤]이 점점 스며들어 새어나가 □에 이름이다. 〈못[澤]이란 점점 스며듦을 말하지, 샘의 물이 흘러 들어감과 같은 것이 아니다. 못[澤]은 물에서 생겨나지만 물과는 다르다.〉

오치기(吳致箕) 「주역경전증해(周易經傳增解)」

上六, 以柔乘剛, 而居說之極, 下无應與, 而切比九五之剛, 專欲牽引而爲說, 故有引兌之象. 雖不言占, 卽象可知矣.

상육은 부드러운 음으로 굳센 양을 타고 있으며 기쁨의 끝에 있고, 아래로는 호응하여 함께 하는 자가 없어 굳센 양인 구오와 절친하여 오로지 그를 끌어당겨 기쁨을 삼고자 하기 때문에 '이끌어서 기뻐하는' 상이 있다. 비록 점사(占辭)를 말하지 않았지만, 상(象)을 보면 알 수가 있다.

○ 引, 謂牽引, 而取於對艮爲手牽之象也. 此爻柔能得正, 而比九五之中正, 亦非如六三不正之甚, 故不言凶也.

'인(引)'은 끌어당김을 말하니, 음양이 바뀐 괘인 간괘(艮卦☶)가 손으로 끌어당기는 상이 되는 데에서 취하였다. 이 효는 부드러운 음으로 바름을 얻을 수 있고 중정한 구오와 비(比)의 관계에 있으니, 육삼의 부정하기가 심한 것과는 같지 않기 때문에 흉하다고 말하지 않았다.

---

196) 『周易 · 益卦』: 象曰, 益, 損上益下, 民說无疆, 自上下下, 其道大光.

象曰, 上六引兌, 未光也.

「상전」에서 말하였다: "상육은 이끌어서 기뻐함"은 아직 빛나지 못한다.

中國大全

傳

說旣極矣, 又引而長之, 雖說之之心不已, 而事理已過, 實无所說. 事之盛則有光輝, 旣極而强引之長, 其无意味, 甚矣, 豈有光也. 未非必之辭, 象中多用. 非必能有光輝, 謂不能光也.

기뻐함이 이미 지극한데도 또 이끌어 기쁨을 길게 하면, 비록 기쁘게 하는 마음이 그치지 않지만 사리(事理)가 이미 지나쳐서 실제로 기뻐할 바가 없다. 일이 성대하면 빛남이 있지만, 이미 지극한데도 억지로 이끌어 길게 하면 의미가 없음이 심하니, 어찌 빛남이 있겠는가? '미(未)'는 반드시 그렇지는 않다는 말이니, 「소상전」에서 많이 사용하였다. 반드시 빛남이 있을 수 있는 것이 아니라는 것은 빛날 수 없음을 말한다.

小註

臨川吳氏曰, 引長已終之說, 於說之道爲未光.
임천오씨가 말하였다: 이미 끝난 기쁨을 이끌어 길게 하니, 기뻐하는 도에서 빛나지 않게 된다.

○ 中溪張氏曰, 柔道以牽爲引. 上六柔居五上, 能牽誘五而爲說媚者也. 然九五乃陽明之主, 以剝爲懼, 不信上六之牽引, 故小人說媚之跡, 隱晦而未至於光顯也.
중계장씨가 말하였다: 부드러움의 도는 '끌어당김[牽]'을 '이끌음[引]'으로 삼는다. 상육은 부드러운 음으로 오효의 위에 있으면서 오효를 꾀어내 아첨하면서 기쁘게 할 수 있는 자이다. 그러나 구오는 양의 밝은 주인이며 사그라짐을 두려워하여 상육의 이끌어냄을 믿지 않기 때문에 소인이 기쁘게 하면서 아첨하는 자취는 숨겨져 드러나지 않아 아직 밝게 드러나는

데에는 이르지 않는다.

○ 誠齋楊氏曰, 驩兜薦共工而堯吁, 僉言薦鯀而堯咈, 皆引兌而未光者歟.
성재양씨가 말하였다: 환두(驩兜)[197]가 공공(共工)을 천거하였으나 요임금이 옳지 않다고 하였고[198], 여러 사람들이 곤(鯀)을 천거하였으나 요임금은 옳지 않다고 하였으니[199], 모두 이끌어서 기뻐하여 아직 빛나지 못한 것이구나.

○ 建安丘氏曰, 兌說也, 以一陰而說乎下之二陽也. 在卦以二陰爲說主, 四陽則皆爲所說者. 三以柔居剛, 爲下兌之主, 動而求陽之說, 故曰來兌. 上以柔居柔, 爲上兌之主, 静而誘陽之説, 故曰引兌. 來兌之惡, 易見, 故本爻凶, 引兌之情, 難知, 故比爻當戒. 是以四陽爻, 在下兌者多吉, 在上兌者多凶. 初剛在下, 與陰无係, 故和兌吉. 二已近三, 入說猶淺, 故孚兌吉悔亡. 四入上兌, 處三五之間, 莫知所決, 故有商兌未寧之象. 五與上比, 處說將極, 故孚于剝則有厲矣.
건안구씨가 말하였다: '태(兌)'는 기뻐함이니, 하나의 음이면서 아래에 있는 두 양에 대해 기뻐하기 때문이다. 괘에서 두 음은 기쁨의 주인이 되고, 네 양은 모두 기쁘게 되는 자가 된다. 삼효는 부드러운 음으로 굳센 양의 자리에 있고 하괘인 태괘(兌卦☱)의 주인이 되니, 움직이면서 양의 기쁨을 구하기 때문에 "와서 기뻐함이다"라고 하였다. 상효는 부드러운 음으로 부드러운 음의 자리에 있고 상괘인 태괘(兌卦☱)의 주인이 되니, 고요하면서 양의 기뻐함을 꾀어내기 때문에 "이끌어서 기뻐함이다"라고 하였다. 와서 기뻐하는 악은 쉽게 보이기 때문에 본래 효가 흉하고, 이끌어서 기뻐하는 실정은 알기 어렵기 때문에 비(比)의 관계에 있는 효에서 마땅히 경계하였다. 이 때문에 네 양효 중에서 하괘인 태괘(兌卦☱)에 있는 것은 대체로 길하고 상괘인 태괘(兌卦☱)에 있는 것은 대체로 흉하다. 굳센 양인 초효는 가장 아래에 있고 음과 얽매임이 없기 때문에 화합하여 기뻐함이니 길하다. 이효는 삼효와 너무 가까워서 들어가 기뻐하기가 오히려 평이하기 때문에 믿어서 기뻐함이니 길하고 후회가 없어진다. 사효는 상괘인 태괘(兌卦☱)에 들어 있으면서 삼효와 오효의 사이에 있어 결단할 바를 알지 못하기 때문에 기뻐함을 헤아리느라 편안하지 못한 상이 있다. 오효는 상효와 비(比)의 관계에 있고 기쁨이 장차 지극해지는 곳에 있기 때문에 양(陽)을 사그라지게 하는 것을 믿으면, 위태로움이 있게 된다.

---

197) 환두(驩兜): 요임금 때의 악인으로, 이 때에 악인은 공공(共工), 삼묘(三苗), 곤(鯀), 환두 등 네 사람이 있었다. (『중국역대인명사전』, 2010. 이회문화사. 참조.)
198) 『書經 · 堯典』: 帝曰, 疇咨若予采. 驩兜曰, 都. 共工, 方鳩僝功. 帝曰, 吁. 静言庸違, 象恭滔天.
199) 『書經 · 堯典』: 帝曰, 咨四岳. 湯湯洪水方割, 蕩蕩懷山襄陵, 浩浩滔天, 下民其咨, 有能, 俾乂. 僉曰, 於. 鯀哉. 帝曰, 吁. 咈哉. 方命, 圮族.

韓國大全

송시열(宋時烈) 『역설(易說)』

小象, 未光者, 中有坎暗也. 雖不言吉凶, 而諸易皆以凶言.
「소상전」에서 "아직 빛나지 못한다"라고 한 것은 괘 가운데에 감괘(坎卦☵)인 어두움이 있기 때문이다. 비록 길흉(吉凶)을 말하지 않았지만 여러 역서(易書)에서는 모두 흉하다고 말하였다.

이현익(李顯益) 「주역설(周易說)」

未光, 只謂上六引兌, 於事爲未光輝也, 而臨川吳氏, 謂小人說媚之迹, 隱晦而未至於光顯, 非是.
"아직 빛나지 못한다"란 단지 상육의 '이끌어서 기뻐함'이 일에서는 아직 빛나지 않게 됨을 말하는데, 임천오씨는 "소인이 기쁘게 하면서 아첨하는 자취는 숨겨져 드러나지 않아 밝게 드러나는 데에는 이르지 않는다"[200]라고 하였으니, 옳지 않다.

이익(李瀷) 『역경질서(易經疾書)』

上六之引, 引四也. 位不正而居於事外之地, 四有商量介疾之象, 故必欲引彼而爲說, 此其志未光也.
상육이 이끈다는 것은 사효를 이끈다는 것이다. 자리가 바르지 않고 일의 밖인 곳에 있으며, 사효에는 헤아려 마땅하고 마땅하지 않음을 분별하는[201] 상이 있기 때문에 반드시 그를 이끌어서 기쁨을 삼고자 하지만, 이는 그 뜻이 빛나지 못한다.

유정원(柳正源) 『역해참고(易解參攷)』

未光也
아직 빛나지 못한다.
正義, 雖免躁求之凶, 亦有後時之失, 所以經无吉文, 以其道未光故也.

---

200) 이러한 말은 임천오씨(臨川吳氏)가 아니라 중계장씨(中溪張氏)가 하였다.
201) 『易經疾書』: 介疾者, 分別而知其當否也.

『주역정의』에서 말하였다: 비록 조급하게 구하는 흉함에서는 벗어나지만, 또한 알맞은 때를 놓친 잘못이 있으니, 경문(經文)에 '길(吉)'이라는 글자가 없는 까닭은 도(道)가 아직 빛나지 못하기 때문이다.

○ 馮氏曰, 小人欺蔽其君, 厭然掩其陰柔晦昧之迹, 卒爲陽明之害者, 皆其心之未光者爲之也.
풍씨가 말하였다: 소인이 임금에게 속이고 숨겨 부드러운 음으로 잘 드러나지 않는 자취를 엄연히 덮어 끝내 밝은 양에게 해로움이 되는 것은 모두 아직 밝지 않은 그 마음이 그렇게 만든 것이다.

김상악(金相岳) 『산천역설(山天易說)』

陽之孚陰, 陰之引陽, 皆未光也. 五曰孚剝有厲, 上曰引兌未光, 與夬彖曰孚號有厲, 其危乃光, 互見其象.
양이 음을 믿음과 음이 양을 이끌어냄은 모두 아직 빛나지 않는 것이다. 오효에서 "양(陽)을 사그라지게 하는 것을 믿으면, 위태로움이 있으리라"[202]라고 하였고 상효에서는 "'이끌어서 기뻐함'은 아직 빛나지 못한다"고 하였으니, 쾌괘(夬卦䷪)의 「단전」에서 "'미덥게 호령하여 위태롭게 여김이 있어야 함'은 그 위태로움이 이에 빛남이다"[203]라고 한 것과 서로 그 상을 드러낸다.

○ 凡言未光者, 多在兌體之卦, 故夬萃之五, 與兌同辭. 蓋兌之一陰, 居上而掩陽, 故曰未光也, 艮則一陽在上而止陰, 故曰其道光明.
"아직 빛나지 못한다"라고 말한 것은 대체로 태괘(兌卦☱)의 몸체로 된 괘에 있기 때문에 쾌괘(夬卦䷪)와 취괘(萃卦䷬)의 오효가 태괘(兌卦䷹)와 말이 같다. 태괘(兌卦☱)의 한 음이 위에 있으면서 양을 가리고 있기 때문에 "아직 빛나지 못한다"고 하였고, 간괘(艮卦☶)는 한 양이 위에 있으면서 음을 저지하기 때문에 "그 도리가 빛난다"[204]라고 하였다.

---

202) 『周易·兌卦』: 九五, 孚于剝, 有厲.
203) 『周易·夬卦』: 彖曰, … 揚于王庭, 柔乘五剛也, 孚號有厲, 其危乃光也, 告自邑, 不利卽戎, 所尙, 乃窮也, 利有攸往, 剛長, 乃終也.
204) 『周易·艮卦』: 彖曰, 艮止也. 時止則止, 時行則行, 動靜不失其時, 其道光明, 艮其止, 止其所也.

서유신(徐有臣)『역의의언(易義擬言)』

爲物所引, 故未光也.
다른 사람에 의해 이끌리기 때문에 아직 빛나지 못한 것이다.

박제가(朴齊家)『주역(周易)』

象傳曰未光者, 譏其道之未光明也. 陰柔被牽, 使人暗喜, 故曰未光. 中溪張氏曰, 柔道以牽爲引. 然柔道牽, 乃被牽也. 觀於姤之象傳二牽字, 可見.
「소상전」에서 말한 "아직 빛나지 못한다"란 도가 아직 빛나지 않음을 기롱한 것이다. 부드러운 음은 이끌리게 되어 사람들이 몰래 속으로 기뻐하도록 하기 때문에 "아직 빛나지 못한다"라고 하였다. 중계장씨(中溪張氏)는 "부드러움의 도는 '끌어당김[牽]'을 '이끌음[引]'으로 삼는다"고 하였다. 그러나 부드러움의 도가 끌어당기는 것이 곧 끌어당겨지는 것이다. 구괘(姤卦☴)의 「소상전」에 보이는 두 '견(牽)'자[205]를 살펴보면 알 수가 있다.

이지연(李止淵)『주역차의(周易箚疑)』

上六之引, 非但下二陽也. 六三下來而欲與下二陽同說, 故上六欲引而與之同說, 然陰柔无應, 故其兌也, 未光耳.
상육이 이끎은 단지 아래에 있는 두 양만이 아니다. 육삼은 아래로 와서 아래에 있는 두 양과 함께 기뻐하고자 하기 때문에 상육은 이끌어서 그와 함께 기뻐하고자 하지만, 부드러운 음이라서 호응이 없기 때문에 그 기뻐함이 아직 빛나지 못할 뿐이다.

오치기(吳致箕)「주역경전증해(周易經傳增解)」

以陰柔牽引而私說, 則未能有光於君臣相說之道也.
부드러운 음으로 끌어당겨서 사사롭게 기뻐한다면, 아직 임금과 신하가 서로 기뻐하는 도를 빛나게 할 수 없다.

박문호(朴文鎬)「경설(經說)·주역(周易)」

象中多用下, 恐脫之字. 或曰此四字, 當屬下句讀, 更詳之.

---

205)『周易·姤卦』: 初六, 象曰, 繫于金柅, 柔道牽也. ;『周易·姤卦』: 九三, 象曰, 其行次且, 行未牽也.

『정전』에서 말한 "「소상전」에서 많이 사용하였다[象中多用]" 아래에 아마도 '지(之)'자가 빠진 듯하다. 어떤 이는 "이 네 글자는 마땅히 아래 구절에 이어서 읽어야 한다"고 하였으니, 다시 자세히 살펴보아야 한다.

이진상(李震相) 『역학관규(易學管窺)』

引兌.
이끌어서 기뻐한다.

陰之引陽, 有引之以順道者, 有引之以邪諂者. 君子之於小人, 許其從善之機, 而善惡未分, 則吉凶[206]未判, 故此不言吉凶[207], 而象但言其道之未光而已.
음이 양을 이끎에는 도를 따라서 이끄는 경우가 있고 사악하고 아첨함으로써 이끄는 경우가 있다. 군자가 소인에 대하여 선을 따르는 기미에 대해서는 허여하지만, 선과 악이 아직 나누어지지 않았다면 길함과 흉함도 아직 판별되지 않기 때문에 여기서는 길함과 흉함을 말하지 않았고, 「소상전」에서도 단지 그 도가 아직 빛나지 못함을 말하였을 뿐이다.

이병헌(李炳憲) 『역경금문고통론(易經今文考通論)』

引.
이끌다.
程傳云, 引而長之.
『정전』에서 말하였다: 또 이끌어 기쁨을 길게 한다.
姚曰, 引三也, 此亦小綱領.
요신이 말하였다: 삼효를 이끄는 것이니, 이는 또한 작은 강령(綱領)이다.

206) 凶: 경학자료집성 영인본에서는 여기에 해당하는 글자가 무슨 글자인지 알 수가 없고, 경학자료집성DB에는 '匈'으로 되어 있으나, 문맥을 살펴 '凶'으로 바로 잡았다.
207) 凶: 경학자료집성 영인본에서는 여기에 해당하는 글자가 무슨 글자인지 알 수가 없고, 경학자료집성DB에는 '匈'으로 되어 있으나, 문맥을 살펴 '凶'으로 바로 잡았다.

59

환괘

渙卦䷺

▌中國大全▌

傳

渙, 序卦, 兌者說也, 說而後散之, 故受之以渙, 說則舒散也. 人之氣, 憂則結聚, 說則舒散. 故說有散義, 渙所以繼兌也. 爲卦, 巽上坎下, 風行於水上, 水遇風則渙散, 所以爲渙也.

환괘(渙卦)는 「서괘전(序卦傳)」에 "태(兌)는 기뻐함이니, 기뻐한 뒤에 흩어지므로 환괘(渙卦)로써 받았다." 하였으니, 기뻐하면 펴져서 흩어진다. 사람의 기운은 근심하면 맺혀서 모이고, 기뻐하면 펴져서 흩어진다. 그러므로 기뻐함에 흩어지는 뜻이 있어서 환괘(渙卦)가 태괘(兌卦)를 이은 것이다. 환괘는 손(巽)이 위에 있고 감(坎)이 아래에 있으니, 바람이 물 위에 행해서 물이 바람을 만나면 흩어지기 때문에 환(渙)이라 한 것이다.

渙, 亨, 王假有廟, 利涉大川, 利貞.

정전 환(渙)은 형통하니, 왕이 사당을 지극히 두며 큰 내를 건넘이 이로우니, 정고함이 이롭다.
본의 환(渙)은 형통하니, 왕이 사당에 이르며 큰 내를 건넘이 이로우니, 정고함이 이롭다.

中國大全

傳

渙, 離散也. 人之離散, 由乎中, 人心離則散矣. 治乎散, 亦本於[一作必由]中, 能[一有利貞字]收合人心, 則散可聚也. 故卦之義, 皆主於中. 利貞, 合渙散之道, 在乎正固也.

'환(渙)'은 떠나고 흩어짐이다. 사람이 떠나고 흩어짐은 마음에서 말미암으니 인심이 이반하면 흩어진다. 흩어짐을 다스리는 것 또한 마음에 근본을 두니 인심을 수합(收合)하면 흩어짐을 모을 수 있다. 그러므로 괘의 뜻이 모두 마음을 중심으로 삼았다. '정고함이 이로움[利貞]'은 흩어짐을 합하는 도가 바르고 곧음[貞固]에 있는 것이다.

本義

渙, 散也. 爲卦下坎上巽, 風行水上, 離披解散之象, 故爲渙. 其變則本自漸卦, 九來居二而得中, 六往居三, 得九之位而上同於四, 故其占可亨. 又以祖考之精神旣散, 故王者當至於廟以聚之. 又以巽木坎水, 舟楫之象, 故利涉大川. 其曰利貞, 則占者之深戒也.

환(渙)은 흩어짐이다. 환괘는 아래가 감괘(☵)이고 위가 손괘(☴)이니, 바람이 물 위에 불어 떨어져 흩어지는 상이기 때문에 '환'이 된다. 괘의 변화는 본래 점괘(漸卦䷴)로부터 왔으니, 구(九)가 와서 이효자리에 있어 가운데를 얻고 육(六)이 가서 삼효자리에 있어 양인 구의 자리를 얻어 위로 사효와 함께 하므로 그 점이 형통할 수 있다. 또 조상의 정신이 이미 흩어졌기 때문에 왕이 마땅히 사당에 이르러 모으는 것이다. 또 손괘인 목(木)과 감괘인 수(水)는 배와 노의 상이므로 큰 내를 건넘이 이로운 것이다. “정고함이 이롭다”고 말한 것은 점치는 자에게 깊이 경계한 것이다.

小註

或問, 萃言王假有廟, 是卦中有萃聚之象. 故可以爲聚祖考之精神, 而爲享祭之吉占. 渙卦旣散而不聚, 本象不知何處有立廟之義. 恐是卦外立義, 謂渙散之時, 當聚祖考之精神邪. 爲復是下卦是坎有幽隱之義, 因此象而設立廟之義邪. 朱子曰, 坎固是有鬼神之義, 然此卦, 未必是因此爲義, 且作因渙散而立廟說. 大抵這處, 都見不得.
어떤 이가 물었다: 취괘에서 왕이 사당에 이른다고 하였는데, 이것은 취괘 가운데 모이는 상이 있기 때문이다. 그러므로 조상의 정신을 모으고 제향에 길한 점이 될 수 있다. 환괘는 이미 흩어져서 모을 수 없고 본괘의 상 어디에 사당을 세운다는 뜻이 있는지 모르겠다. 아마도 이것은 괘상의 밖에 뜻을 세워 흩어지는 때에 마땅히 조상의 정신을 모아야한다는 것일 것이다. 아니면 하괘인 감괘에 그윽이 숨는 뜻이 있으니 이런 상에 근거해서 사당을 세우는 의미를 베푼 것인가? 주자가 말하였다: 감괘에는 본래 귀신의 뜻이 있지만 환괘는 그런 것에 근거해서 뜻을 삼지도 않았고 또 흩어진다는 것 때문에 사당을 세우라는 말을 한 것도 아니다. 대체로 이런 부분은 알지 못하겠다.

○ 縉雲馮氏曰, 渙所以爲散者, 繼兌之後, 人情說豫, 則間舒放肆而亂所由生.
진운 풍씨가 말하였다: 환이 흩어짐이 됨은 태괘의 뒤를 이었기 때문이니, 사람의 감정은 기뻐하면 틈이 벌어지고 방자해져 어지러움이 생긴다.

○ 漢上朱氏曰, 天下離散, 不安其居, 聖人將以聚之. 故以宗廟爲先, 宗廟者, 收其心之渙散而存之也. 人孰不有父母知報本, 則知祭祀出於人心, 復其本心, 則離散者可合而天下无事矣, 治渙之道也.
한상주씨가 말하였다: 천하 사람들이 떠나고 흩어져 거처를 편안히 여기지 못하면 성인은 모으려 한다. 그러므로 종묘를 우선시하니 종묘는 흩어진 마음을 모아서 보존하는 곳이다. 사람에겐 누구든 부모가 있어 근본에 보답할 줄 아니 제사가 사람의 마음에서 나옴을 알게 되고, 본심을 회복하면 떠나고 흩어진 사람들을 모을 수 있어 천하가 무사하니 환을 다스리는 도리이다.

○ 隆山李氏曰, 萃, 因民之聚, 立廟以堅其歸向之心, 所以爲懷保之道. 渙, 憂民之散, 立廟以收拾其蕩析之心, 所以爲招攜之術. 皆所以統攝民心而堅疑之也.
융산이씨가 말하였다: 취괘는 백성의 취합이 동기가 되어 사당을 세워서 돌아오고자 향하는

마음을 견고하게 하는 것으로 품고 지키는 도리이다. 환괘는 백성의 흩어짐을 근심하여 사당을 세워 흩어져 분리된 마음을 거두어들이는 것으로 불러서 이끌어 들이는 방법이다. 다 백성의 마음을 통섭하여 견고히 하려는 것이다.

○ 庸齋趙氏曰, 天下之難, 非陽剛得位, 莫能濟, 故難之. 散也則爲渙, 及其下之聚也則爲萃, 二卦之辭略同. 然渙言亨者一, 萃則再言之. 渙言利者二, 萃則三言之. 渙言王假有廟, 萃則加以用大往之辭. 以是知渙而後萃, 誠有其序也.
용재조씨가 말하였다: 천하의 어려움은 양의 강함으로 자리를 얻지 못하면 구제할 수 없기 때문에 어려운 것이다. 흩어지면 환괘가 되고 천하의 사람들이 모이면 취괘가 되어 둘의 괘사(卦辭)가 대략 같다. 그렇지만 환괘에서 형통함을 말한 것이 한 번이지만 취괘에서는 두 번 말했다. 환괘에서 이로움을 말한 것이 두 번이지만 취괘에서는 세 번 말했다. 환괘에서 왕이 사당에 이른다고 말하였지만 취괘에서는 '큰 희생을 쓰면'이라는 말이 더해졌다. 이런 것을 보면 흩어진 뒤에 모이는 것이 진실로 순서가 있음을 알 수 있다.

○ 雙湖胡氏曰, 渙有二義, 卦有因民渙散而萃之意, 假廟是也. 又有渙天下患難之意, 涉川是也. 爻則全以渙爲美事, 各有不同, 不可以一例觀之也.
쌍호호씨가 말하였다: 환괘에는 두 가지 뜻이 있다. 괘에는 백성이 흩어졌기 때문에 모으는 뜻이 있으니 '사당에 이름'이 그것이다. 또 천하의 환란을 흩는 뜻이 있으니 '내를 건넘'이 그것이다. 효의 경우 전체적으로는 흩는 것을 좋은 일로 여겼지만 각각 다름이 있으니 동일한 사례로 보면 안 된다.

○ 雲峯胡氏曰, 萃與渙皆互艮, 艮爲門闕. 一陽在上爲屋, 二陰在下爲闕, 高巍之象, 故曰有廟. 萃言假廟, 是言聚己之精神以聚祖考之精神. 渙言假廟, 是祖考之精神旣散, 至於廟所以聚之. 彖言假廟, 夫子於大象, 曰立廟. 彖言涉川, 夫子於十三卦, 舟楫之象, 取此. 蓋以本卦, 自有廟與涉川之象也. 故其占宜祭祀宜涉險, 必曰利貞者, 祭祀而非正, 是媚神以徼福, 涉川而非正, 是行險以徼幸, 故深戒之.
운봉호씨가 말하였다: 취괘와 환괘는 모두 호괘가 간괘인데 간괘는 문과 대궐이 된다. 하나의 양이 위에 있으니 지붕이 되고 두 음이 아래에 있으니 대궐이 되어 높고 큰 형상이기 때문에 사당을 둔다고 하였다. 취괘에서 '사당에 이른다'고 한 것은 자기의 정신을 모아서 조상의 정신을 모은다는 것이다. 환괘에서 '사당에 이른다'고 한 것은 조상의 정신이 이미 흩어져서 사당에 가서 모으려는 것이다. 「단전」에서 '사당에 이름'을 말하고 공자는 「대상전」에서 '사당을 세움'을 말하였다. 「단전」에서 '내를 건넘'을 말했는데 공자가 13괘[1] 가운데 배와 놋대의 상을 여기에서 취하였다. 본괘에 원래 '사당을 둠'과 '내를 건넘'의 상이 있다.

그러므로 그 점이 제사에 마땅하고 험난함을 건넘에 마땅한데, 기어코 '정고함이 이롭다'고 한 것은 제사에 바르지 못하면 신에게 아첨하여 복을 바라는 것이고 내를 건넘에 바르지 못하면 험함을 행하여 행운을 바라는 것이기에 깊이 경계한 것이다.

‖韓國大全‖

송시열(宋時烈) 『역설(易說)』

亨見象. 王指九五也. 假至也, 竝爲潔齊. 艮爲宗廟, 故曰假有廟. 陽剛故利於涉, 竝爲木, 而坎爲大川, 故曰利涉大川. 利貞者, 利於陽爻之貞固也.

'형통함'은 단사에 보인다. '왕'은 구오를 가리킨다. '격(假)'은 이르는 것이며, 또 정결함이 된다. 간괘는 종묘가 되므로 "사당에 이른다"고 했다. 굳센 양이기 때문에 건넘이 이롭고 또 목(木)이 되며, 감괘는 '큰 내'가 되므로 "큰 내를 건너는 것이 이롭다"고 했다. '곧음이 이로움'은 양효의 정고(貞固)함에 이롭다는 것이다.

이현익(李顯益) 「주역설(周易說)」

誠齋楊氏, 以木爲才, 風爲德, 風木各是一象. 何必分才與德乎. 且風行水上, 只是渙散之象, 非是水是難而風是散其難者也. 其以水爲難, 不過以水之怒爲言, 然風行水上之水, 非專是水之怒者也.

성재양씨는 목(木)을 재주라 하고 풍(風)을 덕이라 했으니, 바람과 나무가 각기 하나의 상이다. 어째서 재주와 덕을 굳이 나누었는가? 또 바람이 물 위에 부는 것은 흩어지는 상일뿐이니, 물은 어지러운 것이고 바람은 그 어지러운 것을 흩어버리는 것이 아니다. 물이 어지럽다고 한 것은 물이 격노한 것으로 말한 것에 불과하지만 "바람이 물 위에 분다"고 할 때의 물은 전적으로 물이 격노했다는 것은 아니다.

語類問, 坎有幽隐之義, 因此象設立廟之義耶. 曰, 坎固是有鬼神之義, 然此卦未必是因此爲義.

---

1) 『주역 · 계사전』 하 2장의 13괘를 말함.

以此看, 平菴項氏之以享于帝與立廟分巽坎, 非是.
『주자어류』에서 "감괘에 그윽한 뜻이 있는데, 이러한 상으로 인하여 사당을 세운 뜻을 세운 것입니까?"라고 묻자, 주자는 "감괘에는 진실로 귀신의 뜻이 있습니다. 그러나 환괘가 반드시 이것으로 인하여 뜻을 삼은 것은 아닙니다"라고 대답하였다. 이것으로 본다면 평암항씨가 '상제에게 제향하고' '사당을 세운 것'을 손괘와 감괘로 나눈 것은 옳지 못하다.

建安丘氏謂鬼神之道, 惟至誠貫徹, 潛孚冥感, 如水之遇風, 渙然相受. 此非傳義之旨.
건안구씨가 말한 귀신의 도는 오직 지극한 정성으로 철저히 시행하여 속으로 믿고 그윽하게 감동하니, 마치 물이 바람을 만나 흩어지듯 서로 받아들이는 것과 같다. 이는 『정전』과 『본의』의 뜻은 아니다.

이익(李瀷) 『역경질서(易經疾書)』

渙者, 水流貌, 非聚非散. 散與聚反, 散奚取於格廟乎. 渙, 風行水上. 水無間, 風無形, 巽入而坎陷, 故水雖深, 風無所不入, 以無形入無間, 與之合一, 惟風與水爲然. 鬼神之道, 洋洋在上, 無少間斷, 惟人之誠意, 雖無形聲, 亦能感格於其中, 有以致之. 苟求其相似, 則非渙更無其物也. 又如水之渙流, 雖盛而履之則陷, 惟舟可乘而入, 無所不到, 故曰乘木有功. 詩云, 神之格思, 不可度思, 矧可射思, 良以鬼神之格不格, 繫於誠之至不至, 才之於杳茫之外, 感之以微密之心. 此聖人之所難, 故渙之義, 以王格有廟爲重. 或曰, 巽坎風雨也. 感應莫如風雨, 故云爾.
환(渙)은 물이 흐르는 모양이니, 모이는 것도 아니고 흩어지는 것도 아니다. 흩어짐은 모이는 것과 반대가 되니, 흩어짐을 어찌 사당에 이르는 데서 취하겠는가? 환(渙)은 바람이 물 위에 부는 것이다. 물은 틈이 없고 바람은 모양이 없지만 손괘는 들어가고 감괘는 빠지기 때문에 물이 비록 깊지만 바람이 들어가지 못하는 바가 없어서 모양이 없는 것이 틈이 없는 것에 들어가 더불어 하나로 합하는 것이 오직 바람과 물이 그러하다. 귀신의 도는 넓고 넓음이 위에 있으니 조금이라도 끊어짐이 없고, 오직 사람의 성의(誠意)는 비록 모양과 소리는 없으나 또한 그 사이에서 감격시킬 수 있으니, 이룰 수 있는 까닭이 있다. 진실로 그 서로 같음을 구하면 환이 아니면 다시 그와 같은 물건이 없다. 또 물의 흘러내림과 같은 것이 비록 왕성하더라도 밟으면 빠지니, 오직 배라야 타고서 들어가 이르지 못하는 곳이 없기 때문에 "나무를 타서 공이 있다"고 했다. 시에서 "귀신이 오는 것을 헤아릴 수 없는데, 하물며 싫어할 수 있겠는가?"[2]라고 했으니, 진실로 귀신이 오고 오지 않는 것은 정성의 이르고

---

2) 『중용』 16장.

이르지 않음에 매었으며, 재주가 아득히 먼 밖에서 작고 세밀한 마음으로 감응한다. 이는 성인이 어려워한 바이기 때문에 환(渙)의 뜻이 '왕이 사당에 이르는 것'을 중요하게 여겼다. 어떤 이는 "손괘와 감괘는 바람과 비이다. 감응함이 바람과 비만한 것이 없기 때문에 그렇게 말했다"고 했다.

권만(權萬) 「역설(易說)」

利涉大川, 利貞, 言二五俱健, 涉川無阽溺之慮, 利而且貞也.
"큰 내를 건너는 것이 이로우니, 곧음이 이롭다"는 이효와 오효가 모두 굳건하여 내를 건넘이 위태롭고 빠지는 염려가 없어서 이롭고 또 곧음을 말한다.

유정원(柳正源) 『역해참고(易解參攷)』

厚齋馮氏曰, 易稱有廟說者, 皆襲焦延壽之說, 以上九一爻爲宗廟.
후재풍씨가 말하였다: "역에서 '사당을 두는'이라고 말한 것은 모두 초연수의 설을 답습하여 상구 한 효를 종묘로 삼은 것이다.

愚謂, 宗廟者, 國之本也, 其在都邑之中乎. 渙自二以上, 有廟之象. 或曰, 自五以下, 有七廟之象. 想以畫數, 三陰爻六畫, 而一陽爻一畫, 通爲七也. 蓋三爻之艮, 爲門闕, 謂一陽爻在上, 爲屋, 二陰在下, 爲闕高巍之象也, 故萃自四以下互艮, 渙自五以下約象亦艮也.
내가 살펴보았다: 종묘는 나라의 근본이니, 도읍의 안(가운데)에 있는 것이다. 환괘는 이효로부터 그 이상에 사당의 상이 있다. 어떤 이는 "오효로부터 그 이하에 칠묘(七廟)의 상이 있다"고 했으니, 획수로 생각해보면 세 음효가 여섯 획이고 양효 하나가 한 획이니, 통틀어 일곱이 된다. 대체로 삼효의 간괘는 문이 되니, 양효 하나가 위에 있는 것이 지붕[屋]이 되고 두 음이 아래에 있는 것이 문의 높고 높은 상이 됨을 말하므로 취괘(萃卦䷬) 사효로부터 그 이하의 호괘인 간괘와 환괘 오효로부터 그 이하의 대략적인 상이 또한 간괘가 된다.

○ 案, 巽之潔齊, 坎之幽隱, 有宗廟祭祀之象. 王者, 九五之位也. 廟亦九五之尊也.
내가 살펴보았다: 손괘의 정결함과 감괘의 그윽하고 어두움에 종묘제사의 상이 있다. 왕은 구오의 지위이다. 사당도 구오의 존귀함이다.

김상악(金相岳) 『산천역설(山天易說)』

渙之卦變, 九來居二而得中, 六往居三而得位, 上同於五, 渙所以亨也. 假至也. 五居尊乘坎, 爲王假有廟之象. 坎水巽木, 爲利涉大川之象. 剛來柔同, 假廟而涉川, 皆利於貞正也.
환괘의 괘의 변화는 구(九)가 와서 이효자리에 있어 알맞음을 얻고 육(六)이 가서 삼효자리에 있어 자리를 얻어 위로 오효와 함께 하니, 환괘가 형통한 까닭이다. '격(假)'은 이른다는 것이다. 오효가 높은데 있으면서 감괘를 타니, 왕이 사당에 이르는 상이 된다. 감괘인 물과 손괘인 나무가 큰 내를 건넘이 이로운 상이 된다. 굳센 양이 오고 부드러운 음이 함께 하며, 사당에 이르고 내를 건넘이 모두 곧고 바름에 이로운 것이다.

○ 亨利貞之間, 繫以他辭, 與蒙相似. 坎宮艮闕, 廟之象. 渙曰王假有廟, 家人九五曰王假有家者, 各取坎離, 離爲人而坎爲鬼神也. 渙中孚爭初, 九六皆言涉川. 而中孚曰, 乘木舟虛, 爲方涉之利, 渙曰, 乘木有功, 爲已涉之利也. 益下卦, 亦與中孚爭二一爻, 與渙爲初二上下者, 故亦曰利涉大川, 木道乃行, 皆取之於巽也.
형(亨)과 리정(利貞)의 사이에 다른 말로 매었으니, 몽괘(蒙卦䷃)와 서로 비슷하다. 감괘는 궁(宮)이고 간괘는 궐(闕)이니, 사당의 상이다. 환괘에서는 "왕이 사당에 이른다"고 했고, 가인괘(家人卦䷤) 구오에서는 "왕이 집에 이른다"고 한 것은 각기 감괘와 리괘에서 취했는데, 리괘는 사람이 되고 감괘는 귀신이 된다. 환괘(渙卦䷺)와 중부괘(中孚卦䷼)는 초효를 다투니, 구(九)와 육(六)은 모두 '내를 건넘'을 말하였다. 그런데 중부괘에서는 "나무를 타고 배가 비었기 때문이다"고 한 것은 막 건너는 이로움이 되고, 환괘에서 "나무를 타서 공이 있다"고 한 것은 이미 건넌 이로움이 되는 것이다. 익괘(益卦䷩) 하괘도 중부괘와 이효 한 효를 다투고 환괘와는 초효와 이효가 위아래가 된다. 그러므로 또 "큰 내를 건넘이 이로우니 나무의 도가 이에 행한다"고 한 것은 모두 손괘(☴)에서 취한 것이다.

김규오(金奎五) 「독역기의(讀易記疑)」

卦變, 本義謂自漸來, 而六三旣非得位, 又非在外, 與彖傳不合. 朱子亦自以爲不穩. 竊疑渙卦, 變自否來, 而非卦變之恒例, 故彖傳亦詳其妙矣. 蓋卦變, 多是一爻互換, 如本義之例, 不然則是相應之爻, 如損益之例也. 渙則否之九四, 宜作初九, 而乃止於二, 故彖言剛來而不窮, 窮實指初也, 言不窮極而至於下也. 六二, 旣失其次, 則當往作五, 而九五自在本位, 六二止就九四之舊次, 故彖言柔得位乎外而上同, 上實指五也, 言雖止於四, 而其志乃同於五位云矣. 不窮上同之所以爲亨者, 以其交進而未已也.
괘의 변화를 『본의』에서는 "점괘로부터 왔다"고 했는데 육삼은 이미 지위를 얻은 것이 아니고 또 밖(외괘)에 있지 않으니, 「단전」과는 부합하지 않는다. 주자도 스스로 온당하지 않다고 여겼다. 환괘를 가만히 생각해보면 괘의 변화가 비괘(否卦䷋)로부터 왔는데, 괘의 변화에서 항상된 예가 아니기 때문에 「단전」에서 또한 그 오묘함을 자세히 하였다. 괘의 변화는 대체로 『본의』의 예처럼 한 효가 서로 바뀌고, 그렇지 않으면 손괘(損卦䷨)와 익괘(益卦䷩)의 예처럼 서로 호응하는 효이다. 환괘는 비괘의 구사가 의당 초구가 되어야 하는데, 이제 이효에서 그치기 때문에 「단전」에서 "굳센 양이 와서 다하지 않는다"고 했으니, '다함'은 실상 초효를 가리키는 것으로 끝까지 다해서 맨 아래에까지 이르지 않았음을 말한다. 육이는 이미 그 차례를 잃었으니 마땅히 가서 오효가 되어야 한다. 그런데 구오 자신이 본래의 자리에 있고 육이가 다만 구사의 옛 차례에 나아가는데 그치기 때문에 「단전」에서 "부드러운 음이 밖에서 자리를 얻어 위와 함께 한다"고 했다. '위'는 실상 구오를 가리키니, 비록 사효의 자리에 멈추었지만 그 뜻은 곧 오효의 자리와 함께 함을 말한다. '다하지 못함'과 '위와 함께 함'이 형통하게 되는 까닭은 서로 나아가서 아직 그치지 않기 때문이다.

서유신(徐有臣) 『역의의언(易義擬言)』

渙者, 解凍也, 氷泮而水流, 故亨也. 凡天下之鬱塞者, 散則亨也. 利貞, 恐當在亨下, 據彖爲然也. 四五得正位, 故利貞也. 王假有廟, 利涉大川, 卦象也.

환(渙)은 언 것이 풀리는 것이니, 얼음이 녹아 물이 흐르기 때문에 형통하다. 천하에 막힌 것이 흩어지면 형통하다. '리정(利貞)'은 '형(亨)' 아래에 있어야 할 듯하니, 「단전」에 근거하면 그러하다. 사효와 오효는 바른 자리를 얻었기 때문에 곧음이 이롭다. '왕이 사당에 이르며 큰 내를 건너는 것이 이로움'은 괘의 상이다.

윤행임(尹行恁) 『신호수필(薪湖隨筆)·역(易)』

坎者, 中實之象, 故曰王乃在中, 而其中誠則實, 故可以享郊祭廟

감괘는 가운데가 꽉 찬 상이기 때문에 "왕이 가운데 있다"고 했는데, 그 가운데가 성실하면 꽉 차기 때문에 교(郊)에서 제향하고 사당에 제사할 수 있다.

강엄(康儼) 『주역(周易)』

渙亨 [止] 利貞.

환(渙)이 형통하니, … 정고함이 이롭다.

本義, 六往居三, 得九之位而上同於四.
『본의』에서 말하였다: 육(六)이 가서 삼효자리에 거처하여 구(九)의 자리를 얻어 위로 사효와 함께 한다.

按, 六往居三之說, 朱子自以爲不穩. 胡雲峯亦曰, 朱子雖有是疑, 而不及改正, 蓋以他卦觀之, 凡陰居三者, 未嘗言得位, 而陰居四, 則或言得位, 如小畜彖傳以陰居四, 謂柔得位, 家人六四象曰, 順在位, 是也. 但本義, 卦變之例, 每以二爻相比者, 爲變之例, 每以二爻相比者, 爲變, 未嘗有間一爻變者, 故此卦亦謂自漸卦九來居二, 六往居三. 然三本陽位, 以六居三, 不可謂得位, 故本義以爲不穩. 然若朱子改正, 則當如何也. 妄謂剛來不窮一句, 當以卦變言, 柔得位乎外而上同一句, 不以卦變處之, 而只以六四之上同於九五爲言矣, 如何.
내가 살펴보았다: 육(六)이 가서 삼효자리에 거처한다는 설명은 주자 자신이 온당하게 여기지 않았다. 호운봉도 "주자가 비록 이러한 의심이 있었으나 개정함에 이르지는 못했다"고 했으니, 다른 괘로 살펴본다면 음이 삼효자리에 있는 것을 일찍이 '자리를 얻었다'고 말하지 않았고 음이 사효자리에 있으면 혹 '자리를 얻었다'고 말했으니, 소축괘(小畜卦) 「단전」이 음으로 사효자리에 있는 것을 "부드러운 음이 자리를 얻었다"고 하고, 가인괘(家人卦) 육사의 「상전」에서 "순종함으로 바른 자리에 있다"고 한 것이 이것이다. 다만 『본의』에서 괘가 변화하는 예는 비(比)의 관계에 있는 두 효로써 변화의 예를 삼았으니, 비(比)의 관계에 있는 두 효로써 변화를 삼는데 일찍이 사이에 한 효만 변한 것이 있지 않았기 때문에 환괘가 또한 점괘의 구(九)로부터 와서 이효자리에 있고 육(六)이 가서 삼효자리에 있음을 말한다. 그러나 삼효는 본래 양의 자리인데 육으로 삼효자리에 있으니, "자리를 얻었다"고 말할 수 없기 때문에 『본의』에서 온당하지 않게 여긴 것이다. 그러나 만약 주자가 개정한다면 마땅히 어떠해야 하겠는가? 내 생각에 "굳센 양이 와서 다하지 않는다"는 한 구절은 마땅히 괘의 변화로 말해야 하지만, "부드러운 음이 밖에서 자리를 얻어 위와 함께 한다"는 한 구절은 괘의 변화로 처리할 수 없으니, 다만 육사가 위로 구오와 함께 하는 것으로 말한다면 어떻겠는가?

김기례(金箕澧) 「역요선의강목(易要選義綱目)」

渙,
환은,
悅極則散, 水遇風散.
기쁨이 다하면 흩어지고 물이 바람을 만나면 흩어진다.

亨,
형통하니,
二剛以同德應五, 而四以柔夾輔五君, 故亨.
이효인 굳센 양은 덕을 함께 함으로 오효에 호응하고, 사효는 부드러운 음으로 오효인 임금을 끼고 돕기 때문에 형통하다.

王假有廟,
왕이 사당을 지극히 두며,
見萃, 蓋萃因民聚而立廟, 聚祖考精神.
취괘(萃卦)를 보면, 취괘는 백성이 모임으로 인하여 사당을 세우고 조상의 정신을 모은다.
○ 渙, 憂民散而立廟, 收祖考精神.
환괘는 백성이 흩어짐을 근심하여 사당을 세우고 조상의 정신을 수습한다.
○ 萃渙, 皆互艮有廟門象.
취괘와 환괘는 모두 호괘인 간괘에 사당 문의 상이 있다.

利貞.
정고함이 이롭다.
木[3]在水上, 有舟[4]楫象, 故曰利涉. 祭廟以非正, 則媚神徼福. 涉川以非正, 則行險徼幸, 故戒之以利貞.
나무가 물 위에 있어 배와 노의 상이 있으므로 "건넘이 이롭다"고 했다. 바르지 않음으로 사당에 제사지내면 귀신에게 아첨하여 복을 구하는 것이다. 바르지 않음으로 내를 건너면 험함을 행하여 바라는 것을 구하는 것이므로 "곧음이 이롭다"는 것으로 경계하였다.

윤종섭(尹鍾燮) 『경(經)-역(易)』

渙之有廟, 與萃同. 利涉大川, 水上乘木也.
환괘에 '사당'이 있는 것은 취괘와 같다. '큰 내를 건너는 것이 이로움'은 물 위에서 나무를 타는 것이다.

3) 木: 경학자료집성DB에는 '水'로 되어 있으나, 경학자료집성 영인본을 참조하여 '木'으로 바로잡았다.
4) 舟: 경학자료집성DB에는 '丹'으로 되어 있으나, 경학자료집성 영인본을 참조하여 '舟'로 바로잡았다.

심대윤(沈大允) 『주역상의점법(周易象義占法)』

巽爲精, 坎爲神, 巽爲專, 坎爲一. 凡天下之發達而接于遠者, 莫如人之精神, 精神專一, 然後乃能發達而格于上下四方矣. 祭祀之道, 能以精神接于祖考之神而來格焉, 故以廟祀言之也. 坎爲鬼神, 餘見萃卦. 精神[5]周徹而及於物, 則可以濟險難, 故曰利涉大川. 渙之義, 發達而出外, 坤之變, 至巽而遇乾, 故互坎乾曰大川.
손괘는 정(精)이 되고 감괘는 신(神)이 되며, 손괘는 전(專)이 되고 감괘는 일(一)이 된다. 천하에 드러나 통달하여 멀리까지 닿는 것으로는 사람의 정신만한 것이 없으니, 정신이 전일(專一)한 뒤에 이에 들어나 도달하여 위아래와 사방에 이를 수 있다. 제사의 도는 정신으로 조상의 신(神)에 닿아 신이 와서 이르게 하는 것이므로 조상에 대한 제사로 말했다. 감괘는 귀신이 되니, 나머지는 취괘에 보인다. 정신이 두루 통하여 만물에까지 미치면 험난함을 건질 수 있기 때문에 "큰 내를 건너는 것이 이롭다"고 했다. 환(渙)의 뜻은 드러나 도달하여 밖으로 드러나고, 곤괘의 변화는 손괘에 이르러 건괘를 만나기 때문에 호괘인 감괘와 건괘를 "큰 내"라고 했다.

오치기(吳致箕) 「주역경전증해(周易經傳增解)」

渙者, 離散也. 風行水上, 離披解散, 爲渙之象也. 卦體則剛得中於下, 柔得位於上, 卦義則濟渙而有功, 故言亨. 九五得中正而居尊, 故言王假有廟, 而合祖考已散之精神, 涉險而濟渙有功, 故言利涉大川. 濟渙當用正固之道, 故終言利貞而戒之也.
환(渙)은 떨어져 흩어짐이다. 바람이 물 위에 불어 떨어지고 흩어져 환괘의 상이 된다. 괘의 몸체는 굳센 양이 아래에서 알맞음을 얻고 부드러운 음이 위에서 자리를 얻었으며, 괘의 뜻은 흩어짐을 구제하여 공이 있기 때문에 "형통하다"고 말했다. 구오는 중정함을 얻고 높은 데 있으므로 "왕이 사당에 이른다"고 말했고, 조상의 이미 흩어진 정신을 합하고 험함을 건너 흩어짐을 구함에 공이 있으므로 "큰 내를 건너는 것이 이롭다"고 말했다. '흩어짐을 구제함'은 마땅히 바르고 굳은 도를 쓰기 때문에 끝내 "곧음이 이롭다"고 말하여 경계하였다.

○ 王指九五也. 假與格同, 已見萃卦. 互艮爲門闕爲宮, 巽爲高, 坎爲幽隱, 皆有廟之象. 亦以坎有誠實之象, 巽有精潔之象, 互震有承篚之象, 誠潔而承篚, 卽格神明之事也. 萃卦亦有此象, 二五不相應, 故不言大亨.
왕은 구오를 가리킨다. '가(假)'와 '격(格)'은 같으니, 취괘에 이미 보인다. 호괘인 간괘는 궁궐의 문이 되고 궁이 되며, 손괘는 높음이 되고 감괘는 그윽하여 어두움이 되니, 모두 사당

5) 神: 경학자료집성DB에는 '坤'으로 되어 있으나, 경학자료집성 영인본을 참조하여 '神'으로 바로잡았다.

의 상이 있다. 또 감괘에 성실한 상이 있고, 손괘에 정결(精潔)한 상이 있으며, 호괘인 진괘에 제기를 받드는 상이 있으니, 성실하고 정결하여 제기를 받듦은 곧 신명(神明)을 이르게 하는 일이다. 취괘도 이러한 상이 있으나, 이효와 오효가 서로 호응하지 않기 때문에 "크게 형통함"은 말하지 않았다.

이진상(李震相) 『역학관규(易學管窺)』

他卦言廟, 莫不有七廟之象, 而渙之自五至初, 陰爻三, 固昭穆之位, 九二在其中, 乃王在廟中之象也. 他卦則五爲王位, 而此以九二爲王之所在者, 蓋上九帝也, 九五太祖廟也, 尊祖配帝之地, 王當自卑故也. 且互艮震, 艮爲門闕, 震爲長子, 有繼世立廟合祔祖考之象.

다른 괘에서 '사당'을 말함에 제왕의 종묘[七廟]의 상이 있지 않음이 없는데, 환괘의 오효로부터 초효에 이르기까지는 음효가 셋이니 진실로 소목(昭穆)의 자리이며, 구이는 그 가운데 있으니 곧 왕이 사당 안에 있는 상이다. 다른 괘는 오효가 왕의 자리가 되는데, 여기서는 구이를 왕이 있는 곳으로 여기는 것은 대체로 상구가 상제이고 구오가 태조의 사당이어서 조상을 높이고 상제에게 배향하는 자리이니, 왕은 마땅히 자신을 낮추어야 하기 때문이다. 또 호괘인 간괘와 진괘에서 간괘는 대궐의 문이 되고 진괘는 맏아들이 되니, 세대를 잇고 사당을 세워 조상을 합사[合祔]하는 상이 있기 때문이다.

박문호(朴文鎬) 「경설(經說)・주역(周易)」

水上風利, 亦爲利涉大川之象.

물위의 바람이 이로운 것이 또한 대천(大川)을 건넘이 이로운 상이 된다.

이정규(李正奎) 「독역기(讀易記)」

渙之卦辭, 王假有廟, 與萃无異. 以象觀之, 風行水上, 物皆披離, 澤在地上, 物皆聚會, 大相不同. 而如此者, 民之聚也, 則不可不懷保, 故因其歸向, 立廟以統攝, 民之散也, 則不可不收合, 故節其離析, 立廟以安集歟. 然以爻義觀之, 當渙而有濟小, 而不能濟大者, 如初六无應, 而比於九二, 故用拯馬壯吉, 九二雖處險中, 得中則安, 故奔其机悔亡也, 有渙其小, 而濟其大者, 六三渙其躬, 志在濟時, 而渙其已私也, 六四渙其群, 聚天下之大群, 而散私黨之小群也, 九五渙王居, 散小儲而成大儲也, 上九渙其血, 出渙而遠害也.

환괘(渙卦☴☵)의 괘사에서 '왕이 사당에 이름'은 취괘(萃卦☱☷)와 다를 것이 없다. 상으로 살펴보면 바람이 물 위에 불어 만물이 모두 나뉘어 떨어지고, 못이 땅 위에 있어 만물이 모두 모이는 것은 크게 서로 같지 않다. 그런데 이와 같은 경우에 백성이 모이면 품어 보호하지 않을 수 없기 때문에 그 돌아가 향하는 바로 인하여 사당을 세워 다스리며, 백성이 흩어지면 거두어 합하지 않을 수 없기 때문에 그 떨어져 터짐을 절제하여 사당을 세워 편안하고 화목하게 한다. 그러나 효의 뜻으로 살펴보면 흩어짐에 해당하여 작은 것을 구제하나 큰 것을 구제할 수 없는 경우가 있으니, 이를테면 초육이 호응이 없으나 구이와 가깝기 때문에 '구원하되 말이 건장하니 길하다'는 것이고, 구이는 비록 험한 가운데 처했으나 알맞음을 얻으면 편안하기 때문에 '궤로 달려가니 후회가 없어지리라'는 것이다. 작은 것을 흩어버리고 큰 것을 구제하는 경우가 있으니, 육삼의 '몸의 사사로움을 흩음'은 뜻이 구제하는 때에 있어서 자신의 사사로움을 흩는 것이고, 육사의 '붕당의 무리를 흩음'은 천하의 큰 무리를 모으고 사사로운 당여의 작은 무리를 흩는 것이며, 구오의 '왕의 재화를 흩어줌'은 작게 쌓은 것을 흩트리고 크게 쌓은 것을 이루는 것이고, 상구의 '피를 흩음'은 흩어짐에서 벗어나 해를 멀리 하는 것이다.

이용구(李容九) 「역주해선(易註解選)」

渙, 收天下之心, 莫若奠宗廟正位.
환(渙)은 천하 사람의 마음을 수습함이니, 종묘에 제사지내고 자리를 바르게 하는 것 만한 것이 없다.

彖曰, 渙亨, 剛來而不窮, 柔得位乎外而上同.

「단전」에서 말하였다: 환(渙)이 형통함은 굳센 양이 와서 다하지 않고 부드러운 음이 밖에서 자리를 얻어 위와 함께 하기 때문이다.

中國大全

傳

渙之能亨者, 以卦才如是也. 渙之成渙, 由九來居二, 六上居四也. 剛陽之來, 則不窮極於下, 而處得其中. 柔之往, 則得正位於外, 而上同於五之中. 巽順於五, 乃上同也. 四五, 君臣之位, 當渙而比, 其義相通. 同五, 乃從中也. 當渙之時而守其中, 則不至於離散, 故能亨也.

환(渙)이 형통할 수 있는 것은 괘의 재질이 이와 같기 때문이다. '환'이 환이 된 까닭은 구(九)가 와서 이효자리에 있고 육(六)이 올라가 사효자리에 있기 때문이다. 굳센 양이 옴에 아래에 끝까지 이르지 않아 거처함이 알맞음을 얻었다. 부드러운 음이 가 밖에서 바른 자리를 얻어 위로 오효의 알맞음과 함께 한다. 오효에게 손순(巽順)함이 바로 위와 함께 하는 것이다. 사효와 오효는 임금과 신하의 자리인데 흩어지는 때를 맞아 가까이 하여 그 뜻이 서로 통한다. 오효와 함께 함은 바로 알맞음을 따르는 것이다. 흩어지는 때라도 그 중도를 지키면 떠나 흩어지는 데 이르지 않으므로 형통할 수 있다.

小註

厚齋馮氏曰, 以二四往來, 明卦義, 不窮上同, 明亨. 剛來不窮, 卽需剛健不陷義不困窮之象. 又曰, 觀孔子之象, 全在二四兩爻. 九六往來, 成夹輔九五之功, 所以亨. 渙而王者, 以之假廟, 以之涉川, 以之貞固, 皆兩爻之力也.

후재풍씨가 말하였다: 구이와 육사의 왕래로 괘의 뜻을 밝혔고 '궁극하지 않음'과 '위와 함께 한다'는 것으로 형통함을 밝혔다. "강(剛)이 와서 궁극에 이르지 않았다"는 것은 곧 수괘(需卦)의 "강건하지만 빠지지 않으니 그 뜻이 곤궁하지 않음"의 상이다. 또 말하였다: 공자의

「단전」을 보면 전체[의 의미]가 이(二)와 사(四)의 두 효에 있다. 구와 육이 왕래하여 구오(九五)의 공을 함께 도와서 형통하다. 환괘에서 왕이 사당에 이르고 내를 건너고 정고하게 하는 것은 모두 두 효의 힘을 쓰는 것이다.

本義

以卦變, 釋卦辭.

괘의 변화로 괘사(卦辭)를 풀이하였다.

小註

或問, 剛來而不窮, 窮是窮極, 來處乎中, 不至窮極否. 朱子曰, 是居二爲中, 若在下, 則是窮矣.
어떤 이가 물었다: "강(剛)이 와서 궁극에 이르지 않았다"에서 궁은 궁극의 뜻으로, [강이] 와서 중(中)에 거쳐하여 궁극에 이르지 않았다는 것인가? 주자가 말하였다: 이(二)에 거처함이 중(中)이 되니, 만약 아래에 있다면 궁극일 것이다.

○ 剛來不窮, 是九三來做二, 柔得位而上同, 是六二上做三. 此說有些不穩, 卻爲是六三不換做得位. 然而某這個例, 只是一爻, 互換轉移, 无那隔驀兩爻底.
강이 와서 궁극에 이르지 않음은 [점괘(漸卦)]의 구삼이 와서 구이가 됨이고 유가 자리를 얻어 위와 함께 함은 육이가 올라가 육삼이 된 것이다. 이 설명은 조금 온당치 못한데 도리어 육삼은 바꾸어서 자리를 얻음이 될 수가 없다. 그렇지만 이런 [변]괘의 예는 이 효 하나뿐으로, 서로 바꾸어 옮겨가는데 두 효의 사이가 격리된 경우는 없다.

○ 九二, 渙奔其机. 是以變卦言之, 自三來居二得中而不窮, 所以爲安, 如机之安也. 六四, 是自二往居四, 未爲得位, 以其上同於五, 所以爲得位. 彖辭如此說未密. 若云, 六四上應上九爲上同, 恐如此跳過了不得, 此亦是依文解義說, 終是不見得. 四來居二之爲安, 二之於四爲得位, 是如何.
"구이는 흩어짐에 궤로 달려간다"는 괘변으로 말한 것이다. 삼(三)으로부터 와서 이(二)에 거쳐하여 중(中)을 얻어 궁극에 이르지 않아서 편안하니 궤의 편안함과 같다. 육사는 이(二)가 가서 사(四)에 거처하여 자리를 얻은 것이 아니라 위로 구오(九五)와 함께 하기 때문에 자리를 얻은 것이다. 「단전」의 말[6]을 이와 같이 해석해도 정밀하지는 않다. 만약, 육사가 위로 상구와 호응함을 '위와 같이 함'으로 풀 때, 이와 같이 해도 훌쩍 넘어갈 수가 없다. 이것 역시 문구에 의지해서 뜻을 설명하는 것으로 마침내 알 수 없다. 사(四)가 와서 이(二)에 거처함이 편암이 되고 이(二)가 사(四)에 감이 '자리를 얻음'이 된다고 하면 어떻겠는가?

○ 雲峯胡氏曰, 彖本義曰, 其變本自漸來, 三之九來居二. 故曰剛來而不窮, 蓋如訟自遯來, 三之九來居二, 亦曰剛來而得中也. 或謂, 訟與渙, 皆下卦三與二之變. 渙之六二往居三, 曰柔得位乎外而上同, 則訟六二往而爲三, 亦可以言也而不言者, 渙之柔得位者, 二往居外卦之四. 故曰得位乎外, 所謂上同者, 上同於五也, 訟以六居三, 則不得位矣. 要之, 本義以二爻相比者爲變, 故朱子雖有是疑而不及改正也.
운봉호씨가 말하였다: 「단사」의 『본의』에서 "괘변이 점괘로부터 온 것으로 삼위(三位)의 구(九)가 와서 이(二)에 거처하였다"고 하였다. 그러므로 강이 와서 궁극에 이르지 않았다고 한 것이니 송괘가 둔괘(遯卦)로부터 옴에 삼위(三位)의 구(九)가 와서 이(二)에 거처하는 것을 "강이 와서 중을 얻었다"고 한 것과 같다. 어떤 이가 말하였다: 송괘와 환괘는 모두 하괘의 삼효와 이효가 변한 것이다. 환괘의 육이가 가서 삼에 거처한 것을 '유가 외괘에서 자리를 얻어 위와 함께한다'고 하였으니, 송괘의 육이가 가서 삼이 된 것도 똑같이 말할 수 있는데도 말하지 않은 것은, 환괘의 '유가 자리를 얻음'은 이(二)가 외괘의 사위(四位)에 거처하기 때문이다. 그러므로 '외괘에서 자리를 얻었다'고 하였으니 '위와 함께 함'은 위로 구오와 함께 함인데, 송괘는 육(六)이 삼(三)에 거처하여 자리를 얻지 못했다. 요컨대 『『본의』에서는 서로 이웃하는 두 효를 가지고 괘변을 이루었기 때문에 주자가 비록 이[환괘의] 부분에 의심은 있었지만 개정하는데 까지 이르지는 못했다.

‖韓國大全‖

권근(權近) 『주역천견록(周易淺見錄)』

程傳, 九來居二, 六上居四, 則是自否而變也. 本義, 爲自漸變, 九來居二而得中, 六上居三得九之位, 而上同於四. 然六居三不可爲得位, 故語錄又以爲此說有些不穩. 六三

6) 상사를 단사의 의미로 보아 해석함.

不喚做得位. 然而某這介例, 只是一爻互換轉移無那隔驀兩爻底.
『정전』에서는 "구(九)가 와서 이효자리에 거처하고 육(六)이 올라가 사효자리에 거처하기 때문이다"고 했으니, 이는 비괘(否卦䷋)로부터 변한 것이다. 『본의』에서는 "점괘(漸卦䷴)에서 변한 것으로, 구가 내려와 이효자리에 거처하여 알맞음을 얻고, 육이 올라가 삼효자리에 거처하여 구의 자리를 얻어 위로 사효와 뜻을 같이 한다"고 했다. 그러나, 육이 삼효의 자리에 거처하는 것을 제자리를 얻었다고 할 수 없으므로 『어록』에서 또 "이 설명은 온당치 못한 점이 있다. 육삼은 제자리를 얻었다고 할 수 없다. 그러나 이러한 예는 하나의 효가 서로 바뀌고 옮긴 것이지 두 개의 효를 건너뛴 것은 아니다"고 했다.

愚妄謂, 以畫卦言, 則自下而上, 只以一爻互換而變, 以筮卦言, 則變動無常, 非以此而換彼. 故否可變爲渙, 漸亦可變爲渙, 不必拘一例也. 大抵諸卦之變, 多主乾坤而言. 此卦三陽三陰, 乾坤皆具. 坤中爻, 變而爲陽, 乾初爻, 變而爲陰, 非是將坤之中, 往換乾之初也. 上卦本乾, 初爻變而爲巽, 下卦本坤, 中爻變而爲坎, 合成此卦, 則剛爲自外之乾而來內, 柔爲自內之坤往得位乎外也. 以此卦有此象故言之, 非是就卦上互換也. 三非陰位, 又在內卦, 不可言得位乎外, 暫從程傳.
내가 살펴보았다: 괘를 그린 것으로 말하면 아래로부터 올라가니, 단지 하나의 효를 서로 바꾸어 변화시키고, 서괘(筮卦)로 말하면 변하여 움직이는 것에 항상 됨이 없으니, 이것을 저것과 바꾸는 것이 아니다. 그러므로 비괘(否卦)는 환괘(渙卦)로 변할 수 있고, 점괘(漸卦)도 환괘(渙卦)로 변할 수 있어서 한 가지 예에 구애될 필요는 없다. 대체로 여러 괘의 변화는 대부분 건괘와 곤괘를 주로 하여 말한다. 이 괘는 양이 셋이고 음이 셋이어서 건곤이 모두 갖추어져 있다. 곤괘의 가운데 효가 변해 양이 되고, 건괘의 초효가 변하여 음이 된 것이지, 곤괘의 가운데 효가 가서 건괘의 초효와 바뀐 것은 아니다. 상괘는 본래 건괘인데 초효가 변해 손괘(☴)가 되고, 하괘는 본래 곤괘인데 가운데 효가 변해 감괘(☵)가 됨에 둘이 합하여 이 괘를 이루었으니, 굳센 양은 밖의 건괘로부터 와서 안에 있고 부드러운 음은 안의 곤괘로부터 가서 밖에 자리를 잡은 것이다. 이 괘에 이러한 상이 있기 때문에 그렇게 말한 것이지, 괘에 나아가 서로 뒤바꾼 것이 아니다. 삼효는 음의 자리가 아니고 또 내괘에 있으니, 밖에서 자리를 얻었다고 말할 수 없으니 『정전』을 따라야 한다.

송시열(宋時烈) 『역설(易說)』

彖, 剛來不窮者, 二五皆陽也. 柔得位者, 六四之重陰也. 上同者, 和同於九五也. 王乃在中者, 五爻在中正之位也.
「단전」의 '굳센 양이 와서 다하지 않음'은 이효와 오효가 모두 양이기 때문이다. '부드러운 음이 자리를 얻음'은 육사가 음으로 음의 자리에 있기 때문이다. '위와 함께 함'은 구오와 화락하여 함께 하기 때문이다. '왕이 중(中)에 있음'은 오효가 중정한 지위에 있기 때문이다.

이익(李瀷)『역경질서(易經疾書)』

柔得位, 惟六四也. 外者, 外卦也. 卦中惟四與五得位, 故四與上同, 而爻辭亦最吉. 朱子以六三當之, 更詳之. 易擧正, 大川下脫利貞二字. 彖之有廟, 宗廟也. 大象, 又推以至於享帝.
'부드러운 음이 자리를 얻음'은 육사뿐이다. '밖에서'는 외괘이다. 괘에서 사효와 오효만이 제자리를 얻었기 때문에 사효가 위와 함께하고 효사도 가장 길하다. 주자는 육삼을 그에 해당시켰으니, 더욱 자세히 한 것이다. 『주역거정』에서는 '큰 내[大川]'아래에 '리정(利貞)' 두 자가 빠졌다. 「단전」에서의 '유묘(有廟)'는 종묘이다. 「대상전」은 다시 상제에게 제향하는 데에까지 미루었다.

권만(權萬)「역설(易說)」

渙承兌說之下. 人情悅喜, 則心慮和平, 無所滯碍, 渙之字義, 可推知也. 風行水流, 何所滯碍, 無所滯碍, 則渙之亨, 可知也.
환괘는 태괘 기뻐함의 다음을 이었다. 사람의 정이 기뻐하면 마음속 염려가 온화해져 막혀 방해되는 바가 없으니, 환(渙)이란 글자의 뜻을 미루어 알 수 있다. 바람이 불고 물이 흐르는데 무엇이 막혀 방해가 되겠는가? 막혀 방해되는 것이 없으면 환괘의 형통함을 알 수 있다.

○ 剛來而不窮, 言卦自漸變, 艮之上爻, 來宅於中而爲坎, 以常例言之, 則一陽溺於二陰之間, 其勢似窮困, 而得九五之君, 同德故不窮. 柔得位乎外, 似指六四而言, 而以卦變觀之, 則剛自三來者, 自外而入內也, 柔自二往者, 自內而之外也. 此自成一義, 非若他卦之以下卦爲內上卦爲外之外也. 上同二字, 卽九二上與九五同德也.
'굳센 양이 와서 다하지 않음'은 괘가 점괘(漸卦䷴)로부터 변했음을 말하니, 간괘의 상효가 와서 가운데에 머물러 감괘가 되는데, 평상의 예로 말하면 한 양이 두 음 사이에 빠졌으니 그 형세가 곤궁할 듯하나 구오의 임금을 얻어 덕을 함께 하기 때문에 궁핍하지 않다. '부드러운 음이 밖에서 자리를 얻음'은 육사를 가리켜 말하는 것 같은데, 괘의 변화로 살핀다면 굳센 양이 삼효로부터 온 것은 밖으로부터 안으로 들어온 것이며, 부드러운 음이 이효로부터 간 것은 안으로부터 밖으로 간 것이다. 이것은 저절로 하나의 뜻을 이루니, 다른 괘에서 "하괘를 안으로 삼고 상괘를 밖으로 삼는다"는 밖과는 같지 않다. "위와 함께 한다"는 글자는 곧 구이가 위로 구오와 덕을 같이 하는 것이다.

권만(權萬) 「역설(易說)」

剛來而不窮, 柔得位乎外而上同, 更思之, 是自否來. 乾之初九, 來居坤之中爻而作坎, 坎有困窮之象, 而九二有濟坎之才, 故不窮, 坤之六二, 往而得位乎外, 四非得位之地, 而以陰爻而居陰位爲得位, 又以陰位大臣上而比同於九五陽剛之君也. 卦變不越位, 陽不能越陽, 陰不能越陰. 然以損益二卦, 損下損上者推之, 則能越三位而相上下, 井之旡喪旡得, 亦越三位, 陰陽不相越之例, 有不可膠守也. 但六十四, 聖人只就其成卦之象, 而發明當爻可也, 而謂之自某卦而來云者, 爲可異耳.

'굳센 양이 와서 다하지 않고 부드러운 음이 밖에서 자리를 얻어 위와 함께 함'을 다시 생각해보면 이는 비괘(否卦☰☷)에서 왔다. 건괘의 초구가 와서 곤괘의 가운데 효 자리에 있어 감괘가 되니, 감괘에 곤궁한 상이 있지만 구이에게 감괘를 건지는 재주가 있기 때문에 다하지 않으며, 곤괘의 육이가 가서 밖에서 자리를 얻으니, 사효가 지위를 얻은 곳은 아니지만 음효로 음의 자리에 있어 자리를 얻은 것이 되고, 또 음의 자리인 대신이 위로 구오인 굳센 양의 임금과 가까이하여 함께 한다. 괘의 변화는 자리를 뛰어넘지 못하니, 양은 양을 넘을 수 없고 음은 음을 넘을 수 없다. 그러나 손괘와 익괘의 두 괘로 아래를 덜어내는 것과 위를 덜어내는 것으로 미루어본다면 세 자리를 뛰어넘어 서로 오르고 내릴 수 있으며, 정괘(井卦)의 잃는 것도 없고 얻는 것도 없는 것이 또한 세 자리를 뛰어넘는 것이니, 음과 양이 서로 뛰어넘을 수 없다는 예를 고집할 수 없다. 다만 육십사괘에서 성인이 그 괘를 이루는 상에 나아가 해당하는 효를 밝혀 드러낸 것은 옳지만 어떤 괘로부터 왔다고 말하는 것은 다를 수 있는 것이다.

유정원(柳正源) 『역해참고(易解參攷)』

渙亨 [止] 上同.
환(渙)이 형통함은 … 위와 함께 하기 때문이다.

王氏曰, 二以剛德居內, 而不窮於險, 四以柔得位乎外, 而與上同. 內剛而旡險困之難, 外順而旡違逆之乖. 凡剛得暢而旡忌回之累, 柔履正而同志乎剛, 則皆亨, 利涉大川, 利貞也.
왕필이 말하였다: 이효는 굳센 덕으로 안에 있고 험함에 이르지 않았으며, 사효는 부드러움으로 밖에서 지위를 얻어 위와 함께 한다. 안으로 굳세어 험하고 곤란한 어려움이 없고,

밖으로 유순하여 어기고 거스르는 어긋남이 없다. 굳셈이 폄을 얻어 돌아오기를 꺼리는 누(累)가 없고, 부드러움이 바름을 밟아 굳셈과 뜻을 함께 하면 모두 형통하여 큰 내를 건너는 것이 이로우니, 곧음이 이로운 것이다.

○ 節齋蔡氏曰, 剛來不窮, 二也, 乾交坤而爲坎也. 二在卦中, 故不窮. 柔得位四也, 坤交乾而爲巽也. 上同, 四上同乎五也.
절재채씨가 말하였다: 굳센 양이 와서 다하지 않음은 이효이니, 건괘가 곤괘와 사귀어 감괘가 된다. 이효는 괘의 가운데 있으므로 다하지 않는다. 부드러운 음이 자리를 얻음은 사효이니, 곤괘가 건괘와 사귀어 손괘가 된다. 위와 함께 함은 사효가 위로 오효와 함께 함이다.

○ 雙湖胡氏曰, 本義卦變自漸來, 故指柔爲三, 三卻未爲得位. 蔡氏指柔爲四, 則四正得位. 外謂外卦.
쌍호호씨가 말하였다: 『본의』에서의 괘의 변화는 점괘(漸卦䷴)로부터 왔기 때문에 부드러운 음이 삼효임을 가리켰는데 삼효는 오히려 아직 자리를 얻은 것이 되지 못한다. 채씨는 부드러움이 사효임을 가리켰으니 사효는 바로 자리를 얻었다. 바깥은 외괘를 말한다.

서유신(徐有臣) 『역의의언(易義擬言)』

此言卦之所以爲渙也, 而剛來, 釋亨也, 柔得位, 釋利貞也. 井變爲渙, 井之九五, 若將往窮於上, 而變來於渙二, 故不窮也. 水流不窮, 所以爲亨也. 四乃巽主, 成卦由之, 故曰柔得位乎外而上同, 謂四得正位而與五同其正也, 所以爲利貞也.
이것은 괘가 환괘가 되는 까닭을 말했는데, '굳센 양이 옴'은 '형통함'을 푼 것이고 '부드러운 음이 자리를 얻음'은 '곧음이 이로움'을 푼 것이다. 정괘(井卦䷯)의 위아래가 변해 환괘(渙卦䷺)가 되니, 마치 정괘 구오가 가서 맨 위에서 다하려 하다가 변하여 환괘 이효로 오기 때문에 다하지 않은 것과 같다. 물이 흘러 다하지 않는 것이 이 때문에 형통함이 된다. 사효는 곧 손괘의 주인이니 괘를 이룸이 거기에서 말미암기 때문에 "부드러운 음이 밖에서 자리를 얻어 위와 함께 한다"고 한 것은 사효가 바른 자리를 얻고 오효와 그 바름을 함께 함을 이르니, 이 때문에 곧음이 이롭게 된다.

박제가(朴齊家) 『주역(周易)』

本義, 謂自漸來, 不及傳之九來居二六上居四之云也. 程子言卦變不言重卦. 然如此, 則此爲自否來矣. 朱子亦自以此說爲有些不穩, 卻爲是六三不喚做得位. 然而某這箇例, 只是一爻互換轉移, 无那隔驀兩爻底. 又曰六四是自二往居四, 未爲得位, 以其上同於五, 所以爲得位. 彖傳如此說, 未密. 若云六四上應上九, 爲上同, 恐如此跳過了不得, 此亦是依文解義, 說終是不見得, 四來居二之爲安, 二之於四爲得位, 是如何. 雲峯胡氏曰, 二往居外卦之四, 故曰得位乎外, 所謂上同者, 上同於五也. 本義以二爻相比者爲變, 故朱子雖有是疑而不及改正也. 說見蹇.
『본의』에서 "점괘(漸卦☴☶)로부터 온다"고 말했는데, 『정전』에서 "구(九)가 와서 이효의 자리에 거처하고 육(六)이 올라가서 사효의 자리에 거처한다"고 말한 것에 대해 언급하지 않았다. 정자가 괘의 변화를 말할 때는 대성괘로 말하지 않았다. 그러니 이와 같다면 이는 비괘(否卦)로부터 온 것이 된다. 주자도 스스로 이 설명을 조금 온당하지 않다고 여겼으니, 도리어 육삼이 자리를 얻었다고 말하지 못하는 것이 된다. 그러나 이러한 예는 다만 한 효를 서로 바꿔 전이(轉移)할뿐 저 두 효를 건너뛰는 경우는 없다. 또 "육사는 이효의 자리로부터 가서 사효의 자리에 있다"고 말하는 것이 아직 자리를 얻은 것이 아니지만, 그것이 위로 오효와 함께 하기 때문에 자리를 얻은 것이 된다. 「단전」에 대한 『정전』의 이와 같은 설명은 정밀하지 못하다. 만약 육사가 위로 상구와 호응함이 '위와 함께 함'이 된다고 말한다면 아마도 이와 같이 뛰어넘음을 수 없고, 이 또한 문장에 의거하여 뜻을 해석한 것이어서 설명을 끝내 할 수 없는 없다. 사효가 와서 이효의 자리에 있는 것이 편안하게 되고, 이효가 사효의 자리에 가서 자리를 얻게 되는 것은 어째서인가? 운봉호씨는 "이효가 가서 외괘의 사효 자리에 있기 때문에 밖에서 자리를 얻었다"고 했으니, 이른바 '위와 함께 한다'는 위로 오효와 함께 함이다. 『본의』에서는 두 효가 서로 가까이 하는 것으로 변화를 삼았기 때문에 주자가 비록 이러한 의심이 있었지만 개정하는 데까지는 미치지 못했다. 설명이 건괘(蹇卦)에 보인다.

강엄(康儼) 『주역(周易)』

彖曰, 渙亨 [止] 上同.
「단전」에서 말하였다: 환(渙)이 형통함은 … 위와 함께 하기 때문이다.

本義, 以卦變釋卦辭.
『본의』에서 말하였다: 괘의 변화로 괘사를 풀이하였다.

按, 彖傳此一節, 乃以卦變釋渙亨之義. 本非釋卦辭, 而本義以爲釋卦辭. 王假有廟至乘木有功兩節, 正是釋卦辭, 而本義不言, 豈蒙上文而然耶. 此必有義而不敢强說. 〈當與下卦彖傳本義參看.〉
내가 살펴보았다: 「단전」의 이 한 구절은 바로 괘의 변화로 '환이 형통함'의 뜻을 해석한

것으로 본래 괘사를 해석한 것은 아닌데 『본의』에서 괘사를 해석한 것으로 여겼다. '왕이 사당에 이르며'에서부터 '나무를 타서 공이 있음'에 이르는 두 구절이 바로 괘사를 해석한 것인데 『본의』에서 말하지 않은 것은 어찌 윗글에 따라 그러했겠는가? 이는 반드시 의미가 있을 것인데 감히 억지로 설명해서는 안 된다. 〈마땅히 다음 괘 「단전」의 『정전』과 『본의』와 참고해 보아야 한다.〉

하우현(河友賢) 『역의의(易疑義)』

彖, 柔得位乎外而上同, 本義以爲其變自漸卦來, 六往居三, 得九之位而上同於四, 然以愚觀之, 終有可疑者. 蓋以彖之得位之義論之, 聖人恐不當以陰之居三爲得位也, 以上同之義論之, 聖人恐不當以陰之從陰贊之也. 是以先生語錄中, 亦有以本義此說爲有些不穩之疑, 而未及改正. 然則胡雲峯所謂柔得位者, 二往居外卦之四. 上同者, 上同於五之說, 可謂發本義未及改正之旨者. 蓋如此看, 則陰之居四, 正合得位之義, 陰之從陽, 正合上同之義也.
「단전」에서 "부드러운 음이 밖에서 자리를 얻어 위로 함께 한다"고 했고 『본의』에서는 "그 변화가 점괘로부터 왔으니, 육(六)이 가서 삼효의 자리에 거처하여 양인 구(九)의 자리를 얻어 위로 사효와 함께 한다"고 여겼다. 그러나 내가 살펴보니, 끝내 의심스러운 것이 있다. 대체로 「단전」에서 "자리를 얻었다"는 뜻으로 논한다면 성인이 아마 음이 삼효의 자리에 거처하는 것으로 자리를 얻었다고 여기지는 않을 것이며, "위와 함께 한다"는 뜻으로 논한다면 성인도 아마 음이 음을 따르는 것으로 칭찬하지 않았을 것이다. 이 때문에 주자의 어록 중에도 『본의』의 이 설명을 조금 온당치 않게 여긴 의심이 있었는데 개정하는 데까지는 이르지 않았다. 그렇다면 호운봉이 이른바 "부드러운 음이 자리를 얻었다"는 것은 이효가 가서 외괘의 사효자리에 있는 것이다. "위와 함께 한다"는 위로 오효와 함께 한다는 설명이니, 『본의』가 개정하는 데까지는 이르지 않았다는 뜻을 드러낸 것이라고 말할 수 있다. 대체로 이와 같이 본다면 음이 사효의 자리에 있는 것은 바로 "자리를 얻었다"는 뜻에 부합하며, 음이 양을 따름은 바로 "위와 함께 한다"는 뜻에 부합한다.

又按, 柔得位乎外而上同, 外謂外卦也. 如旅之六五得外卦之中, 而其彖傳亦曰, 柔得中乎外而順乎剛, 其語意相類. 但此卦六四處得其位, 故曰得位. 旅之六五, 位雖不得其正, 而有中德, 故曰得中. 聖人下語, 各有條理如此.
또 내가 살펴보았다: "부드러운 음이 밖에서 자리를 얻어 위와 함께 한다"에서 '밖'은 외괘를 말한다. 마치 여괘(旅卦䷷) 육오가 외괘의 알맞음을 얻어서 그 「단전」에서 또 "부드러운 음이 밖에서 알맞음을 얻고 굳센 양에게 따른다"고 한 것과 같으니, 그 말의 뜻이 서로 비슷

하다. 다만 이 괘의 육사는 처함이 그 자리를 얻었기 때문에 "자리를 얻었다"고 했고, 여괘(旅卦䷷) 육오는 자리가 비록 그 바름을 얻지는 못했지만 알맞은 덕이 있기 때문에 "알맞음을 얻었다"고 했으니, 성인이 말을 한 것이 각각 조리가 있는 것이 이와 같다.

又按, 本義雖以此卦之變爲自漸來, 然愚見, 則恐自比卦來, 比之九四來居二, 六二往居四也. 此雖先儒所不言, 然愚見如是, 姑存之以待知者正焉.
또 내가 살펴보았다: 『본의』가 비록 이 괘의 변화를 점괘(漸卦䷴)로부터 온 것이라고 여겼지만, 내 생각으로는 아마 비괘(否卦䷋)로부터 온 듯하니, 비괘의 구사가 와서 이효의 자리에 있고 육이가 가서 사효의 자리에 있는 것이다. 이것은 비록 이전의 유학자들이 말하지 않은 바일지라도 내 생각이 이러하니 잠시 놔두고서 지혜로운 자가 바로잡기를 기다린다.

김기례(金箕澧) 「역요선의강목(易要選義綱目)」

陽來居二, 應五得中而不窮, 朱子曰, 若在下則是窮. 陰往居四, 而上同於五, 本義曰, 卦變自漸來. 朱子又曰, 六四自是二往居四, 本義亦朱子所解, 而漸三往來有未穩當, 故小註云云, 而四上助五, 故曰得位.
양이 와서 이효 자리에 있고 오효에 호응하여 알맞음을 얻어 다하지 않아서 주자는 "만약 아래에 있다면 궁극일 것이다"고 했다. 음이 가서 사효 자리에 있고 위로 오효와 함께 해서 『본의』에서는 "괘의 변화가 점괘로부터 왔다"고 했다. 주자는 또 "육사는 본래 이효가 가서 사효의 자리에 있는 것이다"고 했으니, 『본의』도 주자가 해석한 바이지만 점괘 삼효가 가고 오는데 온당하지 않음이 있기 때문에 소주에서 말하였으나 사효가 위로 오효를 돕기 때문에 "자리를 얻었다"고 했다.

이항로(李恒老) 「주역전의동이석의(周易傳義同異釋義)」

傳, 渙之成渙, 由九來居二, 六上居四也. 剛陽之來, 則不窮於下而處得其中, 柔之往, 則得正位於外而上同於五之中, 巽順於五, 乃上同也.
『정전』에서 말하였다: 환(渙)이 환이 된 까닭은 구(九)가 와서 이효의 자리에 거처하고 육(六)이 올라가서 사효의 자리에 거처하기 때문이다. 굳센 양이 옴에 아래에 궁극에 이르지 않아 거처함이 알맞음을 얻고 부드러운 음이 가서 밖에서 바른 자리를 얻어 위로 가운데 있는 오효와 함께 하니, 오효에게 손순함은 바로 위와 함께 하는 것이다.

本義, 渙本自漸卦, 九來居二而得中, 六往居三, 得九之位而上同於四.

『본의』에서 말하였다: 환괘는 본래 점괘로부터 왔으니, 구(九)가 와서 이효의 자리에 거처하여 알맞음을 얻고 육(六)이 가서 삼효의 자리에 거처하여 양인 구의 자리를 얻어 위로 사효와 함께 한다.

按, 此取八卦成卦之象而言, 巽本乾而索坤之下爻而成巽, 坎本坤而索乾之中爻而成坎. 故就此內坎外巽之卦, 而合而觀之, 則坎之一剛, 爲得中不窮之象, 巽之一柔, 爲得中上同之象. 此說雖若與傳本義小異, 而易之取義, 固非一端, 恐備參觀.
내가 살펴보았다: 이것은 팔괘가 괘를 이루는 상을 취하여 말하면 손괘는 본래 건괘인데 곤괘의 맨 아래 효를 택해 손괘를 이루며, 감괘는 본래 곤괘인데 건괘의 가운데 효를 택해 감괘를 이룬다. 그러므로 안이 감괘이고 밖이 손괘인 괘에 나아가 합하여 살펴보면 감괘의 한 양이 알맞음을 얻어 다하지 않는 상이 되고, 손괘의 부드러운 한 음이 알맞음을 얻어 위와 함께 하는 상이 된다. 이 설명이 비록 『정전』과 『본의』와는 조금 다른 듯하지만 역이 뜻을 취함이 진실로 한 가지 단서가 아니니, 갖추어서 참고하여 보아야 할 듯하다.

심대윤(沈大允) 『주역상의점법(周易象義占法)』

坎, 剛來爲主於內, 誠一果行, 故曰來而不窮. 精神者, 无遠不至, 无堅不透, 不可窮也. 巽, 柔進而得位乎外, 發達而接于上, 故曰上同.
감괘는 굳센 양이 와 안에서 주인이 되니, 정성스럽고 한결같으며 과단성있게 행하기 때문에 "와서 다하지 않는다"고 했다. 정신은 멀다고 이르지 않음이 없고 견고하다고 뚫고 들어가지 못함이 없지만 다할 수 없다. 손괘는 부드러운 음이 나아가 밖에서 자리를 얻고 드러나 도달하여 위에 잇기 때문에 "위와 함께 한다"고 했다.

이진상(李震相) 『역학관규(易學管窺)』

剛來而不窮.
굳센 양이 와서 다하지 않고,

渙, 自否來. 九來居二, 六往居四, 二在卦中, 故不窮. 四近君位, 故上同. 本義謂自漸來, 而六往居三, 不可謂柔得位. 蓋本義卦變不用隔位往來, 故如此.
환괘는 비괘(否卦䷋)로부터 왔다. 구(九)가 와서 이효의 자리에 있고 육(六)이 가서 사효의 자리에 있는 것은 둘이 괘의 가운데 있는 것이기 때문에 다하지 않는다. 사효는 임금자리에 가깝기 때문에 위와 함께 한다. 『본의』에서는 점괘(漸卦䷴)로부터 왔다고 했는데, 육이 가서 삼효의 자리에 있는 것을 부드러운 음이 자리를 얻었다고 말할 수 없다. 대체로 『본의』에서의 괘의 변화는 자리를 건너뛰어서 가고 옴을 쓰지 않기 때문에 이와 같다.

최세학(崔世鶴) 주역단전괘변설(周易彖傳卦變說)」

渙, 否之二體變也. 二與四二爻爲主, 故彖以剛來柔外言之. 泰二來居於下體之中, 而不窮乎下, 泰四往居於上體之下, 而得位乎外, 與上同志也.
환괘(渙卦)는 비괘(否卦䷋)의 두 몸체가 변한 것이다. 이효와 사효의 두 효가 주인이 되기 때문에 「단전」에서 굳센 양이 오고 부드러운 음이 밖으로 가는 것으로 말했다. 태괘(泰卦䷊)의 이효가 와서 하체의 가운데에 있어 맨 아래에 다하지 않고, 태괘의 사효가 가서 상체의 맨 아래에 있어서 밖에서 자리를 얻으니, 위와 뜻을 함께 한다.

王假有廟, 王乃在中也.

정전 왕이 사당을 지극히 두니, 왕이 중심에 있도다.
본의 왕이 사당에 이르니, 왕이 사당 가운데 있도다.

中國大全

傳

王假有廟之義, 在萃卦詳矣. 天下離散之時, 王者收合人心, 至於有廟, 乃是在其中也. 在中, 謂求得其中, 攝其心之謂也, 中者, 心之象. 剛來而不窮, 柔得位而上同, 卦才之義, 皆主於中也. 王者拯渙之道, 在得其中而已, 孟子曰, 得其民有道, 得其心, 斯得民矣. 享帝立廟, 民心所歸從也, 歸人心之道, 无大於此. 故云至于有廟, 拯渙之道, 極於此也.

'왕격유묘(王假有廟)'의 뜻은 취괘(萃卦)에서 상세하다. 천하가 이반하여 흩어지는 때에 왕자(王者)가 인심을 수합(收合)하여 사당을 둠에 이르니 이것이 바로 중심에 있는 것이다. 중심에 있다는 것은 중심을 구하여 얻음을 이르니, 그 마음을 잡는 것을 말한다. '중심[中]'은 마음의 상이다. 굳센 양이 와서 다하지 않고 부드러운 음이 지위를 얻어 위로 함께 하니, 괘가 지닌 재질의 뜻이 모두 중심(中心)을 위주로 한다. 왕자(王者)가 흩어짐을 건지는 도는 중심을 얻음에 있을 뿐이니, 맹자는 "백성을 얻는 것에 방법이 있으니, 마음을 얻으면 이에 백성을 얻는다"고 하였다. 상제에게 제향하고 사당을 세움은 민심이 돌아오고 따르는 바이니, 인심을 돌아오게 하는 방도가 이것보다 큰 것이 없다. 그러므로 '사당을 둠에 이른다' 하였으니, 흩어짐을 건지는 방도가 여기에서 다하였다.

小註

朱子曰, 此卦只是卜祭吉, 又宜涉川. 王乃在中, 是指廟中言, 宜在廟祭祀. 伊川說得那道理多了, 他見得許多道理了, 不肯自做他說, 須要寄搭放在經上. 易不須說得深, 只是輕輕說過

주자가 말하였다: 이 괘는 단지 제사 점에 길하니 아버지라면 내를 건너야 한다. "왕이 중

(中)에 있다"는 것은 사당을 가리켜 말한 것으로 종묘에서 제사를 지내야 한다. 이천은 많은 도리를 설명하고 많은 도리를 발견하였지만 스스로 다른 설명을 만들기를 좋아하지 않아서 반드시 경전에 의지해서 붙였다. 『주역』은 반드시 심각하게 설명할 필요가 없으니 다만 가볍게 설명해나갈 뿐이다.

○ 南軒張氏曰, 夫收天下之心, 莫若奠宗廟而正王位. 王乃在中, 所謂中天下而立, 定四海之民, 是也.
남헌장씨가 말하였다: 천하의 인심을 수습하는 것은 종묘를 존숭하고 왕위를 바로세우는 일 만한 것이 없다. "왕이 중(中)에 있다"는 것은 바로 "천하의 가운데 서서 사해의 백성을 정해준다"는 말이다.

本義

中, 謂廟中.

'중(中)'은 사당의 가운데를 이른다.

小註

臨川吴氏曰, 以卦體言. 九五互艮上畫爲廟, 九居五, 是王乃在宗廟之中.
임천오씨가 말하였다: 괘의 몸체로 말 한 것이다. 구오의 호괘인 간괘의 상획이 사당이 된다. 구가 오에 거처하니 왕이 종묘의 가운데 있는 것이다.

韓國大全

강석경(姜碩慶) 「역의문답(易疑問答)」

渙之卦辭曰, 王假有廟, 象曰王乃在中, 程傳, 求中之說, 實是好說話, 而本義, 直以廟中解之, 無乃淺近乎. 曰, 易本非要說道理. 只是因象以示占, 而道理在其中也. 渙之爲卦, 上有互艮, 是爲廟象. 以九居五, 是爲王在廟中之象. 此是卜祭之吉占也. 義只如斯, 何論深淺. 朱子曰, 伊川見得許多道理, 不肯自做他說. 須要寄搭放在經上, 易不須說得深, 只是經經說過, 可也. 旨哉. 言乎. 如小過不遇過之, 程傳以爲不遇於理, 此只是小過, 陰盛不與陽遇而已. 過其上也, 何可道理之遇不遇乎. 又如漸之九三曰, 夫征不復, 婦孕不育, 程傳以不復爲不反顧正理, 蓋復字與征字相對, 只是往而不返之謂也, 何可道理之返顧與否乎. 經文雖簡奧, 其義則只以常言常事輕輕解說, 可也. 何必如此艱曲解而說得深乎. 朱子每每病之, 正在此等處矣.

환괘 괘사에서는 "왕이 사당에 이른다"고 했고 「단전」에서는 "왕이 가운데 있는 것이다"고 했는데, 『정전』의 '중(中)'을 구하는 설명이 실상 좋은 말인데, 『본의』에서는 다만 '사당 가운데'로 해석했으니, 비근함이 없겠는가? 역은 본래 도리를 설명하고자 한 것이 아니다. 다만 상으로 인하여 점을 볼 뿐이고 도리는 그 안에 있다. 환괘는 위에 호괘인 간괘가 있으니, 이것이 '사당'의 상이 된다. 구(九)가 오효의 자리에 있으니, 이는 왕이 사당 안에 있는 상이 된다. 이것은 제사를 점치는 길한 점이다. 뜻이 단지 이와 같은데 어찌 깊고 얕음을 논하겠는가? 주자는 "이천은 많은 도리를 발견하였지만 스스로 다른 설명을 만들기를 좋아하지 않아서 반드시 경전에 의지해서 붙였다. 『주역』은 반드시 심각하게 설명할 필요가 없으니, 다만 가볍게 설명해 나가면 된다"고 했으니, 참으로 뜻이 있도다. 그 말이여! 소과괘(小過卦䷽)의 '맞지 못하여 지나침' 같은 경우는 『정전』에서 "이치에 맞지 못하다"고 하였는데 이것은 다만 조금 지나침이니, 음이 왕성하여 양과 맞지 않을 뿐이다. '지나침'은 그 상효이니, 어찌 도리가 맞고 맞지 않는 것을 말할 수 있겠는가? 또 점괘(漸卦䷴)의 구삼에서 "남편이 가면 돌아오지 않고 부인은 잉태를 하면 양육을 못한다"고 한 것과 같은 경우 『정전』은 '돌아오지 않고'를 정리(正理)를 되돌아보지 않는 것으로 보았는데, 대개 '복(復)'자는 정(征)자와 서로 상대되니, 가서 돌아오지 않음을 이르는 것일 뿐인데, 어찌 도리를 되돌아보는가의 여부를 말할 수 있겠는가? 경전의 글이 비록 간단하면서 심오하지만, 그 뜻은 단지 평상의 말과 보통의 일로 가볍게 풀어서 말하는 것이 옳다. 어째서 반드시 이와 같이 간곡하게 해석하여 설명이 심오해야겠는가? 주자가 매번 그것을 병통으로 여긴 것이 바로 이러한 곳에 있다.

권만(權萬) 「역설(易說)」

王格有廟, 王指九五, 廟指六四. 周禮, 王宮之制, 廟在南, 巽之得巽名, 以初陰之坼, 巽先天居西南, 後天居東南. 王者南面之位, 廟在南之東, 社在南之西, 則六四之坼, 左爲廟象, 右爲社象, 可質言之矣. 王格有廟, 言格而來之者, 廟位之六四也. 言廟不言社, 略之也.

'왕이 사당에 이름'에서 '왕'은 구오를 가리키고 '사당'은 육사를 가리킨다. 『주례』에서 왕궁의 제도는 '사당'이 남쪽에 있으니, 손괘가 손(巽)이란 이름을 얻은 것은 초효인 음이 --로 되어 있기 때문인데, 손은 선천에서는 서남에 있고 후천에서는 동남에 있다. '왕'은 남면(南面)하는 지위이고, '사당'은 남쪽에서 동쪽에 있고 '사직'은 남쪽에서 서쪽에 있으니, 육사가 --로 되어 있어 왼쪽은 사당의 상이 되고 오른쪽은 사직의 상이 되는 것이 진실로 그것을 말한다고 할 수 있다. '왕이 사당에 이름'은 이르러 오는 것이 사당의 자리인 육사를 말한다. 사당을 말하고 사직을 말하지 않은 것은 생략한 것이다.

○ 六四爲廟之義, 觀於大象, 益分明矣. 象行風行水上, 渙, 先王以, 亨于帝, 立廟, 不曰水上有風, 而曰風行水上, 重在風也. 巽之爲巽爲風, 由於初爻之陰. 享于帝, 南郊也. 立廟, 亦王宮之南也. 以渙之上三爻言之, 六四, 非南而何方位, 左爲陽而右爲陰, 故廟左而社右, 祭天於南郊, 祭地於北畤. 然廟者, 鬼神之所托, 終是陰事, 故指六四陰爻爲廟. 先天圖, 乾在南而挾巽, 此亦可證.
육사가 사당이 되는 뜻은 「대상전」을 살펴보면 더욱 분명하다. 「상전」에서 "바람이 물 위에서 부는 것이 환(渙)이니, 선왕이 이것을 본받아 상제에게 제향하고 사당을 세운다"고 썼으니, "물 위에 바람이 있다"고 하지 않고 "바람이 물 위에서 분다"고 한 것은 중점이 바람에 있는 것이다. 손괘가 공손함[巽]이 되고 바람이 되는 것은 초효인 음에서 말미암기 때문이다. '상제에게 제향함'은 남쪽 교외이다. '사당을 세움'도 왕궁의 남쪽이다. 환괘의 위 세 효로 말하면 육사가 남쪽이 아니면 어느 방위이겠는가? 왼쪽이 양이 되고 오른쪽이 음이 되기 때문에 사당이 왼쪽이고 사직이 오른쪽이며, 남쪽 교외에서 하늘에 제사지내고 북쪽 터에서 땅에 제사지내는 것이다. 그러나 사당은 귀신이 의탁하는 곳이니, 끝내 음에 속하는 일이기 때문에 육사의 음효가 사당이 됨을 가리킨다. 「선천도」에서 건괘가 남쪽에 있으면서 손괘를 끼니, 이것이 또한 증거가 될 수 있다.

○ 儀禮解曰, 室有東西廂曰廟, 則九五爲廟. 六四之坼, 似東西廂, 以王在中也. 推之則九五之爲王, 又爲廟, 可知也. 然前說, 亦不害爲說象之一義, 可參互也.
『의례해』에서 "집[室]에 동서의 사랑이 있는 것을 '사당[廟]이다'고 했으니, 구오가 사당이 된다. 육사의 갈라짐이 동서의 사랑과 같음은 왕이 안에 있기 때문이다. 그것을 미루면 구오가 왕이 되고 또 사당이 됨을 알 수 있다. 그러나 앞의 설명이 또한 상(象)의 한 뜻을 설명하는데 해가 되지 않으니, 참고할 수 있다.

○ 王格有廟, 王乃在中也, 言王之能感格在廟之神靈, 以有中正之道也, 不中不正, 未有能格而來之也. 更思之, 有廟云者, 無乃在廊廟之大臣歟.

“왕이 사당에 이름은 왕이 그 안에 있는 것이다”는 왕이 사당에 있는 신령을 감격시켜 이르게 할 수 있는 것이 중정한 도가 있기 때문임을 말하니, 가운데도 아니고 바르지도 않다면 이르게 하여 오게 할 수 있는 것이 아니다. 다시 생각해 보면 ‘사당에[有廟]’라고 말한 것은 바로 조정에 있는 대신이 없는 것이겠는가?

박제가(朴齊家) 『주역(周易)』

王假有廟.
왕이 사당을 지극히 두며,

此立廟之初而假者, 故曰在中, 非萃之孝享而假者, 故象不言大牲. 如享帝, 則郊而非廟, 又非大牲矣. 誠齋楊氏曰, 濟難者才也, 散難者德也, 才以濟之, 德以散之, 天下之大難, 一朝渙然而不復聚, 渙之所以亨也.
이는 사당을 세우는 처음에 이르는 것이므로 “중도에 있다”고 했고, 취괘에서 효로 제향하여 이르는 것이 아니므로 「단전」에서 큰 희생을 말하지 않았다. ‘상제에게 제향함’과 같은 것은 교(郊)제사이고 종묘제사는 아니고, 또 큰 희생을 쓰는 제사도 아니다. 성재양씨는 “험난함을 구제하는 것은 재질이지만 험난함을 흩는 것은 덕이니, 재질로 구제하고 덕으로 흩어 천하의 큰 험난함이 하루아침에 흩어져 다시는 모이지 않으니, 환괘가 형통한 까닭이다”고 했다.

案, 渙者散也. 卦義, 皆言合其散之道. 惟恐其有散也, 而乃曰散之而不復聚, 正與卦義相反, 必合之而後亨, 豈散之而亨也哉. 曰, 渙然者, 從解釋而爲言, 則未必非美名, 如渙汗渙王居, 是也. 如曰渙然而不復聚, 則懷山襄陵, 民胥魚矣, 何亨之有. 又曰, 水之怒, 則決九山, 然遇一風, 則欣然而散, 此又不通水之怒也. 有風則益激而已, 何欣然之有. 又何能使之散耶. 蓋語病矣.
내가 살펴보았다: 환은 흩어짐이다. 괘의 뜻이 모두 그 흩어짐을 합하는 도를 말했다. 오직 흩어짐이 있는 것을 두려워하여 이에 “흩어져 다시는 모이지 않는다”고 한 것은 바로 괘의 뜻과 서로 반대되며, 반드시 합한 뒤에 형통하니, 어찌 흩어서 형통하겠는가? “흩어진다”고 한 것은 해석에 따라 말을 한다면 반드시 아름다운 이름이 아닌 것은 아니니, ‘흩어지는 때에 땀이 나는 듯이 하며’, ‘흩어짐에 왕의 거처에 걸맞으며’와 같은 것이 이것이다. 만약 “흩어져 다시는 모이지 않는다”고 말하면 산을 삼키고 언덕을 잠기게 하여 백성이 모두 물고기가 될 것이니, 무슨 형통함이 있겠는가? 또 “물이 노하면 구산(九山)을 갈라 놓는다”고 했으나 바람을 만나면 흔연히 흩어지니, 이 또한 물의 노여움과 통하지 않는다. 바람이 있으면 더욱 격렬해질 뿐인데 무슨 흔연함이 있겠는가? 또 어찌 흩을 수 있겠는가? 대체로 말의 병이다.

김기례(金箕澧) 「역요선의강목(易要選義綱目)」

王乃在中.
왕이 사당 가운데 있다.

中天下而立, 行祭祀於廟. 中指五, 中正故曰在中.
천하를 중심으로 서있고 사당에서 제사를 행한다. '가운데'는 오효를 가리키는데, 중정(中正)하기 때문에 "가운데 있다"고 했다.

이항로(李恒老) 「주역전의동이석의(周易傳義同異釋義)」

傳, 在中, 謂求得其中, 攝其心之謂也.
『정전』에서 말하였다: "가운데 있다"는 것은 가운데를 구하여 얻음을 이르니, 그 마음을 잡음을 말한다.

本義, 中, 謂廟中.
『본의』에서 말하였다: '가운데'는 사당 가운데를 말한다.

按, 中訓心, 在訓得, 字義未安. 且王在廟中, 與乘木有功, 皆以象言, 而若以得人之心釋渙之象, 則恐未襯貼. 說見萃卦.
내가 살펴보았다: '가운데'를 마음이라고 하고 '있음'을 얻는다고 하면 글자의 뜻이 옳지 않다. 또 '왕재묘중(王在廟中)'과 '승목유공(乘木有功)'은 모두 상으로 말했는데, 만약 사람의 마음을 얻는 것으로 환괘의 상을 해석한다면 아마도 딱 맞지는 않을 듯하다. 설명이 취괘(萃卦䷬)에 보인다.

이진상(李震相) 『역학관규(易學管窺)』

王乃在中.
왕이 사당 가운데 있다.

九五, 王在堂上之象, 九二, 王在廟中之象. 若如臨川說, 則九五正在廟畫之上, 不可謂之中也.
구오는 왕이 당(堂) 위에 있는 상이며, 구이는 왕이 사당 가운데 있는 상이다. 만약 임천의 설명과 같다면 구오는 바로 국가대사에 관한 대책 위에 있으니, '가운데'라고 말할 수 없다.

박문호(朴文鎬)「경설(經說)·주역(周易)」

由乎中, 本於中之中, 是指心也. 主於中之中, 是指爻也. 中爻是心之象也. 象註上則論爻, 下則論心者, 卽此意也.

"중심에 말미암는다", "중심에 근본을 둔다"고 한 '중심[中]'은 마음을 가리킨다. "중(中)을 중심으로 삼았다"는 '중(中)'은 효를 가리킨다. 가운데 효는 마음의 상이다.「단전」의 주에서 위에서는 효를 논했고 아래에서는 마음을 논한 것이 곧 이 뜻이다.

以在中爲廟中, 猶爲蒙上之文法, 而釋爲求中者, 則終未快通, 復取卦辭假廟以作大象者, 又見於此.

"중(中)에 있다"는 것을 '사당 가운데'로 여기는 것은 위의 문장 쓰는 법을 따르는 것 같은데, 정자가 "'중심[中]'을 구한다"는 것으로 해석한 것은 끝내 시원스럽게 통하지는 못하니, 다시 괘사의 '격묘(假廟)'를 취하여「대상전」을 삼은 것이 또 여기에서 드러난다.

利涉大川, 乘木, 有功也.

큰 내를 건넘이 이로움은 나무를 타서 공(功)이 있는 것이다.

中國大全

傳

治渙之道, 當濟於險難, 而卦有乘木濟川之象. 上巽, 木也, 下坎, 水, 大川也, 利涉險以濟渙也. 木在水上, 乘木之象, 乘木, 所以涉川也. 涉則有濟渙之功, 卦有是義, 有是象也.

흩어짐을 다스리는 방도는 마땅히 험난함을 구제하여야 하니, 괘에 나무를 타고 내를 건너는 상이 있다. 위 손괘(☴)는 나무이고 아래 감괘(☵)는 물이며 대천(大川)이니, 험한 것을 건너 흩어짐을 구제함이 이로운 것이다. 나무가 물 위에 있어 나무를 타는 상이니, 나무를 타는 것은 내를 건너는 것이니, 건너면 흩어짐을 구제하는 공(功)이 있다. 괘에 이런 뜻이 있고, 이런 상이 있다.

小註

誠齋楊氏曰, 濟難者, 才也, 散難者, 非才也德也. 巽之才, 木也, 其德, 風也. 水之殘, 則溺萬物, 然乘一木, 則悠然而濟. 水之怒, 則決九山, 然遇一風, 則欣然而散. 才以濟之, 德以散之, 天下之大難, 一朝渙然而不復聚, 渙之所以亨也.

성재양씨가 말하였다: 험난을 구제함은 재질이지만 험난을 흩는 것은 재질이 아니라 덕이다. 손괘의 재질은 나무이고 그 덕은 바람이다. 물이 해를 끼치면 만물을 빠뜨리지만 하나의 뗏목을 타면 유유히 건넌다. 물이 노하면 구산(九山)을 터버리지만 한 번 바람을 만남에 기쁘게 흩어진다. 재질로 구제하고 덕으로 흩어서 천하의 큰 험난이 하루 아침에 흩어져 다시는 모이지 않으니 환괘가 형통한 까닭이다.

○ 雲峯胡氏曰, 易以巽言利涉大川者三, 皆以木言. 益曰木道乃行, 中孚曰乘木舟虛, 渙亦曰乘木有功也. 十三卦, 舟楫之利, 獨取諸渙, 亦以此也.

운봉호씨가 말하였다: 『주역』에서 손괘(巽卦)로 "내를 건넘이 이롭다"를 말한 곳이 셋인데 모두 나무를 가지고 말했다. 익괘에서는 "나무의 원리가 행해진다"고 하였고, 중부괘에서는 "나무를 타고 배가 비었다"라고 하였고, 환괘에서도 "나무를 타서 공이 있다"라고 하였다. 13괘에서 배와 돗대의 이로움을 유독 환괘에서 취한 것도 이런 이유이다.

韓國大全

권만(權萬) 「역설(易說)」

乘木有功, 言巽木所乘者坎水也. 木乘水, 何不利涉之足憂哉.
'나무를 타서 공이 있음'은 손괘인 나무가 타는 것이 감괘인 물을 말하기 때문이다. 나무가 물을 타는데 어찌 건너는 것이 이롭지 못하다고 근심하겠는가?

심조(沈潮) 「역상차론(易象箚論)」

彖, 利涉大川,
단전에서 말하였다: 큰 내를 건넘이 이롭다.
巽爲直木, 楫象也. 卦體中虛, 舟象也. 又巽風在上, 乘風擧帆之象也.
손괘는 곧은 나무가 되니 노의 상이다. 괘의 몸체는 가운데가 비었으니 배의 상이다. 또 손괘인 바람이 위에 있으니 바람을 타고 배가 움직이는 상이다.

유정원(柳正源) 『역해참고(易解參攷)』

正義, 因民之渙散而收聚者, 假廟, 是也. 因時之患難而渙散者, 涉川, 是也. 假廟者, 救散之術也. 涉川者, 散難之功也. 巽之才木也, 而救散者才也, 巽之德風也, 而散難者德也.
『주역정의』에서 말하였다: 백성이 흩어짐으로 인하여 수습하여 모으는 것은 사당에 이르는 것이 이것이다. 때의 근심과 어려움으로 인하여 흩어지는 것은 내를 건너는 것이 이것이다. '사당에 이름'은 흩어짐을 구하는 방법이다. '내를 건넘'은 어려움을 흩어지게 하는 공이다. 손괘의 재질은 목(木)이니 흩어짐을 구하는 것은 재질이며, 손괘의 덕은 바람이니 어려움을 흩어지게 하는 것은 덕이다.

김상악(金相岳) 『산천역설(山天易說)』

以卦變釋卦辭. 不窮, 謂不窮極于下也. 得位而上同者, 三與五, 巽位而同功也. 王在中者, 五居上卦之中也. 乘木有功, 所以舟楫之利以濟不通也.
괘의 변화로 괘사를 해석하였다. '다하지 않음'은 아래에 끝까지 이르지 않음을 말한다. '자리를 얻어 위와 함께 함'은 삼효와 오효가 손괘의 자리여서 공을 같이 함이다. '왕이 안에 있음'은 오효가 상괘의 가운데 있는 것이다. '나무를 타서 공이 있음'은 배와 노의 이로움으로 통하지 않음을 건너기 때문이다.

○ 坎之陽, 動乎下卦之中, 故曰剛來而不窮也. 位卽爵位之位, 非陰陽之位也. 需上六曰, 雖不當位, 乾上九曰, 貴而无位, 是也. 渙則三爲公侯, 故曰得位. 凡言內外者, 上爻爲外, 下爻爲內, 故无妄亦曰, 剛自外而來. 上同者, 三之公侯, 與五假廟之王同也. 王在中者, 當渙散之時, 假有廟而收合人心, 乃首務也, 與王中之中同. 記云, 宗祝在廟, 三公在朝, 三老在學, 王前巫而後史, 卜筮瞽侑, 皆在左右. 王中〈句〉心无爲也. 以守至正, 是也. 渙與豊爲對, 在中之中, 卽宜日中之中也. 乘木有功, 謂三居坎巽之交, 上同於五, 以成濟渙之功也.
감괘의 양이 하괘의 가운데서 움직이기 때문에 "굳센 양이 와서 다하지 않는다"고 했다. '지위'는 곧 작위(爵位)라고 할 때의 '지위[位]'이니, 음양의 자리가 아니다. 수괘(需卦䷄) 상육에서 "비록 지위에 합당하지 않다"고 하고, 건괘(乾卦) 상구에서 "귀하지만 지위가 없다"고 한 것이 이것이다. 환괘에서는 삼효가 공후(公侯)가 되기 때문에 "지위를 얻었다"고 했다. 안팎이라고 말하는 것은 상효는 밖이 되고 하효는 안이 되기 때문에 무망괘(无妄卦䷘)에서 또한 "굳센 양이 밖으로부터 온다"고 했다. "위와 함께 한다"는 삼효인 공후가 오효에서 사당에 이르는 왕과 함께 하는 것이다. "왕이 안에 있다"는 흩어지는 때를 당하여 사당에 이르러 인심을 거두어 합하는 것이 바로 가장 먼저 해야 할 임무니, "왕이 안에 있다"고 할 때의 '안'과 같다. 『예기』에 "사당에는 종축(宗祝)이 있고 조정에는 삼공(三公)이 있으며 학교에는 삼로(三老)가 있다. 왕의 앞에는 무(巫)가 있고 뒤에는 사(史)가 있으며, 복(卜)과 서(筮)와 고(瞽)와 유(侑)가 모두 좌우에 있다. 왕은 가운데 있어〈구이다〉 마음에 다른 작용이 일어나지 않아서 이로써 지극히 올바른 도리를 지킨다"[7]고 한 것이 이것이다. 환괘(渙卦䷺)와 풍괘(豊卦䷶)가 상대가 되니, "안에 있다"는 '안[中]'은 곧 "해가 중천에 있듯이 하여야 한다"는 '중천[中]'이다. "나무를 타서 공이 있다"는 삼효가 감괘와 손괘가 사귀는 즈음에 있어 위로 오효와 함께 하여 흩어짐을 건지는 공을 이루는 것을 말한다.

---

7) 『예기·예운』.

서유신(徐有臣) 『역의의언(易義擬言)』

此言卦中自有此两般象也, 而亦由於四五之得位也. 自三至上, 艮門闕之中, 更有九五, 爲廟中有王之象, 故曰王乃在中也. 萃之廟, 差退一位, 故不稱王在中也. 乘載也. 木巽象也. 載巽於坎爲舟楫象. 氷解而風行, 乘木有功也.
이것은 괘 안에 자연히 이 두 가지 상이 있음을 말하는데, 또한 사효와 오효가 제자리를 얻은 데에서 말미암는다. 삼효로부터 상효에 이르기까지는 간괘인 문안인데, 다시 구오가 있어서 사당 안에 왕이 있는 상이 되기 때문에 "왕이 안에 있다"고 했다. 취괘(萃卦䷬)에서의 사당과는 한 자리가 어긋나 떨어졌기 때문에 "왕이 안에 있다"고 말하지 않았다. '탐[乘]'은 실음[載]이다. '나무'는 손괘의 상이다. 손괘를 감괘에 싣는 것이 배와 노의 상이 된다. 얼음이 풀어지고 바람이 부는 것이 나무를 타서 공이 있는 것이다.

김기례(金箕澧) 「역요선의강목(易要選義綱目)」

乘木, 有功也.
나무를 타서 공(功)이 있다.

易中丹楫卦十三, 而繫辭獨取渙者, 謂木在水上而利涉, 則有濟渙之功.
『주역』에서 배와 노가 되는 괘가 열 셋인데, 「계사전」에서 유독 환괘에서만 취한 것은 나무가 물 위에 있어서 건넘이 이로우니, 흩어짐을 구제하는 공이 있음을 말한다.

심대윤(沈大允) 『주역상의점법(周易象義占法)』

言九五之得中也, 不言得中而言在中者, 明其在內而發乎外也. 渙之道, 必以正然後乃能發達, 而及遠亨矣. 亨則利貞在其中矣. 若陰私隱秘, 則安得發達而亨乎. 故傳不釋利貞, 明其亨之卽爲正也.〈利貞, 無邪思妄念也.〉
구오가 알맞음을 얻었음을 말하는데, "알맞음을 얻었다"고 말하지 않고 "가운데 있다"고 말한 것은 그것이 안에 있으면서 밖으로 드러남을 밝힌 것이다. 환괘(渙卦)의 도는 반드시 바름으로써 한 뒤에 드러나 도달할 수 있어서 멀리 형통함에 미치는 것이다. 형통함에는 '곧음이 이로움'은 그 안에 있다. 만약 속으로 사사롭고 은밀하게 한다면 어찌 드러나 도달하여 형통할 수 있겠는가? 그러므로 『정전』에서 '곧음이 이로움'을 해석하지 않아 그 형통함이 곧 바름이 됨을 밝혔다.〈'곧음이 이로움'은 삿된 생각이나 망령된 생각이 없는 것이다.〉

오치기(吳致箕) 「주역경전증해(周易經傳增解)」

此, 以卦反卦體釋卦辭也. 節之上體坎剛來, 而爲本卦下體, 以剛得中而不窮, 節之內體兌柔爲本卦外體之巽, 柔而得六四之位, 上與九五之中正同體. 是皆濟渙之道, 在於得中而得位也. 王在廟中, 聚誠敬仁孝之心, 孚格祖考之神, 則於天下之渙, 无不有濟, 故乘木而利, 得涉川之功也. 〈此傳不釋利貞之義, 可疑.〉
이는 괘반과 괘의 몸체로 괘사를 해석하였다. 절괘(節卦☵☱)의 상체(上體)인 감괘(☵)의 굳센 양이 와서 본괘의 하체(下體)가 되니, 굳센 양으로 가운데를 얻고 다하지 않으며, 절괘의 내체(內體)인 태괘(☱)의 부드러운 음이 본괘 외체(體)의 손괘(☴)가 되니, 부드러운 음으로 육사의 자리를 얻어서 위로 구오의 중정함과 몸을 함께 한다. 이것은 모두 흩어짐을 구제하는 도가 알맞음을 얻고 자리를 얻는 데 있다. '왕이 사당 가운데 있음'은 정성과 공경, 인과 효의 마음을 모아 조상의 신을 믿고 이르게 하면 천하가 흩어짐에 구제하지 않음이 없기 때문에 나무를 타고서 이로움이 내를 건너는 공을 얻는다. 〈여기 「단전」에서 "곧음이 이롭다"는 뜻을 해석하지 않았는데, 의심스럽다.〉

이병헌(李炳憲) 『역경금문고통론(易經今文考通論)』

太玄, 準渙以文,
『태현경』에서는 "준환이문(準渙以文)"이라고 했다.

京氏易傳曰, 水上見風, 渙然而合,
경방의 『역전』에서는 "물 위에 바람을 보면 흩어졌다가 모인다"고 했다.

盧氏曰, 〈見李鼎祚集解, 失其名.〉 此本否卦, 乾之九四, 來居坤中, 剛來成坎, 水流而不窮也. 坤之六二, 上升乾四, 柔得位乎外, 而[8]承貴五[9], 與上同也.
노씨는 〈이정조의 『주역집해』를 보면 그 이름이 없다.〉 "이것은 본래 비괘(否卦☰☷)로 건괘의 구사가 와서 곤괘의 가운데에 있어 굳센 양이 와서 감괘를 이루니, 물이 흘러 다하지 않는 것이다. 곤괘의 육이가 위로 건괘의 사효 자리로 올라가 부드러운 음이 밖에서 자리를 얻고 귀한 오효를 이으니 위와 같다"고 했다.

荀曰, 假大也. 言王居五大位, 上体之中.

---

8) 而: 『주역집해』 원문에는 상(上)으로 되어 있다.
9) 五: 『주역집해』 원문에는 왕(王)으로 되어 있다.

순상은 "가(假)는 큼이다. 왕이 오효인 큰 자리에 있음을 말하니, 상체의 가운데이다"고 했다.

程傳曰, 上巽下坎, 有乘木濟川之象. 三陰三陽之卦, 古曾多如此看得者, 故引盧說耳.
『정전』에서는 "위는 손(巽)이고 아래는 감(坎)이니, 나무를 타고 내를 건너는 상이 있다"고 했다. 세 음과 세 양으로 된 괘에 대해 옛날에도 이와 같이 본 자가 많았으므로 노씨의 설을 인용했을 뿐이다.

象曰, 風行水上, 渙, 先王以, 享于帝, 立廟.

「상전」에서 말하였다: 바람이 물 위에서 부는 것이 환(渙)이니, 선왕이 그것을 본받아 상제에게 제향하고 사당을 세운다.

中國大全

傳

風行水上, 有渙散之象. 先王, 觀是象, 救天下之渙散, 至于享帝立廟也, 收合人心, 无如宗廟. 祭祀之報, 出於其心, 故享帝立廟, 人心之所歸也. 係人心合離散之道 无大於此.

바람이 물 위에서 불음은 흩어지는 상이 있다. 선왕(先王)이 이러한 상을 보고서 천하의 흩어짐을 구원하여 상제에게 제향하고 사당을 세움에 이르렀으니, 인심을 수합(收合)하는 것이 종묘만한 것이 없다. 제사의 보답은 마음에서 나오기 때문에 상제에게 제향하고 종묘를 세움은 인심이 돌아오는 바이다. 인심을 붙들고 이반하여 흩어짐을 합치는 방도가 이것보다 큰 것이 없다.

小註

程子曰, 萃渙, 皆享於帝立廟. 內其精神之聚而形於此, 爲其渙散, 故立此以收之.

정자가 말하였다: 취와 환은 모두 상제에게 제향하고 사당을 세우는 것이다. 이곳에서 안으로 정신을 모으고 드러내는데 흩어지기 때문에 이것을 세워서 수습한다.

本義

皆所以合其散.

모두 그 흩어짐을 합치는 것이다.

小註

平庵項氏曰, 享帝于郊, 象巽之高, 立廟於宮, 象坎之隱.
평암항씨가 말하였다: 들에서 상제에게 제향함은 '손괘의 높음'[10]을 상징하였고, 궁궐에 사당을 세움은 '감괘의 숨음'[11]을 상징하였다.

○ 漢上朱氏曰, 享于上帝, 使人知天无二主, 立廟, 則人知反本鬼有所歸, 所以一天下之心, 合天下之渙.
한상주씨가 말하였다: 상제에게 제향함은 하늘에 두 주인인 없음을 사람들이 알게 하려는 것이고, 사당을 세우면 사람들은 근본에 돌아감을 알고 귀신은 돌아갈 곳을 두는 것이니, 천하의 마음을 합일하고 천하의 흩어짐을 취합하려 함이다.

○ 進齋徐氏曰, 風行水上, 渙散披離渙之象也. 先王享帝立廟, 所以合其渙也. 此誠敬仁孝之至, 幽无不格, 散无不聚, 故於彖象中言之.
진재서씨가 말하였다: 바람이 물위에 부는 것은 흩어져 이반하는 상이다. 선왕이 상제에게 제향하고 사당을 세움은 흩어진 것을 취합하기 위함이다. 이것은 정성·공경·사랑·효심의 지극함이니 귀신이 이르지 않음이 없고, 흩어짐이 모이지 않음이 없기 때문에 「단전」과 「상전」에서 언급하였다.

○ 建安丘氏曰, 鬼神之道, 幽深渺邈, 不可度思, 惟至誠貫徹, 潛孚冥感, 如水之遇風, 渙然相受, 則陰陽交通, 有合无間, 郊焉而天神假, 廟焉而鬼神享矣.
건안구씨가 말하였다: 귀신의 도는 그윽이 깊고 아득히 멀어서 헤아리고 사량할 수 없다. 오직 지극한 정성으로 철저하게 통하고 깊은 믿음으로 진실하게 느끼는 것이 마치 물이 바람을 만나 흩어지며 서로를 받아들이는 것과 같으니 음과 양이 사귀어 통함에 합일되어 간격이 없어, 들판에서는 천신이 이르고 사당에서는 귀신이 흠향한다.

○ 雲峯胡氏曰, 享帝而與天神接, 立廟而與祖禰交, 皆聚己之精神, 以合其渙者也.
운봉호씨가 말하였다: 상제에게 제향하여 천신과 접하고 사당을 세워 조상신과 사귐은 모두 자기의 정신을 모아서 흩어진 사람들을 취합하려는 것이다.

---

10) 『周易·說卦傳』: 巽爲高.
11) 『周易·說卦傳』: 坎爲隱伏.

韓國大全

송시열(宋時烈) 『역설(易說)』

象, 風行水上, 風散而水亦散. 且風則上行, 水則下就, 風水相涯, 故以渙名卦. 享於帝, 竝潔象. 立廟者, 坎宮艮廟, 而立者, 亦取震足也.
「상전」에서 "바람이 물 위에서 분다"는 것은 바람이 흩어지고 물도 흩어지는 것이다. 또 바람은 위에서 불고 물은 아래로 내려가니, 바람과 물이 서로 맞닿아 있으므로 환(渙)으로 괘를 이름지었다. '상제에게 제향함'은 또 깨끗이 하는 상이다. '사당을 세움'은 감괘가 궁(宮)이고 간괘가 사당인데, '세움'을 또한 진괘인 발에서 취한 것이다.

이만부(李萬敷) 「역통(易統)·역대상편람(易大象便覽)·잡서변(雜書辨)」

傳曰, 風行水上, 有渙散之象. 先王, 觀是象, 救天下之渙散, 至于享帝立廟也. 收合人心, 无如宗廟, 祭祀之報, 出於其心, 故享帝立廟, 人心之所歸也. 係人心, 合離散之道, 无大於此.
「정전」에서 말하였다: 바람이 물 위에서 불음은 흩어지는 상이 있으니, 선왕(先王)이 이러한 상을 보고서 천하의 흩어짐을 구원하여 상제에게 제향하고 사당을 세움에 이르러 인심을 수합(收合)하는 것이 종묘만한 것이 없다. 제사의 보답은 마음에서 나오기 때문에 상제에게 제향하고 종묘를 세움은 인심이 돌아오는 바이니, 인심을 붙들고 이반하여 흩어짐을 합치는 방도가 이것보다 큰 것이 없다.

本義曰, 皆所以合其散.
「본의」에서 말하였다: 모두 그 흩어짐을 합치는 것이다.

臣謹按, 曾子曰, 慎終追遠, 民德歸厚, 謝氏曰, 有其誠則有其神, 無其誠則無其神, 此與象辭有所相發. 王者, 克致其誠於宗廟之禮, 則亦庶幾有收合渙散之理矣.
신이 삼가 살펴 보았습니다: 증자는 "마음을 다해 장례를 치르고 정성을 다해 제사를 지내면 백성의 덕이 후덕한데 돌아간다"고 했고, 사씨는 "정성이 있으면 신(神)이 있고 정성이 없으면 신이 없다"고 했으니, 이는 「상전」의 말과 서로 밝혀줌이 있습니다. 왕이 종묘의 예에 정성을 다하면 또한 흩어짐을 수습하여 합하는 이치가 있을 것입니다.

○ 又按, 周禮, 廟制, 太祖居中, 左昭右穆, 而各立寢堂, 所以專其承奉, 尊祖敬宗者也. 自漢文帝原廟之作, 後世傳襲, 遂爲之同堂異室, 非但廟貌不尊, 至於合享之禮, 祧遷之制, 事多苟艱, 失禮不少. 朱子嘗上議壯欲正之而未能, 先正臣李滉, 當明廟祔太廟, 亦請依禮, 正太祖東向之位, 而朝議不一, 事寢不行, 識者至今恨之. 今若命知禮諸臣, 依朱子李滉之言, 斟酌古今, 變以通之, 豈非超出百王之盛節歟.
또 살펴보았습니다: 『주례』 묘제에 태조는 가운데에 자리하고, 왼쪽은 소(昭), 오른쪽은 목(穆)으로 하여 각기 침당(寢堂)을 세움은 그 받들어 봉행함을 전일하게 하고 조종(祖宗)을 존경하는 까닭입니다. 한나라 문제로부터 원묘(原廟)[12]가 지어져 후세에 전습되어 드디어 당(堂)은 같으나 실(室)은 달리하게 되었으니, 사당의 모습만 높이지 않는 것이 아니라 합향(合享)의 예와 조천(祧遷)[13]의 제도에 이르기까지 일은 많고 구차하고 어려워 예를 잃음이 적지 않았습니다. 주자가 일찍이 상소하여 바로잡고자 하였으나 할 수 없었고, 선정신(先正臣) 이황(李滉)이 명묘(明廟)를 태묘(太廟)에 부묘(祔廟)할 때를 맞이하여 또한 예에 의거하여 태묘를 동향(東向)의 자리로 바로잡기를 주청하였으나 조정의 의론이 한결같지 않아 일이 그치고 행해지지 못했으니, 식견이 있는 자들이 지금에 이르기까지 한탄하고 있습니다. 이제 만약 예를 아는 여러 신하에게 명하여 주자와 이황의 말에 의거하여 옛날과 지금을 헤아려 변통한다면 어찌 여러 임금들의 훌륭하신 예절을 뛰어넘는 것이 아니겠습니까?

이익(李瀷) 『역경질서(易經疾書)』

風行水上, 渙奔而不溺. 二居坎體之中, 故於二著渙奔字, 三四五, 雖無奔字, 可依例作渙奔其躬, 渙奔其群, 渙奔有丘也. 三直躬者, 風行水上, 故主於坎上云爾也. 初居坎下, 疑若有溺, 而卦以渙爲義, 故有拯之象. 拯而奔者, 非馬乎. 由是渙而渙奔, 皆承馬壯, 而言机者, 躬之至近也, 謂所拯馬渙奔而至於近, 則悔亡, 故曰得願也. 渙奔而至於躬, 則爲吾所用也. 吾用此馬將有進也, 故曰志在外. 无悔, 過於悔亡也. 又渙奔而至於群, 則其利不止於躬, 有濟衆之功, 故曰光大也. 元吉, 過於无悔也. 丘者, 高陵也. 與頤六五相照, 九五亦互艮也. 九五者, 君位也. 四又近君而得位, 其義當渙奔於君所有丘者. 九五所謂王居也. 夷者, 豊四之夷主, 是也. 謂等夷也. 豊四與初兩陽, 則夷也, 渙四與初兩陰, 則夷也. 四與初爲應, 故馬壯之功, 至於五而止. 元吉以上, 以馬壯言也. 四又渙奔於王居之有丘, 則非初之力, 故曰匪夷所思也, 謂匪其意也. 汗與洐同, 渙汗者, 渙之大也. 巽風, 有號令之象, 而九五君位, 故曰渙汗其大號, 此九五之象也. 於

12) 원묘(原廟): 원래의 정묘(正廟) 이외에 거듭 지은 종묘를 말한다.
13) 조천(祧遷): 종묘의 본전 안에 있던 위패를 영녕전으로 옮겨 모시는 일을 말한다.

是三四之群, 皆渙奔來集, 所謂渙有丘者, 卽此也. 攄蒙謙復離晉之類, 凡上爻多行師征伐之象, 渙承渙汗, 言血, 攄坤文言, 戰傷也, 謂渙汗其戰伐傷殺而去也. 然去也審勢遠害而出, 亦無咎也. 與小畜之六四語脉相帖. 逖或從彼作惕, 更詳之.

바람이 물위에 부니 흩어져 달려가지만 빠지지 않는다. 이효는 감괘 몸체의 가운데에 있으므로 이효에서 '흩어짐에 달려간다'는 글자를 썼고, 삼효와 사효, 오효에서는 비록 '달려간다[奔]'는 글자는 없지만 예(例)에 따라 '환분기궁(渙奔其躬)' '환분기군(渙奔其群)' '환분유구(渙奔有丘)'라고 할 수 있다. 삼효에서 직접 '몸[躬]'이라고 한 것은 바람이 물 위에서 불기 때문에 감괘의 위에서 주인이 됨을 말한 것이다. 초효는 감괘의 맨 아래에 있어 빠짐이 있을 것 같은데, 괘가 흩어짐을 뜻으로 삼으므로 구원하는 상이 있다. 구원하여 달려가는 것이 말이 아니겠는가? 이로 말미암아 흩어지고, 흩어져 달려감이 모두 '말의 건장함'을 이은 것인데 '궤'라고 말한 것은 몸에 매우 가까운 것이기 때문이니, 구원하는 말이 흩어져 달려가 가까이에 이르는 바를 말하면 후회가 없으므로 "소원을 얻었다"고 했다. 흩어져 달려가 몸에 이르면 내가 쓰는 바가 된다. 내가 이 말을 씀에 장차 나아감이 있으므로 "뜻이 밖에 있다"고 했다. '후회가 없음'은 후회가 없어지는 것보다 낫다. 또 흩어져 달려가 무리에 이르면 그 이로움이 몸에만 그치지 않아서 무리를 구제하는 공이 있으므로 "광대하다"고 했다. "크게 길하다"는 후회가 없는 것보다 낫다. '언덕'은 높은 구릉이다. 이괘(頤卦䷚) 육오와 서로 대조해 보면 구오가 또한 호괘가 간괘이다. 구오는 임금의 자리이다. 사효도 임금에 가까워 지위를 얻었으니, 그 뜻이 임금이 언덕처럼 많이 모이게 하는 바에 흩어져 달려감에 해당한다. 구오는 이른바 왕이 거처함에 걸맞는 것이다. '이(夷)'는 풍괘 사효의 '이주(夷主)'가 이것이니, '대등하여 같음'을 말한다. 풍괘(豊卦䷶) 사효와 초효의 두 양이 '이(夷)'이며, 환괘 사효와 초효의 두 음이 '이(夷)'이다. 사효는 초효와 호응이 되므로 말이 건장한 공효가 오효에 이르러 그친다. '원길(元吉)' 이상은 말의 건장함으로 말했다. 사효가 또 왕의 거처에 걸맞게 흩어져 달려감이 언덕처럼 많이 모임은 초효의 노력이 아니므로 "보통 사람이 생각할 바가 아니다"고 했으니, 그의 뜻이 아니라는 말이다. 한(汗)과 간(汧)은 같으니, '흩어짐에 땀이 나듯 함[渙汗]'은 흩어짐이 큰 것이다. 손괘인 바람에 호령의 상이 있고, 구오는 임금 자리이므로 "흩어지는 때에 큰 호령을 내되 땀이 나듯 한다"고 했으니, 이것은 구오의 상이다. 이에 삼효와 사효의 무리가 모두 흩어져 달려갔다가 와서 모이니, 이른바 '환유구(渙有丘)'가 곧 이것이다. 몽괘, 겸괘, 복괘, 리괘, 진괘의 부류에 근거하면 상효에 군대를 행하여 정벌하는 상이 많은데 환괘 상효에서 '환한(渙汗)'을 이으면서 피를 말한 것은 곤괘 「문언전」에 근거한다면 싸워 상처난 것이니, 싸워 벌하여 상처나고 죽음에서 땀을 흘려 떠남을 이른다. 그러나 떠남에 형세를 살펴 해를 멀리하여 벗어나면 또한 허물이 없으니, 없다. 소축괘(小畜卦䷈) 육사에서 말한 맥락과 서로 부합한다.[14] '적(逖)'은 혹 소축괘 육사를 따라 '척(惕)'으로 써야할 것 같은데, 다시 살펴보아야 한다.

심조(沈潮) 「역상차론(易象箚論)」

互艮有尸童之象, 互震有奏樂之象, 帝亦震象. 震巽皆木, 棟宇之象.
호괘인 간괘에 시동(尸童)의 상이 있고 호괘인 진괘에 주악(奏樂)의 상이 있으며, '상제' 또한 진괘의 상이다. 진괘와 손괘가 모두 나무니, 대들보의 상이다.

유정원(柳正源) 『역해참고(易解參攷)』

風行 [止] 立廟.
바람이 부는 것이 … 사당을 세운다.

虞氏翻曰, 陰上至四, 承五爲享帝, 陽下至三, 爲立廟.
우번이 말하였다: 음이 위로 사효에 이르고 오효를 이어 상제에게 제향하며, 양이 아래로 삼효에 이르러 사당을 세움이 된다.

○ 劉氏曰, 巽者, 潔齊之時, 故卦有巽者, 多言神事. 觀曰盥薦, 升曰用禴, 巽言史巫.
유씨가 말하였다: 손(巽)은 정결한 때이므로 괘에 손괘가 있는 것에 신(神)에 관한 일을 말한 것이 많다. 관괘(觀卦䷓)에서는 "손을 씻고 제사를 올린다"고 했고, 승괘(升卦䷭)에서는 "약제사를 한다"고 했으며, 손괘(巽卦䷸)에서는 사관과 무당을 말했다.

○ 馮氏曰, 大象別立一義, 以爲用易之方. 享帝立廟與王假有廟, 意有不同.
풍씨가 말하였다: 「대상전」은 따로 한 뜻을 세워 역을 쓰는 방법을 삼았다. '상제에게 제향하고 사당을 세움'은 '왕이 사당에 이르는 것'과 같지 않은 뜻이 있다.

○ 案, 立廟假廟, 皆所以合其散. 立者, 精神之所聚也, 假者, 所以聚精神也.
내가 살펴보았다: '사당을 세움'과 '사당에 이름'은 모두 그 흩어진 것을 모으는 것이다. '세움'은 정신이 모이는 곳이며, '이름'은 정신을 모으는 것이다.

김상악(金相岳) 『산천역설(山天易說)』

享帝立廟, 皆所以合其散也. 享帝, 巽互震體之象, 立廟, 坎互艮體之象也. 凡言祭祀者, 皆在巽體之卦, 觀象曰, 盥而不薦, 益六二曰, 王用享于帝, 升九二萃六二曰, 利用

14) 『周易 · 小畜卦』: 六四, 有孚, 血去, 惕出, 无咎.

禴, 困之二五, 皆言享祭之類, 是也. 萃困, 則互巽體也.
'상제에게 제향하고 사당을 세움'은 모두 그 흩어짐을 합하는 까닭이다. '상제에게 제향함'은 손괘와 호괘인 진괘 몸체의 상이며, '사당을 세움'은 감괘와 호괘인 간괘 몸체의 상이다. '제사(祭祀)'라고 말하는 것은 모두 손괘를 몸체로 하는 괘에 있으니, 관괘(觀卦☴) 「단전」에서 "손만 씻고 제사를 올리지 않은 듯이 한다"고 하고 익괘(益卦☴) 육이에서 "임금이 상제께 제사지낸다"고 하고 승괘(升卦☷) 구이와 취괘(萃卦☱) 육이에서 "약 제사로 함이 이롭다"고 하고 곤괘(困卦☱)의 이효와 오효가 모두 제사를 말한 종류가 이것이다. 취괘와 곤괘는 호괘가 손괘의 몸체이다.

서유신(徐有臣) 『역의의언(易義擬言)』

風行水上, 而風水俱散也. 先王念物之渙, 莫大乎鬼神, 如風之行如水之流, 無所不在, 故享帝立廟, 所以感其散也. 郊廟之外, 非其鬼者, 又必散之也. 坎幽而巽入, 是爲祭享象. 互震爲帝象, 互艮爲廟象.
바람이 물 위에 불어 바람과 물이 모두 흩어진다. 선왕은 물건이 흩어지는 것 가운데 귀신보다 큰 것이 없어서 바람이 부는 것과 같고 물이 흐르는 것 같아서 이르지 않는 곳이 없다고 생각했기 때문에 상제에게 제향하고 사당을 세워 그 흩어짐을 감동케 하였다. 교(郊) 제사와 사당 제사 밖에 귀신이 아닌 것은 또 반드시 흩어진다. 감괘는 그윽하고 손괘는 들어가니, 이것이 제향하는 상이 되고, 호괘인 진괘는 상제의 상이 되며, 호괘인 간괘는 사당의 상이 된다.

이지연(李止淵) 『주역차의(周易箚疑)』

雖所以合散, 亦以本象有取, 上帝行于享, 祖靈行于廟, 如風行于水也.
비록 합하고 흩어지는 까닭이 본래의 상으로 취함이 있어 상제가 제향하는 데로 가고 조상의 혼령이 사당으로 가니, 바람이 물에 부는 것과 같다.

김기례(金箕澧) 「역요선의강목(易要選義綱目)」

先王, 以, 享于帝, 立廟.
선왕이 이것을 본받아 상제에게 제향하고 사당을 세운다.

享帝而接天神, 立廟而交祖禰, 皆聚己之精神, 而合其渙.

상제에게 제향하여 천신(天神)에게 닿고 사당을 세워 조상신[祖禰]과 교류하는 것이 모두 자기의 정신을 모아서 그 흩어짐을 합하는 것이다.

심대윤(沈大允) 『주역상의점법(周易象義占法)』

風行水上, 散以達乎幽遠, 而能感動乎水, 如人之精神, 散以達乎幽遠, 而能感動鬼神. 亨于帝, 取精神之接于高遠也. 立廟, 取其感動而來格也. 對豊兌爲亨, 坎巽爲高遠之神, 曰帝. 震艮爲立廟. 〈詩云, 上帝臨女, 无貳爾心, 一念動於方寸隱微之中, 尺鑑孔昭. 鬼神來格者, 以精神之相接, 无有遠近阻塞也.〉

바람이 물 위에 불어 흩어져서 그윽하고 먼 데에 이르러 물을 감동시킬 수 있는 것은 사람의 정신이 흩어져 그윽하고 먼 데에 이르러 귀신을 감동시킬 수 있는 것과 같다. '상제에게 제향함'은 정신이 높고 먼 데에 닿음을 취했다. '사당을 세움'은 귀신이 감동하여 와서 이름을 취했다. 음양이 바뀐 풍괘와 태괘는 제향함이 되고 감괘와 손괘는 고원(高遠)한 신이 되니, '상제'라고 했다. 진괘와 간괘는 '사당을 세움'이 된다. 〈『시경』에서 "상제께서 네게 임하시니 네 마음을 둘로 하지 말라"고 했으니, 마음속 은밀한 데서 한 가지 생각이 움직이더라도 거울로 보는 것처럼 크게 드러난다. 귀신이 와서 이르는 것은 정신이 서로 이어졌음으로 멀고 가까우며 험하고 가로막힘이 없다는 것이다.〉

오치기(吳致箕) 「주역경전증해(周易經傳增解)」

風行水上, 有渙散之象. 先王觀是象, 救天下之渙散, 至于享帝立廟也. 郊焉而天神假, 廟焉而人鬼享, 係人心合離散之道, 无大於此矣. 帝出乎震, 故帝取於互震. 廟之取象, 已見上.

바람이 물 위에 부니, 흩어지는 상이 있다. 선왕이 이러한 상을 관찰하고 천하의 흩어짐을 구원하여 상제에게 제향하고 사당을 세우는 데 이르렀다. 교(郊) 제사에 천신이 이르고 사당 제사에 사람의 귀신이 흠향하니, 인심을 잇고 떠나고 흩어짐을 합하는 도는 이것보다 큰 것이 없다. 상제는 진괘에서 나오기 때문에 상제를 호괘인 진괘에서 취했다. 사당의 상을 취함은 이미 위에 보인다.

이진상(李震相) 『역학관규(易學管窺)』

卦位, 巽次乾, 卽郊壇象. 其左則坎, 卽宗廟象. 享帝, 巽象, 立廟, 坎象. 上九帝也, 九五太祖也, 九二王也. 坎爲祭享.

괘의 자리가 손괘가 건괘 다음에 있으니, 곧 교단(郊壇)의 상이다. 그 왼쪽이 감괘니, 곧 종묘(宗廟)의 상이다. '상제에게 제향함'은 손괘의 상이며, '사당을 세움'은 감괘의 상이다. 상구는 상제이고 구오는 태조이며 구이는 왕이다. 감괘는 제향함이 된다.

이진상(李震相) 『역학관규(易學管窺)』

享于帝, 立廟.
상제에게 제향하고 사당을 세운다.

郊爲帝壇, 上九象. 巽有郊象. 廟辨祖宮, 九五以下象也. 享之立之者, 坎體, 坎有祭享之義.
교(郊)는 제단(帝壇)이 되니, 상구의 상이다. 손괘에 제단의 상이 있다. 사당에서 조상들의 묘실을 분변하니, 구오 이하의 상이다. 제향하고 세우는 것은 감괘의 몸체이니, 감괘에 제향(祭享)의 뜻이 있다.

이병헌(李炳憲) 『역경금문고통론(易經今文考通論)』

荀曰, 謂受命之王, 上享天帝, 下立宗廟也.
순상이 말하였다: 명(命)을 받은 왕이 위로는 천제(天帝)에게 제향하고 아래로는 종묘(宗廟)를 세움을 말한다.

初六, 用拯, 馬壯, 吉.

초육은 구원하되 말이 건장하니, 길하다.

中國大全

傳

六居卦之初, 渙之始也. 始渙而拯之, 又得馬壯, 所以吉也. 六爻, 獨初不云渙者, 離散之勢, 辨之宜早. 方始而拯之, 則不至於渙也, 爲敎深矣. 馬, 人之所託也, 託於壯馬, 故能拯渙, 馬, 謂二也. 二有剛中之才, 初陰柔順, 兩皆无應, 无應則親比相求. 初之柔順而託於剛中之才, 以拯其渙, 如得壯馬以致遠, 必有濟矣, 故吉也. 渙拯於始, 爲力則易, 時之順也.

육(六)이 괘의 처음에 있으니, 흩어지는 초기이다. 흩어지는 초기에 구원하고, 또 말이 건장함을 얻었기 때문에 길하다. 여섯 효 가운데 초효에서만 '환(渙)'을 말하지 않은 것은 이반되어 흩어지는 형세에는 분별을 일찍 해야 한다. 막 시작할 때에 구원하면 흩어지는 데에 이르지 않으니, 가르침이 깊다. 말은 사람이 의탁하는 것이니, 건장한 말에 의탁하기 때문에 흩어짐을 구원할 수 있다. 말은 이효를 가르킨다. 이효는 굳세고 알맞은 재질이 있고 초효의 음은 유순한데 둘 모두 호응이 없다. 호응이 없으니, 친하고 가까워 서로 구한다. 초효가 유순하여 굳세고 알맞은 재질에게 의탁하여 흩어짐을 구원하니, 건장한 말을 얻어 먼 길을 가는 것처럼 반드시 구제함이 있기 때문에 길한 것이다. 흩어짐을 초기에 구원하면 힘쓰기가 쉬우니, 때에 순종함이다.

本義

居卦之初, 渙之始也. 始渙而拯之, 爲力旣易, 又有壯馬, 其吉可知. 初六, 非有濟渙之才, 但能順乎九二, 故其象占如此.

괘의 처음에 있으니, 흩어짐의 초기이다. 흩어지는 초기에 구원하면 힘쓰기가 이미 쉽고 또 건장한 말이 있으니, 그 길함을 알 수 있다. 초육은 흩어짐을 구제하는 재질을 소유한 것이 아니고, 다만 구이에게 순종하기 때문에 그 상과 점이 이와 같다.

小註

節齋蔡氏曰, 拯救也. 馬所用以行者, 馬壯則行速, 言用救渙之急也.
절재채씨가 말하였다: 구원은 구제함이다. 말은 타고 다니는 동물이니 말이 건장하면 다니는 것이 빠르니, 흩어짐을 급하게 구하기 위해 사용함을 말한다.

○ 雲峯胡氏曰, 馬壯二剛之象. 五爻皆言渙, 初獨不言者, 救之尙早, 可不至於渙也. 初六, 一柔在下, 未有濟渙之才, 然拯之於初猶易. 但能順九二以進則吉矣. 二有剛中之才, 坎爲美脊之馬.
운봉호씨가 말하였다: 말이 건장함은 구이의 강한 상이다. 다섯 효에 모두 '흩어짐'을 말했지만 초효에만 '흩어짐'을 말하지 않은 것은 구제함이 오히려 초기이어서 흩어짐에 이르지 않을 수 있다. 초육은 하나의 유가 아래에 있어서 흩어짐을 구제하는 재질이 없지만 초기에 구제하는 것은 오히려 쉽다. 단지 구이에 순종하여 나갈 수 있으면 길하다. 구이에게는 강중의 재질이 있고 감괘는 등줄기가 아름다운 말이 된다.

韓國大全

송시열(宋時烈) 『역설(易說)』

拯者, 拯於坎水也. 馬者坎爲亟心. 馬壯者, 震之健壯也. 言用拯初六之陰柔, 則必以坎震之象, 而初與六四爲應, 四爲巽順. 上下皆柔, 不能濟事, 故必以馬壯而吉. 小象之順也者, 言順, 故必如此而吉之謂也.
'구원하다' 감괘인 물에서 구원하는 것이다. '말[馬]'은 감괘니, 급한 마음이 된다. '말이 건장함'은 진괘의 굳건하고 건장함이다. 초육인 부드러운 음을 구원함을 말한다면 반드시 감괘와 진괘의 상으로써 해야 한다. 그런데 초효가 육사와 호응하지만 사효가 손순함이 된다. 위아래가 모두 부드러운 음으로는 일을 이룰 수 없으므로 반드시 '말의 건장함'으로 하여야 길한 것이다. 「소상전」에서 '순종하기 때문'이라는 것은 순종하므로 반드시 이와 같아서 길하다는 말이다.

권만(權萬) 「역설(易說)」

初六拯, 本作抍, 古易抍馬壯吉.
초육의 '구원하다는 증(拯)'자는 본래 구원하다는 승(抍)자로 되어 있으니, 옛날 역(古易)에는 '구원하되 말이 건장하니 길하다[抍馬壯吉]'로 되어 있다.

심조(沈潮) 「역상차론(易象箚論)」

初六, 馬壯.
초육은 말이 건장하니,

自二至六, 爲乾體. 乾爲良馬, 故曰馬壯. 又坎爲美脊之馬, 才雖弱, 志則剛, 足以拯之.
이효로부터 상효까지는 건괘의 몸체가 된다. 건괘는 좋은 말이 되기 때문에 "말이 건장하다"고 했다. 또 감괘는 등마루가 아름다운 말이 되니, 재질은 비록 약하지만 뜻은 굳세어 충분히 구원할 수 있다.

유정원(柳正源) 『역해참고(易解參攷)』

雙湖胡氏曰, 馬坎象. 前互震, 亦象馬. 二至四互坎, 三至五互震, 故其象同明夷.
쌍호호씨가 말하였다: 말은 감괘의 상이다. 앞의 호괘인 진괘도 말을 형상한다. 명이괘에서 이효로부터 사효까지는 호괘가 감괘이고 삼효부터 오효까지는 호괘가 진괘이기 때문에 그 상이 명이괘(明夷卦䷣)와 같다.

김상악(金相岳) 『산천역설(山天易說)』

坎之爲卦, 陰之陷陽, 而當渙之時, 非剛中之才, 无以濟渙, 而初之比二, 陰巽乎陽, 用救于渙, 故拯馬壯而吉矣.
감괘가 되는 것이 음이 양을 빠뜨리고 흩어지는 때에 해당하니, 굳세고 알맞은 재질이 아니라면 흩어짐을 구제할 수 없는데, 초효는 이효에 가깝고 음은 양에게 공손하니, 흩어짐에서 구원하기 때문에 구원하되 말이 건장하여 길한 것이다.

○ 拯者, 渙之反. 風水同卦, 初居水下, 與風相遠, 故不言渙而言拯. 坎亟心馬壯之象, 易宜坎馬曰壯. 非老非少, 則壯矣. 故明夷六二比三, 爲互坎, 取象亦同. 以柔附剛, 救傷拯渙, 非健速不可也. 故象傳, 皆言順. 風感水受, 中孚之象也. 風欲感而水不停, 渙之變也. 孚四之馬亡, 則可以從陽而孚, 渙初之馬壯, 則可以濟渙而吉矣. 又坎伏離而反之, 則爲睽, 睽初之喪馬自復者, 至渙而用拯也. 蓋下三爻, 皆在險體, 故卦言利涉, 謂六三也. 爻言用拯, 在初六, 若不以拯涉爲功, 无以出險而有濟, 所以九二曰, 渙奔其机, 賴初三而得安也.
'구원함'은 '흩어짐'의 반대이다. 바람과 물이 하나의 괘를 이룸에 초효는 물 아래에 있어 바람과 서로 멀기 때문에 '흩어진다'고 말하지 않고 '구원한다'고 말했다. 감괘는 마음이 급하고 말이 건장한 상이니, 역에서 마땅히 감괘인 말을 "건장하다"고 하였다. 늙지도 않고 어리지도 않은 것이 건장한 것이기 때문에 명이괘(明夷卦䷣) 육이는 삼효와 가깝고 호괘가 감괘가 되므로 상을 취함이 또한 같다. 부드러운 음으로 굳센 양에 붙어 상처입음을 구제하고 흩어짐을 구원함은 건장하고 빠르지 않으면 할 수 없기 때문에 「상전」에서 모두 "순종한다"고 했다. 바람이 감동시키고 물이 받아들임은 중부괘(䷼)의 상이다. 바람이 감동시키고자 하지만 물이 멈추지 않음은 환괘가 변한 것이다. 중부괘 사효의 말[馬]이 없어지면 양(陽)을 좇아서 믿을 수 있고, 환괘 초효에서 말이 건장하면 흩어짐을 구제하여 길할 수 있다. 또 감괘에 숨은 리괘로 뒤집어지면 규괘(睽卦䷥)가 되니, 규괘 초효에서 "말을 잃고 스스로 돌아온다"는 것은 환괘에 이르러 구원한다. 대체로 아래의 세 효는 모두 험한 몸체에 있으므로 괘사에서 "건넘이 이롭다"고 말한 것은 육삼을 말한다. 효사에서 "구원한다"고 말한 것은 초육에 있으니, 만약 구원하고 건너는 것으로 공효를 삼지 않는다면 험함을 벗어나 구제함이 있을 까닭이 없으니, 이 때문에 구이에서 "흩어짐에 궤로 달려간다"고 했으니, 초효와 삼효를 신뢰하여 편안함을 얻는다.

서유신(徐有臣) 『역의의언(易義擬言)』

渙之始, 氷未解, 故用馬而濟也. 初六之位, 卽其時也, 初六之才, 卽其馬也. 坎爲美脊之馬, 故曰馬壯也.
흩어지는 처음엔 얼음이 아직 녹지 않았기 때문에 말로써 구제하는 것이다. 초육의 자리가 곧 그 때이며, 초육의 재질이 곧 말이다. 감괘는 등마루가 아름다운 말이 되기 때문에 "말이 건장하다"고 했다.

박제가(朴齊家) 『주역(周易)』

傳, 馬謂二也.
『정전』에서 말하였다: 말은 이효를 가리킨다.

案, 坎之初, 水未深, 故自能拯. 坤爲牝馬, 馬在初, 故曰壯. 若在二, 則馬已非壯矣, 水亦深, 不可拯矣. 故六自爲順象. 傳曰, 順也, 何必從二然後爲順耶. 牝馬自順矣.
내가 살펴보았다: 감괘의 초효는 물이 아직 깊지 않기 때문에 스스로 구원할 수 있다. 곤괘는 암말이 되는데 말이 앞에 있기 때문에 "건장하다"고 했다. 만약 이효에 있으면 말은 이미 건장하지 않으며, 물도 깊어서 구원할 수 없다. 그러므로 육은 스스로가 순종하는 상이 된다. 「상전」에서 "순종한다"고 한 것이 어찌 반드시 이효를 따른 뒤에 순종하는 것이 되겠는가? 암말이 스스로 순종하는 것이다.

강엄(康儼) 『주역(周易)』

初六, [止] 馬壯, 吉.
초육은 … 말이 건장하니, 길하다.

按, 下卦爲坎, 有險陷之象, 而六以陰柔居初, 將入於險陷, 故必用壯馬以拯之, 明夷六二言用拯馬. 蓋明夷自二至四, 有坎象, 而六二正當其初, 故亦曰用拯馬壯.
내가 살펴보았다: 하괘는 감괘가 되니 험함에 빠지는 상이 있는데, 육(六)이 부드러운 음으로 초효의 자리에 있어 장차 험함에 들어가므로 반드시 건장한 말을 써서 구원하니, 명이괘(明夷卦䷣) 육이에서 "돕는 말을 쓴다"고 했다. 대개 명이괘 이효로부터 사효까지에 감괘의 상이 있는데, 육이는 바로 그 처음에 해당하기 때문에 또한 "돕는 말을 건장한 것으로 쓴다"고 했다.

이지연(李止淵) 『주역차의(周易劄疑)』

謂之初, 則渙之初也. 順乎二, 則拯之. 壯者, 散未深而濟之, 速且壯也.
'처음'이라고 한 것은 환괘의 처음이다. 이효에게 순종하면 구원한다. '건장함'은 흩어짐이 아직 깊지 않아 구제함이 신속하고 또 성대한 것이다.

김기례(金箕澧) 「역요선의강목(易要選義綱目)」

坎爲美脊馬, 指二剛.
감괘는 등마루가 아름다운 말이 되니, 이효의 굳셈을 가리킨다.

심대윤(沈大允) 『주역상의점법(周易象義占法)』

渙之義, 精神之發達, 以接于遠也. 凡教化政令思慮學問之類, 自近而遠者, 皆是矣. 渙之爻位居剛, 厲精以求渙也, 居柔, 養精以自渙也. 凡思慮之法, 疲精力求而不已, 則竭而惑, 養精優遊而不已, 則罔而謾, 或厲精焉, 或養精焉, 不可偏廢也. 渙之世, 同物而亦取應矣.

환(渙)의 뜻은 정신이 드러나 도달하여 멀리까지 닿는 것이다. 무릇 교화와 정령, 사려와 학문의 부류가 가까운 데로부터 멀리까지 이르는 것이 모두 이러한 것이다. 환괘 효의 자리가 굳센 자리에 있으면 정신을 수고롭게 하여 흩어지길 구하며, 부드러운 자리에 있으면 정신을 길러 자신을 흩는다. 무릇 사려의 방법이 정신을 수고롭게 하여 힘써 구하고 그치지 않으면 정신이 고갈되어 미혹되며, 정신을 길러 유유자적하되 그치지 않으면 정신이 없어져 게으르게 되니, 혹은 정신을 수고롭게 하고 혹은 정신을 기르는 것이 어느 한쪽을 폐할 수 없는 것이다. 환괘의 세상에서는 만물과 함께하고, 또 호응을 취한다.

渙之中孚䷼. 初六處渙之初而地卑, 其精神未及於遠, 而有以自信也. 夫其心, 不能自信, 而可以及人者, 未之有也. 居剛以疲精力求, 舍四之應, 而近從于二, 力學而近思者也. 故曰用拯馬壯, 拯取物於水也. 巽离艮坎爲随, 取于水. 曰拯, 坎爲馬, 坎自乾來, 而初六未進于外, 故猶互乾曰壯, 言托二而有得也. 不思荒僻, 而思切近, 附托得其宜, 故吉及遠之効未著. 故不言渙也. 君子之道, 固下學而上達也, 若夫索隱行怪, 不爲之矣. 凡敎化政令, 亦皆自邇而遠, 自卑而高也. 不可釣奇于譽而驟.

환괘가 중부괘(中孚卦䷼)로 바뀌었다. 초육은 흩어지는 처음에 처했는데 땅처럼 낮으니, 그 정신이 아직 멀리 미치지 못하고 스스로를 믿는 까닭이 있다. 마음이 스스로를 믿지 못하면서 다른 사람에게 미칠 수 있는 자는 있지 않다. 굳센 자리에 있어 정신을 수고롭게 하여 힘써 구하고 사효의 호응을 버리며, 가까이 이효를 따르고 힘써 배워 가까이서 생각하는 자이다. 그러므로 "말로써 구원하되 말이 건장하다"고 했으니, '구원함'은 물에서 만물을 건져내는 것이다. 손괘와 리괘와 간괘와 감괘가 따름이 됨은 물에서 취했다. "구원한다"고 말한 것은 감괘가 말이 되는데, 감괘는 건괘로부터 왔고 초육은 아직 밖으로 나아가지 못했으므로 여전히 호괘인 건괘를 빌어 "건장하다"고 하였으니, 이효에 의탁하여 얻음이 있음을 말한다. 궁벽함을 생각하지 않고 협력하고 가까이 함을 생각하며, 부탁하여 그 마땅함을 얻으므로 길함이 먼 데 미치는 효험이 드러나지 않는다. 그러므로 "흩어진다"고 말하지 않았다. 군자의 도는 진실로 아래로 배워 위로 통달하는 것이니, 저 은미한 것을 찾고 괴이한 것을 행하는 것 같은 것을 하지 않는다. 무릇 교화와 정령도 모두 가까운 곳으로부터 멀리 이르고 낮은 곳으로부터 높아지니, 기이한 것을 꾀하고 명예를 구하여 달려가서는 안 된다.

오치기(吳致箕) 「주역경전증해(周易經傳增解)」

初六, 陰柔在下, 而上旡正應, 當渙之初, 其質卑弱, 不能有濟. 而以其上比于剛中之賢, 可以順從而濟渙, 故有用拯馬壯之象, 而占言其吉.
초육은 부드러운 음이 아래에 있고 위로 바른 호응이 없어 흩어지는 처음에 해당하니, 그 자질이 비천하고 약하여 구제함이 있을 수 없다. 그러나 그 위로 굳세고 알맞은 어진 이에게 가까워 순종하여 흩어짐을 구제할 수 있기 때문에 말로써 구원하되 말이 건장한 상이 있어서 점에서 그 길함을 말했다.

○ 濟險之謂拯, 已見明夷之六二. 坎爲馬而二陽剛, 故言壯也. 初獨不言渙者, 救之在早, 則可不至於渙也.
험함을 구제하는 것을 '구원한다'고 하니, 이미 명이괘(明夷卦䷣) 육이에 보인다. 감괘는 말이 되고, 이효는 굳센 양이므로 '건장하다'고 말했다. 초효에서만 '흩어진다'고 말하지 않은 것은 구원함이 이른 시기에 있으면 흩어짐에 이르지 않을 수 있기 때문이다.

이진상(李震相) 『역학관규(易學管窺)』

坎水在下, 有拯溺之象. 坎爲下首之馬, 震爲作足之馬, 蓋切近於二, 得其拯濟之力也.
감괘인 물이 아래에 있어 빠짐을 구원하는 상이 있다. 감괘는 머리를 숙인 말이 되고 진괘는 발 빠른 말이 되니, 대체로 이효에 매우 가까워 구원하여 건지는 힘을 얻는다.

박문호(朴文鎬) 「경설(經說)·주역(周易)」

初在馬下, 故不言乘而只云託也.
초효는 말 아래에 있기 때문에 '탄다[乘]'고 말하지 않고 다만 '의탁한다[託]'고 했다.

象曰, 初六之吉, 順也.

「상전」에서 말하였다: 초육의 길함은 순종하기 때문이다.

中國大全

傳

初之所以吉者, 以其能順從剛中之才也. 始渙而用拯, 能順乎時也.

초효가 길한 까닭은 굳세고 알맞은 재질에게 순종하기 때문이다. 흩어지는 처음에 구원하니, 이것은 때에 순종하는 것이다.

韓國大全

김상악(金相岳) 『산천역설(山天易說)』

謂順乎九二也.
구이에게 순종함을 말한다.

서유신(徐有臣) 『역의의언(易義擬言)』

爻曰壯, 其功之敏也, 象曰順, 其時之易也.
효사에서 "건장하다"고 한 것은 빨리 드러나는 공효이고, 「상전」에서 "순종한다"고 한 것은 평이한 시기이다.

김기례(金箕澧) 「역요선의강목(易要選義綱目)」

渙始早拯, 則不至渙, 故初爻不言渙而言順. 二之則壯, 救渙之急, 則可極, 故吉. 明夷之用拯馬, 速行而避, 渙之用極馬, 二欲速行而救已.
흩어지는 처음에 일찍 구원하면 흩어지는 데 이르지 않기 때문에 초효에서 "흩어진다"고 말하지 않고 "순종한다"고 말하였다. 이효가 가는 것은 건장하여 흩어짐의 급박함을 구원하면 지극히 할 수 있기 때문에 길하다. 명이괘(明夷卦)의 '돕는 말을 씀'은 신속하게 행하여 피하는 것이고, 환괘의 '말로써 구원함'은 이효가 신속하게 행하여 자신을 구원하고자 함이다.

심대윤(沈大允) 『주역상의점법(周易象義占法)』

自近遠, 自卑高, 自內外, 自淺深, 故曰順.
가까운 곳으로부터 멀리 가고, 낮은 곳으로부터 높이 올라가고, 안으로부터 밖으로 나아가고, 얕은 곳으로부터 깊어지기 때문에 "순종한다"고 했다.

오치기(吳致箕) 「주역경전증해(周易經傳增解)」

以其能順從于剛中之賢, 故可以拯渙於初而得吉也.
굳세고 알맞은 어진 이에게 순종할 수 있기 때문에 초효에서 흩어짐을 구원하여 길함을 얻을 수 있다.

이병헌(李炳憲) 『역경금문고통론(易經今文考通論)』

程傳曰, 六居渙始, 又得爲壯, 所以吉也.
『정전』에서 말하였다: 육(六)이 흩어짐의 초기에 있고, 또 건장함이 됨을 얻었으니, 이 때문에 길하다.

馬謂二也, 順從剛中.
'말'은 이효를 가리키니, 굳세고 알맞음에 순종함이다.

九二, 渙, 奔其机, 悔亡.

정전 구이는 흩어짐에 궤로 달려가면 후회가 없어지리라.
본의 구이는 흩어짐에 궤로 달려가니, 후회가 없어지리라.

中國大全

傳

諸爻皆云渙, 謂渙之時也. 在渙離之時, 而處險中, 其有悔, 可知. 若能奔就所安, 則得悔亡也. 机者, 俯憑以爲安者也. 俯, 就下也, 奔, 急往也. 二與初, 雖非正應, 而當渙離之時, 兩皆无與, 以陰陽親比相求, 則相賴者也. 故二目初爲机, 初謂二爲馬. 二急就於初以爲安, 則能亡其悔矣, 初雖坎體, 而不在險中也. 或疑初之柔微, 何足賴, 蓋渙之時, 合力爲勝. 先儒皆以五爲机, 非也. 方渙離之時, 二陽, 豈能同也. 若能同, 則成濟渙之功, 當大, 豈止悔亡而已. 机, 謂俯就也.

여러 효에서 다 '흩어짐'을 말한 것은, 흩어지는 때임을 이른다. 흩어지고 이반하는 때에 험한 가운데에 있으니, 후회가 있음을 알 만하다. 만약 편안한 데로 달려 나가면 후회가 없어지게 될 것이다. '궤(机)'는 구부려 의지하여 편안하게 하는 것이다. '구부림[俯]'은 아래로 나아감이요 '달려감[奔]'은 급히 감이다. 이효와 초효가 비록 정응은 아니지만 흩어지고 이반하는 때를 당하여 둘이 모두 함께 하는 상대가 없지만 음과 양으로써 친하고 가까워 서로 구하면 서로 의지하게 된다. 그러므로 이효에서는 초효를 지목하여 '궤(机)'라 하고, 초효는 이효를 말이라 한다. 이효가 급히 초효에게 나아가 편안하게 여기면 후회를 없앨 수 있으니, 초효가 비록 감괘의 몸체이지만 험한 가운데에 있지 않기 때문이다. 어떤 이는 "효의 유약함과 미미함을 어찌 의지할 수 있겠는가"라고 의심한다. 흩어지는 때에는 힘을 합하는 것이 나은데 이전의 학자들은 모두 오효를 '궤'로 여겼으니, 잘못이다. 막 흩어지고 이반하는 때를 당하여 두 양이 어찌 함께 할 수 있겠는가? 만약 함께 할 수 있다면 흩어짐을 구제하는 공(功)을 이룸이 마땅히 클 것이니, 어찌 다만 후회가 없어질 뿐이겠는가? '궤(机)'는 아래로 나아감을 말한 것이다.

小註

東谷鄭氏曰, 渙之時, 必剛柔上下相合, 則不散. 初, 柔也, 在二之下, 二, 剛也, 在初之上, 柔而在下者, 必有所賴以爲援, 剛而在上者, 必有所託以爲安. 故初之得二爲壯馬, 馬壯則可賴以爲援. 二之就初爲奔机, 得机則可藉以爲安. 此初之從二爲順於理, 而二之就初爲得所願也.
동곡정씨가 말하였다: 흩어지는 때에 반드시 강과 유가 위아래로 서로 합치면 흩어지지 않는다. 초효는 음유로 이효의 아래에 있고 이효는 양강으로 초효의 위에 있으니, 음유로 아래에 있는 자는 반드시 의지하는 것으로써 구원을 삼고, 강으로 위에 있는 자는 반드시 기탁하는 것으로써 편안함을 삼는다. 이것은 초효가 이효를 좇음이 이치에 따르는 것이고 이효가 초효에 나감이 소원을 얻는 것이다.

本義

九而居二, 宜有悔也. 然當渙之時, 來而不窮, 能亡其悔者也. 故其象占如此, 蓋九奔而二机也.

구(九)로서 이효자리에 있으니, 마땅히 후회가 있을 것이다. 그러나 흩어지는 때를 당하여 와서 다하지 않으니, 그 후회를 없앨 수 있는 자이다. 그러므로 그 상과 점이 이와 같다. 구(九)는 '달려가는 것'이고 이(二)는 '궤'이다.

小註

朱子曰, 九二渙奔其机, 以人事言之, 是來就安處.
주자가 말하였다: 구이의 흩어짐에 궤로 달려감은 사람의 일로 말하였다. 이것은 와서 편안한 거처로 나가는 것이다.

○ 中溪張氏曰, 奔者, 來之速也. 二剛, 自外來有奔之象.
중계장씨가 말하였다: '달려감'은 오는 것이 빠름이다. 이(二)의 강은 밖에서 와서 달려가는 상이 있다.

○ 雲峯胡氏曰, 奔九象, 互震爲足爲動. 机二象, 互震爲木, 位偶爲足. 本義曰, 九奔二机, 蓋以卦變言也. 九剛故象奔, 二中故象机. 以九來居二, 得中而安矣, 本有悔, 得中而安, 故悔亡.
운봉호씨가 말하였다: 달려감은 구(九)의 상이니 호괘인 진괘가 다리가 되고 움직임이 됨이다. 궤는 이(二)의 상이니 호괘인 진괘가 나무이고 자리가 짝수인 것이 다리이다. 『본의』의 “구가 달려감이고 이가 궤”라는 것은 괘의 변화로 말한 것이다. 구는 강하여 달리는 상이고 이는 중을 얻어 궤의 상이다. 구가 와서 이에 거처하여 중을 얻어 편안하니 본래는 후회가 있었지만 중을 얻어 편안해져 후회가 없어진다.

韓國大全

송시열(宋時烈) 『역설(易說)』

奔者, 急走也, 震之躁決之象. 机者, 以木承木, 震木承巽木之象. 巽順故橫, 震足故承而爲机, 言急走而與九五相應也. 小象云, 得願者, 言得同德相應之願也.
‘분(奔)’은 급하게 달려감이니, 진괘의 조급하게 결단하는 상이다. ‘궤(机)’는 나무로 나무를 받치니, 진괘인 나무가 손괘인 나무를 받치는 상이다. 손괘는 순종하기 때문에 상판이 되고[橫] 진괘는 다리이기 때문에 받쳐서 궤가 되니, 급하게 달려가 구오와 서로 호응함을 말한다. 「소상전」에서 “소원을 얻었다”는 것은 덕을 함께 하여 서로 호응하는 소원을 얻었음을 말한다.

유정원(柳正源) 『역해참고(易解參攷)』

九二, [止] 悔亡.
구이는 … 후회가 없어지리라.

王氏曰, 机, 承物者也, 謂初也. 二俱无應, 與初相得, 而初得散道, 離散而犇, 得其所安, 故悔亡.
왕필이 말하였다: ‘궤(机)’는 물건을 받치는 것이니, 초효를 말한다. 둘 모두 호응이 없어 초효와 서로 만나나 초효는 흩어지는 도를 얻어 떨어지고 흩어져 달려가 편안한 바를 얻기 때문에 뉘우침이 없다.

○ 臨川王氏曰, 犇速辭, 剛能速者也.
임천왕씨가 말하였다: '분(犇)'은 빠르다는 말이니, 굳센 양은 빨리 달릴 수 있다.

○ 張子曰, 奮於坎中, 進而之前, 則難解悔亡. 若退累於初, 險不能出, 其悔終存.
장자가 말하였다: 감괘 안에서 분발하여 나아가 앞으로 가면 어려움이 풀리고 뉘우침이 없어진다. 만약 물러나 초효에 얽매이면 험함을 벗어날 수 없어 뉘우침이 끝내 있게 된다.

○ 厚齋馮氏曰, 机, 諸儒皆以案几爲說, 机, 說文木也. 山海經曰, 族藘〈一作單狐.〉之山多松柏机〈韻會似楡.〉桓, 周官五几亦不從木, 然則机木也. 人之離家, 困於道塗, 則依木以休息, 詩所謂南有喬木, 不可休思, 是也.
후재풍씨가 말하였다: '궤(机)'를 여러 학자들은 모두 '책상'으로 설명하는데, '궤(机)'는 『설문해자』에서 '나무'라고 했다. 『산해경』에서는 "족권(族藘)산〈어떤 본에는 '단고(單狐)'라고 했다.〉에 소나무와 자작나무, 궤나무〈『운회』에서 느릅나무와 같다고 했다.〉와 무환자나무가 많았다"고 했다. 『주관』의 '오궤(五几)'도 목(木)자를 쓰지 않았으니, 그렇다면 궤나무이다. 사람이 집을 떠나 길에서 곤란하면 나무를 의지해 쉬니, 『시경』에서 이른바 "남쪽에 우뚝 솟은 나무 있어도 그 아래서 쉴 수 없다"는 것이 이것이다.

○ 雙湖胡氏曰, 坎堅多心木, 困初六株木, 亦坎體. 渙互震, 亦木象, 上巽亦是木. 若如厚齋所說, 不知指何爻爲机木. 看來初在險下, 旣取馬壯爲吉, 則是貴其去險也. 二在險中, 曰犇其机, 豈非欲其速犇出險而亡其悔乎. 机木, 指巽同德, 相逢九五, 是也, 其犇五乎.
쌍호호씨가 말하였다: 감괘는 단단하고 목심이 많은 나무이고 곤괘의 초육은 곤장[株木]이니 또한 감괘의 몸체이다. 환괘의 호괘인 진괘도 나무의 상이며, 위의 손괘도 나무이다. 가령 후재가 말한 바와 같다면 어떤 효를 가리켜 궤목(机木)이라 하는지 알 수 없다. 보건대, 초효는 험함의 아래에 있고 이미 '말의 건장함'을 취해 길하게 되었으니, 이는 험함의 제거를 귀하게 여긴 것이다. 이효는 험한 가운데 있어서 "궤로 달려간다"고 했으니, 어찌 신속하게 험함에서 벗어나 그 후회를 없애고자 한 것이 아니겠는가? 궤목(机木)은 손괘가 덕을 함께 함을 가리키니, 구오와 서로 만나는 것이 이것으로 오효에게 달려가는 것이다.

○ 案, 犇者, 言急出於險中也. 机木也. 乘木於坎水, 濟渙之速也.
내가 살펴보았다: '달려감[犇]'은 험함에서 급히 나옴을 말한다. '궤(机)'는 나무이다. 감괘인 물에서 나무를 타니, 흩어짐을 구제함이 빠른 것이다.

本義, 來而不窮.
『본의』에서 말하였다: 와서 다하지 않는다.
案, 來者, 言其九來而就二也. 不窮者, 言其得所安而不窮也.
내가 살펴보았다: '온다'는 구(九)가 와서 이효의 자리에 나아감을 말한다. '다하지 않음'은 편안한 바를 얻어 다하지 않음을 말한다.

김상악(金相岳) 『산천역설(山天易說)』

當渙之時, 自外而來, 互爲震體, 比初而得中, 故有奔其机之象. 與五无應, 宜有悔者, 然來而不窮, 終必出險以相就, 故其悔亡也.
흩어지는 때를 맞아 밖으로부터 오니, 호괘는 진괘의 몸체가 되고 초효와 비(比)의 관계이고 알맞음을 얻었으므로 궤로 달려가는 상이 있다. 오효와 호응함이 없어 의당 뉘우침이 있을 것 같으나 와서 다하지 않아 끝내 반드시 험함을 벗어나 서로 이루기 때문에 뉘우침이 없어진다.

○ 奔者, 來之速也, 風行水上之象也. 震木居陰偶之上爲机, 與巽九二, 巽在牀下, 取象相似. 卦有乘木之功, 故爻言奔机以喩其凭依之安也. 本義, 九奔二机, 以卦變言也. 下卦, 自漸而變, 漸曰, 鴻漸于磐, 亦以變而言也. 悔者, 居渙之悔也. 旣奔其机而安, 又就同德之應, 悔所以亡也. 蓋渙以相比爲象, 初拯馬而二奔机, 三渙其躬而四渙其群, 五汗其號而上渙其血, 故六爻无凶.
'분(奔)'은 옴이 빠른 것이니, 바람이 물 위에 부는 상이다. 진괘인 나무가 음의 짝(--) 위에 있어 궤가 되니, 손괘(巽卦䷸) 구이에서 "겸손함이 상(牀) 아래에 있다"는 것과 상을 취한 것이 서로 비슷하다. 괘에 나무를 타는 공이 있기 때문에 효사에서 '궤로 달려감'을 말하여 의지하는 편안함을 비유하였다. 『본의』에서 '구(九)가 달려감이고 이효가 궤임'은 괘의 변화로 말했다. 하괘는 점괘(漸卦䷴)로부터 변했으니, 점괘에서 "기러기가 반석으로 차츰 나아간다"고 한 것 또한 변화로써 말했다. '뉘우침'은 흩어짐에 있는 뉘우침이다. 이미 궤로 달려가서 편안한데 또 덕을 함께 하는 호응에 나아가니, 이 때문에 뉘우침이 없어진다. 대체로 환괘는 서로 가까운 것으로 상을 삼으니, 초효는 말로써 구원하고 이효는 궤로 달려가며, 삼효는 몸의 사사로움을 흩고 사효는 붕당의 무리를 흩으며, 오효는 호령을 내되 땀이 나듯 하고 상효는 피를 흩기 때문에 여섯 효에 흉함이 없다.

김규오(金奎五)「독역기의(讀易記疑)」

九二, 渙, 奔其机,
구이는 흩어짐에 궤로 달려감이니,

机, 傳謂初, 義謂二, 傳說恐長. 蓋奔有方走之勢, 非止止安安之意, 以九之本志在於就初也. 象中得願字, 亦有此意.
'궤'에 대해 『정전』은 초효라고 말하고, 『본의』는 이효라고 말했는데, 『정전』의 설명이 나은 듯하다. 대체로 '분(奔)'에 막 달려가는 형세가 있으니, 그칠 데 그치고 편안한 데 편안해 하는 뜻이 아닌 것은 구(九)의 본래 뜻이 초효에게 나아감에 있기 때문이다. 「상전」에서 "소원을 얻은 것이다"는 것에도 이러한 뜻이 있다.

조유선(趙有善)『경의(經義)-주역본의(周易本義)』

九二, 渙, 奔其机,
구이는 흩어짐에 궤로 달려가니,

程傳, 二目初爲机, 初謂二爲馬, 本義則曰九奔而二机, 蓋以卦變言也. 卦變多以成卦之象言, 爻辭之全取其義, 未見其例, 更當詳之.
『정전』에서 "이효에서는 초효를 지목하여 '궤'라고 하고, 초효에서는 이효를 일러 '말'이라고 했다"고 하였는데, 『본의』에서는 "구(九)가 달려감이고 이(二)가 궤이다"라고 했으니, 대체로 괘의 변화로 말했다. 괘의 변화는 괘를 이루는 상으로 말한 것이 많고, 효사가 그 뜻을 온전히 취한 것은 그 예를 볼 수 없으니, 다시 살펴보아야만 한다.

서유신(徐有臣)『역의의언(易義擬言)』

渙奔者, 渙而奔之也. 奔, 行之迅疾也. 机, 疑枫, 與帆通也. 氷已解矣, 風又至矣, 渙散其帆而奔之. 帆受順風, 迅奔而得意也, 未奔爲悔, 奔而悔亡也.
'흩어짐에 달려감'은 흩어져 달려가는 것이다. '분(奔)'은 가는 것이 빠른 것이다. '궤(机)'는 아마도 범(枫)인 듯하니 '돛[帆]'과 통한다. 얼음이 녹은 다음 바람이 또 불어 그 돛에 흩어져 날려 달려가게 한다. 돛은 순풍(順風)을 받아 신속하게 달려가 뜻을 얻으니, 달려가지 않아 후회하는 것은 달려가면 후회가 없어진다.

박제가(朴齊家) 『주역(周易)』

九二, 奔其机,
구이는 궤로 달려가니,

本義曰, 九奔而二机, 蓋打破四初爲机之說矣. 旣不爲人之机, 又不借人之馬, 順而自拯矣. 蓋九奔而二机, 從剛來不窮而得之者也, 非特釋經, 甚至詞鋒, 亦它人說不得者, 所以爲朱子也.
『본의』에서 "구(九)는 달려가는 것이고 이(二)는 궤이다"고 한 것은 대개 사효와 초효가 궤가 된다는 설을 비판한 것이다. 이미 사람의 궤가 되지 못하고, 또 사람의 말을 빌리지 않아도 순종하여 스스로를 구원한다. '구(九)가 달려감이고 이(二)가 궤가 됨'은 굳센 양을 따라와 다하지 않아도 얻는 것이니, 단지 경을 해석하는 것뿐만이 아니라 심지어 예리한 문필까지도 다른 사람은 말할 수 없었던 것이니, 이 때문에 주자가 되는 것이다.

강엄(康儼) 『주역(周易)』

九二 [止] 悔亡.
구이는 … 후회가 없어지리라.

按, 本義, 於初六, 則云順乎九二, 於九二則不取, 程傳, 俯就初六之義, 而取卦變言. 九來居二者, 蓋以陰從陽, 可以爲援, 以陽從陰, 則恐或爲累, 亦非理之順, 故本義說如此, 亦扶陽抑陰之義也.
내가 살펴보았다: 『본의』에서 초육에 대해서는 "구이에게 순종한다"고 하고 구이에 대해서는 "취하지 않는다"고 했는데, 『정전』의 '구부림[俯]'은 초육으로 나아가는 뜻인데 괘의 변화를 취해 말한 것이다. '구(九)가 와서 이효의 자리에 있음'은 대체로 음으로 양을 따르니 취할 만한 것이 되는데 양으로 음을 따르면 아마도 혹 누(累)가 되며, 또 이치의 순함이 아니기 때문에 『본의』의 설명이 이와 같으니, 또한 양을 북돋우고 음을 억누르는 뜻이다.

이지연(李止淵) 『주역차의(周易箚疑)』

九二, 自漸來者, 九三, 來奔而居二. 二則機也, 謂初六九五, 牽强耳.
구이는 점괘(漸卦䷴)로부터 온 것이니, 점괘 구삼이 달려 와서 이효의 자리에 있는 것이다. 이효가 핵심인데, 초육과 구오를 말하니, 억지로 갖다 붙인 것일 뿐이다.

김기례(金箕澧) 「역요선의강목(易要選義綱目)」

九二, 自外來, 故曰奔. 蓋剛來得中, 比初陰而安處, 則有速來憑几之象, 故曰悔亡.
구이는 밖으로부터 왔기 때문에 "달려간다"고 했다. 대체로 굳센 양이 와서 알맞음을 얻고 초효의 음과 비(比)의 관계로 편안하게 거처하면 신속하게 와서 궤에 의지하는 상이 있으므로 "뉘우침이 없어진다"고 했다.

이항로(李恒老) 「주역전의동이석의(周易傳義同異釋義)」

傳, 二月初爲机
『정전』에서 말하였다: 이효에서는 초효를 지목하여 '궤(机)'라 하였다.

本義, 九奔而二机也
『본의』에서 말하였다: 구(九)는 '달려가는 것'이고, 이(二)는 '궤'이다.

按, 彖象, 皆以廟爲言, 而坎之中爻, 當神尸之象. 机, 卽神尸所憑依之處也. 九五爲王, 乃在廟中, 而巽享于神尸, 在下群臣, 莫不隨王, 而奔走助祭. 詩所謂駿奔走在廟, 是也. 卦有此象, 如此看, 不至大悖否.
내가 살펴보았다: 「단전」과 「상전」이 모두 사당으로 말했는데, 감괘의 가운데 효가 신시(神尸)의 상에 해당한다. '궤'는 곧 신시가 의지해 있는 곳이다. 구오가 왕이 되어 곧 사당 안에 있으면서 신시에게 공손하게 제향하니, 아래에 있는 여러 신하들이 왕을 따르지 않을 수 없어서 분주하게 제사를 돕는다. 『시경』에서 이른바 "매우 분주하게 사당에 모였다"[15]는 것이 이것이다. 괘에 이러한 상이 있으니, 이와 같이 본다면 크게 어긋남에 이르지는 않을 것 같다.

심대윤(沈大允) 『주역상의점법(周易象義占法)』

渙之觀䷓, 觀仰也. 九二始得位, 而爲下一陰之所觀仰, 其精神, 始及于外也. 陷于二陰之中, 有泥近小而不及遠大之象. 又居柔養精, 而不力求. 然以其剛中, 故依托於九五之應, 而有渙之功, 故曰渙奔其机. 震爲奔, 艮依巽木爲机, 人臣務其近小而不求遠大. 然依托君上以有渙之功, 弟子依托父師而有渙釋之効, 是也. 故曰悔亡.
환괘가 관괘(觀卦䷓)로 바뀌었으니, 관은 우러러 보는 것이다. 구이가 처음 자리를 얻고

15) 『시경·주송·청묘지십』.

아래의 한 음이 우러러 보는 바가 되니, 그 정신이 비로소 밖으로 미친다. 두 음 사이에 빠졌으니, 가깝고 작은 것에 빠져 원대한 데에 미치지 못하는 상이 있다. 또 부드러운 음의 자리에 있고 정기를 기르지만 힘써 구하지 못한다. 그러나 굳세고 알맞기 때문에 구오의 호응에 의탁하여 흩는 공이 있으므로 "흩어짐에 궤로 달려간다"고 했다. 진괘는 달려감이 되고 간괘는 손괘인 나무에 의거하여 궤가 되니, 남의 신하는 그 가깝고 작은 것에 힘쓰고 원대한 것을 구하지 못한다. 그러나 임금에게 의탁하여 흩는 공이 있고, 제자는 아버지와 스승[父師]에 의탁하여 흩고 푸는 효험이 있는 것이 이것이다. 그러므로 "뉘우침이 없어진다"고 했다.

오치기(吳致箕) 「주역경전증해(周易經傳增解)」

九二, 陽剛得中, 而上旡正應, 當渙之時, 剛柔合力, 然後可以相賴而有濟, 故急來相比於初六, 藉以爲安, 有奔其机之象. 然以剛居柔, 而旡應援, 雖若有悔, 以其得中而比柔, 故言能亡其悔也.
구이는 굳센 양이 알맞음을 얻었으나 위로 정응이 없고, 흩어지는 때를 당하여 굳센 양과 부드러운 음이 힘을 합한 연후에 서로 의지하여 구제함이 있을 수 있으므로 급히 와서 초육과 서로 가까우니, 깔개로 편안함을 삼음에 그 궤로 달려가는 상이 있다. 그러나 굳센 양으로 부드러운 음의 자리에 있고 응원함이 없으니, 비록 후회가 있을 것 같지만 알맞음을 얻고 부드러운 음과 비(比)의 관계이기 때문에 그 뉘우침을 없앨 수 있다고 말했다.

○ 奔, 謂來之疾也, 取於互震. 机者, 安身之物, 而二之奇畫爲机體, 初之耦畫爲机足也.
'달려감'은 오는 것이 빠름을 말하니, 호괘인 진괘에서 취했다. '궤'는 몸을 편안하게 하는 물건인데, 이효의 획 하나[⚊]가 궤의 몸체가 되고 초효의 두 획[⚋]이 궤의 다리가 된다.

이진상(李震相) 『역학관규(易學管窺)』

奔其机.
궤로 달려가니,

九自四來而得中不窮, 故曰奔其机, 奔者, 就之急也, 机者, 倚之安也. 九而居二, 雖非得位, 而所處得中, 稍可自安, 故謂之悔亡. 卦體, 互震爲木爲足, 足故言奔, 本故言机, 當渙散奔波之際, 得机而憑之, 則豈非得願耶. 机卽九二, 非謂倚初而爲安也, 非謂往五而求安也. 亦非以三來居二而得名也. 或曰, 机承物者也, 渙體, 六往居四, 四之承五, 若机然也. 或曰, 山海經曰, 族蘭之山多松柏桓机, 机 木名, 似榆. 机木, 指巽同德, 九五, 是也. 數說不同, 當更詳之.
구는 사효로부터 와서 알맞음을 얻고 다하지 않았기 때문에 "궤로 달려간다"고 했으니, '달려감'은 나아감이 급한 것이고 '궤'는 의지함이 편안한 것이다. 구(九)로서 이효의 자리에 있어 비록 제자리를 얻은 것은 아니지만, 처한 바가 알맞음을 얻어 조금 스스로 편안할 수 있으므로 "뉘우침이 없어진다"고 했다. 괘의 몸체는 호괘인 진괘가 나무가 되고 발이 되니, 발이기 때문에 '달려간다'고 했고 나무이기 때문에 '궤'라고 했으니, 흩어지고 분주한 즈음에 해당하여 궤를 얻어 의지하게 되면 어찌 소원을 얻는 것이 아니겠는가? 궤는 곧 구이이니, 초효에 의지하여 편안하게 됨을 이르는 것이 아니며, 오효에게 가서 편안함을 구하는 것을 이르는 것도 아니다. 삼효가 와서 이효의 자리에 있어 이름을 얻은 것도 아니다. 어떤 이는 "'궤'는 물건을 받드는 것이니, 환괘의 몸체가 육(六)이 가서 사효의 자리에 있고, 사효는 오효를 잇는 것이 궤와 같은 것이 그러하다"고 했다. 또 어떤 이는 "『산해경』에 족권산에는 소나무와 자작나무, 무환자나무[桓]와 궤나무[机]가 많았다"고 했으니, 궤(机)는 나무의 이름으로 느릅나무[榆]와 비슷하다. 궤나무는 손괘인 덕이 같음을 가리키니, 구오가 이것이다. 여러 설명이 같지 않으니, 마땅히 다시 살펴보아야 한다.

채종식(蔡鍾植) 「주역전의동귀해(周易傳義同歸解)」

傳謂二處險中, 其悔可知, 此以卦德解悔義也, 本義謂九而居二, 宜有悔也, 此以爻位釋悔義也. 其爲悔之理, 則一也.
『정전』에서는 "이효가 험한 가운데 있으니, 그 후회를 알 만하다"고 했으니, 이것은 괘의 덕으로 후회의 뜻을 푼 것이며, 『본의』에서는 "구(九)로서 이효 자리에 있으니, 마땅히 후회가 있을 것이나"라고 했으니, 이것은 효의 자리로 후회의 뜻을 푼 것이다. 그러나 후회가 되는 이치는 같다.

박문호(朴文鎬) 「경설(經說)・주역(周易)」

机謂俯就也, 上文已言之, 此語恐衍.
'궤(机)'는 구부려 나아감을 말하는 것으로 윗글에서 이미 말했으니, 이 말은 잘못 들어간 듯하다.

九奔而二机, 以卦變言也.
구가 '달려감'이고 이가 '궤'라는 것은 괘의 변화로 말했다.

象曰 渙奔其机, 得願也.

「상전」에서 말하였다: "흩어짐에 궤로 달려감"은 소원을 얻은 것이다.

中國大全

傳

渙散之時, 以合爲安, 二居險中, 急就於初, 求安也. 賴之如机而亡其悔, 乃得所願也.

흩어지는 때에는 합하는 것을 편안하게 여기니, 이효가 험한 가운데에 있고 급히 초효에게 나아감은 편안함을 구함이고, 궤와 같이 의지함이 궤와 같아서 후회를 없애니, 이에 소원(所願)을 얻는다.

小註

中溪張氏曰, 當渙散之時, 陰陽相比, 則有相倚之勢. 今二來就初, 憑以爲安, 則剛得柔助而濟渙之功成矣, 豈不遂其欲安之願乎.

중계장씨가 말하였다: 흩어지는 때에 음양이 서로 친하니 서로 의지하는 형세가 있다. 이제 이효가 초효에게 와서 나아가 의지하여 편안히 여긴다면 강이 유의 도움을 받아서 흩어짐을 구제하는 공이 이루어지니, 어찌 편안하고자 하는 소원을 이룬 것이 아니겠는가?

韓國大全

김상악(金相岳) 『산천역설(山天易說)』

願者, 濟渙之願也.

'소원'은 흩어짐을 구제하는 소원이다.

서유신(徐有臣) 『역의의언(易義擬言)』

渙奔, 乃帆之願也.
흩어짐에 달려감은 바로 돛이 소원하는 것이다.

김기례(金箕澧) 「역요선의강목(易要選義綱目)」

得願.
소원을 얻은 것이다.

二初, 雖非正應, 渙散之時, 急來安居, 而比陰, 故得願, 聚渙而得願也.
이효와 초효는 비록 정응은 아니지만 흩어지는 때에 급하게 와서 편안하게 있고, 음과 가깝기 때문에 '소원을 얻는 것'은 흩어짐을 모아 소원을 얻는 것이다.

오치기(吳致箕) 「주역경전증해(周易經傳增解)」

來奔於初, 藉以爲安, 而剛柔相合, 得遂濟渙之願也.
초효에게 달려와서 깔개로 편안함을 삼고, 굳센 양과 부드러운 음이 서로 합하여 흩어짐을 구제하는 소원에 이를 수 있다.

이병헌(李炳憲) 『역경금문고통론(易經今文考通論)』

王曰, 机承物者, 謂初也. 奔得其所安, 故悔亡也.
왕필이 말하였다: 궤는 물건을 떠받드는 것이니, 초효를 말한다. 달려가 그 편안한 바를 얻었기 때문에 뉘우침이 없다.

六三, 渙, 其躬, 无悔.

정전 육삼은 흩어짐에 그 몸만 후회가 없다.

六三, 渙其躬, 无悔.

본의 육삼은 몸의 사사로움을 흩는 것이니, 후회가 없으리라.

中國大全

傳

三在渙時, 獨有應與, 无渙散之悔也, 然以陰柔之質, 不中正之才, 上居无位之地, 豈能拯時之渙而及人也. 止於其身, 可以无悔而已. 上加渙字, 在渙之時, 躬无渙之悔也.

삼효는 흩어지는 때에 있어 홀로 호응하여 더부는 상대가 있으니, 흩어지는 후회가 없다. 그러나 부드러운 음의 자질로 중정하지 못한 재주이며, 상효는 지위가 없는 자리에 있으니, 어찌 세상의 흩어짐을 구원하여 남에게까지 미치겠는가? 그 몸이 뉘우침이 없는데 그칠 뿐이다. 앞에 '환(渙)'자를 더한 것은 흩어지는 때에 있어서 자기는 흩어지는 후회가 없기 때문이다.

小註

隆山李氏曰, 坎二陰本爲險陷. 三居坎上, 近接乎巽, 坎水得風而散, 巽木得水而通, 故能渙散其身, 出險自无悔吝也.

융산이씨가 말하였다: 감괘의 두 음이 본래 험하고 빠지는 것이 된다. 삼효는 감괘의 위에 거처하여 손괘와 가까이 접해있으니 감괘의 물은 바람을 얻어 흩어지고 손괘의 나무는 물을 얻어 통행한다. 그렇기 때문에 그 몸을 흩어 험함에서 벗어나 스스로 후회나 부끄러움이 없다.

○ 中溪張氏曰, 六三雖未能散乎天下之難, 亦可以自散其一已之難, 而无坎陷之悔也.
중계장씨가 말하였다: 육삼은 비록 천하의 어려움을 흩어버리지는 못하나 자기 한 몸의 어려움은 스스로 흩어버릴 수 있어서 구덩이에 빠져드는 후회가 없다.

本義

陰柔而不中正, 有私於己之象也, 然居得陽位, 志在濟時, 能散其私, 以得无悔, 故其占如此. 大率此上四爻, 皆因渙以濟渙者也.

부드러운 음으로 중정하지 못하며, 자기에게 사사로움이 있는 상이나 거처함이 양의 자리를 얻어 뜻이 때를 구제함에 있으니, 사사로움을 흩어 후회가 없을 수 있다. 그러므로 그 점이 이와 같다. 대체로 이 위의 네 효는 흩어짐으로 인하여 흩어짐을 구원하는 자이다.

小註

隆山李氏曰, 己私散則爲善, 三之躬, 四之群, 上之血, 是也. 夫人之所以膠執蔽固, 終不能自脫於險者, 有我而已. 六三, 雖不中正, 而高出坎險之上. 於是, 釋然消散其有我之私, 而志在於外, 自然无悔矣.
융산이씨가 말하였다: 자신의 사사로움이 흩어진다면 좋은 것인데, 삼효의 '몸' 사효의 '무리' 상효의 '피'가 그것이다. 사람이 끈덕지게 집착하며 폐단이 고착되면 끝내 스스로 험함에서 벗어날 수 없음은 자아가 있기 때문이다. 육삼은 비록 중정하지 않으나 험한 감괘의 위로 높이 나왔다. 이에 내가 가진 사사로움을 확실하게 없애고 뜻이 밖에 있어서 자연히 후회가 없다.

○ 雲峯胡氏曰, 本義曰, 此上四爻, 皆因渙以濟渙者, 蓋承九二言也. 二不過就一身之安, 三則能散一身之私. 三渙其躬與艮四, 同取反身之義. 蹇有坎有艮, 故象曰反身修德. 艮上體爲艮, 而四在互坎之上, 渙下體爲坎, 三在互艮之下. 蓋凡遇坎險者, 惟有反身而已, 特艮六四柔正, 所謂艮其身者, 反身而止其所當止. 渙六三柔不中正, 有私於已, 渙其躬者, 反身而散其所當散. 艮曰无咎, 此但曰无悔, 亦有間矣.
운봉호씨가 말하였다: 『본의』에서 "이 위의 네 효는 모두 흩어짐을 써서 흩어짐을 구제하는 자"라는 것은 구이를 이어서 말 한 것이다. 이효는 한 몸의 편안함에 나아감에 불과하지만 삼효는 한 몸의 사사로움을 흩는다. 삼효의 '자신을 흩는다'는 것과 간괘(艮卦)의 사효는 동일하게 '자기를 돌아보는' 의미를 취하였다. 건괘(蹇卦)에는 감괘와 간괘가 들어있어 「상전」에서 "자기를 돌아보고 덕을 닦는다"고 아였다. 간괘는 상체가 간괘로 사효는 호괘인 감

괘의 위에 있고, 환괘는 하체가 감괘인데 삼효는 호괘인 간괘의 아래에 있다. 대체로 감괘의 험함을 만난 자는 오직 자기를 돌아볼 뿐인데, 특별히 간괘의 육사는 유(柔)가 바름을 얻어 '그 몸에 그친다'는 자이니 자기를 돌아보고 마땅히 그쳐야할 곳에 그치는 것이다. 환괘의 육삼은 유가 중정하지 못하여 자신의 사사로움이 있는 자인데 자기를 돌아보고 마땅히 흩어야할 것을 흩는다. 간괘에서는 "허물이 없다"고 하였고 여기에서는 "후회가 없다"고 한 것 또한 차이가 있다.

韓國大全

송시열(宋時烈) 『역설(易說)』

三將出險, 離散其身, 與上九爲應. 故其占無悔. 其志在外, 若奮不顧身者也.
삼효는 험함에서 벗어나 몸의 사사로움을 떠나고 흩으니, 상구와 호응이 된다. 그러므로 그 점에 후회가 없다. 뜻이 밖에 있어 분발하지만 몸을 돌보지 않는 자와 같다.

유정원(柳正源) 『역해참고(易解參攷)』

六三 [止] 无悔.
육삼은 … 후회가 없다.

正義, 六三, 內不比二, 而外應上九, 是不固所守, 能散其躬, 故得旡悔.
『주역정의』에서 말하였다: 육삼은 안으로 이효와 가깝지 못하고 밖으로 상구와 호응하니, 이는 지키는 바를 견고하게 하지 못하여 몸의 사사로움을 흩을 수 있으므로 후회가 없음을 얻는다.

○ 潛齋胡氏曰, 蒙六三曰, 不有躬, 渙六三曰, 渙其躬, 蓋蒙以艮坎成卦, 渙初至五, 亦艮坎也.
잠재호씨가 말하였다: 몽괘(蒙卦☶) 육삼에서 "몸을 지키지 못한다"고 했고, 환괘(渙卦☵) 육삼에서는 "몸의 사사로움을 흩는다"고 했으니, 대체로 몽괘는 간괘와 감괘로 괘를 이루는데, 환괘의 초효에서 오효까지도 간괘와 감괘이다.

김상악(金相岳) 『산천역설(山天易說)』

本義, 陰柔不中正, 有私於己之象.
『본의』에서 말하였다: 부드러운 음이고 중정하지 못하니, 자기에게 사사로운 상이 있다.

六三與五, 互艮體而上同, 故有渙其躬之象. 志在於外, 能散其私, 无悔之道也.
육삼과 오효는 호괘가 간괘의 몸체이고, 위와 함께 하기 때문에 몸의 사사로움을 흩는 상이 있다. 뜻이 밖에 있어 그 사사로움을 흩을 수 있으니, 후회가 없는 도이다.

○ 躬艮象. 伸爲身屈爲躬, 故與蹇之大象曰反身修德, 互見其象遇險難而處渙者, 惟有反身與渙躬而已. 二奔其机而悔亡, 三渙其躬而无悔, 與大壯四五同, 自悔亡而進於无悔也.
'몸[躬]'은 간괘의 상이다. 펴는 것은 몸[身]이 되고 구부리는 것이 몸[躬]이 되므로 건괘(蹇卦䷦)의 「대상전」에서 "몸에 돌이켜 덕을 닦는다"고 한 것과 그 상이 험난함을 만나 흩어짐에 처한 것을 서로 비교해보면 오직 '몸에 돌이키고[反身]' '몸의 사사로움을 흩음[渙躬]'의 차이가 있을 뿐이다. 이효는 궤로 달려가 후회가 없어지고 삼효는 몸의 사사로움을 흩어서 후회가 없으니, 대장괘(大壯卦䷡) 사・오효와 같아서 '후회가 없어지는 것'으로부터 '후회가 없는 것'으로 나아간다.

서유신(徐有臣) 『역의의언(易義擬言)』

與. 風吹水水應風, 是爲受渙者也. 取諸身, 三四腰腹之際, 故曰躬. 躬喻己私也. 渙其己私之病, 故无悔也.
감괘의 위는 수면이 되니 상구와 서로 함께 한다. 바람이 물에 불고 물이 바람에 호응하니, 이것이 흩음을 받는 것이 된다. 몸에서 취한다면 삼효와 사효는 허리와 배의 즈음이므로 '몸[躬]'이라고 했다. '몸'은 자신의 사사로움을 비유한다. 자신의 사사로움이라는 병을 흩기 때문에 후회가 없다.

박제가(朴齊家) 『주역(周易)』

傳, 上加渙字, 在渙之時, 躬无渙之悔也.
『정전』에서 말하였다: 위에 환(渙)이란 글자를 더한 것은 흩어지는 때에 있어 자기에게는 흩어지는 후회가 없는 것이다.

案, 此乃以渙爲句矣, 本義曰, 能散其私, 則連下二字爲句矣, 蓋諸先生不達字義, 故往往如此. 如釋渙曰散也, 則只守一義, 古人造字用字, 則不然. 如履爲舃爲踐, 革爲皮爲更之類, 不一而足. 此渙其躬之句, 與賁其趾艮其身同法. 如煥乎其文章之煥, 本從火而曰煥. 然則爲光輝之義, 此從水之渙, 雖從渙散爲說而曰渙. 然則亦爲有文之貌, 如老蘇之說, 是也. 爻辭渙群渙汗渙居, 皆與序卦不同. 如曰散其私, 終是捨不得散字, 朱子說象傳渙其躬志在外也, 曰是舍已從人意者得之, 此乃象傳之寄□義理說者也. 若爻之旨, 則與從火之煥不殊, 謂文其躬也. 人能自潤其身, 而澤及於物, 柝理如仌釋之旡礙, 應變如觀瀾之有術, 則何渙如之.

내가 살펴보았다: 이는 [『정전』] 곧 '흩어짐[渙]'으로 구절을 삼았으며, 『본의』에서는 "사사로움을 흩을 수 있다"고 했으니, 아래 '몸의 사사로움[其躬]'이라는 글자와 연이어 구절을 삼았으니, 여러 선생들이 글자의 뜻에 통달하지 못했기 때문에 종종 이와 같은 것이다. 가령 '환'을 해석하여 "흩어진다"고 말하면 한 가지 뜻만 고수하는 것인데, 옛사람이 글자를 만들고 쓴 것이 그렇지 않다. 예컨대 '리(履)'자는 신(舃)이 되기도 하고 걷는 것이 되기도 하며, '혁(革)'자는 가죽이 되기도 하고 바뀌는 것이 되기도 하는 부류와 같은 것이 하나가 아니어서 많다. 여기 "몸의 사사로움을 흩는다"는 구절이 "발을 꾸민다"고 하고 "몸에 그친다"고 하는 것과 어법이 같다. 마치 '찬란하구나 그 문채와 법도여[煥乎其文章][16]'의 찬란하다는 '환'은 본래 '화(火)'를 부수로 하여 "환(煥)"이라고 한 것이다. 그렇다면 찬란하게 빛난다는 뜻이 되는데, 여기서는 수(水)를 부수로 하는 환(渙)이니, 비록 흩어지는 것에 따라 설명하여 "환(渙)"이라고 한 것이다. 그렇다면 또한 문채가 있는 모양이 되니, 소순[老蘇]의 설명과 같은 것이 이것이다. 효사에서의 '환군(渙群)' · '환한(渙汗)' · '환거(渙居)'가 모두 「서괘전」과 같지 않다. "사사로움을 흩는다"고 말한 것은 끝내 '흩어진다[散]'는 글자를 버릴 수가 없으니, 주자가 「상전」의 "몸의 사사로움을 흩음은 뜻이 밖에 있기 때문이다.[渙其躬志在外也]"라는 것을 설명하여 "자기를 버리고 남의 뜻을 따르는 것이다"고 한 것이 맞으니, 이는 바로 「상전」이 □한 의리에 의탁하여 설명한 것이다. 효사의 뜻은 화(火)를 부수로 하는 환(煥)과 다르지 않으니, '몸을 문채나게 함'을 말한다. 사람이 스스로 자기의 몸을 윤택하게 할 수 있어 혜택이 사물에까지 미치는 것이 이치가 열리는 것이 얼음이 풀려 막힘이 없는 것과 같고, 변화에 호응함이 물결에 법칙이 있는 것을 보는 것과 같다면 흩어짐이 어떠하겠는가?

김기례(金箕澧) 「역요선의강목(易要選義綱目)」

三, 雖陰柔居陽位, 故有濟渙之剛, 志應上而近巽, 則水得風而散. 況身於坎險之上, 則

---

16) 『論語 · 泰伯』: 巍巍乎 其有成功也 煥乎其有文章

陰才雖未散天下之難, 能散一身之難, 故无陷坎之悔. 艮四曰, 艮其身, 蓋反身而止於止也. 渙三爲互艮而出險, 則亦有反身散難之義.
삼효는 비록 부드러운 음이지만 양의 자리에 있으므로 흩어짐을 구원하는 굳셈이 있고, 뜻은 상효에 호응하며 손괘에 가까우니, 물이 바람을 얻어 흩어진다. 하물며 몸은 감괘의 험함에 있으니, 음의 재주가 비록 천하의 어려움을 흩지는 못하지만 한 몸의 어려움은 흩을 수 있으므로 어려움에 빠지는 후회는 없다. 간괘(艮卦)의 사효에서 "그 몸에 그친다"고 했으니, 몸에 돌이켜 그칠 만한 때에 그침이다. 환괘 삼효는 호괘가 간괘가 되는데 험함에서 벗어나니, 또한 몸에 돌이켜 어려움을 흩는 뜻이 있다.

이항로(李恒老) 「주역전의동이석의(周易傳義同異釋義)」

傳, 三在渙時, 止於其身, 可以无悔.
『정전』에서 말하였다: 삼효는 흩어지는 때에 있어 그 몸이 후회가 없음에 그칠 뿐이다.

本義, 能散其私, 以得无悔.
『본의』에서 말하였다: 사사로움을 흩어 후회가 없을 수 있다.

按, 渙其躬, 渙其群, 渙其血, 三其字, 截屬下句, 則文勢不順, 而以九二九五渙句例之, 故如此. 然文義自異, 恐不牽合下三爻同.
내가 살펴보았다: "몸의 사사로움을 흩는 것이다[渙其躬]", "붕당의 무리를 흩는 것이다[渙其群]", "피를 흩는다[渙其血]"고 할 때의 세 '기(其)'자를 끊어 아랫구절에 붙이면 문세가 순조롭지 않은데, 구이와 구오의 '흩어짐[渙]'이라는 구절로 예를 삼았기 때문에 이와 같다. 그러나 문장의 뜻은 자연 다르니, 억지로 끌어다 다음의 세 효와 같게 할 수 없을 듯하다.

심대윤(沈大允) 『주역상의점법(周易象義占法)』

渙之巽☴. 六三, 以柔居剛, 疲精力求, 而有應于上, 以偏係焉, 下乘九二之剛, 而俯從焉, 有巽乎上下之義. 侯牧之上係于君, 其精神所屬, 止於自己所統而已, 弟子之係乎師, 其思慮所及, 止于自己所學而已. 故曰渙其躬, 无悔. 躬, 言自己也. 艮坎互, 而主艮曰身, 主坎曰躳. 九二, 在三之下, 有自己所畜之象.
환괘가 손괘(巽卦☴)로 바뀌었다. 육삼은 부드러운 음으로 굳센 자리에 있고 혼신의 힘을 다해 구하여 상효에 호응함이 있어서 치우쳐 이으며, 아래로 구이의 굳센 양을 타고서 숙여 따르니, 위아래에 공손한 뜻이 있다. 방백은 위로 임금을 이으니 그 정신이 속한 바는 자신이 통솔하는 데에 그칠 뿐이며, 제자는 스승을 이으니 그 생각이 미치는 바는 자신이 배운 바에 그칠 뿐이다. 그러므로 "몸의 사사로움을 흩는 것이니, 후회가 없다"고 했다. '몸[躬]'은 자기 자신을 말한다. 간괘와 감괘가 서로 함께 하는데 간괘를 주로 하면 '몸[身]'이라고 하고 감괘를 주로 하면 "몸[躳]"이라고 한다. 구이는 삼효의 아래에 있어 자신이 쌓은 바의 상이 있다.

오치기(吳致箕) 「주역경전증해(周易經傳增解)」

六三, 陰柔而失中正, 不足以濟渙, 宜若有悔. 然獨有剛應於上, 可以有賴, 故奮不顧身, 散其所私, 而乃與上九同志共濟, 故言无悔.

육삼은 부드러운 음으로 중정(中正)함을 잃어 흩어짐을 구원하기에 충분하지 않아 의당 후회가 있을 듯하다. 그러나 홀로 굳센 양이 위에서 호응함이 있어 신뢰할 수 있으므로 분발하여 몸을 돌보지 않고, 자신의 사사로운 바를 흩어 이에 상구와 뜻을 같이 하여 구원함을 함께 하기 때문에 "후회가 없다"고 했다.

○ 躬, 取於互艮也.

'몸(躬)'은 호괘인 간괘에서 취했다.

이진상(李震相) 『역학관규(易學管窺)』

始入艮體, 故曰渙其躬.

비로소 간괘의 몸체에 들어가므로 "몸의 사사로움을 흩는다"고 했다.

박문호(朴文鎬) 「경설(經說)·주역(周易)」

渙其躳, 渙其群, 渙王居, 渙其血四句, 以文義推之, 本義似長. 但其當渙之時兩處及釋渙有丘, 與程傳同, 渙有丘, 言渙而有丘也.

"몸의 사사로움을 흩는다"와 "붕당의 무리를 흩는다"와 "왕의 재화를 흩어준다"와 "피를 흩는다"는 네 구절을 문장의 뜻으로 추론하면 『본의』가 나은 듯하다. 다만 '흩어짐의 때를 만남[當渙之時]'이라고 하는 두 곳 및 '흩어짐에 언덕처럼 많이 모임[渙有丘]'에 대한 해석은 『정전』과 같으니, '흩어짐에 언덕처럼 많이 모임'은 흩어져서 언덕과 같음이 있음을 말한다.

止於其身止字, 釋於悔下.

"그 몸이 ~ 그친다[止於其身]"에서 '~ 그친다[止]'는 '뉘우침[悔]'의 다음에 해석한다.[17]

---

17) "止於其身可以无悔而已"를 "그 몸이 후회가 없을 수 있는데 그칠 뿐이다"라고 해석하라는 말이다.

象曰, 渙, 其躬, 志在外也.

정전 「상전」에서 말하였다: "흩어짐에 그 몸만"은 뜻이 밖에 있기 때문이다.

象曰, 渙其躬, 志在外也.

본의 「상전」에서 말하였다: "몸의 사사로움을 흩음"은 뜻이 밖에 있기 때문이다.

中國大全

傳

志應於上, 在外也, 與上相應, 故其身得免於渙而无悔. 悔亡者, 本有而得亡, 无悔者, 本无也.

뜻이 상효와 호응하니 밖에 있는 것이다. 상효와 서로 호응하기 때문에 그 몸이 흩어짐을 면하여 후회가 없다. '회망(悔亡)'은 본래 있다가 없어지는 것이고, '무회(无悔)'는 본래 없는 것이다.

小註

朱子曰, 渙其躬, 志在外也, 是舍己從人意思.
주자가 말하였다: 그 몸의 사사로움을 흩는 것은 뜻이 밖에 있다는 것은 자기를 버리고 남을 따른다는 뜻이다.

○ 瓜山潘氏曰, 居下之上. 有應於外. 其志將以身濟渙也, 何悔之有.
과산반씨가 말하였다: 하괘의 위에 거처하여 바깥에 응이 있다. 그 뜻이 장차 자기 몸으로써 흩어짐을 구제하려하니 어찌 허물이 있겠는가?

韓國大全

김상악(金相岳) 『산천역설(山天易說)』

志在外, 故能上同, 而散其私也.
뜻이 밖에 있으므로 위로 함께 할 수 있어 사사로움을 흩는다.

서유신(徐有臣) 『역의의언(易義擬言)』

志應於外, 故受其渙也, 志不在私, 故渙其躬也.
뜻이 밖으로 호응하므로 흩어짐을 받으며, 뜻이 사사로움에 있지 않으므로 몸의 사사로움을 흩는다.

하우현(河友賢) 『역의의(易疑義)』

按, 志在外, 志在濟外之渙也. 蓋曰渙吾之私, 卽志於濟外之渙故也. 六三本義曰, 此上四爻, 皆因渙以濟渙也. 蓋六[18]三, 則渙其己私以濟外渙, 六四, 則渙其小群以成公道, 九五, 則渙其號令居積以濟天下民心之渙, 此三爻, 則可謂因渙以濟渙也. 若上九, 則只渙去其患害而已, 未見有濟渙意思.
내가 살펴보았다: "뜻이 밖에 있기 때문이다"는 뜻이 밖의 흩어짐을 구제함에 있다는 것이다. 대체로 "나의 사사로움을 흩는다"는 것은 곧 밖의 흩어짐을 구제하는데 뜻을 두기 때문이다. 육삼의 『본의』에서 "이 위의 네 효(爻)는 흩어짐을 써서 흩어짐을 구원하는 것이다"고 했다. 대개 육삼은 자신의 사사로움을 흩어 밖의 흩어짐을 구원하고, 육사는 작은 붕당의 무리를 흩어 공도(公道)를 이루며, 구오는 호령과 쌓아놓은 것을 흩어 천하 백성의 마음이 흩어진 것을 구원하니, 이 세 효는 '흩어짐을 써서 흩어짐을 구원하는 것'이라고 할 수 있다. 상구 같은 경우는 단지 그 근심과 해(害)를 흩어 제거할 뿐이어서 흩어짐을 구원하는 뜻을 보지 못한다.

이지연(李止淵) 『주역차의(周易箚疑)』

自漸之六二, 渙其陰慾而來居于三, 故志在外也.

---

18) 六: 경학자료집성DB에는 '九'로 되어 있으나, 문맥을 살펴 '六'으로 바로잡았다.

점괘(漸卦䷴)의 육이로부터 왔으니, 그 음욕(陰慾)을 흩고서 삼효의 자리에 와서 있기 때문에 뜻이 밖에 있다.

심대윤(沈大允)『주역상의점법(周易象義占法)』

言志係于上六也.
뜻이 상육을 이었음을 말한다.

오치기(吳致箕)「주역경전증해(周易經傳增解)」

上剛在外, 而三與相應, 故志在于外, 舍己而從之以濟渙也.
상효의 굳센 양이 밖에 있고 삼효가 함께 서로 호응하므로 뜻이 밖에 있어 자기의 사사로움을 버리고 그를 좇아 흩어짐을 구제한다.

이병헌(李炳憲)『역경금문고통론(易經今文考通論)』

荀曰, 體中曰躬, 謂渙三使承上爲志在外, 故无悔.
순상이 말하였다: 몸의 가운데를 "궁(躬)"이라고 하니, 환괘 삼효가 상효를 이어 뜻이 밖에 있게 되므로 후회가 없다고 했다.

六四, 渙, 其群, 元吉, 渙, 有丘, 匪夷所思.

정전 육사는 흩어짐에 무리를 이루기 때문에 크게 길하니, 흩어짐에 언덕처럼 많이 모임은 보통 사람이 생각할 바가 아니다.

六四, 渙其群. 元吉, 渙, 有丘, 匪夷所思.

본의 육사는 붕당(朋黨)의 무리를 흩는 것이다. 크게 길하니, 흩어짐에 언덕처럼 많이 모임은 보통 사람이 생각할 바가 아니다.

中國大全

傳

渙四五二爻義相須, 故通言之, 彖, 故曰上同也. 四, 巽順而正, 居大臣之位, 五, 剛中而正, 居君位, 君臣合力, 剛柔相濟, 以拯天下之渙者也. 方渙散之時, 用剛則不能使之懷附, 用柔則不足爲之依歸, 四以巽順之正道, 輔剛中正之君, 君臣同功, 所以能濟渙也. 天下渙散而能[一无能字]使之群聚, 可謂大善之吉也. 渙有丘匪夷所思, 贊美之辭也. 丘, 聚之大也, 方渙散而能致其大聚, 其功甚大, 其事甚難, 其用至妙. 夷, 平常也, 非平常之見所能思及也. 非大賢智, 孰能如是.

환괘의 사효와 오효는 뜻이 서로 따르기 때문에 통틀어 말하였으니, 「단전」에서 이 때문에 "위와 함께 한다[上同]"고 했다. 사효는 손순(巽順)하고 바르니 대신(大臣)의 지위에 있고, 오효는 굳세고 알맞으며 바르니 임금의 지위에 있으니, 임금과 신하가 힘을 합치고 굳셈과 부드러움이 서로 구제하여 천하의 흩어짐을 구원하는 자이다. 흩어지는 때를 맞아 굳셈을 쓰면 품어 따르게 할 수 없고 부드러움을 쓰면 의지하여 돌아오게 하지 못하니, 사효는 손순(巽順)한 바른 도로써 굳세고 중정한 임금을 보필하여 임금과 신하가 공(功)을 함께 하니, 이 때문에 흩어짐을 구제할 수 있다. 천하가 흩어지는데 떼 지어 모이게 한다면 크게 선한 길함이라고 할 수 있다. "흩어짐에 언덕처럼 많이 모임은 보통사람들의 생각할 바가 아니다"라는 것은 찬미(贊美)한 말이다. "언덕[丘]'은 모임이 큰 것이니, 막 흩어지는데 크게 모이게 할 수 있으니, 그 공(功)이 매우 크고 그 일이 매우 어려우며 그 쓰임이 지극히 오묘하다. '이(夷)'는 보통이니, 보통 사람의 소견으로는 생각하여 미칠 수 있는 바가 아니다. 크게 어질고 지혜로운 자가 아니면 누가 이와 같이 하겠는가.

本義

居陰得正, 上承九五, 當濟渙之任者也, 下无應與, 爲能散其朋黨之象. 占者如是, 則大善而吉. 又言能散其小群, 以成大群, 使所散者聚而若丘, 則非常人思慮之所及也.

음의 자리에 있고 바름을 얻어 위로 구오를 받드니, 흩어짐을 구제할 책임을 맡은 자이며, 아래에 호응하여 더부는 자가 없으니 그 붕당(朋黨)의 무리를 흩을 수 있는 상이 된다. 점치는 자가 이와 같이 하면 크게 선하여 길하다. 또 작은 무리를 흩어서 큰 무리를 이룰 수 있음을 말하니, 흩어지는 자들로 하여금 모여 언덕처럼 많게 한다면 평범한 사람들의 생각이 미칠 바가 아니다.

小註

朱子曰, 老蘇云渙之六四曰, 渙其群元吉, 夫群者, 聖人之所欲渙以混一天下者也. 此說, 雖程傳有所不及, 如程傳之說, 則是群其渙, 非渙其群也. 蓋當人心渙散之時, 各相朋黨, 不能混一, 惟六四, 能渙小人之私群, 成天下之公道, 此所以元吉也. 老蘇, 天資高又善爲文章, 故此等說話, 皆達其意. 大抵渙卦上三爻, 是以渙濟渙也. 但六四一爻, 未見有大好處, 今爻辭, 卻說得恁地浩大, 皆不可曉
주자가 말하였다: 소순(蘇洵)이 "환괘의 육사에 '무리를 흩으니 크게 길하다'고 했는데, 무리란 성인이 흩어서 천하 사람들을 합일하고자 하는 것이다"라고 하였다. 이 설명은 비록 『정전』이라도 미치지 못하는 바가 있으니 『정전』의 설명대로라면 흩어지는 가운데 떼 지어 모이는 것이지, 그 떼 지어 모인 것을 흩어버리는 것이 아니다. 대개 인심이 흩어지는 때를 만나면 각자 붕당끼리 도와서 섞어서 합일할 수 없는데, 오직 육사만이 소인의 사당(私黨)을 흩어버려 천하의 공정한 도를 이루니 이것 때문에 대선(大善)하고 길함이 된다. 소순(蘇洵)이 타고난 자질이 고상하고 문장을 잘하였기 때문에 이런 설명 등이 다 그 뜻을 통달한 것이다. 환괘에서 상괘의 세 효는 흩어짐으로 흩어짐을 구제하는 것이다. 다만 육사가 크게 좋은 이유는 볼 수 없는데 지금 효사는 그 말이 이와 같이 넓고 크니 알 수가 없다.

○ 中溪張氏曰, 六四出坎體之上, 能輔佐九五之君, 渙散小人之群類, 所以元吉. 然於群小渙散之後, 而衆正聚之若丘, 此又豈平常之思慮所能及哉.
중계장씨가 말하였다: 육사는 감체의 위로 벗어나 구오인 임금을 보필하고 소인의 무리를 흩어버릴 수 있기 때문에 대선(大善)하고 길함이 된다. 그렇지만 붕당이 조금 흩어진 뒤에 무리가 바르게 모이는 것이 언덕과 같으니 이런 것이 어찌 평범한 생각으로 미칠 수 있는 것인가?

○ 建安丘氏曰, 四處渙離之時, 能不溺於在下之私群, 而上附乎陽剛之主, 所散者小而所聚者大, 濟渙之功, 莫盛於此. 故爻稱其元吉, 而象贊其光大也.
건안구씨가 말하였다: 사효는 흩어지는 때에 아래에 있는 붕당의 빠지지 않고 위로 양강의 군주에게 붙으니 흩은 것은 작은 것이고 모은 것은 큰 것이어서 흩어짐을 구제하는 공이 이것보다 큼이 없다. 그렇기 때문에 효사에 대선(大善)하고 길하다고 하여 광대함을 칭찬하였다.

○ 雲峯胡氏曰, 四下无應, 散其群之象, 丘互艮象, 夷等也, 指下二陰而言. 渙惟此爻, 大善而吉. 蓋初二三上皆不正, 六四得陰柔之正, 九五得陽剛之正, 而四則近五, 能輔君以濟渙者也. 四五, 下无應, 皆有散其朋黨之象, 獨於四言之者, 四能散其朋而聚歸於五也. 丘聚之高也, 高則爲丘, 指五而言. 平則爲夷, 指下二陰而言. 三陰中, 六四一陰, 獨如此, 非二陰等夷所能及也. 豊四曰夷主, 陽與陽等, 此曰匪夷, 陰不與陽等也.
운봉호씨가 말하였다: 사효는 아래로 응함이 없어서 무리를 흩는 상이고 언덕은 호괘인 간의 상이고 '夷'는 평등이니 아래에 두 음을 말한 것이다. 환괘에서 이 효만 크게 선하고 길하다. 초효와 이효와 삼효와 상효는 다 바르지 않은데, 육사는 음유의 바름을 얻었고 구오는 양강의 바름을 얻어 사효가 오효의 가까이 있어 임금을 보좌하여 흩어짐을 구제할 수 있는 자이다. 사효와 오효는 아래에 응이 없어 다 그 붕당을 흩는 상인데 사효에서만 말한 것은 사효가 그 붕당을 흩어서 오효에게 돌아가 모이도록 할 수 있기 때문이다. 언덕은 높이 모여진 곳으로 높으면 언덕이니 오효를 가리켜 말한 것이다. 평평하면 평등하니 아래에 두 음을 가리켜 말한 것이다. 세 개의 음 가운데 육사의 음 하나만 이와 같아서 평등한 두 음이 미칠 수 없다. 풍괘(豊卦)의 사효에 "평등한 주인"이라 한 것은 양이 양과 더불어 평등함이고, 여기에서 "평등함이 아닌"은 음이 양과 더불어 평등하지 않음이다.

‖ 韓國大全 ‖

권근(權近) 『주역천견록(周易淺見錄)』

程傳, 天下渙散, 而能使之群聚, 大善之吉也, 本義, 爲能散其朋黨. 語錄又謂, 如程傳則是群其渙.

『정전』에서는 “천하가 흩어지는데 떼지어 모이게 한다면 크게 선한 길함이다”라고 했는데, 『본의』에서는 “그 붕당의 무리를 흩을 수 있음이 된다”고 했고, 『어록(語錄)』에서 또 “『정전』과 같다면 흩어지는 가운데 떼지어 모이는 것이다[群其換]”라고 했다.

愚按, 程子於九二傳已云, 諸爻皆云渙, 謂渙之時也. 故六三六四皆作渙時而言. 渙其躬無悔, 謂當渙之時, 而於其身無悔也, 渙其群元吉, 當渙之時, 而於其群元吉也, 是以渙字爲句. 朱子以渙其群三字爲句也, 本義爲勝.
내가 살펴보았다: 정자가 구이의 『정전』에서 이미 “여러 효에 다 ‘흩어짐’을 말한 것은 흩어지는 때임을 이른 것이다”고 했다. 그러므로 육삼과 육사에서 모두 ‘흩어지는 때’라고 말했다. “흩어짐에 그 몸만 후회가 없다”는 흩어지는 때에 처하여 자기의 몸에 후회가 없음을 말하고, “흩어짐에 무리를 이루기 때문에 크게 길하다”는 흩어지는 때에 처하여 그 무리에 크게 길하니, 이 때문에 ‘흩어진다[渙]’는 글자가 구절이 된다. 주자는 ‘붕당의 무리를 흩는 것이다[渙其群]’는 것을 한 구절로 보았는데, 『본의』가 낫다.

吳氏謂, 六四本否之六二. 三陰同處于下而爲群, 二之一陰去二升四, □其初三陰柔之群, 而上同乎五, 故元吉尤爲明白. 但謂渙有丘, 三四五互艮, 四山之半爲丘. 六自二升四, 而有此丘.
오징이 말하였다: 육사는 본래 비괘(否卦)의 육이(六二)이다. 세 음이 아랫자리에 함께 거처하여 무리가 되는데, 이효의 한 음이 이효 자리를 버리고 사효 자리로 올라가 첫째와 셋째 자리의 부드러운 음의 무리를 □하여 위로 오효와 함께 하기 때문에 크게 길한 것이 더욱 명백하다. 다만 ‘흩어짐에 언덕처럼 많이 모임’은 삼효, 사효, 오효의 호괘가 간괘(☶)인데, 사효인 산의 반쯤이 언덕이 된다. 육(六)이 이효 자리로부터 사효 자리로 올라가서 이러한 언덕이 있다[19]

愚意, 賁之丘園, 頤之于丘, 皆指艮上. 此亦上同乎五, 故曰有丘. 匪夷之夷, 當如在醜夷之夷, 儕輩也. 去私群而上同, 以成大群, 故不爲夷輩之所思也. 吳氏爲明夷之夷, 未安.
내가 살펴보았다: 비괘(賁卦)의 ‘언덕과 정원’, 이괘(頤卦)의 ‘언덕’은 모두 간괘의 상효를 가리킨다. 이것 또한 위로 오효와 함께 하므로 “언덕처럼 많이 있다”고 했다. ‘보통 사람[匪夷]’이라고 할 때의 ‘이(夷)’는 ‘같은 무리[醜夷]’라고 할 때의 ‘이(夷)’와 같으니 같은 무리이다. 사사로운 무리를 버리고 위와 함께 하여 큰 무리를 이루므로 보통사람들이 생각하지 못하는 것이 된다. 오징이 ‘명이(明夷)’의 ‘이’로 본 것은 타당치 않다.

---

19) 吳澄『易纂言』卷2, 40板

송시열(宋時烈) 『역설(易說)』

群者, 同類也. 比於三, 應於初, 皆陰柔之類也. 渙, 離其群, 而在於上卦, 是以元吉. 當渙之時, 見上有艮之丘山, 則五乃陽爻而居君位, 主渙者也. 故順承于五, 而無所思於平夷在下之應, 是謂有丘匪夷所思也. 小象光大者, 言渙群之吉, 光明正大, 中有離象故也. 傳之平常思慮所及云云, 未知如何.
'무리'는 같은 부류이다. 삼효에 가깝고 초효에 호응하는 것이 모두 부드러운 음의 부류이다. '흩어짐'은 그 부류를 떠나 상괘에 있는 것이니, 이 때문에 크게 길하다. 흩어지는 때를 맞아 위에 간괘인 언덕과 산이 있는 것을 보면 오효는 곧 양효(陽爻)이고 임금의 지위에 있으니, 흩어짐을 주관하는 자이다. 그러므로 오효를 따르고 이어 아래에 있는 평범한 보통 사람의 호응에 생각하는 바가 없으니, 이것이 언덕처럼 많이 모임은 보통 사람이 생각할 바가 아님을 말한다. 「소상전」의 '빛나고 큰 것이다'는 무리를 흩는 길함을 말하니, 광명정대(光明正大)함은 가운데 리괘(☲)의 상이 있기 때문이다. 『정전』에서 "평소의 사려(思慮)가 미칠 바가 아니다"고 말한 것은 어떠한지 모르겠다.

홍여하(洪汝河) 「책제(策題): 문역(問易) · 독서차기(讀書箚記)-주역(周易)」[20]

渙六四, 渙有丘,
환괘 육사에서 말하였다: 흩어짐에 언덕처럼 많이 모임은

互爲艮體, 故六四有丘陵之象. 賁于丘園, 升其九陵, 皆以艮取象.
호괘가 간괘의 몸체가 되므로 육사에 구릉의 상이 있다. 언덕과 동산을 꾸미고 그 구릉에 오르는 것은 모두 간괘로 상을 취했다.

권구(權榘) 「독역쇄의(讀易瑣義) · 역중기의(易中記疑) · 역괘취상(易卦取象)」

聚然後可以濟渙, 而聚合之功, 陰實主之, 故二五雖以陽居中, 有濟渙之才. 然二但奔其机而悔亡, 五但汗其號而无咎, 而用拯之吉, 其群之元吉, 在於初與四也. 但陰必承陽然後可以有成, 故必兩爻相比, 二奔於初而四同於上者, 此也. 六四之群, 謂三也. 四居大臣之位, 而與三相聚於一卦之中, 合內外卦, 而互艮同類相聚, 上下相比, 以成九五濟渙之功, 此所以四之群爲元吉, 而又有有丘之象也.〈有丘, 是覆解其群字.〉 蓋渙散之聚, 必自中始, 而中旣聚合, 則固可以濟渙, 而四旣居一卦之中, 以陰居陰, 又在外

---

20) 경학자료집성DB에는 「단전」에 분류되어 있는 것을 내용에 따라 이 자리로 옮겨왔다.

卦之初, 當渙散將聚之際, 故一卦之中四爲最吉.
모인 연후에 흩어짐을 구제할 수 있는데 모으고 합하는 공은 음(陰)이 실상 주관하므로 이효와 오효가 비록 굳센 양으로 가운데 있어 흩어짐을 구제하는 재주가 있다. 이효는 단지 그 궤로 달려가 후회가 없고, 오효는 단지 호령을 내되 땀나듯이 하여 허물이 없어서 '말[馬]로써 구원하는 길함'과 '무리를 이루는 크게 길함'은 초효와 사효에 있다. 다만 음은 반드시 양을 이은 연후에 이루는 것이 있을 수 있으므로 반드시 두 효가 서로 가까이 하니, 이효는 초효에게 달려가고 사효는 위와 함께 하는 것이 이것이다. 육사의 '무리'는 삼효를 말한다. 사효는 대신의 지위에 있고 삼효와 한 괘의 가운데에 서로 모여 내외의 괘를 합하고, 호괘인 간괘는 같은 부류로 서로 모이고 위아래가 서로 가까이 하여 구오의 흩어짐을 구제하는 공을 이루니, 이것이 사효의 무리가 크게 길하게 되는 까닭이고, 또 언덕과 같은 상이 있는 까닭이다.〈'언덕처럼 많이 모임[有丘]'은 그 '무리[群]'를 거듭 해석한 것이다.〉 대체로 흩어진 것이 모임은 반드시 가운데로부터 시작하니, 가운데서 이미 모이고 합하였다면 진실로 흩어짐을 구제할 수 있는데, 사효가 이미 한 괘의 가운데에 있고 음으로 음의 자리에 있으며, 또 외괘의 처음에 있어 흩어진 것이 장차 모이는 때에 해당하므로 한 괘 가운데서 사효가 가장 길하게 된다.

심조(沈潮) 「역상차론(易象箚論)」

六四, 渙, 其群, 有丘, 所思.
육사는 흩어짐에 무리를 이루기 때문에 언덕처럼 많이 모임은 생각할 바가,

自此至初, 爲坤體, 而坤爲衆, 故曰群. 群字從羊者, 互兌也. 丘互艮象, 四爲心位, 故稱思.
여기로부터 초효까지는 곤괘의 몸체가 되는데, 곤괘는 무리가 되므로 "무리"라고 했다. '군(群)'자가 양(羊)을 부수로 하는 것은 호괘가 태괘(☱)이기 때문이다. '언덕'은 호괘인 간괘(☶)의 상이다. 사효는 마음의 자리가 되므로 '생각'이라고 일컬었다.

유정원(柳正源) 『역해참고(易解參攷)』

縉雲馮氏曰, 五在四上, 高丘之象.
진운풍씨가 말하였다: 오효는 사효의 위에 있으니, 높은 언덕의 상이다.

○ 進齋徐氏曰, 群, 同類也. 丘, 聚之高也. 夷, 等夷也, 猶豊九四遇其夷主之夷. 四本居二, 與初三皆柔, 同類而等夷者也. 今柔進居四, 散其同類之私群, 而上聚乎五, 故元吉. 渙下聚上, 渙有丘也. 匪夷所思, 言非其等夷所能思及此也.
진재서씨가 말하였다: '무리'는 같은 부류이다. '언덕'은 모인 것이 높은 것이다. '보통사람[夷]'은 대등하여 같은 것이니, 풍괘(豊卦䷶) 구사에서 '대등한 상대[其夷主]'라고 한 '이(夷)'자와 같다. 사효는 본래 이효 자리에 있었는데 초효, 삼효와 함께 모두 부드러운 음이니, 같은 부류로 대등하여 같은 자이다. 이제 부드러운 음이 나아가 사효 자리에 있고 같은 부류인 사사로운 무리를 흩고 위로 오효에게 모이므로 크게 길하다. 아래를 흩고 위로 모이니, 흩어짐에 언덕처럼 많이 모이는 것이다. "보통사람이 생각할 바가 아니다"는 대등하여 같은 사람이 생각하여 여기에 미칠 수 있는 것이 아님을 말한다.

○ 息齋余氏曰, 渙六四渙其群, 謂下卦本坤三陰成群, 今二來居四, 九往居二, 是散其群也. 昔爲否, 今否旣散, 亦元吉之義.
식재여씨가 말하였다: 환괘 육사의 '붕당의 무리를 흩음'은 하괘가 본래 곤괘의 세 음이 무리를 이룬 것인데, 이제 이효가 와서 사효의 자리에 있고 구(九)가 가서 이효의 자리에 있어 이것이 '무리를 흩음'을 말한다. 옛날에는 비괘(否卦䷋)였는데 이제는 비색함이 흩어졌으니, 또한 크게 길한 뜻이다.

김상악(金相岳) 『산천역설(山天易說)』

群, 謂初三也. 六四, 居陰得正, 上承九五, 當濟渙之任, 而能渙其群, 大善而吉. 邱, 指五也. 五互艮體, 又爲渙有邱之象. 散其陰群, 合於陽君, 非等夷所及思也. 夷指下二陰也.
'무리'는 초효와 삼효를 이른다. 육사는 음에 있고 바름을 얻어서 위로 구오를 이으니, 흩음을 구제하는 책임을 담당하여 무리를 흩을 수 있어서 크게 선하여 길하다. '언덕'은 오효를 가리킨다. 오효의 호괘인 간괘의 몸체가 또 흩어짐에 언덕처럼 많이 모이는 상이 된다. 음의 무리를 흩고 양인 임금에게 합하니, 보통 사람이 미칠 수 있는 바의 생각이 아니다. '보통사람[夷]'은 아래의 두 음을 가리킨다.

○ 群, 陰群也. 四之乘應, 皆同類之陰, 故曰渙其群. 三則止渙其一己之私, 四則能渙其天下之群, 所以老蘇之言見稱於朱子也. 邱者, 在外而高者也, 艮之山也, 與賁頤同象. 夷, 平夷也, 邱之反也. 豊曰夷主, 陽與陽等也, 渙曰非夷, 陰不與陽等也. 蓋初與三, 皆不正而獨六四得正而比五, 能散之於彼, 聚之於此, 豈平常思慮所可及哉. 咸九四三陽同聚, 惟朋類從其思, 故象辭相反.
'무리'는 음의 무리이다. 사효의 타고 호응함이 모두 같은 부류의 음이므로 "붕당의 무리를 흩는다"고 했다. 삼효는 다만 한 몸의 사사로움을 흩지만, 사효는 천하의 무리를 흩을 수 있으니, 이 때문에 소순의 말이 주자에 비견된다. '언덕'은 밖에 있고 높은 것이니, 간괘인 산으로 비괘(賁卦䷕), 이괘(頤卦䷚)와 상이 같다. '이(夷)'는 평이함이니, 언덕과 반대이다. 풍괘(豊卦䷶)에서 "대등한 상대[夷主]"라고 한 것은 양과 양이 대등한 것이고, 환괘에서 "보통사람이 아니다[非夷]"고 한 것은 음이 양과 대등하지 못한 것이다. 초효와 삼효는 모두 바르지 못한데 육사만 홀로 바름을 얻고 오효와 가까우므로 저기(음의 무리)에서 흩을 수 있고 여기에서(오효에게) 모일 수 있으니, 어찌 보통사람의 사려(思慮)가 미칠 수 있는 것이겠는가? 함괘(咸卦䷞) 구사는 세 양이 함께 모였으니, 붕당의 부류만이 그 생각을 따르므로 「상전」의 말이 서로 반대된다.

서유신(徐有臣) 『역의의언(易義擬言)』

其群, 初六六三也. 不相與, 故曰渙其群也. 四大臣也. 得正得位, 散其黨私, 大善而吉也. 不與初三, 而比於五, 爲互艮. 有丘山高大之象, 故曰渙有丘, 由其渙而有丘也. 居大臣之任者, 無黨無私, 然後可以格王可以服人可以聚精會神, 而功業崇大. 渙其群者, 方能有丘也, 非其志慮高於人數等者, 鮮能及此, 故曰匪夷所思也.

'무리'는 초육과 육삼이다. 서로 함께 하지 않으므로 "붕당의 무리를 흩는다"고 했다. 사효는 대신이다. 바름을 얻고 제 자리를 얻어 그 당여의 사사로움을 흩으니, 크게 선하고 길하다. 초효, 삼효와 함께 하지 않고 오효에 가까이 하여 호괘가 간괘가 된다. '언덕처럼 많이 모임'은 산이 높고 큰 상이기 때문에 "흩어짐에 언덕처럼 많이 모인다"고 한 것은 흩어짐으로 인하여 언덕처럼 많이 모인 것이다. 대신의 책임에 있는 자는 당여도 없고 사사로움도 없은 뒤라야 왕을 바로잡을 수 있고 사람을 복종시킬 수 있으며 정기[精]를 모아 신(神)을 모이게 할 수 있어 공업(功業)이 높고 크다. '붕당의 무리를 흩음'은 바야흐로 언덕처럼 많이 모이게 할 수 있으니, 생각이 사람들의 수준보다 높은 자가 아니라면 여기에 이를 수 있는 자가 드물기 때문에 "보통 사람이 생각할 바가 아니다"고 했다.

박제가(朴齊家) 『주역(周易)』

三只渙其躬, 四則及於人矣. 故元吉, 渙有丘. 渙卽水也. 詩云, 溱與洧方渙渙◎, 水深貌. 遇渙而有机, 尙可奔而治, 况有丘乎. 四在坎上, 而始遇風, 有止泊處, 故曰丘. 丘指五也. 四與五, 本非正應, 特以近而同於上, 故曰匪夷所思, 言危急中得此大依比之處, 非平日之思慮所及. 所謂絶處逢生, 幸之之辭. 本義謂散其朋黨, 義非不好, 但與上下爻散躬散王居有礙. 朱子曰, 老蘇云, 渙之六四曰, 夫群者, 聖人之所欲渙以混一天下者也. 此說, 雖程傳有所不及, 如程傳之說, 則是群其渙, 非渙其群, 蓋公論也. 然老蘇文人, 自取一義去成說, 與釋全經全卦不同, 朱子取其散明黨之義相合. 相合故如此, 朱子又曰, 渙上三爻, 是以渙濟渙也, 此是單言散不得, 故謂之濟也. 蓋初之用拯, 亦濟也. 二乃遇水急奔擄机而生者也, 皆從水爲說. 自三之渙躬以上, 從事業爲說爲義, 有若懿文德者. 然其用渙字, 便如塗抹潤澤相似, 此時說著, 序卦散義不得, 如四之上渙從文說, 下渙又從水說, 五之上渙因散而又合發義, 下渙又取深義, 此其爲意, 上取風義, 下取水義, 於四於五, 必分兩層說. 內卦二爻, 專屬水, 三則水際風, 卦體之合, 故曰躬. 上則血去而風出, 風出則止矣. 下卦作人身, 故從人身言, 而血爲水, 曰渙而合水與風矣. 象固不可鑿, 而此亦有可究之理者, 朱子以六四一爻未見有好處, 爻辭卻說得恁地浩大, 皆不可曉者, 皆由字義之不明故耳.

삼효는 단지 몸의 사사로움을 흩는 것인데, 사효는 다른 사람에게 미치는 것이다. 그러므로 크게 길하니 흩어짐에 언덕처럼 많이 모인다. '흩어짐'은 곧 물이다. 『시경』에서 "진수와 유수가 넘실넘실 흘러간다"고 했으니, 물이 깊은 모양이다. 흩어지는 때를 만나 궤가 있어 오히려 달려가 다스릴 수 있는데 하물며 언덕처럼 많이 모임에 있어서이겠는가? 사효는 감괘의 위에 있어 비로소 바람을 만나 그치고 머무를 곳이 있으므로 "언덕"이라고 했다. '언덕'은 오효를 가리킨다. 사효는 오효와 본래 정응은 아니지만 위와 가까이하여 함께 하기 때문에 "보통 사람이 생각할 바가 아니다"고 했으니, 위급한 가운데 이렇게 크게 의지하고 가까이할 곳을 얻어 평소의 생각이 미치는 바가 아님을 말하니, 이른바 궁박한 끝에 살길이 생겨나는 것은 다행히 여긴다는 말이다. 『본의』에서 "그 붕당의 무리를 흩는다"고 이른 것은 의미가 좋지 않은 것은 아니지만, 위아래의 효에서 '몸을 흩고' '왕의 재화를 흩음'과는 막힘이 있다. 주자는 "소순이 환괘의 육사에서 '무리는 성인이 천하를 섞어서 합일하기 위해 흩고자 하는 것'이라고 했다. 이 설명은 비록 『정전』에서 언급하지 않은 바이지만, 『정전』의 설명대로라면 흩어지는 가운데 떼 지어 모이는 것이지 떼 지어 모인 것을 흩는 것이 아니다"고 했으니, 대체로 공변된 논의이다. 그러나 소순의 문인들은 한 가지 뜻을 취해 설을 이루어 전체 경과 전체 괘를 해석하는 것과 같지 않았으니, 주자가 붕당을 흩는 뜻을 취한 것과 서로 부합한다. 서로 부합하기 때문에 이와 같다. 주자는 또 "환괘에서 위의 세 효는 흩어짐으로 흩어짐을 구제하는 것이다"고 했으니, 이는 단지 '흩는다'라고만 할 수 없기 때문에 '구제한다'라고 말한 것이다. 대체로 초효에서의 "구원함"도 구제하는 것이다. 이효는 이에 물을 만나 급히 달려가 궤에 근거하여 사는 것이니, 모두 물로부터 설명을 삼았다. 삼효의 '몸의 사사로움을 흩음'으로부터 그 이상은 사업(事業)에 따라 설명을 삼고 뜻을 삼았으니, 문덕을 아름답게 하는 것과 같음이 있다. 그러나 '환(渙)'자를 쓰는 것이 곧 진흙을 발라 윤택하게 하는 것과 같아서 이때에는 「서괘전」의 '흩어진다'는 뜻을 말할 수 없으니, 예컨대 사효에서 앞의 환(渙)은 문채에 따라 설명하고 뒤의 환(渙)은 또 물로부터 설명하며, 오효에서 앞의 환(渙)은 흩어짐으로 인하였지만 또 드러나는 뜻을 합했고 뒤의 환(渙)은 또 깊은 뜻을 취했으니, 이는 그 뜻을 삼은 것이 앞에서는 바람의 뜻을 취했고 뒤에서는 물의 뜻을 취한 것인데, 사효와 오효에서는 반드시 두 층으로 나누어 설명했다. 내괘의 이효는 전적으로 물에 속하고 삼효는 물이 바람을 만나는 즈음으로 괘의 몸체가 합하므로 "몸"이라고 했다. 상효는 피가 제거되어 바람이 벗어나니, 바람이 벗어나면 그친다. 하괘는 사람 몸이 되므로 사람 몸으로부터 말하고 피는 물이 되니, "흩는다"고 하고 물과 바람을 합한 것이다. 상(象)은 진실로 천착할 수 없지만 여기에 또한 궁구할 수 있는 이치가 있는 것은 주자가 육사 한 효로 좋은 곳이 있는 것을 보지 못하고 효사에서 도리어 이렇게 성대하게 말했으니, 모두 분명하지 않은 것이고, 모두 글자의 뜻이 분명하지 않기 때문이다.

강엄(康儼) 『주역(周易)』

六四 [止] 所思.
육사는 … 생각할 바가

按, 渙其群, 程傳以天下渙散而能使之群聚釋之, 本義以散其朋黨釋之, 觀於象傳光大二字, 可見本義之尤精. 蓋咸九四朋從爾思, 而象曰未光大也, 泰九二不遐遺朋亡, 而象曰以光大也, 今於渙之六四, 亦曰光大者, 可知渙其群爲散其朋黨之義也. 故本義以散朋黨釋之. 先儒所謂, 有易矣, 不可旡本義者, 此亦可見矣.
내가 살펴보았다: '환기군(渙其群)'에 대해 『정전』에서는 "천하가 흩어지는 때에 떼지어 모이게 한다"는 것으로 풀었고, 『본의』에서는 "붕당의 무리를 흩는 것이다"는 것으로 풀었는데, 「상전」의 '광대하다'는 글자를 살펴보면 『본의』가 더 정밀함을 볼 수 있다. 함괘(咸卦䷞) 구사에서 "벗만 네 생각을 따른다"고 했는데 「상전」에서는 "빛나고 크지 못하다"고 했고, 태괘(泰卦䷊) 구이에서 "멀리 있는 사람을 버리지 않으면서도 붕당을 없앤다"고 했는데 「상전」에서는 "빛나고 크기 때문이다"라고 했으니, 이제 환괘의 육사에서도 "광대하다"고 했으니 '환기군(渙其群)'이 붕당의 무리를 흩는다는 뜻이 됨을 알 수 있다. 그러므로 『본의』에서 "붕당의 무리를 흩는 것이다"는 것으로 풀었다. 이전의 학자들이 이른바 "역이 있으면 『본의』가 없어서는 안 된다"는 것을 여기에서도 볼 수 있다.

이지연(李止淵) 『주역차의(周易箚疑)』

自六三之渙其躬, 其功效至於渙其群, 爻在互艮之中, 爲邱之象.
육삼의 '몸의 사사로움을 흩음'으로부터 그 공효(功效)가 '붕당의 무리를 흩음'에 이르니, 효가 호괘인 간괘의 가운데 있어 언덕의 상이 된다.

김기례(金箕澧) 「역요선의강목(易要選義綱目)」

以陰居正, 承五濟渙, 不溺於群陰, 則有散小人之群, 故曰渙其群元吉. 丘聚也, 四五下无正應, 則四以正陰能散群朋聚, 五濟渙, 非常人之所思. 丘指五, 取互艮義.
음으로 바름에 있고 오효를 이어 흩음을 구제하니, 여러 음에 빠지지 않는다면 소인의 무리를 흩음이 있기 때문에 "붕당의 무리를 흩는 것이다. 크게 길하다"고 했다. '언덕'은 모임이다. 사효와 오효는 아래로 정응(正應)이 없으니, 사효는 바른 음으로 붕당의 무리가 모이는 것을 흩을 수 있고 오효는 흩어짐을 구제할 수 있으니, 보통사람이 생각할 바가 아니다. '언덕'은 오효를 가리키니, 호괘인 간괘의 뜻을 취했다.

심대윤(沈大允) 『주역상의점법(周易象義占法)』

渙之訟䷅, 兩心交争也. 六四居大臣位, 精神達于天下, 而多所含晦不發. 天下之事不可不治, 而避權保身之計, 不可不謹, 有訟之義焉. 以柔居柔, 而不求有應于初, 而爲二所隔, 巽以從五, 非貪權者也, 而亦足以濟渙之功, 其精神之發達, 各以彙類而條理不紊, 以言乎政敎, 則九經六府逐條而理焉, 以言乎學問, 則三德六藝逐條而達焉, 綱擧而目自張, 故曰渙其群元吉. 巽多离麗爲群, 言綱目不紊也. 巽艮离爲綱目不紊之象. 丘五艮象, 渙有丘, 言從五也. 四五之渙, 達于天下, 故皆再言渙也. 渙有五, 言從五而濟渙之功也. 渙王居, 言自出也, 隔二而不就初之應, 故曰匪夷所思. 夷䓤夷也. 艮爲思, 言不求下民之歸心也.
환괘가 송괘(訟卦䷅)로 바뀌었으니, 두 마음이 서로 다투는 것이다. 육사는 대신의 지위에 있어 정신이 천하에 이르지만 머금어 감추어서 드러내지 않는 바가 많다. 천하의 일은 다스리지 않을 수 없고 권세를 피하여 몸을 보전하는 계책은 삼가지 않을 수 없으니, 송사의 뜻이 있다. 부드러운 음으로 부드러운 자리에 있어서 초효에게 호응이 있기를 구하지 않고 이효에게 막히게 되며, 공손하여 오효를 따르니 권세를 탐하는 자가 아니며, 또 충분히 흩어짐을 구제하는 공으로 그 정신이 드러나고 도달하여 각각 무리로써 하더라도 조리가 어지럽지 않으니, 정교(政敎)에 말하면 구경(九經)과 육부(六府)가 조목에 따라 다스려지고, 학문에 말하면 삼덕(三德)과 육례(六禮)가 조목에 따라 통달하니, 강령을 들면 조목은 저절로 베풀어지므로 "붕당의 무리를 흩는 것이니, 크게 길하다"고 했다. 손괘는 많고 리괘는 걸려 무리가 되니 강목이 어지럽지 않음을 말한다. 손괘와 간괘와 리괘는 강목(綱目)이 어지럽지 않은 상이 된다. '언덕'은 오효인 간괘의 상이니, '흩어짐에 언덕처럼 많이 모이는 것'은 오효를 따름을 말한다. 사효와 오효의 '흩어짐'은 천하에 도달하므로 모두 거듭해서 '흩어짐'을 말했다. '흩어짐에 언덕처럼 많이 모이는 것'은 오효를 따라 흩어짐을 구제하는 공을 말한다. '왕의 재화를 흩어줌'은 스스로 벗어남을 말하는데, 이효에게 막혀 초효의 호응에 나아가지 못하기 때문에 "보통 사람이 생각할 바가 아니다"고 했다. '이(夷)'는 보통 사람[等夷]'이다. 간괘가 '생각'이 됨은 백성의 돌아가고자 하는 마음을 구하지 않음을 말한다.

오치기(吳致箕) 「주역경전증해(周易經傳增解)」

六四, 柔得位乎外, 而承九五之君, 當濟渙之任者也. 下有同類之柔, 而不與相交, 有渙其群之象. 能散去其私黨, 而專心向君, 故言大善而吉. 及其濟渙之功, 大如丘陵, 亦匪等夷之人思慮之所及, 故盛言如此.
육사는 부드러운 음이 밖에서 자리를 얻고 구오의 임금을 이으니, 흩음을 구제하는 책임을 맡은 자이다. 아래로 같은 부류인 부드러운 음이 있지만 함께 서로 교류하지 않아 붕당의 무리를 흩는 상이 있다. 사사로운 당여를 흩어 제거하고 전일(專一)한 마음으로 임금을 향할 수 있으므로 크게 선하고 길하다고 했다. 흩음을 구제하는 공효에 미쳐서는 그 큼이 언덕과 구릉같고 또 보통 사람들의 사려가 미칠 수 있는 것이 아니므로 이와 같이 성대하게 말했다.

○ 群指初三, 皆爲同類, 而初居應位, 三居比位. 然皆不正, 獨六四得正, 而承五剛, 故言渙其群也. 丘取於互艮. 夷謂等夷, 而指初三也. 思取於文, 變互離. 上渙字, 言散也, 下渙字, 言渙之時也.
'무리'는 초효와 삼효를 가리키니 모두 같은 무리가 되는데, 초효는 호응하는 자리에 있고 삼효는 가까운 자리에 있다. 그러나 모두 바르지 않고 육사만 바름을 얻어 오효인 굳센 양을 이으므로 "붕당의 무리를 흩는다"고 했다. '언덕'은 호괘인 간괘에서 취했다. '이(夷)'는 등급이 같음을 말하니, 초효와 삼효를 가리킨다. '생각'은 문채에서 취했는데, 변한 호괘가 리괘이다. 위의 '환(渙)'자는 흩음을 말하고 아래의 '환(渙)'자는 흩어지는 때를 말한다.

이진상(李震相) 『역학관규(易學管窺)』

渙其群.
붕당의 무리를 흩는다.

息齋余氏曰, 下卦本坤三陰成群, 今六來居四, 九往居二, 是散其群也. 昔爲否, 否旣散, 亦元吉之義.〈止此〉
식재여씨가 말하였다: 하괘는 본래 곤괘의 세 음이 무리를 이룬 것인데, 이제 육(六)이 와서 사효의 자리에 있고 구(九)가 가서 이효의 자리에 있으니, 이것이 붕당의 무리를 흩음이다.

이전에는 비괘(否卦䷋)가 되었다가 비색함이 이미 흩어졌으니, 또한 크게 길한 뜻이다.〈여기까지이다.〉

朱子嘗疑六四未有大好處, 而爻辭說得浩大. 然以卦變說推之, 合當如此.
주자는 일찍이 육사에 크게 좋은 곳이 없는데 효사에서 넓고 크게 말한 것을 의심하였다. 그러나 괘변의 설명으로 미루어보면 합당함이 이와 같다.

象曰, 渙, 其群元吉, 光大也.

정전 「상전」에서 말하였다: "흩어짐에 무리를 이루기 때문에 크게 길함"은 빛나고 큰 것이다.

象曰, 渙其群. 元吉, 光大也.

본의 「상전」에서 말하였다: "붕당(朋黨)의 무리를 흩는 것이다. 크게 길함"은 빛나고 큰 것이다.

中國大全

傳

稱元吉者, 謂其功德光大也. 元吉光大, 不在五而在四者, 二爻之義, 通言也. 於四, 言其施用, 於五, 言其成功, 君臣之分也.

크게 길하다고 말한 것은 그 공덕(功德)이 빛나고 큼을 말한다. '크게 길함은 빛나고 큰 것이다[元吉光大]'가 오효에 있지 않고 사효에 있는 것은 두 효의 뜻을 통틀어 말하였기 때문이다. 사효에서는 베풀어 씀을 말하고 오효에서는 공을 이룬 것을 말하였으니, 이는 임금과 신하의 분별이다.

小註

臨川吳氏曰, 去柔群而承剛君, 是其光輝之盛大也.

임천오씨가 말하였다: 음유의 무리를 떠나서 양강의 임금을 받드는 것은 그 빛남이 성대하다.

韓國大全

김상악(金相岳)『산천역설(山天易說)』

散其柔群, 以承剛君, 豈不光大. 與泰九二同辭.
음의 무리를 흩어서 굳센 양인 임금을 이으니, 어찌 광대하지 않겠는가? 태괘(泰卦䷊) 구이와 말이 같다.

서유신(徐有臣)『역의의언(易義擬言)』

人有黨私, 便不光大也.
사람에게 당여의 사사로움이 있으면 곧 광대하지 못하다.

김기례(金箕澧)「역요선의강목(易要選義綱目)」

光大也.
빛나고 크다.

散陰朋承剛君, 光輝之大.
음인 벗을 흩고 굳센 양인 임금을 이으니, 빛남이 크다.

심대윤(沈大允)『주역상의점법(周易象義占法)』

明足以達其條理, 而知足以避其權勢, 故曰光大也.
밝으면 조리(條理)에 통달할 수 있고 지혜로우면 권세를 피할 수 있으므로 "광대하다"고 했다.

오치기(吳致箕)「주역경전증해(周易經傳增解)」

去其私黨, 而上承剛君, 濟渙而成光大之功, 故大善而吉也.
사사로운 당여를 제거하여 위로 굳센 임금을 잇고, 흩어짐을 구제하여 광대한 공을 이루므로 크게 선하고 길하다.

이병헌(李炳憲) 『역경금문고통론(易經今文考通論)』

呂覽曰, 渙者賢也. 群者衆也. 元者吉之始也. 渙其群元吉, 其佐多賢也. 〈見呂氏恃君覽第四召類篇, 劉向亦訓渙爲賢. 蓋渙者, 渙發號令之謂也, 非離散之謂也. 先秦西漢之儒, 宜異乎古文家矣.〉

『여씨춘추』에서 말하였다: '흩어짐'은 현명함이다. '무리[群]'는 여러 사람들[衆]이다. '큼[元]'은 길함의 시작이다. 여러 사람이 현명하여 길함이 시작됨[渙其群元吉]은 보좌함에 현명한 사람이 많다는 것이다. 〈『여씨춘추 · 시군람』 제4 소파편을 보면 유향(劉向)도 '환(渙)'을 현명함으로 풀었다. 대개 '환(渙)'은 호령을 현명하게 냄을 이르니, 이반하여 흩어짐을 이르는 것이 아니다. 선진 서한의 유학자들은 의당 고문가와 다르다.〉

程傳曰, 四五二爻相須, 故彖曰上同. 丘[21]聚之大也, 夷平常也. 〈按, 風之行水上也. 波瀾之披靡而堆積者, 宛如丘陵, 可以象類推看耳.〉

『정전』에서 말하였다: 사와 오의 두 효는 서로 따르기 때문에 「단전」에서 "위와 함께 한다"고 했다. '언덕'은 모임이 큰 것이고 '이(夷)'는 보통이다.〈내가 살펴보았다: 바람이 물 위에 부는 것이다. 파도가 휩쓸어 퇴적된 것이 마치 언덕과 구릉 같으니, 상으로 유추하여 볼 수 있다.〉

21) 丘: 경학자료집성DB에는 '亡'으로 되어 있으나, 『정전』에 따라 '丘'로 바로잡았다.

九五, 渙, 汗其大號, 渙, 王居, 无咎.

정전 구오는 흩어지는 때에 큰 호령을 내되 땀이 나듯 하면 흩어짐에 대처함에 왕의 거처에 걸맞으니 허물이 없으리라.

九五, 渙, 汗其大號, 渙王居, 无咎

본의 구오는 흩어지는 때에 큰 호령을 내되 땀이 나듯 하며 왕의 재화를 흩어주면 허물이 없으리라.

中國大全

傳

五與四君臣合德, 以剛中正巽順之道, 治渙, 得其道矣. 唯在浹洽於人心, 則順從也. 當使號令洽[一作浹]於民心, 如人身之汗, 浹於四體, 則信服而從矣, 如是, 則可以濟天下之渙, 居王位爲稱而无咎. 大號, 大政令也, 謂新民之大命, 救渙之大政. 再云渙者, 上謂渙之時, 下謂處渙, 如是則无咎也. 在四已言元吉, 五唯言稱其位也. 渙之四五通言者, 渙, 以離散爲害, 拯之使合也, 非君臣同功合力, 其能濟乎. 爻義相須, 時之宜也[一作而已].

오효와 사효는 임금과 신하가 덕을 합하여 굳세고 중정하며 손순(巽順)한 도로 흩어짐을 다스리니, 그 도를 얻은 것이다. 오직 인심에 무젖어 합하게 함이 있으면 순종하나 마땅히 호령이 민심에 무젖듯이 함이 사람 몸의 땀이 사체(四體)에 젖어들듯이 하면 믿고 복종하여 따른다. 이와 같이 하면 천하의 흩어짐을 구제하여 왕의 지위에 걸맞아 허물이 없을 것이다. '큰 호령'은 큰 정치 명령이니, 백성을 새롭게 하는 큰 명령과 흩어짐을 구제하는 큰 정사(政事)를 말한다. 두 번 '환(渙)'을 말한 것은 앞은 흩어지는 때를 말하고, 다음 것은 흩어짐에 대처함이 이와 같으면 허물이 없음을 말한다. 사효에서 이미 '크게 길하다'고 말했으니, 오효에서는 그 지위에 걸맞음만을 말하였다. 환괘의 사효와 오효를 통틀어 말한 것은 환괘는 이반되어 흩어짐을 해로운 것으로 여겨 구제하여 합하게 하는 것이니, 임금과 신하가 공(功)을 함께 하고 힘을 합치는 것이 아니라면 구제할 수 있겠는가? 효의 뜻이 서로 따르니, 때의 마땅함이다.

小註

○ 沙随程氏曰, 汗由中出, 浹於四體, 亦猶大號, 由君出, 浹於四方.
사수정씨가 말하였다: 땀이 몸 속에서 나와 사체에 젖어드는 것이 큰 호령이 임금에게서 나와 사방에 젖어드는 것과 같다.

○ 中溪張氏曰, 九五以巽順之大君, 而發渙汗之大號. 此令, 出惟行弗惟反, 猶膚之有汗, 出而不可反也. 然當天下渙散之時, 民思其主, 必有王者, 出而居中正之位, 乃可成濟渙.
중계장씨가 말하였다: 구오는 손순한 대군으로 흩어지는 때의 땀나는 큰 호령을 발표한다. 이 호령이 나가면 오직 행해져 되돌릴 수 없는 것이 피부에 있는 땀이 나오면 다시 되돌아갈 수 없는 것과 같다. 그렇지만 천하가 흩어지는 때를 만나서 백성들은 그들의 군주를 생각하니 반드시 왕이 되어 중정한 자리에 나아가 거처하면 흩어짐을 구제할 수 있다.

本義

陽剛中正, 以居尊位, 當渙之時, 能散其號令與其居積, 則可以濟渙而无咎矣. 故其象占如此. 九五, 巽體, 有號令之象. 汗, 謂如汗之出而不反也. 渙王居, 如陸贄所謂散小儲而成大儲之意.

굳센 양으로 중정하여 존귀한 지위에 있으니, 흩어지는 때를 만나서 호령과 재화를 흩을 수 있으면 흩어짐을 구제하여 허물이 없을 수 있다. 그러므로 그 상과 점이 이와 같다. 구오는 손괘의 몸체이니, 호령의 상이 있다. '한(汗)'은 땀이 나오듯 하여 되돌아가지 못함과 같다는 말이다. "왕의 재화를 흩는다[渙王居]"는 육지(陸贄)의 이른바 '작은 이로움을 흩어서 큰 이로움을 이룬다'는 뜻과 같다.

小註

朱子曰, 渙汗其大號, 號令當敎, 如汗之出千毛百竅中迸散出來, 這個物出不會反, 卻不是說那號令不當反, 只是取其如汗之散出自有不反底意思. 又曰, 渙汗其大號, 聖人當初, 就人身上說, 一汗字爲象, 不爲无意. 蓋人君之號令, 當出乎人君之中心, 由中而外, 由近而遠, 雖至幽至遠之處, 无不被而及之, 亦猶人身之汗, 出乎中而浹于四體也.
주자가 말하였다: 흩어지는 때에 큰 호령을 땀나듯이 발함에서, 호령을 발할 때는 마땅히 땀이 여러 털과 구멍 속에서 나오는 것처럼 해서 땀이 나오면 되돌아갈 수 없다는 것은

호령을 돌이켜서는 안 된다는 말이 아니다. 이것은 다만 땀처럼 나오면 자연스레 돌아가지 않는다는 뜻이다. 또 말하였다: 흩어지는 때에 큰 호령을 땀나듯이 발함은 성인은 당초에 사람의 몸에서 말한 것으로 '한(汗)'이란 글자로 상징한 것은 뜻이 없지 않다. 임금이 호령할 때는 임금의 마음에서 내어야 하니 중심에서 바깥으로 가까이에서 먼 곳으로 하면 비록 지극히 어두운 곳이나 먼 곳이라도 혜택을 입지 못함이 없이 미치니, 사람 몸의 땀이 속에서 나와서 사체에 무젖는 것과 같다.

○ 雲峯胡氏曰, 汗坎象, 號, 巽命象, 居陽, 實象. 九五君位, 當渙之時, 非散其號令與其居積, 无以收天下之心, 必如是, 僅可以免咎耳. 汗由中出, 浹於四體, 猶大號出於君之中心, 而浹於四方也. 本義, 謂如汗之出不反, 非謂不可反也, 若謂不可反, 涕泔涎液皆然, 豈獨汗哉. 六四, 渙小群而成大群, 九五, 渙王居, 渙小儲而成大儲, 猶武王之散財發粟也, 故无咎.
운봉호씨가 말하였다: 땀은 감괘의 상이고, 호령은 손괘의 명령하는 상이며, 양에 거처함이 충실한 상이다. 구오가 임금의 자리에서 흩어지는 때를 만났으니 호령과 재화를 흩지 않으면 천하의 인심을 수습할 수 없다. 반드시 이와 같이 해야 겨우 허물을 면할 수 있다. 땀이 속에서 나와서 사체에 무젖는 것이 큰 호령이 중심에서 나와서 사방에 무젖는 것과 같다. 『본의』에서 땀이 나와서 돌아가지 않음은 되돌아갈 수 없음을 말한 것이 아니다. 만약 되돌아갈 수 없음을 말했다면 눈물 콧물 침 분비액이 다 그런데 어찌 땀뿐이겠는가? 육사는 작은 무리를 흩어서 큰 무리를 이루고 구오의 흩어지는 때에 왕의 자리에 거처하여 작은 이로움을 버리고 큰 이로움을 이루니 마치 무왕이 재물을 흩고 곡식을 풀어 내준 것과 같아서 허물이 없다.

韓國大全

송시열(宋時烈) 『역설(易說)』

汗者, 上風下水之象也. 史云, 出令如反汗, 巽爲風爲號, 言大出號令也. 王居者, 五爲王位也. 小象云, 正位亦此意, 言當渙之時, 大發號令, 而非王者, 居於中正之位, 則必有渙之終凶. 而惟其王者, 故在下之人, 畏懼而不散, 是以无咎.
'땀'은 위는 바람이고 아래는 물인 상이다. 『한서 · 유향전』에서 땀이 나면 다시 되돌릴 수 없듯이 명령을 내면 되돌릴 수 없는 것처럼 한다. 손괘는 바람이 되고 호령이 되니, 호령을 크게 냄을 말한다. '왕의 거처에 걸맞음'은 오효가 왕의 지위가 된다. 「소상전」에서 말한 '바른 자리'도 이 뜻이니, 흩어지는 때를 맞아 크게 호령을 냄에 왕이 아닌 자가 중정(中正)한 자리에 있으면 반드시 흩어짐에 대처함이 끝내 흉함이 있다. 오직 왕이기 때문에 아래에 있는 자가 두려워하고 흩어지지 않으니, 이 때문에 허물이 없다.

석지형(石之珩) 『오위귀감(五位龜鑑)』

臣謹按, 渙之九五, 汗取坎象, 號取巽命象, 居取陽實象, 卽居積之財也. 當天下渙散之時, 發號惠民, 如汗之浹身, 散財業民, 能成其大, 儲固亦君道之美. 然王者之所當爲, 未止此也, 故僅可爲无咎而已. 伏願殿下, 罔以偏令小施爲足, 以保民必務其大且遠者焉.

신이 삼가 살펴보았습니다: 환괘의 구오에서 '땀'은 감괘의 상을 취했고, '호령'은 손괘인 명령[巽命]의 상을 취했으며, '재화[居]'는 양의 꽉 찬 상을 취했으니 곧 쌓여있는 재물입니다. 천하가 흩어지는 때를 맞아 호령을 드러내어 백성에게 은혜를 베풂이 땀이 몸을 적시는 것과 같아서 재물을 흩어 백성을 살게 하여 그 큼을 이룰 수 있으니, 쌓아 견고하게 함이 또한 임금된 도리의 아름다움입니다. 그러나 왕이 마땅히 해야 할 바는 여기에 그치는 것만이 아니므로 겨우 허물이 없게 될 수 있을 뿐입니다. 엎드려 바라건대, 전하께서는 치우친 명령이나 조그마한 베풂으로 족하게 여기지 말아야 하니, 백성을 보전하기 위해서는 반드시 그 크고 또 원대한 것에 힘써야만 합니다.

심조(沈潮) 「역상차론(易象箚論)」

九五, 渙王居,
구오는 왕의 재화를 흩어주면,

居本義爲居積. 蓋互艮居積之象也.
'거(居)'는 『본의』에서 '재화'라고 하였다. 호괘인 간괘에 '재화'의 상이 있기 때문이다.

유정원(柳正源) 『역해참고(易解參攷)』

九五 [止] 无咎.
구오는 … 허물이 없으리라.

正義, 人遇險阸, 驚怖而勞, 則汗從體出, 故以汗喩險阸也.
『주역정의』에서 말하였다: 사람이 위험과 재난을 만나면 놀라고 두려워하여 힘쓰니, 땀이 몸으로부터 나오므로 '땀'으로 험액을 비유하였다.

○ 合沙鄭氏曰, 人之一身, 陽主氣, 陰主形, 元氣蒸而爲汗, 流而爲血. 二陽散於外, 故言汗言血, 二陰分於中, 故言躬言群.
합사정씨가 말하였다: 사람의 한 몸에 있어 양은 기운을 위주로 하고 음은 형기를 위주로 하니, 원기(元氣)는 타서 땀이 되고 흘러 피가 된다. 두 양이 밖에서 흩어지므로 '땀'이라고 말하고 '피'라고 말했으며, 두 음이 안에서 나뉘므로 '몸'이라고 말하고 '무리'라고 말했다.

○ 案, 人之一身, 血氣貫通, 然後千毛百竅, 汗出周遍, 人君之政令, 由中出外, 旡一物不被其澤者, 有此象.
내가 살펴보았다: 사람의 한 몸은 혈기(血氣)가 관통한 연후에 온갖 털과 구멍에서 땀이 두루 나오는데, 임금의 정령(政令)이 안으로부터 밖으로 나와 한 물건이라도 그 혜택을 입지 않는 것이 없어 이러한 상이 있다.

김상악(金相岳) 『산천역설(山天易說)』

九五, 陽剛中正, 比下二陰, 三渙其躬而上同, 四渙其群而有邱, 濟渙之功已成, 而以巽乘坎, 故有汗其大號之象. 然猶在渙體, 而互艮, 故王居則旡咎也.
구오는 굳센 양이 중정(中正)하고 아래의 두 음과 가까우니, 삼효는 몸의 사사로움을 흩어 위와 함께 하고, 사효는 붕당의 무리를 흩어 언덕처럼 많이 모임이 있으니, 흩어짐을 구제하는 공효가 이미 이루어지고, 손괘가 감괘를 타기 때문에 큰 호령을 내되 땀이 나듯 하는 상이 있다. 그러나 오히려 환괘의 몸체에 있으면서 호괘가 간괘이므로 왕의 거처에 걸맞으면 허물이 없다.

○ 汗其大號, 謂發號施令浹洽民心, 如汗之浹于四體也. 巽風散坎水, 又水上有木, 津潤上行, 皆汗之象也. 號號令也, 巽之象. 渙與屯其義相反, 故屯曰屯其膏, 渙曰汗其號. 王則在中之王也. 艮爲止, 王居之象. 與習坎爭上一爻, 又二至上互益體, 故渙王居對益之爲依遷國, 又對坎之設險守國, 又變爻艮坎伏離而交, 則其卦爲旅, 人君無旅, 旅則失位, 故曰王居旡咎.
'큰 호령을 내되 땀이 나듯 함'은 호령을 드러내고 법령을 시행하여 백성의 마음에 두루 미쳐 흡족하게 하는 것이니, 마치 땀이 사지(四肢)에 두루 미치는 것과 같다. 손괘인 바람이 감괘인 물을 흩고, 또 물 위에 나무가 있고 진액의 윤택함이 위로 올라감은 모두 땀의 상이다. '호(號)'는 호령이니, 손괘의 상이다. 환괘와 준괘(屯卦䷂)는 그 뜻이 서로 반대되므로 준괘에서 "은택을 베풀기 어렵다[屯其膏]"고 했고, 환괘에서 "호령을 내되 땀이 나듯 한다"고 했다. '왕(王)'은 가운데에 있는 임금이다. 간괘는 그침이 되니, 왕이 거처하는 상이다. 습감(習坎)괘와 상효의 한 효를 다투고, 또 이효부터 상효까지 호괘가 익괘(益卦䷩)의 몸체이므로 '왕의 거처에 걸맞음'은 익괘의 '의지하며 나라를 옮김'에 대비가 되고, 또 감괘(坎卦䷜)의 '험함을 설치하여 나라를 지킴'과 대비가 되며, 또 변효인 간괘와 감괘에 숨어있는 리괘와 사귀면 그 괘가 려괘(旅卦䷷)가 되니, 임금은 나그네 됨이 없는데 나그네가 되면 지위를 잃으므로 "왕의 거처에 걸맞으니, 허물이 없다"고 했다.

서유신(徐有臣)『역의의언(易義擬言)』

渙汗者, 渙之如汗也. 號巽命象, 稱大號尊之也. 九五剛中而正位, 發號施令, 由已而出, 如汗之出於身, 而周於四體. 所以爲大號也. 當渙散之時, 不失其王者之事, 故曰渙王居也. 只此不足爲亨吉之道, 故曰无咎也. 上渙渙之事, 下渙渙之時也.

'흩어지는 때에 땀이 나듯 함[渙汗]'은 흩어짐이 땀이 나는 것과 같다. '호령[號]'은 손괘인 명령의 상이니, '큰 호령[大號]'을 말한 것은 높이는 것이다. 구오는 굳센 양이 알맞고 바른 자리여서 호령을 내고 명령을 베풂이 자신에게서 말미암아 나오니, 땀이 몸에서 나와 사지[四肢]에 두루 미치는 것과 같다. 이 때문에 '큰 호령'이 된다. 흩어지는 때를 맞아 왕의 일을 잃지 않으므로 "흩어짐에 대처함에 왕의 거처에 걸맞다"고 했다. 다만 이는 형통하여 길한 도가 되기에는 부족하므로 "허물이 없다"고 했다. 앞의 '환(渙)'은 흩어지는 일이고 뒤의 '환(渙)'은 흩어지는 때이다.

박제가(朴齊家)『주역(周易)』

渙, 汗出而洽然之貌, 因散義而不足夾帶一箇汗字幇助, 又爲發義, 亦所謂渙然之義. 渙王居者, 深於內而文於外之謂, 言四門穆穆而威儀濟濟也.

'흩어짐[渙]'은 땀이 나서 젖어 윤택한 모양인데, 흩어진다는 뜻으로 인해 '땀[汗]'이라는 글자로 보충하더라도 드러난다는 뜻이 되기에 부족하니, 또한 이른바 '풀어진다[渙然]'는 뜻이다. '왕의 재화를 흩어줌'은 안으로 깊고 밖으로 문채남을 이름이니, 사방이 기뻐하고 화목하며 위의가 엄숙하고 장함을 말한다.

이지연(李止淵) 『주역차의(周易箚疑)』

下有渙躬渙群之大臣, 而又與奔其機者爲應, 已又當中正之位, 其所渙者, 安得不如是乎. 有若之對魯哀公曰, 百姓足君誰與不足, 司馬溫公之對神宗皇帝曰, 天之生財有限, 此數不在君則在民, 所應之爻, 則血而惕, 所當之位, 則去而出, 故无咎.
아래에 몸의 사사로움을 흩고 붕당의 무리를 흩는 대신이 있고, 또 궤로 달려가는 자와 함께 호응이 되며, 자신은 또 중정한 지위를 담당하니, 그 흩는 바가 어찌 이와 같지 않을 수 있겠는가? 유약(有若)이 노나라 애공에 대해 “백성이 넉넉한데 임금이 누구와 더불어 부족하겠는가?”라고 하고 사마온공이 신종 황제에 대해 “하늘이 재물을 냄에 한도가 있으니, 이러한 도수는 임금에게 있지 않으면 백성에게 있다”고 했으니, 호응하는 바의 효는 곧 ‘피’와 ‘두려움’이고 해당하는 지위는 곧 ‘제거함’과 ‘벗어남’이므로 허물이 없다.

김기례(金箕澧) 「역요선의강목(易要選義綱目)」

剛中居尊, 號令洽人, 處渙之道, 散小成大, 正君位而无咎. 汗取坎象, 號取巽象.
굳센 양으로 알맞고 존귀한 자리에 있어 호령이 사람에 무젖으니, 흩어짐에 대처하는 도가 작은 것을 흩어 큰 것을 이루고 임금의 자리를 바르게 하여 허물이 없다. ‘땀’은 감괘의 상을 취했고, ‘호령’은 손괘의 상을 취했다.

심대윤(沈大允) 『주역상의점법(周易象義占法)』

渙之蒙䷃, 雜而未辨也. 九五, 以剛居剛, 厲精力求, 其精神, 達于玄冥蒙昧之地, 天人造化之際. 二居坎离之體, 而五應之有其象. 然以其得中, 不至於迂恠荒誕之流. 渙汗其大號, 言其敎化政令及於荒遠也, 其思慮入于玄妙也. 汗者, 發於內而達於外也, 不可復反, 以喻敎化政令之達于遠而不反也. 坎离爲血, 互巽白, 曰汗, 艮對兌有不反之象, 坎兌爲大號. 渙王居, 言自內而發, 居其所而達于天下也, 猶象傳言在中也. 艮爲居以得中, 故无荒誕之咎也.
환괘가 몽괘(蒙卦䷃)로 바뀌었으니, 섞여 분변하지 못하는 것이다. 구오는 굳센 양으로 굳센 자리에 있어 혼신의 노력으로 힘써 구하여 그 정신이 오묘하고 그윽하며 아득한 지경에 도달하니, 하늘과 사람이 조화로운 경계이다. 이효는 감괘와 리괘의 몸체에 있고 오효가 그에 호응하여 그러한 상이 있다. 그러나 그것이 알맞음을 얻은 까닭에 기이하고 허황된 폐단에는 이르지 않는다. ‘흩어지는 때에 큰 호령을 내되 땀이 나듯 함’은 그 교화(敎化)와 정령(政令)이 먼 곳까지 미치고, 그 사려(思慮)가 현묘한 데에 들어감을 말한다. ‘땀’은 안에서 드러나 밖에 이르니, 다시 되돌릴 수 없는 것으로 교화와 정령이 멀리까지 이르고 되돌아오지 못하는 것을 비유하였다. 감괘와 리괘는 피가 되고 호괘인 손괘는 흰 것이 되니, "땀이 나듯 한다"고 한 것은 간괘의 음양이 바뀐 태괘에는 되돌릴 수 없는 상이 있으니, 감괘와 태괘는 '큰 호령'이 된다. '흩어짐에 대처함에 왕의 거처에 걸맞음'은 안으로부터 드러나 제자리에 있어 천하에 도달함을 말하니, 마치 「단전」에서 "가운데 있다"고 한 것과 같다. 간괘가 '거처에 걸맞음'이 되는 것은 알맞음을 얻었기 때문에 황당하고 허황된 허물이 없다.

오치기(吳致箕) 「주역경전증해(周易經傳增解)」

九五, 陽剛中正, 而居尊, 卽濟渙之君也. 下與六四大臣同志合力, 乃大發號令, 而浹洽人心, 方其濟渙, 以陽剛之德, 處中正之位, 爲民上而臨天下, 是乃王居之尊, 而發號者也. 然下旡正應, 宜若有咎, 而以其剛中而比柔, 終得其功, 故言旡咎.
구오는 굳센 양으로 중정하고 높은 자리에 있어 곧 흩어짐을 구제하는 임금이다. 아래로 육사의 대신과 뜻을 같이 하고 힘을 합하니, 이에 호령을 크게 내어 사람의 마음을 두루 무젖게 하여 바야흐로 흩어짐을 구제함이 굳센 양의 덕으로 중정의 자리에 처하며 백성의 위가 되어 천하에 임하니, 이것이 바로 왕의 거처에 걸맞는 존엄으로 호령을 내는 자이다. 그러나 아래로 정응(正應)이 없어 의당 허물이 있을 듯한데, 굳세고 알맞고 부드러운 음을 가까이 하여 끝내 공효를 얻기 때문에 "허물이 없다"고 했다.

○ 汗者, 浹洽之謂, 而取於應坎. 大取於陽, 而號者, 命令也, 取於巽. 居取於變艮也. 上渙字言渙之時, 下渙字言濟渙也.
'땀'은 두루 미침을 이르는데, 호응하는 감괘에서 취했다. '큰[大]'은 양에서 취했고, '호령'은 명령이니, 손괘에서 취했다. '거(居)'는 변한 간괘(☶)에서 취했다. 앞의 '환(渙)'자는 흩어지는 때를 말하고, 뒤의 '환(渙)'자는 흩어짐을 구제함을 말한다.

이진상(李震相) 『역학관규(易學管窺)』

九五, 渙汗.
구오는 흩어지는 때에 땀이 나듯하면,
汗取浹洽, 恐非并取其不反也.
'땀'은 두루 미침을 취한 것이니, 아마도 되돌아가지 못함을 아울러 취한 것은 아닌 듯하다.

○ 渙王居.
흩어짐에 대처함에 왕의 거처에 걸맞으니,

本義, 以居爲居積之居, 恐不若程傳之順. 六四之渙有邱, 九五之渙王居, 一意.
『본의』에서 '거(居)'를 재화[居積]의 거(居)로 여겼는데, 아마도 『정전』의 순함만 못하다. 육사의 '흩어짐에 언덕과 같이 많이 모임'과 구오의 '흩어짐에 왕의 거처에 걸맞음'도 같은 뜻이다.

박문호(朴文鎬) 「경설(經說)·주역(周易)」

居王位爲稱, 言稱其職也.
"왕위에 거처함이 걸맞다"는 그 직분에 걸맞음을 일컫는다.

風者天地之號令, 故云巽體有號令之象.
'바람'은 천지의 호령이기 때문에 "손괘의 몸체이니, 호령의 상이 있다"고 했다.

이용구(李容九) 「역주해선(易註解選)」

九五, 渙汗其大號.
구오는 흩어지는 때에 큰 호령을 내되 땀이 나듯하며,

中外遠近, 無不被, 猶人之身, 汗出于中, 浹于四體.
안팎과 멀고 가까움에 혜택을 입지 않음이 없는 것이 사람의 몸에 땀이 안에서 나와 사지(四肢)에 두루 미치는 것과 같다.

象曰, 王居无咎, 正位也.

정전 「상전」에서 말하였다: "왕의 거처에 걸맞으니 허물이 없음"은 바른 자리이기 때문이다.
본의 「상전」에서 말하였다: "왕의 재화를 흩어주면 허물이 없음"은 바른 자리이기 때문이다.

中國大全

傳

王居, 謂正位, 人君之尊位也. 能如五之爲, 則居尊位爲稱而无咎也.

'왕의 거처에 걸맞음[王居]'은 바른 자리를 말하니, 임금의 높은 지위이다. 오효의 행위와 같이 하면 존귀한 지위에 있음이 걸맞아서 허물이 없다.

小註

朱子曰, 散居積, 須是在他正位方可. 渙王居无咎, 象只是節做四字句. 伊川泥其句, 所以說得王居无咎差了. 如上九象, 亦自節了, 則此何疑.

주자가 말하였다: 재화를 흩는 것은 반드시 바른 자리라야 가능하다. 흩어짐에 왕의 자리에 거처하여 허물이 없다고 한 것을 「상전」에서는 잘라서 네 글자의 구절로 만들었다. 이천은 그 글귀에 빠져서 왕거무구(王居无咎)를 해설함이 잘못되었다.

○ 王氏曰, 爲渙之主, 惟王居之乃得无咎, 正位不可以假人也.

왕필이 말하였다: 환괘의 주인이 되어 오직 왕의 자리에 거처함이 허물이 없으니 바른 자리는 다른 사람을 빌릴 수 있는 것이 아니다.

韓國大全

김상악(金相岳) 『산천역설(山天易說)』

正位與鼎大象同. 鼎之所在, 亦王居也. 汗號, 卽其所凝之命也.
'바른 자리'는 정괘(鼎卦䷱) 「대상전」과 같다.[22] 솥이 있는 자리가 또한 왕의 거처에 걸맞음이다. '호령을 내되 땀나듯 함'은 곧 그 확고한 명령이다.

서유신(徐有臣) 『역의의언(易義擬言)』

王居者, 正位之謂也.
'왕의 거처에 걸맞음'은 바른 자리를 이름이다.

심대윤(沈大允) 『주역상의점법(周易象義占法)』

言居其所而自出也.
제자리에 있으면서 스스로 나옴을 말한다.

오치기(吳致箕) 「주역경전증해(周易經傳增解)」

陽剛而居尊, 得其正位, 故大發號令, 以濟天下之渙也.
굳센 양으로 높은 자리에 있고 바른 자리를 얻었으므로 호령을 크게 내어 천하의 흩어짐을 구제한다.

이병헌(李炳憲) 『역경금문고통론(易經今文考通論)』

劉向曰, 渙汗其大號, 言號令如汗出而不反者也.
유향이 말하였다: '흩어지는 때에 큰 호령을 내되 땀이 나듯 함'은 호령이 땀이 나 되돌아갈 수 없는 것과 같음을 말한다.

王曰, 處尊履正, 爲渙之主. 唯王居之, 乃得无咎, 正位, 不可以假人也.
왕필이 말하였다: 존귀한 데에 처하여 바름을 이행하니, 흩음의 주인이 된다. 왕만이 그러한 데에 있어 이에 허물이 없음을 얻는다. '바른 자리'는 남에게 빌려줄 수 없다.

---

22) 「鼎卦 · 大象傳」: 木上有火, 鼎, 君子以, 正位, 凝命.

上九, 渙, 其血, 去, 逖(惕), 出, 无咎.

정전 상구는 흩어짐에 그 피가 제거되며 두려움에서 벗어나게 하면 허물이 없으리라.

上九, 渙其血, 去, 逖(惕)出, 无咎.

본의 상구는 피를 흩어서 제거하며 두려움에서 벗어남이니, 허물이 없으리라.

中國大全

傳

渙之諸爻, 皆无係應, 亦渙離之象. 唯上應於三, 三居險陷之極, 上若下從於彼, 則不能出於渙也. 險有傷害畏懼之象, 故云血惕. 然九以陽剛, 處渙之外, 有出渙之象, 又居巽之極, 爲能巽順於事理. 故云若能使其血去, 其惕出, 則无咎也, 其者, 所有也. 渙之時, 以能合爲功, 獨九居渙之極, 有係而臨險, 故以能出渙遠害, 爲善也.

환괘의 여러 효가 모두 매여 호응함이 없으니, 또한 흩어지고 이반하는 상이다. 상효만이 삼효와 호응하나 삼효는 험함의 끝에 있으니, 상효가 만약 아래로 그것을 따르면 흩어짐에서 벗어날 수 없다. 험함은 상해(傷害)와 두려움의 상이 있으므로 '피[血]'과 '두려움[惕]'이라고 했다. 그러나 구(九)도 굳센 양으로 환괘의 밖에 처하여 흩어짐에서 벗어나는 상이 있고, 또 손괘의 끝에 있어 사리에 손순(巽順)할 수 있기 때문에 만약 그 피가 제거되며 두려움에서 벗어나게 하면 허물이 없다고 한 것이니, '기(其)'자는 가지고 있다는 것이다. 흩어짐의 때에는 합할 수 있는 것을 공(功)으로 삼으나 오직 상구는 흩어짐의 끝에 있어 매여 응함이 있고 험함에 임함이 있기 때문에 흩어짐에서 벗어나고 해(害)를 멀리 하는 것으로 선(善)을 삼았다.

本義

上九以陽居渙極, 能出乎渙. 故其象占如此. 血, 謂傷害. 逖, 當作惕, 與小畜六

四同, 言渙其血則去, 渙其惕則出也.

상구는 양으로 흩어지는 끝에 있어 흩어짐에서 벗어날 수 있기 때문에 그 상과 점이 이와 같다. '피'는 상해(傷害)를 말한다. '척(逖)'은 마땅히 척(惕)이 되어야 하니, 소축괘(小畜卦) 육사와 같다. 피를 흩으면 피가 제거되고 두려움을 흩으면 두려움에서 벗어남을 말한다.

小註

雲峯胡氏曰, 血下坎象, 惕亦坎象. 上卦已出坎險之外, 上九居渙之極, 去險愈遠, 故有血去惕出之象. 小畜六四, 以陰居巽體之初, 必順乎二陽然後, 血去惕出. 此以陽居巽體之極, 故渙其血則去, 渙其惕則出也.

운봉호씨가 말하였다: 피는 하괘인 감괘의 상이고 두려움도 역시 감괘의 상이다. 상괘는 이미 감괘인 험함의 밖으로 나왔고 상구는 환괘의 끝에 거처하여 험함을 떠나간 것이 멀기 때문에 피가 가고 두려움에서 벗어나는 상이 있다. 소축괘의 육사는 음이 손괘의 처음에 거처하여 반드시 두 양에게 순하게 한 뒤에야 피가 가고 두려움에서 벗어난다. 이것은 양이 손괘의 극에 거처하여 피를 흩어서 제거하고 두려움을 흩어서 벗어난다.

○ 建安丘氏曰, 三上兩爻, 陰陽相應, 蓋相援者也. 然三渙躬而曰志在外, 上渙血而曰遠害. 三欲其應上, 上不欲其應, 三何也. 蓋三處險內而應在外, 應外則爲有所攀援而出險, 故三以有應於上爲美. 上處險外而應在內, 應內則爲有所係累而不能去, 故上以不應於三爲善. 又易中以陰應陽則爲柔得剛援, 以陽應陰則爲剛以柔累. 是以陰爻應陽多吉, 陽爻應陰多凶也.

건안구씨가 말하였다: 삼효와 상효 둘은 음과 양으로 상응하니 서로 돕는 자이다. 그렇지만 삼효는 몸을 흩어서 "뜻이 밖에 있다"고 하였고, 상효는 피를 흩어서 "해로움이 멀다"고 하였다. 삼효가 상효와 응하고자 하나 상효가 응하지 않고자 하니 삼효는 어쩔 것인가? 삼효는 험한 내괘에서 처하여 응이 밖에 있으니 응이 밖에 있으면 붙잡아주는 도움이 있어 험함을 벗어난다. 그렇기 때문에 삼효는 상효와 응함이 좋은 것이다. 상효는 험한 바깥에 처하여 응이 안에 있으니 응이 안에 있으면 메이는 구속이 있어서 떠나갈 수 없다. 그렇기 때문에 상효는 삼효와 응하지 않음이 좋은 것이다. 또 『주역』에서 음이 양에 응하면 유가 강의 도움을 얻는 것이고 양이 음에 응하면 강이 유에 메이는 것이다. 이렇기 때문에 음효가 양과 응하면 길이 많고 양효가 음과 응하면 흉이 많다.

韓國大全

송시열(宋時烈) 『역설(易說)』

血者, 坎象也. 血去者, 六之應在三, 若坎之血, 違去而不爲害也. 逖者, 來氏云, 遠方竄伏者, 亦坎象也云云. 蓋逖矣, 在下之人也, 指六三也. 彼能自踈逖之地出, 於坎險之中來爲我應, 我亦無咎, 而占亦如之. 小象遠害者, 只釋渙血, 而不互於逖出, 卽[23]與小蓄六四辭略同, 而意不同耳.
'피'는 감괘의 상이다. '피가 제거됨'은 육(六)의 호응이 삼효에 있으니, 감괘인 피가 제거되어 해가 되지 않는 것과 같다. '두려움'을 래씨는 "먼 곳의 쥐가 엎드리는 것이니, 또한 감괘의 상이다"라고 하였다. 대체로 두려워하는 것은 아래에 있는 사람이니, 육삼을 가리킨다. 육삼은 먼 곳으로부터 나오거나 감괘의 '험함'에서 와서 나의 호응이 되니, 내가 또한 허물이 없어 점도 그와 같다. 「소상전」의 "해로움을 멀리한다"는 것은 단지 피를 흩음을 해석한 것이고, 서로가 먼 곳에서 나오는 것은 아니니, 소축괘(小畜卦☴) 육사의 말과 대략 같지만 뜻은 같지 않다.[24]

유정원(柳正源) 『역해참고(易解參攷)』

上九 [止] 无咎.
상구는 … 허물이 없으리라.

張子曰, 上若係三, 害不可免, 能絶去陰類, 遠去其難, 則可免咎.
장자가 말하였다: 상효가 삼효에 매였다면 상해를 면할 수 없는데, 음의 부류를 끊어 그 어려움을 멀리 할 수 있으면 허물을 면할 수 있다.

○ 莆陽張氏曰, 巽爲風, 應乎六三之坎, 坎爲血卦. 風之與血常相爲用, 渙而運之則榮, 結而聚之則爲害也.
포양장씨가 말하였다: 손괘는 바람이 되고 육삼인 감괘에 호응하니, 감괘는 피의 괘가 된다. 바람이 피와 항상 서로 쓰임이 되니, 흩어서 운용하면 영화롭지만 맺어 모으면 상해가 된다.

---

23) 경학자료집성DB에는 '耶'로 되어 있으나, 경학자료집성 영인본을 참조하여 '卽'으로 바로잡았다.
24) 「小畜卦·六四」: 六四 有孚 血去 惕出 无咎

○ 隆山李氏曰, 坎爲血卦. 血指六三. 逖遠也. 小象遠害. 正是以遠釋逖字.
융산이씨가 말하였다: 감괘는 피를 상징하는 괘가 된다. 피는 육삼을 가리킨다. '적(逖)'은 멀리함이다. 「소상전」에서 '해로움을 멀리함'은 바로 멀리함으로 '적(逖)'자를 해석한 것이다.

○ 案, 血去者, 傷害遠也. 惕出者, 畏懼生也. 害遠而猶懼, 所以无咎.
내가 살펴보았다: '피가 제거됨'은 상해가 멀어짐이다. '두려움에서 벗어남[惕出]'은 두려움이 생겨나는 것이다. 상해는 멀어졌으나 오히려 두려워하니, 이 때문에 허물이 없다.

김상악(金相岳) 『산천역설(山天易說)』

上九, 居巽之上, 應坎之三, 而陽已上而不交, 故有渙其血去逖出之象, 其无咎宜矣.
상구는 손괘의 맨 위에 있어 감괘의 삼효와 호응하는데, 양이 이미 맨 위에서 사귀지 않으므로 피를 흩어서 제거하며 두려움에서 벗어나는 상이 있으니, 허물이 없음이 마땅하다.

○ 血坎象. 巽風吹散坎水, 故曰渙其血. 出謂陽進居外而去坎險遠也. 需則六四居坎之始, 故曰需于血, 上六處險之終, 故曰入于穴, 所處之不同也.
'피'는 감괘의 상이다. 손괘인 바람이 감괘인 물을 불어 흩으므로 "피를 흩는다"고 했다. '벗어남'은 양이 나아가 밖에 있어 감괘인 험함에서 멀리 떨어졌음을 말한다. 수괘(需卦䷄)에서는 육사가 감괘의 처음에 있으므로 "피에서 기다린다"고 하고, 상육은 험함의 끝에 처해 있으므로 "구멍으로 들어간다"고 했으니, 처한 바가 같지 않기 때문이다.

서유신(徐有臣) 『역의의언(易義擬言)』

血坎險象. 上九乃渙散之, 又去而遠避之, 是以无咎也. 上九有遠出之象也. 血與出韻協當句絶也.
'피'는 감괘인 험한 상이다. 상구가 이에 그것을 흩고, 또 제거하여 그것에서 멀리 피하니, 이 때문에 허물이 없다. 상구에 멀리 벗어나는 상이 있다. 혈(血)과 출(出)은 운(韻)자로 맞춘 것이니, 마땅히 구절이 되어야 한다.

박제가(朴齊家) 『주역(周易)』

上與三應. 三云躬, 此從人身爲說, 人身出血, 爲醫方刺鍼去風之象. 血者, 水也. 去風者, 風之終也. 爻之取象, 近取諸身者, 往往而是知者, 或有取焉. 象傳渙其血遠害也,程傳謂與屯其膏同者得之, 而乃曰, 血下脫去字, 終是失意故也. 朱子曰, 渙卦亦不可曉. 只以大意看, 蓋去逖出三字, 隆山陳氏謂捨之遠去者爲是. 逖遠也.
상효는 삼효와 호응한다. 삼효에서 "몸"이라고 했으니, 이것을 사람 몸으로 설명하면 사람의 몸에서 피가 나는 것은 의방(醫方)에서는 침을 놓아 풍(風)을 제거하는 상이 된다. '피'는 물이다. '풍을 제거함'은 바람이 멈추는 것이다. 효가 상을 취한 것이 가깝게는 몸에서 취한 것이 종종 있는데, 이는 혹 아는 것에서 취함이 있는 것이다. 「상전」에서의 "'흩어짐에 그 피'는 해로움을 멀리하는 것이다[渙其血遠害也]"에 대해 『정전』에서 "'둔기고(屯其膏)'와 문장구조가 같다"고 말한 것은 뜻을 잘 이해하였지만, 이에 "'혈(血)' 다음에 '거(去)'가 빠졌다"고 한 것은 끝내 뜻을 잃은 까닭이다. 주자는 "환괘 또한 이해할 수 없다. 단지 대략적인 뜻으로 보아야 한다"고 했으니, 대체로 '제거한다'·'두려움'·'벗어남'의 글자에 대해 융산진씨가 "버리고 멀리 떠나간다"고 말한 것이 옳다. '두려움'은 멀리함이다.

김기례(金箕澧) 「역요선의강목(易要選義綱目)」

逖當作惕, 與小畜六四同, 言遠出坎險之外, 居極則傷去而憂散.
"적(逖)은 마땅히 척(惕)이 되어야 하니, 소축괘 육사효와 같다"는 것은 감괘인 험함 밖으로 멀리 벗어나 끝에 있으니, 해로움이 제거되고 근심이 흩어짐을 말한다.

○ 小畜, 陰居巽初, 順二陽, 故血去, 此陽居巽極, 故渙害而血去惕出. 血指坎. 坎爲血爲加憂, 則上遠於坎, 故血去惕出.
소축괘(小畜卦☴)에서 음은 손괘의 처음에 있고 두 양을 따르기 때문에 피가 제거되고, 여기서의 양은 손괘의 끝에 있으므로 해로움을 흩어 피가 제거되고 두려움에서 벗어난다. '피'는 감괘를 가리킨다. 감괘는 피가 되고 근심을 더함이 되니, 상효는 감괘에서 멀기 때문에 피가 제거되고 두려움에서 벗어난다.

贊曰: 水遇風散, 乘木有功. 剛來柔往, 夾輔上同. 聖王以之, 立廟在中. 君臣合力, 四五旁通.
찬미하여 말하였다: 물이 바람을 만나 흩어지니, 나무를 탐에 공이 있구나. 굳센 양이 오고 부드러운 음이 가니, 좌우에서 도움이 위와 함께하는구나. 성왕(聖王)이 그것을 본받으니, 사당을 세우고 안에 있구나. 임금과 신하가 힘을 합하니, 사효와 오효가 신통방통하구나.

허전(許傳) 「역고(易考)」

上九[ᄂᆞᆫ]渙其血[ᄒᆞ야]去[ᄒᆞ고]逖出[이라]无咎[ᄒᆞ니라]
上九ᄂᆞᆫ 그 血을 渙ᄒᆞ야 去ᄒᆞ고 逖出ᄒᆞᆫ지라 咎ㅣ 업ᄉᆞ니라
상구는 그 피를 흩어 제거하고 멀리 벗어난 것이니, 허물이 없다.

血, 下卦坎水也. 逖遠也, 謂散其血而去之遠. 出於坎險之故, 无咎也.
'피'는 하괘인 감괘의 물이다. '적(逖)'은 멀리함이니, 피를 흩어서 제거함이 먼 것을 말한다. 감괘인 험한 일에서 벗어나 허물이 없다.

심대윤(沈大允) 『주역상의점법(周易象義占法)』

渙之坎䷜, 有所偏陷而不復進也. 上九以剛才居渙之極, 坎巽之體, 其精神入於繁雜幽昧之際, 出於天地六合之外, 而以其居柔不爲疲精, 力求而有偏係於三, 志在於內而不出於外, 居艮之上, 有思不出其位之義. 蓋知限節而不爲虛誕无用之思, 政敎則止於四海, 而不及于海外異類, 學問則止於至善, 而不出于性命之外, 以攻乎異端也. 渙其血, 言以柔道居之也. 坎离爲血. 去逖出, 言其思之出于漠遠者, 去之也. 巽艮爲背行, 曰去, 巽爲遠震爲出, 曰逖出. 以其能限止而不進, 故无咎. 渙之極, 不言發散乎无際而反爲限止, 何也. 曰, 渙之道, 必從正理常法, 推之然後, 乃能无窮, 何以知其然也. 凡天下之理, 至大在於至小, 至深在於至淺, 至高在於至卑, 至遠在於至近, 至微在於至著, 至險在於至平, 至難在於至易, 舍正理而務隱恠亦終詭誕沉惑而无實得也, 安能有發達而至於无際者乎. 夫理之玄微者, 若在乎深遠之地而已, 則中材之人, 可以尋覔矣, 何足謂之至難乎. 理之玄微者, 不在乎深遠, 而反在乎至平而易, 此其所以爲至難也. 中庸曰, 上天之載, 无聲无臭, 子曰, 道損之又損, 是故能知无道之道, 然後乃有道也. 能行无道之道, 然後乃有德也. 夫天下之所謂玄微至難者, 非玄微至難也. 其所謂至著而易者, 乃眞玄微也, 乃眞至難也.
환괘가 감괘(坎卦䷜)로 바뀌었으니, 치우치고 빠지는 바가 있어 다시 나아가지 못하는 것이다. 상구는 굳센 양의 재질로 환괘의 끝에 있고 감괘와 손괘의 몸체는 그 정신이 번잡하고 분명하지 않은 데로 들어가고 천지 상하사방의 밖으로 나와 부드러운 음의 자리에 있는 것으로 정신을 수고롭게 하지 못하고 힘써 구하지만 삼효에게 한쪽이 매임이 있으며, 뜻은 안에 있지만 밖으로 나오지 못하고 간괘의 위에 있어 생각이 그 지위를 벗어나지 못하는 뜻이 있다. 대체로 한정되고 절제함을 알아 터무니없고 쓸모없는 생각이 되지 않으며, 정교(政敎)는 사해(四海)에 그치고 사해 밖의 다른 부류에는 미치지 않으며, 학문은 지선(至善)

에 그치고 성명의 밖으로 벗어나지 않아 이단을 공격한다. '피를 흩음'은 부드러운 음의 도로 거기에 있는 것을 말한다. 감괘와 리괘가 피가 된다. '제거되어 벗어남'은 생각이 멀고 아득한 데서 벗어남을 말하니, 제거함이다. 손괘와 간괘가 어긋나 행하는 것을 "거(去)"라고 하고, 손괘는 멂이 되고 진괘는 벗어남이 되는 것을 "두려움에서 벗어난다[逖出]"고 한다. 막아 그칠 수 있어 나아가지 않기 때문에 허물이 없다. 환괘의 끝을 가없는 데로 드러나 흩어진다고 말하지 않고 도리어 막아 그침이 되는 것은 어째서인가? 흩어지는 도는 반드시 정리(正理)와 상법(常法)을 따라 미룬 연후에 다함이 없으니, 그러한 것을 어떻게 아는 것인가? 천하의 이치는 지극히 큰 것이 지극히 작은 데에 있고 지극히 심오한 것이 지극히 얕은 데에 있으며, 지극히 높은 것이 지극히 낮은 데에 있고 지극히 먼 것이 지극히 가까운 데에 있으며, 지극히 은미한 것이 지극히 드러나는 것에 있고 지극히 험한 것이 지극히 평이한 것에 있으며, 지극히 어려운 것이 지극히 쉬운 것에 있어서 정리를 버리고 은미하고 괴이한 것에 힘쓰는 것이 또한 끝내 허황되고 미혹되어 실제적인 이득이 없으니, 어찌 드러내 도달하여 무한한 즈음에 이를 수 있는 것이 있겠는가? 이치의 오묘하고 은미한 것이 만약 심원(深遠)한 곳에 있을 뿐이라면 보통 재주의 사람이 찾을 수 있을 것인데, 어찌 지극히 어렵다고 말할 만하겠는가? 이치의 오묘하고 은미한 것은 심원한 데에 있지 않고 도리어 지극히 평평하고 쉬운 데에 있으니, 이것이 지극히 어려운 까닭이다. 『중용』에서 "하늘[上天]의 일은 소리도 없고 냄새도 없다"고 했는데, 공자는 "도는 덜고 또 던다"고 했으니, 이 때문에 무도(無道)의 도를 알 수 있어야 그런 뒤에 도가 있다. 무도(無道)의 도를 행할 수 있어야 그런 뒤에 덕이 있다. 천하의 이른바 오묘하고 은미하여 지극히 어려운 것은 진정으로 오묘하고 은미하여 지극히 어려운 것이 아니다. 그것은 이른바 지극히 드러나 쉬운 것이 바로 진정으로 오묘하고 은미한 것이며, 진정으로 지극히 어려운 것이다.

오치기(吳致箕) 「주역경전증해(周易經傳增解)」

上九, 陽剛在渙之極, 而下應六三, 共成濟功者也. 既濟其渙, 而遠處險難之外, 故有血去揚出之象. 然剛極而失正, 雖若有咎, 而以其獨有正應而成濟功, 故言无咎.

상구는 굳센 양이 환괘의 끝에 있고 아래로 육삼과 호응하여 함께 구제하는 공효를 이루는 자이다. 이미 그 흩음을 구제하고 험난함의 밖에 멀리 처했으므로 피가 제거되고 두려움에서 벗어나는 상이 있다. 그러나 굳센 양이 다하고 바름을 잃었으니, 비록 허물이 있을 것 같지만 홀로 정응(正應)이 있어 구제하는 공을 이루기 때문에 "허물이 없다"고 했다.

○ 血傷也, 取於變坎. 去謂遠去也. 逖, 本義當作惕, 而言憂也, 亦取變坎. 出謂免出也, 與小畜六四同.

'피'는 상해(傷害)니, 상구가 변한 감괘(☵)에서 취했다. '거(去)'는 멀리 떨어짐을 말한다. '적(逖)'은 『본의』에서는 "마땅히 척(惕)이 되어야 한다"고 했으니, 근심을 말하며 또 상구가 변한 감괘에서 취했다. '벗어남'은 면하여 나옴을 말하니, 소축괘(小畜卦䷈) 육사와 같다.

박문호(朴文鎬) 「경설(經說)·주역(周易)」

以一渙, 其兩釋於血去逖出, 此朱子所以深於文勢也.
한 번 흩음으로 그것이 '피를 제거하며[血去]'와 '두려움에서 벗어남[逖出])'에 둘로 해석되니, 이는 주자가 문장의 형세를 깊이 이해한 것이다.

象曰, 渙, 其血, 遠害也.

정전 「상전」에서 말하였다: "흩어짐에 그 피"는 해로움을 멀리하는 것이다.

象曰, 渙其血, 遠害也.

본의 「상전」에서 말하였다: "그 피를 흩음"은 해로움을 멀리하는 것이다.

中國大全

傳

若如象文, 爲渙其血, 乃與屯其膏同也, 義則不然. 蓋血字下, 脫去字, 血去惕出, 謂能遠害則无咎也.

만약 「상전」의 글과 같이 '환기혈(渙其血)'이라고 하면 바로 '둔기고(屯其膏)'와 문장구조가 같으나 뜻은 그렇지 않다. '혈(血)' 다음에 '거(去)'가 빠졌으니, '피가 제거되며 두려움에서 벗어남'은 해(害)를 멀리할 수 있으면 허물이 없음을 말한다.

小註

隆山陳氏曰, 上雖與三應, 超處渙上, 不爲所染, 故渙散其血, 捨之遠去. 去坎險之害而得无咎也.
융산진씨가 말하였다: 상효는 비록 삼효와 응하지만 뛰어넘어 환괘의 위에 있으니 물들지 않기 때문에 그 피를 흩으며 버리고 멀리 떠나간다. 감의 험함의 해로움을 떠나가니 허물이 없다.

○ 朱子曰, 渙卦亦不可曉. 只以大意看, 則人之所當渙者, 莫甚於己私, 其次須便渙散其小小群隊, 合成其大, 其次便渙散其號令與其居積, 以周於人, 其次便渙去患害. 渙是渙散底意思. 物事有當散底, 號令當散, 積聚當散, 群隊當散.
주자가 말하였다: 환괘 또한 이해할 수 없다. 단지 대략적인 뜻을 보자면, 사람이 마땅히

흩어야 하는 것은 자기의 사사로움보다 심한 것이 없고, 다음으로 소소한 무리들을 흩어 큰 것을 이루어야 하고, 다음으로 호령과 재화를 흩어서 사람들에게 두루 미치게 하고, 다음으로 근심과 해로움을 흩어버린다. 사물에는 마땅히 흩어야하는 것이 있으니 호령을 흩어야 하고 재화를 흩어야 하고 무리〔붕당〕를 흩어야 한다.

○ 厚齋馮氏曰, 渙六爻, 皆以兩兩相比爲象, 初拯馬而二奔机, 三渙其躬而四渙其群, 五渙其汗而上渙其血. 蓋當物情渙散之時, 皆相比以相依也.
후재풍씨가 말하였다: 환괘의 여섯 효는 모두 둘둘씩 서로 이웃하는 것을 가지고 상을 삼았는데, 초효의 구원하는 말과 이효의 궤, 삼효의 자기를 흩는 것과 사효의 붕당을 흩는 것, 오효의 땀을 흩는 것과 상효의 피를 흩는 것이다. 물정이 흩어지는 때에는 다 서로 이웃함을 서로 의지한다.

○ 節齋蔡氏曰, 渙散也. 以成卦言之, 則在二與四, 以治渙言之, 則惟五與四當位. 故於五曰正位, 於四曰得位. 四能渙其群而上同, 五能正王位而出令, 所以濟渙也. 其初與二, 救渙者也. 三則自治其渙, 上則避渙而已.
절재채씨가 말하였다: 환은 흩어짐이다. 괘를 이룬 것으로 말하면 이효와 사효에게 있고, 흩어짐을 다스리는 것으로 말하면 오효와 사효에 있다. 그러므로 오효에 '바른 자리'라고 하였고 사효에 '자리를 얻음'이라고 하였다. 사효가 그 붕당을 흩어서 위와 함께 하고 오효가 왕위를 바로해서 호령을 내면 흩어짐을 구제할 수 있다. 초효와 이효는 흩어짐을 구제하는 자이다. 삼효는 스스로 흩어짐을 다스리며 상효는 흩어짐을 피할 뿐이다.

○ 建安丘氏曰, 當渙之時, 惟剛柔上下, 相合而不散者然後, 能拯渙. 在渙六爻, 初柔也, 二剛也, 二附就, 初在下, 相合以任拯渙之責. 故初拯馬壯吉, 而二奔机得願也. 五剛也, 四柔也, 四上同五在上, 相合以成濟渙之功, 故四渙群元吉, 而五渙汗无咎也. 此四爻, 皆協力以拯渙者. 至三上, 居相應之位, 以遠而不能相及, 故三則但能渙其躬之難而无悔, 上則不過渙血以遠害而已.
건안구씨가 말하였다: 흩어지는 때를 만나서 오직 강과 유가 서로 합해서 흩어지지 않은 뒤에 흩어짐을 구원할 수 있다. 환괘의 육효에서 초효는 유이고 이효는 강인데 이효는 아래로 달려가고 초효는 아래에 있어서 서로 합해서 흩어짐을 구원하는 책임을 맡는다. 그러므로 초효는 구원하는 말이 건장해서 길하고 이효는 궤로 달려가 소원을 얻는다. 오효는 강이고 사효는 유인데 사효는 위와 함께하고 오효는 위에 있어서 서로 합해서 흩어짐을 구원하는 공을 이룬다. 그러므로 사효는 붕당을 흩어서 크게 길하고 오효는 땀을 흩어서 허물이 없다. 이 네 효는 모두 협력해서 흩어짐을 구원하는 자이다. 삼효와 상효의 경우는 서로

응하는 자리에 거처하여 멀리하고 서로 다다르지 않으니 삼효는 단지 자기 몸의 어려움만 흩어서 후회가 없고, 상효는 피를 흩고 해로움을 멀리하는데 불과하다.

韓國大全

김상악(金相岳) 『산천역설(山天易說)』

害者, 坎險之害也.
'해로움'은 감괘인 험함의 해로움이다.

서유신(徐有臣) 『역의의언(易義擬言)』

渙血者, 遠害之謂也.
'피를 흩음'은 해로움을 멀리하는 말이다.

심대윤(沈大允) 『주역상의점법(周易象義占法)』

異類異端, 斯害也. 上九不及焉, 故曰遠害也.
이류(異類)와 이단(異端)은 이에 해로울 뿐이다. 상구에는 미치지 않으므로 "해로움을 멀리한다"고 했다.

○ 渙又爲憂疑散釋之象. 坎爲憂疑, 而風以散之. 凡人之憂疑, 則氣結聚, 喜悅, 則發散, 渙所以次兌也. 初六能自信, 而不爲憂疑所動也. 九二賴人之力, 而解其切近之患也. 六三能解自家之憂也. 六四能解親鄰之患也. 九五能解天下之憂也. 上九憂患亦有不可强免者, 强免其小患, 則大患將及也.
환괘는 또 근심과 의심이 흩어지고 풀어지는 상이 된다. 감괘는 근심과 의심이 되는데 바람으로 흩는다. 사람이 근심하고 의심하면 기운이 결합되어 모이고, 즐거워하고 기뻐하면 드러나 흩어지니, 환괘가 이 때문에 태괘의 다음이다. 초육은 스스로를 믿을 수 있어 근심과 의심에 동요되지 않는다. 구이는 남의 힘을 신뢰하여 그 크고 가까운 근심을 푼다. 육삼은 자신의 근심을 풀 수 있다. 육사는 가까운 무리[親鄰]의 근심을 풀 수 있다. 구오는 천하의 근심을 풀 수 있다. 상구의 우환에는 또한 억지로 면할 수 없는 것이 있으니, 작은 근심을 억지로 면하게 되면 큰 근심이 이르게 된다.

오치기(吳致箕) 「주역경전증해(周易經傳增解)」

上剛在外, 而下險在內, 故已濟渙而遠害也.
위로 굳센 양이 밖에 있고 아래로 험함이 안에 있으므로 이미 흩음을 구제하여 해로움을 멀리한다.

이진상(李震相) 『역학관규(易學管窺)』

遠害也.
해로움을 멀리하는 것이다.

渙其血, 省文也, 非有脫字, 當從朱子說. 若王居旡咎, 則恐非節做句處.
'피를 흩음'은 생략된 문장이지만 빠진 글자가 있는 것은 아니니, 마땅히 주자의 설명을 따라야 한다. 구오의 '왕의 재화를 흩어주면 허물이 없음[王居旡咎]'과 같은 것은 아마도 절이 아닌 구로 처리할 곳이다.

이병헌(李炳憲) 『역경금문고통론(易經今文考通論)』

虞曰, 坎爲血爲逖, 逖憂也.
우번이 말하였다: 감괘는 '피'가 되고 '두려워함[逖]'이 되니, '적(逖)'은 근심이다.

程傳曰, 謂能遠害則旡咎也.
『정전』에서 말하였다: '해(害)'를 멀리할 수 있으면 허물이 없음을 말한다.

한국주역대전 편찬실

연구책임자 최영진_성균관대 교수, 율곡학회 회장

연구실장 임옥균_성균관대

연구팀장 김학목_고려대

이선경_성신여대

허종은_성균관대

전임연구원 강필선_서일대

김병애_서울시립대

윤종빈_충남대

이경한_성균관대

이상훈_형양사범대

정병섭_전북대

조희영_숭실대

진성수_전북대

최정준_동방문화대

함윤식_성균관대

연구원 김송자_성균관대

단윤진_성균관대

마용철_성균관대

오상현_숭실대

정진욱_성균관대

이윤정_성균관대

김혜일_경희대

이은호_성균관대

한국주역대전 11 귀매괘·풍괘·려괘·손괘·태괘·환괘

초판 인쇄 2017년 8월 10일
초판 발행 2017년 8월 30일

엮 은 이 | 한국주역대전 편찬실
펴 낸 이 | 하운근
펴 낸 곳 | 學古房

주 소 | 경기도 고양시 덕양구 통일로 140 삼송테크노밸리 A동 B224
전 화 | (02)353-9908 편집부(02)356-9903
팩 스 | (02)6959-8234
홈페이지 | http://hakgobang.co.kr
전자우편 | hakgobang@naver.com, hakgobang@chol.com
등록번호 | 제311-1994-000001호

ISBN 978-89-6071-691-9 94140
978-89-6071-680-3 (세트)

값 : 1,250,000원 (전14책)

이 도서의 국립중앙도서관 출판예정도서목록(CIP)은 서지정보유통지원시스템 홈페이지(http://seoji.nl.go.kr)와 국가자료공동목록시스템(http://www.nl.go.kr/kolisnet)에서 이용하실 수 있습니다. (CIP제어번호 : CIP2017021509)